DA CRIAÇÃO
AO ROTEIRO

CIP-BRASIL. CATALOGAÇÃO NA PUBLICAÇÃO
SINDICATO NACIONAL DOS EDITORES DE LIVROS, RJ

C731d

Comparato, Doc
    Da criação ao roteiro : teoria e prática / Doc Comparato. - [5. ed.]. - São Paulo : Summus, 2018.
    720 p. : il.

    Inclui bibliografia e glossário
    ISBN 978-85-323-1113-9

    1. Redação de textos para cinema. 2. Redação de textos para televisão. I. Título.

18-50846   CDD: 808.02
                                                                       CDU: 808.2

Meri Gleice Rodrigues de Souza - Bibliotecária CRB-7/6439

www.summus.com.br

Compre em lugar de fotocopiar.
Cada real que você dá por um livro recompensa seus autores
e os convida a produzir mais sobre o tema;
incentiva seus editores a encomendar, traduzir e publicar
outras obras sobre o assunto;
e paga aos livreiros por estocar e levar até você livros
para a sua informação e o seu entretenimento.
Cada real que você dá pela fotocópia não autorizada de um livro financia o crime
e ajuda a matar a produção intelectual de seu país.

Doc Comparato

DA CRIAÇÃO AO ROTEIRO

Teoria e prática

DA CRIAÇÃO AO ROTEIRO
Teoria e prática
Copyright © 2009, 2018 by Doc Comparato
Direitos desta edição reservados por Summus Editorial

Editora executiva: **Soraia Bini Cury**
Assistente editorial: **Michelle Campos**
Capa: **Alberto Mateus**
Foto de capa: **Cristina Granato**
Diagramação: **Crayon Editorial**

2ª reimpressão, 2022

Summus Editorial
Departamento editorial
Rua Itapicuru, 613 – 7º andar
05006-000 – São Paulo – SP
Fone: (11) 3872-3322
http://www.summus.com.br
e-mail: summus@summus.com.br

Atendimento ao consumidor
Summus Editorial
Fone: (11) 3865-9890

Vendas por atacado
Fone: (11) 3873-8638
e-mail: vendas@summus.com.br

Impresso no Brasil

O livro *Da criação ao roteiro* é adotado pelo Real Instituto Oficial de Rádio e Televisão da Espanha, pelas universidades do Cone Sul, de Portugal e da Itália, bem como em separatas pelas Escolas de Cinema de Berlim e Munique. Todavia, esta é uma edição em comemoração aos meus 40 anos de carreira de roteirista e professor, portanto abriga uma nova versão totalmente renovada em diversos aspectos e sentidos.

À Lorena, a mais nova das minhas três formosas filhas.

O autor tem direito ao prefácio e aos agradecimentos, mas creio que ao leitor pertencem tanto um como o outro, isto é, um silencioso e agradecido posfácio.

Parafraseando Nietzsche [variante descartada do §38 de *Humano, demasiado humano* (1877), citada no posfácio do tradutor de *Human, all too human* [I]. Trad. Gary Handwerk. Palo Alto: Stanford University Press, 1995, p. 361]

SUMÁRIO

Apresentação à nova edição 13

Parte 1 – O roteirista como escritor 17
1.1. Panorama – Dramaturgia e criatividade 19
1.2. O roteiro – Definição, conceitos e revelações 39
1.3. A ideia – Origem, fontes e referências 51
1.4. O conflito – *Logline, storyline, outline* 77
1.5. Sinopse – Argumento, personagem, relatos de criadores 91
1.6. A construção dramática – Como escrever uma história 127

Parte 2 – O roteirista como dramaturgo 141
2.1. Estrutura dramática – Macro e micro 143
2.2. Diálogo – Tempo dramático 205
2.3. A cena – Unidade dramática e planilhas 263
2.4. O tratamento – Primeiro e final 281

Parte 3 – Roteiros inéditos 315
3.1. Formatação-padrão – Episódio de série 317
3.2. Roteiro inédito – Episódio de série 321
3.3. Roteiro inédito – Curta 363
3.4. Concursos – Competições e festivais 383
3.5. Conclusão e exercícios 387

Parte 4 – Roteiristas, honorários e contratos 389
4.1. O roteirista e seu ofício 391
4.2. Mercado e reconhecimento 395
4.3. Abra, Gedar e o nosso futuro 407
4.4. Honorários, contratos e proteção legal 413
4.5. Outras funções do roteirista 433
4.6. Conclusão 439

Parte 5 – Outros roteiros 443

5.1. Adaptação 445

5.2. Show, musical, clipe e grandes eventos 453

5.3. Documentário, educativo, esporte 459

5.4. Infantis, *comics*, animação 467

5.5. Conclusão e exercícios 479

Parte 6 – Novas mídias 481

6.1. Roteiro e tecnologia 483

6.2. Comunicação – E-mail, redes sociais, hipertextos e sites 487

6.3. Mundos virtuais, *games* e webséries 505

6.4. Realidade virtual e roteiro inédito 525

6.5. Inteligência artificial – 3D 543

6.6. Depoimento de um físico – Leis e possibilidades 551

Parte 7 – Humor e comédia 559

7.1. Ingredientes para comédia e humor – Pessoas e palavras 561

7.2. *Sitcom* – Conceito e comentários 571

Parte 8 – Meios e linguagens 579

8.1. O emissor – Classificação, Ancine 581

8.2. Programação – Táticas, o meio 597

8.3. O receptor – Pré-audiência e audiência 613

8.4. Cabo, *streaming* e VoD 619

Parte 9 – Textos secretos de um roteirista 625

9.1. Decálogo de um jovem roteirista 627

9.2. O diário secreto 637

9.3. Epitáfio para um roteirista 655

9.4. Arqueologia da escrita 661

9.5. Conclusão e exercícios 681

Parte 10 – Anexos 683

10.1. Amplo estudo bibliográfico e sites 685

10.2. Glossário 705

10.3. Posfácio e agradecimentos 717

APRESENTAÇÃO À NOVA EDIÇÃO

Estamos em 2018 e completo **40 anos na profissão de roteirista e dramaturgo.** Alguns anos foram difíceis e outros fáceis. Tive meus altos e baixos.

Todavia, não posso me queixar da quantidade de culturas, diversidades e visões que tive o prazer de conhecer pelo mundo, sempre embalado pela minha profissão de roteirista.

Trabalhei praticamente de Los Angeles até Moscou, cobrindo toda a Europa, as Américas e parte da Ásia, chegando à Sérvia e ao Cairo. E em diversas posições nesse universo chamado roteiro.

Fui autor, coautor, *script doctor,* **supervisor, analista, professor, consultor e colaborador em diversas línguas, lugares e situações.** Olhando o passado, posso dizer que vivi mais fora do Brasil do que nele. Portanto, recebi influências planetárias no instante em que tive de me adaptar e aprender os costumes de cada país, de outros colegas espalhados pelo mundo. Mas nunca deixei de ser reconhecido como um roteirista e escritor brasileiro.

Além disso, meu livro *Roteiro* e posteriormente este *Da criação ao roteiro* foram editados em sete países, sendo adaptados em cada língua aos gostos e referências locais.

Agora no Brasil, escrevo mais uma edição revista e atualizada do referido livro. Creio que seja mais que isso, e sabem por quê? Por tudo que foi escrito até aqui.

Em primeiro lugar concluí que um roteirista e dramaturgo deve ter uma gama de talentos única e bastante múltipla, pois seu trabalho começa no papel e atualmente pode até acabar em uma realidade virtual.

Também nasceu uma nova visão do meu trabalho; assim, ele passou a ser dividido em dois momentos capitais: **aquilo que o roteirista escreve para ser lido** e **aquilo que ele escreve para ser visto ou captado pela câmera.**

Cheguei a essa divisão após 40 anos de experiência. E posso declarar que até hoje não tomei conhecimento de nenhum teórico dos meios audiovisuais que tenha utilizado essa nomenclatura como marco fundamental da dramaturgia e do roteiro.

Isso posto, posso afirmar que do ponto de vista criativo o roteirista caminha pela filosofia da sua escrita, passa a ser um contista, depois um romancista, e com isso ele termina a primeira fase de seu trabalho, que se chama escrever para ser lido.

Entrando na segunda fase, ele passa a trabalhar em outro nível e segundo outra razão, a imagética, sendo assim obrigado a pensar, criar e escrever de modo diferente da primeira fase. Torna-se assim um dramaturgo, dialogista e instrutor de trabalho para outros profissionais, quando entrega o roteiro final.

Num primeiro momento ele escreve *logline*, *storyline*, *outline*, o argumento ou sinopse, a temporalidade, a localidade, o perfil dos personagens e a construção dramática ou literária da sua história. Tudo para ser lido.

Num segundo instante ele cria a estrutura dramática, a cena, o diálogo e o primeiro roteiro. Tudo isso em função da imagem.

Dessa forma, podemos dividir todas essas funções em outros termos. Na primeira fase, temos a criação da ideia e a descrição das personagens. O escritor torna-se, portanto, argumentista.

Na segunda fase, o profissional se transforma em criador (estruturador) da escaleta dramática, dramaturgo, dialogista, tornando-se um roteirista.

Essa divisão pode parecer aparentemente simplória, mas em sua essência ela exige do profissional um leque enorme de capacidades criativas. Com focos diferentes, escritas diversas e acima de tudo qualidades criativas bem exigentes, daí a divisão do trabalho.

Esse raciocínio pode parecer lógico, mas é acima de tudo significativo, pois esse profissional precisa ter uma série de virtudes, capacidades e ofícios para correr de um lado para o outro, carregando uma bagagem quase sempre desvalorizada, mas de vital importância para o audiovisual. **É a imagética a serviço da condição humana.**

E cito Gabriel García Márquez, com quem tive o prazer de trabalhar e do qual me tornei amigo: "O roteirista será o escritor do terceiro milênio".

Hoje temos na praça argumentistas, dialogistas e colaboradores de roteiro (para a confecção de personagens, de uma trilha dramática), além de supervisores finais ou *script doctors*.

E tudo isso você encontrará neste livro. Tanto em seu aspecto técnico, isto é, em suas necessidades e ingerências, quanto em seu aspecto criativo: o talento específico para determinada tarefa.

Enfim, faremos o passo a passo desses momentos para que o leitor receba uma visão didática ampla sobre a arte técnica de escrever para meios audiovisuais. Tais momentos são chamados de pontos fundamentais ou clássicos, ou imprescindíveis do roteiro. Analisaremos um a um, desde seu conceito, mostrando exemplos e sugerindo exercícios.

Os verdadeiros autores e criativos não precisam ter medo das novas tecnologias, porque qualquer que seja o veículo sempre se vai precisar de conteúdo dramático. Também acrescento minha experiência com o roteiro de realidade virtual e compartilho seu modo de ser diferenciado.

Também para esta abertura confesso que aprendi que **existe apenas uma lei em dramaturgia: não existem leis em dramaturgia.** O que encontramos são princípios, qualidades ou necessidades dramáticas que precisam ser respeitadas. De resto, a dramaturgia é criatividade pura que não comporta barreiras.

Se isso não fosse verdade, ainda estaríamos nos cinco atos da Renascença, ou pior, nos coros gregos de séculos antes de Cristo e não nos três atos atuais dos teóricos americanos, que não se encaixam mais na velocidade nem na temporalidade das plataformas digitais. No entanto, não vamos desprezar este fabuloso e útil material, os três atos. Ao contrário, vamos explicá-los, trabalhar com eles e definir a sua utilidade nos dias atuais.

O autor-roteirista deve estar sempre em sintonia com o mundo que o rodeia. Aliás, sempre afirmei que a curva de três atos é apresentada como imutável, com pontos fixos de virada, quando na verdade ela vibra, sobe e desce, tendo como resultado (seu traço final) o somatório das cenas essenciais contidas na estrutura do roteiro. Mas discutiremos esse assunto ao longo destas páginas.

Outro aspecto que gostaria de colocar nesta abertura relaciona-se à bibliografia, aos gráficos e a grande parte das estatísticas.

Atualmente as transformações são tão rápidas que preferimos indicar, em cada segmento, sites especializados para ser consultados, em vez de fixar números e valores que com o tempo perdem atualidade.

Aproveito para acrescentar uma pequena nota final, declarando que todo o conteúdo inserido neste livro pretende ter uma longa sobrevida. Portanto, ele não é apenas mais um manual, trata-se de um livro de consulta com referências clássicas e do que existe de mais recente e concreto sobre o audiovisual.

Ainda plasmado em cada segmento, acrescento três itens novos: tendências, digressões ou opiniões (outras visões).

Esse material não necessariamente estará em algum subtítulo, mas sim, por vezes, espalhado pelo texto.

Aproveito para agradecer aos profissionais, especialistas em suas respectivas áreas, que de forma direta ou indireta contribuíram para o conteúdo deste livro.

Recordo agora que em latim as palavras "inventar" e "descobrir" são sinônimos. Aliás, segundo Aristóteles a multiplicação desses dois verbos teria como resultado o ato de "recordar".

Se não existem invenções ou descobertas, só recordações, o criar torna-se com efeito um admirável exercício da memória. Um incansável esforço do lembrar.

Tal hipótese seria apenas curiosa se não fosse também verdadeira. Pois um dos efeitos mais perturbadores do ato de criar é aquele que nos dá a sensação de que não estamos descobrindo nada de novo, somente resgatando algo esquecido.

O talento da criação estaria na maneira que utilizamos para revelar aos outros esse algo – uma história, uma vida, saga ou percepção – que sempre existiu, mas de alguma forma oculta foi esquecido pela humanidade. Ficou adormecido sem emocionar ninguém. E é exatamente o que você encontrará nesta obra: uma jornada cuja missão é ressuscitar todos os aspectos da criação de roteiros.

Transponho para o livro como exercitar instintos, emoções e sensibilidades, mas acima de tudo a capacidade de imaginar.

E como em todo sonhar, mesmo aquele de olhos abertos, o leitor perceberá que não existem certezas e que nada é absoluto. Notará que cada detalhe do roteiro tem sua importância: a trama, o fluxo narrativo, o diálogo e os personagens que atuam sob determinadas cargas dramáticas.

É justamente esta a função deste livro: transmitir conhecimento mediante a arte e a técnica de escrever para o audiovisual.

Enfim, tentarei submergir o leitor em seu processo imaginativo e de criação, em toda essa arriscada massa indefinível e visionária que precede a escritura de um roteiro, até a completude do processo. Um caminho sem limites ou barreiras, ancorado na ficção, na paixão e no desejo de ser roteirista. Tendo como meta ressuscitar uma história esquecida ou o sonho de lograr sua realização profissional.

Afinal, como afirmou William Shakespeare: "Somos feitos da mesma matéria que nossos sonhos".

Doc Comparato
Rio de Janeiro, no raiar de 2018

Parte I

O ROTEIRISTA COMO ESCRITOR

"Quem é tão firme que não possa ser seduzido?"

Shakespeare (*Julius Caesar*, 1623, ato 1, cena 2, linha 309)

"A arte é a expressão da imaginação do homem,
sabendo-se que a imaginação é a alma da sua existência."

Doc Comparato

1.1 PANORAMA – DRAMATURGIA E CRIATIVIDADE

REFLEXÕES SOBRE A DRAMATURGIA

A dramaturgia começa com a história da humanidade. É uma das mais antigas expressões da capacidade artística do ser humano. Arte de representar emoções por meio de personagens vivenciadas por atores.

Nascida em altares, palcos, grutas ou arenas, ela passou a existir desde o instante em que o homem iniciou a aventura do imaginar. Podemos dizer que são dezenas de milhares de anos de história da dramaturgia. Números e mais números, anos e séculos, um longuíssimo período para ser analisado e estudado.

Todavia, se usarmos outra medida para vislumbrar a milenar história da dramaturgia alcançaremos um novo panorama. Podemos dividir por décadas, ciclos históricos ou movimentos artísticos. Preferimos escolher outra medida, que chamamos de períodos geracionais.

Sabendo que o homem, de acordo com as últimas revelações da ciência, deixou de ser nômade pelos últimos 50 mil anos, dividiremos tal quantia de anos por essa constante chamada de **período geracional** e assim poderemos estudar passo a passo a evolução da dramaturgia com números menores. Obviamente a possibilidade de nos perdermos será menor, mesmo levando em conta que a nossa constante é aleatória. Aliás, todos esses números e cifras são apenas aproximações matemáticas, já que afirmações de que o *Homo sapiens* moderno existe há 190 mil anos ou de que tal achado é de 150 mil anos são suposições. Valem apenas para compor teorias e esclarecer o raciocínio.

Para enxergar uma panorâmica da dramaturgia, ao contrário do que se pensa, é melhor dividir, partir em pequenos pedaços, em vez de querer abraçar um todo. Pode parecer um paradoxo, mas enxergaremos exatamente em que ponto começa a arte cinematográfica, a televisiva e a teatral.

Senão vejamos: supondo que um período geracional é marcado pela fecundidade das mulheres dentro de um sistema familiar, conclui-se que a cada 65 anos teremos um conjunto formado por uma neta começando a menstruar, uma mãe adulta em plena atividade hormonal e uma avó na menopausa. A esse ciclo de 65 anos vou chamar de período geracional.

Reafirmo que esses cálculos são aproximados, matematicamente desprovidos de verdades, mas impossíveis de ser contra-argumentados com outras "puras verdades". De acordo com P. B. Medawar e J. S. Medawar, em *The life science* (1977), "o comportamento humano é único por ser genuinamente intencional e falho, somente os seres humanos guiam o seu comportamento por um suposto conhecimento do que aconteceu antes de nascerem e uma preconcepção do que pode acontecer depois que morrem".

Assim, o período geracional é uma medida como outra qualquer, mas terrível quando uma família inteira (neta, mãe e avó) morre, retirando sua cadeia genética e destruindo um período geracional completo da existência.

De todas as formas, tornando o período geracional uma unidade de tempo e sabendo que o homem coloniza o planeta pelos últimos 50 mil anos, ao operar a divisão de 50 mil anos por 65 anos chega-se ao resultado aproximado de que o homem viveu 800 períodos geracionais. Oitocentos períodos geracionais é um número mais fácil de lidar e que nos capacita a observar com maior distância a história da palavra, da comunicação de massa e do drama.

Dos 800 períodos geracionais, o homem passou 650 deles desenhando pequenos búfalos e outros animaizinhos nas cavernas. São as famosas pinturas rupestres, datadas em centenas de anos e que francamente pouco de arte contêm. São fragmentos de arte pictórica de imenso valor arqueológico, mas de pouco valor artístico. É o início da evolução.

Concluindo, na maior parte da sua existência a humanidade inventou a roda, descobriu que o fogo queima e pintou bichinhos nas cavernas.

Só nos últimos 93 períodos surgiu a escrita, a capacidade de se comunicar por meio da palavra escrita. E nos últimos nove a possibilidade de repetir a palavra, o pensamento e a imagem com a invenção de uma máquina capaz de fazer as outras máquinas de impressão multiplicarem produção, volume e qualidade. Estamos falando de Gutenberg e de sua máquina de impressão (linotipo), um passo gigantesco na expansão da cultura e da propagação da palavra escrita, da ideia.

Essa diabólica máquina ocasionou significativas reações e oportunismos que ainda nos parecem atuais e provam que a história pouco ensina aos homens. Em 1515, o Senado de Veneza tentou banir a máquina de impressão por ela ser considerada uma meretriz, já que a abundância de livros tornava os homens menos estudiosos. Ao mesmo tempo, concedia ao abastado editor Aldo Manúcio o monopólio das edições em grego e também o direito de usar o tipo itálico para imprimir em latim – aliás, sob protesto do desenhador Francisco Griffo, que acabou enjaulado. Nascia simultaneamente a censura, a perda dos direitos autorais e o monopólio dos meios de comunicação, sementes que germinam até hoje.

Nos últimos quatro períodos mede-se o tempo com precisão. O uso da eletricidade incandescente existe há somente dois períodos, graças a Thomas Edison. E todo o resto, incluindo nós mesmos, somos filhos de todas as **descobertas e imagéticas do século XX.**

Desde a descoberta do selênio em 1817 até o iconoscópio em 1924 e a primeira transmissão televisiva em 1939, passando pela massificação da TV nos anos 1950, pelo vídeo nos anos 1960 e pelo *chip* nos anos 1970, tudo transcorreu numa partícula de tempo arrebatadora jamais vista ou sentida pela humanidade. Com a chegada do novo milênio, já tendo a internet, houve uma explosão exponencial. Atualmente somos testemunhas da nuvem, dos *streamings*, do VoD, do YouTube e das redes sociais (que discutiremos adiante).

Concentram-se no último período geracional as revoluções e os movimentos artísticos, musicais, dramáticos e teatrais mais impactantes, todos numa cadência ininterrupta e impressionante.

CURVA EXPONENCIAL DA COMUNICAÇÃO DE MASSA

A velocidade progressiva da comunicação de massa é tão intensa que o tempo real parece correr mais rápido do que os próprios fatos históricos que lhe dão vida. Se até em termos cotidianos a vida é assim, na dramaturgia sentimos um processo de sínteses tão expressivas que as cenas se tornam mais curtas, como se tudo tivesse de ser contado pelo roteirista com rapidez e sem perda de tempo. **A ação dramática não pode parar** (veja o segmento 1.6).

A dramaturgia nasceu como um suporte para a teologia e a religião. Com o tempo se tornou a própria arte da ilusão e, acima de tudo, uma expressão autoral, já que sempre existirá alguém que escreverá, concretizará em palavras sua imaginação, uma história para ser contada para os outros seres.

É bom lembrar que nos altares gregos, romanos, incas etc. seres mascarados se passavam por enviados dos deuses e proclamavam sentenças e presságios para povos atônitos. Hoje não é muito diferente. Os políticos se maquiam, os sacerdotes usam paramentos e os generais suas fardas. Todavia, a verdadeira ficção se dá nas telas de cinema, TV e computador. Ali é que o reino da imaginação acontece de fato.

E abro um parêntese para alertar quanto à diferença entre os termos **imaginação** e **fantasia** na dramaturgia. Pois, enquanto a imaginação percorre tempo e espaço dando asas ao criador, a fantasia se torna até certo ponto um mecanismo restritivo ao repetir várias vezes a mesma história ou o mesmo desejo obsessivamente (veja o segmento 1.3).

Advirto também que não vou me debruçar sobre a história da dramaturgia com seus autores clássicos, dramaturgos e roteiristas, pois existe soberbo material bibliográfico e iconográfico sobre o tema. Em todo esse universo chamo a atenção apenas para a força viva da expressão e da representação do humano, que absorve até a própria teologia inicial que a criou e lhe deu abrigo. Vide representações da paixão de Cristo, da vida de Abraão e de outros profetas. Filmes, séries, minisséries e representações religiosas feitas por atores e com roteiros originais.

Resumindo: se sabemos como e por que nasceu a curva exponencial que vivemos hoje, não temos previsão de até onde ela pode chegar. O jogo da dramaturgia é muito mais aleatório do que as sete notas musicais e, por conseguinte, apalpa o infinito, pois existem infindáveis tipos de identidade de cena, tanto de cenas essenciais como de cenas de transição e integração (veja o segmento 2.3).

A dramaturgia é lúdica porque tem como atração os limites da alma do homem, seus afetos, iras, paixões etc., e isso a cada instante marcado por um conflito. Como um deus falhado, sempre em dúvida, que é capaz de voar, alcançar a lua, conhecer as estrelas, mas tem a alma de um grego que caminha de sandálias como há dois mil anos.

Em outras palavras, apesar de termos toda essa tecnologia a nosso dispor não mudamos um milímetro de nossa alma inconsciente e conflitante. Não seguimos selvagens, mas ainda somos bárbaros. Matamos, odiamos, amamos, somos contraditórios e acima de tudo injustos. Somos poços de conflitos, e é essa água que dá vida à dramaturgia.

A dramaturgia não dá solução para a existência, muitas vezes levanta questões e uma das suas razões de existir é bem simples: o **que se faz nos palcos e nas telas não se deve fazer na vida**. Por meio de suas personagens, constrói e desconstrói o homem e às vezes é ultrapassada pela própria realidade, quando se escuta: "Essa história dava um filme", "Como essa mulher fez isso?", "Por que aquele homem mata?" etc. Isso porque a dramaturgia trabalha com os limites das emoções do ser humano, contradições por vezes tão profundas e obscuras que são capazes de surpreender até a própria dramaturgia.

CRIATIVIDADE

O *Dicionário Houaiss*[1] *da língua portuguesa* define a palavra **criatividade** como um substantivo feminino que significa "qualidade ou característica de quem ou do que é criativo; inventividade, inteligência e talento para criar, inventar, inovar, quer no campo artístico, quer no científico, esportivo etc.".

Com isso em mente, fica a dúvida: a criatividade pode ser aprendida ou ela é inata ao ser humano? É um dom dado pelos deuses a apenas alguns reles mortais? O que significa ser criativo, no século XXI, depois de William Shakespeare, Miguel de Cervantes[2], Machado de Assis, James Joyce, Clarice Lispector[3], Federico Fellini, Orson Welles e Bertolt Brecht?

Essas são perguntas que normalmente quem escreve se faz em algum momento da vida. Não importa se sua escrita for para o teatro, cinema, televisão ou literatura.

O ser humano nasceu com um potencial criativo que precisa ser desenvolvido; é o exercício, a prática que leva a pessoa a pensar "e se" quanto às suas várias potencialidades. Basta lembrar o que disse o bioquímico e ganhador do Prêmio Nobel de Medicina em 1937, Albert Szent-Györgyi[4]: "Criatividade consiste em olhar para a mesma coisa que todos, mas pensar em algo diferente".

O desenvolvimento cognitivo do ser humano é ativado pela criatividade, por isso toda criança deve ser estimulada nessa área, para que o processo de expansão do seu cérebro seja feito, capacitando-a a entender informações e conceitos, a aprender línguas e a ter habilidades perceptivas.

Pensar é associar ideias, e é nesse caldeirão que nasce a criatividade, para reestruturar e fundir elementos preexistentes. Somos influenciados por aquilo que lemos e por aquilo que vivemos. Nem mesmo o autor mais criativo poderá jurar que nunca foi influenciado por aqueles versos de seu poeta predileto, ou pela cena daquele filme, ou ainda por aquela frase que a mãe sempre dizia quando ele era criança.

Contudo, é bom frisar que **a criatividade tem de estar aliada a uma aplicação prática**. Acredito que a arte seja a expressão da imaginação do homem, sendo a imaginação a alma da existência.

Todavia, é necessário aliar a praticidade à imaginação, principalmente para quem tem o desejo de escrever para o audiovisual. Se na literatura mundos podem ser construídos num piscar de olhos, porque o papel aceita tudo, no caso do audiovisual é necessário pensar em custos, produção etc., principalmente se você é iniciante na área, já que não tem o peso de um veterano na hora de conseguir a verba para a produção. Aliás, mesmo os veteranos precisam pensar no custo da produção se querem que suas histórias sejam viáveis e produzidas.

Mas outra dúvida surge: criatividade depende de inspiração? O pintor Pablo Picasso disse, certa vez, que a inspiração precisa encontrá-lo trabalhando para se manifestar. É verdade. Conheci uma professora que me contou sobre um de seus alunos. Ele se inspirava olhando para as paredes manchadas de seu quarto. Um belo dia, o jovem viajou e, quando voltou, a mãe lhe tinha feito uma surpresa: pintara seu quarto. Ele teve de se reinventar e descobrir um novo gatilho para criar.

Por experiência própria confesso que por vezes, ao despertar de um sono longo e profundo, encontro soluções para cenas e estruturas que estou trabalhando – quando no dia anterior meu problema dramático parecia sem saída.

Jornalistas de veículos diários ou pessoas que por força da profissão precisem escrever diariamente, com *deadline* estipulado e restrito, não podem se dar ao luxo de esperar a "inspiração" chegar para redigirem. Profissionais assim são logo encaminhados para o Departamento Pessoal, porque não servem para a empresa. É bem verdade que há dias em que o texto "flui" com mais facilidade; em outros momentos, porém, isso não acontece, e escrever torna-se um verdadeiro **parto**. Mas a "criança" tem de nascer de qualquer maneira.

Então como resolver esse impasse entre criatividade e inspiração? Cada um tem a sua maneira, já que o processo criativo pode ser buscado por várias alternativas. Esse processo criativo não é fácil de explicar ou mesmo enunciar. Tem gente que busca a inspiração lendo um livro de poesia, tomando café num botequim ou mesmo olhando a bela figura de uma garota que passa ao balanço do mar.

O psicólogo J. P. Guilford[5], que tem um trabalho dedicado aos estudos ligados à inteligência humana e à criatividade, afirmou que nenhuma pessoa criativa consegue avançar sem experiências ou fatos prévios. **Ninguém cria no vazio ou com o vazio.** É verdade. A experiência com um objeto em questão, qualquer que seja ele, é necessária para ativar a criatividade. Mesmo que a pessoa desestruture aquele objeto, negando o que ele é, fazendo algo completamente diferente daquilo que a inspirou, deverá ter o conhecimento prévio desse objeto, antes de tudo, para poder negá-lo.

Um autor de ficção científica que cria um mundo particular e nunca antes visto só pode ter como ponto de partida o mundo em que ele vive. Por exemplo: no nosso planeta nos transportamos em automóveis; no mundo criado, o carro voa ou somos teletransportados.

Por isso estudar e ler são requisitos tão importantes. É com essa estrutura de conhecimento que a criatividade é aprimorada, principalmente se você quer fazer da escrita sua profissão. É preciso estar disposto a desenvolver sua potencialidade por meio de estudo, leitura e observação da vida. É preciso também perceber a realidade com atenção e objetividade, porém não cristalizá-la em uma verdade intocável. **Pois nosso dever é ficcionar, jamais copiar.**

Porém, nem tudo é exato como se pode pensar à primeira vista. A intuição também desempenha um papel importante nesse quesito para desenvolver e praticar a potencialidade. Não existe "receita de bolo" para aumentar a capacidade criativa, e a intuição pode entrar aí como fator essencial. É comum encontrar pessoas criativas dizendo que tomaram determinado rumo por intuição.

A situação se complica quando nem a intuição aparece e há um bloqueio de criatividade. Esse é um dos temores que mais assolam quem vive da escrita: seja sobre o papel ou na tela do computador. As ideias surgem e nenhuma parece boa o bastante para permanecer. *Delete* e *Backspace* são as teclas mais usadas, e uma angústia crescente é a tônica de dias e noites.

Roger Von Oech[6] escritor, fundador e presidente da Creative Think, empresa de consultoria localizada na Califórnia especializada em criatividade e inovação, nos alerta para alguns tipos de bloqueio mais frequentes:

- **Primeiro bloqueio**: a busca da **resposta certa**, a frase de efeito que o fará ganhar os maiores prêmios nacionais e internacionais. É frequente um autor de uma grande obra, seja ela para literatura, teatro ou audiovisual, dizer que demorou "x" meses ou mesmo anos para completar o trabalho. No cinema, o roteiro final passa por diversos tratamentos até que a obra possa ser vista pelo público. Isso acontece porque escrever é reescrever. Se o que se tem é apenas o final da história, comece pelo final. Se a sua ideia é apenas uma frase, comece por ela. Trabalhe com o que tem, e aos poucos a obra poderá crescer e frutificar, muitas vezes distanciada do que pensou originalmente. Não existe perfeição em dramaturgia, o êxito vem de uma conjugação de fatores internos e externos ao criador.
- **Segundo bloqueio**: descartar uma ideia porque ela não é lógica ou prática. Num primeiro momento, principalmente no início da escrita, não se deve ter pudores buscando o raciocínio lógico e prático, principalmente se a escrita em questão é para ficção. É necessário pensar e sempre levar em conta o custo de uma produção. Contudo, nessa etapa inicial, pensar no que é lógico ou não lógico pode ser fator preponderante para que o bloqueio mental se manifeste.
- **Terceiro bloqueio**: medo ou pudor de quebrar regras. Vivemos um período histórico no qual o "politicamente correto" serve muitas vezes como discurso para que artistas não possam dar voz e vez a determinados personagens. Com isso, uma realidade, que até bem pouco tempo não era tão presente, tornou-se companhia constante: a autocensura. É necessário ter em mente, sempre, que artistas são pessoas que nascem com a forte tendência e característica de querer quebrar barreiras. O pintor Pablo Picasso[7] já dizia que todo ato de criação é, antes de tudo, um ato de destruição. Ao se quebrar uma regra se está destruindo pensamentos que impedem o processo criativo.
- **Quarto bloqueio**: medo de errar. Muitas vezes as pessoas não se permitem errar. Claro que é ótimo ter razão, mas tomar algumas decisões erradas na vida e na dramaturgia faz parte do crescimento profissional e pessoal. Aceitação do erro e

mente aberta para seguir em frente são primordiais para quem deseja escrever. O pior caminho a trilhar é achar que sempre está certo ou nunca está certo. São dois extremos que correspondem às faces da mesma moeda. Quem escreve tem de estar despido do ego para ouvir o outro, refletir sobre o que este lhe diz e, depois de uma análise e reflexão, tomar uma decisão e seguir, seja acatando o que o outro disse, seja fazendo justamente o contrário. Pegue o que presta e jogue fora o resto, já diz o ditado popular.

- **Quinto bloqueio**: medo da rejeição. Aprender a lidar com a rejeição e a frustração faz parte do crescimento de cada indivíduo. A rejeição pode se dar por dois motivos: o seu texto está à frente do que a sua geração é capaz de entender (vide Clarice Lispector, nascida na Ucrânia, que é a escritora brasileira mais lida atualmente no mundo), e aí não faltam exemplos, em todas as áreas, de pessoas cujas propostas foram rejeitadas inicialmente: o criador da máquina de xerox, Chester Carlson, teve seu invento rejeitado por 21 empresas; Walt Disney[8] foi demitido da Kansas City Newspaper porque não tinha boas ideias e sua imaginação era pobre. Esses exemplos não podem ser esquecidos.

Contudo, há também a possibilidade de o caminho que você trilhou estar realmente equivocado, e aí a humildade para uma autoavaliação é importante. Se pessoas em quem você confia lhe apontam os mesmos erros, é fundamental reavaliar o caminho traçado.

É sempre bom ter em mente que todos esses possíveis bloqueios podem surgir na hora do processo criativo. Estar consciente deles é o primeiro passo para superá-los.

ROTEIRISTAS E DRAMATURGOS

Dramaturgo para mim é sinônimo de roteirista de teatro e/ou televisão e/ou plataformas digitais, e faz parte de um dos ramos da literatura. Nas várias etapas da construção de um roteiro ou peça teatral, o autor roteirista tem seu momento poético, de contista e por fim de estruturador e dialogista. Enfim, deve saber manejar a palavra com **destreza**, **ofício** e **diversidade** (veja o tópico "Diálogo e tempo dramático").

Mas, diferentemente do escritor de livros, ele não escreve a palavra implícita, isto é, para ser lida por uma só pessoa. Escreve a palavra explícita, que deve ser absorvida por uma segunda pessoa, o ator, que a interpretará para uma multidão por meio de uma personagem. É literatura também, mas a serviço de uma cadeia de criação coletiva. Depende de outros artistas e do talento alheio para se tornar realidade. Portanto, é muito mais difícil sua concretização, pois enquanto um necessita de um editor e de uma livraria o outro necessita de um batalhão de profissionais criativos para dar forma e vida ao material escrito.

Ao contrário do que se pensa, ou do que exigem os livros de roteiro dos prepotentes teóricos norte-americanos, em dramaturgia não existem leis. Ou melhor, existe uma única lei que jamais deve ser rompida, como afirmei na Apresentação: **não existe lei em dramaturgia.** Os roteiros são redigidos com base em princípios dramáticos, qualidades, exigências, componentes e conteúdos, que não são rígidos ou, melhor dizendo, rigorosos em sua utilização. Eles devem estar presentes qualitativamente, mas não quantitativamente.

Essa falta de "leis" dramáticas é um dos grandes méritos aristotélicos (teatro grego), sendo válida até hoje, pois é com base nela que se cria o que se chama de autoria, os novos movimentos artísticos e a cosmologia de um criador.

É importante notar que a arte do roteiro não segue a lei de Newton, não existem reações emocionais iguais e contrárias, porque as personagens são tão imprevisíveis como a própria plateia. Portanto nasce daí o sentido da surpresa dramática. Logo, a física está bem longe da mecânica de um roteiro.

Com certeza a dramaturgia é antieinsteiniana. Ela não ganha conteúdo com o tempo real, é abstraída por ele. O tempo real ou acelerado, ao contrário do que dita Einstein, reduz a dramaturgia. O que amplia o drama é o tempo dramático. A profundidade do conflito humano, que é uma medida temporal, mas não física: é psíquica.

A velocidade dramática é dada pela carga emocional, em um espaço e tempo criados artificialmente por um autor, ocasionando em um espectador a capacidade de "viver" sem ter de se sujeitar a passar pela experiência efetiva de determinada situação e concomitantemente permanecendo no tempo real.

Por fim, o roteiro e a arte dramática são antifreudianos, pois não são atemporais como o inconsciente. Eles colocam o espectador em determinada situação/tempo/ espaço, criando uma identidade com uma das personagens. Então esse ser ri, chora, torce e se transforma no outro. Um ser ficcional.

A capacidade ficcional não tem nenhuma relação com a moral, com a política, nem com a matemática, com a física, muito menos com a psicanálise. Talvez seja o conjunto delas, ou nenhuma delas. Ou talvez por perturbar todas essas matérias a ficção ainda sofra perseguições e censuras em pleno terceiro milênio. Mas certamente desnuda a sensibilidade do ser humano de abstrair sem revelar emoções. O bom texto entretém enquanto informa e forma o mundo de uma maneira até hoje misteriosa.

O roteiro ou texto dramático passa três julgamentos: o primeiro é o da plateia, o segundo é o da crítica e o terceiro é o do tempo. Esse juiz de três faces seria uma curiosa aberração se não fosse verdadeiro.

Textos são enaltecidos pela plateia, massacrados pela crítica e esquecidos com o passar do tempo. Com outros roteiros acontece tudo ao contrário. Se tornam livros e cultuados como obras-primas marcantes.

O tempo, na arte de escrever roteiros para filmes, plataformas digitais, literatura, é dotado de uma estranha artimanha: abolir escritos encomendados artificialmente, desencantar textos repletos de receitas morais ou políticas a serviço de regimes e poderes da moda. Também essa estranha mágica do tempo real desfigura a arte de vender transgressões, de dessacralizar sem repor, de ofender para apenas exibir um falso talento. Pela simples razão de que o autor-roteirista, dramaturgo, não pode ser confundido com o sistema ideológico ou moral que o abriga. Porque nesse caso, restritos a seu tempo e seu espaço, Shakespeare[9] seria um pirata escravagista e monarquista, os autores gregos pedófilos e sodomitas, Molière[10] absolutista e Tchekhov[11] apenas um autor tzarista. E todos nós sabemos que eles são muito mais amplos do que isso. Ultrapassaram sua época.

De uma forma muito peculiar, vários autores revelaram para a humanidade mudanças que vieram a ser sentidas décadas depois. Vejamos alguns exemplos. Ibsen[12] e seu realismo influenciaram mestres americanos que deram vida ao realismo que contaminou o cinema e a metade do século XX. Pirandello[13] e seus estudos sobre a personagem abriram enormes portas para o diálogo interior e a interioridade da persona.

Não podemos nos esquecer de Nelson Rodrigues, seu diálogo conciso, hipócrita, e do falso moralismo típico da sociedade brasileira. Os primeiros roteiristas brasileiros desbravadores e saudosos, Leopoldo Serran, Walter Durst, Armando Costa e Cassiano Gabus Mendes. A escola surrealista francesa e outras tantas, e inúmeras culturas, inclusive as orientais. Até chegarmos a Samuel Beckett[14], que nos surpreende com a pulverização dramática, absurdo total: pernas, mãos, cabeças, vozes em *off*, textos curtos, tudo como se fosse uma prévia de uma linguagem cibernética. Em resumo, o que vivemos hoje, vários meios de expressão explodindo em múltiplas narrações e formatos, sendo a maioria sem expressão (veja o tópico "Roteiros para novas mídias").

É a curva exponencial de comunicação de massa tomando conta da nossa vida.

VISÃO GERAL DO ROTEIRO

Assistimos hoje à morte da aritmética, mas não da matemática. As pessoas não fazem mais contas mentalmente e usam calculadoras. A morte gradual das grandes salas de projeção é uma realidade, mas não a morte da arte da **cinematografia**, **videográfica** e **digital**. A morte e a transformação da ortografia são contínuas, tanto em âmbito oficial como pelo uso de abreviações na internet, mas a gramática segue cada dia mais complicada. E, obviamente, um novo conceito de direito autoral deverá surgir.

Enfim, assistiremos a uma contração do tempo real dos roteiros, tanto no cinema como no teatro, na TV etc. Todavia, o tempo dramático continua íntegro e as etapas de construção do roteiro serão sempre as mesmas, do mesmo modo que não podemos fugir das fases de construção de uma casa.

Somando-se a parte do roteiro para ser lida com a parte para ver vista, teremos sempre cinco etapas na construção do roteiro: ideia, conflito, personagens, tempo dramático e unidade dramática.

Neste livro não menciono regras de roteiro, simplesmente porque elas não existem. Menciono princípios dramáticos. Definições são tratadas como fundamentos. A estrutura de três atos fixos com pontos determinados por "pontos de virada" (*beats*), cronometrados pelos teóricos norte-americanos, me parece de um mecanicismo limitador, tão absurdo como se vivêssemos num universo pré-Copérnico onde planetas e estrelas estivessem suspensos em calotas geladas e imóveis.

Assim, afirmo que a estrutura é construída com base em uma resultante composta pelas exigências do drama, somada à identidade das cenas e coroada pelo tempo dramático.

Na escrita ficcional não temos necessidade de ser verdadeiros, apenas de transparecer a sensação de credibilidade. Nada mais e nada menos: só credibilidade, o limite entre a mentira e a verdade, a visão imaginativa de uma pessoa. É bom afirmar que credibilidade em dramaturgia não é sinônimo de realidade ou verossimilhança. Se fosse esse o caso, jamais iríamos ao cinema para assistir a filmes de ficção científica, nem amaríamos o Super-Homem ou odiaríamos Mefistófeles. A relevância está em garantir a credibilidade daqueles seres ficcionais, o conteúdo das suas emoções durante um período, e de certo modo fixar seus conflitos para a plateia.

Tenho consciência de que esses valores e certamente essas qualidades dramáticas podem sim ser aprendidos ou pelo menos exercitados, porque quando comecei nada disso sabia. Ou melhor, quase nada existia sobre o assunto. Hoje há uma bibliografia notável sobre o tema. Depois depende do talento de cada um. Mas certamente damos demasiada importância à tal inspiração e à criatividade em geral. E assim afirmo que aprendi muito lendo roteiros, livros sobre a matéria, vendo filmes e peças teatrais. Aprendi com os outros roteiristas e creio que criadores passam mensagens para outros.

Estou ciente de que é muito cansativo ler roteiros e peças teatrais. Trabalhoso, podemos dizer. Isso requer sem sombra de dúvida mais concentração do que se debruçar sobre um romance, já que uma obra literária é escrita para o olho do leitor, enquanto o roteiro é concebido para trabalhar com o olho da câmera e o espaço cênico.

Em literatura, num momento sobre prostituição noturna numa calçada próxima do porto, o escritor descreve meticulosamente a umidade da calçada, a luz amarelada que baixa do poste, uma mulher vestida de preto com um decote cavado, maquiagem carregada, que caminha sedutora pela via e ao se aproximar de um homem com um cigarro amassado entre os lábios pergunta se ele tem fogo.

Já no roteiro se escreve:

EXT. CALÇADA PORTO NOITE
Prostituta caminha pela calçada do porto, vestida de negro, maquiagem carregada, se aproxima de um homem.

PROSTITUTA
Tem fogo?

Isso em palavras pode parecer muito limitador, mas em termos de imagem é bastante expansivo. Porque o olho da câmera e os artifícios de computação podem alcançar locais, tempos e detalhes jamais imaginados pelo olho humano, e sim pela mente de um criador. Em outras palavras, ele capta o jamais visto (veja o tópico "Meios e linguagens").

Uma última observação: de acordo com a Sociedade de Autores e Escritores da França, o trabalho intelectual é regulado por lei como sendo de quatro horas diárias. Bem diferente das outras categorias, que trabalham de seis a oito horas por dia. O trabalho criativo e imaginativo pode ter o máximo de quatro horas diárias, sendo que o resto do tempo deve ser gasto para se alimentar intelectualmente com leituras, observações da vida e gestão de pensamentos.

DEPOIMENTO: 40 ANOS DE PROFISSÃO

Não sou unanimidade: 30% admiram meu trabalho, 30% odeiam, para 30% sou um mistério profissional e para os 10% que restam sou eu mesmo, que não sei o que sou. Ou melhor, um dia espero saber.

Em outras palavras, o trajeto não foi fácil. Em muitas horas pensei em desistir da profissão, queimar tudo e voltar à função de médico, minha primeira formação.

Grande parte dos meus roteiros (de 40% a 50%) jamais saiu do papel. Também não sou rico, só se for de ideias. Já acudi roteiristas doentes e cancerosos, sem teto ou dinheiro. Já os vi milionários e poderosos. É a loteria da vida como outra qualquer, desgraçadamente nem sempre ligada ao talento. Enfim, é uma profissão instável, repleta de altos e baixos. Uma roleta-russa.

Quando escrevo me sinto bem. Quase eufórico, como alguém embriagado por um elixir, pois minha vida passa a ter um objetivo dramático e uma motivação; é como se eu fosse uma personagem liberta sem necessidade de autor.

Ao contrário do que se imagina, não fui bom aluno de português, tinha dificuldade na ortografia e na caligrafia. Era bom em redação.

Fui considerado um aluno disléxico, trocava as letras. Mesmo assim elas sempre me fascinavam, principalmente os ditongos. Fui obrigado a aprender latim, pois estudava em um colégio marista antes da reforma educacional e ainda meu avô era professor de latim, uma desgraça pura que no futuro me facilitaria em muito a aprendizagem rápida de diversas línguas e idiomas. Falo e escrevo erradamente vários idiomas, mas gloriosamente todos me entendem. Como disse Thomas Mann, "o escritor é um homem que mais do que qualquer outro tem dificuldade para escrever".

Também sou péssimo para contratos e burocracias; sempre tenho a sensação de que estou sendo enganado e na maioria dos casos estou sendo realmente ludibriado. Acabo descobrindo que poderia ter ganhado mais, pois a verdade tem a tendência de se revelar e o roteirista é o profissional mais mal pago na cadeia criativa da palavra explícita.

Demoro em iniciar o ato de escrever, mas não sou preguiçoso. O que existem são dias extremamente difíceis; parecem em "branco", mas na verdade estou nutrindo uma gestação.

Quando "penso" em cortar uma cena, palavra ou diálogo, corto imediatamente. Pois ao escrever devemos liberar os instintos e o fluxo de pensamentos, sem piedade nem censura.

Quem, em sã consciência, pensa que Deus vai se preocupar com uma ficção, ou com o que fazemos com os orifícios e protuberâncias do corpo humano? Isso se intitula um "moralismo santificado". Ele tem mais o que fazer, como regular as órbitas dos planetas, a expansão do Cosmo, a antimatéria, os universos paralelos e as leis da física que manejam o caminho da luz no infinito. Por fim posso clamar: **graças a Deus, sou agnóstico!**

Muito menos sou nostálgico, acredito que todas as gerações trazem benefícios e malefícios. Mas reconheço que existem atitudes e realidades que fazem pouco sentido para gerações dos anos 1950, por exemplo.

Nós perturbamos a sociedade com a pílula anticoncepcional, a erva, os *hippies* e as bombas atômicas. Talvez as gerações dos computadores e dos eletrônicos fiquem pasmas com os robôs, e a seguinte com a inteligência artificial (aliás, só vou acreditar na I. A. quando ela conseguir fazer poesia por si própria, sem copiar estilos). Os conceitos e o mundo estão instáveis e mutantes, a verdade passou a ser apenas o contrário da mentira, e vice-versa.

Imagine o impacto que causou na humanidade quando descobriram que a Terra era redonda, no lugar de plana. Um pânico. E até hoje muita gente não acredita.

Quando escrevo sou concentrado e aplicado. Não tenho escrúpulos em parar e recorrer ao dicionário. Se duvido do significado de uma palavra, vou à procura de um sinônimo; se perder o raciocínio, azar, paciência, perdi, talvez ele não prestasse mesmo.

Sou diurno, jamais escrevo à noite. Como dizia Dias Gomes, a noite foi feita para o prazer, beber, fumar, conversar, ler e amar.

Não uso drogas ao escrever, somente suco natural ou chá de camomila. Água gelada é um grande negócio. Sempre reviso o que escrevo no dia posterior. Faço no máximo três revisões no roteiro, mais do que isso desanda. Não acredito, por exemplo, em inumeráveis versões tipo 17 reescrituras do roteiro: é canja requentada com caldo de muita gente e pouca galinha. Na maioria dos casos o roteiro perde vigor, identidade e se torna uma colcha de retalhos.

O roteiro é a crisálida, o produto audiovisual é a borboleta. É isso que o espectador vê, assiste e admira.

Entre o escritor e a tela que projeta a imagem, visor ou telão, existe uma perda de 20% da qualidade imaginativa presente no texto do roteirista, podendo chegar a 40% se a produção e a direção forem de baixa qualidade artística. Se o roteirista reconhecer menos de 60% de seu escrito na obra final, tem o direito de interditá-la, refutá-la ou até mesmo negá-la. A cada dia cresce o respeito pelo trabalho do roteirista e pela qualidade da direção e da produção, logo esses fatos são cada vez mais raros.

O homem tem uma capacidade infindável de escrever sobre os infernos ou zombar deles, mas é incapaz de descrever um céu ou paraíso que nos agrade, ou melhor, que nos deixe satisfeitos. Um lugar para onde queiramos ir. Donde se conclui que a imaginação do homem é curta, ou que a teologia é prisioneira de conceitos ultrapassados. Em ambos os casos pense bem antes de matar uma personagem.

Dizem que tenho facilidade de escrever. Todavia, tenho uma enorme dificuldade com as letras e os símbolos e me atrapalho amiúde com a ortografia. Não sei digitar até hoje, me atrapalho com as teclas. O fluxo de pensamento é mais veloz do que a minha miopia e coordenação motora. Disparate, contradição?

Por tudo isso, creio que meu talento não é "saber escrever", ou "fluxo de pensamento rápido", ou outra tolice qualquer. Na verdade, tenho uma capacidade incrível de esquecer o que plasmo no papel. Depois de escrever uma cena ou descrever uma personagem tudo me desvanece como um vapor d'água sem deixar vestígio até o dia seguinte. Não reconheço mais o que escrevi quando termino um trabalho. Este é meu talento: esquecer. Um homem de memória curta. Assim, suponho que o criador é aquele capaz de fazer do pouco muito. E depois esquecer.

De todas as formas me sinto recompensado como se tivesse feito uma venturosa viagem interior quando escrevo. E deixado como rastro nada mais que uma motivação para usufruto das próximas gerações. Tenho consciência de que as pessoas exercitam sua imaginação, um dos instrumentos mais belos da capacidade humana, com que escrevo e imagino.

E nada ultrapassa o ato de imaginar: estado que congrega sonho, ilusão e fantasia, que é nutrido pela memória e suplica para se tornar realidade.

CONCLUSÕES

A dramaturgia começa com a história do homem e é uma das mais antigas expressões da capacidade artística do ser humano. Nasceu em altares a serviço das religiões pela necessidade de deificação da humanidade.

Neste segmento foram utilizados períodos geracionais como medida de apoio para demonstrar a velocidade progressiva da comunicação de massas que ocorreu nos últimos 75 anos: teatro, cinema, rádio, televisão, internet e novas mídias.

Enquanto tecnologicamente o homem superou limites até então inimagináveis, sua alma e suas emoções se mantiveram inalteradas. Isto é, desejos, frustrações, distúrbios e paixões, fazendo da dramaturgia um campo praticamente infinito para a criação artística, já que trabalha com um conceito "humano".

Como já afirmei e reafirmei, em dramaturgia só existe uma lei: não há lei em dramaturgia. Somente princípios, fundamentos, conceitos e qualidades do drama. Ela não segue nem as leis da física newtoniana ou einsteiniana nem as leis da psicanálise freudiana: ela é regida pelo tempo dramático. Em outras palavras, é regida pela carga emocional transferida para quem recebe o drama.

No tópico "Criatividade" descrevi os tipos de bloqueio.

O roteiro tem como função entreter, enquanto informa e forma o mundo de uma maneira até hoje misteriosa. Mas é autoral. A diferença entre o escritor e o roteirista é aquela entre a palavra explícita e a implícita.

O roteiro é uma arte de criação coletiva, que depende de atores, produtores, diretor e outros profissionais. Constitui, portanto, a semente de um processo de imaginação.

Como escrevi em meu depoimento: o roteiro é a crisálida, o produto audiovisual é a borboleta. É isso que o espectador vê, assiste e admira.

Para concluir: o grande mistério da vida são os átomos se transmutando em células. É a física se transformando em biologia. Todavia, quando a imaginação se torna palavra, o caminho é inverso, são as células se transmutando em átomos. Refazem agora o percurso da biologia para física, e assim defino o círculo da criatividade.

É esse mecanismo que nos faz distantes dos outros animais, e ele está ancorado nos homens por meio de quê? Da consciência? Pode ser.

Será alma? A energia vital só presente no ser humano.

Enfim, tudo é possível quando a matéria se transforma em vida.

EXERCÍCIOS

Os exercícios que proponho têm por função introduzir o leitor no mundo dos roteiros e roteiristas. Recordo que quando comecei em Londres, nos anos 1970, a me interessar pela arte de escrever roteiros não existiam livros teóricos sobre a profissão, e uma amiga trouxe de Paris a edição do roteiro de *A história de Adèle H.* (*L'histoire de Adèle H.*), de François Truffaut. Esse roteiro se tornou uma verdadeira bíblia para mim, fiz sua anatomia dramática e analisei suas cenas. Foi graças a ele que descobri que era aquilo que gostaria de fazer.

Assim, sempre que inicio meus cursos no exterior estimulo meus alunos a ler um roteiro, como na Escola de Cinema de Munique, e peço que no final eles tragam suas observações e notas. Também pode ser uma peça de teatro ou uma minissérie televisiva, ou um seriado de *streaming*. Acrescento que as observações não devem traçar o caminho de uma crítica, mas sim de uma análise dramática.

1. Atualmente no Brasil já existem vários roteiros para venda em formato de livros. Sugiro a leitura de três roteiros editados.

    CIDADE DE DEUS – O roteiro do filme. Bráulio Mantovani, Fernando Meirelles e Anna Luiza Müller. Rio de Janeiro: Objetiva, 2003, 216 p. Contém biografias que facilitam a leitura das cenas.

    A DOCE VIDA, 8 ½, AMARCORD. Federico Fellini, Ennio Flaiano, Tullio Pinelli e Brunello Rondi. São Paulo: Companhia das Letras, 1994, 310 p. Indico esses textos por serem clássicos da filmografia mundial e terem servido de inspiração para diversos outros cineastas do século XX.

    O RESGATE DO SOLDADO RYAN. Robert Rodat. São Paulo: Manole, 1998, 96 p. Por ser um texto de ação, com direção de Steven Spielberg, que marca bastante a tendência atual da cinematografia americana.

2. *Downloads* de roteiros autorizados e legais, internacionais e nacionais. Leitura livre na rede. O site indicado no Brasil é o **www.casacinepoa.com.br**.

    Seria uma desfaçatez de minha parte não acusar que há uma série de outros sites internacionais e nacionais repletos de roteiros e textos para *download* grátis, sem consentimento dos autores e sem nenhum controle autoral. Mas, como foi apontado neste segmento, estamos numa fase de transformação de direito autoral e de descontrole total e pulverização da massa criativa.

3. A **leitura** de **peças teatrais** é um dos mecanismos mais valiosos para o crescimento de um roteirista. É uma pena que no Brasil se dá muito mais valor aos autores estrangeiros do que aos nacionais. É muito mais fácil encontrar uma tradução de uma peça estrangeira numa banca de jornal do que o teatro de Plínio Marcos, Dias Gomes ou Nelson Rodrigues. Mesmo assim, em algumas grandes bibliotecas públicas, como a Biblioteca Nacional da Sociedade Brasileira de Autores ou a da Academia Brasileira de Letras, no Rio de Janeiro, pode-se requerer o texto desses autores com certa facilidade.

    Em todo o caso, pelo menos nas bancas de jornal se encontram à venda em versão de livro de bolso os clássicos de Shakespeare, Molière e Tchekhov. Compre um deles e leia, mas torça para que a tradução seja de Millôr Fernandes.

Esse exercício sobre leitura teatral só revela a falência dessa arte nas últimas décadas no Brasil, que além de desprezar o texto nacional enveredou pelo experimentalismo dos diretores, pela comédia barata e pelo monólogo sem propósito. Enfim, a consequência está em décadas sem registro textual ou formador de autores. E muito menos de plateia.

OBSERVAÇÕES IMPORTANTES

Se o leitor está interessado, por exemplo, em roteiros de novas mídias ou particularmente em perfis de personagens, é bom advertir que conhecer dramaturgia e o que já foi feito é um salvo-conduto para não repetir equívocos do passado e poder desafiar o futuro.

Colaborou neste segmento Carla Giffoni, jornalista, roteirista e escritora.

NOTAS (ALGUNS CRIADORES CITADOS)

1. William Shakespeare (1564-1617), dramaturgo, poeta, tradutor e ator. Suas peças reinventaram o ser humano e têm uma dinâmica e importância ímpares na história da humanidade que se refletem até hoje e além. Escrever sobre a obra dramática de Shakespeare é refletir sobre a genialidade, a autêntica originalidade e a primazia da criatividade. Produziu personagens às centenas que caminham do desespero ao êxtase, do riso ao canibalismo, com uma capacidade e maestria tão naturais que todos eles nos parecem íntimos e verdadeiros. Cleópatras, Iagos, Julietas, Reis Lears, Otelos, Desdêmonas, Romeus, Bobos da Corte, Júlios Césares, Megeras Domadas, Alegres Viúvas e tantos outros, todos fazem parte de nós mesmos e do universo shakespeariano. E por conseguinte da história do mundo e de todos os tempos. Frases e diálogos proferidos por suas personagens em 39 peças se tornaram senso comum e ditos populares em todas as línguas. Criador do conceito da cena moderna, do tempo e espaço da arte dramática (utilizado neste livro), de todos os tipos de diálogo existentes até hoje, recursos de estrutura, gêneros (da comédia, passando pela tragédia, até o alegórico). O conjunto de sua obra faz que esse

artista supremo seja estudado continuadamente até hoje. Portanto existe uma vasta bibliografia, análises e estudos sobre sua obra. Sua vida pessoal é marcada pelo mistério e pelas contradições. Em outras palavras, é bastante especulativa quanto aos reais acontecimentos de sua existência. De acordo com Harold Bloom, Shakespeare foi amante de um nobre da corte, tendo acesso a uma das bibliotecas mais completas da Europa. Daí o seu conhecimento da dramaturgia italiana, francesa e espanhola, que rodava pela Europa. Também é sabido que Shakespeare, ao contrário do que se imagina, não foi sucesso em sua época, somente cem anos depois.

2. Molière, Jean-Baptiste Poquelin (1622-1673). A corte do Rei da França Luís XIV abrigou três dramaturgos, dois trágicos heróis, Pierre Corneille e Jean Racine, e um cômico-satírico, Molière. Em 30 anos de teatro compôs apenas sete peças, que permanecem vivas até hoje: *A escola de mulheres*, *As preciosas ridículas*, *O avarento*, *O burguês fidalgo* e a grande tríade *Tartufo*, *Don Juan* e *O misantropo*. Apesar da proteção do rei, *Tartufo* foi proibida e *Don Juan*, suspensa após 15 apresentações. Quanto ao gênero, Molière oscila entre a comédia, a sátira e por vezes uma ácida tragédia. Curioso notar como as personagens de Molière são estáticas dramaticamente, como em *O avarento*. Elas não se transformam no decorrer da ação dramática, ocasionando uma concepção artística completamente diferente da de Shakespeare. Todavia, não é menos importante ou significativo, já que atualmente em qualquer programa de humor, sátira ou comédia o mesmo recurso é usado. Outras peças de Molière e seu talento foram concebidos para diversão da corte, acompanhados de música de balé, composta por Lully. Enquanto a vida pessoal de Shakespeare permanece desconhecida, a de Molière, ao que tudo indica, foi extremamente infeliz.

3. Anton Tchekhov (1860-1904). Maksim Górki escreveu em suas memórias sobre a presença física de Tchekhov: "Todos sentem um desejo inconsciente de ser menos dissimulados, mais verdadeiros, mais nós mesmos". E Tolstói completou: "É modesto e tranquilo como uma moça. É simplesmente maravilhoso". Médico, dramaturgo e contista, Tchekhov adotou a banalidade como tópico principal de sua obra, o que representa um passo extraordinário e fundamental na dramaturgia. Suas peças mais importantes são *A gaivota* e *As três irmãs*. Ambas difíceis de ser classificadas por um gênero definitivo, pois existe uma incapacidade de ação dramática, ou melhor, humana. De acordo com o falecido e respeitado crítico Yan Michalsk (1932-1990), a peça *As três irmãs* contempla o enredo de três irmãs que pensam em ir para Moscou, arrumam tudo e não vão. Tão simples quanto isso, levou alguns críticos a pensar no surgimento de um novo tipo de ação dramática: a peça sem ação dramática (*plotless play*). Absurdo dos absurdos, já que as personagens de Tchekhov são dadas a monólogos intermináveis e belíssimos, arranhados por momentos de intensa solidão (solipsismos), que nos remetem à profundidade dos grandes problemas das pequenas mentes.

4. Henrik Ibsen (1828-1906), dramaturgo nórdico que vivia numa casa sombria e escura em Oslo, na Noruega. Suas grandes personagens sempre carregam uma empreitada espiritual, heroica, social e depressiva. São elas: Brand, Imperador Juliano, Peer Gynt, Hedda Gabler e Solness, o arquiteto. Sua dramaturgia realista deu asas a vários estudos e artigos da crítica, como "Ibsen e o problema do teatro realista" e "Ibsen e o feminismo". Foi bastante aproveitado como matriz da cinematografia e fez raízes no teatro americano.

5. Luigi Pirandello (1867-1936). Prêmio Nobel de Literatura, o dramaturgo siciliano conferiu uma renomada importância à noção da personagem e do ator e à vida no palco com sua peça *Seis personagens à procura de um autor*. O texto é um pântano de descontinuidade estrutural, em que verdades e mentiras se misturam de maneira extraordinária e tudo se torna no fundo uma representação da representação. Escreveu também outros textos teatrais. Porém, sua obra maior revela seu amor pelo teatro e talvez pela mistura de gêneros, que transcende o melodrama e a farsa, sendo suficiente para revelar uma aguda percepção da condição humana e de suas múltiplas máscaras.

6. Samuel Beckett (1906-1989). Prêmio Nobel de Literatura, dramaturgo de percepção singular e de estilo próprio. Era irlandês, mas se filiou à tradição europeia ao escrever em língua francesa. Sua peça mais famosa é *Esperando Godot*, aclamada por críticos e pelo público e reconhecida como um texto maldito, no qual se encontra a frase "O parto é feito em cima de um túmulo, a luz brilha por segundos e em seguida volta a noite". O enredo trata de dois mendigos que surgem do nada e esperam um terceiro, chamado Godot, que jamais aparece. Beckett configura o denominado pós-modernismo dramático, insere vozes em *off* e situações inexplicáveis em seus textos teatrais e coloca as personagens em premissas aparentemente absurdas, todavia marcadas por eloquente senso emocional. Cito ainda *O inominável*, *A última gravação de Krapp* e *Fim de jogo*. Trabalha com textos curtos, emotivos e intensos. Suas personagens vivem conflitos e desconhecem a razão da existência destes. O autor simbolicamente pulverizou a estrutura dramática.

7. Antônio Houaiss (1915-1999). Professor, diplomata e filólogo, foi Ministro da Cultura do governo Itamar Franco (1993) e presidente da Academia Brasileira de Letras (1996). O professor faleceu em março de 1999, no Rio de Janeiro.

8. Miguel de Cervantes (1537-1616). Escritor espanhol que nasceu em Alcalá de Henares e morreu em Madri tão pobre quanto nasceu. É contemporâneo de Shakespeare e, assim como o dramaturgo inglês, um marco na literatura mundial. Sua obra principal, *Dom Quixote de la Mancha*, é considerada o primeiro romance moderno. A principais obras de Cervantes: *Dom Quixote de la Mancha* (a primeira parte do romance foi escrita em 1605, e a segunda parte, dez anos depois) e *Novelas exemplares* (1613). Tive a oportunidade de escrever uma minissérie com o dramaturgo e roteirista de Sevilha Antonio Onetti, que contava os tempos de prisão com Cervantes em Argel, onde teve a acesso à cultura árabe. Cervantes era jovem nessa época e ampliou os seus conhecimentos por meio do contato com essa cultura. Infelizmente a minissérie, que seria produzida pelo Grupo Planeta, foi engavetada (aliás, é o que acontece com metade dos projetos atualmente), apesar de termos recebido o aval e elogios da Fundação Miguel de Cervantes.

9. Clarice Lispector (1925-1977). Escritora brasileira, nasceu na Ucrânia e morreu no Rio de Janeiro. Mudou-se para o Brasil ainda pequena e foi criada em Recife, só indo para o Rio em 1937. Estreou na literatura com o romance *Perto do coração selvagem*. A obra, que recebeu o Prêmio Graça Aranha, foi muito elogiada pelo crítico Antonio Candido (1918-2017). Suas obras sempre despertaram interesse da crítica e dos estudiosos da literatura brasileira, porque mostram uma visão existencialista da natureza humana, tendo uma estrutura frasal complexa, apesar de usar um vocabulário simples. Ela faz uma análise psicológica dentro do monólogo interior dos personagens. Suas principais obras são: *Perto do coração selvagem* (1944), *O lustre* (1946), *A cidade sitiada* (1949), *Laços de família* (1960), *A legião estrangeira* (1964), *A paixão segundo G. H.* (1964) e *A hora da estrela* (1977).

10. Albert Szent-Györgyi (1893-1986). Nasceu na Hungria e morreu nos Estados Unidos. Albert era um renomado médico fisiologista e, graças ao seu estudo sobre a vitamina C, recebeu o Prêmio Nobel de Medicina em 1937. Durante a Segunda Guerra, ajudou vários médicos judeus a fugir para os Estados Unidos. Em 1947 mudou-se para o solo americano e em 1956 conseguiu a cidadania. Nos Estados Unidos desenvolveu pesquisa sobre a origem do câncer.

11. J. P. Guilford (1897-1987). Psicólogo americano que estudou a psicometria da inteligência humana. Psicometria é o campo da psicologia que se preocupa com as habilidades e conhecimento aliados aos traços de personalidade e realização educacional. Guilford é considerado um dos 100 psicólogos mais eminentes do século XX. Os primeiros lugares são de Sigmund Freud e Jean Piaget.

12. Pablo Picasso (1881-1973). Pintor espanhol da cidade de Málaga, é o mais importante artista plástico do século XX. Picasso é considerado o criador do movimento cubista (pelo uso de figuras geométricas, o cubismo representa as formas da natureza). Sua obra "Les demoiselles d'Avignon" (1907) é tida

como marco na pintura. Mas outras obras de Picasso também são reverenciadas, como "A pomba da paz" e "Guernica", obra inspirada pelo conflito da Guerra Civil Espanhola (1937). A cidade de Guernica foi bombardeada por aviões alemães. Picasso começou a pintar um enorme mural em estilo impressionista, que recebeu o nome da cidade. O talento de Picasso não se restringiu apenas à pintura de quadros. Ele também trabalhou litografias, cerâmicas e esculturas. Faleceu em Notre-Dame-de-Vie, em Mougins (França).

13. Roger von Oech (1948). Inventor, escritor, palestrante e fundador e presidente da Creative Think, empresa de consultoria especializada em inovações criativas. Nasceu nos Estados Unidos. Já ministrou palestras e seminários em importantes empresas, como Coca-Cola, Intel, Nasa, Disney e Apple.

14. Walt Disney (1901-1966). Desenhista, animador, cineasta, diretor, roteirista, dublador, empreendedor, produtor cinematográfico e proprietário da Walt Disney Company, criada em 1923 e hoje considerada uma gigante da economia mundial, com 195 mil funcionários e 56 bilhões de dólares de renda anual. Nasceu nos Estados Unidos e seus personagens como Mickey Mouse, Pateta, Pato Donald e Minnie fazem parte do imaginário infantil. A empresa Disney também foi responsável por levar às telas histórias da literatura mundial como *Cinderela*, escrita pelo francês Charles Perrault; *Branca de Neve* e *A bela adormecida*, dos irmãos Grimm; *A pequena sereia*, conto adaptado por Hans Christian Andersen, para citar apenas algumas adaptações. Seus 11 parques temáticos estão não apenas nos Estados Unidos, mas também na França, em Hong Kong e no Japão.

BIBLIOGRAFIA ESPECÍFICA

Dell'Isola, Alberto. *Mentes brilhantes – Como desenvolver todo o potencial do seu cérebro*. São Paulo: Universo dos Livros, 2013.

Masina, Léa (org.). *Guia de leitura – 100 autores que você precisa ler*. Porto Alegre: L&PM, 2009.

Rosenfeld, Anatol. *O teatro épico*. 6. ed. São Paulo: Perspectiva, 2008 (Coleção Debates).

SITES CONSULTADOS

http://www.academia.org.br/academicos/antonio-houaiss/biografia

http://www.abralic.org.br/eventos/cong2008/AnaisOnline/simposios/pdf/003/MANOELA_HOFFMANN.pdf

http://www.academia.org.br/academicos/machado-de-assis

http://www.academia.edu/167234/Brecht_e_o_Estranhamento_no_Teatro_Chines_-_tradu%-C3%A7%C3%A3o_de_texto_de_Huang_Zuolin

http://webreitoria.udesc.br/proppg/Seminario18/18SIC/PDF/059%20-%20Ed%C3%A9lcio%20Mosta%C3%A7o.pdf

https://liviafloreslopes.files.wordpress.com/2014/09/rosenfeld-o-teatro-c3a9pico.pdf

http://www.nobelprize.org/nobel_prizes/medicine/laureates/1937/

https://www.ebiografia.com/pablo_picasso/

http://www.apa.org/monitor/julaug02/eminent.aspx

http://www.record.com.br/autor_sobre.asp?id_autor=6242

https://www.biografiasyvidas.com/biografia/c/carlson.htm

http://lounge.obviousmag.org/das_artes/2013/07/a-historia-de-walt-disney.html

http://www.pitt.edu/~dash/grimm.html

https://brasil.elpais.com/brasil/2017/07/22/economia/1500704860_957005.html

1.2 O ROTEIRO – DEFINIÇÃO, CONCEITOS E REVELAÇÕES

REFLEXÕES SOBRE O ROTEIRO

Existem diferentes formas de definir um roteiro. Uma simples e direta seria: **a forma escrita de qualquer projeto audiovisual**. Atualmente o audiovisual abarca o teatro, o cinema, o vídeo, a televisão e o rádio. Syd Field define como uma "história contada em imagens, diálogo e descrição, dentro do contexto de uma estrutura dramática"[1]. Para outros é simplesmente a "elaboração do argumento", em que "os elementos acrescentados são diálogo e descrição no drama, e narração no documental"[2].

A especificidade do roteiro no que respeita a outros tipos de escrita é a referência diferenciada a códigos distintos que no produto final comunicam a mensagem de maneira simultânea ou alternada. Nesse aspecto ele tem pontos em comum com a escrita dramática, que também combina códigos, uma vez que não alcança sua plena funcionalidade até ter sido representado.

A "representação" do roteiro, no entanto, é perdurável em função da tecnologia da gravação. Ela se assemelha ao romance na possibilidade de manipular a fantasia na narração, já não na sua capacidade de jogar com o espaço e o tempo de forma mais fidedigna, mas sim, inclusive, no fato de não depender da representação do humano ao vivo. Em outras palavras, o ator continua atuando mesmo depois de morto.

Para Jean-Claude Carrière, de cuja posição compartilho, o roteirista está muito mais perto do diretor, da imagem, do que do escritor. **O roteiro é o princípio de um processo visual e não o final de um processo literário.** "Escrever um roteiro é muito mais do que escrever. Em todo o caso, é escrever de outra maneira. Com olhares e silêncios, movimentos e imobilidades, com conjuntos incrivelmente complexos de imagens e de sons que podem possuir mil relações entre si, que podem ser nítidos ou ambíguos, violentos para uns e suaves para outros. Podem impressionar a inteligência ou alcançar o inconsciente, se entrelaçam, se misturam e por vezes até se repudiam. Fazem surgir as coisas invisíveis..."[3] "O romancista escreve, enquanto o roteirista **trama, narra e descreve.**"[4]

O campo de trabalho de um roteirista é cada vez mais amplo. Na realidade, um chefe de família que mostra filmes gravados e narra como foram suas férias está fazendo o papel de roteirista. Na minha trajetória, creio que trabalhei em todas as especialidades, dos desenhos animados ao balé.

Os produtores compreendem cada vez melhor que sem material escrito não se pode dizer nada. O que fica bem no papel fica bem na tela. Um bom roteiro não é garantia de um bom filme, mas sem um bom roteiro não existe com certeza um bom filme.

Um roteiro deve ter três aspectos fundamentais:

Logos   Pathos   Ethos

A ferramenta de trabalho que dará forma ao roteiro e o estruturará é a palavra. O *logos* é essa palavra, o discurso, a organização verbal de um roteiro, sua estrutura geral. A lógica intrínseca do material dramático.

Um roteiro contém uma história que provoca identificação, dor, tristeza. *Pathos* é o drama, a porção dramática para ativar a ação seja ela qual for: de tragédia a comédia. É a projeção da vida em ação, o conflito cotidiano que eclode em acontecimentos. O *pathos* afeta as personagens que, arrastadas pela própria história e drama, reagem aos fatos se convertendo em heróis ou vítimas, ou inclusive em motivo de divertimento numa comédia para os outros.

A mensagem tem sempre uma intenção. É inútil tentar fugir à responsabilidade da falta de "ter algo a dizer". Tudo é escrito para produzir uma influência, mesmo que esta seja somente para divertir. É o *ethos*, a ética, a moral, o significado último da história, as suas implicações sociais, políticas, existenciais e anímicas. O *ethos* é aquilo que se quer dizer, a razão pela qual se escreve. Não é imprescindível que seja uma resposta, pode ser uma simples pergunta.

De maneira muito geral podemos dizer que essa forma escrita a que chamamos roteiro é algo muito **efêmero**. Existe durante o tempo que leva para se converter num produto audiovisual. Embora haja roteiros editados em forma de livro, atualmente até existem coleções ou sites dedicados a isso. O roteiro, como vimos, é **uma crisálida que se converte em borboleta**.

ETAPAS DE UM ROTEIRO

A escrita de roteiros exige uma disciplina específica. Deve-se avançar por partes. É uma construção que obedece a uma estrutura lógica. A personalidade do escritor pode, sem dúvida, matizar essas partes. Assim, para Field:

Um passo de cada vez. Primeiro, encontra-se um **tema**. Depois **estrutura-se a ideia**. Em seguida definem-se as **personagens**, mais tarde procuram-se os dados que façam falta. Posteriormente estrutura-se o primeiro ato em **fichas de 3x5,** então escreve-se o roteiro, dia a dia. Primeiro o **primeiro ato**, depois o **segundo** e depois o **terceiro**. Quando o primeiro rascunho está pronto, fazem-se uma revisão profunda e as alterações necessárias para que se ajuste à dimensão adequada. Por último é preciso que seja polido até estar pronto para ser visto por todos.[5]

A própria subjetividade da explicação anterior reflete o aleatório da fragmentação do processo. Na realidade, as fases que demonstram a composição de um roteiro provêm de uma experiência: do autor ou da empresa produtora. Não existem **receitas magistrais**: apenas talento e trabalho.

Minha proposta é completamente diferente e proponho seis etapas no processo de criação do roteiro.[6] Levando-se em consideração que os três primeiros são para ser lidos e os três últimos para o olho da câmera:

- **Ideia (é uma abstração)**
- **Conflito** (*logline/storyline/outline*)
- **Personagens (argumento/sinopse/construção dramática)**
- **Estrutura dramática (escaleta)**
- **Tempo dramático (diálogo)**
- **Unidade dramática (cena)**

Primeira etapa: ideia

Um roteiro parte sempre de uma **ideia**, um fato, um acontecimento que provoca no escritor a necessidade de relatar. A procura da ideia ou a sua descoberta são atividades nem sempre fáceis de abarcar. As ideias são por vezes sutis e difíceis de alcançar. No entanto, obrigatoriamente se convertem no fundamento do roteiro. Isso exige o maior cuidado para descobrir, isolar e definir ideias dramaticamente pertinentes. Esse tema será aprofundado junto com a filosofia da ideia no segmento 1.3. A pergunta que faço é: **que ideia ou imagem você vai isolar em sua mente para ser concretizada em palavras?**

Segunda etapa: conflito

Mas a ideia audiovisual e dramática deve ser definida por um conflito essencial. A esse primeiro conflito, que será a base do trabalho do roteirista, chamaremos de conflito matriz. Embora a ideia seja algo abstrato, o conflito matriz deve ser concretizado por meio de palavras. Começa aqui o trabalho de escrever.

Como todo processo criativo, o trabalho inicial fica quase sempre reduzido a um esboço. Assim começamos a imaginar a história, tendo como ponto de partida uma frase, que chamamos de *logline*. Se for de cinco a sete linhas, trata-se de uma *storyline*. Se tiver uma página, estamos falando de um *outline*. (O *outline* é muito variável; pode ser considerado parte do argumento ou sinopse, já que contém perfil ou ações dos personagens.)

A *logline* é a condensação do nosso conflito básico cristalizado em palavras. Por exemplo: "Trata-se das contradições e dos distúrbios da maternidade atual, conta o drama de uma mulher que mata seus quatro filhos e depois enlouquece".

Essa frase contém o enredo, a intriga, a tragédia. Diz-se que um bom roteiro, uma boa obra de teatro pode se resumir numa única frase.

Suponhamos que *Hamlet*, de Shakespeare, seja uma *storyline*: "Era uma vez um príncipe cujo pai, o rei, foi assassinado pelo próprio irmão com o fim de usurpar o trono. Esse crime conduziu o jovem a uma crise existencial que desemboca numa onda de crimes e intrigas. Ele assiste ao casamento da mãe com seu tio, vendo nisso um ato imoral e torpe. O príncipe traça uma vingança calculada que destrói a família real e por conseguinte a si próprio".

Certamente esse texto contém, em síntese, toda a história de Hamlet e seu conflito matriz, isto é, a *storyline*. O fio, os fundamentos da trama.

Observei que meus alunos nem sempre gostam de escrever as *storylines* que costumo dar como exercício.

Certa vez Jean-Claude Carrière contou que uma *storyline* inteligente abre outras possibilidades para a história e proporciona um novo aspecto do conflito. Ele explicou que para adaptar Cyrano de Bergerac ao cinema procurou uma nova *storyline* e, por conseguinte, uma visão diferente do conflito escrito por Edmond Rostand. Por fim, a *storyline* – ou, nesse caso, o *logline* – ficou com a seguinte forma: "Uma jovem bela e perfeita ama um homem belo e perfeito. Mas existe um grande problema: esse homem são dois e no final os dois morrem e ela fica sozinha".

A *storyline* tem de ser breve, concisa e eficaz. Não deve ultrapassar sete linhas e por meio dela devemos ficar com a noção daquilo que vamos contar. Resumindo, o conflito básico se apresenta por meio da *storyline* e concretiza o que vamos desenvolver.

Terceira etapa: personagens

Chegou o momento de pensar em quem vai viver esse conflito básico. Devemos criar as personagens. Há quem pense que são elas que dão origem a uma história. Kit Reed, por exemplo, recomenda que os roteiros sejam revistos com base nas personagens: "Começo pela personagem, porque creio que as personagens se movem juntas para construir um argumento"[7]. Em qualquer caso, as personagens sustentam o peso da ação, são o ponto de atenção mais imediato para os espectadores e para os críticos. Diz Linda Seger: "Os críticos adoram dizer de um filme que as personagens não se desenvolvem nem mudam. O desenvolvimento de um personagem é essencial para um bom argumento. Conforme uma personagem se move da motivação até o objetivo, algo tem de suceder no processo. Uma personagem bem desenhada ganha amiúde com sua participação no argumento, e um argumento ganha alguma coisa com a implicação da personagem"[8].

O desenvolvimento da personagem se faz por meio da elaboração do argumento ou sinopse. Nessa fase é que se começa a desenhar as personagens e a localizar a história no tempo (quando?) e no espaço (onde?). Enfim, a história começa aqui, passa por ali e acaba assim. Por exemplo: "A minha história começa na Catalunha, no ano 1000. Arnau é um cavaleiro medieval, dono de terras, que provoca a inveja dos outros nobres... O cunhado tenta matá-lo..." e assim até o final.

Não é prudente estabelecer limites à extensão de uma sinopse. Existem sinopses de duas páginas e sinopses de 80. Os europeus costumam preferir sinopses mais longas e detalhadas do que os americanos. No tópico "Personagem", falaremos sobre todos esses tipos de sinopse.

Na sinopse é fundamental a descrição do caráter das personagens principais. Em outras palavras, a sinopse é o reino da personagem. É ela quem vai viver essa história, onde e quando. E também a construção dramática, isto é, a ação dramática. Em outras palavras, em que construção dramática, ou ação dramática, ou história vai viver a personagem.

Enfim, repetindo: quem, onde, quando e em que história vai viver a personagem.

Quarta etapa: estrutura dramática

A quarta etapa é na realidade a **estrutura**. É o **como** contaremos nossa história para a câmera. Não é fácil definir esse conceito. Minha aproximação e meu tratamento tendem a se dar de forma pragmática. O filme ou o telefilme acabado é estruturado em sequências. As sequências se organizam segundo uma unidade de ação, narrativamente imprecisa, composta por cenas, determinadas pelas alterações do espaço e pela participação das personagens. A estrutura é, portanto, **a organização do enredo em cenas**. Cada cena tem uma localização no tempo, no espaço e na ação, que sucede continuadamente em algum lugar, num momento preciso. A estrutura será, na prática, a fragmentação do argumento em cenas. Mas ainda assim estamos unicamente fazendo uma descrição de cada cena; ainda não chegou o momento dos diálogos.

A estrutura é o esqueleto formado pela sequência de cenas. Os italianos chamam à estrutura **escaleta**.

Quinta etapa: tempo dramático

A noção de tempo dramático é muito complexa. Podemos dizer que dentro de uma cena se desenvolve uma ação dramática. Esta decorre em determinado tempo, que pode ser lento, rápido, ágil etc. Paul Jackson observa que "o tempo é o segredo não só para uma boa comédia, mas também para qualquer bom texto dramático"[9]. Esse tempo dramático, juntamente com a ação dramática, dá o sentido da função dramática. Essa terminologia ação, tempo, função pode parecer difícil por agora, contudo espero que no final do livro esteja clara.

O tempo dramático é o quanto, quanto tempo terá cada cena. Isto é, colocamos os diálogos nas cenas e por meio deles começamos a dar ao trabalho uma forma de roteiro. Nessa etapa completaremos a estrutura com o diálogo. Então cada cena terá o seu tempo dramático e a sua função dramática. Esse trabalho já se concretiza no chamado primeiro roteiro.

O tempo dramático pode ser respondido por meio de uma pergunta: quanto de material dramático eu tenho no diálogo?

O diálogo é chamado de corpo de comunicação do roteiro.

As personagens se desenvolvem, quem é quem, como e por quê, simplesmente por falarem mediante diálogos. A cena abre, desenrola-se e acaba. Colocaremos as emoções, a personalidade e os problemas de cada personagem naquilo que sucede detalhadamente em cada cena. É o primeiro rascunho do roteiro a que se juntarão revisões, correções ou retoques. Os americanos chamam esse material de *first draft* ou *first treatment*.

Esse rascunho de roteiro será revisto por algumas mãos, como produtor ou diretor, e proporcionará a primeira visão do trabalho realizado. Depois virá o segundo rascunho, o terceiro... até que o roteiro esteja pronto para ser produzido. Chamo essa fase de múltiplas revisões de **a guerra do papel**.

Sexta etapa: unidade dramática

Enfim o roteiro deve estar pronto para ser filmado ou gravado. Se for um roteiro de filme, podemos chamá-lo de *screenplay*. Se for para a televisão, *televisionplay*, *teleplay* ou *TV script*. É o roteiro final.

Aqui o diretor vai trabalhar com a **unidade dramática** do roteiro, isto é, com as cenas. Poderá nos telefonar e dizer: "Tenho dificuldade de realizar a cena *37*" ou

"Amanhã vamos rodar a cena 85". Ou seja, o roteiro final é o guia para a construção do produto audiovisual. É o momento em que a unidade dramática, a cena, se torna realidade. Segundo um dito tradicional, podem-se cometer três erros num produto audiovisual: **erro no roteiro, erro na direção ou erro na edição (ou montagem)**.

Existem vários formatos de roteiro. Existe também uma diferença entre "roteiro literário" e "roteiro técnico". Esses aspectos serão desenvolvidos no tópico "Tratamento final". Neste livro vamos nos referir sobretudo ao roteiro literário, aquele que contém todos os pormenores necessários para a descrição da cena, a ação dramática e os diálogos, sem incidir excessivamente sobre as questões de planificação técnica, tais como movimentos de câmera, iluminação, pormenores de som etc. Na produção profissional essas funções costumam ficar aos cuidados da **equipe de produção**.

Cada dia escrevo menos indicações técnicas nos meus roteiros. O diretor prefere assim. Eu também. Para finalizar, ainda devo admitir que existe o chamado terceiro roteiro, aquele que sai copiado da edição. Algumas cenas foram retiradas ou acrescentadas, ou ainda pode ter havido mudança de ordem.

MAIS SOBRE AS ETAPAS

Vamos seguir, analisar e utilizar essa metodologia que consideramos mínima e indispensável para se fazer um roteiro para televisão, cinema ou plataforma.

O maior obstáculo que o roteirista deve superar é: **transformar ação dramática em sentimentos e sentimentos em ação.**

É necessário também fazer um comentário sobre a terminologia utilizada. O leitor pode observar que existe uma forte presença de termos ingleses, ou provenientes do inglês, em diversas partes e definições, palavras que são difíceis e praticamente impossíveis de ser evitadas. A língua inglesa impõe a sua terminologia mediante o poder tecnológico e industrial, e em consequência cristaliza as expressões. Perante essa invasão que nem os roteiristas russos ou chineses conseguem evitar, tentei encontrar, nem sempre com êxito, os termos equivalentes nas línguas dos países onde trabalho. Recordo que quando trabalhei com o roteirista russo Alexander Chlepianov, em Moscou, nos entendíamos melhor tecnicamente em inglês do que com a ajuda de tradutores. Eles com frequência não faziam a menor ideia do que estavam traduzindo.

No meu primeiro livro sobre roteiro[10], de que foram feitas edições em português, castelhano, italiano e catalão, enfoquei as etapas de um ponto de vista mais operativo.

Atualmente opto por delinear meu trabalho por meio de conceitos dramáticos. No entanto, existe uma correspondência entre essas etapas. Construir a *storyline* ou o *logline*, determinar o conflito, escrever uma sinopse é descobrir as personagens, estruturar é organizar a ação dramática. Elaborar o primeiro roteiro é chegar aos diálogos e ao tempo dramático, trabalhar o roteiro final é manejar as cenas, isto é, a unidade dramática. Penso que com a nova proposta penetramos com mais profundidade no estudo da dramaturgia.

CLASSIFICAÇÃO GERAL DOS ROTEIROS

Quando escrevemos a *storyline* ou a *logline*, já sabemos que tipo de história queremos contar. Um drama? Uma comédia? Uma aventura?

Para o trabalho prático e teórico do roteiro, precisamos saber quais são essas classificações, para ter uma referência da obra que iremos desenvolver. Contudo, não devemos nos manter prisioneiros de classificações prévias, nem sua aplicação deve se tornar uma forma exageradamente estrita. Por outro lado, podemos combinar essas classificações num único roteiro, como é o caso da tragicomédia ou do melodrama de aventura.

A propósito, quanto à tragicomédia, ela foi introduzida no cinema pelo fantástico Charles Chaplin, que induziu o espectador ao riso e ao choro no mesmo filme. Nesses casos, trata-se de uma união, não de uma dispersão. Ainda sobre esse criador, foi pioneiro no estilo de comédia satírica (*O grande ditador* e *Tempos modernos.*)

A classificação mais ampla e vigente hoje em dia é a dada pelo *Screenwriters guide*[11], publicado nos Estados Unidos, e se divide em seis itens genéricos:

- **Aventura**
- **Comédia**
- **Crime**
- **Melodrama**
- **Drama**
- **Outros** (*miscellaneous*)

Existem as seguintes subdivisões, acompanhadas de exemplos para facilitar a compreensão – inclusive acrescentei séries de plataformas digitais, pois em 2017 a Netflix produziu mais conteúdo cinematográfico do que todos os grandes estúdios americanos juntos. A HBO vai pelo mesmo caminho:

AVENTURA

Western	*No tempo das diligências*
Ação	*Velozes e furiosos*
Mistério	*A forma da água*
Musical	*La la land – Cantando estações*

COMÉDIA

Romântica	*Mesmo se nada ser certo*
Musical	*Mamma mia!*
Infantojuvenil	*A bailarina*

CRIME

Psicológico	*Psicose*
Ação	*O silêncio dos inocentes*
Social	*A sangue frio*

MELODRAMA

Ação	*O homem de aço*
Aventura	*Dança com lobos*
Juvenil	*Caninos brancos*
Detetives e mistério	*Chinatown*
Crime	*Um crime de mestre*
Social	*Crash – No limite*
Romântico	*Match point – Ponto final*
Guerra	*Dunkirk*
Musical	*Amadeus*
Psicológico e mistério	*Fragmentado*
Psicológico	*Caia fora*

DRAMA

Romântico	*O curioso caso de Benjamin Button*
Biográfico	*O aviador*
Social	*Um sonho de liberdade*
Musical	*Dreamgirls – Em busca de um sonho*
Comédia	*Pequena Miss Sunshine*
Ação	*Jack Reacher – Sem retorno*
Religioso	*A Paixão de Cristo*
Psicológico	*Hannah e suas irmãs*
Histórico	*Operação Valquíria*

OUTROS

Fantasia	*Game of thrones*
Fantasia musical e comédia	*O mágico de Oz*

Fantasia de ficção científica	*A. I. – Inteligência artificial*
Farsa	*Tá todo mundo louco!*
Terror	*O iluminado*
Terror psicológico	*Jogos mortais*
Documentário	*Tiros em Columbine*
Semidocumentário	*Na cama com Madonna*
Animação	*Wall-E*
Histórico	*Os Bórgias*
Séries	*Big little lies*
Educativo	*Coleção Enciclopédia Britânica*
Propaganda	*Os boinas-verdes*
Mudo	*O artista*
Erótico	*O império dos sentidos*

Basta observar essa classificação para descobrir contradições, que o leitor mais informado terá notado sobre a narrativa audiovisual. A classificação de gêneros é uma velha batalha entre os especialistas, que nunca ninguém ganhou até hoje sem baixas. Uma posição prudente aconselha a descobrir nos filmes traços de um gênero predominante, segundo os quais possam ser classificados convencionalmente.

A classificação apresentada segue uma via de amplo pragmatismo industrial e é suficiente para que aqueles que pertencem a esse mundo compreendam, em princípio, de que gênero de produto se trata. Essa classificação é tão útil e contém tantos equívocos como qualquer outra.

Enquanto não formos teorizar nesse campo, ela serve para ser entendida de um ponto de vista comercial – e é conveniente conhecê-la. Ela nos ajuda a definir o tipo de *storyline* e a marcar as convenções de gênero em cada um dos casos, conforme veremos no momento oportuno. As plataformas também se utilizam dessa classificação.

No entanto, na televisão, em que a forma como gênero é igualmente importante, a classificação tende a ser outra. E os produtos televisivos são mais conhecidos pelo tipo de programa – minissérie, série, telefilme, telenovela etc. – e contêm uma maior mistura de gêneros. Definiremos mais adiante essas formas televisivas.

CONCLUSÕES

Neste segmento, definimos o roteiro e descrevemos as etapas da sua construção. O **que, quem, onde, quando, como, quanto e por que** de escrever um roteiro. Abordamos também alguns problemas terminológicos e introduzimos a classificação dos gêneros do roteiro.

EXERCÍCIOS

Quando decidi me dedicar a escrever roteiros, a primeira coisa que fiz foi ler roteiros e compará-los com os filmes correspondentes. Lembro que um dos primeiros que li foi *Cidadão Kane*, de Orson Welles. Repito, foi fundamental ler roteiros e também peças de teatro. O essencial para o roteirista é ler dramaturgia. Hoje em dia, com o *streaming* e a internet, é muito mais fácil estudar as obras cinematográficas, teatrais ou televisivas. Por tudo isso o exercício que proponho é o seguinte:

1. Escolher três roteiros de autores e gêneros diferentes. Por exemplo: um de Ingmar Bergman, outro de Dalton Trumbo (*Spartacus*) e outro de Leopoldo Serran. Ler esses roteiros com atenção uma única vez. Assistir ao vídeo correspondente. Comparar, cena por cena, a construção do roteiro na tela.

2. Baixar um episódio de uma série de TV (dramática, *sitcom* etc.), baixar ou alugar um VoD (*video on demand*). Tentar "escrever" alguma de suas cenas.

3. Buscar a página dos anúncios cinematográficos na internet. Classificar por gêneros os filmes já vistos. Repetir a experiência com a programação da TV.

4. Normalmente os jornais ou os programas de cinema e televisão trazem pequenos resumos da história dos filmes ou das séries que anunciam. Ler os resumos, ver o filme ou o capítulo da série e voltar a escrever o resumo. Assegurar que é diferente daquele que foi feito pelo jornalista, que o nosso é mais profundo, mais completo, mais global e contém o final. Procurar uma fórmula própria de ver o audiovisual e seu conflito.

BIBLIOGRAFIA E NOTAS

1. FIELD, Syd. *The screenwriter's workbook*. Nova York: Dell, 1984. p. 8.
2. DANCYGER, Ken. *Broadcast writing*. Boston: Focal Press, 1991. (Electronic Media Guides)
3. CARRIÈRE, Jean Claude. *Práctica del guion cinematográfico*. Barcelona: Paidós, 1991, p. 15.
4. *Ibidem*, p. 101.
5. *Ibidem*, p. 10.
6. A nomenclatura usada neste livro oscila entre o literário e as convenções da área. Assim, o leitor pode recordar os conceitos de *tema*, *argumento* (relato cronológico) e *trama* (relato narrado) da análise literária. Todos eles estarão presentes nas fases de construção do roteiro. O conceito de *storyline* é muito específico e equivale a um apontamento da sinopse.
7. REED, Kit. *Revision*. Londres: Robinson Publishing, 1991, p. 74.

8. Seger, Linda. *Making a good script great*. Hollywood: Samuel French, 1987, p. 141.
9. Jackson, Paul. *Debut on two: a guide to writing for television*. Londres: BBC Books, 1990, p. 56.
10. Comparato, Doc. *Roteiro*. Rio de Janeiro: Nórdica, 1983, p. 12.
11. *Screenwriters guide*. Distribuído por Writers Guild of America. West Inc. 8955 Beverly Boulevard, Los Angeles, LA 90048.

1.3 A IDEIA – ORIGEM, FONTES E REFERÊNCIAS

REFLEXÕES SOBRE A IDEIA

Como escreveu o pensador Michel de Montaigne em seus *Ensaios filosóficos*: "Ninguém está livre de dizer asneiras. O mal consiste em dizê-las com pompa. Isto não se aplica a mim, que digo as minhas tolices tão naturalmente como as penso"[1].

O homem é um ser curioso que pergunta e nunca fica satisfeito com as respostas, e dessa forma evolui. Tão depressa faz perguntas a si mesmo como inventa respostas, e assim cria. À semelhança do Criador, ele também é criador, criativo. No entanto, para nós esse tipo de raciocínio não é suficiente e procuramos mais, queremos saber o "como" e o "porquê" para desenvolver a nossa capacidade criativa, para podermos utilizar essa capacidade.

Existem diversas teorias sobre a ideia, formuladas nos mais diversos campos da atividade humana. Mas nenhuma aclara realmente grande coisa. Sabemos que há um fator genético que predispõe, juntamente com fatores ambientais, culturais, nutricionais etc. Sabemos que um indivíduo nascido de uma mãe desnutrida e que não receba alimentação nem educação adequadas pode ter sua inteligência seriamente afetada. Sabemos também que um indivíduo em condições favoráveis e bem estimulado tende a desenvolver seu potencial criativo. Mas o saber popular não está de acordo com isso e dizem os aforismos que "a fome aguça o engenho" ou que se é "mais ligeiro que a fome". O que não é totalmente descabido. Pois no meio artístico existe outro ditado que descreve o **profissionalismo** como uma **necessidade** que nasce na cabeça (**necessidade racional, vocação**), no coração (**necessidade sentimental, paixão**) ou no bolso (**necessidade material, dinheiro**). Acho este mais completo.

A inteligência e a criatividade não são uma simples questão de **classe**, embora muitos intelectuais, artistas e cientistas surjam das classes média e alta. Mas não se pode, lamentavelmente, negar que existe uma incidência das condições favoráveis ao desenvolvimento na frutificação intelectual. Todavia advirto que aprendi com a vida que existe primeira classe em todas as classes. É comum encontrar alguns criadores que não foram agraciados com uma família endinheirada, mas ainda assim logram o êxito.

Imaginemos um mundo utópico onde todos os indivíduos vivam sob as mesmas boas condições. Seriam todos igualmente criativos? Creio que não. E a pergunta fica feita. Por que não? Aqui começa o **mistério da diferenciação**, e gostaria de divagar sobre ele. Mas antes vamos esclarecer o que se entende por **ideia, criatividade e originalidade** aplicadas à dramaturgia.

Para escrever um roteiro é preciso uma ideia. Algo tão simples e tão complexo como uma ideia: "O primeiro e mais óbvio dos atos do entendimento... O engenho para dispor, inventar e representar uma coisa"[2]. A ideia é um processo mental, fruto da imaginação. Do encadeamento das ideias surge a criatividade. Ideia e criatividade estão na base da confecção da obra artística.

A originalidade é o que faz que um texto seja diferente de outro. É a marca individual do texto, o seu estilo. Por esse motivo se fala do "universo" de um poeta, da "cosmogonia" de um artista. Na realidade, os dramas e as comédias explicam basicamente a mesma e velha história do homem e dos seus problemas. A diferença consiste na maneira como o artista explica essa mesma e velha história.

Nihil novum sub sole, diz um provérbio salomônico[3]; "nada de novo sob o sol", repetimos eternamente. Mas, segundo o parecer de William James, o gênio não é mais do que aquele que possui a faculdade de perceber as coisas de maneira fora do habitual, ou de se adiantar aos tempos.[4] "É próprio do gênio fornecer 20 anos mais tarde ideias aos cretinos", afirma um tanto ironicamente Louis Aragon.[5]

CAPACIDADE CRIATIVA

Sempre senti grande curiosidade pelas fronteiras e diferenças entre **inteligência** e **criatividade**. A minha memória está cheia de recordações desordenadas das minhas leituras sobre as tentativas de compreender o processo criativo. Depois de tantos anos, percebo que o ser humano é intrinsecamente inteligente, um ser que vive num firmamento contemplado por diversos tipos de inteligência e assinalado por nuvens que podemos chamar de criatividade. A imagem é poética, sim, mas não foge da verdade conceitual. Não existem homens totalmente desprovidos da capacidade de entendimento, e o contrário também é verdadeiro. Da mesma maneira, um homem "unicamente criativo" viveria numa nuvem sem capacidade ou poder de permitir a passagem da luz do sol, isto é, de tornar efetiva sua imaginação.

Francis Galton e sua tese de que a inteligência e a criatividade têm uma base puramente genética serviram para sustentar as insensatas ideias racistas da Alemanha hitlerista. Ele esqueceu ou omitiu o meio, as influências políticas, culturais ou nutritivas, e tantas outras circunstâncias.

Terman e Cox, nos Estados Unidos, elaboraram um teste para avaliar a inteligência humana. Esse teste, conhecido pelo nome de **QI** (quociente de inteligência), tentava determinar o grau de inteligência do indivíduo tendo em conta fatores genéticos e culturais. Nesses parâmetros, a inteligência é medida entre 70 e 200.

Depois da primeira aplicação do teste, foi observado que apenas se tinha medido a capacidade de raciocínio lógico, com ênfase na rapidez do raciocínio, e não a criatividade.

Se a memória não me falha, foi Anne Roe quem alegou ser impossível medir a criatividade, porque a capacidade criativa varia enormemente e existem diversos tipos de inteligência criativa, tal como a matemática, a filosófica, a artística, a corporal e tantas outras. Dessa alegação nasceu a chamada "nova teoria da inteligência", desenvolvida num estudo da Universidade de Yale (Estados Unidos) pelo professor Robert S. Sternberg, que sustenta que **a inteligência e a criatividade correspondem a um equilíbrio que se deve estabelecer entre três tipos de inteligência**: **a interna**, que atua sobre conhecimentos memorizados; **a criativa**, capaz de criar novas teorias e conceitos; e **a empírica**, ou capacidade de adaptação a novas situações ou mudanças de ambiente. Esse estudo é bem interessante, já que mesmo em condições adversas o artista consegue criar obras-primas. Segundo essa teoria, a mais aceita até hoje, podemos dizer que nossa criatividade é dirigida por um triunvirato mental.

Embora reconhecendo que esses estudos são importantes e necessários, creio que ainda existem muitos mistérios a respeito da criatividade, sua procedência e sua razão de existir. E os mistérios me fascinam. Sugiro aos roteiristas que não tentem definir totalmente esses conceitos, mas tentem conhecer ou estabeleçam pelo menos uma aproximação com seu próprio processo de criação e seus mecanismos mentais – e, o que é mais importante, que tentem exercitar esses processos.

A PSICANÁLISE E A CRIATIVIDADE

Mesmo sabendo que a psicanálise é um tema controverso em alguns círculos, devo confessar que descobri a minha vocação, ou melhor, a minha identidade profissional muito tarde. Já era médico, estava me especializando em Cardiologia em Londres e a minha vida, aos olhos dos outros, parecia muito feliz. Mas me sentia infeliz. Foi a essa altura que decidi ser psicanalisado e mudei de rumo. A mudança de médico para roteirista foi bastante difícil, mas o resultado me parece positivo até hoje. Li a obra de Freud e a de Jung com grande interesse nessa época, e algumas das suas ideias ainda me interessam. Os estudos de Freud sobre criatividade são de tal importância que qualquer obra sobre o ato criativo que não o mencione pode se considerar incompleta. Outros investigadores se dedicaram ao tema e fizeram aquilo a que chamaríamos uma "segunda leitura" dos estudos do médico de Viena. Entre esses investigadores me interessaram sobretudo as figuras de Melanie Klein e Lacan.

Em "Delírios e sonhos na *Gradiva* de Jensen"[6], escrito em 1907, Freud analisa a personagem principal do romance em questão. Aplica assim a sua teoria psicanalítica para estudar o assunto da criação literária, que é interpretada como um fenômeno psíquico. Freud se refere também às obras da literatura, às personagens, aos temas e ao estudo do próprio escritor por meio da sua obra. Do seu ponto de vista, os poetas, isto é, os criadores literários, compreenderam a importância do sonho e o seu significado profundo com maior aproximação do que os homens de ciência. Assim, o criador literário acaba por ser um sonhador à luz do dia.[7]

Mas o que faz um sonhador acordado? Freud é apologista da tese de que a pessoa feliz não tem fantasia, já que as fantasias são anseios insatisfeitos. E neste posto é necessário esclarecer a diferença entre fantasia e criatividade. A fantasia é a repetição de uma mesma imagem que nos dá prazer ou nos faz sofrer, como a repetição de situações sadomasoquistas. Já a criatividade traz uma ideia nova e longe da repetição.

Também os sonhos noturnos seriam realizações de anseios reprimidos que apenas se exprimem de maneira distorcida: é a isso que Freud denomina "distorção onírica". O mesmo princípio se pode aplicar ao mito, "vestígios distorcidos de fantasias cheias de desejo de nações inteiras", aquilo a que se chama "sonhos seculares".

Jung, em sua teoria do "inconsciente coletivo", segue a linha desses pensamentos. Assim, o "sonhar acordado" seria a correção da realidade insatisfeita, a invenção de uma realidade na qual todas as necessidades, boas ou más, se veriam realizadas.

Segundo Freud, o escritor criativo e o "sonhador à luz do dia" fazem exatamente a mesma coisa que a criança quando brinca e reorganiza o mundo a seu gosto utilizando como matéria-prima a imaginação e os sonhos. O contrário da brincadeira seria simplesmente a realidade. Para uma criança, brincar é uma atividade da qual retira grande quantidade de emoções, estabelecendo laços entre o imaginário e a realidade. A brincadeira da criança é determinada pelo desejo de ser adulto. No entanto, a criança distingue perfeitamente o imaginário da realidade e gosta de relacionar seus objetos com coisas do mundo real. E é isso que diferencia a brincadeira infantil das fantasias do adulto, porque os adultos brincam (fantasiam) para fugir à realidade.

Assim, o jogo do artista se baseia na maneira de utilizar o sonho, o delírio: com tinta, palavras ou mármore. O resultado é a obra de arte.

Diversas línguas demonstram a relação que existe entre brincar e criar. Em alemão a palavra *Spiel* (peça teatral e jogo, brincadeira) dá lugar a *Lustspiel* (comédia) ou a

Trauerspiel (tragédia), literalmente "brincadeira triste", como o próprio Freud observa. Também em francês se encontra essa relação entre *jeu* (jogo) e *jouer* (brincar ou atuar), em inglês *play* (brincar e atuar; vide *playwright*, *screenplay* e *play*), em espanhol *jugar* (brincar) e *jugar* (representar) no papel da vida ou em um conflito. Em português, peça de teatro está relacionada com a expressão "pregar uma peça" (fazer uma brincadeira com alguém).

Mesmo assim, continuamos com Freud: essa insatisfação com uma realidade que não preenche a sua necessidade faz que o escritor criativo seja um indivíduo à margem, que normalmente não consegue se integrar no meio e se converte num marginal. Não no sentido de ser bandido, mas sim aquele que está intelectualmente à margem da sociedade, isto é, consegue uma releitura do seu entorno com determinada particularidade. Sua integração no meio se faz pela literatura ou pelo roteiro, ao criar realidades fictícias que equivalem a sonhos ou objetivos do ser humano em geral. E dessa maneira o artista reencontra a realidade. Mas para os que não são artistas, a faculdade de conseguir obter satisfação nas fontes da imaginação é muito restrita. Para o receptor (o espectador), no entanto, constitui uma satisfação exteriorizada, uma vez que o fato de poder presenciar os próprios fantasmas, atuando sob uma aparência estética, atenua suas tensões internas.

CRIATIVIDADE E RISCO

A criatividade pode ser descrita como "o abandono de toda a segurança". Creio que foi o psicólogo Abraham Maslow quem observou que de maneira geral as pessoas não têm coragem suficiente para enfrentar um papel em branco, quer dizer, sentem medo, insegurança por não saberem o que vai se passar. Diz ainda que as pessoas criativas são as que precisamente enfrentam essa incerteza. De certo modo, pode se comparar com o medo que sente aquele que se coloca diante de uma câmera pela primeira vez. É o medo de ver refletido aquilo que se queria guardar para si mesmo. Eu próprio, roteirista profissional, continuo a sentir certo temor e alguma preocupação cada vez que começo a escrever. Creio que isso é natural e suspeito que se algum dia deixar de sentir esse temor deixarei de ser criativo.

Ingmar Bergman, o mestre sueco, explicou em forma de parábola o processo que lhe sucedia quando estava aparentemente sem fazer nada. Dizia tomar todas as suas decisões por intuição. Lançava um dardo às escuras, e é isso a intuição. Depois, enviava para lá todo um exército a fim de recuperar a seta, e isso é o intelecto.

Recordo que no filme *Amadeus*, enquanto o pai e a mulher discutem numa sala, o protagonista Mozart foge para outra sala e começa a brincar com uma bola de bilhar sobre uma mesa, enquanto escreve notas de uma música num papel. Seria como se procurasse no movimento da bola o som da criatividade. Acho que é uma cena muito representativa do momento criativo de um artista. Vemos a personagem concentrada no seu trabalho, distante da enfadonha realidade e com olhos de sonhador.

Mozart, em uma belíssima carta, escreveu que não sabia como nem de onde vinham suas ideias, mas acreditava que se dormisse não conseguiria resultado nenhum. Portanto, não dormia e passava as noites em claro esperando que chegasse a inspiração. E, com aqueles sons com alguma musicalidade que surgiam no meio da noite, ia tecendo suas sinfonias, dando graças ao Criador não pelas ideias, mas pela capacidade de não esquecer os sons que havia escutado durante a vida.

Segundo Tchaikovsky, se atendêssemos à tradição, era preciso ter muita paciência para esperar pela ideia. Mas o que ele achava muito importante era vencer a paralisia, o deixar tudo para amanhã, já que esse abatimento era pura e simplesmente o medo diante de um papel em branco. Nesse caso, a pauta musical.

E para culminar, o testemunho de um cientista. Albert Einstein explica que a coisa mais bonita que se pode experimentar é o mistério. Ele é a fonte de toda arte e ciência verdadeiras. Aquele a quem essa emoção é estranha, que é incapaz de deixar correr a imaginação e se sentir extasiado, é como se estivesse morto: tem os olhos fechados.

Deixar a segurança é aceitar o risco do mistério, penetrar em zonas do nosso ser em que tudo é incerto. É enfrentar o medo de não saber o que fazer com uma matéria fluida, com a matéria-vida que temos dentro de nós. Talvez por isso Nelson Rodrigues tenha comparado o fato de se converter em dramaturgo com um salto mortal.

Alguém disse um dia – e penso que foi Ezra Pound – que o artista é composto por 10% de talento e 90% de trabalho duro. Ou, de forma mais generalizada, a célebre frase de Thomas Edison, que define o gênio como 1% de inspiração e 99% de transpiração. É algo que todos os artistas explicam a quem supõe que a inspiração chega como um raio fulminante e entrega a obra acabada. Nas palavras de Alan A. Armer, "muitos aspirantes a escritores creem que os bons roteiros provêm da inspiração. Tudo que há a fazer é sentar diante da máquina de escrever e se comunicar com as musas. E então: Shazam! Qualquer coisa de mágico acontece. Na mente deles surgem ideias brilhantes, e cenas de uma força e beleza incríveis emergem do papel. Nada está mais longe da verdade. Um bom roteiro, como outros trabalhos criativos, brota de cuidadosos rascunhos, se edifica sobre traçados e tratamentos de uma história cimentada sobre rocha sólida"[8].

Já que falamos de roteiros, essa é uma verdade profunda. Despertamos e, com inspiração ou sem ela, temos de nos sentar e escrever porque há uma produção em curso. Em qualquer caso, a criatividade é uma das três condições indispensáveis para se conseguir o êxito de um roteiro, mesmo para os padrões de um produto hollywoodiano (as outras duas condições são "comercialidade" e "estrutura")[9].

Jean-Claude Carrière, no encerramento do mestrado de Escrita para TV da Universidade Autônoma de Barcelona (UAB), em 1991, disse que o importante é sentir que **por detrás de uma ideia existe uma história**. Em outras palavras, descobrir a quantidade de história oculta que existe numa ideia.

Finalmente, posso falar um pouco do meu próprio processo, que não é nada científico e sim bastante aleatório. Basicamente distingo na minha mente duas procuras constantes.

A **primeira** se relaciona à **personagem**. Desde criança, e ainda hoje, sinto uma enorme curiosidade pelo ser humano. Olho para uma pessoa, ou vejo uma personagem ou leio sobre ela, e imediatamente pergunto a mim mesmo: como é essa pessoa? Como faz para resolver o conflito de viver? Procuro detalhes. Por que tem aquele tique? Por que usa aqueles sapatos? Enfim, tento decifrar, por pura curiosidade, a pessoa e a sua personagem. Esse tentar decifrar não contém nem uma gota de lógica e ficou dentro de mim com os anos, como se fosse um jogo. Agora já não me importa descobrir a verdade, apenas criar respostas interessantes. Alguns amigos dizem que por vezes faço perguntas indiscretas, o que faz me parecer mal-educado. É um risco que corro.

A **segunda** é **procurar histórias**, e tento fazer isso em toda parte. Às vezes fico atento a uma cena que vejo na rua ou num filme e logo começo a construir uma intriga capaz de sustentar essa cena. Primeiro me pergunto por que escolhi tal cena. Depois, reflito se ela será suficientemente forte ou reveladora da condição humana. Por fim começo a transformar a cena com o propósito de encontrar um lugar para ela na intriga que construí ao seu redor. Isso também é um jogo mental que muitas vezes me faz passar por uma pessoa distraída.

Todo esse enredo mental é espontâneo e na maioria das vezes não me leva a nada. Somente me diverte e talvez seja a forma que utilizo para exercitar a mente. Uma nuvem passageira que se desfaz sem conteúdo nem resquício.

AS IDEIAS NÃO SURGEM DO NADA

No início dos meus seminários, quando falo sobre ideias ou criatividade, pergunto a dois ou três alunos como pensam. Quer dizer, como pensam que pensam. Normalmente, a resposta é sua perplexidade. Não é habitual as pessoas refletirem sobre como pensam.

E o leitor? Como pensa? Quando escreve um texto criativo, enxerga palavras na sua imaginação como se fosse uma tela? O ato de escrever é uma recopilação de palavras que se revelam na sua imaginação? Claro que não. Normalmente, nós vemos imagens e temos sensações. Interpretamos isso por meio das palavras. Para o roteirista,

DA CRIAÇÃO AO ROTEIRO　**57**

pensar em imagens é essencial. Certo dia, trabalhando com Xesc Barceló, esse grande amigo e roteirista catalão me disse: "Vamos repetir mais uma vez, porque não estou vendo nada, não estou sentindo a cena".

É fundamental para um roteirista ver e sentir a cena. Nossa imaginação deve estar treinada para ver cenas. Como a nossa mente tem um limite e com o tempo esse exercício se torna repetitivo, devemos procurar ver também através de outros olhos e de outras mentes.

Lewis Herman[10], roteirista, elaborou aquilo a que chamou de **quadro de ideias**. Esse quadro, no qual introduzi algumas modificações, é de grande ajuda para nosso trabalho de "mineiro à procura de ouro". Existem seis campos, nos quais, presumivelmente, encontraremos alguma ideia. São eles:

- **Ideia selecionada**
- **Ideia verbalizada**
- **Ideia lida** (*for free*)
- **Ideia transformada** (*twist*)
- **Ideia proposta**
- **Ideia procurada**

Ideia selecionada

Esse tipo de ideia provém da nossa memória ou vivência pessoal, como quando sonhamos acordados. Tem um caráter absolutamente pessoal, surge de dentro dos nossos pensamentos, do nosso passado recente ou remoto. Uma ideia selecionada independe de outra pessoa ou de fatores externos. Muitos autores procuram quase sempre aí os seus temas – por exemplo, Federico Fellini. Aquilo mais íntimo é frequentemente o mais universal, e uma ideia selecionada com o tratamento adequado pode conduzir a resultados excelentes. Por outro lado, o escritor deve ser capaz de contar qualquer coisa além das próprias experiências. Não é raro o caso do autor esgotado depois da sua primeira obra. Talvez a história da sua família não seja muito interessante, nem mesmo da sua tia ou a sua.

Ideia verbalizada

A ideia verbalizada é a que surge daquilo que alguém nos conta, um caso, um comentário, um pedaço de história que ouvimos no elevador. É uma ideia que nasce de algo que captamos no ambiente que nos rodeia.

Gabriel García Márquez me explicou que teve a ideia de escrever *Me alquillo para soñar* (*Me alugo para sonhar*), em cujo roteiro trabalhei, quando ouviu de um conhecido a seguinte frase: "Gostaria de trabalhar enquanto durmo".

Ideia lida (*for free*)

A ideia lida é aquilo que Lewis Herman denomina "ideia grátis"[11], que encontramos ao ler um jornal, uma revista, um livro ou até um folheto que nos tenham dado na rua. Sam Goldwin escreveu um roteiro inspirado no título de uma carta publicada no *Times*. Desse título, "The best years of our lives", nasceu uma história que conservou o mesmo nome e é um grande filme (*Os melhores anos de nossas vidas*).

Jornais e revistas são uma excelente fonte de ideias. A seção policial de um jornal carioca deu lugar a diversas histórias escritas por mim para a série *Plantão de Polícia*. Por exemplo, a história do homem que saiu para comprar cigarros, foi feito refém por uma quadrilha de ladrões de bancos, se integrou à quadrilha e acabou morto pela polícia.

O roteirista profissional lê com interesse as notícias de revistas, jornais ou afins (notícias digitais), presta atenção aos telejornais e programas informativos para engordar provisoriamente os seus fichários com milhares de "ideias lidas" que um dia podem se converter no seu trabalho imediato. Eu próprio tenho um fichário onde guardo recortes de jornais, fotocópias de páginas de livros e papéis com notas. Dou ao fichário o nome de "IDEIAS". De vez em quando, passo esse fichário em revista e jogo fora a maior parte do material. Depois, recomeço a coleção. É esse o mecanismo que uso para guardar meu cofre de ideias. Atualmente se pode usar o computador como cofre. Acrescentam-se ainda nesse item ideias provenientes das redes sociais, do WhatsApp e de portais de notícias.

Ideia transformada (*twist*)

Uma ideia transformada é basicamente aquela que nasce de uma ficção, de um filme, de um livro, de uma obra de teatro, documentário etc. Entre roteiristas costumamos dizer que "um autor amador copia, ao passo que um autor profissional rouba e transforma". A transformação é a manipulação das ideias, dos temas e dos tópicos, da variação dos mitos; é o sistema mais especificamente clássico da criação. É o que se chama de *contamination* (contaminação).

Platão "reescreveu" uma grande quantidade de comédias gregas e explica isso em seus prólogos. *Henrique V*, de Shakespeare, foi uma ideia "roubada" de um escrito de um autor da época. A *Fedra* de Jules Dassin é uma transformação da obra de Eurípedes.

Romeu e Julieta, de Shakespeare, foi absorvida de uma peça italiana chamada *Ariana*, de autoria de Matteo Bandello – até mesmo alguns personagens mantiveram o mesmo nome da peça original. Shakespeare manteve o nome das principais famílias envolvidas no drama de Bandello. A propósito, escrevi uma peça chamada *Lição número 18*, encenada no Teatro Poeira, no Rio de Janeiro, em 2010, e protagonizada por minha filha Bianca Comparato, que conta a história da venda do manuscrito da peça original italiana de Bandello nos dias de hoje. Também é bom lembrar que *Romeu e Julieta* não é uma história de amor e sim uma tragédia.

É preciso deixar clara a diferença entre o plágio e a ideia transformada. O plágio é a transcrição *ipsis litteris* de partes de uma obra, ao passo que a ideia transformada consiste em utilizar a mesma ideia, mas de outra maneira. Don Juan pode ser um conquistador por vocação, por destino ou por casualidade. Pode seduzir ou ser seduzido por Dona Inês, a quem pode também abandonar grávida ou se casar com ela e se divorciar dez anos mais tarde. Dona Ana pode ser a prometida de Don Luís ou sua esposa há 20 anos, ter uma propriedade em Burgos ou um bordel em Toledo. Don Juan pode ser condenado ou se arrepender a tempo. Talvez Deus não estivesse preocupado com Don Juan, seu castigo foi descobrir Dona Inês, anos mais tarde, casada e feliz com um estudante de Salamanca. Pode ser um homem cansado da própria vida. O importante é que Don Juan pode nos dar as chaves para uma **série de novas histórias** e inúmeras saídas criativas.

Cuidado para não confundir a transformação de uma ideia com a adaptação (veja o segmento 5.1). Ler, assistir ficção ou documentário por *streaming*, ir ao cinema, ao teatro e acompanhar telejornais diários de vários países são meus esportes preferidos. Às vezes fico perplexo quando um aluno de roteiros ou até mesmo um profissional se mostra demasiado crítico no que diz respeito ao nível da televisão atual ou do panorama teatral, quando parece não gostar de nada do que vê. Devo confessar que não compreendo, porque para ser roteirista é essencial gostar dos audiovisuais: televisão, cinema, teatro. E há mais: assistir ao trabalho dos outros não só nos atualiza como pode até mesmo nos trazer novas ideias. Recordo que Marguerite Duras, escritora, roteirista e diretora francesa, tinha o hábito de entrar num cinema e ver durante dois minutos um filme qualquer. No fim do dia dizia que sua jornada havia sido muito mais emocionante porque vira uma mulher chorando, um casal fazendo amor e um homem morrendo.

Ideia proposta

A ideia proposta é aquela que nos é **encomendada**. Um produtor propõe um roteiro sobre a história de algum herói nacional ou para um filme educativo sobre os problemas ambientais do planeta. Com base nisso, vamos pensar no que escrever. A obra por encomenda é um desafio. É melhor escrever sobre um assunto que nos apaixona, mas um bom roteirista deve ser capaz de se apaixonar por uma boa sugestão. Ou recusá-la e mandar tudo às favas.

É interessante observar que, num primeiro momento, uma ideia proposta pode parecer um pesado encargo, mas quase sempre é um desafio que se transforma numa tarefa apaixonante. Digo sempre que nós, roteiristas, devemos ser como Zelig[12] (personagem de um filme de Woody Allen), ou seja, ter a capacidade de nos adaptar a ideias que não são nossas, a personagens alheias a nós mesmos, de outros tempos e lugares.

Recordo muito bem o dia em que o diretor catalão Lluís Maria Güell me mostrou o livro sobre a lenda do conde Arnau. Me vejo num avião, a caminho de casa, a olhar para o livro de antropologia e a perguntar a mim mesmo: como é que vou trabalhar sobre uma lenda catalã do ano 1000? Que recursos deverei procurar na minha mente para compreender e manejar uma personagem tão afastada da minha cultura pessoal? Então decidi que ia dedicar as minhas férias de verão (1991) a ler livros sobre a Idade Média e sobre a história da Catalunha, e a ver filmes sobre temas medievais. Comecei a investigação mergulhando no universo medieval e saí nadando. Final da história: *Arnau* se transformou em uma minissérie premiada e vendida pelo mundo.

Ideia procurada

A ideia procurada é a que encontramos por meio de uma **pesquisa** feita para saber qual é o tipo de filme que o **mercado quer** ou que está em **falta**. Um estudo pode nos mostrar que não existe nenhum filme de aventura no Brasil sobre, suponhamos, os conflitos entre portugueses e índios. O filme *Como era gostoso o meu francês* foi feito com base nessa realidade. Aconteceu a mesma coisa com as séries televisivas brasileiras no final dos anos 1970, que nasceram devido à ausência desse tipo de produto para a audiência de origem brasileira e sul-americana.

A ideia procurada ocupa um vazio no mercado. Pode ser um tema ainda não abordado em determinado ambiente, como no exemplo anterior, ou escasso em temporadas recentes. Foi o caso de *Love story* (*Uma história de amor*), da renovação de um gênero como *Star wars* ou como *Os caçadores da arca perdida*. Ou pode ser o enfoque de um tema de modo como nunca se fez até então. Pode também se basear na procura daquilo que agrada a determinado tipo de público, estratégia bastante frequente na televisão brasileira, principalmente com referência a credos: telenovelas bíblicas ou de temática espírita.

Apocalypse now, de Francis Ford Coppola, sobre aquilo que ainda não tinha sido mostrado num filme de guerra a respeito do Vietnã, foi uma "ideia procurada". No entanto, o processo de sua construção se baseou na "transformação" do romance *O coração das trevas*, de Joseph Conrad. Os diferentes tipos de ideia não são excludentes.

Um exemplo clássico de ideia procurada que não funcionou foi o filme *Cleópatra*. Comercialmente tinha todo o necessário para ser um grande êxito: uma história conhecida (que seria uma transformação das obras de Shakespeare e de Bernard Shaw), a presença de Elizabeth Taylor e Richard Burton e muito luxo. Mas, para infelicidade dos que nela trabalharam, quando foi lançada o público não gostou da ideia – ou melhor, do filme. Curiosamente, com o tempo o filme ganhou ares *cult* e até hoje continua dando lucro.

CONSTRUIR UM POEMA, UMA OBRA LITERÁRIA

Stephen Spender, em seu livro *The making of a poem*[13], explica o que considera as qualidades básicas para a construção de um poema. Enfatiza o fato de o pensamento poético se estruturar em imagens, um ponto realmente importante para quem faz um roteiro. Na realidade, é como se tivéssemos uma câmera atrás do olho, mas ainda mais, porque a câmera e as novas tecnologias têm maior acuidade de imagem do que a visão humana, o que as aproxima da imaginação. Em outras palavras, elas concretizam as percepções da imaginação e, portanto, ultrapassam os poderes visuais do ser humano.

O artista tem na sua opinião o que chamamos de autoscopia, ou seja, a capacidade de estar num ambiente como ator e como observador, de ver e imaginar ao mesmo tempo. Da observação surge a imagem, e é essa imagem que acaba no papel.

Spender apresenta como básicas as capacidades de **concentração**, **inspiração**, **memória**, **talento** e **autoconfiança**.

Concentração é ser capaz de se alhear, ficando atento aos fluxos internos. Há dois tipos de concentração: a imediata ou completa, da qual o resultado surge de repente e praticamente por inteiro, e outra, mais lenta e com intervalos, da qual o trabalho às vezes surge e às vezes não. Poderíamos acrescentar o tipo de concentração do ator que se deixa levar pela personagem.

Uma pergunta que se deve fazer aqui é qual deles é o melhor. O imediato completo ou o outro, cheio de intervalos e mais preguiçoso? Tanto faz. O importante é o resultado. E o roteirista deve conhecer o seu tipo de concentração e não lutar contra ele. Aproveitar o melhor que ele pode oferecer. Talvez aquele que interrompe frequentemente o seu trabalho conceba melhores conceitos do que outro que jorra concentrado um longo discurso sobre o papel.

Uma última observação. Para se ter ideia do nível de preconceito de alguns livros de roteiro estrangeiros, a concentração imediata e completa é chamada de anglo-

-europeia. E a lenta em estágios, de hindu-islâmica. A mesquinharia humana não salva nem a arte.

Inspiração é a ideia luminosa. É o começo e o fim de um poema, de um roteiro. O traço de união entre o princípio e o fim, uma corrida de obstáculos.

Há quem considere que drogas facilitem o trabalho criativo, que ajudem a inspiração. É discutível. É certo que a droga atua sobre o sistema límbico, no qual se situa o raciocínio lógico e o superego censor. Facilita a expansão do afeto e das emoções, relaxa a censura, mas em contrapartida diminui a capacidade do intelecto para criar estruturas de trabalho.

Poderíamos mencionar aqui o poema *Kubla Khan,* de Coleridge, produto, segundo parece, de um sonho produzido pelo ópio, bruscamente interrompido, tradicionalmente considerado um "belo mas caótico fragmento cujas imagens flutuam confusamente"[14]. Ou a história de um conhecido cronista do Rio, beberrão famoso, que ao abandonar a bebida descobriu que escrevia melhor e se transformou num romancista de renome (saudades do meu amigo José Carlos de Oliveira).

A inspiração é um assunto complicado, uma vez que ninguém sabe de onde surge. Creio que foi Paul Valéry quem disse que a inspiração é *une ligne donnée,* uma linha dada, uma possibilidade de criar. Benavente, mais pragmático, nos indica por meio de uma das suas personagens que, "se acontece a alguém algo de bom quando menos espera, é porque antes já pensou muito nisso"[15].

Para Coleridge, a inspiração poética é, entre outras coisas, *"a sunny pleasure dome, with caves of ice"*[16] (uma cúpula de prazer ensolarada, com cavernas de gelo), ou seja, o contraste. Becquer define a inspiração poética como "uma estranha sacudidela/que agita as ideias... Disformes silhuetas/de seres impossíveis... Ideias sem palavras/palavras sem sentido... Memórias e desejos/de coisas que não existem..."[17] Para mim a inspiração está ligada ao ofício, no exercício diário do ato de escrever. Me parece mais presente nas pequenas frases, na escolha de um vocábulo, do que nos grandes rasgos estruturais de um roteiro. De todas as formas, no meu entender, inspiração é o momento agudo de criatividade. Isso tudo, é claro, se a inspiração realmente existir. Para mim ela está presente em todo o processo de criação. É um conta-gotas.

Memória é a terceira qualidade. A cristalização de um fato. A memória não é senão um acúmulo de imagens, um gesto, um odor, um sorriso, uma palavra.

Essas imagens arquivadas no nosso baú particular são aquelas que nos ajudam no dia a dia. O que interessa não é exatamente o que se passou, mas sim a leitura que fazemos dessa memória. Não se trata de memória direta. Chegamos a outra definição, mais próxima da imaginação: a interpretação que fazemos da nossa memória.

Atualmente, com o uso do escâner cerebral (visualização da atividade cerebral durante determinada ação), se nota que a imaginação está ligada não ao acúmulo da memória, mas à intensidade com que as ligações (sinapses) entre as células cerebrais ocorrem. Concluímos que a imaginação é fruto de um exercício intenso (uma troca intercelular) da memória e não do seu acúmulo.

Isso explica a genialidade dos poetas, escritores e roteiristas jovens que mesmo sem experiência de vida alcançam níveis de trabalho surpreendentes.

Enfatizando: a imaginação é um exercício da memória. Não se deve confundi-la com **fantasia**, já que esta é repetitiva, não trabalha com o tempo/espaço e, portanto, não tem conotações artísticas.

Como dizia Scott Fitzgerald, a imaginação de primeira ordem tem a capacidade de manter no espírito duas ideias opostas ao mesmo tempo, sem perder a capacidade de funcionar.

O talento, a capacidade criativa, é uma qualidade com que se nasce, como a noção de ritmo da bailarina ou a capacidade do músico de reproduzir uma canção que ouviu uma única vez. É o tempo dramático, a capacidade de fluir no espaço e no tempo em perfeita harmonia. É o porquê de uma cena começar aqui e não ali, terminar agora e não mais tarde. Essa capacidade de manejar o tempo dramático e o ritmo do roteiro é algo particular e próprio de cada roteirista.

Recordar que nos reportamos ao triunvirato mental descrito pelo professor Robert J. Sternberg, da Universidade de Yale, que ao estudar a relação entre o talento, a nossa capacidade criativa e a inteligência apontou a vertente empírica, a possibilidade do artista de se adaptar a novas situações e mudanças do ambiente, até adversas, sem perder seu vigor criativo.

E não faltam histórias ou biografias sobre o tema. Vide Oscar Wilde, Van Gogh e até escritores perseguidos durante o macarthismo americano que continuaram a escrever, sob pseudônimos (cito Dalton Trumbo), grandes livros e peças. Para não falar das perseguições aos criadores não comunistas que viviam atrás da Cortina de Ferro. Por outro lado, se alguém mudar uma samambaia de lugar provavelmente ela morrerá. O mesmo acontece se se retirar um animal irracional do seu hábitat natural.

Sobre a perseguição nos sistemas ditatoriais e comunistas, sugiro que se veja o filme *A vida dos outros*, ganhador do Oscar de melhor filme estrangeiro em 2007, do diretor e roteirista alemão Florian Henckel von Donnersmarck.

A quinta qualidade é a fé, a autoconfiança. Escrevemos, desenvolvemos e finalizamos o trabalho com a absoluta certeza de que realizamos uma obra perfeita. **Sem fé nada se pode fazer.** Depois virá a **autocrítica**, mas sempre com a obra acabada. Então precisamos ouvir a crítica de um amigo, precisamos ser capazes de nos distanciar emocionalmente, para saber se realmente ficou boa ou não. A perda da autoconfiança durante o processo criativo pode ser bloqueadora. Por outro lado, a autodeificação do criador durante o processo pode ser tão nefasta quanto devastadora. Normalmente isso acontece com roteiristas que escrevem telenovelas, que por um instante acreditam ser os donos do mundo mas acabam esquecidos ao terminar determinados trabalhos. A questão da fé para mim é um assunto bastante confuso, como sempre afirmo: "Graças a Deus, sou agnóstico!". Não creio que o ser humano esteja preparado para entender o que seja Deus, assim como não acredito que os homens foram feitos à imagem e semelhança d'Ele, porque nesse caso esse Deus seria muito desumano – afinal, matamos, escravizamos, exploramos e atormentamos o próximo com vinganças, rancores e invejas. O que é excelente para dramaturgia e catastrófico para a teologia.

Enfim, como disse o gênio dos mestres, Shakespeare, "existem mais mistérios entre o céu e a terra do que pode imaginar nossa vã filosofia".

IDEIAS VALEM OURO

Uma boa ideia pode mudar a face do mundo ou, pelo menos, nos garantir a sobrevivência. As ideias valem dinheiro. Se somos pessoas que vivem das ideias, não há injustiça no fato de nos pagarem por elas. Claro que às vezes damos uma ideia e não cobramos nada, mas nesses casos se trata de um presente.

Às vezes nos pagam apenas para darmos ideias, como sucede no trabalho de roteiro nos cursos de formação. Também os de *script editor* ou de *script doctor* (veja a Parte 4) são trabalhos que consistem em dar ideias e contribuir para o roteiro de outras pessoas.

Não se deve menosprezar uma ideia, mesmo que pareça totalmente estúpida. Sempre, ou quase sempre, poderá ser aproveitada. Uma boa ideia pode surgir do simples selo de uma carta, como foi o caso do filme *Charada*, de Stanley Donen, ou de um quadro de mulher, como o que inspirou Fritz Lang.

As ideias valem dinheiro; portanto, é preciso ter cuidado. Quando temos uma ideia, um roteiro, um título, uma obra de teatro, uma letra musical etc., devemos registrar essas criações imediatamente. Existem organismos que se ocupam disso. No Brasil a Gestão de Direitos de Autores Roteiristas (Gedar), a Associação Brasileira de Autores Roteiristas (Abra) e a Biblioteca Nacional são os mais importantes no panorama atual. Existem outros, como a Sociedade Geral de Autores e Editores da Espanha (SGAE), a União Brasileira de Compositores (UBC), o Escritório Central de Arrecadação e Distribuição (Ecad), a Associação de Músicos, Arranjadores e Regentes (Amar) e a Associação Brasileira de Música e Artes (Abramus). Todavia, mais ligados à música do que à dramaturgia.

Apenas a título de ilustração: um dia, conversando, Orson Welles falou a Chaplin de uma ideia que tinha para fazer um filme. Dias depois Welles partiu para a Europa. Quando regressou, recebeu com surpresa a notícia de que o filme *Monsieur Verdoux*, escrito e dirigido por Chaplin, estava prestes a estrear.

Chaplin roubara sua ideia. Welles fez uma visita cordial ao produtor, conseguiu que pagasse por ter utilizado sua ideia e exigiu que colocasse seu nome nos créditos do filme. O autor de *Luzes da ribalta* nem discutiu, se limitou a aceitar. Anos antes Chaplin já havia plagiado algumas ideias de *A nous la liberté* (*A nós a liberdade*), de René Clair, em *Tempos modernos*[18]. E eles são respeitados e considerados até hoje. Inclusive dispensam apresentações.

Todos os roteiristas já passaram pela experiência de "se sentir roubados" e ver suas ideias transplantadas para os papéis de outro. O problema está em se devemos proceder judicialmente ou não. Por vezes é muito difícil provar a verdade. Tampouco se deve pensar que são ideias roubadas as de qualquer história, como aquela *storyline* que escrevemos um dia e guardamos numa gaveta.

É bom ressaltar que existe um fenômeno chamado **sincronismo**, isto é, várias pessoas têm uma ideia semelhante em diversos pontos do planeta.

Numa ocasião enviei a uma emissora, por encomenda do seu diretor, três ideias. Um ano mais tarde, o diretor mudou e vi uma das minhas histórias que havia proposto convertida numa minissérie. De outra vez foi ainda pior. Tinha escrito uma minissérie, adaptada de um livro célebre. O produtor me pagou pelos roteiros, depois passou o trabalho a outro roteirista, que o transformou numa telenovela, uma falta de ética e de caráter sem fim. Mas em nenhum dos casos reagi judicialmente, só fiquei bastante sentido. Talvez tenha cometido um equívoco, talvez não. **Ossos do ofício**.

Vimos que algumas ideias têm determinado valor no mercado, assim como o ouro.

TENDÊNCIAS

As mudanças sempre fizeram parte da evolução do mundo e da sociedade. Como já disse o sábio Heráclito[19]: "Tudo muda, exceto a própria mudança". Se o que conhecíamos era algo imutável, hoje precisamos rever nossos conceitos e admitir que a vida caminha de uma maneira completamente diferente do que imaginávamos.

Nos últimos anos mudanças ocorreram de maneira exponencial (veja, no segmento 1.1, o tópico "Curva exponencial da comunicação de massa"): notas de dinheiro e cheque eram as formas de pagamentos usuais. Hoje os cartões de crédito e débito são as maneiras mais comuns de se comprar. A sede bancária também caminha para a extinção, porque podemos resolver qualquer procedimento financeiro pela internet ou por telefone. Mas a situação não para por aí, os *bitcoins* (criptomoedas) já começam a se tornar realidade, e podem passar a ser nossa moeda de troca em vez de papel-moeda, seja ele qual for. Para completar, existem mais de 70 tipos de criptomoedas; além do *bitcoin*, as mais conhecidas são *etherium*, *litecoin* e *moneto*.

Pense bem: a Uber é a maior empresa de táxi em todo planeta e ao mesmo tempo não possui nenhum carro. Enquanto isso, os carros autônomos a cada dia se tornam uma realidade nas vias públicas. A previsão é de que em 2020 a autocondução se torne presente; com isso, a profissão de motorista será extinta.

Aliás, várias profissões já foram ou estão sendo extintas, como ascensorista, cobrador de ônibus e vigia. Se de um lado uma categoria profissional deixa de existir, de outro a tecnologia oferece novas oportunidades, exigindo qualificação.

Você acha que as previsões ainda demorarão muito tempo para se concretizar? Qual foi a última vez que utilizou os Correios para mandar uma carta? Você tem câmera fotográfica ou usa o seu *smartphone*?

Como roteirista e dramaturgo, posso garantir que constantemente buscamos inventar novas formas de contar velhas histórias. Aristóteles, no livro *A poética*, fala sobre a divisão em três atos para contar a saga do herói mítico. Depois, com Horácio, foram introduzidos mais dois atos, totalizando cinco. O herói da época de Aristóteles tinha uma trajetória ascendente. Basta lembrar da tragédia grega *Édipo Rei*. Em *A arte poética*, Horácio, ao introduzir mais atos, fez que o herói mítico passasse a ter de enfrentar a queda antes de alcançar a glória de sua jornada.

É importante lembrar que o desejo de contar uma história vem de longe; trata-se da **arte de encantar**. Ao anoitecer, o homem primitivo já se reunia em volta da fogueira para comer e relatar as aventuras de caçador e predador. Os mais competentes prendiam a atenção do público, afinal ninguém resiste a uma história bem contada. E apesar das décadas, dos séculos e milênios que passaram desde então, ainda o ser humano é cativado por tramas, mesmo que mude a forma de contá-las.

Mas o que vem pela frente? É possível fazer uma projeção do que os próximos anos trarão sobre a forma de contar as histórias?

Não há como negar que novas tecnologias estão modificando a maneira como as histórias são contadas e vistas. As transmissões por *streaming* possibilitam ao telespectador assistir às histórias no momento que quiser, da maneira como quiser e onde quiser, com isso falindo as locadoras de vídeo. Além do mais, facilitaram a comunicação dos povos, e assim as histórias se tornaram mais universais. Mesmo que exploremos uma temática local, ela deve ter situações de conflito inerentes aos humanos de qualquer nacionalidade.

Também a forma de assistir mudou. Antigamente era semanal. Hoje, é possível assistir de uma só vez a séries como *House of cards*, da Netflix. Em 1º de fevereiro de 2013, o público teve acesso aos 13 episódios da primeira temporada. No final de semana seguinte, milhares de pessoas fizeram uma maratona para assistir às manobras de um político sem caráter para chegar à presidência dos Estados Unidos.

O criador Beau Willimon disse em uma entrevista que "o *streaming* é o futuro. A TV não será TV daqui a cinco anos... Todos estarão *streaming*"[19], o que leva a crer que estamos caminhando para esse futuro. Willimon só não estava preparado para o escândalo sexual que foi detonado pelo ator protagonista e pôs fim à sua série.

Razões e reações à parte, a sociedade de forma geral está ficando mais conservadora. Por outro lado, erotiza suas crianças (as meninas pintam as unhas, usam brincos, maquiagem etc. e se fantasiam de mulher, enquanto os meninos baixam as calças deixando à mostra suas partes íntimas, fora as danças e músicas sensuais de ambos) e infantiliza os adultos (que cada vez sabem menos do mais e se entregam às mensagens comerciais e religiosas mais banais), principalmente os idosos e necessitados, cujo maior problema é a solidão. Aliás, no livro *A festa da insignificância*, Milan Kundera escreveu: "O ser humano é apenas solidão"[21].

Essas mudanças na forma de assistir às histórias afetaram diretamente o público no Brasil, que sempre foi apaixonado por novelas. Com o avanço das tecnologias digitais e sua popularização, o brasileiro passou a ter acesso a outras formas de narrar as histórias, como as séries americanas, que nos últimos anos tiveram um *boom* (veja os segmentos 3.1 e 3.2), com suas histórias mais elaboradas do que no folhetim nacional. Aliado a isso, o público passou a ser senhor do seu tempo, escolhendo como e quando assistir ou acompanhar aquela história, fato que a novela não possibilita. Daí a estrutura da novela repleta de repetições e reiteração de informações em abundância, sendo considerada uma história mais pobre em conteúdo dramático.

Buscando reverter isso, a Rede Globo disponibilizou, no caso de suas séries e programas, a possibilidade de o público assistir, por um preço de assinatura bem acessível, a toda a temporada. Outro diferencial: a temporada inteira é disponibilizada antes mesmo de o programa ir ao ar, como foi o caso da série *A cara do pai*.

Se antigamente o novelista podia empurrar com a barriga a história e seus personagens, hoje isso não é mais possível. Daí a previsível queda na audiência em longo prazo da telenovela brasileira. Mesmo sabendo que o folhetim tem características próprias que precisam ser respeitadas, o tempo dramático atual é outro, tanto para novelas como para as séries e minisséries. Por isso é necessário pensar e elaborar antecipadamente o arco dramático, o caminhar que cada personagem terá na trama e as consequências dos seus atos, porque o público pode agora assistir a essa trajetória de uma só vez. Se a estrutura dramática não for bem elaborada e pensada, isso não vai prender seu público-alvo. A história precisa estar bem contada para que se mostre um produto de qualidade.

Também o anti-herói tem se firmado cada vez mais no papel de protagonista. O herói clássico ainda está presente, mas tem sido manchado aos poucos pelas cores do anti-herói.

Outra situação dos dias atuais que não podemos deixar de analisar é, no momento de elaborar uma história, o tempo que ela terá. O sistema de *streaming* é uma realidade e ponto. Ele trabalha com histórias cuja duração é tradicional – em média 60 minutos. Contudo, existem outras plataformas que possibilitam um tempo muito, mas muito menor.

Nas webséries a duração de uma história é menor: poucos minutos. Uma trama nessa plataforma que tenha mais do que oito minutos dificilmente alcançará o sucesso desejado. Claro que exceções em tudo na vida sempre há. Mas o que notamos é que na internet, em webséries ou produtos como Porta dos Fundos e Parafernália, canais de esquetes de comédia veiculados no YouTube, o tempo para se contar uma história é menor. É preciso condensar porque hoje a atenção do público está cada vez mais pulverizada, uma pessoa faz mil coisas ao mesmo tempo. Enquanto assiste à TV, o telespectador manda mensagem pelo Twitter, no Facebook e pelo WhatsApp. Por isso, é necessário ficar atento a todas essas questões e às mudanças que elas trazem.

Quanto ao **tempo real das webséries**, tema que será abordado mais adiante, adianto que se usam como base temporal os números da sequência de Fibonacci, ou **números de ouro**, razão áurea: **1, 1, 2, 3, 5, 8 até 13 minutos.**

O importante é trabalhar para que, com tantas opções de entretenimento, o roteirista consiga capturar o público pelo laço com um enredo fascinante e sedutor. O amadorismo e a improvisação estão deixando de ter espaço. Apenas os profissionais criativos sobrevivem.

DIGRESSÃO

O sociólogo polonês Zygmunt Bauman encontrou um termo perfeitamente aplicável às diferentes características que identificam a atual sociedade pós-internet: **sociedade líquida**.

Nela há uma espécie de liquefação das formas sociais: o trabalho, a família, o engajamento político, o amor, a amizade e por fim a própria identidade. Essa situação produz angústia, ansiedade constante e o medo líquido: medo do desemprego, da violência, do terrorismo, de ficar para trás, de não se encaixar nesse novo mundo que muda num ritmo hiperveloz.

Em alguns países as mudanças surgiram antes que no Brasil, pois só por volta de 1996 é que aqui os computadores pessoais começaram a se multiplicar e a se tornar uma condição de integração social. Nascia o cidadão digital.

A sociedade sólida perdurou até os anos 1990, quando era implícito o reconhecimento dos valores pessoais, familiares, religiosos, políticos, as leis e a organização social, sempre transmitidos pela educação em família e na escola desde o primeiro ano. Mas aos poucos esses valores e tudo mais que era considerado as bases tão conhecidas da organização social (autoridades, leis, órgãos constituídos) começaram a sofrer um processo interno de dissociação, de desvinculação por parte dos cidadãos. Um fenômeno que acontece em todo o mundo. Os primeiros sinais de profundas mudanças em todos os níveis começaram a se delinear. No Brasil ainda de forma um tanto inconsciente, mas em outros países já havia quem captasse esses sinais, como mostra a palavra escolhida em 2016 pela equipe da Oxford Dictionaries: "pós-verdade".

Os pesquisadores descobriram que, como em toda mudança que se processa em tempo real, o termo mantém dois significados: o *pós* se daria após um fato como referência de tempo. Ou seria indicativo de fenômeno recente, por isso ainda não absorvido pela população como um todo.

Muitas pessoas nem sequer se conscientizaram do que está acontecendo, mas atualmente já assimilaram o real significado do termo pós-verdade porque o fenômeno acontece todos os dias à sua volta. Está nas notícias, na comunicação em geral. Mas, para a grande maioria, são os valores tradicionais, sólidos, inamovíveis e indiscutíveis que ainda caracterizam o tempo em que vivemos. Pais e educadores já perceberam que perderam o controle sobre filhos e alunos, e clamam pela educação de qualidade que conheceram. Não compreendem que a liquidez das mudanças continua a fluir por todos lugares e coloca tudo em questionamento por princípio.

A grande diferença entre a sociedade sólida e a sociedade líquida é que a segunda surgiu diretamente da rapidez com que diferentes países sofreram verdadeiras *tsunamis* de informações de todo tipo, em série e num curto tempo por meio da internet.

Foi como se os portais do conhecimento nas áreas mais variadas se abrissem de repente, colocando tudo ao alcance de todos ao mesmo tempo aqui e agora. Esse *tsunami* de informações gerou ao mesmo tempo outro *tsunami*, a **necessidade da comunicação rápida**. Tão rápida que o Twitter se tornou um dos recursos de comunicação mais utilizados no mundo, inclusive pelo presidente dos Estados Unidos. Mesmo com sua limitação-padrão de 140 caracteres. Ou talvez por causa disso.

Na sociedade líquida a educação precisa ser abrangente, dando os meios para a captação do conhecimento em qualquer área, pois tudo está à disposição de quem aprende a pesquisar em fontes confiáveis. O processo de aprendizado acontece de forma horizontal: **tudo ao mesmo tempo agora**.

O professor pode ensinar o aluno a distinguir fontes confiáveis de falsas, a obter os melhores programas ou os piores, a programar *softwares* e aplicativos criando algoritmos próprios. Cabe ao aluno aprender a desconfiar e checar sempre suas fontes ao se aprofundar nas áreas de conhecimento que lhe interessam, complementando suas pesquisas com livros e outros recursos.

O processo de se aprofundar em determinado conhecimento continua o mesmo em qualquer sociedade, seja sólida ou líquida. Na sociedade líquida os jovens escolhem a profissão muito cedo; além disso, sabem muito de pouco e nada de muito.

A sociedade sólida posta em foco tornou-se desacreditada. É vista como alienada e alienante em suas tradições, no uso de formatos engessantes, na opressiva determinação de seguir seu caminho sem admitir contestações. Para tal, criou **hierarquias de poder** que estão sendo confrontadas e discutidas livremente em todas as instâncias. E, aos poucos, até as contestações estão sendo abandonadas porque as pessoas enxergam tudo como pós-verdade, não acreditam mais nas autoridades constituídas nem em seus representantes.

Mas o que a sociedade líquida tem que ver com a forma como se vai pensar e escrever uma história? Já sabemos que o tempo real e dramático é curto, talvez mais curto a cada dia. Além disso, o **espectador** se torna a cada dia mais **emissor**, fazendo filminhos de sua família e do seu cotidiano e postando sua vida para um público composto de amigos e conhecidos da internet. Dependendo do assunto, o filminho pode até viralizar, sendo compartilhado para além dos familiares, amigos e conhecidos.

Assim, podemos afirmar que nunca se escreveu tanto pelo mundo afora, mas se escreve muito mal. Encontramos redução de palavras, abreviações de termos e números e falta de conteúdo, contando-se com a mentira ou a falsidade embutida. São verdadeiras viagens egocêntricas.

Roteiristas, dramaturgos e escritores têm dificuldade de captar inspiração nesse tipo de produto da internet (blog, Facebook, YouTube, Twitter etc.), pois falta uma construção dramática. São relatos, crônicas do cotidiano, mas sem qualidade. É possível adaptar um conto e fazer um filme, criar em cima de uma notícia de jornal ou um romance e até ouvir a história de uma pessoa e tomá-la como base para fazer um filme, uma novela ou série, desde que haja profundidade dramática. Não se cria em cima de relatos e crônicas, pois existe uma disfunção. Eles são *flashes* da realidade que não se fixam – portanto, a profundidade dramática é rasa, e construir uma estrutura com base nisso é um desafio insano que nem sempre será coroado de êxito.

Por exemplo: alguém conta que um primo saiu de casa e pegou um avião, que acabou caindo e matando todos a bordo. Isso é um relato, mas só vai se transformar em dramaturgia se o enredo for bem construído.

Explorando o exemplo: um homem vive uma vida medíocre com os filhos e a mulher, que é uma megera. Ele decide se separar, mas lhe falta coragem. Então ganha

DA CRIAÇÃO AO ROTEIRO

na loteria e sua vida é transformada. Esse é o gatilho para que o protagonista tome coragem de se separar da megera. Ele assim o faz, mas não conta para a mulher que ganhou a bolada. Contudo, a megera consegue descobrir e arma um jeito de matar o marido. Ela decide segui-lo e, por artimanhas do destino e de uma mente criativa do roteirista, a megera consegue sabotar o avião, matando todos a bordo. Essa história tem ação, não é rasa dramaticamente. Não é apenas um relato de alguém que entrou no avião e morreu. E a história nem precisa terminar aí, com todos mortos. A trama pode seguir com a investigação da queda do avião. Uma mente criativa vai desdobrar esse simples exemplo em várias e várias situações. Afinal o drama, entre as muitas formas de classificá-lo, é a síntese da ação.

NECESSIDADE SOCIAL DA CRIATIVIDADE

Ao mesmo tempo que o mundo procura criatividade e que "ideias valem ouro", um trabalho da Unesco[22], assinado por C. R. Rogers, demonstra que em termos sociais o panorama é bem diferente. Vejamos: a educação tende a ser conformista e estereotipada. A ciência costuma formar muito mais técnicos do que cientistas que proporão novas hipóteses, críticas e teorias, e na indústria os departamentos administrativos são muito maiores que os departamentos artísticos e de *design*.

O entretenimento tende a ser passivo mesmo com a existência do *zapping*[23], do *zipping*[24] e da interatividade. Na vida familiar, o indivíduo é levado a se vestir, proceder e se comportar segundo um padrão estabelecido pela família e pela sociedade.

Enfim, **ser diferente é perigoso**.

Em termos de mercado de trabalho, as atividades criativas correspondem a 20% da massa laboral existente sobre a face da Terra. Os outros 80% são atividades repetitivas. Por exemplo: num restaurante é fácil observar que a atividade criativa está no fundo, escondida na cozinha, e pertence ao cozinheiro.

Estou considerando que o trabalho criativo seja escrever, pintar, compor uma música, costurar etc. Não confundir labor criativo com comportamento aberto ou comunicativo. Um *maître* ou garçom pode ser muito simpático, enquanto o cozinheiro pode ter um mau humor tão ácido como vinagre barato. Mas é ele o criativo.

As estatísticas da Unesco provam que a taxa de desemprego das atividades criativas soma 80%. Assim, concluímos que em termos sociais o mundo rechaça de forma generalizada a atividade criativa, mesmo que seja por meio dela que se crie uma infinidade de outras atividades. Mas se o mundo é conformista o criador não deve ser. Deve imaginar e acreditar no seu trabalho, pois só assim se completará como um ser pensante.

OPINIÃO

O trabalho da Unesco relatado anteriormente sofreu certo questionamento com a chegada da sociedade líquida, já que a **inteligência artificial**, os **robôs** e a **nanotecnologia** estão tomando o lugar das profissões repetitivas.

Todo esse aparato tecnológico desbanca o trabalho humano, pois a máquina não se alimenta, trabalha vinte e quatro horas por dia e erra menos que uma pessoa. Além do mais, ela contribui para a melhoria do ambiente e aumenta as horas de lazer do trabalhador, para não dizer o desemprego.

Todavia, a tecnologia foi criada para facilitar a vida do homem e protegê-lo.

As denominadas **Três Leis da Robótica** são em verdade três princípios idealizados pelo escritor Isaac Asimov a fim de permitir o controle e limitar os comportamentos dos robôs:

- 1ª Lei – Um robô não pode ferir um ser humano ou, por inação, permitir que um ser humano sofra algum mal.
- 2ª Lei – Um robô deve obedecer às ordens que lhe sejam dadas por seres humanos, exceto nos casos em que tais ordens entrem em conflito com a Primeira Lei.
- 3ª Lei – Um robô deve proteger sua própria existência desde que tal proteção não entre em conflito com a Primeira ou a Segunda Leis.

Mais tarde Asimov acrescentou a Lei Zero, acima de todas as outras: um robô não pode causar mal à humanidade nem, por omissão, permitir que a humanidade sofra algum mal.

O objetivo das leis, segundo o próprio Asimov, é tornar possível a coexistência de robôs inteligentes e humanos.

Porém, com a chegada da robótica, artesãos, artistas e criadores receberam um novo alento, pois os robôs não têm sentimentos – ou melhor, os "sentimentos" são implantados por comandos e podem ser trocados.

Mas acima de tudo um robô é incapaz de escrever um poema. Pode até copiá-lo ou fazer uma réplica, todavia é incapaz de captar a essência onírica de um ser humano, de um poeta, de um roteirista ou de um dramaturgo que trabalha com a carga almínica de sua existência e vivência.

Todos os programas de computador para idealizar e criar um roteiro não funcionaram. Somente os programas de edição de textos se tornaram aliados do roteirista. Concebidos para facilitar o trabalho de edição e escritura do roteiro, eles vingaram (Celtx, Final Draft etc., que serão abordados neste livro mais adiante).

Para dar um desfecho a este tópico, também percebo que uma nova geração de jovens encontrará um mundo girando no que qualifico e defino como **sociedade gasosa** e da **pós-mentira**.

Na sociedade gasosa o jovem se deixar levar pelo vento do dinheiro, busca uma profissão simplesmente rentável, sem levar em consideração sua vocação, seus gostos e habilidades pessoais. Na verdade, ele busca um emprego e não um trabalho.

Quanto à pós-mentira, ele vive em função de uma linha de pensamento mentirosa, mas de acordo com sua moral, ideologia, ética e religião.

A conjunção da sociedade gasosa com a pós-mentira cria um fruto interesseiro, prisioneiro de conceitos arcaicos e destruidor de tudo aquilo que não se aplica ao seu pequeno mundo. Ele é individualista e consumista.

CONCLUSÕES

Tentamos definir as ideias do ponto de vista do escritor de roteiros.

Tratamos dos conceitos de criatividade e originalidade. Foram apresentados as qualidades do processo criativo e o quadro geral de ideias. Depoimentos de criadores e filósofos foram expostos.

Mostramos as dificuldades que o roteirista enfrenta ao estar incrustado em uma sociedade líquida e de pós-verdade.

Classificamos diversos tipos de ideia e falamos de como o roteirista deve trabalhar para encontrá-las. Por fim, demonstramos que elas são de ouro, apesar de o mundo ser conformista e estar passando por grandes mudanças. Ainda foram dadas as noções de *zapping* e *zipping*. E no tópico "Opinião" se discutiram a robótica, suas leis e as novas sociedades gasosa e da pós-mentira.

EXERCÍCIOS

Os exercícios corporais que fazem os atores para procurar a identidade de grupo e romper o alheamento são utilizados na Fondation Européenne des Métiers de L'Image et du Son (Femis), na França, por Jean-Claude Carrière para iniciar as aulas sobre ideias com os roteiristas. Eu próprio me inspirei nas atividades de relaxamento de psicomotricidade para fazer os exercícios práticos de ideias.

1. Fechar os olhos durante alguns momentos. **Relaxar**. Deixar que venham imagens à mente. Tentar visualizar cenas o mais detalhadamente possível. Tomar uma e fixar nela o pensamento. Procurar uma única palavra para defini-la. Escrever num

papel. Repetir o processo várias vezes. Ler as palavras uma a uma e meditar, com sinceridade íntima, de onde saíram essas imagens. Exemplo: normalmente, nas minhas aulas, como faço exercícios no final (depois de duas a quatro horas), vejo que muitos alunos têm imagens de comida, de passeios pela praia etc. Creio que por cortesia nunca confessam que têm fome ou que já estão cansados. Por meio desses exercícios, devemos procurar nosso mundo interior e exercitar a capacidade de **gerar imagens**.

2. Procurar **três notícias** do dia anterior que possam ser convertidas em histórias separadas. Reduzir essas histórias ao mínimo possível de palavras.

3. Ver um **documentário** ou vários deles. Escolher um deles e tentar torná-lo a base de uma história de ficção.

4. Dar um passeio na rua, no metrô, num elevador e recolher palavras ou frases ouvidas. Pegar uma ou duas. Escrever uma pequena história em **cinco linhas**.

OBSERVAÇÃO IMPORTANTE

Colaboraram neste segmento as seguintes especialistas:

- Ivana Rowena Monte Lima, pesquisadora, tradutora, redatora, escritora e roteirista.
- Carla Giffoni, jornalista, roteirista e escritora.

BIBLIOGRAFIA E NOTAS

1. Montaigne, Michel de. *Ensaios III*. Barcelona: Orbis, 1984, p. 7.
2. *Diccionario de la Real Academia Española* (http://www.rae.es/rae.html).
3. *Eclesiastes* 1:10.
4. William James é um dos fundadores da psicologia moderna. A frase se encontra no Capítulo 20 de seu livro *Princípios de psicologia*, tratado editado pela primeira vez no final do século passado. Existem várias edições dele.
5. Aragon, Louis. *Traité du style*. Paris: Gallimard, 1980.
6. Freud, Sigmund. [1907] *Délires et rêves dans la Gradiva de Jensen*. Paris: Gallimard, 1933. [Edição brasileira: "Delírios e sonhos na *Gradiva* de Jensen". In: *Obras completas*, v. IX. Rio de Janeiro: Imago, 1976.]
7. Freud, Sigmund. [1907] *Der dichter und das phantasiere*. Paris, Gallimard, 1933. [Edição brasileira: "Escritores criativos e devaneios". In: *Obras completas*, v. IX. Rio de Janeiro: Imago, 1976.]
8. Armer, Alan A. *Writing the screenplay: TV and film*. Belmont: Wadsworth, 1988, p. 42.
9. Seger, Linda. *Making a good script great*. Hollywood: Samuel French, 1987, p. 78.

10. HERMAN, Lewis. *A practical manual of screenplay writing*. Nova York: New American Library, 1951.

11. *Ibidem.*

12. Personagem vivida por Woody Allen no filme de mesmo nome (1983), que sofria de uma enfermidade que a fazia se adaptar fisicamente às pessoas que a rodeavam.

13. SPENDER, Stephen. *The making of a poem*. Londres: H. Hamilton, 1955.

14. DAICHES, David. *A critical history of English literature*. Londres: Secker & Warburg, 1969, p. 898.

15. BENAVENTE, Jacinto. *La mariposa que voló sobre el mar*, acto I, cena I, 1926.

16. COLERIDGE, Samuel. "Kubla Khan", último verso, terceira estrofe.

17. BECQUER, Gustavo Adolfo. *Rimas*, v. III. Madri: Cátedra, 1995.

18. René Clair contou, numa conferência realizada há alguns anos na Universidade de Barcelona, que Chaplin confessara o plágio e que ele optou por não apresentar queixa porque lhe pareceu uma honra ser copiado pelo mestre.

19. O grego Heráclito de Éfeso (c.535-475 a.C.) é considerado o pai da dialética: as palavras dizem as coisas em sua eterna transformação. Filósofo pré-socrático, acreditava que tudo que existe está em permanente mudança. A essa incessante alteração deu o nome de "devir".

20. Citado no site Roteiroflix, 7 jun. 2017. Disponível em: <https://roteiroflix.wordpress.com/2017/06/07/o-sucesso-da-primeira-serie-criada-exclusivamente-para-web/>.

21. KUNDERA, Milan. *A festa da insignificância*. São Paulo: Companhia das Letras, 2014.

22. Arquivos da Unesco – C. R. Rogers, *Necessidade social da arte*.

23. *Zapping*: troca de canais feita pelo espectador, que cria a própria programação.

24. *Zipping*: avançar ou retroceder a imagem de um filme saltando cenas e comprimindo o tempo dramático. Daí nasceu a expressão *zip*, tipo de compressão da mídia eletrônica que diminui o tamanho total do arquivo, permitindo transferir uma quantia maior de dados em menos *bytes*.

SITES CONSULTADOS

http://brasilescola.uol.com.br/filosofia/heraclito.htm
http://nofilmschool.com/2014/03/house-of-cards-dp-camera-lighting-secrets-netflix-red-epic
https://www.ligadoemserie.com.br/2013/02/a-1a-temporada-de-house-of-cards/#.WNhEHDvyvIU
http://www.imdb.com/title/tt1856010/
http://www.metacritic.com/tv/house-of-cards-2013
https://www.dga.org/Craft/DGAQ/All-Articles/1301-Winter-2013/House-of-Cards.aspx
http://gshow.globo.com/series/a-cara-do-pai/

1.4 O CONFLITO – *LOGLINE, STORYLINE, OUTLINE*

CONFLITO: O CONCEITO

Lajos Egri escreveu em seu livro *The art of creative writing* [A arte da escrita criativa]:

> O maior mistério que existe sobre a Terra é o homem. Parece tão simples, tão tratável, e na realidade... é tão complexo. Diz uma coisa e, no instante seguinte, sem o menor pudor, faz o contrário. E, se o chamamos de inconstante ou instável, sente-se mortalmente ofendido. A insegurança é a lei básica da existência. Todas as emoções humanas, todas as ações, boas ou más, sem nenhuma exceção, brotam dessa nascente eterna. Sem insegurança não haveria progresso. A vida ficaria paralisada. A vida seria impossível.[1]

Conflito designa a confrontação entre forças e personagens por meio da qual a ação se organiza e vai se desenvolvendo até o final. É o cerne, a essência do drama.

Etimologicamente, drama, do latim *drama*, por sua vez do grego *drama*, *dráo*, "eu trabalho", significa ação. **Sem conflito, sem ação, não existe drama.**

O homem é um ser dialético, se desenvolve por meio de antagonismo e contradições. Se o homem não travasse lutas internas e externas, se não tivesse problemas na vida, não haveria drama e provavelmente ainda estaríamos no Paraíso. Portanto, o conflito é consubstancial ao indivíduo, o espelho da sua vida na relação com os outros, com o mundo e com ele mesmo.

Enfim, o conflito também é conhecido como o **cimento da dramaturgia**, pois ele une todas as partes do roteiro.

O homem sempre se encontra entre uma coisa e outra e tem de optar e de descobrir soluções para os conflitos, a fim de resolver as suas contradições. A ausência de antagonismo seria a tão famosa, talvez por sua inacessibilidade, paz. Ou melhor, a harmonia, o nirvana. Mas a paz não dura para sempre. Na verdade é um ideal e, como tal, inalcançável, uma vez que continuamente surgem questões e disputas. Tudo, no conjunto, faz que duvidemos sempre, nos debatendo entre **ser**

ou não ser, estar ou não estar, querer ou não querer, poder ou não poder, fazer ou não fazer.

A famosa frase de Shakespeare, *"To be or not to be, that is the question"* (Ser ou não ser, eis a questão), que encontramos na muito conhecida primeira cena do terceiro ato de *Hamlet*, é genial porque sintetiza em poucas palavras o maior conflito do homem, igualmente enunciado por Racine: *"Je ne sais pas où je vais, je ne sais pas où je suis"* [Não sei aonde vou, não sei onde estou"].[2]

CLASSIFICAÇÃO DO CONFLITO

De um ponto de vista didático, podemos distinguir **três tipos de conflito** na personagem.

1. A **personagem** pode estar em conflito com uma **força humana**, com outro homem ou grupo de homens. Por exemplo: *Dunkirk* ou qualquer filme de ação violenta ou de guerra. Na televisão, temos os exemplos de *Lampião e Maria Bonita* e *Máquina mortífera*.
2. A **personagem** pode estar em conflito com forças **não humanas**, a natureza ou outros obstáculos. Por exemplo: a luta contra o fogo em *Inferno na torre* e, em geral, todos os "filmes-catástrofe". Na televisão, poderíamos citar *Supernatural*, série em que os protagonistas se veem acossados pelas mais diversas e extraordinárias circunstâncias, em conflito com elementos tais como o tempo, o espaço e fenômenos paranormais. E aqui se encaixa a maioria dos filmes de terror, como *It – A coisa*.
3. A **personagem** pode estar em conflito consigo mesma, com uma **força interna**. É o caso de *Fragmentado* e, em geral, dos filmes psicológicos. *Em terapia* é um bom exemplo televisivo, assim como a telenovela *A força do querer*.

Como em todas as classificações que vimos fazendo, não se trata de compartimentos estanques. Tanto em filmes como em programas de televisão aparecem misturas e combinações desses três conflitos. Já o dissemos anteriormente: essa é uma classificação simplesmente didática. A obra de Spielberg *O encurralado* reflete o conflito com uma força humana. Sem dúvida o enorme caminhão tem de ser conduzido por alguém, embora nunca vejamos o rosto do motorista. Mas também expõe um conflito interno, uma vez que o protagonista, imerso numa crise afetiva, precisa demonstrar a si próprio que é capaz de superar sua indecisão. Ao mesmo tempo, a luta é contra uma força não humana, porque de fato se mostram uma máquina-automóvel, uma máquina caminhão e uma estrada cheia de curvas perigosas, precipícios e outros obstáculos que devem ser vencidos.

Em resumo: um conflito audiovisual pode conter todos os conflitos: homem *versus* homem, homem *versus* forças da natureza e homem *versus* ele próprio. No entanto, temos um único **conflito matriz**, aquele que chamamos de **predominante**.

Concluindo, o conflito é consagrado por mim como o efeito direto das ações dos sentimentos, sejam eles quais forem.

LOGLINE

O termo *logline* tem origem em "linha de registro náutico": uma longa corda em um carretel com nós, a qual os marinheiros desenrolavam por trás dos navios para medir sua velocidade. Eles contavam quantos nós uniformemente espaçados passavam por suas mãos em determinado tempo e, assim, calculavam a velocidade das embarcações. Até hoje o termo "nós" é utilizado na navegação com a mesma finalidade: medir a velocidade marítima.

No roteiro, é a história resumida em uma frase. As palavras são escolhidas para transmitir o máximo de informação no menor tempo e espaço possíveis.

Nos Estados Unidos e na Europa, os roteiristas enviam suas *loglines* para produtores e agentes; assim conseguem ter uma primeira impressão sobre o tema do roteiro. Também são chamadas de *first pitch*, cuja tradução literal é "primeiro passo".

Obviamente a *logline* tem por finalidade **seduzir** e **aguçar** a curiosidade daquele que a lê, induzindo-o a continuar lendo o roteiro.

Escrever uma *logline* eficiente não é tão fácil como parece. Por ser um resumo do roteiro, antes de tudo ela deve atrair o leitor, e para tal conter didaticamente **três movimentos** (veja mais adiante uma discussão sobre o valor mágico do número três).

Existe até um concurso nos Estados Unidos, promovido pela LA Screenwriter, que elege as melhores *loglines* do ano.

Os componentes da *logline* são: descrição do protagonista em uma qualificação bem simples, seu objetivo dramático reduzido e, por fim, a força antagônica ou incidente principal do enredo.

Em outras palavras, trata-se da **contração do *plot* principal, do perfil do protagonista e da sua necessidade dramática em uma única sentença.**

No Brasil, os Fundos Setoriais de Incentivo à Cultura, o Programa de Apoio ao Desenvolvimento do Audiovisual Brasileiro (Prodav) e inúmeras produtoras utilizam a *logline* como primeiro instrumento de apresentação e avaliação de um argumento ou roteiro.

Vamos analisar a *logline* de um filme bem conhecido encontrado na internet, *O poderoso chefão*: "Um relutante militar e filho de um chefão da máfia precisa assumir o controle do império clandestino de seu pai para proteger sua família".

Nessa *logline* encontramos o protagonista: "Um relutante militar e filho de um chefão da máfia". Seu objetivo dramático reduzido é: "proteger sua família". O incidente principal do enredo ou força antagônica é o seguinte: "precisa assumir o controle do império clandestino de seu pai".

Para alguns teóricos, a *logline* é conhecida como gancho que serve para fisgar "tubarões"; eles também aconselham a utilizar verbos de ação, já que estes demonstram a reação do protagonista. Também indicam a presença de alguma ironia ou conflito na formulação da frase.

No exemplo anterior, a palavra "relutante" demonstra um conflito interno do protagonista. Já a palavra "militar" traz uma ironia embutida, pois os militares são vistos como disciplinados e corretos.

Enredos de ficção científica que contemplam outros universos carregam uma dificuldade maior, pois são obrigados a informar as regras desse novo mundo.

Analisaremos uma possível *logline* da série 3%, da Netflix: "No futuro, apenas **3%** da humanidade é contemplada com uma vida digna; para ingressar nessa minoria, um casal se sujeita a uma série de desafios e obstáculos".

STORYLINE

Storyline é o termo usado para designar o conflito matriz de uma história. Não se dedica a uma *storyline* mais de cinco ou seis linhas, porque é justamente a síntese da história. Não confundir *logline* (a frase essência da ficção) com *storyline* (pequeno texto explicitando com mais detalhes a história). Uma *storyline* deve englobar o essencial, isto é:

1. A apresentação do conflito
2. O desenvolvimento do conflito
3. A solução do conflito

Em outras palavras, corresponde aos **movimentos da narrativa tradicional: exposição**, **enredo** (ou enredos desenvolvidos) e **desenlace**. São os três pontos-chave da história, durante os quais:

1. Alguma coisa acontece
2. Alguma coisa deve ser feita
3. Alguma coisa se faz

A divisão em três blocos é uma constante em quase todas as atividades criativas, e não deve ser alheia aos valores mágicos do número três. A regra tem o seu correspondente oriental. Segundo Jean-Claude Carrière,

> Na Idade Média, um mestre japonês do Nô definiu a famosa regra de Jo-Hai-Kiu: divisão em três movimentos, não só de toda a obra, mas também de cada cena dessa obra, de cada frase da cena e, por vezes, de cada palavra. Esses três tempos fundamentais, que se encontrariam em todos os níveis e não podem se traduzir exatamente em nenhum idioma (digamos: preparação, desenvolvimento, desenlace), prestam ainda hoje assombrosos serviços quando não se sabe muito bem como escrever ou como representar isto ou aquilo. Essa é, quem sabe, uma constante secreta, que é preferível conhecer, nem que seja apenas para violar.[3]

Dessa forma, "início, meio e fim", "estado de coisas, conflito e resolução", "exposição, enredo, desenlace" ou "preparação, desenvolvimento, estouro" guardam certos paralelos metódicos e certas diferenças conceituais. Na sua universalidade deve haver uma razão qualquer.

Se seguirmos essa ordem, teremos uma *storyline* que será boa ou má dependendo do talento do autor. Com isso não queremos dizer que tenhamos de seguir religiosamente o que imaginamos a princípio. Muitas vezes ao chegar a outras etapas do roteiro a história muda de rumo e pode até acabar de forma totalmente diferente. Na realidade uma *storyline* serve de base, de ponto de partida. Não é preciso ser rígido no que respeita ao desenvolvimento.

O conceito de *storyline* não é unívoco. Conforme as escolas de dramaturgia, pode se interligar com os termos *plot* principal, *outline* ou *story synopsis*[4], e os roteiristas devem saber se adaptar ao ambiente que os rodeia.

Nestas páginas, *storyline* é usada como a **expressão do conflito e a mais breve das sinopses**. Como se trata apenas da construção do conflito matriz, não é necessário citar tempo nem espaço e composição das personagens.

Insisto que a *storyline* representa qual dos possíveis conflitos humanos escolhemos para dar fundamentos ao drama ou à comédia que iremos contar ou desenvolver no roteiro.

Fazer uma *storyline* pode parecer uma tarefa difícil, mas na realidade é um processo mental bastante fácil. Se na saída de um cinema ou de um teatro perguntássemos a um espectador o que ele tinha assistido, ele seria capaz de nos contar em poucas palavras o conflito básico da história. O processo de criação da *storyline* é esse mesmo, só que ao contrário: **contar o resumo de uma história que ainda não existe**.

Quero agora especificar o que **não é** uma *storyline*:

- Não é uma declaração sobre a vida ou pensamento filosófico
- Não é uma questão sobre a vida ou questionamento filosófico
- Não é uma moral da história ou uma conduta ética

Vejamos um exemplo de *logline* fornecido por Graham Greene, o famoso roteirista e romancista inglês: "Um modesto negociante vai ao enterro de um amigo, porém três dias depois encontra-o passeando pela rua".

Daqui surgiu a seguinte *storyline*, que deu o lugar ao filme *O terceiro homem*: "Um negociante vai ao enterro de seu amigo em Viena. Não se resigna, investiga e acaba descobrindo que o amigo não morreu. Está vivo e encenou o próprio enterro porque era procurado pela polícia por falsificação de medicamentos. Descoberto pela curiosidade do negociante, o amigo é abatido pelas balas da polícia".

Não são necessárias mais explicações, senão em vez de uma *storyline* teríamos um *outline*.

O desenho do conflito deve ser conciso. Para pôr à prova uma *storyline*, podemos responder mentalmente a uma série de perguntas:

1. É realmente uma *storyline* ou não? Contém três movimentos?
2. Qual é o conflito matriz?
3. Que produtos audiovisuais podem conter esse conflito? Um filme? Uma minissérie? Qual é a carga dramática de que dispomos?
4. Quais são as possibilidades dramáticas da nossa *storyline* em comparação a outros produtos com temática igual ou semelhante? Isto é, qual é o nível de criatividade que está em jogo?
5. Qual é a tese? Que queremos dizer com essa *storyline*? Que ângulo do enredo vamos explorar?

Todos conhecem, e se não conhecem vão passar a conhecer, a história de Cyrano de Bergerac, de Edmond Rostand, o poético clássico francês que até hoje encanta multidões. O enredo é bem simples: um mosqueteiro narigudo e inteligente se apaixona por uma nobre donzela. Como sabe que é feio, contrata um rapaz bonito para cortejar a moça e usar os seus poemas para conquistá-la. Ela se apaixona mais pela inteligência do rapaz do que por sua beleza. Ele morre. Ela se recolhe num convento. Um tempo depois, o mosqueteiro feio e narigudo vai visitar a donzela, mas ambos descobrem que é tarde demais para a paixão. Perderam o amor por uma trapaça boba.

Essa seria uma *storyline* correta e seguindo a marcha do texto teatral original. Mas o roteirista pode ser mais criativo e atuar sobre o ângulo da história e do enredo e sobre a visão dramática da peça de maneira totalmente inovadora. O que muda tudo.

Senão vejamos: "Era uma vez uma nobre donzela que se apaixona pelo homem perfeito, lindo, inteligente e mosqueteiro. Um dia, descobre que eles são dois. Desesperada, ela se refugia num convento. Por fim descobre que só amava um deles, o feio porém inteligente, mas já é tarde demais para o amor".

Isso posto, seja **sintético**, **direto** e **criativo** na concepção da sua *storyline*.

ANÁLISE DE *STORYLINES*

No meu curso de roteiro dedico um par de dias ao estudo e à elaboração do conflito matriz e da *storyline*. Normalmente há muitas discussões com os alunos devido ao fato de a princípio ser difícil entender a mecânica da *storyline*. Em geral, as *storylines* que me apresentam são literárias, pouco concisas e quase sempre sem final.

É preciso ter sempre presente que o peso da palavra numa *storyline* é enorme: "velho" é mais claro, preciso e conciso do que "homem idoso com cabelo branco".

As *storylines* incluídas mais adiante foram feitas por alunos do mestrado de Escrita para Cinema e TV da Universidade Autônoma de Barcelona (UAB), do qual fui fundador, professor e coordenador, na década de 1990. Eles amavelmente me autorizam a utilizar seus trabalhos.

Deve ser levado em conta que essas *storylines* foram criadas durante as aulas, como exercício prático.

Primeira *storyline*

Com base em uma notícia de jornal (**ideia lida**) com o título "ESTRANGEIROS ILEGAIS COM ÂNSIAS DE LIBERDADE", foi proposta aos alunos a elaboração de uma *storyline*, que assim resultou:

> Mohamed, marroquino, e Xisto, búlgaro, são companheiros de cela num centro de reclusão para estrangeiros, onde aguardam sua expulsão do país. Depois de alguns conflitos e apesar dos seus diferentes costumes e crenças, pouco a pouco se tornam amigos. Surge uma oportunidade e os dois fogem. A caminho da cidade, as diferenças voltam a aparecer e, depois de uma discussão, se separam. Rapidamente são capturados e deportados.

Observações e análise

A *storyline* está completa. De qualquer forma, a terceira parte é pouco criativa. O conflito básico entre dois homens de duas culturas diferentes que, diante da mesma problemática, se aproximam me parece excelente. Notar que essa *storyline* tem tecido dramático conflitual para ser desenvolvido num telefilme ou num filme. Além disso, não é preciso nomear os personagens, basta indicá-los.

Proposta

A segunda parte do exercício consistiu em pedir a outro aluno que rescrevesse essa *storyline* para uma minissérie televisiva de quatro horas de duração.

Resultado

> Cinco homens de diferentes nacionalidades (argelina, coreana, argentina, polonesa e maltesa) se encontram num centro para estrangeiros, onde aguardam sua expulsão da Espanha. Se tornam amigos. Conseguem fugir e se separam. Os cinco iniciam caminhos diferentes que os conduzirão à miséria ou ao desafogo econômico, à delinquência ou ao prestígio social, mas que os levarão a esquecer a antiga amizade.

Observações e análise

A rede conflitual foi ampliada e, dessa forma, constatamos que existe a possibilidade real de se converter num produto audiovisual de quatro horas de duração. No entanto me parece que o final não está completamente bem resolvido. Notar que os personagens não têm nome.

Segunda *storyline*

Sobre uma ideia transformada do livro *Música para camaleões*, de Truman Capote, um aluno escreveu a seguinte *storyline*:

> Mary, a empregada doméstica do relato, é o traço de união entre as personagens que vivem nas casas onde trabalha. Apesar de ter alguns vícios menores, é muito beata. Utilizará as informações de que dispõe para mudar o destino de suas patroas, com maior ou menor êxito e com intenções mais ou menos boas.

Observações e análise

A *storyline* está incompleta. **Não tem final**. O desenvolvimento podia ser mais claro, menos literário. No entanto, é visível que a história tem possibilidades dramáticas. Não havia a necessidade de nomear a protagonista.

Proposta

A segunda parte do exercício consistiu em pedir a outro aluno que, em apenas cinco minutos, tornasse a *storyline* mais clara e a reescrevesse para uma minissérie ou *streaming*.

Resultado

Mary, uma empregada doméstica, trabalha em cinco casas. Aborrecida com sua condição, usará intrigas e por vezes práticas pouco corretas para alterar a vida das patroas. Provocará um divórcio, um casamento e facilitará a uma patroa cleptomaníaca o roubo numa casa de onde Mary fora injustamente despedida. Acabada a brincadeira, Mary retoma sua vida de empregada doméstica corrente e formal.

Observações e análise

A *storyline* está ao mesmo tempo completa e incompleta, isto é, **desequilibrada**. Se converte numa série de episódios fechados e tem material suficientemente desenvolvido. Por outro lado, está incompleta porque tem um final pouco criativo e vago, caso fosse usada numa minissérie ou afins.

Terceira *storyline*

O terceiro exercício consistiu em procurar, na família de cada um, uma personagem com uma história interessante. Depois de muita discussão e de uma breve "terapia de grupo", descobriu-se que um dos alunos tinha uma tia alcoólatra. Com base nessa ideia verbalizada, surgiu a seguinte *storyline*:

Uma jovem procura a autodestruição por meio do álcool. Chegando a um estado de quase *delirium*, começa a pintar e seus quadros se tornam conhecidos. Obtém fama e dinheiro, mas não consegue pintar se não estiver embriagada. Investe a fortuna adquirida na cura da desintoxicação, mas seus quadros deixam de ser bons. Perde tudo que tinha ganhado. Curada e afastada do seu círculo de êxito, acaba indo trabalhar como caixa num supermercado.

Observações e análise

A *storyline* está completa. A linguagem utilizada é muito clara e precisa. A história me parece interessante, mas corre o risco em termos de *ethos*. Sugere que as drogas são imprescindíveis para a arte e que elas oferecem um caráter mágico ao artista, sem levar em conta o talento, o esforço e o trabalho.

Proposta

A segunda parte do exercício consistiu em pedir a outro aluno que modificasse a ética da *storyline*.

Resultado

Uma jovem, desesperada por um passado cheio de conflitos que necessita esquecer, recorre à bebida. Sozinha e sem recursos, surge para ela a oportunidade de pintar, o que lhe permite alcançar grande posição e fama. Quando tenta se libertar do vício da bebida, verifica que perde a inspiração perante as telas. Angustiada por esse beco sem saída, opta por renunciar ao luxo e à fama e passa a frequentar os Alcoólicos Anônimos, ao passo que para subsistir acaba trabalhando como caixa num supermercado.

Observações e análise

A *storyline* também está completa. Nesse caso, foi acrescentada uma moralidade exagerada: "renunciar ao luxo e à fama", "Alcoólicos Anônimos"... Só faltou dizer que a protagonista acabava num convento de freiras.

Recordo agora que essa *storyline* suscitou muita discussão e se procurou uma saída ética mais apropriada à história, suprimindo os conceitos "bebida igual a pecado" e "magia/drogas igual a arte". Não se chegou a nenhuma conclusão. Foi sugerido que a saída dramática para a pintora fosse o encontro com outra personagem, que mudaria a sua história. Enfim, notar que as opções dramáticas são várias e infinitas.

Análise final

Com a realização e a análise desses trabalhos, pretendo demonstrar que o conflito matriz é essencial para o drama e que, além da forma, também o conteúdo e a ética são muito importantes.

A força da linguagem é importante, e definir o conflito matriz em poucas palavras é um exercício fundamental para o roteirista.

A análise desses exercícios também foi útil para averiguar quando uma história está em condições de ser desenvolvida num tempo longo ou curto (filme, série ou minissérie). Por meio da *storyline* se mede a carga dramática ou "carne dramática" do seu projeto. A grosso modo, **a *storyline* é um fotograma representativo e significativo de uma estrutura dramática complexa e extensa.**

OUTLINE

Outline significa "esboço literário ou cinematográfico"; ele se encontra entre a *storyline* e o argumento ou sinopse (veja esses tópicos mais adiante).

Devido ao pouco tempo dos produtores, que estão sempre muito atarefados, enviamos um resumo da história com uma a três páginas.

É interessante notar que o conceito de *outline* é controvertido. Alguns teóricos dizem que esse resumo seria composto de anotações que se aproximam da estrutura dramática; outros já o definem como uma história curta na intenção de captar a atenção do leitor ou o produtor. Outros negam sua existência.

Para mim, o *outline* é um resumo da sua construção dramática, aquela história que você escreve para ser lida. Trata-se portanto de um "conto".

Ele nos dá uma visão panorâmica de todo o material dramático que será desenvolvido em roteiro.

É importante ser conciso e direto, sem muitas adjetivações, se concentrando mais na ação e no arco dramático.

Alguns autores sugerem que cada parágrafo seja representativo de um momento, de uma etapa, ou episódio, ou conjunto de cenas, tudo na intenção de demonstrar a quantidade de ação dramática com que estamos trabalhando.

Protagonistas e antagonistas são citados simplesmente para ativar a imaginação do leitor. Não existe uma diferenciação entre perfil de personagem e história.

Isso posto, creio que a melhor forma de demonstrar o que é um *outline* seja por meio de um exemplo. Assim, o texto que se segue foi escrito pelo acadêmico Antonio Torres e por mim para uma minissérie intitulada *Paralelo 10*, que conta a história do primeiro magnata industrial brasileiro, que construiu a primeira hidrelétrica do Brasil. Ele foi misteriosamente assassinado e sua morte até hoje permanece sem solução. Quanto à sua hidrelétrica – que além abastecer seu complexo industrial também enviava para o Recife eletricidade sem custo para a população –, construída no rio São Francisco, foi totalmente destruída a marretadas e dinamite.

Advirto que o texto é inédito, está devidamente registrado e que, por precaução, vou apresentar apenas a primeira das três páginas que compõem esse *outline*.

PARALELO 10

Inícios do século XX. Rio de Janeiro, na embaixada inglesa.

O embaixador de Sua Majestade promove um jantar requintado para autoridades brasileiras e importantes convidados. A conversa que circula ao redor dos candelabros de prata e da fumaça dos charutos tem como tema o desprezo por um lunático que teve a ousadia de construir uma hidrelétrica no rio São Francisco e montar uma fábrica têxtil. E pior, com maquinaria alemã e um sócio americano.

Enfim, uma loucura ignóbil, já que todos ali sabem, ou têm certeza, que o Brasil é um país agrícola, falido, sem capacidade industrial ou tino comercial, um caso perdido.

Enquanto o embaixador presenteia a mulher de um ministro do governo com um volumoso colar de safiras orientais, na sala de despachos da embaixada o telégrafo expele uma ordem sinistra numa tira de papel picotado: matar um homem.

No dia seguinte, o embaixador convoca um caçador profissional, meio inglês, meio brasileiro, cheio de débitos bancários, e o força a aceitar uma missão espinhosa: Delmiro Gouveia, o visionário que tenta industrializar o Nordeste brasileiro (contra os interesses dos industriais e banqueiros ingleses), parece ter enlouquecido de vez e precisa ser detido; em outras palavras, destruído.

Sentindo-se acuado tanto pelas autoridades como pelos interesses ingleses, Delmiro havia comprado um carregamento de armas que desceria o rio São Francisco até seu centro industrial, próximo da Cachoeira de Paulo Afonso.

Faria ele uma revolução? Talvez até quisesse dividir esse pobre país? E por que manchar de sangue a árida Terra do Sol?

Um descalabro que só poderia e deveria ser corrigido pela Coroa Britânica, já que essas ideias desenvolvimentistas e hostis foram fomentadas pelos ingleses com quem Delmiro trabalhou. A situação seria realmente vergonhosa se o discurso do embaixador não fosse tão cínico.

Conrado, o caçador, deveria descer o rio com o tal carregamento de armas, cinco companheiros e, com o aval das autoridades brasileiras, infiltrar-se no reinado de Delmiro a fim de exterminá-lo.

Era exatamente isso que todos esperavam de Conrado: uma caçada.

Ele caçaria um bicho louco, um animal irado, mas seria muito mais que isso. Conrado ia destruir um sonho, decepar um ideal e erguer um mito.

Essa será a saga que contaremos: o diário de bordo de Conrado. Um barco com uma tripulação de cinco homens, pretensamente fazendo um safári com o primeiro secretário da embaixada e sua esposa, Georgiana, e carregado de armas desce o rio São Francisco até o Paralelo 10, a Terra do Sol – personagens que viverão da aventura à paixão, da morte ao renascer, revelando um Brasil mítico repleto de lendas e dramas.

Não só a tripulação é personagem dessa aventura: o barco e o rio em si têm participação importante.

Suas corredeiras traiçoeiras, o fenômeno do chupa (súbita queda dos barrancos sobre barcos, águas e vilas), as tormentas tropicais, o calor, bancos de fundo raso, jacarés, enormes sucuris e as comunidades ribeirinha, com seu linguajar, costumes e mitologia, entram pelo barco adentro, acirrando conflitos entre os homens e trazendo o inesperado.

O barco é obrigado a ancorar diversas vezes e assim encontramos rendeiras, lavadeiras e pescadores, cada um com uma história, uma visão do rio e de Delmiro. E um drama para viver. Por exemplo: o mistério da Mãe D'Água, a agressividade das piranhas, a noite resgatando os fantasmas do rio, o fachear. O medo do desconhecido...

CONCLUSÕES

Foi apresentada a argamassa principal da dramaturgia: o conflito matriz. Vimos os conceitos de *logline*, *storyline* e *outline*, que foram definidos, classificados e exemplificados. Foi indicado que conflito básico se apresenta em cinco linhas, a que se chama *storyline*. Foram comentados alguns exercícios realizados por alunos do mestrado da UAB. Foi dado um amplo exemplo de *outline*. E para terminar um conselho: o roteirista escreve conflitos, mas não precisa vivê-los.

EXERCÍCIOS

O leitor poderá comprovar nesses exercícios que toda dramaturgia, literária ou audiovisual, trata de um conflito matriz que pode ser reduzido a uma *storyline*.

1. Procurar nos jornais do dia três notícias ou reportagens. Sintetizar cada uma delas numa *storyline*.

2. Escolher um telefilme ou um filme em exibição. Assistir e escrever sua *storyline*.

3. Recriar a *storyline* dos seguintes filmes: *Fargo*, *Star Wars – Os últimos Jedi*, *O jovem Karl Marx*. Repetir o exercício com algumas obras televisivas, como *O tempo e o vento*. No *streaming*, buscar *Roma*, *The night of* e *Sinner*. Caso não seja possível conseguir esses produtos, sugiro que se realize o exercício com séries atualmente em exibição. O mesmo com três romances – por exemplo, *Madame Bovary*, de Gustav Flaubert, *Os irmãos Karamazov*, de Dostoiévski, e *A sangue-frio*, de Truman Capote.

4. Assistir a um DVD. Interromper a exibição de meia em meia hora e fazer, de cada vez, uma *storyline*. Notar que a cada nova *storyline* que se escreve vão se juntando conceitos novos e eliminando outros da anterior. Na última, temos a *storyline* definitiva. Examinar cada uma das incompletas e acrescentar a elas finais diferentes do original.

5. Construir uma *storyline* e uma *logline* de um desenho animado, como Tom e Jerry.

NOTAS E BIBLIOGRAFIA

1. EGRI, Lajos. *The art of creative writing*. Nova Jersey: Citadel Press, 1965, p. 29-30.

2. *Fedra*, ato III, 1.

3. Carrière, Jean-Claude; Bonitzer, Pascal. *Práctica del guion cinematográfico*. Barcelona: Paidós, 1991, p. 34-5.

4. Não vale a pena entrar em polêmica, porque é uma situação inevitável. Parece razoável usar um termo para cada conceito, e as definições deste livro são tão válidas como quaisquer outras e se apresentam numa forma coerente. Veja algumas variáveis, por exemplo, em: Kelsey, Gerald. *Writing for television*: Londres, A&C Black, 1990, p. 67 e seguintes.

1.5 SINOPSE – ARGUMENTO, PERSONAGEM, RELATOS DE CRIADORES

REFLEXÃO SOBRE A SINOPSE

O **argumento, ou sinopse**, é a *storyline* desenvolvida na forma de texto. Uma vez que o conflito matriz se apresenta na *storyline*, o segundo passo é conseguir personagens para viver uma história, que não é senão o conflito matriz desenvolvido.

O nascimento da personagem que vai começar a desenvolver o conflito é determinado no próprio instante em que se começa a escrever a sinopse. Podemos dizer que a sinopse é o reino da personagem e, quanto mais desenvolvida estiver, mais possibilidade terá o roteiro.

A sinopse são ideias de nossa lavra, a defesa de nossas personagens, a expressão escrita da alma da história. Convém que seja um texto claro e fluido, que goze de uma boa redação. Mas seu estilo deve ser literalmente neutro, com a única intenção de descobrir o relato e sua capacidade de se converter em roteiro.

Não é o lugar adequado para pretender fazer brilhar o estilo. Embora deva ser atraente e sugestiva, sua qualidade mais determinante é a solidez, porque é sobre a sinopse que se apoia o passo seguinte.

O texto de uma sinopse diz apenas como serão transportadas para a tela as personagens por meio de uma história. É um texto que quer ser transformado em imagens e diálogos.

A sinopse é a primeira forma textual de um roteiro. É preciso que especifique de maneira clara e concreta os acontecimentos da história. Uma boa sinopse é o guia perfeito para se obter o roteiro. Por vezes, uma sinopse escrita por um autor pode ser roteirizada por outro. É mais uma razão para serem claras e explícitas todas as indicações que definam os principais elementos da história e das personagens.

Uma boa forma de saber se a sinopse está corretamente escrita é ver se responde a perguntas do tipo:

- O objetivo do protagonista fica claro?
- Qual é o clímax? Tem impacto?

- Quais são as ações principais do protagonista?
- O que pretendemos explicar com essa história?
- Vale a pena?
- O problema levantado será suscetível de gerar conflito?

Qualquer pergunta feita no gênero "advogado do diabo" pode ser boa para comprovar a solidez da sinopse ou descobrir seus pontos fracos. Escrever uma boa sinopse exige, como tantas outras coisas, um talento específico, embora a especialização de "argumentista" não seja muito comum no mercado. Pelo menos no momento, mas a tendência é aumentar.

Em Portugal, "argumentista" é confundido com "roteirista", ou "guionista".

Para nós, o argumentista é o "fazedor de histórias", enquanto o roteirista é "aquele que escreve o roteiro para o olho da câmera", embora normalmente as duas funções sejam desempenhadas pela mesma pessoa.

Também é bom ressaltar que um conto ou uma peça teatral pode servir de argumento, já que é material escrito, ficcional, contém personagem, tempo e espaço específicos (veja o segmento 5.1).

Ainda chamo a atenção para o fato de que o argumento é considerado a última parte "literária" entre as etapas de construção do roteiro. Em outras palavras, ele é escrito para ser lido. Com base na sinopse trabalharemos com "dramaturgia pura". Palavras explícitas (diálogos), cenas, tempo dramático, estrutura etc. Artes, princípios e necessidades para outros meios de expressão e de representação do humano.

A PERSONAGEM

Escrevi para o livro de Beth Brait, *A personagem*, o seguinte testemunho:

DE ONDE VÊM ESSE SERES?

A criação de um personagem pode ser descrita como sendo *o abandono de todas as certezas*.

No princípio, o personagem se apresenta fragmentado na minha imaginação. Conheço muito pouco dele: um tique, um comportamento particular perante um acontecimento, uma postura do corpo, um olhar, um sentimento predominante, uma visão fugaz etc. Dificilmente ele se apresenta inteiro, coerente e completo.

Depois, com esses fragmentos, vou montando um ser, recortando, recolhendo e colando daqui e dali.

Com pedaços da minha própria vivência e memória, busco um corpo. Transformando bocados de personagens de outros autores e obras, repenso. E, adaptando essas partículas às contingências de minha história, faço um trabalho artesanal, prazeroso e puramente intuitivo.

Não existe regra, método ou tempo de duração. Trata-se de um jogo entre o papel e eu. E o resultado pode vir a ser frustrante ou compensador, não importa. A emoção está no imprevisível.

Um lembrete: não podemos reduzir personagens ao sistema ideológico que os abriga e sim, através desses seres, dar forma artística (dramática) aos conflitos do homem. Exprimir suas aspirações, necessidades, contradições e complexidades. E assim mostrar o mundo (injusto) que nos cerca e revelar a profundidade das paixões.

Releio o que escrevi: me achei professoral, talvez idealizando meu próprio trabalho e edulcorando minhas dificuldades.

Fui eu mesmo que escrevi isso ou foi um personagem?[1]

Personagem vem a ser algo como personalidade e se aplica às pessoas com um caráter definido que aparecem na narração. É um substantivo de dois gêneros. Assim, é igualmente correto escrever *a* personagem ou *o* personagem.

Para Aristóteles, os traços da personalidade não estavam necessariamente dentro da ação que o autor idealizava. Dizem que Menandro, comediógrafo grego e um dos pais da comédia, achava fácil escrever as linhas de caráter das personagens quando já sabia o que se ia passar e em que ordem, quer dizer, no **argumento e enredo**. Nós partiremos da observação de que **não é tão fácil separar o que se passa e quem o faz ou a quem isso sucede**. É atribuído a Henry James o seguinte pensamento: "O que é uma personagem senão a determinação de um incidente? O que é um incidente senão a ilustração de uma personagem?"[2]

Muitos roteiristas consideram a sinopse o reino da personagem. Não creio que seja bem assim. Como veremos adiante, o verdadeiro argumento é bem mais amplo do que isso.

É bom notar que personagens e seres humanos, apesar de emanarem sentimentos, são fruto de árvores que não dividem a mesma raiz. Os homens necessitam de esperança, enquanto os ficcionais, de expectativas. São emoções completamente diferentes, pois carregam níveis diversos de ansiedade e intensidade dramática.

Um homem esperançoso é feliz, um homem cheio de expectativas normalmente é uma criatura tensa. Já uma personagem cheia de esperanças é ingênua, enquanto outra envolta em expectativas detona tensões e conflitos. É um ser rico e complexo para o drama.

Outro aspecto que devemos ressaltar é que a personagem é um ser intrinsecamente sincero. Ela sempre acaba expondo suas verdades para o público e com elas se transforma. Já o ser humano tem o hábito de mentir e ser falso, conjunto que chamamos de hipocrisia. Quando depara com a verdade, na maioria dos casos não sabe o que fazer com ela.

Outros três termos que devemos levar em conta no desenho do perfil de uma personagem são: **veracidade, verossimilhança e realidade**.

Sendo as personagens seres ficcionais, elas não são reais, todavia devem ocasionar a sensação de realidade com porções de verossimilhança e alguma veracidade. Mesmo que tais premissas sejam todas falsas. Esse tênue equilíbrio será analisado e ao final se encontram exercícios específicos sobre os três eixos catalisadores da concepção de uma personagem.

CRIATURAS IMAGÉTICAS

As criaturas imagéticas são classificadas e divididas nas seguintes categorias:

- Persona
- Ídolo
- Mito
- Tipo
- Personagem

Persona é a personalidade que o indivíduo apresenta aos outros como real, mas que, na verdade, é uma variante às vezes muito diferente da verdadeira. Por exemplo: uma pessoa pode mentir ou ser cínica e ninguém perceber. Trata-se de uma máscara da personalidade de uma pessoa viva. O ser humano é único e imprevisível – por exemplo, não entendo até hoje por que um indiano morre aos pés de uma vaca leiteira por considerá-la sagrada. Chega a ser bizarro.

E, falando sobre bizarrias, vamos tocar também na imprevisibilidade da criatura. Como aconteceu na Nasa, a mais perfeita das astronautas femininas estava pronta para sua viagem, quando subitamente colocou uma peruca ruiva, comprou um facão e foi atrás de seu ex-amante casado. Tinha em mente capá-lo, mas seu intento foi abortado pela polícia. O curioso é que ela física e mentalmente foi avaliada como a mais capacitada e "perfeita" de todas as astronautas que já passaram pela Nasa. Deu no jornal.

Ídolo é a pessoa a que se atribuem louvores excessivos ou que se ama apaixonadamente. Normalmente desfrutam de grande popularidade: artistas, esportistas ou famosos. Existem também os ídolos chamados de "pé de barro", que após um deslize cometido passam a ser odiados pela sociedade que até então o adorava. Atualmente existe um termo agregado ao ídolo que se denomina nanopopularidade, isto é, a pessoa é famosa em determinado segmento da sociedade ou grupo: campeões de *games* eletrônicos, esportes radicais etc.

Mito é uma pessoa que viveu uma **grande glória** em determinado momento da vida e ficou **eternizada** como um **símbolo ou marca de um feito**, seja ele qual for. exemplo: Marilyn Monroe, Carmem Miranda, Ayrton Senna etc.

Também dentro de mito encontramos o que chamamos de **ícone – representante ou sinônimo ou marca de determinada atividade.** Podem ser humanos, não humanos, grupos ou situações. Exemplos: a bola é um ícone do futebol; Pelé é o rei do futebol, ele é mito e ícone. Já um grupo carnavalesco antigo é considerado um ícone do carnaval – por exemplo, Cordão do Bola Preta, no Rio de Janeiro.

Tipo: em dramaturgia usa-se o termo como um modo irreverente de o artista se referir a uma pessoa ou grupo. Exemplo: caricaturas no mundo cômico, o saudoso Chico Anysio criava vários tipos, representantes de determinada franja da sociedade: o político corrupto, o coronel nordestino, o professor mal pago, o pai de santo homossexual, o museólogo aposentado, entre outros. Assim como Roberto Bolaños, interpretando o menino Chaves, o heroico Chapolin e o atrapalhado Dr. Chapatín.

Não confundir tipo com personagem: o primeiro repete as mesmas palavras, cria expressões que chamamos de "bordões" (veja a Parte 7); já o segundo se transforma, e com ele o universo em que habita. Um é fundamentalmente estático e o outro, dinâmico, realizando mudanças em seu comportamento e em seus conceitos.

Personagem: papel representado por ator ou atriz a partir de figura humana fictícia criada por um autor roteirista (veja a seguir o tópico "A construção do perfil da personagem").

Terminologia

Em latim, *argumentum* tem um significado jurídico ou filosófico, de prova ou justificação. Significa também aquilo que se está mostrando, o tema. O velho Platão já o usava para dizer de que tratavam suas obras. É um resumo da história. *Sinopsis* provém do grego e sugere uma visão de conjunto, uma olhadela geral. Ambos os termos tendem a confluir.

Em espanhol, a tradição literária opõe **argumento**, como resumo descritivo da história tal como sucede no tempo, a **trama** ou **enredo**, resumo da história tal como é contada. Ambos se opõem a **tema**, termo conceitual e genérico que abarca o assunto de que se trata no sentido mais amplo, em cada momento da história. Falamos em tema de "amor", "amizade", "traição", "negócios", "capacidade de adaptação às diversidades", "falsa eficiência", "obsessão", "frustração", entre outros.

A linguagem dos audiovisuais adota sistematicamente essas terminologias literárias de maneira anárquica e certamente submetida a seu uso na língua inglesa. Assim, "argumento" será *story*, "enredo" será *plot* e "tema" será *topic* ou *subject*. Temos repetido que a flexibilidade e a clareza de ideias, além da terminologia, são virtudes do roteirista.

A conservação da própria língua exige que se disponha de termos próprios para cada conceito, mas a universalidade desse trabalho demanda vocábulos claros e de conhecimento geral. **É um dilema** de difícil solução, com o qual ganha o uso da terminologia inglesa, embora apenas num sentido pragmático.

Tipos de sinopse

A sinopse pode ser considerada o resumo da história vivida pelas personagens.

Existem basicamente dois tipos de sinopse: a **pequena sinopse** e a **grande sinopse**.

A pequena sinopse vai de três a cinco folhas, contém as personagens principais e sua respectiva história de forma resumida. Normalmente se escreve com vistas a um primeiro contato com o produtor ou diretor, embora o produtor possa usar esse material nas negociações com possíveis compradores ou patrocinadores (veja, no segmento 1.4, o tópico *"Outline"*).

A grande sinopse está mais relacionada com a tradição europeia e o roteiro literário. Normalmente ocupa dez laudas por hora de audiovisual. Pode até conter fragmentos de diálogo. Gasta-se bastante tempo para elaborar e escrever esse tipo de sinopse e, naturalmente, é um trabalho que deve ser remunerado. Os franceses chamam a esse tipo de sinopse *le livret*; os americanos, *the bible*.

Dotada de uma redação clara e de uma boa seleção de vocabulário, a sinopse é, das formas escritas, talvez uma das menos longevas. Vive apenas o curto período que vai da *storyline* até o roteiro. Quanto menor seu tempo de vida, maior seu êxito. É sinal de que foi dada a partida para iniciar o trabalho de construção do roteiro.

Reconhecendo que o público a quem a sinopse se dirige é muito selecionado, composto basicamente de produtores e diretores acostumados a ler esse tipo de trabalho, não devemos tentar enganá-lo com um texto artificioso.

Finalmente devemos estar conscientes de que a sinopse, como um conto ou qualquer outra redação literária, pode ser **vendida** ou até mesmo **raptada**. Assim, devemos sempre registrar nossa sinopse antes de difundi-la ou distribuí-la.

Nos países anglo-saxônicos, é simples e curioso o processo para que um autor obtenha a segurança de sua autoria sobre uma sinopse ou um roteiro. Basta ir a um posto dos correios, depositar seu trabalho em um envelope selado e enviar a si próprio. Quando receber, deve guardá-lo sem abrir, obtendo assim uma prova irrefutável, em caso de processo judicial por plágio, de que naquela data já tinha criado aquela história. Só no tribunal o envelope poderá ser aberto.

Ainda sobre os tipos de sinopse, relembro o conceito de *outline*. É uma espécie de meio caminho entre a *storyline* e a pequena sinopse. Alcança o tamanho de uma a duas folhas, contém o **extrato da história** e **um leve perfil das personagens**. Normalmente não é registrado e pode ser cedido como material para aprovação do projeto quando o roteirista é contratado de uma empresa televisiva ou cinematográfica.

Também o argumento, seja sinopse completa, *outline* ou até mesmo uma versão reduzida, pode vir acompanhado de um arquivo de mídia com um clipe ilustrativo do projeto. Essa tática é usada por alguns produtores independentes para convencer investidores a entrar em projetos de grande magnitude. Recordo, por exemplo, a minissérie catalã *Arnau*. O produtor inicialmente tinha 10% da produção, mas ao argumento escrito acrescentou um belíssimo clipe sobre a futura minissérie. Além de defender a história, vendeu todos os profissionais envolvidos no processo. Depois de pronta, acabamos ganhando o prêmio de Melhor Autoria da Academia Catalã de Letras pela minissérie, que foi um sucesso.

Não confundir clipe do argumento com *trailer* nem com presença de atores. O clipe é um acessório audiovisual da forma escrita e enfatiza criativamente o conteúdo do argumento.

POR QUE SE FAZ UM ARGUMENTO OU SINOPSE?

Com o argumento se prepara a viabilidade de um projeto em todas as suas facetas: **produção, mercado, técnica e artística, autoria**.

Produção

No que diz respeito à produção, a primeira coisa a considerar é a viabilidade econômica, ou seja, o custo. Para fazer uma ideia aproximada, digamos que uma série dramática de 20 capítulos para uma televisão europeia exceda com facilidade os oito milhões de dólares. A escolha do projeto é o primeiro passo que um produtor dá para que de tão importante investimento se possam colher lucros.

Do ponto de vista econômico do produtor, a sinopse contém o convite para produzir ou, pelo contrário, evitar. Isso não significa que devamos diminuí-la ou empobrecê-la em virtude de condicionantes monetários: ao contrário, devemos demonstrar com a sinopse que propomos algo realizável e que pode até sair barato. Os produtores tendem a calcular o custo da produção pelo máximo e de forma realista quando existe a possibilidade de criar uma ilusão.

Numa série que escrevi para a RTP, *Na boca do dragão*, discuti com o produtor acerca de uma cena que se passava na Índia. Depois de muita conversa se chegou à conclusão de que uma vaca com um colar de flores no pescoço e bebendo água num lago ao entardecer era suficiente para recriar a exótica Índia.

O audiovisual é a arte do engano. O custo, por conseguinte, varia segundo a criatividade do roteirista, do produtor e do diretor. O produtor desempenhará sempre seu papel de **superego**, tentando reduzir os custos. O diretor será o **ego**. É a ele que compete a realização, é o homem dos gastos. Nós, roteiristas, somos o **id**, a inconsciência total, e nos compete sonhar.

Com uma boa sinopse é possível ter uma visão de aproximadamente 85% do custo de uma produção. Mas outros fatores, como as complicações técnicas ou o tempo da ficção, também têm de ser levados em conta. No que diz respeito ao tempo, não devem ser desprezadas aquelas obras que decorrem ao longo de vários anos, com dificuldades tais como a mudança das estações ou o envelhecimento das personagens, a evolução do ambiente, as transformações na maneira de falar, que vão correspondendo às mudanças de geração etc. Quanto à técnica, é como me disse Pedro Martins: "Virtualmente tudo neste mundo pode ser filmado, contanto que se esteja disposto a gastar dinheiro. Mas, fora o custo, se um plano com um drone é essencial numa sequência passada numa fábrica e você não dispõe de um drone, então está em dificuldades".

Mercado

Na viabilidade de mercado é analisado se há público para o espetáculo e que faturamento ele pode representar. Naturalmente um filme de custo muito elevado dirigido a pouco público terá menores possibilidades de ser produzido. No entanto, toda regra tem exceções, e às vezes um produtor aposta num filme de "pouco sangue", como se costuma dizer, que resulta num êxito de bilheteria. Do mesmo modo, uma produção dotada de todos os requisitos "imprescindíveis" para se converter em grande êxito pode resultar em fracasso de bilheteria. São os ossos do ofício, o risco do produtor.

O mercado é um mistério. Jean-Claude Carrière me contou que, quando Luis Buñuel e ele terminaram a sinopse de *O estranho caminho de São Tiago*, pensou que o filme ia ser um fracasso de bilheteria, porque seu caráter antirreligioso o restringia a uma pequena parte do público. Engano seu: o filme em questão se converteu num clássico.

Também quando escrevi a minissérie *Lampião e Maria Bonita*, em coautoria com Aguinaldo Silva, supus que apenas seria bem recebida pelo público do Brasil, uma vez que tratava de um tema muito específico de determinada região do país. Também me enganei, e ainda hoje continuo a não entender como interessou à crítica e ao público norte-americanos.

Pessoalmente, penso que há público para todos os gêneros de espetáculo. Ninguém foge de uma história bem contada, e o fato é que histórias locais contêm os mistérios da universalidade.

Técnica e artística

Com a viabilidade técnica e artística comprovamos se existe disponibilidade de técnicos e atores capazes de desempenhar satisfatoriamente determinados papéis.

Não é em toda parte que se encontram os chamados atores "completos", quer dizer, que além de representar saibam dançar, cantar etc. É algo que os diretores pedem constantemente. Há também falta de pessoal como operadores de câmera, maquiadores ou diretores de fotografia, mecânicos e eletricistas. Sabemos que essas deficiências se devem à própria falta de escolas que se dediquem à formação de atores e técnicos para o meio. Mas essa é outra história.

Finalmente, existem mil e um problemas que podem condenar uma sinopse antes que ela se converta em roteiro – de exigir uma especialização técnica pouco comum a necessitar de protagonistas com características inadequadas à tipologia dos atores do país. Em determinada época faltam "galãs" ou quase sempre é raro dispor de bons atores ou atrizes muito jovens. Lembro como era difícil conseguir protagonistas de minorias étnicas nos filmes europeus. Qualquer dificuldade técnico-artística previsível pode fazer abortar uma boa ideia.

Quando escrevi o filme *Encontros imperfeitos*, de produção portuguesa, criei personagens africanas. O produtor Pedro Martins não conseguiu encontrar esses atores em Portugal e tampouco na França. Finalmente contrataram uma atriz brasileira e outros americanos. Recordo que quando mostrei a sinopse a Martins ele declarou: "Vou ter problemas com esse *casting* [elenco]".

Autoria

Não devemos esquecer a viabilidade de autoria, isto é, nosso talento e capacidade para desenvolver o trabalho sugerido numa sinopse.

Por exemplo: nem todas as pessoas têm a mesma disponibilidade, capacidade e talento para escrever seis mil folhas ou mais em seis meses, que é o trabalho em que se supõe converter uma sinopse numa telenovela de 150 capítulos. A carga sofrida por um novelista de televisão – ou noveleiro, como atualmente é denominado – é enorme, ininterrupta e constante durante meses. Críticas à parte quanto a falta de profundidade do drama, repetição, redundância dramática, entre outros, seria injusto não reconhecer o volume de trabalho a que esse profissional está sujeito.

Quando escrevemos uma sinopse, estamos também pondo à prova a capacidade das nossas personagens de viver várias horas audiovisuais. Fazemos o mesmo com a nossa história e com a nossa própria capacidade. Se temos dificuldades num determinado ponto da história que estamos desenvolvendo em dez folhas, evidentemente teremos também no produto audiovisual.

O roteirista deve ter disponibilidade para continuar o trabalho caso sua produção seja levada a cabo. Isso quer dizer: conviver com essas personagens e com essa história durante vários meses.

O roteirista também precisa esconder por detrás de um sorriso a frustração que sente pelo fato de sua sinopse não ser levada adiante. Nesse caso, deve começar uma nova história com outras personagens e, se tiver muita confiança na primeira, reescrevê-la e buscar novos caminhos. Por experiência, alerto que os roteiristas profissionais escrevem muito mais sinopses que roteiros. Um dado estatístico aleatório informa que apenas **40%** das sinopses se transformam em roteiro.

O roteirista inglês Allan Baker confessou certa vez que o problema não é receber o primeiro "não" e ser obrigado a reescrever, mas receber o nono e continuar a reescrever. Também o roteirista brasileiro Leopoldo Serran dava grande importância à persistência como qualidade essencial do roteirista profissional.

Finalmente, quando escrevemos a sinopse ou argumento desenvolvemos novas ideias e personagens. **Podemos qualificar e quantificar o nosso tecido dramático e descobrir o melhor meio audiovisual para o futuro roteiro.**

CONTEÚDO DO ARGUMENTO OU SINOPSE

Uma sinopse tem conteúdos muito definidos, a saber:

- A temporalidade
- A localização
- O perfil das personagens
- O decurso da ação dramática (construção dramática)

Assim como o *storyline* representa o **que** (o conflito matriz escolhido), a sinopse representa **quando** (a temporalidade), **onde** (a localização), **quem** (as personagens) e, finalmente, **qual** (a história ou construção dramática, tópico a ser desenvolvido no segmento 2.1).

Quando

A função da temporalidade é informar a data em que a história começa e também a do seu desenrolar com o passar do tempo (dias, meses, anos, décadas, séculos). Indica a quantidade de tempo que a história abrange, se esse tempo é contínuo, se salta de um mês para outro, de um ano para outro ou se se trata de um tempo irreal.

São exemplos de tempo descontínuo filmes como *A felicidade não se compra* e *O poderoso chefão II*, enquanto *O caçador* ou *Eldorado* se passam num tempo contínuo. Não se deve confundir temporalidade com tempo dramático. Por exemplo, a sinopse de *2001, uma odisseia no espaço*, de Stanley Kubrick, podia ter começado da seguinte forma: "Esta história começa dez mil anos antes de Cristo no planeta Terra. Depois chegamos à Lua no ano 2001 e, finalmente, perto do planeta Júpiter em 2005".

Saltos temporais na história são chamados de elipses.

Onde

A localização indica em que lugar decorre a história. Num bosque? Em Saturno? Num quarto? Na redação de um jornal? É preciso saber também quais são as características desse lugar, o que tem de especial. Pode ser uma floresta, uma montanha ou uma cidade. Mas como é a floresta? Com um arvoredo muito espesso em que a luz mal penetra? E a montanha? Sobre um profundo abismo escarpado? E a cidade? É de província e não evoluiu nos últimos anos? Certos detalhes indicativos podem acompanhar a localização e o tempo. Por exemplo, a história do filme *Ladrões de bicicletas*, de Vittorio de Sica, ocorre numa época de muito desemprego na Itália.

Com isso queremos dizer que o onde não contém apenas um componente geográfico, com oportunos detalhes sobre o cenário, mas também implica um contexto social e histórico. Voltando ao exemplo do filme citado, seria impossível compreender a personagem e sua história fora do contexto social miserável da Itália do pós-guerra.

A sinopse deve nos colocar dentro desse contexto. Um drogado dos nossos dias é diferente da visão romântica do drogado dos princípios do século, para não dizer do século XIX, e com certeza será diferente da mesma personagem no ano 2050.

Quem

O protagonista é a personagem básica do núcleo dramático principal; é o herói da história. Pode ser uma pessoa, um grupo de pessoas ou qualquer coisa que tenha capacidade de ação e de expressão. Um exemplo não humano é o cão Rin-Tin-Tin.

Enfim, qualquer "coisa" que seja humanizada ou que expresse o "desenho" do humano em sua composição durante a ação.

É emblemático apontar o computador Hall 9000, do filme *2001, uma odisseia no espaço*, em que só escutando sua voz tomamos a máquina como personagem, pois ela é capaz de matar, trapacear, sentir inveja e inclusive ter medo de ser desligada, isto é, de morrer. Nesse caso específico o computador perfaz o papel de **antagonista**, que até certo ponto requer o mesmo peso dramático que o protagonista (veja o tópico "O antagonista" mais adiante).

Não se deve confundir **protagonista**, **personagem secundário** (também conhecido no humor como "escada", aquele que faz o protagonista "subir, projetar, aparecer, surgir") e **componente dramático**. Hierarquicamente o protagonista está em primeiro plano, no centro da ação, sendo o mais trabalhado e desenvolvido.

As personagens tradicionais do cinema norte-americano são baseadas em quatro pilares: **unidade dramática, ponto de vista, mudança e atitude**.

Para Syd Field, por exemplo, uma boa personagem tem de tentar ganhar ou terminar alguma coisa no decorrer da trama. Seu ponto de vista deve permitir interpretar o mundo em que vive. Deve mudar no decorrer do enredo e adotar uma atitude positiva ou negativa, superior ou inferior, crítica ou inocente. Segue literalmente a tradição shakespeariana e tem raízes na dramaturgia do mundo árabe e do Oriente Médio.

O ator secundário ou coadjuvante é a **personagem que está ao lado do protagonista**. Geralmente nasce à medida que vamos construindo o drama. A personagem secundária tende a ser mais imutável. Ela normalmente escuta ou questiona as dúvidas do protagonista, sublinhando a centralidade da figura do "herói". Esse tipo de perfil permite que nos aproximemos mais da tradição dramática europeia, principalmente a francesa. Sua origem está na dramaturgia de origem asiática no que se refere a certa imutabilidade na composição da personagem.

Por último, o **componente dramático**, que é um elemento de **união, explicação ou solução**. Não tem a profundidade da personagem e sua função é **complementar**. Todavia não é desprezível. Existe atualmente uma revalorização, pelo menos da minha parte, do componente e do objeto dramáticos no que se refere à ficção das novas mídias (veja a Parte 6).

TENDÊNCIAS

Como vimos, o protagonista, sobretudo nas séries americanas e no *streaming*, tem se firmado como **anti-herói** no cenário da dramaturgia moderna, seja no cinema, na televisão ou em outras mídias. O herói clássico, recheado de virtudes e contemplado com o bem-fazer, tem sido "manchado" aos poucos pelos pecados e subterfúgios dos anti-heróis.

A explosão das séries americanas ocorreu com a invasão de anti-heróis ultrajantes incorporados nos protagonistas. E cito: Tony Soprano (*Família Soprano*), Dexter (*Dexter*), Don Draper (*Mad Men*) e Walter White (*Breaking bad*). Se nas séries americanas isso parece novidade, no cinema e na literatura isso já ocorria havia tempo. Quem não se lembra dos filmes *Thelma e Louise, Juventude transviada* e *O poderoso chefão*?

Na literatura não podemos deixar de pensar no brasileiríssimo *Macunaíma*. Quanto à televisão brasileira, gostaria de lembrar que as personagens Odete Roitman e Nazaré Tedesco não eram protagonistas e sim antagonistas.

É interessante mencionar que a nomenclatura "anti-herói" foi utilizada pela primeira vez no livro *Memórias do subsolo*, de Dostoiévski.

Além disso, é importante ressaltar que anti-herói não é o mesmo que antagonista ou vilão. Na obra *A jornada do escritor*, o roteirista Christopher Vogler chama o antagonista de "sombra". Para ele, esse personagem é o arquétipo que representa a energia do lado obscuro, os aspectos não expressos, irrealizados ou rejeitados.

Vejamos as diferenças e características desses três tipos:

- **Herói**: vive por um **código de honra** pessoal. É obstinado, não desiste facilmente de um objetivo, é ousado e comprometido com a honra e o orgulho. O herói traz no DNA a combinação de destreza, astúcia, habilidade excepcional em determinada área e inteligência. Todo herói mítico carrega consigo apenas um defeito de caráter que precisará ser corrigido em sua jornada. O *misbehavior* (falha de caráter) de Otelo é o ciúme, que será sua perdição. Prometeu tem o defeito da soberba e Antígona é a personificação da desobediência.
- **Antagonista ou vilão**: a vida do antagonista gira em torno de impedir e complicar a existência e a jornada do herói clássico, evitando que este repare em seu *misbehavior*. Para Vogler, a figura do arquétipo, a "sombra", "projeta-se em personagens chamados de vilões, antagonistas ou inimigos", que "[...] dedicam-se à morte, à destruição ou à derrota do herói".[3] Para ele, o arquétipo da sombra representa as psicoses que não apenas nos prejudicam, mas ameaçam nos **destruir**. O antagonista coloca o herói em situações de ameaça de vida, seja essa ameaça física ou psíquica.
- **Anti-herói**: é frequente encontrar o anti-herói na literatura dos séculos XIX e XX. Ele não se ajusta ao perfil do herói mítico que até então estava em voga. É fraco, incompetente, desonrado, humilhado, inseguro, confuso, incoerente, envergonhado e, muitas vezes, carrega uma grande carga de ironia, olhando a vida

de maneira pessimista. Contudo, é capaz de inesperadas resistência e firmeza. Conscientemente ou não, essa personagem tende a se questionar sobre suas ações e características.

CONSTRUÇÃO DO PERFIL DA PERSONAGEM: DEZ INDICAÇÕES

Com efeito, é preciso conhecer a personagem, como orientou Vladmir Propp em seu livro *Morfologia do conto*[4]:

> Depois de ter desenhado a personagem, você deve, por meio de sua imaginação criativa, fazer que ela seja verdadeiramente sua. Pense nela, concentre-se nela, entre na pele dela. Tome consciência daquilo que a motiva, se sente medo, ou ama, ou deseja, ou qualquer outro sentimento. Conheça suas fraquezas: primeiro, as óbvias (bebida, mulheres, jogo), mas preste especial atenção às menos óbvias, como o orgulho, a má consciência, o complexo de inferioridade... se é uma presunçosa empedernida ou se sente uma imprudente agressividade competitiva que sobe à superfície apenas quando dirige seu automóvel.

Trataremos agora de **dez observações básicas** para a configuração da personagem. Trata-se de indicações frequentes entre os profissionais do assunto, embora não sejam consideradas regras.

Adequação da personagem à história

Quando fazemos uma *storyline*, temos alguma ideia de como vai ser o nosso protagonista, de quais são as suas características básicas para que o conflito da trama seja adequado a ele. Nos damos conta de que o protagonista se cria segundo a história e não o contrário. Se a personagem que James Stewart representava em *Vertigo* (*Um corpo que cai*), de Hitchcock, não sofresse de vertigens (acrofobia/medo de altura), o filme não faria sentido. Portanto, são pressupostas no protagonista determinadas características que geram uma interação máxima com a história, têm sua razão de ser em função do drama ou são concomitantes a ele. O caso contrário é pouco frequente.

Com Syd Field, teórico e roteirista norte-americano, saudoso amigo que faleceu aos 78 anos, debati muito sobre esse ponto. Ele era da opinião de que entre a personagem e a história acontece o mesmo que ocorre entre o ovo e a galinha. Isto é, quem apareceu primeiro?[5] E já respondo por antecipação: o ovo torto, uma ninhada de ovos tortos.

Personagem e história vivem uma interação perpétua. Às vezes iniciamos uma sinopse deslumbrados por uma personagem e só depois procuramos a história. Outras vezes acontece exatamente o contrário. O importante é que o produto final resulte harmonioso, com uma interação personagem-história indestrutível, como se de uma grande verdade se tratasse. E sobre verdades e mentiras recordo a frase do físico dinamarquês Niels Bohr: "Uma grande verdade é aquela cujo contrário é igualmente uma grande verdade".

Concluindo: personagem e história devem parecer grandes verdades e portanto devem estar integradas. Sem uma a outra não vive.

Sobre ovos e galinhas, a ciência atual afirma que quem nasceu primeiro foi um ovo malfeito. Um experimento da natureza da família das *Phasianidae* que não deu certo, pois se esqueceu de voar. Enfim, uma ninhada de ovos malformados. Donde se pode concluir apressadamente que nossa evolução se deve a uma série de mal-entendidos genéticos, fortuitos e oportunistas. Tese de Charles Darwin, que além-túmulo ainda causa polêmicos distúrbios até hoje.

Quanto às personagens, é melhor ter um ovo malformado do que um perfeito. O segundo nos promete um ótimo omelete, sem conflito nem drama. O primeiro, uma dor de barriga inesquecível.

O pensar e o sentir da personagem

A personagem pensa e sente, mas faz isso de maneira peculiar e única. Existe um princípio dramático bastante simples que reza que, cada vez que a personagem pensa, ela fala ou se expressa.

Pensar = Falar

A personagem pode contar mentiras, falar pouco, muito ou balbuciar, mas em qualquer dos casos estará expondo seu pensamento por meio da fala ou de sua expressão.

Em audiovisual não existe um fluxo interior tal como existe no romance. Assim, o que a personagem diz é a única forma de que ela dispõe para expressar seu pensamento. Mesmo que as palavras sejam falsas, equivocadas ou dissimuladas.

O emprego da **voz em** *off* para descrever estados de espírito e pensamento da personagem, tão comum no cinema francês, me parece um recurso aborrecido e pouco criativo, que considero preferível evitar. Sempre existem exceções, como o filme *Os bons companheiros* (1991), de Martin Scorsese, um magnífico *script* que utiliza bastante esse procedimento. Mas essa é uma exceção à regra – se existisse tal coisa em dramaturgia –, por mais que o cinema norte-americano use e abuse do *off*.

DA CRIAÇÃO AO ROTEIRO **105**

Sentir = Atuar

O sentir da personagem é expresso pela sua atuação, pela sua reação e pelo seu comportamento perante a ação. Por exemplo: quando ama beija, quando se irrita luta, quando está triste chora.

Nós, seres humanos, temos a capacidade de esconder nossos sentimentos até mesmo durante toda a vida (persona). Às vezes nem sequer chegamos a tomar consciência de que eles estão presentes. Agimos com cautela, bondade e aparente eficiência, mas na verdade todos esses critérios escondem mágoas, frustrações e rancores. Com a personagem isso nunca acontece. Tarde ou cedo expõe todos os seus sentimentos por meio de ações e revelações. E assim podemos repetir que as personagens são seres sinceros, porque tudo aquilo que pensam expõem por meio da fala e tudo quanto sentem expressam por meio das ações.

Até a falta de reação perante um acontecimento demonstra o sentir da personagem. É importante compreender que quando digo "falam" fica implícito que se comunicam não só verbalmente, mas também por meio de olhares, expressão corporal, gestos etc.

Ao trabalhar para o cinema ou para a televisão, devido às características próprias de cada um desses meios de comunicação (veja a Parte 8), encontramos diferenças na maneira como a personagem se comporta ao pensar/falar e sentir/atuar.

Numa primeira aproximação, podemos distinguir que no cinema esse jogo é menos evidente do que na TV. Esta trabalha mais com a evidência. Por exemplo, na TV dizem que "se mata três vezes". A personagem pensa: "Vou matar esse homem". Imediatamente diz: "Vou matar você". Então sente um grande ódio e atua apertando o gatilho. Finalmente se aproxima do cadáver para ter a certeza e, pensando em voz alta, declara: "Está morto mesmo".

Logo, a televisão é mais radiofônica do que o cinema e o teatro.

A maneira de falar

Nesse ponto apenas classificamos ou definimos a maneira de falar da personagem: se gagueja ou é lenta, se tem sotaque do Sul ou é muda etc. Não precisamos conhecer em profundidade todos os atributos e defeitos de sua fala, **basta indicar os elementos mais óbvios**. A forma de falar basta muitas vezes para definir a personagem. Pense o leitor nas personagens que tornaram famosos Groucho Marx e Jerry Lewis. Os heróis taciturnos do filme *noir* se caracterizaram por uma fala concisa e rica em termos curtos e duros. Os heróis da tragédia, por um sotaque puro e uma voz profunda.

Mais recentemente, em *O silêncio dos inocentes*, era precisamente a maneira de falar que definia e opunha dois perfis psicologicamente muito complicados.

Até escrever *Lampião e Maria Bonita*, eu mal havia tido contato com a maneira de falar do Nordeste brasileiro. Da mesma forma, até escrever a minissérie *Me alugo para sonhar* com Gabriel García Márquez ignorava como se falava e vivia na Cidade do México. Nesse último caso foi de todo indispensável uma investigação *a posteriori*. As peripécias de um herói medieval, o conde Arnau, apresentavam o duplo problema de se fazer de modo crível e converter um falar antigo numa aventura histórica. As personagens de *Laranja mecânica* usam no livro uma gíria que custou muito a ser adaptada para o filme de Stanley Kubrick.

Atualmente, esses pormenores linguísticos e de diálogo tendem a desaparecer. A dublagem é uma prática quase universal na TV e até mesmo nas salas de cinema em países como a França, a Espanha, a Itália e até mesmo o Brasil.

Não pretendo entrar agora na polêmica que existe sobre a conveniência ou não da dublagem como prática, porque muito embora seja a favor devo sublinhar que com esse método se perde parte da riqueza e do detalhe da composição da personagem.

Aliás, foram os americanos que com sua praticidade puseram todas as personagens falando inglês sem sotaques nem nuanças. Egípcios, Cristo, Cleópatra, cães, russos, chineses, todos falam inglês fluente.

Esse modelo está se expandindo pelo mundo e cada país adota sua língua como matriz para as produções localizadas em lugares distantes. No Brasil, é obvio que a Paixão de Cristo representada nos palcos é falada em português. Mesmo que a personagem esteja em Miami ou Nova Deli, todo mundo falará português.

O batismo

Vamos agora batizar as nossas personagens. É essencial perceber que o nome tem importância, pois revela (e isso é algo geralmente aceito) a **classe social,** o **caráter** e a **tipologia da personagem**.[6]

Uma personagem rural pode se chamar Natalino Toninho. Mas se é da classe média vai se chamar André Gustavo. E se é da classe alta, Luís Henrique. Numa história sobre Portugal dos anos 1950, as personagens terão um nome composto: José Qualquer Coisa ou Maria Qualquer Coisa. Embora se a história assim o exigir possam ser nomes pouco comuns aos da sua condição.

O nome representa classe e origem e também **predestina**. Basta lembrar a obra de Wilde *A importância de se chamar Ernesto*. Podemos recorrer a um nome **clichê** sempre que este estiver de acordo com a história. Uma esteticista pode muito bem se chamar Shirley, mas sendo uma condessa refugiada ou empobrecida esse nome certamente não nos servirá. Mais uma vez, tudo depende da história.

Uma fonte de inspiração acessível e que todos temos à mão é a lista telefônica. O leitor ficará surpreendido com as sugestões que podem ser dadas por sua leitura periódica. Em todos os países que visito encontro listas telefônicas, mesmo naqueles chamados "repressivos" ou "ditatoriais", mas somente no Brasil elas acabaram, ou seguem mantidas por companhias privadas e reservadas ao comércio e à indústria. Desconheço as razões legais de tais restrições, mas reconheço que todo indivíduo tem direito a informação livre provinda do Estado. O que ele faz com ela se transfere para outra esfera de competência. Todavia, no Brasil, milhões de pessoas recebem várias ligações diariamente em casa sobre vendas de serviços telefônicos, doações e até planos de assistência funerária. Absurdo esse ligado evidentemente ao comércio desonesto e clandestino de compra e venda de listas com dados telefônicos.

Tem de ser real

Uma personagem tem de possuir todos os valores que se consideram **universais** (morais, éticos, religiosos, afetivos, políticos etc.) e também os chamados **pessoais**, que apenas têm significado naquela personagem específica (obsessão pelo trabalho, mania de ordem, falsa eficiência, manipulação etc.).

Os ingredientes que entram na composição de uma personagem são basicamente os mesmos, o que varia são as **proporções** dadas a esses valores. Conforme essas proporções, podemos dizer que Paulo é mais honesto do que Pedro e que a maior virtude de Henriqueta é a sua integridade.

A **complexidade** de uma personagem e as suas **contradições** têm de se manifestar para que ela pareça **verossímil**, **real**. Quanto maior for sua densidade humana, mais real nos parecerá. Um grave erro na configuração de uma personagem é pretender que seja perfeita. O ser humano é imperfeito por natureza e, portanto, contraditório e conflituoso.

Uma personagem é um ser único e tem as suas impressões digitais como qualquer outro ser humano. Um passado, uma infância, uma adolescência, sofrimentos e alegrias. Enfim, tudo que pareça humano. Mas acima de tudo tem uma história que é unicamente sua e de mais ninguém.

Outros aspectos que levamos em consideração são seus **atos conscientes**, ou seja, aqueles que realiza por vontade própria, e seus **atos inconscientes**, que se devem a impulsos involuntários. O ato inconsciente é um grito à margem do texto, aquilo de que nos apercebemos pela expressão de um olhar, por um tique nervoso ou um gesto violento. Recordo que o pensador holandês Baruch Spinoza (1632-1677), um dos primeiros estudiosos do conflito, alertou que os **impulsos são mais fortes do que a ação**, são inconscientes.

O homem é racional, mas **reage por emoções**. Portanto, quanto mais complexa for uma personagem, mais emoções terá e com mais ação será envolvida. Criar conflitos e não parar de resolver. Afinal, quando resolvemos o drama ele se acaba.

Aquilo que procuramos na configuração de uma personagem é seu **equilíbrio**, as linhas de força que a compõem, embora esse equilíbrio não seja aquele que normalmente se entende segundo os padrões convencionais. Aquilo que procuramos é um ser humano com todas as suas complexidades e não uma marionete obediente. Dando uma olhadela nas personagens clássicas fica evidente que as mais **inesquecíveis**, aquelas mais **íntimas**, são as mais **complexas** e **contraditórias**. No entanto, nem todas as personagens devem ou podem ser construídas com a mesma complexidade. Esta tem um limite, como a criatividade excessiva. Personagens supercomplexos se perdem por intoxicação de criatividade.

Quando chego a esse ponto nas minhas aulas há sempre um aluno que pergunta pelas personagens estereotipadas ou perfeitas: totalmente más ou totalmente boas, muito frequentes nos produtos audiovisuais de sucesso americanos tanto do Norte como do Sul. Recordo com prazer a tradição inglesa que faz distinção entre personagens "redondas" (*round*) e "planas" (*flat*).

As personagens planas são comuns em Dickens, por exemplo. São assim chamadas por ter um **perfil único**, de traços fixos. São assim os justiceiros do Oeste ou os malvados diabólicos (lembrar de Jack Palance em *Os brutos também amam*), os fazendeiros inocentes mas covardes, a madrasta implacável das histórias etc. Em contrapartida, as personagens redondas apresentam aspectos diferentes, mesmo as malvadas (Darth Vader em *Star wars*). Enquanto a conduta das personagens planas é previsível, a das redondas é por vezes uma surpresa.

Os filmes "de gênero" abusam das personagens planas com demasiada frequência. Não que seja uma prática necessariamente negativa, embora o grande dramaturgo inglês E. M. Forster tenha manifestado suas dúvidas sobre a validade desse tipo de personagem na sua obra *Aspects of the novel*.[7] Ele achava que elas eram corretas para uma comédia. Na realidade, também são essenciais nas variantes do gênero de aventura.

Evidentemente qualquer autor ou roteirista cria personagens dos dois tipos: complexas e estereotipadas. O problema é quando se escreve apenas personagens *flat* e não se procura a satisfação de uma dramaturgia mais profunda.

Concluímos que a personagem de ficção não é real, mas deve parecer real. Para isso precisa conter traços ficcionais que nos transportem ao campo da verossimilhança e, por contaminação, à veracidade.

Composição

Temos de tentar desenvolver ao máximo a nossa personagem, uma vez que isso facilitará a ação. Não são poucos os autores que além de descrever as personagens também as desenham.

São três os fatores que devemos considerar nessa configuração:

- **Físico**: idade, peso, altura, presença, cor do cabelo, cor da pele...
- **Social**: classe social, religião, família, origens, trabalho que realiza, nível cultural...
- **Psicológico**: ambições, anseios, frustrações, sexualidade, perturbações, sensibilidade, percepções...

Não podemos esquecer que a emoção de uma personagem tem de coincidir com seu intelecto. Se ela tem um caráter altamente racional, de emotividade nula, é claro que não podemos fazer que dance o cancã, já que (a menos que tivesse enlouquecido ou estivesse bêbada) tal comportamento não estaria de acordo com sua forma de ser pouco expansiva. **A correspondência entre intelecto e emoções é o que dá identidade à personagem.**

Compor uma personagem é tarefa que requer um talento específico. Depende bastante da capacidade de observação e abstração do roteirista. Essas capacidades podem se desenvolver à medida que o autor sai para a rua, vai a bares, fábricas, salões da alta burguesia etc., observando e tomando nota dos múltiplos comportamentos humanos que compõem esses universos: forma de vestir, gestos, modos de falar etc. Podemos dizer que o autor é um **colecionador** de figuras humanas, matéria-prima indispensável para a configuração da personagem. Devemos ter presente também o fator das transformações. Tal como o ser humano, uma personagem nunca é estática, inamovível. Muda, se modifica. **A mobilidade é inerente a todas as coisas vivas.** É bom assinalar que também as transformações internas se refletem no exterior, no rosto, na maneira de caminhar, de vestir, na postura etc. Ainda que tudo isso seja trabalho do ator. Dessa forma uma personagem que inicialmente seja onipotente e distante pode acabar humilde e afetuosa devido a múltiplos contratempos sofridos no decorrer da história. Esse processo é chamado de **evolução da personagem**.

Quadro de algumas características básicas

As pessoas atuam e reagem segundo suas características. As personagens também. O dramaturgo Ben Brady elaborou um quadro de características básicas da personalidade humana e suas contradições para a criação de uma personagem.[8] Transcrevemos algumas delas:

parcimonioso – pródigo	sujo – imaculado
gentil – violento	inteligente – estúpido
alegre – lânguido	gracioso – apático
delicado – bruto	valente – covarde
generoso – avaro	fanfarrão – humilde
claro – confuso	obstinado – dócil
gregário – solitário	justo – injusto
moral – imoral	otimista – pessimista
crédulo – incrédulo	tranquilo – nervoso
saudável – doente	sensível – insensível
ingênuo – malicioso	arrogante – cortês
cruel – benevolente	extravagante – comedido
indeciso – impulsivo	simples – complexo
vulgar – nobre	pretensioso – modesto
lúcido – alienado	natural – afetado
misterioso – evidente	astuto – franco
impetuoso – sereno	histérico – plácido
egoísta – altruísta	torpe – hábil
leal – desleal	galante – rude
loquaz – taciturno	ativo – preguiçoso

Podíamos acrescentar a esse quadro muitas outras características. Para dizer a verdade, creio que a lista nunca acabaria. No entanto, essas são as que se consideram fundamentais e servem de base para realizar exercícios de configuração de personagens. Além disso, não se trata de escolher entre branco e preto, porque a lista não se encontra rigorosamente como um quadro de pares antônimos, mas sim de pares extremos de um traço caracterológico. O escritor saberá encontrar o ponto intermédio adequado para a personagem. Existem vários níveis entre uma palavra e outra. São mil palavras intermediárias, cada uma defendendo um conceito diferente, uma reação diversa e uma ação diferenciada. Imagine a quantidade de nuanças de emoções que existem entre ser "misterioso" e "evidente". E esse é apenas um único exemplo.

Nem só dramaturgos e teóricos em dramaturgia se debruçam sobre essas características básicas. O surpreendente poeta português e surrealista Alexandre O'Neill (1924--1986) nos demonstra no poema "Homem" essa diversidade infinita do ser humano.

INSOFRIDO TEMÍVEL ADAMADO PURO SAGAZ INTELIGENTÍSSIMO MODESTO RARO CORDIAL EFICIENTE CRITERIOSO EQUILIBRADO RUDE VIRTUOSO MESQUINHO CORAJOSO VELHO RONCEIRO ALTIVO ROTUNDO VIL INCAPAZ TRABALHADOR IRRECUPERÁVEL CATITA POPULAR ELOQUENTE MASCARADO FARROUPILHA GORDO HILARIANTE PREGUIÇOSO HIEROMÂNTICO MALÉVOLO INFANTIL SINISTRO INOCENTE RIDÍCULO ATRASADO SOERGUIDO DELEITÁVEL ROMÂNTICO MARRÃO HOSTIL INCRÍVEL SERENO HIANTE ONANISTA ABOMINÁVEL RESSENTIDO PLANIFICADO AMARGURADO EGOCÊNTRICO CAPACÍSSIMO MORDAZ PALERMA MALCRIADO PONDEROSO VOLÚVEL INDECENTE ATARANTADO BILTRE EMBIRRENTO FUGITIVO SORRIDENTE COBARDE MINUCIOSO ATENTO JÚLIO PANCRÁCIO CLANDESTINO GUEDELHUDO ALBINO MARICAS OPORTUNISTA GENTIL OBSCURO FALACIOSO MÁRTIR MASOQUISTA DESTRAVADO AGITADOR ROÍDO PODEROSÍSSIMO CULTÍSSIMO ATRAPALHADO PONTO MIRABOLANTE BONITO LINDO IRRESISTÍVEL PESADO ARROGANTE DEMAGÓGICO ESBODEGADO ÁSPERO VIRIL PROLIXO AFÁVEL TREPIDANTE RECHONCHUDO GASPAR MAVIOSO MACACÃO ESFOMEADO ESPANCADO BRUTO RASCA PALAVROSO ZEZINHO IMPOLUTO MAGNÂNIMO INCERTO INSEGURÍSSIMO BONDOSO GOSMA IMPOTENTE COISA BANANA VIDRINHO CONFIDENTE PELUDO BESTA BARAFUNDOSO GAGO ATILADO ACINTOSO GAROTO ERRADÍSSIMO INSINUANTE MELÍFLUO ARRAPAZADO SOLERTE HIPOCONDRÍACO MALANDRECO DESOPILANTE MOLE MOTEJADOR ACANALHADO TROCA-TINTAS ESPINAFRADO CONTUNDENTE SANTINHO SOTURNO ABANDALHADO IMPECÁVEL MISERICORDIOSO VOLUPTUOSO AMANCEBADO TIGRINO HOSPITALEIRO IMPANTE PRESTÁVEL MOROSO LAMBAREIRO SURDO FAQUISTA AMORUDO BEIJOQUEIRO DELAMBIDO SOEZ PRESENTE PRAZENTEIRO BIGODUDO ESPARVOADO VALENTE SACRIPANTA RALHADOR FERIDO EXPULSO IDIOTA MORALISTA MAU NÃO-TE-RALES AMORDAÇADO MEDONHO COLABORANTE INSENSATO CRAVA VULGAR CIUMENTO TACHISTA GASTO IMIRALÃO IDOSO IDEALISTA INFUNDIOSO ALDRABÃO RACISTA MENINO LADRADOR POBRE-DIABO ENJOADO BAJULADOR VORAZ ALARMISTA INCOMPREENDIDO VÍTIMA CONTENTE ADULADO BRUTALIZADO COITADINHO FARTO PROGRAMADO IMBECIL CHOCARREIRO INAMOVÍVEL...[9]

Abro um parêntese para sugerir a leitura de poemas a roteiristas e dramaturgos. Levando em conta que a arte e a dramaturgia são terrenos marcados pela **síntese**, é bom lembrar que os poetas conseguem com uma palavra só eclipsar pensamentos, dádivas e pecados de uma maneira tão saborosa quanto criativa. Ler um poema é também nos dar chaves para a construção de personagens. Talvez os poetas sejam os artistas que lidem com a expressão mais pura e reveladora do conteúdo dos símbolos.

Tenho o maior apreço pelos poetas e deles podemos tirar gratas lições. No texto teatral "Sempre", de minha autoria, parte da Trilogia da Imaginação, inédita no Brasil, reproduzo o seguinte monólogo da protagonista dando sua aula:

[...] Da palavra "vaticano" nasceu o vocábulo latino "vagitanus", que por se aproximar do verbo "augire" estruturou o verbo "vagir": soltar vagidos, berros, gritos, choros, lamentos e gemidos. (*pausa*) Gostaria de fazer isso. Ah, como gostaria. (*emocionada*) (*pausa*) Foi o deus Vaticano que proveu a raiz semântica do ato de "vaticinar": profetizar, predizer, prenunciar, adivinhar, prever e antever. (*pausa*) Se juntando todas estas ações e verbos: vagidos, profetizar, berros, predizer, gritos, prenunciar, choros, adivinhar, lamentos, prever, gemidos, antever. Seria só curioso, se não fosse também verdadeiro, (*pausa*) estou com vontade de chorar. De berrar. (*pausa*) O nome Vaticano talvez tenha sido abreviado pela língua do povo etrusco como "uates", vocábulo que se transformou em latim e deu nascimento à palavra "poeta". (*pausa*) Tenho certeza que vou chorar. Me sinto tão frágil. (*pausa*) "Poeta", aquele ser capaz de profetizar emoções aos berros e sussurros, proclamar aos gritos o futuro, lamentar nossa minúscula condição, predizer felicidades e paixões, gemer frente ao poder inútil e antever o destino do universo com um simples malabarismo da palavra. E muito mais pode ser, ser poeta. (*emocionada*) (*pausa*) O deus Vaticano foi exterminado com a queda do antigo Império Romano, talvez seja por isso que muito pouca importância se passou a dar às vozes dos poetas e às palavras dos poemas. (*limpa uma lágrima*) (*pausa*) Como o deus Vaticano não tinha corpo ou rosto. (*pausa*) Queria ser igual a ele. (*pausa*) Não houve enterro quando da sua morte. Ele também não se transformou em planeta como muitos outros deuses. Vaticano apenas se abstraiu ainda mais até se alienar no impensável. (*pausa*) Me sinto como um animal, mudando de penas e peles. Estou em trânsito e não me permito perguntar de onde, para onde. (*pausa*) O oitavo monte teria ficado sem dono se não tivesse ocorrido um fato obscuro e triste. Numa noite chuvosa e cheia de ventos, um grupo de seres maltrapilhos e famintos rasgou as entranhas da colina. Cobriu com terras e lamentos, o corpo sem vida de um homem pobre envolvido numa mortalha rota foi enterrado. Um pescador de nome Pedro. (*pausa*) Somos bilhões de terráqueos. Cada um se achando o único, quando na verdade ninguém é único. Será possível que vou me afogar nesse mar de irrelevâncias? (*pausa*) No momento em que o coração de São Pedro foi enterrado no ponto mais alto do Monte Vaticano, se iniciou a construção da Igreja de Cristo...

O filósofo grego Sêneca proclamou há dois mil anos que o aspecto mais difícil de um ser humano é se conduzir como um só homem. Muitas vezes me parece que o público e a crítica exigem enorme coerência de personagens e situações ficcionais, enquanto na vida real o mar de hipocrisias e incongruências, somado a incoerências, vaza por todos os poros, leis, poderes e meios de informação.

É sempre bom lembrar que a primeira razão da dramaturgia é divertir, introduzindo a capacidade de abstrair, depois informar, no sentido de questionar, e por fim formar, por conscientizar as duas primeiras qualidades.

Ainda sobre a inconstância dos homens e a identidade das personagens, sugiro nos refugiarmos no filósofo Montaigne[10] para promover um epílogo que nos parece ideal como ponto final sobre o tema. Ele soberbamente decretou:

> Não somente o vento dos acontecimentos me agita conforme o rumo de onde vem, como eu mesmo me agito e perturbo em consequência da instabilidade da posição em que esteja. Quem se examina de perto raramente se vê duas vezes no mesmo estado. Dou à minha alma ora um aspecto, ora outro, segundo o lado para o qual me volto. Se falo de mim de diversas maneiras é porque me olho de diferentes modos. Todas as contradições em mim se deparam, no fundo como na forma. Envergonhado, insolente, casto, libidinoso, tagarela, taciturno, trabalhador, requintado, engenhoso, tolo, aborrecido, complacente, mentiroso, sincero, sábio, ignorante, liberal e avarento, e pródigo, me vejo de acordo com cada mudança que se opera em mim. E quem quer que se estude atentamente reconhecerá igualmente em si e até em seu julgamento essa mesma volubilidade, essa mesma discordância. Não posso aplicar a mim um juízo completo, sólido, sem confusão nem mistura, nem o exprimir com uma só palavra.

O contraste

O homem é intrinsecamente variável. Podemos dizer que existe uma variedade de pessoas, assim como as impressões digitais. E quando criamos uma personagem oferecemos a ela uma personalidade, uma maneira de ser, uma originalidade, um estilo. São as chamadas **tinturas de verossimilhança**.

Não seria exagerado comparar a personagem a um filho. Afinal, nasce de nós e leva a nossa marca ficcional. Quando está preparada, tal como sucede com os filhos, a personagem se move sozinha. O autor já não tem de dizer mais nada a ela, o cordão umbilical foi cortado. É a própria personagem que se expressa, se move e se comporta em função da própria vontade.

Por esse motivo temos de conhecer a personagem tanto quanto seja possível, respeitar a sua originalidade e individualidade, para não incorrermos na atrocidade de pôr nos seus lábios palavras que são nossas e não suas. Também não devemos confundir o contraste com as contradições da personagem, nem com a sua identidade.

A **identidade** resulta da mistura dos **valores individuais** e **universais**. As contradições exprimem o nível de profundidade dramática da personagem, dúvidas, questionamentos e paixões. O contraste a tornará diferente das outras personagens e dos seres vivos. Por exemplo, James Bond, de Ian Fleming, apresenta poucas contradições e baixa identidade, mas muito contraste.

Por outro lado, não se deve confundir uma personagem contraditória com uma personagem em conflito. A personagem contraditória expressa a sua complexidade por meio de ações antagônicas e quase sempre leva a cabo atos díspares em nome de uma direção dramática, isto é, capturada por um objetivo dramático. A personagem em conflito, como não tem direção ou objetivo dramático, não atua contraditoriamente e é prisioneira do seu conflito, portanto não evolui dramaticamente. Todavia, não deixa de criar problemas e até causar crises.

Mais adiante desenvolveremos o conceito de objetivo dramático, aquilo que quer ser alcançado pelo protagonista. A exemplo dos humanos, a personagem não é um ser estático e avança na busca de uma completude existencial. Por meio de seus conflitos transforma o seu entorno para alcançar a sua necessidade dramática. E para conquistar ou não o objetivo dramático colocado como marco no encerrar do drama ela tem perdas e ganhos, exteriores e interiores. Para isso ela usa todas as armas: até os contrastes mais sedutores e os disfarces mais medonhos.

A dificuldade

Se no início do argumento a personagem não surge em sua totalidade, podemos continuar a história e deixar que o próprio desenvolvimento dos fatos vá revelando os detalhes que faltam.

Muitos autores dão apenas uma pequena ideia da personagem no começo da história porque sabem que, à medida que esta avança, as ações e os diálogos desenham a personagem.

Deixam transparecer seus sentimentos, a maneira como pensa, como se expressa. A própria ação nos dirá como ela é.

Outra possibilidade é criar personagens estereotipadas, cuja função seja desaparecer e dar lugar a outrem ao longo da criação.

Para mim é uma desvantagem não ter uma personagem completamente definida já no argumento ou na sinopse, e ter de continuar com o trabalho. De qualquer maneira, o fato de não possuir um desenho minucioso não pressupõe um impedimento para desenvolver as novas etapas do roteiro.

Não existem regras. Também sabemos que muitos autores desenham suas personagens e que por vezes vale mais a pena termos um perfil sintético e preciso do que outro grande, longo e prolixo.

Recordar que arte é síntese. Onde existir maior concentração de pensamento artístico, mais alta será a qualidade artística.

Vejamos: o amanhecer se revelando numa sinfonia, a estética feminina dentro de um quadro, um incesto numa peça de teatro etc.

O antagonista

O antagonista é o contrário do protagonista, o seu oponente. Não é necessariamente uma pessoa, podendo ser um grupo. É o caso das chamadas obras corais. O autor espanhol Luís G. Berlanga desenvolveu em sua obra uma galeria de coletivos que levam adiante seus filmes. Os que se destacam do coletivo o fazem por vezes mais por sua personalidade do que pela extensão dos seus papéis. Sucede assim com o Marquês de Leguineche em *La escopeta nacional* e suas sequências.

Com certa frequência os antagonistas se tornam mais evidentes e bem definidos. Em *Amadeus*, de Peter Shaffer, a personagem de Salieri tem mais especificidade humana do que o próprio Mozart, que se mantém não só devido à lenda, mas também devido à força dramática da sua personagem ingênua e genial ao mesmo tempo. No entanto Salieri lutava contra sua mediocridade de todos nós, invejas e "injustiças divinas". Na obra de James Cameron *O exterminador do futuro*, o antagonista é um ciborgue assassino que ganha popularidade pela espetacularidade da sua força de máquina. E na continuação passa a protagonista mediante a cumplicidade do espectador, capaz de supor que se trata de outro ciborgue do mesmo modelo, mas de programação diferente. Cameron se permitiu o papel de Deus, que redime as suas criaturas para o bem em virtude da força com que cometeram o mal. Na série *Eu, Cláudio* (BBC/London Film Productions), o desenvolvimento da história é dado por uma saga familiar cujos membros se tornam protagonistas e antagonistas, ao passo que a personagem narradora, em primeira pessoa, reserva para si um papel discreto enquanto nasce, se desenvolve, amadurece e se deixa morrer envenenada.

Dizer que o antagonista é o contrário do protagonista é uma afirmação estereotipada e didática. No entanto está próxima da realidade. Segundo Propp, podemos dizer que "a esfera de ação do antagonista, seus elementos, são: o prejuízo, o combate ou qualquer outra forma de luta contra o herói, a perseguição"[11]. O antagonista deve ter o mesmo peso dramático que o protagonista, mas não é necessário que seja desenvolvido com a mesma profundidade dramática.

OS COMPONENTES DRAMÁTICOS

Entre o protagonista e o antagonista são interpostas e entrelaçadas as personagens secundárias ou colaboradoras, ou de passagem, e também os chamados componentes dramáticos.

A personagem secundária está ao lado do protagonista e faz parte do universo em que ambos se movem ou, melhor ainda, do mesmo núcleo dramático (veja o segmento 1.6). Como é secundária, tende ser menos complexa.

O leitor pode recordar famosas personagens secundárias, como o ambíguo policial de *Casablanca* ou o ajudante de fotógrafo Passepartout em *A volta ao mundo em 80 dias*. Ou ainda o bobo da corte da peça *Rei Lear*, de Shakespeare.

Em último lugar nessa hierarquia se encontram os componentes dramáticos, que servem como elementos **explicativos, de ligação e conclusão**. Normalmente são personagens estereotipadas e sem nenhuma complexidade. Como o famoso e caricaturado motorista de táxi de *Mulheres à beira de um ataque de nervos*, de Pedro Almodóvar, ou um carteiro que aparece apenas para entregar um telegrama. Convém ressaltar que componentes dramáticos podem ser personagens ou **objetos inanimados**.

O acerto ou a gratuidade do componente dramático determina a consistência da obra. Desde os filmes corais até aqueles carregados de humor absurdo, nos quais uma personagem pode aparecer para justificar uma simples passagem cômica, existe um vasto leque de possibilidades que o roteirista deverá equilibrar. Não obstante, o objeto inanimado pode ser o componente dramático mais peculiar e servir como elemento:

- **De ligação**: o automóvel no filme *O Rolls-Royce amarelo* ou o robô em *Guerra nas estrelas*.
- **De solução**: o selo de uma carta no filme *Charada* ou a caixa em *Barton Fink – Delírios de Hollywood*.
- **Explicativo**: a Estátua da Liberdade no filme *O planeta dos macacos* ou a criptonita em *Superman*.

Às vezes uma aparição absolutamente fugaz, inesperada e fascinante pode se constituir em componente dramático, como Lila Kedrova no papel de condessa no filme *Cortina rasgada*, de Alfred Hitchcock.

OPINIÃO DE OUTROS CRIADORES SOBRE A PERSONAGEM

Voltando ao livro de Beth Brait, recolho os testemunhos sobre personagem de dois criadores com que tive o prazer de conviver.

"O escritor tem que atuar como um vampiro": Lygia Fagundes Telles

Eu tenho repetido isto: acho que o leitor gosta e aceita um livro na medida em que se transporta, em que se encontra no livro. Como eu também me identifico, me apaixono muito pelos meus personagens, acredito que isso ajude a mina aproximação com o público. De qualquer forma, os personagens me satisfazem mais do que as pessoas, porque têm vida, vícios e virtudes e, no entanto, permanecem tão intactos que não admitem interferências.

À medida que os personagens nascem dentro da gente, é preciso escrever rápido. Porque nós vamos nos modificando, até mesmo sob a influência deles. Temos que aproveitar o momento, enquanto está quente. O escritor tem que atuar como um vampiro, antes que amanheça. E na verdade, o autor também é vampirizado pelos seus personagens que se alimentam do seu sangue no mistério da criação. Quando termino um livro, estou esvaída. Os personagens e eu então descansamos. Até a próxima aventura.[12]

"Os personagens vêm da imaginação do escritor": Moacyr Scliar

De muitos lugares, isto é certo. Da infância. Do dia a dia. De um encontro casual na rua. De uma foto ou notícia de jornal. Das páginas da história. De um sonho ou de um pesadelo. De uma associação de ideias. De um desejo de autorretratar (Flaubert? "Madame Bovary sou eu").

Mas isso se refere à origem mais remota. Em última análise, os personagens de ficção vêm da imaginação do escritor. Não é a capacidade de bem retratar que faz um escritor de ficção, mas sim a capacidade de imaginar personagens e de criar situações. Personagens e situações é que servem de suporte para tudo o mais, inclusive para as ideias que o escritor eventualmente vincula e que, não fosse os personagens e as situações, transformariam sua obra em um ensaio ou reportagem. A atração pelo personagem é que faz o escrito. Uma tração que, afinal, todos temos. Todos queremos ser personagens. Eu mesmo quero. Quem escreveu esse depoimento foi um personagem chamado Moacyr Scliar, que não existe na vida real e que só desperta de sua letargia em momentos especiais, como este, de jogar com palavras para apresentar, enfim, como personagem.[13]

DIGRESSÃO

Como é sabido, os personagens são interpretados por atores. Aqui faço uma digressão e transcrevo um artigo que escrevi sobre Marlon Brando e a magnífica presença do ator e a contribuição que ele traz ao personagem (sobre os temas elenco e atores, veja a Parte 2).

Como sabemos o ator necessita de todos os instrumentos corporais, vocais e dos sentidos para capturar a alma e dar vida a outro ser chamado personagem. É irrefutável que Marlon Brando foi um mestre em sua arte, mais que isso: um inovador. A cada filme, peça teatral, ele trazia algo novo, um pequeno detalhe que abria uma nova porta de como se pode interpretar. Técnica e talento puro se misturavam num perigoso jogo que levou à glória e a uma vida pessoal tumultuada e por vezes trágica. Dizem que começou mostrando seu corpo por inteiro, sensual e perfeito, sorrindo desejos e ilusões nas plateias. Conta a lenda que todos se apaixonavam por ele, homens e mulheres, e que um dia, farto de ser adorado feito um deus vivo, um "Narciso" de carne e osso, foi lutar boxe (ou segundo outra versão, bêbado, arremeteu seu rosto propositalmente sobre uma pedra) e quebrou o nariz. Então aconteceu o impossível: ficou ainda mais lindo, desejado, voz anasalada e olhar cativante.

E foi desnudo, de corpo inteiro e alma, aos 50 anos, que apareceu em *O último tango em Paris*, misturando a sensualidade de um rapaz de 20 anos com a sabedoria de um homem de 60. Imparável, ele.

Brando não gritava, nem falava rápido: cochichava os diálogos com eloquência. Isso pode parecer paradoxal, mas não é. Pois transmitia, com essa guerra dos contrários, a contradição da condição humana.

Este paradigma alcança seu ponto maior em *Apocalypse now*, de Francis Ford Coppola, inspirada na obra-prima de Joseph Conrad *O coração das trevas*, onde em plena guerra do Vietnã um certo Coronel Kurtz do exército americano (Marlon Brando) enlouquece e cria seu próprio reino e exército de terror no Camboja completamente alheio às ordens de seus superiores. O capitão do exército (Martin Sheen) é enviado para descobrir a localização do esconderijo do coronel e executá-lo em nome da civilização e do respeito à ordem.

A historieta é essa, bastante simples. Quanto a Marlon brando e à composição do seu personagem Coronel Kurtz, a história é outra.

Brando pesava mais de 100 quilos, dizem que recebeu mais de 10 milhões de dólares e só aparecia em 10 minutos do filme. Por que o filme foi estrelado por Marlon Brando? Por que o crédito principal seria dele? Afinal, ele era a própria figura do anti-herói.

Senão vejamos: escutamos sua voz no início do filme, os personagens pensam sobre ele durante a projeção, vemos extratos das suas cartas no transcorrer da história, e assim vamos pouco a pouco criando uma figura mítica irrefutável e imbatível durante duas horas de projeção. Enquanto isso os personagens vivem o massacre dos americanos sobre os vietnamitas na guerra de 68. Matança inaudita que parece não ter fim nem sentido, e a cada instante nos perguntamos: "Que personagem é esse? [...]"[14]

REFERÊNCIAS EM EXERCÍCIOS

Volto a tomar como referência o mestrado de Escrita para Cinema e TV da Universidade Autônoma de Barcelona para dar alguns exemplos por meio dos trabalhos apresentados. O exercício proposto vai servir de base para que o leitor crie um perfil de personagem, respondendo às seguintes perguntas:

DA CRIAÇÃO AO ROTEIRO

- Como é a personagem? Descrição física. Personalidade.
- Como pensa e fala?
- Onde vive? Com quem e em que circunstâncias?
- Onde trabalha? Que faz para viver, como é o seu ambiente (família, amigos)?
- Tem alguma peculiaridade?

O prazo para a execução do exercício foi de um fim de semana. Na segunda-feira, cada aluno deveria trazer três perfis de personagens e estar disposto a defender suas criaturas.

Primeiro perfil

Escrito com base na *storyline* sobre uma notícia retirada de jornal: "Estrangeiros ilegais em Barcelona" (reveja *"Storyline"*).

> Jelio Iskur, 25 anos. Varna. Bulgária.
>
> Compleição atlética, cabelo curto, pele escura. Se veste esportivamente: camiseta de malha, jeans e casaco. O aspecto inspira confiança. Faz um ano que reside ilegalmente em Barcelona. Se adapta rapidamente às circunstâncias. Condensa tudo que quer dizer em poucas palavras. Filho de um funcionário do Partido Comunista e uma arrumadeira. Tem um irmão. Instrução elementar. Fugiu da Bulgária aproveitando a queda do comunismo. Lá trabalhava como mecânico de barcos turísticos. Em Barcelona, começa do zero. Inicialmente, trabalhou num espetáculo de *strip-tease*. Agora leva uma vida dupla: trabalha como pedreiro e pertence a uma rede de venda de automóveis roubados. Vive num andar de El Raval. Se relaciona basicamente com outros imigrantes europeus. Acredita que todo mundo tem um preço. Individualista e materialista, renega a educação comunista. Publica anúncios sexuais em redes sociais de encontros: "Se você nunca fez com um búlgaro é porque não quer". Tem saudades da música balcânica. Gosta muito de iogurte. Sente necessidade de viver numa cidade que tenha mar. Dois desejos seus: casar com uma catalã e tocar violino.

Observação e análise: o perfil é bastante completo. De qualquer forma, penso que falha num aspecto: dá demasiados detalhes exteriores e conta muito pouco do mundo interior da personagem.

Segundo perfil

Neste caso a criação se baseou na *storyline* surgida de uma ideia transformada do livro de Truman Capote, *Música para camaleões* (reveja *"Storyline"*).

Epifânia é uma mulher negra de 45 anos e 1,60 m aproximadamente. Está um tantinho roliça: uns 70 quilos. É uma mulher de caráter forte, acostumada a mandar em toda a família. Dirige o marido e os filhos em tudo que respeita à vida deles. Acha que é imprescindível para todos que a rodeiam, não aceita de forma nenhuma que possa ser de outro modo. Absorve de tal maneira tudo e todos à sua volta que, para poder dirigir efetivamente a vida dela e a dos demais, teve de perder toda a sua capacidade de demonstrar afeto.

Sua forma de falar é própria das pessoas que querem ser escutadas e nunca escutam os outros. Grita e está sempre dando ordens. Seu tom de voz é sempre frio e distante.

Epifânia vive em Genebra. Nasceu no Haiti, mas teve de emigrar para a Europa, pois em seu país não tinha meios de subsistência. Vive num pequeno apartamento nos arredores da cidade com os filhos Claude e Gabriel, as filhas Evangeline e Evelyne e o marido Frank. O apartamento é simples, mas não miserável.

Epifânia é faxineira em cinco casas de suíços ricos. O marido não trabalha. A família vive do que ela ganha na faxina e nas sessões de vodu, prática que conhece perfeitamente.

Epifânia vive cada dia em dois mundos opostos. Primeiro, estão sua família e os demais haitianos residentes em Genebra. Nesse mundo fechado e supersticioso, ela exerce um papel essencial e ocupa um lugar de poder. No seu outro mundo, o das casas onde trabalha, não é ninguém. É aquela que deve obedecer.

Epifânia vive uma relação complexa com esses dois mundos, que pagam de forma diferente as frustrações que ela sente em cada um deles.

Observação e análise: o perfil está completo. Mas é excessivamente longo. O nome Epifânia aparece cinco vezes, denotando uma redação confusa. Por exemplo: não era necessário mencionar o nome dos filhos. O vodu parece um dado exagerado e desnecessário, existe uma criatividade excessiva.

Existe complexidade, e isso é interessante, mas falta descrever como são suas relações com os ricos para quem trabalha. Como fala com eles? Também é enérgica? Impõe seus desejos também a eles? De que maneira? Repensar o trabalho.

Terceiro perfil

Este perfil é baseado no *storyline* sobre a pintora alcoólatra (reveja *"Storyline"*).

Ana Turner só aparenta seus 40 anos quando se levanta de manhã. Ao longo do dia, uma força interior, selvagem, emerge paulatinamente do seu físico miúdo, dando vida à multidão de objetos pequenos que formam o universo diurno da sua casa-ateliê. Ali vive sozinha, trabalha e recebe constantes visitas de parentes, amigos ou agentes comerciais. Nunca ninguém a ouviu falar da família nem contar histórias do seu passado. É *designer*. Pouco sai à rua e sempre com um objetivo definido: fazer compras ou procurar ideias. A vida decorre em seu lar como um ritual estrito pautado hora por hora. Quem quiser conhecer Ana terá de se submeter às suas regras, aceitar a firmeza das suas convicções, o impulso violento da sua energia e esperar que os copos se esvaziem lentamente enquanto a noite avança e revela pouco a pouco a doçura que contêm o reino da sua voz e o brilho do seu olhar adolescente.

Observação e análise: o perfil me parece literário em excesso. Tem alguns fragmentos com claras possibilidades dramáticas, mas finalmente a personagem resulta mais preparada para existir num conto do que para viver uma história audiovisual.

Quarto perfil e meu método de análise

Quando leio um perfil, a primeira pergunta que me faço é a seguinte: **essa personagem está preparada para viver uma história?** Depois, não menos importante: **tem possibilidade de mudar seu mundo interior com a história?** E ainda uma terceira: **que sentimentos e valores do protagonista estão em jogo?**

Essas três questões me parecem fundamentais para julgar uma personagem do ponto de vista dramático.

Pode ser útil fazer tais perguntas ao seguinte perfil:

Talvez se Miguel Cantó não houvesse sofrido aquela desgraça e tivesse se dedicado completamente à sua carreira, chegasse a diretor de um prestigioso escritório de advogados. Em 1982 sofreu um grave acidente durante a viagem de fim de curso à Ilha Minorca: se atirou de cabeça na água, de cima de uns rochedos, sem reparar numa pedra saliente. Agora anda numa cadeira de rodas, mas nem por isso deixou de ser uma pessoa cheia de vitalidade. É responsável pelo departamento de comunicação de uma grande empresa e dedica muito tempo livre à sua paixão de radioamador. Tem um magnífico estúdio emissor em casa. Entre o modem ligado a seu computador, o equipamento cartográfico, o telefone e o aparelho de rádio, é capaz de viver autênticas aventuras. Mais de uma vez resolveu problemas para outros companheiros de ondas. Em determinado momento é capaz de solucionar intrigantes mistérios. Seu inglês correto permite que ele se entenda com meio mundo. Tem 35 anos, é alto e magro, barbudo e com uma voz cavernosa, mais calma desde o acidente. Seus pais, agricultores ricos, vivem com ele numa casa rústica moderna, um chalé, sem barreiras arquitetônicas, a 50 quilômetros de Barcelona. Pode dirigir e gosta de viajar. O acidente o afetou muito, mas ele insiste em dizer que conseguiu superar o ocorrido. Quer demonstrar isso constantemente e é essa obsessão que o atraiçoa. Quando viaja é acompanhado por sua melhor amiga:

sua secretária Elisabeth. Está completamente apaixonado, mas não quer reconhecer isso e mantém distância: não quereria ligar Elisabeth para sempre a uma pessoa presa a uma cadeira de rodas.

1. **A personagem está preparada para viver uma história?**
Está preparadíssima para viver várias histórias. Qualquer produtor americano ficaria encantado com ela, com seu radiotransmissor, resolvendo problemas a distância, e ainda por cima com uma paixão cuja possibilidade de se realizar está condicionada pela moral vigente e pela impotência. Seria aceita como protagonista de uma série em menos de um segundo? Sem dúvida com um perfil bem construído. Aliás, anos depois, acabou se tornando o filme *O colecionador de ossos*.

2. **Tem possibilidade de mudar seu mundo interior com a história?**
Sim, me parece. É interessante notar na descrição que aparentemente não há lugar para o mundo interior da personagem, que resulta mecânico e vazio, por isso mesmo está aberto para um carrossel de aventuras. Inclusive o uso de novas drogas para recuperar a virilidade e o amor.

3. **Que sentimentos e valores dessa personagem estão em jogo?**
É uma pena que seja um portador de deficiência, que certamente sofreu muito e vê o mundo de uma forma deveras particular. Por isso mesmo poderia ousar e jogar com maior número de sentimentos, conflitos internos ou valores particulares. Num todo o perfil é elegante, bem escrito e reflete o contexto de um europeu do início do século XXI.

Um analista mais criterioso poderá reconhecer que essa personagem, embora tenha possibilidades de viver histórias, tende em qualquer caso a certa artificialidade. Se for o caso, dá a medida exata do que acontece em sua maioria nas televisões do mundo, isto é: histórias sem fim, vividas por personagens robóticas e sem alma.

Em todo caso, parece que a crise atual da dramaturgia se torna mais patente na composição da personagem do que no fluxo da ação dramática. Explosões de automóveis, sequestros e assassinatos parecem mais fáceis de criar do que personagens reais e complexas que possam viver esses acontecimentos.

TENDÊNCIAS

Antes de terminar, uma observação. No dia a dia o perfil do personagem se torna cada vez mais **conciso**, isto é, não mais de **cinco linhas**. Aliás, o que acho bem conveniente para os dias atuais. Mesmo assim, dentro dessas poucas linhas deve caber quatro mundos: **o físico, o sentimental, o social e o psicológico**.

E para facilitar a vida de todos, incluo um desenho que demonstra claramente os **pilares centrais** que sustentam um bom perfil do personagem.

No quadrante superior esquerdo, o da imagem de alguém: "como ele é".

No quadrante superior direito, o do coração: "descrição dos seus sentimentos, principalmente amorosos".

No quadrante inferior direito, o do cifrão: "como ele ganha a vida, o seu trabalho".

No quadrante inferior esquerdo, o da interrogação: "seu mundo psicológico e objetivos interiores".

CONCLUSÕES

Refletimos sobre a personagem e sua importância vital na dramaturgia, uma vez que **sem personagem não há drama**. Demonstramos que a defesa das nossas personagens se apresenta no argumento ou sinopse. Falamos do conteúdo desta: quando, onde, quem e qual.

Recordamos que a sinopse é a expressão escrita de um futuro trabalho de roteiro que se faz para ser lida. Portanto é conveniente que o texto seja claro, fluido e esteja bem redigido. Algo de sugestivo e atraente que pareça pedir para ser transformado em imagens e diálogos.

Falamos dos dois tipos de sinopse, grande e pequena, e dos dez pontos que consideramos mais importantes no que respeita ao perfil da personagem.

Foram abordados os conceitos de ficção, verossimilhança, veracidade e credibilidade.

Por fim apresentamos exemplos e incluímos uma figura que condensa os quatros campos indispensáveis para se criar um perfil moderno de personagem.

Finalmente, lembrar que personagens têm vida curta, mas que ela não seja pequena.

EXERCÍCIOS

Estes exercícios, chamados de **estáticos**, têm a função de elaborar vários perfis como se fossem a fotografia de uma **personagem imóvel, suspensa no tempo e no espaço à procura de uma história**.

1. Procurar fotos de rostos expressivos num álbum, na pausa de um filme ou em três fotogramas de filmes e fazer as seguintes perguntas:
- Como é a personagem? Descrição física. Personalidade.
- Como pensa e como fala?
- Onde vive? Com quem e em que circunstâncias?
- Onde trabalha? Que faz para viver? Como são seu meio, sua família e seus amigos?
- Tem alguma peculiaridade?

2. Ler três contos (por exemplo, um de Gabriel García Márquez, outro de Guy de Maupassant e um de Machado de Assis). Formular as mesmas perguntas do exercício anterior sobre os protagonistas dessas narrações.

3. Repetir esse mesmo exercício mentalmente com pessoas que vemos no metrô, na sala de espera do dentista ou na fila do ônibus. Procurar não apenas indivíduos extravagantes, mas também homens e mulheres de aspecto comum. Observar bastante, dissimuladamente, e inventar muito.
    Às vezes pratico esse jogo com outros roteiristas enquanto comemos num restaurante e é sempre divertido, além de ser útil para exercitar a imaginação.

NOTAS E BIBLIOGRAFIA

1. COMPARATO, Doc. "De onde vêm esses seres?" In: BRAIT, Beth. *A personagem*. São Paulo: Ática, 1985, p. 72-73.
2. Citado por Barnet, Berman e Burto em *A dictionary of literary terms*. Londres: Constable, 1960, p. 112.
3. VOGLER, Christopher. *A jornada do escritor – Estruturas míticas para escritores*. Rio de Janeiro: Nova Fronteira, 2006.
4. PROPP, Vladimir. *Morfología del cuento*. Buenos Aires: Juan Goyanarte, 1972.
5. FIELD, Syd. *The screenwriter's workbook*. Nova York: Dell, 1984.
6. KELSEY, Gerald. *Writing for television*. Londres: A&C Black, 1990, p. 104.
7. FORSTER, Edward Morgan. *Aspects of the novel*. Nova York: Penguin, 2005.
8. BRADY, Ben. *The keys to writing for television and film*. Iowa: Kendall/Hunt, 1982.
9. O'NEILL, Alexandre. "Homem". In: *Poesias completas (1951/1986)*. Lisboa: Imprensa Nacional; Casa da Moeda, 1990, p. 336-7. (Biblioteca de Autores Portugueses)

10. Montaigne, Michel de. "Da incoerência de nossas ações". In: *Ensaios*. Trad. Sérgio Milliet. São Paulo: Abril Cultural, 1972, p. 164-5.

11. Propp, Vladimir. *Morfología del cuento, op. cit.*, p. 121.

12. Telles, Lygia Fagundes. "O escritor tem que atuar como um vampiro". In: Brait, Beth. *A personagem*. São Paulo: Ática, 1985, p. 82-83.

13. Scliar, Moacyr. "Os personagens vêm da imaginação do escritor". In: Brait, Beth. *A personagem*. São Paulo: Ática, 1985, p. 84-85.

14. Comparato, Doc. "Apocalypse now: a magnífica presença ausente". In: *Brando: o ator no cinema*. Rio de Janeiro: Caixa Cultural, s/d, p. 109-10.

1.6 A CONSTRUÇÃO DRAMÁTICA – COMO ESCREVER UMA HISTÓRIA

REFLEXÕES SOBRE A CONSTRUÇÃO DRAMÁTICA

Na sua *Poética*, Aristóteles introduz o conceito moderno de ação dramática como "a imitação de uma ação nobre e eminente que tem certa extensão, em linguagem adequada [...] cujas personagens atuam".[1]

Assim, os nossos antecessores remotos e primeiros roteiristas podem ter sido os trágicos gregos e até, antes deles, os autores daqueles cantos que o recitador e o coro alternavam. Ou dos posteriores diálogos entre aquele e o corifeu, que no teatro grego era o chefe do coro, membro destacado do elenco que podia dialogar com as personagens. Talvez tenha sido Homero quem desenvolveu múltiplas situações dramáticas em cada uma das obras épicas. As ações homéricas possuem uma vocação audiovisual, são suas precursoras. Recursos como o *flashback*, que faz "recordar" Ulisses e narrar suas aventuras. O suspense que interrompe no canto XIX uma situação-limite, se a antiga ama de leite vai reconhecê-lo e talvez denunciar, intercalando outra história, a da cicatriz, que fará que ela efetivamente o reconheça e identifique. Estruturalmente moderno e atual.

De qualquer forma, do ponto de vista **estético e teórico**, Aristóteles e sua *Poética* constituem um ponto de reflexão obrigatória para o estudo da dramaturgia. Se trata de uma obra descolorida e algo crítica, mas está na raiz de tudo que sabemos sobre a arte de escrever para representar. E por isso chegou a se converter numa obra de culto de conhecimento obrigatório para todos os que se dedicam a escrever para cinema, televisão, teatro e outras mídias.

Para Aristóteles, o dramático é uma relação de **fatos** e **acontecimentos**, de **causa** e **efeito**, encadeados segundo uma **ordem criada pelo autor**.

Ele dividiu o drama em seis partes essenciais:

- Alma
- Personagem

- Pensamento
- Dicção
- Música
- Espetáculo

Da **personagem** falamos no segmento anterior. O **pensamento** deve ser como o motivo por que escrevemos e vamos contar alguma coisa (o *ethos*). A **dicção** seria o diálogo, sobre o qual falaremos adiante. A **música** incluiria não só aquilo que hoje entendemos como tal na linguagem audiovisual, mas também a cadência ou o ritmo dramático. O **espetáculo**, numa visão livre, deveria corresponder à atual realização ou direção conforme o meio.

A **alma**, o primeiro e mais importante dos elementos da tragédia, é a composição dos feitos que formam a história, é como vamos desenvolver a **ação dramática**. Aristóteles fala também de **fábula e forças motivadas**, mas o núcleo, o mais importante, é esse **como**.

Teorizando que todas as histórias já foram contadas ou estão no etéreo para ser captadas (veja a Parte 9), a destreza artística e a capacidade criativa se concentrariam majoritariamente na maneira como se expõe o drama. Levando em conta que esse "como" contém a alma capaz de realizar e sintetizar todas as novas etapas do processo de elaboração do texto de ficção.

Esses conceitos, que datam do século IV a.C., são válidos e fundamentais. Hoje temos outra terminologia, mas a essência continua a mesma. Ação dramática continua sendo o encadeamento dos feitos e dos acontecimentos que formam a história.

Ao movimento da ação dramática chamamos *plot*. O *plot* é a **espinha dorsal** de uma história, o motor da ação dramática. Ou seja, as ações organizadas de maneira conexa de forma que se suprimirmos ou alterarmos alguma alteraremos o conjunto.

QUAL HISTÓRIA CONTAR

Luigi Pirandello – autor laureado por sua peça "Seis personagens à procura de um autor" – escreveu: "Toda criatura do mundo da ficção ou da arte necessita, para existir, ter seu drama, no qual é uma personagem. Esse drama é a *raison d'être* [razão de ser] da personagem, a função vital necessária para sua existência"[2]. (É notório que, se a leitura de uma sinopse não desperta o nosso interesse, tampouco o fará o roteiro ou o produto audiovisual resultante. Falta emoção ou talento.)

O quarto conteúdo de uma sinopse é a história que vamos contar, criada ou adaptada especialmente para personagens concretas. Contudo, a sua história não deve ser uma representação direta de tal acontecimento. A perspectiva que escolher, justamente com tudo mais, é o seu estilo.

É aqui que a individualidade pode encontrar um ângulo interessante, em que começa a aplicar a estratégia narrativa que melhor serve à história, em que a experiência vital ajuda a extrair uma perspectiva incomum de uma história.

Em dramaturgia a história recebe o nome de ação dramática, percurso ou curso da ação dramática.

Trata-se do conjunto de acontecimentos inter-relacionados que irão se resolvendo por meio das personagens até o desenlace final. Resumindo: **a ação dramática é definida como o conjunto de fatos que por meio de uma construção imaginária projetam uma história de ficção.**

A FICÇÃO

Antes de abordar o curso da ação, convém fazer referência a um par de conceitos confluentes, para deixar bem clara a separação entre o mundo real e o universo criado e inventado que pertence ao domínio da ficção e da estética.

Etimologicamente a palavra **ficção** provém do latim *fictione(m)*, ato ou resultado de criar uma imagem, de compor, modelar ou inventar alguma coisa. Por sua vez estética vem do grego *aisthetiké* (**sensível**) e *aísthesis* (**percepção**).

Um artista se exprime com uma linguagem, isto é, com um sistema simbólico, que pode ser pictórico, musical, literário, cinematográfico etc.

Segundo Tzvetan Todorov, "a literatura não é uma linguagem que possa ou tenha de ser falsa [...], não se deixa submeter às provas da verdade [...] e isso é que define o estatuto da ficção".[3]

Portanto a arte não é cópia nem imitação, mas sim uma invenção que expressa de maneira sensível, estética, o universo particular de cada artista.

O **realismo**, por exemplo, é uma linguagem estética baseada na realidade e construída com base nos objetos e nos seres que fazem parte de um mundo concreto. Não é a realidade concreta, mas antes uma invenção que nos é dada pela ilusão da realidade. É a isso que se chama **verossimilhança**, aquilo que nos parece realidade: o verossímil fílmico ou televisivo. Em qualquer caso, como apontou Dwight Swain,

> a linguagem dos meios audiovisuais é consideravelmente mais simples e menos ambígua do que algumas linguagens escritas ou pictóricas. Além disso a história das artes visuais gravadas tem sido uma progressão constante para uma maior verossimilhança. A cor reproduz melhor a realidade do que o preto e branco, e o filme sonoro está mais próximo da realidade dos fatos.[4]

Quando o **surrealismo** se serve de um realismo meticuloso, fazendo contrastes violentos com a arbitrariedade das imagens, exprime uma estética baseada no caos, no inconsciente, nos sonhos. E constrói uma segunda realidade que embora se misture com o mundo concreto é totalmente diferente dele. Seria uma das leituras do real. Que nesse caso poderíamos afirmar se tratar de um tipo de veracidade, que até então não tínhamos enxergado.

Jogos de palavras e conceitos filosóficos contraditórios à parte, a ficção em sua mais singela definição é a "arte de contar histórias". Serena e antiga propriedade humana, normalmente sob a responsabilidade dos membros mais velhos das tribos e que ocasionava estranhas emoções na plateia. Choros, espantos e risos.

Um dramaturgo, um roteirista, até para novas mídias, deve estar atento à reação da plateia. Reconhecer que o ofício de ficcionista quer dizer também aprender com os próprios erros e com os acertos dos outros. Também deve estar atento para o sentido da antecipação da plateia e a reação desta perante os fatos expostos (veja no segmento 2.1 os tópicos "Antecipação" e "Estrutura clássica").

E sobre o tema retomo a personagem professora da minha peça "Sempre" tentando explicar os misteriosos efeitos da dramaturgia:

> Não entendeu o efeito paradoxal. Exemplo: voltamos ao tema lágrimas e risos. Podemos dizer que o riso, ao contrário do que se pensa, nem sempre traz o sinal de júbilo ou de satisfação. Considerado uma das armas mais letais dos dramaturgos, o riso desintegra verdades através da exposição do ridículo das certezas. Nascendo daí a expressão morrer de rir. *(pausa)* O choro é regenerador justamente por formular a ideia de morte, de perda. Por conter alguma forma de fim, deflagra nas mentes a necessidade de um novo início. De um renascer cheio de esperanças e isento de críticas. Quando se tornam públicos, tanto o efeito do riso como o do choro são perigosíssimos por serem paradoxais. O riso por matar euforias, o choro por consagrar mentiras.

> Eisenstein, naquela famosa sequência do *O encouraçado Potemkin*,

> mostra homens que trabalham na casa das máquinas, mãos ocupadas, engrenagens que giram, caras exaustas, o manômetro que indica a pressão máxima, peitos suados, a caldeira incandescente, um braço, uma roda, um braço, uma máquina, homem, máquina, homem, máquina, homem. Duas realidades absolutamente diferentes, uma espiritual e outra material, não apenas unidas como também identificadas na realidade, uma provém da outra.[5]

A linguagem cinematográfica introduz uma nova concepção visual do tempo e do espaço na hora de reproduzir o mundo. O espaço perdeu a qualidade de estático e passou a ser dinâmico, incorporando as características do tempo histórico e real. O espaço-tempo pode parar como em *slow motion* (câmera lenta). Pode voltar atrás como em *flashback*. Pode dar um salto e nos revelar o futuro em *flashforward*. Nesse aspecto, a comparação mais imediata é com o romance, no mundo literário. A maior imaginação exigida ao se comparar o mundo do romance com o mundo do teatro, o projetar imagens, não é necessária no cinema no instante em que ele se comunica mediante a projeção de imagens.

Mas é sempre bom recordar que **a imaginação é bem mais ampla do que a projeção de imagens. Em dramaturgia está presente nos diálogos, na estrutura dramática, na confecção das cenas e no ritmo dramático.**

De todo modo, a ficção não pode deixar de agradecer à realidade pela sua contribuição, já que refaz uma representação do humano. Todavia, não deve favores ou escravidão. Hipoteticamente a obra ficcional deve estar livre de verossimilhança, veracidade e verdades, em se tratando de uma visão imaginária de um artista que constrói uma série de coincidências factuais que devem conter o sentido de credibilidade para um punhado de seres humanos durante um período determinado.

Parece evidente que a fronteira que separa a realidade concreta da ficção é enorme, todavia não é notada. Esse esclarecimento é importante para que não se interprete erradamente o significado de ficção, que não é senão uma realidade inventada mediante alguns resquícios retirados da realidade.

Criar um drama básico

Para construir um drama básico é preciso passar pelas três etapas que foram descritas anteriormente, concretizadas em "atos":

- **Primeiro ato**: apresentação do problema.
- **Segundo ato**: escolha e desenvolvimento da ação.
- **Terceiro ato**: solução do problema. Desenlace.

A separação desses três elementos é algo de natural que se acaba por descobrir em qualquer tipo de estrutura. Segundo Linda Seger,

> A composição dramática quase desde o princípio do drama tende para uma estrutura em três atos: seja uma tragédia grega, uma obra shakespeariana em cinco atos, uma série dramática em quatro atos ou um filme semanal de TV em sete. Vemos ainda a estrutura básica em três atos: princípio, meio e fim, ou *set-up* (exposição), *development* (desenvolvimento) e *resolution* (desenlace).[6]

Num drama básico apresentamos o problema, desenvolvemos esse problema de acordo com o tipo de personagem que escolhemos e finalmente criamos a solução.

Em cada uma dessas etapas a personagem atuará e gerará conflitos:

- Entrará em conflito perante o problema
- Terá mais conflitos ao procurar a solução
- Chegará ao final por meio do conflito

Como informei anteriormente, o **conflito** é o elemento de união das três etapas, a **argamassa da dramaturgia.**

A qualidade do conflito

Em dramaturgia o conflito tem duas qualidades essenciais: **correspondência e motivação.** Ambas devem ser incorporadas na nossa história se quisermos nos sentir atraídos e atrair também o público, que reage emocionalmente perante elas.

Basicamente esses vínculos de relação são motivados:

- Por simpatia ou solidariedade
- Por empatia ou identificação
- Por antipatia ou reação

Para ativar esses três mecanismos, devemos trabalhar sobre as qualidades do conflito: a **correspondência e a motivação.**

Correspondência do conflito

O problema da personagem deve também "surgir" na figura do espectador que entrará em cumplicidade, em correspondência com ela.

Quando uma personagem se encontra diante de um conflito crucial, suspensa sobre o abismo, por exemplo, o espectador deve sentir a mesma angústia como se também estivesse na mesma situação. Se o conflito é crucial para a personagem, também será para o espectador. Da mesma forma, se a situação é sensual ou amorosa, também deve ser para o público.

E é exatamente isto que temos de procurar: uma correspondência com o público que o projete para o "eu também".

Motivação do conflito

Para estabelecer a correspondência com o público, é necessário que o conflito tenha sua razão de ser. Não pode surgir do nada: são as situações em que a personagem se encontra que geram os conflitos.

Assim a **razão**, ou **motivação**, estabelecerá essa **cumplicidade**. Melhor ainda: se nos identificarmos com o problema, se o entendermos como uma razão suficientemente forte para gerar um conflito, então a cumplicidade está estabelecida. De modo que as motivações devem ser pelo menos convincentes.

Ponto de identificação

As qualidades de correspondência e motivação levam à criação do chamado ponto de identificação. **O ponto de identificação é o ponto convergente entre o público e a nossa história.**

Normalmente existe uma série de pontos de identificação, que só são percebidos quando intervém a emoção: no momento em que nos damos conta de que o problema que a personagem enfrenta também poderia ser nosso. Isso faz que o espectador diga: "Se eu fosse ele, não faria aquilo". Todo conflito possui, por mais absurdas que pareçam as premissas, um ponto em comum de identificação com a plateia.

Isso acontece até em filmes surrealistas como os de Buñuel. Claro que não por meio do racional, mas sim de vias inconscientes, irracionais, identificando imagens oníricas, percebendo as identidades simbólicas entre as imagens do filme e as nossas.

Quando chega a esse ponto de identificação, **o público se comove, chora, ri, odeia ou vibra**. É quando dizemos coisas como: "Não, não quero olhar!", "Me agarrei na cadeira" ou "Até me esqueci da dor de cabeça" etc.

O ideal seria que todas as ficções conduzissem a esse estado. No fim das contas, nós, roteiristas, somos criadores de ficção e queremos emocionar o público com a nossa história. Se não fosse por esse motivo, por que razão haveríamos de escrever?

Problemas e conflitos

Podemos formular quatro perguntas básicas, cada uma das quais implica um tipo de problema e/ou conflito que deve afetar a personagem e a história.

1. Que tipo de problema tem o nosso protagonista?

2. Que tipo de conflito o afeta?

3. Quando se apresentará o conflito principal?

4. Qual é a importância do conflito?

Utilizaremos como exemplo o filme *O homem que queria ser rei*, de John Huston, inspirado no romance de Rudyard Kipling.

Em resposta à primeira pergunta, diremos que o protagonista enfrenta elementos naturais, atravessar uma cadeia de montanhas, e humanos, converter todo um povo para chegar a ser rei.

À segunda pergunta responderíamos que, quando praticamente o consegue, duvida se realmente quer ser rei. Temos então um conflito interior, de identidade.

Podemos responder à terceira pergunta dizendo que o problema se apresenta no princípio, mas que o conflito principal da personagem nos remete ao final.

A quarta resposta terá de ser mais extensa, uma vez que implica uma série de diferenciações. Um conflito pode ser crucial, ter grande importância, para a maioria das pessoas, viver ou morrer, ganhar ou perder, mas também pode ser crucial apenas para o protagonista, a decisão de se tornar rei ou não. O que aparentemente não nos afeta, se a maioria dos seres humanos não se sentisse pequenos deuses e deusas, para não usarmos os termos príncipes, princesas e rainhas. Uma tola ilusão, já que no meu entender estamos tão longe de Deus como a compreensão das formigas traçando caminhos erráticos ao redor de um quilo de açúcar.

Em qualquer caso, o conflito deve conter a máxima importância para a personagem em questão. Mesmo que não o seja para a maioria das pessoas, se a personagem for convincente existirá integração e o público ficará satisfeito.

Ação dramática versus personagens

Com base no exemplo apresentado, podemos dizer que a personagem gera conflitos, exteriores ou interiores, de acordo com suas necessidades ou seu caráter, e novos conflitos, por sua vez, dão lugar a outros. O dramaturgo até certo ponto não se coloca na posição de resolver conflitos e sim de expor, acrescentar, complicar, questionar e em última instância deflagrar algum tipo de solução.

Como vemos, o conflito parece depender cada vez mais da personagem, da sua maneira de se apresentar e da sua vontade – que pode ser direta ou indireta.

- **Vontade direta ou "consciente"** é a que se exprime no texto e se refere a alguma reação concreta. Por exemplo: "Vou matar porque me bateu".

- **Vontade indireta ou "inconsciente"** é o subtexto, o impulso interior. Por exemplo: um homem mata uma mulher levado pelo ódio que sente pela própria mãe. Tais comportamentos, *a priori* irrefletidos, são difíceis de exprimir e encontram seu esclarecimento ou explicação no desenrolar da história.

Definição da ação dramática

O leitor poderá perguntar a si mesmo por que fizemos a trajetória "conflito, problemas, vontade direta ou indireta, ficção e criação de um drama básico". Para procurar a definição de ação dramática, chegar a ela.

Os teóricos e dramaturgos encontraram uma definição que, pessoalmente, acho demasiado matemática e fria, mas que se diz ser fundamental conhecer para poder escrever uma história. Segundo essa definição, a ação dramática é algo semelhante a uma operação aritmética, uma soma:

vontade direta ou indireta da personagem
+   decisão conflituosa da personagem
+   mudanças
―――――――――――――――――――――――――
=   ação dramática/história

Aqui as mudanças se referem ao fato de que como todo ser vivo a personagem também vai **modificando seu comportamento** à medida que soluciona, ou não, os problemas: muda à proporção que também vive. Pode se dar o caso de que quem muda não é o protagonista, mas sim as outras personagens e até mesmo o público.

A história que se vai contar na sinopse deve parecer construída por meio da vontade direta ou indireta das personagens, que tomam decisões conflituosas, produzindo alterações em si mesmas e no mundo que as rodeia.

A UNIÃO DOS QUATRO CONTEÚDOS

No segmento anterior, vimos os elementos "quando", "onde" e "quem". Agora somamos a eles um quarto: "qual". Esta é a minha fórmula matemática e superteórica:

Quando + onde + quem + qual = argumento ou sinopse

Do ponto de vista formal a sinopse é constituída por uma capa com título, nome do autor, data e registro. Numa segunda folha, o *logline* e a *storyline*. Depois, algumas páginas nas quais se desenvolve o perfil das personagens principais. Finalmente, um último texto em que a história é contada já entrelaçada com as personagens ou não.

Alguns roteiristas descrevem o perfil das personagens juntamente com o texto.

Pessoalmente prefiro escrever e colocar ambos os itens separadamente.

EXEMPLO DE UMA PEQUENA HISTÓRIA

Para melhor refletir sobre como a história deve ser contada de maneira clara e direta dentro de um argumento, nada melhor do que um exemplo. Já que vimos alguns perfis de personagens, escolhi um pequeno texto que conta as ações que indiquei para desenvolver o projeto da minissérie *Paralelo 10*, de minha autoria, com 16 episódios escritos em colaboração com o escritor Antônio Torres. Obviamente esse material está registrado e tem todos os direitos reservados.

Nosso problema era propor 16 histórias que tivesse uma unidade no processo de criação da minissérie. E, por um acaso, achamos.

Como escreveu Aristóteles: "Na ficção é preferível fazer o impossível parecer verossímil do que o possível inacreditável".

Seguem dois trechos do argumento que me parecem interessante para dar um desfecho a este segmento.

PARALELO 10 NA ROTA DOS EPISÓDIOS/HISTÓRIAS

Maior rio situado totalmente em território brasileiro, o rio São Francisco – também conhecido como Rio da Unidade Nacional – nasce em Minas Gerais, Serra da Canastra, e segue passando por Bahia, Pernambuco, Alagoas e Sergipe, sendo o único grande fornecedor de água da região semiárida do Brasil. O aproveitamento energético do "Velho Chico", como também é chamado, transformou a região e o homem do sertão nordestino.

(Texto do Instituto Histórico e Geográfico Nacional)

Na tentativa de esquematizar uma estrutura dramática para sustentar a jornada dos personagens em sua aventura pelo rio São Francisco, fomos buscar no imaginário popular da região a chave para o ponto de partida.

Num livro de cordel tradicional que conta a lendária odisseia dos barqueiros e viajantes do Rio encontramos o "ABC do São Francisco", poema construído na mais consagrada forma de expressão do folclore da bacia do São Francisco.

O poeta popular enumera as paradas dos barcos com precisão de um roteiro, dando a cada um, com sagacidade, sua verdadeira cor local.

O poema descreve o percurso de Juazeiro a Pirapora, quando na verdade os personagens farão o caminho contrário.

Segue o "ABC do São Francisco":

> Juazeiro das lordeza
> Casa Nova da carestia
> Sento Sé da nobreza
> Remanso da valentia.
> Pilão Arcado da desgraça,
> Xiquexique dos "Bundões",
> Icatu só dá cachaça,
> Barra só dá ladrões.
> Morpará fora do mapa,
> Bom Jardim da rica flor,
> Urubu da Santa Cruz,
> Triste do povo da Lapa
> Se não fosse o Bom Jesus.
> Carinhanha é bonitinha
> Malhada é que não é.
> Passo fora no Morrinho,
> Pago imposto em Jacaré.
> Januária é da cachaça,
> S. Francisco é da desgraça,
> S. Romão – feitiçaria
> Pirapora da p...

Com base nas características de cada porto, vilarejo ou cidade, resgatamos os elementos para elaborar incidentes da viagem.

Assim, "Januária é da cachaça" nos levou a imaginar alambiques, as pessoas que trabalham nele, a produção artesanal de cana, e a partir daí armar uma trama que envolve esse assunto.

Outro exemplo, "São Romão, feitiçaria", nos instigou a compor uma personagem, a cozinheira do barco, a morena rezadeira que acredita nas entidades mitológicas que assombram os ribeirinhos e barqueiros. Exemplo: a lenda da cobra grande (enorme serpente que margeia o rio engolindo animais, devorando homens e almas e provocando desmoronamentos dos barrancos das margens).

Enfim, o "ABC do São Francisco" nos abriu um leque de possibilidades criativas, ilações e sugestões extraídas sempre do universo local.

DA CRIAÇÃO AO ROTEIRO

O verdadeiro Delmiro Gouveia

Delmiro foi um enigma. Para alguns o diabo, para outros um visionário, mas para todos um idealista com tintas nacionalistas.

Filho ilegítimo de um fazendeiro cearense, foi subindo na vida como intermediário do comércio de pele de cabra, carneiro e boi para os ingleses, chegando inclusive a comprar o palacete em Recife que pertencera ao gerente da filial do British Bank.

Aos 40 anos era milionário, ligado aos ingleses e conhecido por todos como "o rei das peles".

Por prepotência e inexperiência, entra em disputa com o poder da oligárquica família Rosa e Silva, dona dos canaviais pernambucanos. Em pouco tempo perde tudo e entra em falência. Foge para Alagoas.

Com apoio financeiro dos irmãos alemães Rossbach e dos italianos Lionelo Iona e Guido Ferrario, funda a empresa Iona e Cia. para construir o primeiro polo industrial do Brasil às margens do rio São Francisco.

Em torno de 1900 chega a Alagoas uma comissão de cientistas, engenheiros e técnicos, liderados por um empresário americano de nome Moore. Visitam a cachoeira, avaliam suas possibilidades e, em sucessivas reuniões com Delmiro, acertam a formação de uma grande empresa. O plano: Delmiro deveria comprar as terras adjacentes à cachoeira nos estados de Alagoas, Pernambuco e Bahia e, em seguida, conseguir autorização desses três estados para explorar a cachoeira. Satisfeitas essas precondições, os capitais americanos fluiriam para a construção de uma grande hidroelétrica, que geraria energia para iluminar e abastecer o Recife. A energia restante seria utilizada para um empreendimento agroindustrial a ser instalado nas terras em torno da cachoeira. Plantações irrigadas forneceriam matérias-primas para indústrias que seriam movidas pela abundante energia.

Em 1917 Delmiro Gouveia possui uma das maiores fortunas do continente, suas fábricas exportam linhas, tecidos e carretéis para meio mundo.

Aos 57 anos é misteriosamente assassinado. Suas fábricas e a hidroelétrica são destruídas a marretadas e os restos atirados no rio São Francisco pelos ingleses.

CONCLUSÕES

Refletimos sobre a personagem e sobre sua importância vital na dramaturgia, uma vez que sem personagem não há drama. Demonstramos que a defesa das nossas personagens se apresenta no argumento ou sinopse. Falamos do conteúdo desta: quando, onde, quem e qual.

Recordamos que a sinopse é a expressão escrita de um futuro trabalho de roteiro que se faz para ser lida. Portanto é conveniente que o texto seja claro, fluido e esteja bem redigido. Algo de sugestivo e atraente que pareça pedir para ser transformado em imagens e diálogos.

Falamos dos dois tipos de sinopse, grande e pequena, e dos dez pontos que consideramos mais importantes no que respeita ao perfil da personagem.

Analisamos e comentamos algumas delas e refletimos sobre a importância da ação dramática. Foram abordados os conceitos de ficção, verossimilhança, veracidade e credibilidade.

Escrever bons argumentos é uma arte que requer talento especial para procurar personagens redondas que vivam histórias inesquecíveis.

EXERCÍCIOS

Como um pintor que começa a esboçar, para mais adiante procurar movimento nas figuras que rascunhou na tela, vamos introduzir os exercícios dinâmicos. Seu objetivo é entrelaçar a personagem com a ação dramática, reconhecer suas mudanças enquanto "vive" uma história.

1. Escolher filmes conhecidos (como *A festa de Babette*, de Gabriel Axel, ou um filme brasileiro).
   Depois dos primeiros dez minutos de filme, voltar às perguntas do exercício anterior e acrescentar as seguintes:

- O que o protagonista pensa da vida?
- Como acha que vai ser sua forma de agir perante os problemas?
- Quais são seus conflitos, valores e sentimentos em jogo?
- No final o que terá mudado?
- Acabar de ver os filmes e então voltar a pensar nas próprias respostas, comparando com as que o filme deu.

2. Ver três filmes com o mesmo ator ou atriz como protagonista (por exemplo, Kevin Costner em *Dança com lobos*, *JFK* e *Robin Hood, príncipe dos ladrões*, embora também se possa fazer com filmes de William Hurt ou Meryl Streep). Observar o desempenho do ator em cada um dos filmes.
   Tentar esquecer que é o mesmo ator e fazer as mesmas três perguntas propostas no exercício anterior no princípio e no fim. Ficará comprovado que por ser o mesmo ator/atriz sentiremos mais dificuldade na realização do exercício.

3. Observar a própria história, a de algum familiar ou amigo. Tentar analisar as mudanças que sofreram os valores, atitudes e até comportamentos com o decorrer do

DA CRIAÇÃO AO ROTEIRO **139**

tempo (persona). Perante a vida e em idênticas circunstâncias, cada um muda à sua maneira, se convertendo numa personagem completamente diferente. Sem sentir, traçamos em nossa vida arcos dramáticos como se fôssemos personagens de um grande filme ou de uma série. Ou quem sabe somos?

4. Se alguém estiver interessado, exercito a concepção das minhas personagens desenhando a figura do segmento anterior, aquela que contém os quatro quadrantes. É uma tentativa sucinta não de reduzir a personagem, mas de buscar sua essência em quatro perguntas básicas. Como é fisicamente? Seus amores? Como vive? E a interrogação significa a incógnita de sua alma ou seu mundo psicológico.

REFERÊNCIAS E NOTAS

1. ARISTÓTELES. "Poética". In: ARISTÓTELES; HORÁCIO. *Artes poéticas*. Edição bilíngue. Tradução de Anibal González. Madri: Taurus, 1987. Inclui também "La epístola a los pisones", de Horácio.
2. PIRANDELLO, Luigi. "Six characters in search of an author". In: *Naked masks: five plays*. Nova York: Dutton, 1952, p. 363.
3. TODOROV, Tzvetan. *Estruturalismo e poética*. São Paulo: Cultrix, p. 35.
4. SWAIN, Dwight. *Film scriptwriting*. Boston/Londres: Focal Press, 1988.
5. HAUSER, Arnold. "A era do filme". In: *Sociologia da arte*. v. I. Rio de Janeiro: Zahar, 1971, p. 70.
6. SEGER, Linda. *Making a good script great*. Hollywood: Samuel French, 1987, p. 4.

Parte 2

O ROTEIRISTA COMO DRAMATURGO

"Pode parecer que estou tentando descrever um sonho – mas faço uma tentativa em vão, porque nada supera a sensação do ato de sonhar, conjugação que absorve o absurdo, a surpresa, os instintos mais primitivos, o medo, a revolta, a noção inimaginável de ser capturado pelo incrível."

Joseph Conrad

2.1 ESTRUTURA DRAMÁTICA – MACRO E MICRO

REFLEXÕES SOBRE A ESTRUTURA (OU ESCALETA)

A estrutura dramática se concentra em uma única pergunta: "Como colocaremos as sequências das cenas para atrair o espectador?"

É a primeira etapa que percorremos para ancorar o roteiro diante do olho da câmera. Consiste em desenvolver a história por meio de um ou vários *plots* e procurar a maneira mais criativa, harmoniosa e emocionante de contar visual e dramaticamente uma história.

O roteirista deve saber estruturar seu roteiro do ponto de vista dramático, pensando na reação da plateia. Uma boa estrutura é um dos pontos-chave na construção de um bom roteiro. Os conceitos de estrutura dramática ou escaleta, de procedência italiana, são sinônimos.

A estrutura é a maneira como vamos **ordenar as ações dramáticas** para construir um drama efetivo.

A estrutura é a fragmentação da história em momentos dramáticos, em situações dramáticas que mais adiante vão se converter em cenas. Essa fragmentação feita pelo roteirista segue uma ordem consequente com as necessidades dramáticas. É como explicaremos nosso drama ao público.

Digamos que a estrutura é a engenharia do roteiro. Para compreender melhor o que vamos dizer, temos de pensar em grupos de cenas e na sequência em que vamos montar essas cenas. Dessa forma temos:

- Argumento: um único corpo, escrito para ser lido.
- Estrutura: escrita para ser vista, divisão desse corpo compacto em grupos (cenas) montados segundo uma ordem escolhida pelo autor, de tal forma que se obtenha o máximo nível de tensão dramática, de acordo com o estilo pessoal.

Para deixar isso mais claro, podemos fazer um paralelismo com a história em quadrinhos em que um quadrinho (cena) se segue a outro, com um encadeamento dramático escolhido pelo desenhista.

Um bom roteirista se distingue pela maneira como monta esses fragmentos. Já dissemos no princípio que não existem histórias novas. **O que se considera inovador é a maneira particular, surpreendente, de contar uma história conhecida.**

Ainda não foi encontrada a fórmula que garanta uma **estrutura perfeita**. Uma vez que a função do roteirista é **emocionar o público** e **prender sua atenção** durante todo o espetáculo, é essencial que a estrutura não o aborreça.

TIPOS DE ESTRUTURA

Quando pensamos em estrutura, apreciamos dois tipos:

- Macroestrutura
- Microestrutura

Macroestrutura

A macroestrutura é a estrutura geral de um roteiro, o **esqueleto das cenas**. É nela que determinamos se o filme terá duas horas ou oito horas, se vai ser dividido em 25 ou em 250 episódios, conforme seja para uma série ou para uma telenovela.

Depois decidiremos se vamos contar a história em *flashback*, se faremos incursões no futuro, com qual cena começaremos, onde se situará o conflito principal, quando se chegará ao clímax etc.

Vejamos um exemplo: "A história do massacre dos índios americanos pelo general Custer já foi contada muitas vezes. Mesmo assim, quando Calder Willingham decidiu voltar a contar essa história, optou pelo ponto de vista de um velho índio, o único sobrevivente do massacre. O filme é todo feito em *flashback*: o velho índio vai recordando como tudo se passou". O filme é *O pequeno grande homem*.

Uma vez definidos os pontos-chave da história, eles podem ser organizados de maneira adequada em relação ao **aumento da tensão dramática. Para terminar, nos dedicamos a unir cenas e a preencher os vazios.**

A forma como abriremos o espetáculo é o que se chama de **ponto de partida**. É importantíssimo, visto que nas cenas iniciais as personagens implicadas apresentarão o problema que será resolvido no final. Um problema mal apresentado leva à confusão durante o desenrolar da história. Syd Field, com seu estilo de instruções cortantes, diz: "A história deve ser estabelecida imediatamente, dentro das dez primeiras páginas"[1]. Ainda diria mais: da boa exposição do ponto de partida dependerá que consigamos ou não atingir o público.

A macroestrutura de uma telenovela, minissérie ou de uma série implica a estrutura geral e a estrutura de cada semana. Por isso os pontos-chave terão de ser distribuídos de modo que mantenham a tensão dramática em cada capítulo.

Habitualmente, ao fim de 60 capítulos o novelista já não sabe o que contar, tem a sensação de ter dito tudo. Por isso uma telenovela deve ter bastante material para ser desenvolvido posteriormente.

Quando se trata de telenovelas e de séries, o problema de manter a atenção do telespectador é crucial. Um termo que se utiliza muito em televisão é ponto crítico. Nas telenovelas o ponto crítico se situa nos extremos: o começo e o fim de cada capítulo, com atenção ao último capítulo da semana. Na realidade, um *plot* completo deve ser desenvolvido entre segunda-feira e sexta-feira ou sábado.

E, uma vez que a intenção do autor é que o público não se desligue da sua série, inventa ganchos, situações cruciais que só se resolvem no capítulo seguinte ou fazem prever muita ação no começo do próximo episódio.

Esses ganchos são muito utilizados no princípio e no fim de cada semana, e sua função é evitar que o espectador perca o interesse. Mas exigem também certo grau de prudência, como nos aconselha um colega: "Não construa um gancho duro, tão cheio de impacto que atraia tanto a atenção e evoque a emoção de tal maneira que o resto da história não o suporte e venha a se produzir um anticlímax. É correto manter os espectadores em suspense, mas faça isso ao menos com certa proporção".[2]

Em contrapartida, em algumas séries e minisséries os pontos críticos são rodeados de uma atenção especial, a qual se baseia na **regra de três**:

- Atenção para os três primeiros minutos da série
- Atenção para o terceiro capítulo da série ou a terceira parte de uma minissérie
- Atenção para a terceira semana de uma série de quatro semanas ou minissérie

Como se pode notar, escrever por capítulos ou episódios é uma técnica que requer certa habilidade para criar situações que em cada ponto crítico renovem a atenção do espectador.

Em resumo, consideramos a macroestrutura o **delineamento geral** do trabalho. Devemos observar os seguintes aspectos:

- **Duração**: tempo de exibição, se é contínuo ou descontínuo.
- **Tipo de dramaturgia**: se é aberta ou fechada. É aberta se a história continua, e fechada se ela alcança um final a cada encerramento de episódio de um seriado. Logo, num filme ela é sempre fechada.

- **Personagem**: no cinema temos um número de personagens fixas. Uma série televisiva, por exemplo, como vive uma história diferente a cada semana, conta com personagens fixas e convidadas.

Atualmente, os tipos mais comuns de criações de ficção são chamados de **produtos audiovisuais**. Da **televisão à web**, temos os seguintes casos:

Telenovela

Para a macroestrutura desse tipo de produto audiovisual estudamos quantos capítulos devem existir e fazemos uma planificação de fatos principais, mudanças e pontos críticos a ser desenvolvidos em cada uma das semanas de duração da telenovela. Isso não implica que depois não devamos igualmente estruturar cada capítulo e até mesmo cada cena.

O mais importante nesse primeiro trabalho é planejar as situações básicas ou centrais, comprovando que têm força dramática suficiente para manter a telenovela durante inúmeras semanas.

Atualmente é o produto televisivo mais explorado no Brasil, mas não no mundo. Em nossa conjuntura política, jurídica e comercial se trata do produto local mais rentável do ponto de vista econômico, mas isso não quer dizer que seja aquele mais estimulante nem revelador do ponto de vista criativo, muito menos o mais fecundo para as próximas gerações. Entretanto, mesmo sem nenhuma necessidade, importamos novelas mexicanas, roteiros colombianos e programas de variedades estrangeiros, numa contradição aparentemente inexplicável se não houvesse uma concentração quase monopólica dos meios de produção e comunicação no Brasil, sejam eles quais forem.

Minissérie

Uma minissérie **não ultrapassa os 20 episódios**. Costuma se falar em minisséries curtas, de dois a seis episódios, e minisséries longas, com mais de seis episódios.

Como primeiro trabalho de estrutura de uma minissérie, devemos planejar as mudanças e os pontos críticos a ser desenvolvidos, ou melhor dizendo, qual será o tema de cada um dos episódios que a compõem. Por exemplo, na minissérie *O tempo e o vento*: primeiro a saga de Ana Terra nos primeiros capítulos, depois o Capitão Rodrigo e por fim a Revolução e o Sobrado.

Por conveniência, a terminologia correta é: capítulos se nos referimos a telenovelas e episódios em relação a minisséries, séries ou plataformas digitais.

O tempo e o vento foi uma minissérie longa, com 17 episódios. Já *Lampião e Maria Bonita*, escrita por mim e Aguinaldo Silva, teve apenas oito. Uma longa, outra curta.

Outro exemplo de minissérie curta foi *Maysa: quando fala o coração*, de Manoel Carlos. Um belíssimo trabalho de estrutura dramática e vivo exemplo da capacidade criativa dos profissionais da televisão brasileira. E mais teríamos se houvesse uma política cultural mais expansiva e regionalista, menos concentradora (veja, na Parte 8, os tópicos "A ideologia do emissor", "Direito autoral universal" e "Reações, transformações e especulações").

A propósito, nos meios audiovisuais de produção e de informação, as empresas brasileiras se encontram numa correção legal invejável. A questão está em decidir o que é legal, ordem, justiça, lei ou o que é justo. Pensando bem, são conceitos completamente diferentes que se transmutam com o tempo e o espaço. Essa dúvida sempre assombrou e assombra os juristas e filósofos, mas com certeza tais conceitos manobram e conduzem sociedades.

Série

Planejar a macroestrutura de uma série pressupõe selecionar as pequenas histórias que serão vividas pelas personagens fixas em cada um dos episódios que a compõem.

De novo devemos estudar a força dramática de cada uma das histórias e as possibilidades de que sejam vividas pelas ditas personagens.

As séries brasileiras nasceram no final dos anos 1970 e existem até hoje, mas curiosamente com tendência a adotar rasgos humorísticos. Mas talvez o panorama mude, uma vez que com a concorrência a programação se tornou instável.

As séries americanas adotaram certa "novelização": agora importam as histórias particulares dos personagens fixos. E todo seriado deve ter um arco dramático de personagens fixos.

Telefilme

No cinema ou num telefilme nosso primeiro trabalho estrutural consiste em reconhecer os pontos críticos, feitos de mudanças dramáticas, e planejar esses pontos críticos para um tempo adequado – de 90 a 120 minutos.

No Brasil tivemos telefilmes na década de 1980 com os Casos Especiais de 90 minutos, mas infelizmente esse formato foi abandonado. Atualmente existem poucos formatos de audiovisual exibidos nos canais brasileiros, o que denota certa negatividade na curva de diversidade formal criativa.

Mais adiante abordaremos com mais rigor a estrutura fílmica. De todas as formas, diariamente uma avalanche de filmes americanos é transmitida na TV aberta.

Sitcom

A chamada comédia de situação foi criada nos Estados Unidos. Palmas e risadas são colocadas nos momentos propícios para alertar o telespectador do momento do riso.

Na verdade sua origem vem do teatro *vaudeville* francês e normalmente cobre poucos cenários, um número restrito de comediantes, um abrir e fechar de portas e diálogos de humor afiado.

Quadro de produtos audiovisuais

Produto audiovisual	Tipo de dramaturgia	Personagem	Duração
Telenovela	Aberta	Fixa	+/–100 capítulos, +/– 45 min.
Minissérie	Fechada/aberta	Fixa/convidada	mín. 4/6, máx. 17/24 episódios, +/– 45 min.
Série tipo 1	Fechada	Fixa/convidada	12/24/36 episódios (cobrem temporadas de 3 meses), +/– 45 min.
Série tipo 2	Aberta	Fixa	13 episódios (cada temporada), +/– 45/60 min. (mais usada no *streaming*)
Sitcom	Fechada	Fixa	25 min. (também por temporadas)
Telefilme	Fechada	Fixa	90 min.
Docudrama	Fechada	Fixa	25 a 45 min.
Animação	Fechada	Fixa	*Drops* de 10 min. ou total de 100 min.
Reality show	Fechada	Fixa	Diário de 15 min. (duração de 3 meses)

Classificação de macroestruturas

Basicamente, classificaremos as macroestruturas em **dois tipos**:

- A **grande macroestrutura**, que é a estruturação geral do trabalho: o planejamento por semanas (telenovela), o planejamento do tipo de história que será contada em vários episódios (série) ou a evolução dramática que será desenvolvida em várias horas (minissérie).
- A **pequena macroestrutura**, que é a estrutura de cada capítulo, episódio ou filme de duas horas.

Microestutura

A microestrutura faz referência ao trabalho de estruturação de cada **cena, quer se trate de um filme, de uma telenovela, de uma série, de plataformas ou de VoD, entre outros.**

Por exemplo: "A cena X começa com todas as personagens no meio da sala? Ou à porta? Ou com uma delas sentada numa cadeira? Que fará depois? Subirá na cadeira?"

Trataremos da **estrutura da cena com maior detalhe** quando falarmos de **tempo dramático** e **unidade dramática** (veja o segmento 2.2).

EMOCIONAR

Não será demais sublinhar que quando fazemos uma estrutura estamos concebendo uma maneira criativa de contar a história com a única intenção de despertar o interesse do público.

Para ajudar a personagem a entrar em contato com o espectador, fazemos uso dos **pontos de identificação**. Mesmo assim acontece às vezes uma reação inesperada do público, que o autor não previu. Por exemplo: risos nervosos. O que não se pode aceitar é que essa reação seja sempre contrária à que o autor espera. Se isso acontece é porque algo está errado na nossa forma de contar aquela história. Ou alcançamos uma reação paradoxal do público.

Claro que há momentos em que a tensão dramática decai e o público começa a se aborrecer. Para evitar isso, dispomos de uma série de recursos que dão agilidade à ação dramática. Contudo, não devemos pensar que a única forma de dar impulso ao espetáculo é introduzir um tiroteio. Frequentemente um momento de silêncio contém uma enorme carga dramática. **A ideia de agilidade é intrínseca à estrutura**. Sem ela não existe *plot* (a sequência de ocorrências).

Notamos que a estrutura equivale ao *plot*. Sua função é apresentar o drama, despertar o interesse, manter e aumentar esse interesse.

CONTROLE DE AUDIÊNCIA

A função do controle de audiência é medir o grau de interesse do espectador. Se o cinema se baseia fundamentalmente no êxito de bilheteria, em televisão a única forma de averiguar o grau de aceitação de determinado programa é elaborar um estudo de controle de audiência, o mesmo que acontece nas plataformas.

Normalmente são feitas três tomadas de contato: no princípio, no meio e no final de um programa. E no final se estabelece uma média. De acordo com o quadro de controle, um ponto de audiência de televisão representa 1% do total de lares que têm televisores em cada cidade, região ou localidade. Como esse total varia de um lugar para outro, o ponto também é modificado segundo o número de aparelhos existentes na zona estudada. Atualmente existem aparelhos eletrônicos diretos que indicam se um televisor está ou não ligado a determinado programa.

Evidentemente as sondagens de audiência, eletrônicas ou não, são muito mais confiáveis para os patrocinadores e programadores de televisão do que para nós, roteiristas. É claro que para um autor o fato de ter a máxima quantidade possível de espectadores pode ser um prazer. Mas, por mais que se meça, jamais conheceremos as sensações reais que provocamos nos telespectadores.

Podemos acrescentar aqui que os níveis de audiência não medem o prestígio ou a qualidade real de determinada série ou minissérie. Outros fatores entram em jogo, como a imprensa, a publicidade maciça de um produto de baixa qualidade, a audiência que fica sempre no mesmo canal por inércia, ou mesmo um erro de programação que faz que às vezes uma boa minissérie malogre por culpa de um horário inadequado.

Na telenovela, para assessorar o autor existem empresas especializadas em realizar enquetes de grupos de espectadores para discutir a trajetória da novela. São chamadas de *group control* ou *group discussion*.

Cinco pontos básicos são abordados nesse processo: quais personagens agradam, quais não caíram no gosto do público, que tramas funcionam, o que não está sendo bem compreendido ou não está funcionando e como gostariam que a história prosseguisse.

Como vimos, a telenovela é uma obra aberta e o autor se vale desses recursos para captar mais audiência.

A seguir estudaremos os mecanismos clássicos que impulsionam uma estrutura dramática.

ANTECIPAÇÃO

Antecipação é utilizar a qualidade que o público tem de prever uma situação e criar uma expectativa. Por exemplo: uma personagem diz que matará outra. Com a previsão de que esse crime sucederá, o público fica na expectativa.

A antecipação é um dos elementos mais importantes de uma estrutura e pode ser:

- Telegráfica
- Por repetição
- Por contraste

Telegráfica

Telegrafar quer dizer passar uma informação mínima, verdadeira ou falsa, de um fato dramático que há de acontecer. Essa informação pode ser transmitida por um gesto da personagem, por uma atitude, no meio de uma conversa etc.

Exemplo: uma personagem é humilhada por outra. Não podendo reagir, ela "deixa entrever" que nem tudo acaba ali, que se vingará. Isso cria uma expectativa no público, embora este possa se frustrar no caso de a personagem acabar por não fazer nada e deixar tudo como está.

De qualquer forma, esse telegrama de antecipação será um ás que guardaremos na manga ou evocaremos quando acharmos conveniente fazer isso, ou seja, para aumentar o conflito.

Por repetição

É uma antecipação muito utilizada na comédia: a personagem puxa a gaveta da direita e a que se abre é a da esquerda, e assim sucessiva e repetidamente. Também se consideram repetições as situações dramáticas que o autor utiliza e que o público já conhece.

Por exemplo, na *sitcom* norte-americana *Alf*, a personagem extraterrestre só quer comer e de preferência doces. Essa mania, embora se repita constantemente, continua a dar lugar a situações cômicas. No seriado *Hulk* aparecia de vez em quando um *insert* do passado ou da experiência que o tornara monstro. Isso fazia o público ficar atento, porque sabia que algo de terrível se passaria e cada vez se criava uma expectativa maior. Sua raiva cresceria.

Apesar de tudo, essas repetições e telegramas serão suscetíveis de mudanças, interrupções e transformações sempre que no meio da história decidamos alterar o curso dos acontecimentos.

Por contraste (ou evidência)

Ocorre naquelas ocasiões em que, mesmo quando o espectador já conhece a história, conseguimos captar sua atenção porque ele quer saber quem morrerá no final e quem ficará vivo. Enfim, deseja reviver aquela história específica. Um exemplo clássico disso é o filme *Titanic*: sabemos que o transatlântico vai naufragar, mas mesmo assim queremos viver o drama do naufrágio aliado ao romance entre o casal protagonista.

O **contraste** é essa rara capacidade que o público tem de olhar para o que já conhece sem necessidade de muitas alterações. Podemos dizer que a telenovela funciona muito nessa linha. E pergunto a mim mesmo, com certa irreverência: por que ficamos vendo um filme ou uma série sobre a vida de Cristo se já sabemos que ele vai morrer crucificado? Por que estreiam simultaneamente dois filmes sobre Robin Hood e três minisséries sobre Colombo, o descobridor da América?

Pela simples razão de que não são os desastres que nos interessam e sim a relação das personagens e suas histórias que nos cativam.

INVERSÃO OU REVERSÃO DE EXPECTATIVAS

A antecipação é a habilidade do espectador de prever o que acontecerá no futuro. A verdadeira antecipação é uma reação do espectador ante as intenções das personagens.

Uma antecipação pode querer anuir às expectativas do público quando, por exemplo, dizemos que o sol se ergue todas as manhãs, ou pode introduzir uma incerteza quando dizemos que talvez a febre baixe se o remédio for tomado.

Outra forma de antecipação é provocar uma surpresa, uma inversão da expectativa. Baseados naquilo que o público está esperando, apresentamos um fato completamente inesperado. Um bom exemplo de surpresa é a velha palhaçada: o palhaço se prepara para saltar uma vara, manifesta claramente sua intenção, avalia as dificuldades e perigos do salto e finalmente, depois de muitas hesitações, corre até a vara. Mas em lugar de saltar passa ao lado dela.

A antecipação está intimamente relacionada com o conhecimento que temos do que é provável acontecer ou não. E esse conhecimento adquirimos por meio das nossas **experiências**. Se alguém atirar um fósforo aceso em cima de um mato seco é provável que pegue fogo. Se alguém atirar uma maçã para o alto é provável que ela caia no chão. São os conhecimentos adquiridos que nos permitem antecipar o que se passará.

Se um fato que antecipamos como provável sucede de maneira totalmente inesperada, temos uma surpresa. Uma boa surpresa é igual a um bom presente: o melhor que podemos fazer é guardar para os momentos especiais da nossa história, como o clímax ou a resolução do problema, chaves da ação dramática.

Dentro do fator surpresa está aquilo a que chamamos *gimmick*, isto é, uma alteração arbitrária dos elementos familiares com a intenção de surpreender o público, de produzir um **efeito estranho**, de provocar uma mudança violenta no curso da história. Um *gimmick* pode emergir no próprio *plot* por meio de uma declaração inesperada. Por exemplo: "Eu sou seu pai". Ou então pode sair de outro *plot* ou *subplot* quando se descobre que numa carta do falecido este declara: "Eu sou seu pai".

Como vemos, a antecipação é um elemento móvel da estrutura, uma vez que pressupõe uma expectativa, uma espera. Esta pode ser agradável se, por exemplo, o pai perdoa o filho depois de muitos anos de separação. Ou pode ser desagradável no caso de o pai morrer pouco antes de dizer ao filho que o perdoa.

Existe uma célebre frase em *Star wars*. Em um dos momentos cruciais, quando Luke Skywalker está prestes a perder a luta contra Darth Vader, o vilão se revela pai do jovem Jedi e diz: "Eu sou seu pai". Luke então inesperadamente se joga precipício abaixo. **Reversão de expectativa.**

No caso de uma espera agradável, nos sentimos aliviados. Não acontece o mesmo no caso de uma espera desagradável, pois a nossa reação é uma tremenda frustração.

De qualquer forma, são recursos que é preciso utilizar se queremos influenciar as emoções do público. Com a antecipação conseguimos suscitar no espectador emoções tão diversas como a tranquilidade, a esperança, a decepção, o temor, entre outras.

A antecipação é considerada um elemento principal da estrutura, já que podemos utilizar a espera para expor outros motivos, acrescentar novas informações, aumentar a tensão dramática etc.

O SUSPENSE

Na realidade o suspense é uma antecipação urgente. Sabemos que o suspense aumenta ou diminui segundo a simpatia ou empatia do público por determinada personagem. É evidente que, quanto mais medo ou ansiedade o protagonista tiver, mais medo ou ansiedade sentirá o público.

A diferença entre **suspense e surpresa** é que no primeiro existe antecipação. O público sabe que o assassino está atrás da porta enquanto o protagonista, ignorando, se aproxima dele, passo a passo. Na surpresa o público dispõe da mesma informação que as personagens. Não sabe que o assassino está atrás da porta. Não existe uma tensão crescente dentro da estrutura e sim uma espécie de choque, sem sentido, mas parecido com um susto. Se trata de uma estrutura pobre.

Outros graus de suspense são a **curiosidade** e a **dúvida**. Criamos uma expectativa à medida que semeamos uma dúvida sobre a verdadeira personalidade do protagonista ou suscitamos a curiosidade do público sobre o segredo da vida de uma personagem.

O perigo é mais tangível. Chamamos **perigo** ao **desastre** e ao desafio da natureza (fogo, água, terra).

Há uma regra bastante válida: o suspense é para a ficção o que a aspirina é para a medicina. Se a história começa a se tornar monótona, é preciso dar a ela um pouco de suspense. Ninguém escapa ao suspense, à antecipação urgente.

Classes de suspense

Suspense da personagem ou suspense maior

Esse tipo de suspense é produzido quando o problema do protagonista continua a se complicar apesar das tentativas feitas para melhorar a situação. Isso causa ansiedade no público, uma vez que este prevê uma **incerteza** na resolução do problema.

Uma boa forma de manter tal suspense é utilizar as dúvidas do protagonista e ir adiando a solução (recurso das telenovelas). Todavia, como a dramaturgia e a arte em geral são expressões de **síntese**, a telenovela, por ser muito extensa, foge de certos padrões dramatúrgicos, alargando situações e por conseguinte desmembrando o suspense maior, diluindo e adiando a solução dos conflitos.

Já o cinema, o teatro e as minisséries se aproximam mais do estado de síntese da arte dramática.

Suspense por incidentes ou suspense menor

É quando se apresenta um forte obstáculo que, no entanto, é superado facilmente. Normalmente se trata de um problema que surge sem estar diretamente relacionado com a solução do problema no *plot* principal e que pode ser eliminado sem mais complicações para o conjunto da obra.

São também os desafios da natureza que uma personagem tem de vencer, como abismos, fogo ou água. São considerados recursos para criar um suspense menor. Se apontam aqui os filmes-catástrofe, os filmes de ação com enredo pobre e os *games* de luta.

O *PLOT* E O NÚCLEO DRAMÁTICO

Antecipação, expectativa, inversão de expectativas, surpresa, curiosidade, dúvida, perigo, suspense etc., todos esses recursos servem como elementos destinados a dar uma direção dramática cujo núcleo dramático são as personagens.

O *plot* é a parte central da ação, na qual todas as personagens estão interligadas por problemas, conflitos, intrigas, temas e enredos.

Ou seja, o **núcleo dramático** é um conjunto de personagens unidas pela mesma ação dramática, que se organiza num *plot*:

Protagonista (e atores secundários)
+   ação (história)
+   estrutura (o como)
——————————————————
=   PLOT

Nosso problema estrutural é contar o como, isto é, o *plot* e seu desenvolvimento na estrutura dramática. Muitos autores falam de *plot* e nunca mencionam o núcleo dramático. Eu próprio utilizo os dois termos indistintamente, mas convém saber que um núcleo dramático pode ser desenvolvido em vários *plots*.

Enfatizando: a estrutura tem por função apresentar o drama, manter e aumentar o interesse do espectador. Enquanto até a etapa do argumento nós somamos temas, princípios e conceitos autorais na forma de texto, a estrutura é a fragmentação desse processo em um pensamento dramático e imagético. Iniciamos a concepção das partes do drama, seus momentos mais expressivos e suas situações agudas e distribuímos esse material em receptáculos que chamamos de cenas.

Sobre um conjunto de cenas, ou núcleo dramático, a ação dramática gira. Esse movimento, que deve ser progressivo, é chamado de *plot*. O *plot* se move sempre na intenção de criar mais antecipações e expectativa. É o motor da mudança dramática e de novas situações, o núcleo vital do drama.

Podemos ter roteiros com um *plot*, com vários *plots* e inclusive com vários tipos de *plot*. A dramaturgia moderna já fala de *plotless play*, quer dizer, obras sem *plot* ou nas quais este é de pouca importância. Não compreendo bem o que isso significa, mas creio entender que se refere **às buscas ou investigações de linguagem** em que se dá mais importância aos desenhos corporais e se diminui ou elimina o drama humano. Representações estético-teatrais ou *happenings* de artes plásticas mais do que obras dramáticas. São as chamadas **instalações**.

Os defensores dessa estética argumentam que o drama humano esconde o que, no seu entender, é realmente importante na obra de arte. Ou seja, **o aspecto puramente formal**. O suporte cujos inícios estão no ideário da "arte pela arte" do final do século XIX. Mas, independentemente da importância que possa ter, essa arte não pretende seguramente contar uma história – e portanto não nos estenderemos sobre ela.

Como exemplo, faremos uma breve análise de uma série muito conhecida, *Hill Street blues*, do ponto de vista do *plot* e do núcleo dramático. Assim, podemos dizer que em cada episódio se vê claramente como são desenvolvidos diferentes *plots* que correspondem a cada um dos casos levados ao tribunal. Em cada caso, várias personagens vivem a mesma ação dramática e, portanto, estão integradas num mesmo *plot*.

A distribuição mais clássica numa telenovela é criar três núcleos dramáticos. Os roteiristas de telenovelas brasileiras dividem normalmente os núcleos dramáticos por classes sociais: um da classe alta, outro da classe média e um terceiro proletário, todos eles com vários *plots*. Por meio de componentes dramáticos, esses três núcleos e seus respectivos *plots* começam a se integrar, se confluir e se misturar.

A cada dia a quantidade de núcleos dramáticos e a complexidade da telenovela se tornam mais amplas. Três núcleos já não servem mais, os autores usam quatro, cinco, seis por obra. E o número de personagens, em média entre 20 e 40, pulou para quase 80. Enfim, um artifício que obviamente aumenta a responsabilidade e os custos aparentemente dá mais segurança ao autor, pois ele pode mudar de núcleo inúmeras vezes acreditando que a estrutura dramática será diversificada e a tensão, mantida.

Esse pensamento é parcialmente verdadeiro, pois o espectador pode perder a capacidade de identificar a história central do que está sendo contado. Já a minissérie tem o máximo de quatro *plots* e disso não passa. A série tem dois e a *sitcom*, um único.

DA CRIAÇÃO AO ROTEIRO **155**

Princípios do *plot*

- Totalidade
- Unidade
- Credibilidade (probabilidade + necessidade)

Totalidade

Aristóteles fala da totalidade como um conjunto das partes que formam o todo, ordenado segundo o critério de princípio, meio e fim.[3] Embora se possa começar uma história pelo fim, pelo meio ou por outra ordem disposta pelo autor, sempre haverá um princípio, um meio e um final. O que nos interessa saber é que todas essas partes são igualmente importantes em relação ao todo.

Todas as histórias têm um **princípio, um meio e um fim**, dissemos nós. Mesmo quando nos custa entender esses momentos, como nas obras de Bergman ou Fellini, de *plots* mais complexos, esse princípio também está presente. Mesmo que o final seja aberto, como no filme *O discreto charme da burguesia*, de Luis Buñuel, escrito por Jean--Claude Carrière, em que as personagens saem andando pela praia sem maiores explicações, deixando as conclusões para o público.

Unidade

É a soma de todas as partes. Desse ponto de vista, "a supressão ou alteração de alguma das partes alterará o todo"[4]. De modo que, se suprimirmos uma parte e o todo continuar a ser harmonioso, é porque aquela parte estava demais, não era necessária.

Um dos principais agentes de destruição desse princípio de unidade é a censura. Tanto a que se pratica por razões econômicas, a mais frequente, como a que se baseia em questões religiosas, políticas ou sexuais. Essa mania de ir cortando cenas, como se cada uma não tivesse sua razão de ser em relação ao restante, pode fazer que a lógica interna do filme fique subentendida ou simplesmente destruída.

A censura habitual de produção, que afeta a suposta comercialização dos filmes, faz encurtar com frequência o que eufemisticamente se chama de "excessos de metragem". O leitor já terá provavelmente assistido a uma série de reposições restauradas às quais se devolve o que foi roubado no momento da produção. A censura religiosa suprimiu de *Bananas*, de Woody Allen, a cena surrealista em que um sacerdote anunciava cigarros durante um ofício religioso.

A **censura política** espanhola substituía sistematicamente, por meio da dublagem, aqueles conquistadores espanhóis que cometiam atos pouco ortodoxos, nos filmes de aventura, por cidadãos portugueses. Na última versão, a autêntica, de *Spartacus*, se compreende finalmente a relação homossexual entre Antonino e Crasso.

A maior história de todos os tempos, de George Stevens (1965), teve uma primeira versão que durava 4h07. Foi cortada em várias versões de até 2h07. A versão para televisão ficou com 3h15. E esse massacre foi feito apenas por razões comerciais.

De qualquer forma, esse tema será tratado mais adiante. E, no Brasil, quem não viveu os anos de "chumbo" da **ditadura militar**? *Roque Santeiro*, de Dias Gomes, foi censurada. Várias novelas de Janete Clair se submeteram a cortes. Seriados como *Plantão de polícia* e *Malu mulher* eram sujeitos à aprovação de Brasília para que fossem exibidos. Além de filmes, peças e até músicas. Mas, se isso acabou, o mecanismo de bloqueio ou interceptação da criação continua vivo não só no Brasil como em outras partes do mundo.

Para concluir: a lógica intrínseca de um *plot* não pode ser quebrada, não podemos fazer saltar cenas sem desvirtuar o seu sentido.

Credibilidade (probabilidade + necessidade)

A credibilidade de uma história está intrinsecamente unida à verdade das coisas, às necessidades reais do homem. Esses valores têm de ser mantidos quando se pretende que a história pareça **verossímil** ou verdadeira.

Existe uma lógica que não deve ser quebrada. Uma personagem não pode atravessar o deserto sem beber água. Portanto, é bastante provável que o atravesse com um cantil, porque sabe que encontrará um oásis de tantos em tantos quilômetros. Quer dizer, existe uma **probabilidade** de que tudo vá bem de acordo com as necessidades humanas.

Servem de exemplo o famoso chapéu que não cai nunca e as balas do revólver que nunca acabam. É provável que o rapaz tenha disparado mais balas do que a conta sem que o público tenha dado por isso. E pode ser que leve o chapéu muito bem ajustado à cabeça. Com a devida licença, o público aceitará essa probabilidade e não partirá da suposição de que o autor está louco para dizer que as balas não acabam ou que o chapéu está colado à cabeça. O público aceita esse fato e assume o princípio dessa possibilidade. A isso se chama também **licença poética**.

Repetimos: todas as histórias têm uma lógica que não pode ser quebrada e que se baseia em como são as ações na realidade. Todo roteiro deve conter esse sentido de credibilidade. Ele pode ser mínimo, mas deve estar presente.

Requisitos ou qualidades do *plot*

Queremos deixar bem claro que *plot* não significa **linearidade ou clareza** de exposição, e sim que é um *continuum* sensorial e estético, um *continuum* dramático.

Alguns filmes custam a ser entendidos, são difíceis e têm uma linguagem sofisticada, não se enquadram nos padrões familiares das grandes massas. *Um retrato de mulher*, de Fritz Lang, é um bom exemplo do que queremos dizer. O *plot* poderia ser: um homem chega a um clube, adormece, tem um sonho e acorda. O *plot* podia ser um melodrama sobre um homem sacrificado ao amor por uma mulher fascinante numa trama sombria, se não fosse simples sonho. Como essa *storyline* é contada, a linearidade do princípio e do fim, em contraste com a aparente **anarquia do sonho**, é o que nos interessa. O *plot* é tudo, é o que nos faz viver esse *continuum* dramático.

Num *plot* a única lógica que interessa é como se organizam e entrelaçam as ações em que umas partes se ligam a outras para se conseguir uma intensidade dramática do conflito inicial até o fim. Ou então: existe *plot* ao se colocar os acontecimentos de uma história posicionados organicamente em partes conexas segundo a necessidade dramática.

Por exemplo, *Édipo rei*, de Sófocles, conta em *flashback* o drama (a tragédia) de um homem que mata o pai e se casa com a própria mãe, sem saber que são seu pai e sua mãe.

Aqui é quando o como e a história se confundem. Por isso gosto de definir o *plot* como **a defesa de uma história. A estrutura de seu roteiro.**

Tipos ou classes de *plot*

A função do *plot* é **defender a história** e evitar que esta se perca ou enfraqueça. É a forma dramática que melhor contará a história. Assim, vejamos as **classes de *plot*** que um roteiro pode ter:

Plot *principal*

Como o próprio nome indica, é a **espinha dorsal** da história, a **história principal,** a *storyline* desenvolvida e aumentada com o famoso como.

Subplot (underplot *ou* double plot)

É uma linha secundária de ação, normalmente usada como reforço ou contraste do *plot* principal. Vai se integrar nele e influenciá-lo.

Esse tipo de *plot* tem origem na dramaturgia inglesa. Começa na época dos Tudor e passa por todas as comédias e tragédias elisabetanas até o período jacobino, na França. Na realidade, costuma haver dois ou três *subplots* em interação com o *plot* principal. Dizem que o mais hábil dos *subplots* conhecidos é a história de Gloucester em *O rei Lear*, de Shakespeare. Os franceses sempre fizeram fortes críticas a esse tipo de *plot*. Talvez por isso sejam encontrados mais na dramaturgia inglesa.

Contudo, se forem utilizados com a **prudência** necessária para não se dispersarem, funcionam muito bem. "Hobbies, encontros casuais, coisas perdidas ou encontradas, velhos amores, novos amores, ambições, superstições, conhecimentos e ignorâncias têm sido usados como base de *subplots* [...] Não existe limitação ao que se pode usar, mas não se pode permitir que façam sombra à história básica"[5], como afirmou Gerald Kelsey.

Multiplot

É um tipo de *plot* normalmente utilizado nas telenovelas. Não há um *plot* principal, mas sim diversas histórias que se desenrolam concomitantemente. Ou, melhor ainda, o *plot* principal é o que num determinado momento se manifesta como preferido pelo público telespectador. Como normalmente o autor de uma telenovela está atento às preferências do público, reforça ou diminui a importância de um *plot* à medida que a telenovela se desenrola.

A produção britânica *EastEnders* é um bom exemplo. Suas personagens sofrem evoluções constantes que dependem da simpatia que o público manifesta, das modas éticas e consuetudinárias do momento e também do sentido de humor ou da disposição dos seus roteiristas, que fazem constantemente felizes ou desgraçadas as suas personagens. O filme americano *Tootsie* parodia as evoluções dos mexericos habituais nesse tipo de obra, como o fizera anos atrás *Soap*, em forma de série.

Na realidade, à medida que avança a telenovela chegamos a perder a noção de qual é o *plot* principal, visto que este não se define totalmente até o final. Normalmente é com ele que se acaba. Dizemos que numa telenovela há uma alternância de *plots* principais e *multiplots*.

No cinema atualmente existem histórias de *multiplots*, como o filme mexicano *Amores perros* (*Amores brutos*), escrito por Guillermo Arriaga. Outro exemplo de alternância de enredos e *plots* é o filme *Short cuts*, de Robert Altman. Na verdade esses *plots* entram todos com certo **paralelismo** dentro da história e ao final tendem a se encontrar numa espécie de clímax, o momento dramático final.

Como sabemos, a telenovela caminha por *multiplots*, assim cada um deles pode ser desenvolvido por um roteirista diferente, atuando sob a coordenação de um autor responsável. É a equipe de criação ou de colaboradores. Esclarecendo: o roteirista A da equipe fica responsável pelo *plot* 1, o roteirista B da equipe fica responsável pelo *plot* 2, o roteirista C da equipe fica responsável pelo *plot* 3 e assim por diante. Nesse caso, chamamos esses desenvolvimentos de *plots* elaborados por roteiristas distintos de **trilhas dramáticas**.

Eventualmente esse mecanismo pode estar presente em uma minissérie longa ou numa série com mais de três temporadas.

Plot comparativo (ou paralelo)

Ocorre quando são criadas duas ou mais histórias de mesma importância, que sucedem seguidamente, sem união aparente entre si, ou se entrelaçam por comparação ou contraste. Às vezes é utilizado um componente dramático como elemento de união entre as duas histórias. George Elliot escreveu em *Middlemarch* um dos modelos de história mais notáveis que se conhece.

Para exemplificar indicamos filmes realizados por três diretores que exploram um único tema, com uma visão particular e uma história original sobre determinado assunto. Assim, citamos Woody Allen, Martin Scorsese e Francis Ford Coppola, que dividem a concepção de três histórias particulares sobre Nova York em *Contos de Nova York*. É uma espécie de **painel** sobre um tema.

DIGRESSÃO

Aqui faço uma digressão sobre as telenovelas, onde encontramos o chamado reino dos *multiplots*. Além disso a telenovela, como foi descrita pelo roteirista e amigo José Vitor Rack, é centrada num reservatório de **clichês**[6]. Portanto, não estamos nos reportando aos *plots* encontrados, e sim ao conjunto de cenas ou parte da estrutura que se repete nesse modelo de audiovisual. Nós preferimos intitular esse recurso de cenas ou momentos recorrentes da telenovela. Não confundir cenas recorrentes com clichês e licença poética.

Outros veículos de comunicação audiovisuais também têm cenas recorrentes, porém na telenovela isso é mais evidente.

Quando esse recurso **se repete à exaustão**, ele pode ser chamado de clichê.

Vamos a eles, segundo Rack (*op. cit.*):

10. Cenas de comida

Comer faz parte da vida. É absolutamente natural que as novelas tenham dúzias de cenas de comida. O que não é natural é ver o artifício da mesa posta para as refeições servir de muleta dramatúrgica para o autor reunir personagens de maneira artificial. Personagens que não se reuniriam dessa maneira em outras circunstâncias.

Este é um clichê que engloba vários outros. Mesmo no *plot* do subúrbio o café da manhã é do tipo Copacabana Palace. Personagens comendo queijo branco de garfo e faca, usando guardanapos de linho egípcio. Personagens saindo da mesa sem tocar na comida. [...]

E aqui abro uma observação para apontar o mesmo recurso nas séries de *streaming* americanas. Principalmente no café da manhã, quando as crianças saem para escola deixando copos de leite cheios, ovos e panquecas intocáveis.

9. Surras em vilãs

A utilização de arquétipos para desvendar a natureza humana vem desde Platão, o primeiro a utilizar este termo. Isso ganhou grande força com Jung, psicólogo que defendia a ideia de que os homens de diferentes sociedades possuem características comuns mesmo nunca estando em contato uns com os outros, dando a isso o nome de inconsciente coletivo. Os arquétipos recheiam também os compêndios sobre dramaturgia. Os estudantes de roteiro se acostumaram com a ideia de que existem oito arquétipos masculinos e mais oito femininos, cada um com seu "lado negro", totalizando 32. O lado negro citado é o vilão.

Numa perspectiva maniqueísta de se fazer telenovela, a que utiliza os arquétipos sem maior refinamento, é sempre necessário caprichar na figura da vilã. Sim, no feminino. Vilãs eletrizam o telespectador e garantem bons números no Ibope.

Um dia Gilberto Braga fez Betty Faria surrar Tamara Taxman na novela *Água Viva*, de 1980. Desse dia em diante, ficou na cabeça de muitos autores a ideia de que, num respiro das injustiças sofridas no decorrer da novela, seria uma boa a mocinha dar uma bela surra na vilã para fazer o público se sentir um pouco menos oprimido por tanta safadeza. O bem vence o mal, mesmo que rapidamente, de forma tosca numa briga de colegiais. [...]

8. Amor à primeira vista

[...] Uma equipe de pesquisadores da Austrália e dos Estados Unidos descobriu, em um experimento com uma espécie de moscas, que fêmeas com certa informação genética tendiam a escolher um macho com determinadas características. E que moscas com genes similares também tinham mais chance de se tornar parceiras. Esta informação abre todo um paralelo para que homens e mulheres sejam mais compatíveis em algum nível genético, o que poderia sinalizar com um "talvez" que seja possível encontrar uma pessoa que ame à primeira vista.

Trocando em miúdos: existe na vida real? Existe, claro. Já aconteceu comigo. Mas nas novelas ocorre cotidianamente. Praticamente com todo tipo de pessoa, em circunstâncias as mais diversas, ignorando a lógica e a moral vigente. A repetição indiscriminada desse expediente dá a impressão de que se trata de preguiça de construir uma relação com o tempo e a convivência, como parece ser a coisa mais normal de acontecer em nossas tão entediantes vidas. [...]

7. Porteiros incompetentes

O porteiro é uma pessoa paga para controlar o acesso das pessoas, aos diversos andares de um edifício, seja ele comercial ou residencial. Sendo residencial a responsabilidade aumenta, é o lar das pessoas e sua segurança que devem ser protegidos.

Mas isso é na vida real. Nas novelas porteiro é algo perfeitamente dispensável. Atrapalha o drama. [...]

6. Casais que se separam por qualquer fofoca ou intriga

[...] todo o drama dos protagonistas se baseia no fato de eles encontrarem seu amor na cama com outra, que obviamente armou toda aquela cena apenas para prejudicá-lo a mando da vilã. Recentemente, já maduros e calejados pela vida, separaram-se novamente pois houve novo flagrante: dessa vez real.

Essa situação se repete em diversas novelas. Basta alguém resolver que aquele casal precisa ser separado que, em menos de duas ou três cenas, tudo é reduzido a cinzas e pó de traque. Golpe da barriga, flagrante forjado, troca de exames de DNA. Todo aquele amor indestrutível não resiste a meia dúzias de abobrinhas fofocadas ao pé de ouvido.

É uma contradição evidente do autor que se esmera para construir casais críveis e empáticos meses depois fazer com que se esqueçam de sua própria personalidade apenas para que o folhetim caminhe. As falhas naturalmente humanas que poderiam separar casais de maneira mais natural não são utilizadas por medo de desmistificar a figura do mocinho ou da mocinha.

Além de contraditório e absurdo, é frequente. E irritante.

5. Casamentos desfeitos no altar

Casamento é uma obsessão dos autores de novela. Desfazer casamentos no momento da cerimônia também. Quantos casamentos são desfeitos no altar na vida real? Quantos são desfeitos na teledramaturgia? Preciso escrever a respeito?

4. Gêmeos

Confesso que gosto deste clichê. Da lista é o que menos rejeito. Não sinto nele o desgaste que sinto em outros. Mas as pessoas parecem já estar saturadas de ver sempre o mesmo perfil de personagens gêmeos nas novelas: idênticos de personalidades opostas.

3. Casamentos no último capítulo

A sequência incessante de casamentos (e nascimentos de bebês) no último capítulo não é irritante pelo simples fato de se repetir. O que pega nesse caso é mais profundo. Uma questão de visão de mundo dos autores que, ao que parece, ainda vivem no século XIX. Pessoas que se dizem progressistas e libertárias ainda repetem condicionamentos antiquados.

As pessoas ainda se casam em 2017? Certamente. Mas mesmo quem sonha com o casamento sabe que ele não tem mais nada que ver com final feliz, se é que algum dia teve. Vivemos num mundo onde as pessoas só ficam juntas se realmente quiserem. Ninguém mais precisa se casar se não estiver a fim. Há muito tempo o conceito de felicidade se modificou para a mulher.

O casamento é um ato milenar que faz com que, desde pequenas, as mulheres entendam que a sua única tarefa relevante na vida será encontrar um príncipe bonito e culto para protegê-las dos perigos que existem lá fora, num mundo que é deveras cruel para seres tão frágeis. A perspectiva brasileira para o casamento ainda é bastante machista.

A mulher não se casa mais para sair de casa ou para não ficar marcada como solteirona. O divórcio foi instituído ainda nos anos 1970. A descoberta da pílula anticoncepcional nos anos 1960 possibilitou a modernização dos hábitos e costumes. Casar, ter filhos e formar uma família deixou de ser sinônimo de felicidade e nem são todas as mulheres as que buscam por tais experiências. E isso faz tempo.

Um casal não pode ter um final feliz ainda formado por indivíduos solteiros, namorando? Como é que os autores ainda carregam este ranço cafona de que final feliz tem de ter casamento? [...]

2. Aparência impecável nas condições mais adversas

[...] Em novela é assim. As pessoas têm de ser bonitas e limpinhas. OK, algumas, poucas, podem ser feias. Mas sempre limpinhas. Isso é inegociável.

[...] Homens de terno dentro de casa. Mulheres de cabelo alto e superproduzidas de manhã, apenas para viver sua vida cotidiana. Pior: gente que já acorda maquiada. [...] Personagem de novela raramente tem gripe, o nariz desconhece a coriza. As pessoas acordam e já beijam na boca a pessoa amada. Ninguém escova os dentes antes. Afinal de contas, ninguém tem mau hálito!

Entre o exagero na sujeira e o na limpeza, deve haver um meio-termo que os produtores de telenovela ainda não conseguiram alcançar. Um lugar mais identificado com o que se convencionou chamar de normalidade.

1. Ninguém sabe quais são os seus verdadeiros pais

Este clichê é insuportável. Toda novela tem. Me desafiei a lembrar de alguma novela que tenha passado sem ele e não consegui. Acredito que deve haver, mas não conheço. Parece fazer parte da receita do bolo. Duas xícaras de farinha, quatro ovos e sete personagens que não sabem quais são seus pais de verdade... [...]

FORMAS E FORMATOS DE PLOT

A classificação dos *plots* segundo suas formas e formatos foi elaborada por Lewis Herman, baseado nos estudos de George Polti, escritor e crítico francês que escreveu, no final do século XIX, o livro *36 situações dramáticas*.[7]

A classificação nos serve mais para uma análise posterior de um roteiro do que para o momento da sua concepção. Francamente ninguém se senta numa cadeira e pensa: vou escrever uma história com *plot* de amor. Outro ponto interessante é que de uma forma ou de outra todas as histórias já foram contadas, os *plots* já foram explorados, mas o importante é como o roteirista voltará a fazer uma leitura dessas situações dramáticas.

Notar que qualquer produto audiovisual contém vários desses *plots* ou temáticas em jogo, mas sempre existirá um que é predominante e que vai proporcionar a identidade central do *plot*.

Em seguida vamos citar todas as 36 situações. Antes darei ênfase às dez primeiras, que considero as mais importantes e fundamentais.

1. Amor

Um par que se ama e se separa por algum motivo volta a se unir e tudo acaba bem. É o clássico "rapaz procura moça, perde e torna a encontrar", que Platão foi buscar na "comédia nova" ateniense e Hollywood recriou e aperfeiçoou em milhares de variações. Comédias como *Férias de amor* e melodramas como *E se fosse verdade* podem coincidir nesse tipo de enredo.

2. Êxito

Histórias de um homem que procura o êxito. Com final feliz ou não, conforme o gosto do autor. É necessário vencer a qualquer custo. São histórias que giram em torno de lutadores, esportistas, campeões. E não se deve esquecer o dinheiro, que transforma a vida e é a dinâmica da ascensão social.

Às vezes têm um fundo social, político ou ético (*Cidadão Kane*, *O candidato* e *House of cards*).

3. Gata Borralheira (Cinderela)

Transformação de uma personagem humilde em personagem ilustre, segundo as condições sociais vigentes. Esse é o clássico dos clássicos. A princesa que nasceu no lugar errado e sofre sem ressentimento até conhecer o seu príncipe encantado e se transformar na donzela perfeita. Seria injusto não citar *Pigmaleão*, de Bernard Shaw, que no cinema virou o célebre musical *My fair lady*. Mais recentemente *Uma linda mulher*, de Garry Marshall, e *Betty, a feia*, telenovela colombiana.

4. Triângulo

Um novo membro interfere na relação do casal.

Os triângulos costumam ser amorosos. Até há poucos anos, o mais habitual era opor a amante do protagonista à sua noiva prevista, como em *Uma mulher para dois*,

O mensageiro etc. Não obstante, um membro de uma sociedade pode ser tentado a se associar a outro. As relações entre um político e seu partido podem se alterar quando o político passa para o partido oposto. Igualmente um jogador pode hesitar entre assinar contrato com uma equipe ou outra. E mil novas combinações.

Por outro lado, a discórdia semeada entre um casal por um terceiro pode não ter razões amorosas. Por exemplo: uma mulher pode hesitar entre uma profissão brilhante que exija dedicação integral (cantora de ópera, bailarina etc.) e o casamento com seu noivo. Finalmente, as combinações sexuais são múltiplas e assim o triângulo continua a ser dos *plots* mais sugestivos para os autores.

5. Regresso

Parte da ideia da parábola evangélica do filho pródigo que volta para a casa dos pais. Pode ser o marido que regressa da guerra ou qualquer outro retorno. Exemplo: *Amargo regresso*. O regressado sempre busca reparação para o que julga ter sido uma grande injustiça da qual o suposto ofensor nem tem consciência. O regresso de *Tieta do agreste*, de Jorge Amado, é típico desse *plot*.

6. Vingança

Um crime ou uma injustiça é cometido e o herói, ou o anti-herói, tenta fazer justiça por sua conta.

A tragédia grega pôs em cena vários mitos da vingança, assassinatos terríveis e massacres. Também o teatro popular inglês do século XVI explorou o mesmo gênero. Uma variável é a busca da verdade por parte do herói. Em *A visita da velha senhora*, uma mulher expulsa de sua vila retorna rica e vingativa. Em *Assassinato no Expresso Oriente*, o protagonista era objeto da vingança coletiva. Na literatura encontramos a personagem central de "O cobrador", conto de Rubem Fonseca: um pobre-diabo que encontra sua realização matando ricaços. Geralmente personagens vingadoras são ressentidas e trazem como objetivo maior fazer justiça com as próprias mãos. Vários filmes e seriados americanos exploram essa vertente.

7. Conversão

Se baseia na possibilidade de um bandido se tornar herói, de uma sociedade injusta se transformar etc. Na realidade, é uma tentativa de converter o público. *Os sete samurais* e sua versão americana, *Sete homens e um destino*, são um bom modelo.

A conversão trabalha na transformação da personagem que psicologicamente é dinâmica. De usurpadora ela pode passar a conhecer os direitos do usurpado e assim adquirir nova consciência do mundo que a cerca. Cito como obra maior o filme *A lista de Schindler*, com roteiro de Steven Zaillian.

8. Sacrifício

Um herói se sacrifica por alguém ou por uma causa. Filmes de guerra cuja bravura, heroísmo e honra são ressaltados a cada instante são os paradigmas desse tipo de *plot*. Podemos indicar o filme *O resgate do soldado Ryan*, de Steven Spielberg. Mas nenhum produto audiovisual ultrapassa o *plot* de sacrifício da *Paixão de Cristo*. Observar aqui que George Polti divide esse *plot* em três tipos (veja adiante).

9. Família

Relação entre famílias ou grupos relacionados de alguma forma. A inter-relação num mesmo núcleo dramático. Por exemplo: *O grupo* e *Os rapazes da banda*.

Quando falo de família não estou falando necessariamente de Medeia ou da Família Addams, mas sim de um grupo de pessoas que vive numa espécie de contorno grupal, tribal ou familiar. Logo podemos tratar de gangues de adolescentes, bandas de músicos, jogadores ou temas que abordem uma interligação entre um conjunto de camaradas, companheiros ou iguais.

Outro exemplo é a série *The fall*, da Netflix.

10. O diferente (o estranho)

É aquele que chega para perturbar, cuja dinâmica e presença são completamente inesperadas e conflituosas. Normalmente abre caminhos e aponta novas direções. Como exemplo mais significativo temos *E.T., o Extraterrestre*. Ainda, *Rain man*, *Mudança de hábito*, *Um estranho no ninho* e *A pele que habito*.

É bom perceber que os atores adoram essas personagens, que normalmente são adoradas pelo público também. Entretanto, os produtores relutam em produzir tais roteiros porque os consideram "estranhos e diferentes".

Agora a listagem das 36 situações dramáticas (*plots*) de George Polti:

1. Sacrifício por um ideal	O herói ou a heroína pode se sacrificar por um ideal, por um bem maior ou por alguma coisa.
2. Sacrifício por um parente	É semelhante ao sacrifício por um ideal. A diferença é que o herói se doará em sacrifício para salvar um parente ou alguém a quem ele ama.
3. Sacrifício por uma paixão	Os gregos sempre falaram da necessidade de se evitar o *pathos*, que consideravam uma doença, porque haveria a ruptura, uma desmedida do equilíbrio. No caso do sacrifício por uma paixão, há nessa situação dramática o objeto dessa paixão, que é sempre fatal, o herói ou a heroína apaixonada e algo que será sacrificado.
4. Necessidade de sacrificar os seres amados	Nesse tipo de situação o herói terá de fazer das tripas coração e deixar que a pessoa amada, que acaba se transformando em vítima, seja sacrificada. É preciso criar também nesse contexto a necessidade para que haja o sacrifício da vítima.
5. Perda de seres amados	Nesse contexto dramático há sempre a figura do executor e também do parente que foi desgraçado ou executado, ou ainda desterrado.
6. Obstáculos ao amor	Esse tipo de situação dramatúrgica já foi imortalizado por Shakespeare. Há a figura dos dois amantes que terão de enfrentar obstáculos para ficar juntos. Podem até morrer por isso.
7. Súplica	O herói suplicará ao perseguidor ou antagonista, ou a uma autoridade que tem o poder de resolver o problema.
8. Rivalidade entre parentes	Há sempre um parente que é o preferido e ao seu lado o que é rejeitado. Entre eles há o objeto da rivalidade, que poderá ser um bem material, mas também pode ser um bem imaterial ou mesmo um indivíduo.
9. Rivalidade entre um superior e um inferior	A rivalidade também pode ocorrer fora do ambiente familiar e se dar entre um ser superior e um ser inferior. No meio deles está o objeto dessa rivalidade, que pode ser uma pessoa, um bem material ou imaterial.
10. Vingança entre parentes	É semelhante à situação dramática de rivalidade entre familiares. A diferença é que nessa situação dramatúrgica a vítima traz lembranças do passado. Além disso, há o parente vingador e o parente culpado. O relacionamento conturbado entre eles gerará uma rica situação dramática.
11. Parentes inimigos	É semelhante às situações dramáticas de vingança entre parentes e rivalidade entre os membros da família. Na situação dramática com parentes inimigos há uma **reciprocidade no ódio entre os membros do clã**. Existe o parente mau que fica se debatendo com outros familiares.
12. Inimigo amado	A situação dramática se dá porque o inimigo que deveria ser odiado na verdade é amado. É uma mistura de sentimentos: ao mesmo tempo que se ama, se odeia.

13. Assassinato de desconhecido	A vítima e o assassino podem ser desconhecidos.
14. Loucura	A vítima pode deparar com um indivíduo perturbado mentalmente.
15. Crime seguido de vingança	Há sempre o criminoso, a vítima e o vingador.
16. Crime de amor involuntário	Nesse tipo de situação dramática há a presença de um arauto (anunciador), que faz uma revelação para aquele que ama e para aquele que é amado.
17. Crime de amor	Há a pessoa que ama, o crime de amor e a pessoa amada.
18. Libertação	Há sempre uma vítima, uma ameaça e o antagonista, que terá um feroz embate com o herói. Essa vítima não precisa ser necessariamente uma pessoa – pode ser, por exemplo, o planeta Marte, uma cidade, o ar que respiramos etc.
19. Posse	O herói e o antagonista vão brigar pela posse de algo (seja material, imaterial ou alguém), se recusando a entrar em **acordo**. Aí surge a figura do juiz, que vai arbitrar entre as partes.
20. Ambição	Há algo muito desejado e pelo qual uma pessoa ambiciosa lutará. Mas essa pessoa terá de enfrentar um adversário de peso, que buscará de todas as formas impedir essa conquista.
21. Sedução	A pessoa é traída. Há ainda as figuras do traidor ou da traidora e o amante.
22. Revolta	Essa situação dramática envolve sempre um herói conquistador e um antagonista tirânico.
23. Perseguição	Nesse tipo de história há sempre um fugitivo e um castigo.
24. Desastre	Há sempre nesse tipo de situação três coisas: o mensageiro que relata uma notícia trágica, um antagonista que é vitorioso por algum tempo e um poder vencido ao final.
25. Conflito com Deus	Existe um duelo entre o mortal e o imortal.
26. Ciúme confundido	Existe, nesse caso, algo que gerará o ciúme. Esse "algo" não necessariamente precisa ser uma pessoa. Há a figura do ciumento, a causa que gerou essa confusão (que pode ser uma pessoa ou não) e a pessoa verdadeiramente culpada.
27. Descoberta da desonra do ser amado	São duas personagens básicas nesse tipo de história: a que vai descobrir a desonra e o culpado.
28. Julgamento errôneo	Tem alguma semelhança com o ciúme confundido. Contudo, a figura do personagem se transforma em vítima do enganado, no enganado propriamente dito, na pessoa culpada, na causa e/ou no autor do engano.
29. Vítima de crueldade ou de má sorte	Nesse tipo de história estão presentes a infelicidade e as figuras de um ser desafortunado e de um executor.

30. Adultério	É uma história que conta a relação entre dois adúlteros (não importa o gênero) e a vítima desse adultério, que também pode ser homem ou mulher.
31. Recuperação do que foi perdido	Na trama dessa história há sempre aquele que procura e aquele ou aquilo que é encontrado.
32. Empreitada audaciosa	Esse tipo de história envolve um herói audacioso que tem um grande objetivo e um antagonista que fará de tudo para impedir que o protagonista saia vitorioso.
33. Remorso	Nesse tipo de contexto dramático existem a vítima do pecado, o culpado e o inquisidor, que vai interrogar o culpado.
34. Imprudência fatal	Há nessa situação um personagem imprudente, o objeto perdido ou a vítima do personagem que praticou a imprudência.
35. Sequestro ou rapto	Há o raptor, a vítima e o resgate.
36. Enigma	Nesse tipo de situação dramática existe um problema a ser resolvido e um personagem que terá como característica ser um questionador.

É bom lembrar que George Polti é um pensador que viveu no século XIX e início do século XX, e que naquela época conseguiu catalogar apenas 36 situações dramáticas. Mas hoje, se formos colocar na ponta do lápis, com as modernidades e dores do século XXI, as situações dramáticas se **potencializaram** em muito mais do que isso. Por exemplo: *plots* sobre homossexualidade, transgêneros, assédio, corrupção, fanatismo, terrorismo e outros.

Esta problemática levou o filosofo alemão Hans-Thies Lehmann a cunhar a expressão "pós-dramático". Em seu livro *Postdramatisches theater*[8], de 1999, ele reflete sobre as mudanças ocorridas na sociedade e mostra que o drama e suas teorias vêm se transformando.

Essa classificação segundo a tipologia dos *plots* foi configurada por estudiosos do tema. Mas, enquanto escrevo estas linhas, me dou conta de que nenhum autor costuma ter tal classificação demasiado em conta, pelo menos conscientemente. E mais, não se pode ser fiel a nenhuma classificação na hora de escrever um roteiro, uma vez que criar é exatamente quebrar as regras.

Essas classificações servem unicamente para se ter uma ideia das características principais do nosso trabalho quando já o concluímos, e também para valorizar e qualificar o trabalho de outros (uma espécie de análise), além de serem mais um dado em nosso arquivo.

A ORIGEM DA FÁBULA

Segundo o pesquisador russo Vladimir Propp[9], o núcleo mais antigo da fábula se encontra nos **rituais de iniciação das sociedades primitivas**. De acordo com sua teoria, a fábula reproduz a estrutura dos rituais que marcavam, numa criança, a passagem do mundo infantil para o mundo dos adultos. Com o passar do tempo e o desaparecimento dos rituais iniciáticos, a fábula perdeu suas origens e se transformou no que é hoje em dia: uma narrativa curta que ilustra um preceito moral.

Não obstante, Propp é de opinião que a fábula continua a ter traços que atuam no inconsciente coletivo, ligando a criança pré-histórica à criança contemporânea. Segundo essa teoria, a fábula é composta por 30 funções, embora não contenha necessariamente todas, mas apenas boa parte delas, com uma sucessão sempre idêntica. Apesar de nem todos os autores concordarem com ela, conhecer essa teoria é interessante para aqueles que queiram **escrever para crianças**. É bom advertir que a estrutura deve ser lógica e concatenada, porque **criança pensa. Pensa até demais e sente muito.** Pressente o desprezo, e se o roteiro não for bem-feito se ressente.

Existem várias faixas para o público infantil, mas o trabalho de Vladimir Propp é bem amplo e chega a alcançar a adolescência.

As funções características de uma fábula são as seguintes:

1. Afastamento (se passa em outra época, em outro mundo...)
2. Proibição (alguma coisa é proibida)
3. Infração (alguém infringe algo)
4. Investigação
5. Delação (o traidor)
6. Armadilha
7. Conivência
8. Punição (culpa)
9. Mediação
10. Recompensa (ou castigo)
11. O herói parte
12. O herói passa nas provas a que alguém o submete (as provações do herói)
13. O herói reage
14. Utilização de meios mágicos
15. Transposição do herói
16. Luta entre o herói e o antagonista
17. O herói se sobressai

18. Vitória sobre o antagonista
19. Perdão da pena do castigo ou culpa inicial
20. Regresso do herói
21. Perseguição ao herói
22. O herói se salva
23. O herói chega incógnito à casa
24. Pretensões do falso herói
25. Imposição de um dever difícil
26. Cumprimento do dever
27. Reconhecimento do herói
28. Transfiguração do herói
29. Castigo do antagonista
30. Casamento do herói

Notamos que as funções características da fábula estão muito presentes nas telenovelas, sendo clássico o casamento da protagonista no último capítulo. Também encontramos o uso da fábula recheada de fantasia presente na estrutura de vários filmes, como na Trilogia do Anel (*O senhor dos anéis*).

Podemos conhecer melhor o assunto em dois outros livros: *O herói de mil faces*, de Joseph Campbell[10], no qual George Lucas se baseou para criar sua fábula espacial (*Star wars*); ou, ainda, na obra de Christopher Vogler[11], *A jornada do escritor*, que embasado nos conceitos de Campbell demonstra como usar a estrutura mítica para criar narrativas fílmicas.

ESTRUTURA CLÁSSICA

Depois de tudo que foi dito, podemos construir uma estrutura dramática. Comecemos por analisar a chamada estrutura clássica, e sobre ela assim comenta Sid Field: "Sabemos que um roteiro é uma história contada em imagens, diálogos, descrições e situada em um contexto de estrutura dramática. Mas o que é uma história? E que têm todas as histórias em comum? Um princípio, um meio e um fim. O princípio corresponde ao primeiro ato, o meio ao segundo ato e o fim ao terceiro ato"[12].

Portanto, uma estrutura clássica é dividida em três movimentos:

- Primeiro ato
- Segundo ato
- Terceiro ato

É necessário ter bem presente que os três atos têm um começo, um meio e um fim. No caso da televisão, tais segmentações ou divisões em atos funcionam como uma espécie de cortina artificial para que se possam colocar os anúncios publicitários.

Mas passemos à estrutura clássica e aos seus componentes.

Primeiro ato

	■	exposição do problema
e/ou	■	situação desestabilizadora
e/ou	■	uma promessa, uma expectativa
e/ou	■	antecipação de problemas
	■	**CONFLITO EMERGE**

Segundo ato

	■	complicação do problema
e/ou	■	deterioração (piora da situação)
e/ou	■	tentativa de normalização, levando a situação ao limite
e/ou	■	medida extrema
	■	**CRISE**

Terceiro ato

	■	CLÍMAX
e/ou	■	reversão de expectativas
	■	**RESOLUÇÃO**
e/ou	■	EPÍLOGO

É fácil observar que os três atos têm sua própria estrutura dramática. Em televisão é considerado importante que a resolução seja seguida do epílogo, em que é explicado o porquê da história.

Se juntarmos e jogarmos esses pontos todos num diagrama em que as vertentes são tempo e intensidade dramática, teremos o que chamamos de **curva dramática**. Cada um desses pontos marcará um momento do roteiro, que de acordo com a nomenclatura americana são os famosos *turning points*, ou *plot points*, ou *beat points* (pontos de cadência), ou pontos de ataque, ou ainda as famosas **viradas**.

Isso para mim se torna um pesadelo e até certo ponto um mecanismo restritivo, já que o leitor de uma produtora americana vê se na página 5 há um desastre de automóveis, se nas próximas páginas há um assassinato, na página 32 uma cena de sexo ou adultério e um massacre nas páginas finais.

Obviamente a estrutura deve ter uma razão crescente de interesse, mas não pode ficar prisioneira de uma fórmula estanque de acontecimentos dramáticos.

Em seguida vamos ANALISAR esses diagramas. Mas, ao contrário da personagem terrorista do filme *La chinoise* (*A chinesa*), de Godard, que diz: "Vou explodir o Louvre para depois estudar museologia", penso que **devemos estudar museologia para depois explodir o Louvre**.

Ainda sobre estrutura dramática, movimentos cinematográficos e artísticos importantes como os desenvolvidos por Orson Welles, Glauber Rocha, Buñuel, Woody Allen, Fellini, Bergman, Altman, Kurosawa e outros, se tivessem seguido essas regras, jamais teriam entrado para a história do cinema criando novas maneiras de alcançar estruturas fílmicas fortes e de interesse crescente.

DIAGRAMAS

O diagrama de uma ação é a representação da curva dramática de uma estrutura. Cada autor pode fazer a sua, pois constitui uma boa forma de visualizar a estrutura e comprovar se funciona ou não. Não confundir ação pura, isto é, tiros de revólver, pulos sensacionais, mortes sangrentas etc., com ação dramática. A ação dramática está ligada diretamente à tensão dramática, isto é, à profundidade das emoções que estão em jogo num determinado momento e que irão transformar ou redirecionar a história para outro círculo de conflitos.

Advirto também que não estou desprezando esses diagramas, mas apenas alertando sobre sua importância quando se estrutura uma história. Normalmente prefiro trabalhar com tipos de cena (veja neste segmento o tópico "A elaboração") do que com os chamados pontos de virada.

Os pontos que definem a curva final da estrutura clássica nos levam a observar o crescendo emocional que queremos que o público experimente à medida que o protagonista se encontra diante do problema, entra em conflito, a situação piora, a crise chega, depois o clímax e finalmente tudo se resolve.

Desde o momento em que o conflito aparece até o ponto de crise, é produzida a curva de suspense. É nela que os problemas e os conflitos parecem se concentrar num beco sem saída aparente, que leva o protagonista e a história ao momento de crise. Esse momento é crucial. Atenção à maneira como é desenvolvida, porque a intensidade com que a crise estalará depende da tensão acumulada nessa curva.

Figura 1
Diagrama de estrutura clássica

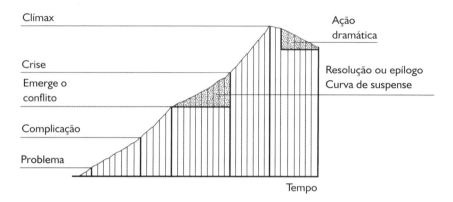

Não confundir clímax com crise. Clímax é um momento em que todas as forças dramáticas estão no mais alto grau de tensão, porém existe uma solução à vista. Já na crise as forças dramáticas estão numa gigantesca e conflituosa tensão, entretanto não existe solução à vista.

Figura 2
Diagrama de uma estrutura ondulante

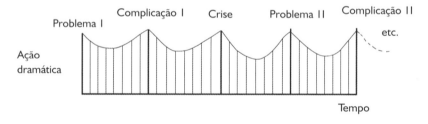

O diagrama da Figura 2 é o que normalmente apresentam as séries televisivas. A tensão se mantém muito mais tempo e pode ocasionar uma diminuição de interesse.

Exemplo típico é o filme de suspense (veja a Figura 3).

Normalmente nas tragédias clássicas, neoclássicas e modernas a crise aparece no último terço da obra.

Em *Hamlet*, de Shakespeare, a crise aparece no meio, mas mesmo assim a resolução é lenta. Estrutura decrescente, ou em U invertido, ou romântica (veja a Figura 4).

Um roteiro que ninguém quer escrever é: perda total de interesse. Um esquema clássico invertido que é preciso evitar (veja a Figura 5).

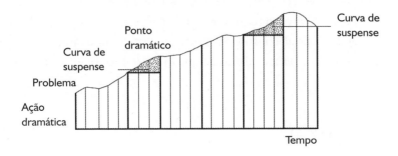

Figura 3
Diagrama em patamar

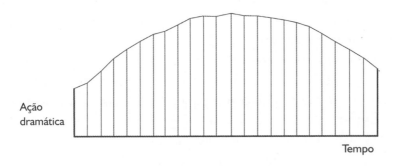

Figura 4
Diagrama de uma estrutura em declive

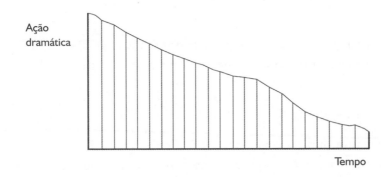

Figura 5
Diagrama que mostra perda de interesse

Outro lugar que afeta a estrutura dramática é o chamado **ponto de ataque**, ou ponto em que começa a crise e se precipitam os acontecimentos.

Se o ponto de ataque é **prematuro**, é denominado *ab ovo* (**óbvio**); tudo é contado no início, impossibilitando manter a tensão dramática até a resolução. Se o ponto de ataque é **tardio**, é denominado *in medias res* (**medíocre**); as ações e os conflitos ficam concentrados no terço final, e então os acontecimentos se precipitam numa avalanche, tornando o final confuso. É típico do roteirista avarento que guarda a criatividade e desconhece o mecanismo de que quanto mais se exercita a criatividade mais ela se revitaliza.

VALORES DRAMÁTICOS

Os valores dramáticos podem ser avaliados e quantificados.

Para finalizar nosso trabalho de estrutura, é interessante fazer as seguintes perguntas:

1. Fica claro o problema no princípio da estrutura? É realmente um problema importante? Quantas cenas prevemos que serão necessárias para expor o problema (quanto menor o número, melhor)?
2. A história é verossímil? Há credibilidade nesse *plot*?
3. A crise está bem colocada dentro da estrutura dramática? É crucial? É efetiva? A personagem tem motivos suficientes para estar em crise? Quantas crises existem nessa estrutura?
4. O conflito matriz é a base central da estrutura?
5. O clímax está no local adequado, isto é, no final? É dramaticamente forte?
6. A resolução é satisfatória? Deixamos algo pendente na estrutura?
7. A maneira como desenvolvemos a estrutura se mostrou criativa, harmoniosa e convincente?

Fique claro que a estrutura de que falamos se refere ao *plot*. Cada *plot* ou *subplot* terá sua própria estrutura, que por sua vez se integrará na estrutura do *plot* principal.

CURVAS DRAMÁTICAS

Dessa maneira, montar um roteiro significa ir unindo, entrelaçando as curvas dos diversos núcleos dramáticos (*plots*), criando pontos de interferência de uma curva em outra, harmonizando os diferentes *plots*, criando um somatório de curvas e, assim, fazendo surgir uma curva nova e única chamada de **curva final do roteiro.** Por exemplo:

Primeiro plot

Um jovem leva uma vida tranquila. Sofre um acidente de automóvel e é levado para o hospital.

Figura 6A

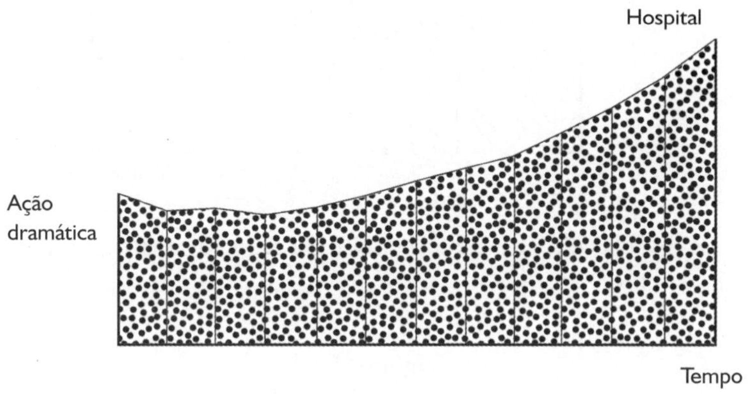

Segundo plot

No hospital, a médica que o atende acaba de perder um filho com leucemia e passou por uma forte crise.

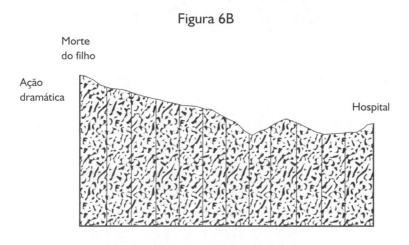

Figura 6B

Terceiro plot

O carro do acidente é vendido ao ferro-velho, mas o dono do estabelecimento, à beira da falência, aproveita o fato de o automóvel ser roubado para fazer chantagem com o rapaz.

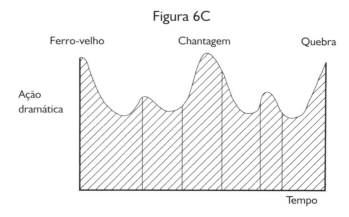

Assim, esse entrelaçado de *plots* nos dará uma curva dramática total da obra, que será a seguinte:

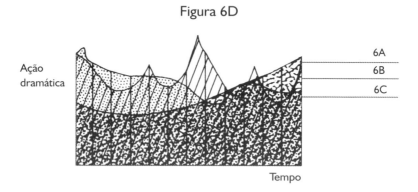

O **somatório** de todas essas curvas seria a curva do próximo diagrama:

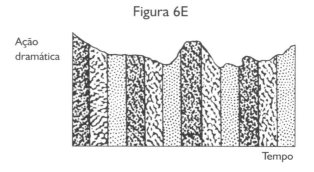

Vimos que a estrutura é uma **elaboração**. Dado que se trata de uma **organização**, deve ser tratada como tal, concebida e planificada de maneira que se mantenha sólida.

Por nos basearmos em **critérios lógicos**, é possível cometer **dois tipos** de erro: por **falta** de informação **inicial** ou erro na **resposta**, na **solução** do problema.

Quando começamos uma estrutura, devemos em primeiro lugar nos documentar com todas as informações necessárias, partindo do princípio de que temos uma história e o perfil das personagens.

INVESTIGAÇÃO

A investigação é importantíssima para o roteirista, não só na busca de ideias ou temas, mas também na história, nos diálogos e na estrutura.

Quando um roteirista estrutura, deve saber para que meio o faz. Conhecer nossas limitações e possibilidades para determinado meio é essencial.

Vamos estudar a seguir alguns dos formatos televisivos e cinematográficos mais frequentes.

Estruturar para TV

Telefilme

O telefilme costuma ter duração de aproximadamente 1h30, embora existam também o telefilme curto, de 25 minutos, e os docudramas ou outros casos especiais isolados, que podem chegar até os 45 minutos.

A estrutura de um telefilme é muito semelhante à de um longa-metragem para o cinema, pelo que as estudaremos em conjunto.

Formato de 25 minutos

É o formato do capítulo da telenovela da tarde, do telefilme curto, docudrama, animações, *reality show* e *sitcom*. Do ponto de vista estrutural, grosso modo, se divide em quatro partes:

- **Primeira parte**: de 2 a 3 minutos (abertura)
- **Segunda parte**: 10 minutos (desenvolvimento até a crise)
- **Terceira parte**: 10 minutos (desenvolvimento até o clímax)
- **Quarta parte**: de 2 a 3 minutos (resolução)

Esse é um formato muito simples em que o clímax e a resolução se situam, como sempre, no final. Poderá ter uma interrupção para a publicidade, no meio, entre a segunda e a terceira partes, onde situaremos um gancho (antecipação que cria uma expectativa a ser resolvida na parte seguinte).

DA CRIAÇÃO AO ROTEIRO **179**

No caso de ser uma telenovela, a quarta parte não conterá a resolução, mas sim um novo gancho que se resolverá no capítulo seguinte. Atualmente a tendência da telenovela no Brasil é ter três ganchos finais, cada um deles vindo de um dos *plots*. Também pode haver uma quinta parte, havendo cinco intervalos comerciais além da abertura e do fechamento (veja a seguir o tópico "Formato de 50 minutos").

Em todos os formatos televisivos, a primeira parte se chama **cabeçalho** ou **exposição do problema**. Pode também existir uma cena isolada, geralmente de muita ação, antes dos créditos, a que os americanos chamam *teasing* ou **pré-créditos**. A última parte se chama **cauda** ou **resolução do problema**. É o epílogo, que no caso da telenovela, como já dissemos, deverá conter **vários ganchos**.

Esse formato televisivo de 25 minutos havia caído em desuso há alguns anos.

Agora retorna devido à diversificação dos produtos televisivos.

Formato de 50 minutos

Esse é um formato clássico para as **minisséries** e também para algumas **séries televisivas**, *streaming* e **telenovelas**. É pensado para incluir um corte publicitário aproximadamente no meio do espetáculo. De qualquer forma, as redes privadas de televisão impõem com frequência três ou quatro pausas para publicidade.

Do ponto de vista estrutural, esse formato é dividido em seis partes:

- **Primeira parte**: 5 minutos (cabeçalho, abertura)
- **Segunda parte**: 10 minutos (desenrolar do primeiro ato)
- **Terceira parte**: 10 minutos (desenrolar do segundo ato até a crise)
- **Quarta parte**: 10 minutos (passagem do segundo para o terceiro ato)
- **Quinta parte**: 10 minutos (desenrolar do terceiro ato até o clímax)
- **Sexta parte**: 4 minutos (resolução)

Uma minissérie não acaba necessariamente na última parte. O que se faz é procurar uma situação dramática ou uma revelação que antecipará algo para o episódio seguinte. É a isso que se pode chamar **episódio com resolução incompleta**.

A televisão europeia trabalha fundamentalmente com esses formatos. Compete ao roteirista realizar sua estrutura em função deles.

É importante acrescentar que em qualquer dos formatos televisivos as partes mais difíceis de preencher são as centrais. O roteirista deve trabalhar muito nas cenas do desenrolar da ação, pois geralmente é nelas que se encontra o ponto mais fraco de todas as estruturas. A manutenção da tensão dramática é uma das chaves para se escrever um bom roteiro.

Podemos dizer que a abertura de um roteiro deve ser um momento fascinante e que seu final deve ser surpreendente, mas é no desenrolar da parte central que se reconhece o verdadeiro talento do roteirista para estruturar.

Estruturar para o cinema

Para facilitar nosso trabalho, e uma vez que o cinema é uma linguagem contínua e sem interrupções, podemos dividir o tempo total do filme em blocos de tempo ou em bobinas. Um filme costuma ter duração média de 90 a 105 minutos até 120 minutos, o que representava um total de nove ou dez bobinas. Atualmente, como o filme é rodado em digital, a palavra bobina é apenas um termo antigo que entrou para a linguagem fílmica e daí não sairá.

Se dividirmos o filme em nove blocos de sequência de estrutura, teremos de situar o clímax no oitavo bloco e resolver no nono. Não obstante, alguns autores dividem os filmes em sete partes, ou então em cinco blocos. Uma vez feita a divisão, seja ela qual for, estruturaremos cada uma das partes separadamente.

Devemos ter presente que é na sétima parte que se situa o clímax. Eisenstein dizia que o mais importante no cinema era a sétima bobina.

Também podemos dividir os cem minutos de um filme em cinco partes de 20 minutos. A opção entre uma divisão e outra dependerá do autor. Atualmente a maioria dos filmes é feita para ser exibida na televisão, o que torna todo filme uma espécie de telefilme.

O filme pode ter duração de 90 a 120 minutos e se trabalha, *grosso modo*, com uma estrutura similar à do telefilme. Embora o telefilme deva, segundo as teorias norte--americanas, procurar temas, histórias ou personagens que mais adiante possam ser desenvolvidos em séries ou minisséries. Mas tanto os filmes como os telefilmes constituem uma espécie de ensaio para outros produtos audiovisuais – vide *Star wars*. Pessoalmente considero que um dos problemas da televisão na América Latina é que de maneira geral produz poucos telefilmes, ficando depois sem possibilidade de desenvolver séries ou minisséries. O telefilme e a minissérie são os produtos televisivos de que mais gosto.

O formato norte-americano para o filme ou telefilme é constituído de oito partes, com sete intervalos, completando um total de duas horas de programação.

- **Primeira parte:** 5 minutos (abertura)
- **Segunda parte:** 15 minutos
- **Terceira parte:** 10 minutos (primeiro ato)

- **Quarta parte:** 15 minutos
- **Quinta parte:** 15 minutos (segundo ato)
- **Sexta parte:** 10 minutos
- **Sétima parte:** 15 minutos (terceiro ato)
- **Oitava parte:** 5 minutos (resolução)

É claro que existem filmes de duração mais extensa e que não têm a pretensão de se transformar em outros produtos audiovisuais. Porém, a tendência da indústria do entretenimento é inequívoca, sempre buscando multiplicar as possibilidades de rendimento de um produto fílmico, o que atualmente acaba sendo vendido para os *streamings*.

Relação tempo/dimensão

A correspondência entre **tempo e dimensão** do roteiro pode ser medida assim:

Em televisão
- 90 minutos de ação equivalem a 100 folhas *standard* (A4).
- 50 minutos equivalem a 52 folhas *standard*.

Em cinema
- 100 minutos de ação equivalem a 120 folhas *standard*.
- 15 minutos equivalem a 20 folhas *standard*.
- 10 minutos equivalem a 15 folhas *standard*.
- 5 minutos equivalem a 8 folhas *standard*.

Mais adiante apresentarei um roteiro completo, podendo assim o leitor **qualificar e quantificar** o que chamamos de folha *standard*.

Os horários e a programação televisiva

A segunda informação útil para o roteirista se refere à hora de emissão e às limitações que o **código televisivo** impõe a esse horário. Todos os países têm um código nacional ou de censura para televisão e afins. Se o horário de emissão do nosso programa é às 17h, as limitações são maiores. Em contrapartida, às 22h as limitações do código são menores. Conhecer o código nacional televisivo facilita o nosso trabalho, já que nos poupa a incorporação de cenas que depois seriam excluídas por inadequadas. No cinema acontece a mesma coisa, mas o critério funciona por idade, ou seja, maiores de 4 anos, maiores de 12 anos, maiores de 16 anos e de 18 anos.

É importante conhecer esses códigos. Quando um produtor nos contrata para fazer o roteiro de um filme para maiores de 4 anos, devemos pensar no que mostrar e em que assuntos podem ser abordados e desenvolvidos.

Na verdade, isso é parcialmente verdadeiro, pois com o *streaming* e o VoD se pode ver qualquer filme, ou qualquer outro tipo de espetáculo, a qualquer hora do dia ou da noite.

Número de atores, locações e cenários

Outra informação importante é o número de atores, locações e cenários que teremos à nossa disposição.

Em televisão, para um episódio de 50 minutos podemos contar frequentemente com dez atores (com fala), 12 cenários e alguns exteriores.

Para as minisséries televisivas as limitações são variáveis. Temos de contar com uma média de 35 atores (personagens com diálogo), ao passo que os cenários e instalações necessários são muito mais numerosos. No entanto tudo depende do tema que abordamos. Não se trata de quantidades ilimitadas, mas sim de necessidades mais amplas.

Em cinema, normalmente, o máximo é de 18 a 28 atores. Tudo depende da produção e dos cenários e locações necessários, matéria que no cinema é muito variável. Ainda assim é preferível que as ações se concentrem num mínimo de instalações e cenários, pois isso facilitará o trabalho e diminuirá os gastos de produção.

Claro está que estamos falando de uma produção pequena ou média. Se tocarmos no tema "superprodução", esses números sofrem uma alteração astronômica tanto em número de atores como em número de cenários e figurantes. Todavia, com a inclusão da computação gráfica e dos efeitos especiais, os orçamentos podem triplicar. E seria só curioso se não fosse verdadeiro que os técnicos e outros profissionais recebessem ao final muito mais do que os roteiristas que criaram o produto original.

Resolução do progresso

Agora que já conhecemos as nossas limitações e as regras do jogo, podemos começar a resolver a nossa estrutura.

Antes de tudo, é conveniente saber que uma folha **A4, fonte Courrier, corpo 12** corresponde a 1 minuto/1min30s de ação. Claro que isso pode variar segundo a ação dramática (uma página pode equivaler a 30 segundos), mas a média costuma se fixar em 1 minuto. Não importa quantas cenas existam numa página de roteiro, o importante são o número de ações e a quantidade de diálogos.

Finalizando: jamais trabalhamos numa estrutura de forma total. Trabalhamos por partes, fragmentos, como um pintor que divide um quadro branco em quadrantes e vai preenchendo as partes até perceber o desenho do conjunto.

Inclusive existem autores que estruturam a quarta parte antes da terceira, depois pensam na segunda e por último reveem a escaleta inteira de forma cronológica. Esse processo pode parecer aleatório e ilógico, porém a imaginação é visual e às vezes cenas não se desenvolvem no nosso pensamento de forma cronológica e direta.

Tempo de reflexão

Entraremos no processo de gestação, o período de que necessitamos para deixar crescer naturalmente, dentro de nós mesmos, a **ideia original**.

Durante esse tempo que dedicamos a imaginar como vamos contar nossa história, podemos pensar toda a estrutura de uma vez ou por partes. O que realmente importa é saber aonde queremos chegar, onde vamos situar o clímax. Feito isso, desenvolveremos o tema de forma que a tensão dramática cresça do princípio ao fim e, consequentemente, aumente o interesse.

Num filme policial o ponto em que vamos situar o clímax é de importância capital se queremos que se mantenha o suspense.

É um trabalho estritamente **individual e solitário**. O autor se deixa levar e pensa na trama. Imagina. Se for necessário indaga, consulta outras obras que tratem do mesmo tema. Por fim reflete, deixa a ideia germinar e se mune do máximo de material possível. É uma espécie de **gestação criativa**.

Recordo uma ocasião em que passei horas vendo vídeos sobre a Índia antes de começar a estruturar a minissérie *Na boca do dragão*, exibida na RTP portuguesa na década de 1990. Uma das minhas filhas fez a seguinte observação: "Que trabalho esquisito o do meu pai, que passa horas vendo vídeos, parece mais **diversão** do que **trabalho**". Ou também aquela famosa frase de um produtor americano que, quando encontrou seu roteirista desenhando, lendo jornais e com vários livros abertos em cima da mesa, questionou: "Eu te pago para escrever? Ou para ler e ficar parado?" Enfim, uma idiotice sem tamanho.

Se o trabalho for de coautoria, o autor fala com seu colega, os dois trocam ideias e fazem o conhecido *brainstorm*. Gosto muito de trabalhar em coautoria ou com uma equipe de roteiristas, até porque, como trabalho em roteiros escritos numa língua que não é a minha, meu colega é que levará a cabo a redação final. No entanto, quando concluído, é praticamente impossível saber quem teve tal ou qual ideia, quem foi o responsável por determinada estrutura dramática ou qual dos dois disse pela primeira vez a palavra para determinado diálogo.

Para mim o trabalho de parceria é particularmente salutar. Não apenas por conhecer outras mentes e universos criativos, mas também por solidificar laços de amizade que marcaram cumplicidades por toda a vida (veja a Parte 9).

Tenho excelentes recordações do meu trabalho de coautoria com Gabriel García Márquez (colombiano), Alexander Chlepianov (russo), Xesc Barceló (catalão), Louis Charles Sirjack (francês), José Fanha (português) e muitos outros. Também tive como colaboradores e assistentes Andrés Agudelo (espanhol), Roberta Ronconi (italiana), Regina Braga (brasileira) e Drew Hamond (norte-americano). Uma boa colaboração é como um casamento: um alimenta o outro, e tudo agregado compõe a elaboração de uma obra em comum.

Também existe evidentemente o trabalho com o diretor. Famosos ou não, muitos diretores costumam intervir em todas as fases do trabalho, até mesmo na estrutura, e contribuem para a obra final do roteiro com sua ótica pessoal.

Não é raro que diretores, atores e produtores participem desse processo e colaborem com ele dentro das suas possibilidades. É o que se chama "reuniões de criatividade" ou "estrutura italiana" (o nome provém do *boom* do neorrealismo italiano, quando eram vários os roteiristas que escreviam o mesmo roteiro em colaboração com todos os outros membros da equipe; mais italiano que isso, impossível). Só depois de todo mundo intervir, quando as hesitações principais estão resolvidas, é que o roteirista então, sozinho, confecciona sua estrutura.

É sempre bom lembrar que a estrutura é um trabalho íntimo. Não é feita para ser mostrada a outras pessoas. Você faz uma **escaleta**, sozinho ou em conjunto, como se enxergasse um filme na sua cabeça, tendo conhecimento das limitações do veículo comunicador em que se expressará e dos limites de produção que encontrará, é claro.

O trabalho de estrutura traz, creio, ao roteirista o mesmo sentimento do pintor que observa a tela em branco projetando ali a pintura que pretende criar. Ou do escultor olhando para um bloco de pedra e reconhecendo ali dentro um anjo, uma mulher, uma criança chorando.

A ESTRUTURA PILOTO

Uma estrutura piloto é aquela que ainda não é definitiva, porque se completa à medida que o trabalho se desenrola. Enquanto escreve o primeiro roteiro, o roteirista continua modificando a estrutura, variando sutilmente o rumo dos acontecimentos.

Por vezes digo que a estrutura piloto é quase sempre **suicida**.

A estrutura piloto é, portanto, uma espécie de guia. Quando montamos uma estrutura, as primeiras perguntas que nos fazemos são: que macroestrutura vamos fazer? Onde vamos situar o clímax? Que discurso vamos usar? Que formato audiovisual vai ser utilizado para estruturar o drama? Quais são as embocaduras clássicas?

Para contar uma história, temos **cinco caminhos** clássicos de desenvolvimento da macroestrutura. De acordo com eles, a **macroestrutura** pode se desenrolar:

1. Com a mediação de um narrador (alguém presente ou em *off* que nos conta, por meio de imagens, a história).
2. Com a ajuda de legendas (com as quais entramos em novos universos e períodos da história).
3. Por meio de ação direta (obedecendo a uma ordem cronológica, direta e simples).
4. Por meio de *flashback* (contamos o passado).
5. De forma mista.

Narrador

O narrador pode estar presente, pode estar em *off* ou pode estar presente em *off*. Temos exemplos de narrador nos filmes de Woody Allen e nos desenhos animados de Walt Disney.

Evidentemente o narrador deve se integrar à história ou tomar parte dela, quer como personagem que narra, quer como apresentador que de quando em quando interfere no processo. Fellini costumava utilizar esse último recurso. Qualquer filme ou espetáculo que tenha uma personagem-guia que vai explicando, narrando ou desenvolvendo a ação se classifica nesse modelo. Por exemplo: *E la nave va*.

Legendas

É o desenrolar de acontecimentos com comentários, títulos e subtítulos.

As legendas podem ser geográficas e indicar um lugar. Podem indicar passagem do tempo, como em *Amo tu cama rica*, de Emilio Martínez Lázaro: "um ano depois", "seis meses depois", "anos antes".

Mudanças de estação – verão, inverno etc. – também podem explicar uma cena, uma mudança de intenções. E até fazer investigações de pensamento, como acontece em *Querelle*, de R. W. Fassbinder.

Nos filmes mudos, o uso de legendas era essencial, uma vez que não existia som.

Mesmo que não haja nenhuma frase, a simples indicação de que é verão ou inverno também é considerada legenda. O roteirista pode usar sinônimos de legenda, assim: rótulo, indicação e letreiro.

Ação direta

A ação direta é um roteiro que obedece à ordem **cronológica** dos acontecimentos da "vida real".

O tempo dramático é caracterizado pela **síntese** de horas, meses ou anos em duas horas de espetáculo. Atenção para a diferença entre tempo dramático e tempo real. O tempo dramático é a síntese do tempo real (veja, no segmento 1.2, o tópico "Quinta etapa: tempo dramático"). Alguns cineastas, Godard por exemplo, fizeram experiências cinematográficas nas quais de fato foram registradas apenas duas horas de um acontecimento qualquer, de forma que a ação obedecia ao tempo real. Hitchcock também tentou essa experiência (*Festim diabólico*).

Flashback

Não se deve confundir com o *flashback* isolado em um produto audiovisual. O *flashback* aqui indicado é o caminho estrutural que escolhemos para construir a história, ou seja, quando todo o filme (ou no *streaming*, como a terceira temporada de *How to get away with murder*) é um grande *flashback*. Como exemplo dessa técnica podemos citar em cinema *Crepúsculo dos deuses*. Em televisão é pouco utilizado, todavia podemos citar *O rebu*, de Bráulio Pedroso.

Normalmente serve para ilustrar algum acontecimento que sucedeu no passado da personagem: é uma técnica arriscada, que deve ser dosada com extremo cuidado. O uso incorreto do *flashback* pode acarretar perda de interesse e tornar a história confusa. Portanto, para se recorrer a ele é importante estar em perfeita interligação com a história. Além disso, o *flashback* deve ser absolutamente necessário na ação dramática. Se não for assim, é melhor não utilizar, pois pode entorpecer o desenrolar dos acontecimentos.

Todas essas técnicas que vimos – narrador, ação direta, legendas e *flashback* – não são soluções incompatíveis. É possível fazer um filme com técnica **mista**, ou seja, utilizando técnicas combinadas.

Outros exemplos:

- Em *flashback*: *Amadeus*. Em TV, a minissérie *Pobre menina rica*.
- De ação direta: *Fargo*, *Barton Fink*. Em TV, a série *Dallas*.

- Com legendas: *O silêncio dos inocentes*. Em TV, a minissérie *Lampião e Maria Bonita*.
- Narrada: *Os bons companheiros*. Em TV, a série *MacGyver*.
- Mista: *Amarcord*, com ação direta, legenda e narrador. Em TV, *O tempo e o vento*.

Na realidade o que importa não é a pureza do gênero, mas o uso que fazemos das técnicas e possibilidades. Só duas possibilidades dessas quatro não podem ser concomitantes: *flashback* e ação direta. Um filme não pode ser contado estruturalmente em *flashback* e ação direta. Mas um produto audiovisual pode ser contado em ação direta tendo por vezes *flashbacks* como um dos tipos de cena (veja no próximo tópico).

A ELABORAÇÃO

Agora que já conhecemos os caminhos possíveis da **macroestrutura**, vamos entrar em cheio no processo por meio das pequenas partes a que chamamos cenas.

A cena é a base, a unidade dramática do roteiro. Não exige mudança de localização nem salto no tempo. Seu princípio ou seu fim é determinado pela variação de integrantes no grupo de personagens (entradas ou saídas). Também os movimentos da câmera permitem a mudança de cena sempre que acompanhem uma personagem em seu deslocamento de um cenário para outro. A organização em sequência dessas unidades menores é o fundamento para a estrutura.

Nesse ponto do processo da escrita do roteiro começamos a falar de cena como um breve resumo descrito da ação, sem diálogos. Esses apontamentos, organizados de modo determinado, oferecem o primeiro esquema dramático da nossa estrutura (chamo a atenção para o fato de que alguns teóricos americanos, como vimos, chamam esse esquema dramático de *outline*, termologia da qual não compartilho).

Creio que em todas as técnicas e artes passamos do pequeno ao grande, partimos da essência para chegar ao todo. Assim, num primeiro instante fomos da *storyline* até o argumento. Agora esboçamos as cenas ou o resumo de seu conteúdo para depois completar com os diálogos. Vamos estudar sobre a arte dos diálogos e a elaboração da cena completa no próximo segmento (veja os tópicos "Microestrutura da cena", "Diálogo" e "Reflexões sobre o tempo dramático").

Mas, afinal, o que é uma cena?

A cena é o que também se denomina subdivisão da obra, divisão do ato ou divisão da ação. O conceito de cena varia no tempo, dependendo das culturas. Sir Edmund Chambers considera o conceito tradicional originário do teatro elisabetano. Segundo ele, a cena é uma secção de tempo contínuo, numa mesma localização, onde uma parte do drama ocorre.[13]

Um **conjunto de cenas** passadas numa mesma localização, principalmente no cinema, pode ser chamado de **sequência**.

Também é importante saber que toda cena tem uma razão de existir, mesmo que seja somente passar o tempo e "não dizer nada".

Mas aqui, neste momento estrutural, devemos pelo menos conhecer como se dividem dramaticamente as cenas. Isso é realmente indispensável para a construção orgânica e crescente de uma história.

Sinto que aqui repousa minha grande diferença com outros teóricos na visão que tenho sobre o roteiro e a dramaturgia.

Acredito que é na escolha dos tipos de cena que o autor exerce sua capacidade criativa, e não seguindo os esquemas com viradas ditadas pelos diagramas anglo--saxônicos. Por exemplo, podemos começar um filme com um homem morto falando em *off* para a plateia: "Estou morto, fui assassinado etc..." Essa é uma cena de resolução, como veremos adiante, todavia pode abrir um roteiro e não é uma cena típica do primeiro ato.

Também é prudente avisar que as cenas não têm uma identidade única, mas sim uma preponderante. Essa característica maior é que proporcionará sua categoria didática.

Do ponto de vista didático, existem dois tipos de cena:

- **Essencial**
- **De transição ou integração**

Digo "didático" porque na maioria dos casos uma cena não tem **função pura**. Até mesmo uma cena essencial contém transição e integração, e vice-versa. No entanto se pode afirmar que em cada cena predomina uma dessas funções.

Cenas essenciais

As cenas essenciais são as que contêm o **fundamental** para o desenrolar do drama. Enquanto a música tem sete notas musicais, nós trabalhamos com **cinco cenas essenciais**. O que aparentemente seria redutor, se não fosse um falso raciocínio. Pois ainda temos as cenas de transição e de integração, que formam um painel muito extenso, fazendo da dramaturgia uma arte de possibilidades infinitas. São classificadas em:

Cenas de exposição

São as mais adequadas para expor um motivo, um problema, uma informação. Devemos ser muito cautelosos na confecção desse tipo de cena para o resultado não ser demasiado didático. Isto é, a personagem não deve passar informações de modo direto e "agressivo" para a plateia, como se estivesse preenchendo uma ficha de cadastro.

Cenas de preparação

São aquelas que nos informam das complicações que virão mais tarde. Nesse tipo de cena corremos o risco de ser demasiado explícitos. Aqui preparamos o espectador para futuras complicações e deteriorações das emoções. É assim quando o macaco do filme *2001, uma odisseia no espaço*, de Stanley Kubrick, descobre que o pedaço de osso de mamute pode destruir conchas e crânios secos de outros símios. Ele se prepara para a luta. Desperta para a violência.

Cenas de complicação

São as que ilustram o desenrolar da complicação e nos preparam para o clímax. O risco nesse ponto seria diminuir a expectativa do clímax. Mas não se iluda, cenas de complicação são também chamadas de cenas de **crise**. É quando as personagens aturdidas não sabem o que fazer e, perdidas em conflitos, não têm uma solução à vista. Normalmente cometem desatinos como Medeia, que comeu os próprios filhos.

Cenas de clímax

Evidentemente são o ponto mais alto do drama. Os americanos as denominam *obligatory scenes* (cenas obrigatórias), porque sem elas não existe o grande momento dramático. É quando todas as forças dramáticas estão em jogo, em conflito total, e existe o prenúncio de uma solução à vista. Talvez seja a única cena que não possa sair do lugar, da parte final da estrutura. Mas pode ser partida durante um filme. Num filme de mistério, o clímax não ocorre quando o detetive refaz a noite do crime em detalhe e acusa o assassino, mas quando o acusado pula em cima do detetive, rouba sua arma, explica suas razões e ameaça as pessoas dizendo que vai matar a todos.

Cenas de resolução

Também chamadas de terminais ou de conclusão, são as que se encontram no final de qualquer produto audiovisual, principalmente o televisivo. Enfatizo que esse tipo de cena pode estar em qualquer lugar da estrutura, até no início, como disse anteriormente. Por exemplo, se um filme for contado em *flashback* como em *Sunset Boulevard* (*Crepúsculo dos deuses*), de Billy Wilder.

Trabalhando com cenas essenciais

Com o que acabamos de ver, um leitor distraído poderia supor que toda estrutura dramática contém sempre a mesma ordem de tipos de cena. Dessa maneira, a estrutura começaria sempre com cenas de **exposição**, seguiria com outras de **preparação** e depois viriam as cenas de **complicação, clímax** e finalmente **resolução**. Isso equivaleria a conceber a estrutura como se fosse uma receita culinária repetitiva e mecanicista.

A ordem dos fatores não é necessariamente a que acabamos de expor. Pode ser modificada ou alterada. Mas o que importa é que tudo corresponda à intencionalidade de aumentar a carga dramática da estrutura, de maneira que a história resulte mais interessante.

Por exemplo, é possível montar uma estrutura da seguinte forma:

1. Começamos com uma **complicação**.
2. Expomos os fatos e os problemas com um *flashback* (**exposição**).
3. Entramos no **clímax**.
4. Cenas de **preparação** das complicações que vão ajudar na interpretação do clímax.
5. Voltamos ao **clímax**.
6. Cenas de **resolução**.

Portanto, a estrutura é maleável. Existe uma infinidade de combinações, tudo depende da imaginação do autor.

Cenas de transição e de integração

Também são denominadas **intermediárias** e servem para ligar as cenas essenciais. Quando compomos estas últimas, surge entre elas um vazio intermediário que devemos superar com elementos de integração e/ou transição. Não existe uma diferença clara entre uma cena de transição e uma de integração, pois isso depende da sua função na estrutura. São várias as soluções possíveis para unir as cenas: o passar do tempo, o *flashback* e outras formas de transição.

A estrutura não vive só de cenas essenciais porque o drama seria um produto sem nuanças. Seria como uma pintura que só tivesse as cores fundamentais, sem sombras, nem tons, nem misturas. Necessitamos dessas passagens que não são fundamentais ao drama, mas que de uma forma particular marcam a autoria, a funcionalidade e o encanto de um roteiro.

Considerando as combinações possíveis entre as cenas essenciais e aquelas de transição e integração, a quantidade de instrumentos de cenas e as identidades à disposição do roteirista são enormes. Esse universo multiplicador só nos leva a pensar que ainda existem muitos campos a ser explorados e conteúdos a ser criados.

A seguir, do ponto de vista didático, indico dez tipos de cena de integração e transição.

Passagem de tempo

Como o tempo dramático é diferente do real, para que sua passagem fique clara e não se dê de forma abrupta utilizamos diferentes técnicas: a famosa folha do calendário levada pelo vento, as páginas de um jornal que se vão acumulando, o nome das estações por onde passa o trem etc.

Hoje, como o público já se habituou a esses recursos, foi criada uma espécie de cumplicidade, de forma que não é necessário que essas indicações sejam tão claras ou evidentes. A passagem do tempo é incorporada nos diálogos e nos acontecimentos.

Uma passagem de tempo muito longa é a **elipse**. Por exemplo: começa a pegar fogo numa casa / corte / as cinzas se apagam. A elipse mais conhecida é a do filme *2001, uma odisseia no espaço*, na qual passamos da Idade da Pedra para o ano de 2001 em questão de segundos. Com a elipse podemos passar de uma complicação a uma resolução rapidamente.

O passar do tempo é um elemento de **transição** das cenas.

Flashback

Falamos agora do *flashback* precisamente como elemento **integrador**. O *flashback* pode ser brilhante, mas é com frequência embaraçoso. Não inspira confiança nem ao público nem aos produtores. De acordo com Dwight Swain, "em geral, é sensato evitar os *flashbacks* sempre que possível, simplesmente porque interrompem o avanço da história. Isso pode aborrecer ou confundir os espectadores"[14].

Um *flashback* pode ser de quatro tipos:

- Evocado
  Uma personagem solitária evoca o que se passou tempos atrás para explicar melhor o presente.

- Solicitado
  Uma personagem (por exemplo, um detetive) explica em *flashback* como o crime foi realmente perpetrado. Temos então um *revival* (reviver), visto que alguém explica a outrem o que se passou.

- Atípico
  Esse tipo de *flashback* é o que não pode ser classificado nem como explicativo nem como evocado, mas sim como uma mistura de ambos ou um elemento de união. Surge quase sempre como um elemento de surpresa.

- *Flashback* dentro de um *flashback*

  É uma técnica muito perigosa que pode fazer que se perca o fio da história. Na medida do possível o roteirista principiante deve evitar.

  Quando falam do filme *Amnésia*, de Christopher Nolan, que teve sucesso entre o público jovem e se tornou *cult*, não posso deixar de acusar que é pouco claro para o espectador médio. E só quando foi colocado em ordem direta o público passou a entender a história.

Localização

Os *stocks shots* localizam cidades, casas, continentes, eras etc. Normalmente integram o espectador dentro da ação e da estrutura. Por vezes são acompanhados de música. Hoje se preferem as tomadas aéreas de paisagens – aliás, vivamente exploradas pelos drones.

Cenas oníricas

As ilusões de uma personagem que embora pareçam reais são apenas o reflexo de sua subjetividade. Normalmente um sonho não tem lógica. Portanto, pode ser retirado de um filme sem nenhum tipo de prejuízo. **Atenção, não confunda cenas oníricas com fantasias repetitivas de um personagem.**

Inserts (inserção)

Imagens fugazes que nos recordam que algo vai suceder. *Flashes* nos remetem a um acontecimento, aumentam a emoção e antecipam uma situação. Por exemplo, o *insert* de maus-tratos infantis em histórias de psicóticos significa que o personagem doente vai se confrontar com algum problema importante ou terá uma crise.

Flashforward (previsão ou antevisão)

É uma cena que mostra parcialmente o que ocorrerá mais adiante. Normalmente é o recurso usado para aguçar a curiosidade do espectador. Visões do futuro são comuns em filmes de médiuns e profetas. O próprio *trailer* é um movimento *forward* para aguçar a curiosidade da plateia.

Trailer (anúncio de cena)

É outro tipo de *flashforward*, composto por pequenas imagens emocionantes ou incitadoras de determinado programa que será exibido daí a alguns dias. É utilizado como propaganda para uma estreia ou uns minutos antes da apresentação. Era um recurso utilizado como abertura em *Malu mulher*. Todo *trailer* é um *flashforward*.

Cenas alegóricas

Outro tipo de cena de integração ou transição. São momentos circenses ou de alegorias carnavalescas. Existe uma pausa na narrativa para a entrada de máscaras, fogos e objetos "mágicos". Bailes e outros eventos musicais como o balé podem ser tomados como alegorias quando não fazem parte da narrativa central.

Cenas simbólicas

Não são consideradas essenciais, por uma questão óbvia: nos remetem ao jogo dos espelhos, tentam expressar "verdades" por meio de meias mentiras. O simbolismo também está diretamente ligado a determinada época, perdendo o valor com o correr do tempo. O clássico exemplo do protagonista se casando com a mulher indesejada e enxergando o rosto da mulher amada vestida de noiva.

Cenas múltiplas em tela recortada

Uma multiplicação de eventos sucede numa tela em diferentes quadros. Um homem sai do carro, um casal se beija, um homem arma um revólver, uma torcida vibra com uma partida etc. Um bom exemplo é a série *24 horas*, que mostra acontecimentos simultâneos em tela recortada. Esse é um recurso eventual ligado a concomitância de eventos e passagem de tempo, portanto não é essencial.

Outras formas de transição ou integração

São cenas até agora não classificadas e que não têm um valor essencial. Na maioria dos casos têm uma função de transição e são muito abertas. Por vezes resultam da aplicação de novas tecnologias, de forma que seu peso dramático é muito baixo. Podemos dar como exemplo o **videoclipe**, desenhado basicamente para esse tipo de cena que, por não ser essencial, deixa o espectador num nível muito baixo de assimilação. Não existem cenas essenciais nesse tipo de produto, somente imagens ilustrativas de uma música. Portanto não existe uma história.

Enfim, qualquer coisa que inventamos ou imaginamos para aumentar e aguçar o interesse do público é válida para essa classificação.

Ainda, uma nota final sobre cenas de transição e integração: elas continuam em aberto. Suas fronteiras estão livres para novos limites e criações. Em outras palavras, qualquer tipo de cena que não se enquadre nas cenas essenciais deve ser colocado nessa categoria. Assim, se ela é de tela tripla, com múltiplos acontecimentos, vulcões explodindo, trilhos de trem significando o pensamento de um perturbado, tudo serve, ela é de transição e integração. Atenção para o roteiro da realidade virtual, pois cada momento apresenta três ou quatro tipos de cena simultaneamente, é uma concepção estruturalmente diferente do que estamos acostumados. Todavia, já deixo claro que existem essências, transições e integrações em um único instante. Trata-se de outro tipo de concepção de roteiro (veja o segmento 6.4).

TEMPO E RITMO

A manipulação desses tipos de cena é que permitirá aos roteiristas atingir ao final o que se chama tempo e ritmo dramático. São conceitos abstratos que na verdade nunca foram postulados, definidos ou qualificados totalmente.

O tempo dramático, como se sabe, não está ligado ao número de cenas nem ao fato de serem longas ou curtas, e sim à sua eficiência dramática. Já o ritmo é a consequência e cadência desses vários tempos dramáticos. Todo esse processo está intrinsecamente ligado ao interesse da plateia.

Várias cenas curtas podem aumentar o ritmo, dando a ilusão de excitação, mas isso pode ser extremamente cansativo para quem assiste. O tempo dramático se torna rápido quando várias mudanças ocorrem, mas se não houver preparação se perde a credibilidade e o interesse da plateia.

Algum autor já comparou o ritmo em dramaturgia ao ato de fazer amor, explicando que é **sensorial, intuitivo e instintivo**.

Em ambos os casos: quanto mais se faz, mais se exercita e aprende.

Ao iniciar o trabalho de estrutura leve em conta cinco pontos cardeais:

- O início será bem colocado? Será impactante?
- Existem pontos fracos de menor interesse? Muitas cenas de transição?
- Existem furos de continuidade? Passagens abruptas?
- O clímax estará bem posicionado? Todos os *plots* serão contemplados com cenas essenciais?
- Alguma coisa pode ser cortada? (Aliás, se pensar em cortar, corte) Existe história de mais ou de menos? Lembre-se do conceito de unidade e totalidade.

Para finalizar: recorde que uma estrutura bem-feita é a base de seu trabalho no futuro. Mesmo que depois seja transformada, mudada ou detonada. Mas sem dúvida a escaleta é a plataforma de lançamento do roteiro.

O PROCESSO DE ESTRUTURAR

Quando contamos com as personagens, a história que vamos contar, a macroestrutura, as cenas essenciais, os mecanismos do passar do tempo etc., é chegado o momento de nos sentarmos e começarmos a trabalhar.

Cada autor tem seu método, que tanto pode ser simples como complexo. Geralmente faço uma pequena lista das cenas e dos seus conteúdos numa folha de papel. Quando trabalhei com Gabriel García Márquez utilizamos um enorme quadro-negro para poder olhar as cenas de longe, apagar e mudar de lugar. Com Xesc Barceló usamos pequenas fichas. Cada uma representava uma cena e o respectivo conteúdo. Com elas dávamos forma a uma estrutura no chão. Mudávamos constantemente as fichas de um lugar para o outro até conseguirmos a melhor evolução dramática do episódio.

Meu amigo Rift Fournier, roteirista americano autor de *Kojak* e *As panteras*, costumava usar fichas de várias cores. Cada cor correspondia a um núcleo dramático. As dos policiais eram vermelhas, as dos bandidos, azuis e as da família sequestrada, verdes. Rift colava todas essas fichas numa grande parede. Drew Hammond, roteirista americano, usa complexas telas de computador coloridas.

Qualquer metodologia é válida para se conseguir uma boa estrutura. A forma mais bonita e mais fácil que conheço de estruturar é a que utiliza a roteirista italiana Suso d'Amico, que explicou sua maneira a uma plateia perplexa:

> Sento olhando para o jardim com uma folha de papel e um lápis e faço meu esboço primário... Escrevo rapidamente o resumo de uma cena, depois uma passagem de tempo, depois outro resumo de uma cena essencial e outra passagem de tempo, e assim sucessivamente até o final. O resumo consiste em poucas palavras simples que só eu entendo.[15]

ANÁLISE

A análise proposta consiste em recriar a estrutura de uma velha história verídica, narrada por Michel Foucault em *Moi Pierre Rivière ayant égorgé ma mère, ma soeur et mon frère...*
Vejamos o pequeno argumento de Foucault:

> Pierre Rivière, 20 anos, camponês, vive com os pais, dois irmãos pequenos e a avó numa aldeia francesa em 1826. A mãe autoritária e cruel faz da vida do pai um calvário e Pierre sofre com essa situação. Semianalfabeto, costuma ir à igreja da aldeia, onde lê livros sagrados e se converte numa espécie de místico solitário. Seu comportamento é bizarro e recebe a alcunha de "o

idiota". Assusta as crianças com animalidades tais como crucificar rãs e pássaros nas árvores. Um dia, quando já não consegue aguentar as disputas diárias dos pais, decide matar a mãe e a irmã, uma vez que ambas são cúmplices contra o pai. Decide matar também o irmão pequeno, um menino dócil e amado pelo pai, porque acha que sofreria muito com a morte da mãe. Dito e feito: degola a mãe, grávida de seis meses de outro homem, a irmã e o irmão. Depois foge e vai perambular pelos bosques até que acaba por se apresentar ao juiz da aldeia. É encarcerado, julgado e condenado à morte. É considerado um louco, até que escreve suas memórias em 50 folhas de papel. Na primeira parte analisa a vida conjugal dos pais e na segunda seu próprio comportamento quando pequeno. Essas memórias fazem que o juiz reveja a sentença, já que não se trata de um louco, mas sim de um superdotado. Pierre é condenado à prisão perpétua, mas acaba por se enforcar na prisão em 1840.

A estrutura que reproduzimos a seguir foi elaborada por um grupo de alunos do curso de roteiristas feito na Casa de Arte de Laranjeiras. Por consenso foi decidido que a história seria estruturada num formato especial de 45 minutos para a televisão.

Foi conduzida uma adaptação do argumento original atualizando a história e mudando o local dos acontecimentos, que passou a ser o Brasil contemporâneo. A personagem de Pierre se converteu em Pedro e o pai, num pastor protestante. Foi criada também uma nova personagem, um editor de livros que era quem contava a história. O argumento, recriado, foi dividido em cinco partes:

- **Primeira parte**: 4 cenas (5 minutos de ação). Apresentação.
- **Segunda parte**: 6 cenas (10 minutos de ação). Desenvolvimento.
- **Terceira parte**: 7 cenas (10 minutos de ação). Desenvolvimento.
- **Quarta parte**: 7 cenas (10 minutos de ação). Clímax.
- **Quinta parte**: 10 cenas (10 minutos de ação). Epílogo.

Estrutura da primeira parte

Cena 1. Exterior do Rio de Janeiro/Localização da história.

Cena 2. Centro da cidade, o carteiro entrega alguns embrulhos e cartas.

Cena 3. Um escritório. O editor fala ao telefone. Recebe um embrulho trazido pelo carteiro. Lê o manuscrito que veio dentro do embrulho. Lê uma parte do manuscrito de Pedro.

Cena 4. Uma parte do livro em quatro *flashbacks*, a infância de Pedro quando maltratava os animais.

Análise da primeira parte

É uma parte introdutória, de preparação, na qual se apresenta o fio condutor da história. A localização dos acontecimentos foi feita e há uma antecipação em *flashback* comprovando as incríveis revelações do manuscrito.

Estrutura da segunda parte

Cena 5. Exteriores da prisão. O editor vai à prisão se encontrar com Pedro.

Cena 6. Interior da prisão. O editor fala com o psiquiatra.

Cena 7. Consultório do psiquiatra. O editor fala e fica sabendo que Pedro se encontra em tratamento. O psiquiatra diz que ele é tranquilo e introvertido.

Cena 8. O pai de Pedro recebe um embrulho igual ao do editor.

Cena 9. O editor e o psiquiatra se despedem, quando soa o alarme geral na prisão.

Cena 10. Luta no refeitório da prisão. Pedro, que fora descrito como tranquilo, está furioso.

Análise da segunda parte

O tema da história foi desenvolvido. Vimos como o editor procura o autor do manuscrito e os motivos que induziram Pedro a escrever.

O perfil de Pedro foi traçado. Há um detalhe importante, a cena em que o pai recebe o manuscrito. Assim é aberto outro núcleo dramático.

Estrutura da terceira parte

Cena 11. Encontro do editor com Pedro. Pedro explica sua história.

Cenas 12, 13, 14, 15 e 16. *Flashback* da vida de Pedro. Sabemos que o pai é um pastor protestante que tem uma família reprimida e que a mãe é uma mulher da vida. Com essas cinco cenas, vimos toda a vida de Pedro.

Cena 17. A prisão. Pedro recebe a visita do pai.

Análise da terceira parte

Quase toda ela é em *flashback*. É a história de Pedro sem a resolução final, que é reservada para mais adiante.

Estrutura da quarta parte

Cena 18. O pai fala com Pedro. Pede a ele que não publique o livro. O pai diz que Pedro está louco e que nunca o perdoará.

Cena 19. O livro é impresso.

Cena 20. O advogado comunica a Pedro que entrou com pedido para que lhe seja permitido ir à festa de lançamento do livro.

Cena 21. Tipografia. O livro está sendo impresso.

Cena 22. O pai vai ter com o editor. Pede a ele que não publique o livro.

Cena 23. Pedro recebe o primeiro exemplar.

Cena 24. *Flashback*. Vemos como matou a mãe, a irmã e o irmão (cena principal do capítulo).

Análise da quarta parte

A quarta parte é marcada pelo conflito entre o pai e Pedro e pela última cena, muito violenta e reveladora. Só por meio dessa cena sabemos o que fez Pedro matar sua família.

Estrutura da quinta parte

Cena 25. Preparativos para a festa de lançamento do livro.

Cena 26. Pedro recebe a notícia de que lhe negaram autorização para ir ao lançamento.

Cena 27. A festa começa.

Cena 28. O pai sozinho reza para que o livro não saia.

Cena 29. Pedro se encontra só, na prisão.

Cena 30. Festa.

Cena 31. O pai já não reza.

Cena 32. Pedro está sozinho.

Cena 33. A festa continua.

Cena 34. Pedro se suicida.

Análise da quinta parte

Essa parte apresenta um paralelismo: a angústia de Pedro diante da festa de lançamento do livro e o contraponto das cenas em que o pai aparece rezando.

Análise global

É um trabalho simples baseado num argumento muito complexo. É preciso salientar que esse exercício foi feito em uma hora de aula com pouco tempo para ser tranquilamente meditado.

A recriação me parece confusa. A personagem do editor resulta artificial, pouco significativa. Com essa estrutura não tiramos todo o sumo que a história pode dar.

Também a mania de qualquer principiante de trabalhar com *flashbacks*.

Observar, no entanto, como os alunos se preocuparam em colocar ganchos antes de cada interrupção.

Há um problema: a figura do pai devia ser mais desenvolvida.

Recordar que essa estrutura é apenas um primeiro guia para o nosso trabalho. A partir daqui elaboraremos o primeiro roteiro, portanto é possível refazer e voltar a compor.

Normalmente a estrutura é apenas uma orientação para o roteirista. Essa tarefa aparentemente sem sentido, sem graça, serve de base para o desenvolvimento do primeiro roteiro e é essencial para um bom resultado.

Durante quarenta anos outros exercícios como esse foram realizados em vários seminários e todos resultaram igualmente satisfatórios.

CONCLUSÕES

O segmento foi dedicado à **estrutura dramática**. Definimos estrutura dramática como o encadeamento de fatos e acontecimentos que formam a história. Lançamos uma rápida vista de olhos à história do teatro grego, passando pelos fundamentos desenvolvidos por Aristóteles até chegarmos ao atual conceito de *plot*, núcleos dramáticos e forças motivadoras. Depois de introduzirmos em nosso trabalho o qual, o onde, o quando, o quê e o quem, acrescentamos agora o **como**, sua definição, estudo e função.

A estrutura dramática foi estudada exaustivamente. Falamos dos elementos necessários para construir uma estrutura (macroestrutura e microestrutura) e explicamos os conceitos de expectativa, antecipação e suspense.

Estabelecemos os critérios para reconhecer uma estrutura clássica e os desenvolvemos ponto por ponto, até chegarmos aos conceitos de diagrama dramático, valores dramáticos e relação plateia / estrutura.

Os conceitos de *plot* e núcleo dramático foram definidos, classificados e descritos em suas formas e formatos.

A investigação que o roteirista deve levar a cabo para fazer a estrutura também foi aplicada, seguida pelos principais tipos de estrutura para os meios televisivos, cinematográficos e *streaming*.

Descrevemos a resolução do processo e o tempo de reflexão para se fazer uma estrutura. Estudamos a organização dramática de uma estrutura piloto do trabalho do roteirista. Introduzimos o conceito de unidade dramática (cena). As cenas foram classificadas como essenciais e de transição ou integração.

Nos detivemos no processo de estruturação de um roteiro e nos problemas e possibilidades que o roteirista encontrará na sua tarefa, dando exemplos de como alguns roteiristas famosos levam a cabo esse trabalho.

Finalmente analisamos uma estrutura piloto baseada numa história narrada por Michel Foucault.

EXERCÍCIOS

De todos os exercícios propostos neste livro, aqueles que se referem à estrutura talvez sejam os mais difíceis e trabalhosos.

Recordo uma ocasião em que me encontrava na França e vi, no programa *Apostrophes*, uma entrevista com o escritor e roteirista peruano Mario Vargas Llosa, com quem tive o prazer de trabalhar. Nessa entrevista ele afirmou que um dos pontos-chave para escrever um bom romance é ter uma excelente estrutura e confessou que antes de começar a escrever estudou detalhada e profundamente a estrutura das obras de Flaubert.

O que proponho aqui é basicamente o mesmo: estudar a estrutura dramática das obras de outros roteiristas, algo que faço frequentemente.

Vamos propor três tipos de exercício.

Exercícios de criação estrutural ausente

Também chamados de exercícios de investigação estrutural. Consistem em estudar a estrutura de roteiros publicados ou de filmes.

Cinema

Atualmente se publicam roteiros no Brasil. Livros que viraram filme e seus respectivos DVDs e roteiros. Além de clássicos de Bernardo Bertolucci, Hitchcock, Truffaut, Bergman etc.

Posso sugerir aleatoriamente cinco títulos fáceis de encontrar em DVD, em roteiros e em bancas de jornal: *O iluminado*, *Shakespeare apaixonado*, *Se eu fosse você*, *O caçador de pipas* e *O silêncio dos inocentes*.

Para o estudo estrutural de filmes, sugiro analisar qualquer roteiro publicado ou assistir aos filmes, aproveitando inclusive a divisão por blocos de cenas, fazendo as seguintes perguntas:

- O problema fica claro no princípio da estrutura? É realmente um problema importante? Quantas cenas foram necessárias para expor o problema?
- Quantos *plots* existem? Qual é o principal? E quantos núcleos dramáticos existem?
- É possível detectar um condutor dramático em alguma cena concreta?
- A crise está bem colocada dentro da estrutura dramática? É crucial? Quantos momentos de crise existem nessa estrutura?
- Quais são as cenas essenciais? De que maneiras diferentes se especifica o passar do tempo? Há cenas de transição ou de integração? Onde?
- O conflito matriz é a base central da estrutura?
- O clímax está no ponto adequado (isto é, no final)? É dramaticamente forte?
- A resolução é satisfatória? Ficou por solucionar algum *plot* ou núcleo dramático na estrutura?

Televisão

Fazer o mesmo exercício formulando as mesmas perguntas, mas neste caso sobre um episódio de uma série ou minissérie que esteja gravada e possa ser vista diversas vezes. Sugiro a compra de uma minissérie em DVD, à venda no mercado.

É interessante comparar a estrutura fechada de um filme de cerca de cem minutos com a de um episódio de uma minissérie que fique em aberto e tenha duração de uns cinquenta minutos.

Exercícios de criação estrutural parcial

Fazer os mesmos exercícios descritos anteriormente acrescentando mais duas perguntas:

- Que mudanças poderiam ser realizadas quanto à ordem ao conteúdo das cenas sem quebrar a estrutura do clímax e a resolução? Isto é, manipular o princípio e o meio da estrutura tentando não destruir o clímax nem o final.
- Que mudanças poderiam ser realizadas quanto à ordem e ao conteúdo das cenas sem quebrar o início e o desenrolar da estrutura? Ou seja, manipular o clímax e criar um novo final como resolução do conflito matriz.

Com esse segundo tipo de exercício qualquer pessoa pode se tornar um colaborador secreto de um roteirista profissional. Eu o desenvolvi em algumas aulas e os resultados foram sempre excelentes, por vezes até mais criativos do que os originais.

Exercício de criação estrutural total

Tentar imaginar uma estrutura própria. Sugiro que se comece por uma de trinta minutos, pequena, simples, para um curto episódio televisivo ou para um filme de curta-metragem.

Podemos imaginar que esse curto episódio conterá uma pausa publicitária no meio, levando à necessidade de um "gancho" nesse momento.

Aconselho também que não se trabalhe com histórias surrealistas ou fantasiosas em excesso. O roteirista iniciante deve constatar a dificuldade de estruturar histórias com um grande componente de credibilidade e evitar o caminho fácil das histórias delirantes e sem sentido.

REFERÊNCIAS E NOTAS

1. FIELD, Syd. *The screenwriter's workbook*. Nova York: Dell, 1984, p. 93.
2. SWAIN, Dwight. *Film scriptwriting*. Boston/Londres: Focal Press, 1988.
3. Aristóteles, *Poética*, Capítulo 7.
4. *Ibidem*, Capítulo 8.
5. KELSEY, Gerald. *Writing for television*. Londres: A&C Black, 1990, p. 88.
6. RACK, José Vitor. "10 clichês de telenovelas que já encheram o saco". *O Blog do Texto Brasileiro*, 19 mar. 2017. Disponível em: <https://oblogdotextobrasileiro.wordpress.com/2017/03/19/10-cliches-de-telenovelas-que-ja-encheram-o-saco/>. Acesso em: 13 maio 2018.
7. HERMAN, Lewis. *A practical manual of screen playwriting*. Nova York: New American Library, 1951.
8. LEHMANN, Hans-Thies. *Postdramatisches theater*. Frankfurt: Verlag der Autoren, 2015.
9. PROPP, Vladimir. *Morfología del cuento*. Buenos Aires: Juan Goyanarte, 1972.
10. Joseph Campbell (1904-1987) foi um estudioso norte-americano de mitologia e religião comparada. CAMPBELL, Joseph. *O herói de mil faces*. São Paulo: Pensamento, 1989.
11. Christopher Vogler é um roteirista de Hollywood. Sua obra *A jornada do escritor: estrutura mítica para roteiristas* (Rio de Janeiro: Nova Fronteira, 2006) acabou se transformando num guia interno para os roteiristas dos estúdios Walt Disney.
12. FIELD, Syd. *The screenwriter's workbook*. Nova York: Dell, 1988, p. 27.
13. CHAMBERS, Edmund. *The Elizabethan stage*. Oxford: Clarendon Press, 1923.
14. SWAIN, Dwigth. *Film scriptwriting*. Boston/Londres: Focal Press, 1988, p. 198.
15. Suso d'Amico, em conferência proferida no Centro Acarte de Lisboa em 1991.

2.2 DIÁLOGO – TEMPO DRAMÁTICO

REFLEXÕES SOBRE O DIÁLOGO

No prólogo da minha peça de teatro *Nostradamus*, faço os seguintes comentários sobre o **tempo**:

> Figura difícil que, embora me incomode, me fascina muito mais pela sua leitura dramática do que pelo seu mistério, ditado pela física. O segredo que guarda pode facilmente prender um ousado, enlouquecer um puro, seduzir um poderoso ou perturbar o imprudente. Porque possui a força do estático, mas transcorre. Embora seja absoluto é quase sempre relativo. Dizem que é inexorável, ainda que possa ser recuperado pela arte, pela história e pela nossa memória. Um quebra-cabeças. Muito mais perto da luz do que da matéria. É o invisível que deixa marcas.[1]

Barcelona: a última semana de aulas do máster de Escrita para Cinema e TV da UAB foi muito movimentada devido à cerimônia de fim de curso, aos jantares de diplomação, às últimas conferências dadas por Jean-Claude Carrière e aos meus encontros finais com os alunos para fazer uma retrospectiva e um balanço dos trabalhos. Lembro que era uma terça-feira, chovia e eu entrava na universidade quando uma aluna colombiana se aproximou e disse que infelizmente não poderia comparecer ao jantar de encerramento, no sábado, porque partiria na sexta-feira para Bogotá. Conversamos um pouco sobre a América do Sul enquanto eu assinava uns documentos de que ela necessitava, e assim entramos na sala onde ministraria a aula. Durante a palestra, perguntei a cada um dos alunos quais eram os conceitos teóricos sobre roteiro que ainda suscitavam qualquer dúvida. Essa aluna respondeu que encontrava maiores dificuldades na compreensão do conceito de tempo dramático.

Utilizei o seguinte exemplo para esclarecer suas dúvidas:

> Imagine que hoje em vez de terça-feira seja sexta-feira, e que dentro de duas horas uma aluna parte para Bogotá de avião. Está chovendo e ela precisa desesperadamente que o professor as-

sine seu diploma. E então ela me encontra exatamente neste momento à porta da universidade, depois de ter me procurado durante horas. Finalmente assino os seus papéis. Agora faça uma comparação entre a cena real e essa segunda imaginada. Claro que esse segundo momento dramático é muito mais tenso e angustiante do que o primeiro, pela simples razão de que, imaginariamente, já devia estar embarcando ansiosa no aeroporto. O único fator que alteramos nesse encontro foi o **vetor tempo**, que evidentemente transforma de maneira radical a atmósfera e a ação dramática.

A noção de **tempo dramático** é muito complexa. Podemos dizer que cada ação dramática decorre durante determinado lapso de tempo que pode ser longo ou curto, lento ou rápido. A isso chamamos tempo dramático. Cada cena, cada fragmento da nossa estrutura possui um tempo interior, próprio, durante o qual os acontecimentos ocorrem. Esse lapso de tempo não é real e no entanto nos dá a sensação de ser.

Neste livro já dissemos que escrever um roteiro é fazer constantemente perguntas. A que (conflito), quem (personagem), quando (temporalidade), onde (localização), qual (ação dramática), como (estrutura), devemos acrescentar, finalmente, quanto (em que quantidade de tempo vai ocorrer).

O quanto é o último fator com que trabalharemos. É o tempo de que necessitamos para apresentar os objetivos dramáticos de determinada ação.

A noção de tempo dramático está presente em cada partícula, em cada fragmento da estrutura e também no produto audiovisual final. Por conseguinte, podemos dizer que existe um tempo dramático total e um tempo dramático parcial, que é aquilo que acontece dentro de cada cena.

O tempo dramático total é a soma de todos os tempos parciais. Embora um filme possa ter uma duração de duas horas de tempo real, quando assistimos vivemos outro tempo que evidentemente não é real, mas sim mágico, de ficção, que nos faz condensar em apenas duas horas toda uma tarde, uma vida inteira ou até dois séculos.

Existem no entanto algumas exceções que poderíamos considerar experiências, como *Festim diabólico*, de Hitchcock, segundo a peça teatral de Patrick Hamilton, no qual o tempo dramático coincide com o real e a ação dramática decorre durante 80 minutos. É uma coincidência, não uma verdade. Porque o tempo dramático total, como soma de tempos parciais, não é um conceito ditado nem pela física nem pela matemática, mas sim uma resposta sensorial a que chamamos **ritmo**.

A propósito de *Festim diabólico* o próprio Hitchcock fez o seguinte comentário:

A peça de teatro se desenrolava ao mesmo tempo que a ação. Esta era contínua, desde o levantar até o baixar do pano. E fiz a mim mesmo a seguinte pergunta: como posso filmar de maneira semelhante? A resposta era evidente: a técnica do filme seria igualmente contínua e não haveria nenhuma interrupção no decorrer de uma história que começa às 19h30 e termina às 21h45. Então me ocorreu a ideia louca de fazer um filme que constasse de um único plano. Atualmente quando penso nisso me dou conta de que foi completamente estúpido, porque rompi com todas as minhas tradições e reneguei as minhas teorias sobre a fragmentação do filme e as possibilidades da montagem para contar visualmente uma história[2].

O **ritmo** é a qualidade do roteiro de relacionar um conjunto de ações dramáticas dentro de um tempo que consideramos ideal. Claro que essa noção de tempo ideal é muito variável, se transforma em cada época (ao rever um filme de 1940 e comparar com um filme atual, reparamos que hoje as ações decorrem a uma velocidade maior do que há cinquenta anos).

Logo se pode dizer que todo produto audiovisual tem um ritmo, uma resultante de tempos dramáticos parciais que decorre durante um tempo ideal e permite ao espectador sentir em cada cena o peso dramático específico que o roteirista atribuiu a ela.

O tempo dramático parcial é o tempo intrínseco de cada cena. Não é como se poderia pensar o seu tamanho, visto que uma cena curta pode nos dar uma sensação de aborrecimento e de um decurso de tempo longuíssimo. Pelo contrário, uma cena longa de quatro, cinco ou até dez minutos pode provocar um leque de sentimentos e reflexões tão intensos que nos faz perder a noção do tempo real. Resumindo: nem uma cena curta é sinônimo de tempo dramático curto, nem uma cena longa reflete necessariamente um tempo dramático extenso.

O tempo é em si um brinquedo da inteligência, como pensa uma personagem em *Hiroshima, meu amor*: "Compreender a duração exata do tempo, saber como o tempo se precipita depois da sua lenta queda inútil e que é preciso, no entanto, sofrê-lo: nisto consiste, sem dúvida, a inteligência"[3], como escreveu Marguerite Duras.

Voltemos ao exemplo anterior com a aluna colombiana. Vamos supor que escrevemos as duas cenas, ambas com o mesmo número de folhas e diálogos. É claro que a primeira cena, a real, na qual a aluna embarcará dentro de quatro dias, possui um tempo dramático muito mais longo do que a segunda, na qual ela deve embarcar no espaço de duas horas.

Evidentemente essas "duas horas" contêm as qualidades de expectativa e tensão que atuarão sobre o tempo dramático e assim ocorrerá uma redução inequívoca. Portanto demonstramos como o diálogo se constitui no fundamento utilizado para alcançar o quanto dessa cena.

O tempo dramático de uma cena está intimamente ligado ao diálogo e às indicações que nele existem. Resumindo: o tempo dramático parcial, o quanto, é construído de um ponto de vista formal por meio do diálogo. Está ligado à escritura e ao conteúdo das cenas.

Neste segmento e no próximo vamos analisar esse quanto por meio do estudo do diálogo e da cena.

Resumindo: quando introduzimos o diálogo na nossa estrutura, criamos o tempo dramático e, evidentemente, a cena. Logo, toda essa massa criativa se transforma em um **primeiro roteiro**. Conhecido também como **rascunho do roteiro, primeiro tratamento,** *first draft* **ou** *first treatment*.

Para dar um desfecho a essa reflexão, aviso que ao final de cada segmento do diálogo vou transcrever alguns dos diálogos célebres e marcantes.

> "As palavras mais agradáveis de se ouvir não são
> 'Eu te amo', e sim 'É benigno'".
>
> Woody Allen em *'Desconstruindo Harry*

PRIMEIRO TRATAMENTO

O primeiro tratamento é escrito com base na seguinte noção: a **cena é a unidade dramática de um roteiro**. Portanto, quando falamos do primeiro roteiro tratamos basicamente da cena.

Como vimos no segmento anterior, a cena é o que também se denomina subdivisão da obra, divisão do ato ou divisão da ação. O conceito de cena varia no tempo, dependendo das culturas.

Sir Edmund Chambers considera o conceito tradicional originário do teatro elisabetano. Segundo ele, a cena é uma seção de tempo contínuo, numa mesma localização, em que uma parte do drama ocorre.[4] Shakespeare sempre se ajustou a essa definição, com a única exceção de Antônio e Cleópatra, em que encontramos 42 cenas em apenas 12 localizações diferentes. Nós também compartilhamos dessa definição.

Em contrapartida, o teatro francês (a tragédia neoclássica) define a cena como uma parte do drama na qual a composição da personagem não é alterada. De acordo com essa definição, quando a personagem principal sai de cena é considerado que esta acabou, embora as outras personagens possam continuar ou entrar ali.

Atualmente no cinema e na televisão nos baseamos na cena inglesa, ou seja, aquela que é determinada pela sua localização no espaço e no tempo continuados. Por outro lado, no teatro moderno o conceito de cena permanece aberto. Tennessee Williams nunca põe intervalos nem divisões de cena, o espetáculo é direto.

O primeiro tratamento é o desenvolvimento das cenas indicadas na estrutura. É o roteiro desenvolvido num texto para ser filmado. No entanto, como ainda não foi revisto nem repensado, não é considerado um roteiro final (veja o segmento 2.3).

DIGRESSÃO

A essência das cenas está ligada diretamente ao conteúdo dos discursos. Quando a cena é de transição ou de integração, tem menos qualidades discursivas que uma cena essencial (momento exigido como fundamental pelo drama).

Essa é uma meia-verdade, porque filmes ou peças aparentemente "alegóricos" ou "simbólicos" são por vezes considerados artisticamente importantes. Basta ver o movimento surrealista – por exemplo, a peça *A tempestade*, de William Shakespeare. Isso ocorre porque atrás da aparente "falta de nexo" existe uma verdade inexorável.

Na frase surrealista: "Encontrei um hipopótamo no banheiro", a premissa é surreal e desvairada, mas expressa que no lugar dos dejetos humanos encontram-se todos os dejetos das relações de um casal. Todavia, são significantes que nos emitem significados e por isso mesmo considerados **obras originais**. Entretanto jamais devemos nos esquecer, até mesmo nas novas tecnologias (veja a Parte 6), de que cenas essenciais constituem os fundamentos da dramaturgia. Tudo isso para dizer que, quanto mais aumentamos as cenas de transição e de integração, por conseguinte com discursos passageiros, mais nos afastamos da essência do drama.

Como observador atento, posso afirmar que a televisão brasileira tem por vezes apostado em produtos chamados "culturais". Porém, jogam mais na forma do que no conteúdo. Por exemplo: podem perder a essência de Machado de Assis tornando-a "circense e alegórica" quando acrescida de uma locução ou leitura do texto do livro, ambos nada dramáticos. Lembrar que nesse ponto em que nos encontramos escrevemos para o audiovisual, para o olho da câmera – enfim, devemos usar nossa imagética (diálogo e imagens).

Quando a maioria das cenas é de transição e de integração, não existe fixação ou identidade dramática (veja o segmento 5.1).

Aliás, sobre o estudo de discurso dramático existe quase um completo desconhecimento do tema, o que levou os "críticos" e "conselheiros" da rainha Elizabeth I a determinar que as peças francesas eram melhores que as peças inglesas de Shakespeare e companheiros, época dourada do teatro inglês. Se soma a isso o absurdo de *Édipo Rei*, peça grega de reverberação clássica até hoje, ter alcançado o terceiro lugar no concurso teatral anual da Grécia Antiga. Donde se conclui que a crítica é uma história de equívocos – ou que ela nunca entendeu nada do discurso dramático.

"Fale como as pessoas comuns, mas pense como os sábios."

Aristóteles

O DISCURSO

Discurso (do latim *discursu*), peça oratória proferida em público. Fala. Por meio dessa palavra é que nasce a chave de comunicação verbal do teatro e posteriormente do cinema, da televisão etc. O **discurso** se confunde atualmente com a palavra **diálogo**, que a princípio é uma das classificações e formas do discurso.

Etimologicamente diálogo deriva do grego *dialogus*, que equivale a conversa. O diálogo é um texto dramático para ser recitado pelo intérprete e que no roteiro se encontra subordinado às indicações de cena (rubricas). Mais concretamente o diálogo é o intercâmbio do discurso entre as personagens. São as seguintes categorias de discurso dramático:

- Solilóquio
- Monólogo interior
- Coro (*chorus*)
- Narração
- Locução
- Entrevista
- Interrogatório
- Diálogo

Solilóquio

Do latim *soliloquiu(m)*, de falar (*loqui*) e sozinho (*solus*). O solilóquio é falar sozinho. O ator, sozinho no palco ou diante da câmera, expõe em voz alta e claramente seus pensamentos e sentimentos. Era um recurso habitual nos teatros grego e latino e se manteve até o barroco e o neoclássico. Ainda restam vestígios dele no teatro moderno, como no caso de *Equus*, de Peter Schaffer. Embora o cinema o use com prudência, às vezes se torna um recurso elegante, como no filme *Domingo maldito*, de John Schlesinger. Em televisão, em algumas telenovelas é um recurso por vezes repetitivo, para não dizer antigo (exemplo: "Ela verá, quando voltar, a surpresa que estou guardando para ela"). É usado até hoje nos textos infantis: "Vou envenenar este vinho que o príncipe Felipe vai tomar!" Também é conhecido como o "aparte": o ator se vira para a plateia e comenta o que vai fazer. Repito que é antigo e infantil. E por tudo isso a dramaturgia da telenovela é diluída, previsível e considerada no mercado internacional de baixa qualidade, mas dominante em países pobres e iletrados. Até mesmo em sua publicidade se conta o que acontecerá no próximo capítulo, com perda total do imprevisível no roteiro.

Assim, se determinada personagem vai tentar matar a protagonista com um revólver, mas não vai conseguir, a emissora apresentará na chamada. Solilóquio do matador: "Vou te matar com este revólver Colt .32 de cano curto assim que você passar por aquela porta". Realmente é tudo evidente e previsível.

Monólogo interior

Do grego *monos* (um) e *logos* (discurso). É caracterizado por transcorrer no **pensamento da personagem**, como se esta estivesse falando consigo mesma, e pela desarticulação lógica dos períodos e frases. Também se denomina **fluxo de consciência**. As peculiaridades cinematográficas fazem dele um recurso especialmente idôneo, embora deva ser utilizado com moderação. Um uso engenhoso com excelente resultado comercial foi o filme *Olha quem está falando*, de Amy Heckerling. Por ser em *off* e não revelar futuras ações e sim sentimentos, o monólogo interior é mais sofisticado. Peças de Samuel Beckett e Tom Stoppard mostram atores em cena com rostos impávidos enquanto seus pensamentos soam previamente gravados em voz *off*.

Coro (chorus)

Conjunto vocal que se exprime pelo canto ou pela declamação. No teatro clássico era o conjunto de atores que, ao lado dos atores principais, representava o povo, narrando e comentando a ação. Se bem que a declamação coletiva resulte **pouco aplicável** hoje em dia, continua a ser por vezes brilhantemente utilizada no musical, como na sequência do hipódromo de Ascot do filme *Minha querida dama*, dirigido por George Cukor.

Hoje é o falar em **uníssono**. Como um grupo de soldados, alunos numa sala de aula ou um contingente de robôs. (Exemplo: "Sim, senhor!")

Narração

Do latim *narratione(m)*, ação de narrar. Consiste no relato dos acontecimentos ou fatos, englobando a ação, o movimento e a passagem do tempo. O narrador pode estar presente ou em *off*. Destaco seu esplêndido uso no filme *Notas sobre um escândalo*, com Judi

Dench e Cate Blanchett, com roteiro de Patrick Marber. Também o surpreendente filme *O cheiro do ralo*, com roteiro de Marçal Aquino e Heitor Dhalia.

Lembrar que o narrador é uma espécie de cronista e se emociona ao contar a história, principalmente quando ele é um dos vetores dos acontecimentos e a trama se desenvolve de seu ponto de vista.

Locução

Do latim *locutione*, modo especial de falar, de se expressar. Diferentemente do narrador, não contém emoção nem ponto de vista. A locução é propícia para leilões, corridas de cavalo e descrição de partidas desportivas. Faz parte do mundo jornalístico e de relatos. Seus profissionais são chamados de locutores. Bastante presente no rádio, em supermercados e na publicidade.

Conversa

Na conversa real as pessoas fazem pausas esquisitas, gaguejam, existem falhas lógicas na articulação do raciocínio verbalizado. Nota-se também repetição de certas palavras ou histórias completamente desnecessárias. A conversa entre seres humanos não foi feita para ter uma conclusão e nem sempre os argumentos utilizados são válidos. Portanto, os personagens não conversam, eles dialogam. **O diálogo é um processo artístico, enquanto a conversa é um mecanismo natural e espontâneo de comunicação entre os seres humanos.**

Essas interlocuções – solilóquio, monólogo interior, coro, narração, locução, conversa –, diferentemente do diálogo, devem ser utilizadas com extremo cuidado tanto em cinema quanto em quaisquer outros veículos de comunicação.

Entrevista

Colóquio entre pessoas para obtenção de esclarecimentos, avaliações, opiniões etc. É o timbre do telejornalismo televisivo. É uma espécie de interrogatório.

De acordo com o livro *El guion en el reportaje informativo*[5], de Manuel Artero Rueda, do Instituto Oficial de Rádio e Televisão da Espanha, as perguntas feitas ao entrevistado devem ser **claras, curtas, concretas, uma de cada vez e abertas** (abertas no sentido de serem amplas para suscitar novas perguntas).

Devem-se evitar perguntas capciosas ou manipuladoras, ou ainda formulários com muitas perguntas.

Como existe um vasto material didático sobre jornalismo referente a entrevista e telejornalismo, esse tema não será abordado aqui.

Interrogatório

Alguns teóricos colocam o interrogatório no item "Entrevista", pois se trata de perguntas e respostas. Todavia, como divido interrogatório em dois tipos, prefiro conceituá-lo separadamente. O **interrogatório positivo** (ou B, de benigno) é aquele em que especialistas de determinada área questionam para o bem alheio – exemplo: um médico interrogando seu paciente. Esse tipo de interrogatório se intitula anamnese. Já o **interrogatório negativo** (ou A, de agressão) é aquele realizado sob uma atmosfera sombria e de terror, quase sempre acompanhada de tortura – por exemplo: situações de perversão, guerras, submundo etc.

Diálogo

O diálogo é a linguagem essencial do drama. A maneira como se constrói é uma prova crucial da habilidade do roteirista ou dramaturgo. Hoje em dia podemos falar de outro especialista: o **dialogista**, autor que se dedica quase exclusivamente a escrever diálogos.

O diálogo pode ser realista ou naturalista, como no drama moderno de televisão ou cinema, em que se põe ênfase especial no aspecto coloquial da fala do dia a dia. Também podemos escrever um diálogo literário em versos, como os de Shakespeare. Ou na mesma linha de algumas adaptações recentes, como *Cyrano de Bergerac*, totalmente rimado. Ou como em outras obras clássicas tipo *Decameron*, cujo diálogo é **poético** de origem.

O diálogo é o corpo de comunicação do roteiro. Ele é necessário para caracterizar as personagens, dar informações sobre a história e fazer que esta avance à medida que se escreve, além de ser um dos fundamentos do tempo dramático introduzindo o "quanto".

Lembrar que mesmo no cinema mudo havia um momento em que se colocavam letreiros com parte dos diálogos e um pianista na sala de projeção fazia a "trilha sonora" do drama.

Enfim, um bom diálogo tem de estar repleto de sentimentos das personagens. Não é uma narração lógica dos problemas que fornece dados sobre a história, mas sim vozes e sentimentos que expõem emocionalmente o que acontece a cada personagem.

Todos os livros sobre roteiro tratam desse tema. As funções do diálogo são quase sempre descritas como caracterizar as personagens, proporcionar informação e fazer avançar o *plot*.

Em *Alternative scriptwriting: beyond the Hollywood formula*[6], Ken Dancyger e Jeff Rush sustentam que uma das funções do diálogo é o **humor**.

Desde 1927 os filmes têm tido som, diálogos, efeitos sonoros e música. Segundo os autores, quando é usado num filme, o diálogo tem três funções:

- **Caracterizar**. A forma como a personagem nos fala mostra se é culta, de onde provém, qual é sua profissão, sua idade aproximada e seu estado emocional.
- **Ajudar a definir o *plot***. Aquilo que a personagem diz depende do seu papel na história. Em *Amigos para sempre*, Louis é um moribundo que ama a vida, em oposição à tentativa de aproximação à vida da personagem central. Sua função é demonstrar por meio do diálogo sua alegria de viver, seu entusiasmo por ciência, sexo e todos aqueles elementos ausentes da vida da personagem principal.
- **Aliviar a tensão por meio do humor**. O humor serve para nos aproximar das personagens. Aceitamos mais facilmente uma personagem depois de termos rido dela.

O diálogo é a expressão dos sentimentos das personagens diante de determinada situação. Além disso, é preciso ter consciência de que os **bons diálogos** devem ser pensados no sentido de:

- Transmitir informações
- Revelar o caráter da personagem
- Fazer avançar a história (*plot*)

E, para terminar, uma das frases marcantes da cinematografia:

> — E o que, em nome de Deus, o trouxe a Casablanca?
> — Minha saúde. Vim por causa das fontes...
> — Quais fontes? Estamos no deserto!
> — Que pena. Fui mal informado.
>
> *Casablanca*, diálogo entre o protagonista
> e a autoridade nazista

PALAVRAS

No início deste livro afirmei que a maior diferença entre o uso da palavra nos diferentes audiovisuais e o texto para ser lido é a seguinte: a explícita é utilizada em qualquer meio audiovisual, enquanto a implícita é usada na literatura. A primeira é pública, executada por um intérprete, a segunda é restrita ao leitor.

Todavia, no livro *Dialogue*[7], de Robert McKee, encontrei um novo alerta sobre a conveniência do uso das palavras nos diálogos. Ele divide as palavras em **curtas** e **longas**, acrescentando a **intenção** de cada uma delas dentro do diálogo ou outro tipo de discurso.

Palavras curtas

- Quanto mais emotiva e sensível fica a personagem, menores são as palavras.
- Quanto mais ativa e objetiva fica a personagem, mais encurta as palavras.
- Quanto mais rude a personagem, mais curtas as falas.
- Quanto menos escolarizado, mais limitado é o vocabulário; usar palavras curtas.

Palavras longas

- Quanto mais racional é a personagem, mais alonga frases e palavras.
- Quanto mais reflexiva, mais longas e elaboradas são suas palavras.
- Quanto mais inteligente, mais complexas são as frases.
- Quanto mais letrada, mais vasto e sofisticado é seu vocabulário; palavras polissílabas.

Segundo o autor, para o diálogo ser eficiente deve conter cinco pontos harmonizados simultaneamente, que tomei como base para desenvolver o seguinte raciocínio:

- Cada expressão verbal carrega uma ação interna.
- Declarações e alusões internas no texto transmitem revelações.
- Cada personagem é caracterizada por revelações num estilo de expressão.
- O fluxo de ritmo progressivo da expressão cativa o público, levando-o numa onda narrativa, sem que este perceba a passagem do tempo.
- Para o público acreditar na realidade ficcional da história, a linguagem tem de soar autêntica em sua configuração e corresponder ao personagem e seu tempo dramático.

Outro diálogo marcante da cinema:

> — Se posso emprestar 300 dólares? É claro que posso, só que não vou.
> — Não?
> — Não sou só seu agente, sou seu amigo. Afinal,
> os melhores roteiros foram escritos de barriga vazia.

Diálogo entre o roteirista e seu agente em *Crepúsculo dos deuses*

VÍRGULA

Durante a campanha dos cem anos da Associação Brasileira de Imprensa (ABI), foi lançado um informativo sobre o uso da vírgula: componente da pontuação que tem o poder de **transformar**, **modificar** e **alterar** o sentido da frase. Vejamos seis situações:

1. A vírgula pode ou não ser uma pausa.
    Não, espere.
    Não espere.

2. Ela pode sumir com seu dinheiro.
    R$ 23,4.
    R$ 2,34.

3. Pode criar heróis.
    Isso só, ele resolve!
    Isso, só ele resolve!

4. Ela pode ser a solução:
    Vamos perder, nada foi resolvido!
    Vamos perder nada, foi resolvido!

5. A vírgula muda uma opinião.
    Não queremos saber!
    Não, queremos saber!

6. A vírgula pode condenar ou salvar.
    Não tenha clemência!
    Não, tenha clemência!

Enfim, uma vírgula pode mudar o sentido do diálogo, portanto atenção com a sua utilização.

— Espere, eu não a conheço?... Sim, a senhora é Norma Desmond!
Era a grande atriz do cinema mudo...
— Eu continuo grande. Os filmes é que ficaram pequenos.
Crepúsculo dos deuses, entre o protagonista e a grande atriz

INDICAÇÕES (OU RUBRICAS)

São os estados de ânimo e as atitudes da personagem, sugeridos antes do diálogo propriamente dito como um modo de orientação para o ator. Nem todos os roteiristas dão indicações ou rubricas; aliás, para muitos estudiosos em dramaturgia qualquer indicação (para personagens, imagem, cenografia, ação etc.) pode ser chamada de rubrica. Particularmente sou da opinião de que as indicações devem ser reduzidas àquelas que consideramos essenciais e indispensáveis. Um roteiro repleto de indicações pode se converter numa espécie de receita culinária de emoções baratas. Repito: atualmente sou econômico nas indicações em geral. Também confirmo que os termos indicação e rubrica não são excludentes e sim **convergentes**.

É sempre importante recordar que o roteiro é um produto de cooperação coletiva, mas é autoral. Lógico que a contribuição dos atores é básica para a composição da personagem, da sua maneira de falar e da sua atitude. Pessoalmente me interesso por aquilo que os atores e diretores acrescentam quando encontram diálogos sem demasiadas indicações. Estas são também importantes, uma vez que contribuem para criar a **atmosfera** da cena (veja neste segmento o tópico "A elaboração").

Por exemplo: uma indicação específica antes do diálogo que demonstra qual será o **estado de ânimo** do personagem:

INÁCIA (nervosa)
Já disse que não vou! Aquela casa me aterroriza.

Também existem rubricas para indicar uma mudança de tom no diálogo ou na fala. Por exemplo:

INÁCIA
Já disse que não vou! (tom) Aquela casa me aterroriza.

O tom é uma indicação não específica que empregamos para chamar a atenção do ator e indicar que é necessária uma leve modificação na intensidade dramática.

Uma terceira indicação é a chamada pausa ou tempo. Um instante de silêncio (respiração) no diálogo. Mas também pode ser um estado de espírito como: emocionada, perplexa, falsa etc. Por exemplo:

INÁCIA
Já disse que não vou! (tom) Aquela casa me aterroriza. (pausa) Me faz lembrar um cemitério.

As indicações não são obrigatórias, mas se deve considerar que com esses três recursos ajudamos o ator, caracterizando as personagens e dirigindo sua ação. Carl T. Dreyer, por exemplo, era muito exigente quanto a entonações, ritmos e pausas, mas não obstante confiava nos atores:

> Os bons atores compreendem a necessidade desse trabalho. Sabem que as frases poéticas devem ser ditas de certa forma, com determinado ritmo, e as frases correntes de outra. Não se trata apenas do tom. Se você estiver diante de uma tela no cinema, tenderá a seguir o que nela ocorre. No teatro é diferente, as palavras atravessam o espaço e permanecem suspensas no ar. Na película, quando desaparecem da tela, as palavras morrem. Assim, tratei de fazer pequenas pausas para dar ao espectador a possibilidade de refletir sobre o que viu. É isso que dá ao diálogo um certo ritmo, um certo estilo.[8]

O ofício de escrever um diálogo é comparável ao trabalho de um relojoeiro: o autor vai tecendo com muito cuidado os diversos sentimentos das personagens, urdindo uma rede de dados e significados.

Vemos que o diálogo abriga emoção, intuição e informação (da ficção).

Uma das principais qualidades do teatro é precisamente a perfeição do diálogo. Além disso, para escrever corretamente é necessário, antes de tudo, ser um bom ouvinte. Um autor deve captar tudo que se diz à sua volta e em qualquer ambiente.

Claro que há diálogos de época. Nesses casos, além da leitura de textos desse tempo, podemos ampliar os nossos conhecimentos com uma investigação linguística.

Por exemplo: o autor quer um diálogo para personagens de um drama do século XVIII. Que será preciso fazer? Primeiro um estudo para ver que termos eram então mais usuais e depois um glossário que servirá de base. Ao mesmo tempo deve aproveitar a oportunidade para levar a cabo uma investigação histórica dos fatos mais significativos da época. Também uma investigação geográfica para saber como eram os lugares daquele tempo. Isso se traduz num gasto econômico inicial para um roteirista que começa. Se há entusiasmo e imaginação suficientes, pode bastar se documentar numa biblioteca pública e na internet. O que, além do mais, resulta mais barato.

Enfim, não se pode dizer muito acerca da elaboração de um diálogo. É mais uma questão de **sensibilidade** e **talento** do que algo que tenha que ver com a informação teórica (veja o segmento 3.1). **A melhor prática para escrever bons diálogos é ler bom teatro, bons roteiros e, sobretudo, escutar o que se diz à nossa volta.**

> — Se eu fosse você ficaria de olho nele.
> — Por quê?

— Porque ninguém sabe quando morre a lealdade.

Don Draper e Bert em *Mad men*

DEZ TIPOS DE DIÁLOGO

Creio que foi Richard A. Blum[9] quem elaborou pela primeira vez uma lista de problemas ou erros de diálogos que devem ser evitados. Vou propor uma lista, provavelmente influenciada por aquela, com dez tipos de diálogo, visto que um pode ser inadequado em determinado contexto e válido em outro. Desse modo quero sugerir que o que se entende por erro ou problema pode até se converter numa questão de estilo.

Enfim, não existem erros nos diálogos, eles podem estar **mal colocados**. Certamente sempre se encontrará uma personagem que diga aquelas palavras, mesmo que elas sejam tolas. Também se deve recordar que os diálogos são como faces da mesma moeda, a repetição de determinado estilo pode levar a uma catástrofe verbal.

Diálogo literário

É aquele que põe ênfase no diálogo como se fosse um texto. Existe uma diferença crucial entre um texto para ser lido e um texto para ser falado. O primeiro deve estar de acordo com as regras gramaticais. Em contrapartida, o segundo se constrói à base de coloquialismo, podendo ter abundantes incorreções gramaticais.

O diálogo literário suscita sempre o comentário crítico: "Ninguém fala daquela maneira". De fato, ninguém fala como escreve. Exemplo:

MECÂNICO

Menina, deixe-me entrar, por favor. Sinto-me abatido.

Meu amor por ti inunda-me.

Essa forma de falar seria correta caso se tratasse de uma personagem cômica ou mesmo patética. Caso contrário, seria muito mais coerente assim:

MECÂNICO

Deixa eu entrar, mina. Não sei o que tenho, não consigo deixar de pensar em você.

Portanto nos damos conta de que escrevemos de forma totalmente diversa de quando falamos normalmente.

Se refletirmos isso por escrito, alteramos a redação. Todavia, se estivermos num palácio ou retratando a vida de um jurista, seria no mínimo inconveniente não colocar alguns diálogos literários. Também chamo a atenção para o fato de que não adianta ler textos literários como se fossem "bulas de remédio", na televisão e no cinema. Mesmo sendo um diálogo literário, vide *Romeu e Julieta*, ele só atinge o espectador se estiver a serviço de uma ação e de um tempo dramático. Daí o problema dos programas sobre poesia na televisão, que quase nunca prendem a atenção.

Diálogo entrecortado (picado)

É um tipo de diálogo que acelera o tempo e a ação dramáticos. Normalmente é falado por jovens e aparentemente dá um toque de modernidade à cena. Com sentenças curtas, diretas e precisas.

Por exemplo:

ELE
Tô com fome.

ELA
Eu também.

ELE
Vamos comer.

ELA
Vamos.

ELE
Agora.

ELA
Agora.

É conhecido como diálogo teatral **ultrarrealista**.

Em cinema e televisão, esse tipo de diálogo apresenta problemas para a câmera, que tem de saltar de uma personagem para a outra, o que acaba por cansar o espectador.

Muito mais adequado a esses meios seria a seguinte variante:

ELE
Estou com fome. Que tal irmos comer?

ELA
Boa ideia.

Seu uso excessivo leva à perda de conteúdo e ao cansaço do espectador. Cenas de ação tendem a usar esse tipo de diálogo (por exemplo, perseguição de automóveis).

Diálogo repetitivo

É aquele que repete várias vezes a mesma coisa, mas de maneira diferente. Por exemplo:

ELE
Gostei imensamente da viagem. Serviu para descansar. Descansei bastante. Foi uma ótima viagem.

Só repetimos a informação se é estritamente necessária para destacar um detalhe, cristalizar uma data ou definir um caráter. O exemplo que vimos é um caso típico de redundância, visto que não traz nada de novo.

Entretanto, se a personagem for um autista ou um obsessivo, ou ainda um gago que repete palavras, esse tipo de diálogo se torna natural e aceitável.

Diálogo longo

Nos casos em que uma personagem pronuncia um discurso e conta sua vida, seus problemas etc., alargando excessivamente o relato e fatigando o espectador.

Esses monólogos estão corretos se não se trata de um discurso filosófico ou um editorial de jornal. São pouco apropriados para os momentos emotivos, de desabafo ou catarse. Mas, atenção: ninguém fala exaustivamente de si próprio, a menos que seja um pedante.

Um diálogo tem idas e voltas, interrupções, momentos de disputa, intercâmbio de ideias e de emoções. Devemos evitar que se prolongue demasiadamente. Deve ser utilizado apenas quando é de fato necessário. E pode ser muito bem-vindo no caso de uma tragédia.

Diálogo clônico (parecido ou nulo)

Todas as personagens falam da mesma maneira. As diferenças de personalidade foram abolidas, o diálogo se torna **homogeneizado**. A única exceção a essa regra se dá quando construímos um diálogo com personagens necessariamente homogêneas. Por exemplo, uma comunidade de robôs em que todos falam e pensam da mesma maneira: todos são um e um é igual a todos.

Notar que as personagens têm nuanças vocabulares. Países são regidos por idiomas. Vários países têm dialetos (Índia, Itália, China etc.). E ainda existe o que se chama de idioletos: cada pessoa possui um número de palavras e de expressões que usa e repete como se fosse uma carteira de identidade verbal.

Em outras palavras, quando escrevo procuro separar certas palavras para certas personagens. Escolho algumas expressões e até provérbios, que às vezes nem uso, mas tento fazer um perfil linguístico para as personagens principais e assim aprofundar a identidade desses seres ficcionais. Afinal, essa é uma das funções do diálogo.

Uma última observação se faz necessária a respeito do português falado no Brasil e o de Portugal. De acordo com os especialistas, uma língua tende a morrer e desaparecer quando as consoantes tomam conta do falar (exemplo: línguas germânicas). E, quando estão em crescimento, encontramos as vogais muito mais presentes (exemplo: o brasileiro).

Augusta Bessa-Luís, com certeza uma das mais importantes escritoras portuguesas, declarou em uma conferência em que estávamos juntos: "Todo dia saúdo o falar brasileiro que toma conta das emissoras portuguesas, sem ele a língua falada em Portugal estava fadada a desaparecer nas dobras do tempo".

Aliás, como escreveu o poeta Fernando Pessoa, a língua falada no Brasil é o português com açúcar.

Seleção vocabular equivocada

E falando de idioletos é sempre bom lembrar que cada classe social tem seu linguajar próprio. Cada classe social ou grupo cultural emprega uma terminologia específica, utiliza determinadas palavras em vez de outras. Um exemplo de léxico errado me foi assinalado pelo ator Mário Lago num texto que eu próprio havia escrito. O erro era o seguinte:

PERSONAGEM DE COMUNIDADE
Aqui não se vive... se sobrevive.

A correção foi:

PERSONAGEM DE COMUNIDADE
Aqui não se vive, dotô... se vai levando.

Do ponto de vista da **seleção léxica**, o ator pode ser de grande ajuda para o roteirista, dada sua experiência interpretativa dos mais diversos tipos humanos. Quando escrevemos é preciso dar atenção ao vocabulário e se assegurar de que é adequado à personagem. Uma seleção vocabular incorreta pode roubar a credibilidade de uma cena.

Lembrar que uma personagem de classe baixa tende a falar das pessoas (fofoca do porteiro, empregada ou motorista, principalmente na telenovela), enquanto um aristocrata fala dos bens materiais (da porcelana, do carro, das joias, dos quadros etc.).

Diálogo discursivo

É uma mistura dos diálogos literário, longo e repetitivo. Acontece quando a personagem utiliza demasiados conceitos, repetindo e enfatizando regras, conceitos filosóficos, mensagens religiosas, declarações políticas ou sociais, tudo como se em vez de falar estivesse escrevendo. Esse tipo de diálogo é **extenuante** e aborrece o público.

Quase sempre tende a ser um monólogo e se não tiver incrustado em uma história pungente pode se tornar um adendo sem efeito.

Diálogo inconsistente

É caracterizado pela falta de conteúdo dramático. A personagem não tem nada para dizer, nenhum sentimento para transmitir, nenhuma ação para comentar e se perde tentando se fazer compreender.

Esse tipo de diálogo serve unicamente para as telenovelas. Recordamos que deve ser utilizado apenas quando o risco de perda de interesse total pelo *plot* é remoto. Como a telenovela foge do sentido da síntese, tendo de prolongar a ação por vários capítulos, pode correr esse risco sem prejudicar o desempenho semanal da história. Também o contrário não é bem-vindo, um diálogo – ou melhor, um monólogo – repleto de "intencionalidade" despe a composição do personagem por falta de espontaneidade.

Diálogo introspectivo (reflexivo)

Não é um monólogo.

A personagem normalmente fala sozinha sobre seus problemas de uma forma quase psicanalítica que não alcança o público nem abre novas portas para o desenvolvimento do conflito. No cinema francês de décadas atrás, bastante verborrágico, se notava esse falar exaustivo diante da câmera sem razão de ser.

O ator se distancia da cena, fala se dirigindo ao público. Relatos abstratos, filosóficos e principalmente psicanalíticos. Deve ser evitado em cinema e televisão, embora possa ser utilizado em casos específicos. Se for o caso, optar por um narrador.

Diálogo impossível (artificial)

É aquele que não parece real, que não tem credibilidade nem razão de existir. Parece formalmente correto, mas falta sua razão de ser. Frequentemente, quando isso acontece é porque existe falta de motivação e de intencionalidade por parte da personagem. Nesses casos, é necessário rever a história e tratar de encontrar as falhas da trama, uma vez que se trata de um erro de estrutura. É melhor cortar a cena.

> — Edward, tem lojas que não são gentis com as pessoas.
> — As lojas só são gentis com o cartão de crédito Platinum.
>
> Vivian e Edward em *Uma linda mulher*

OPINIÃO: 15 ANOTAÇÕES

Estas 15 anotações não são regras para ser seguidas, mas sim aspectos que devemos ter presentes na confecção de um diálogo.

Continuidade no diálogo

Temos de estar alertas para não perder o fio do diálogo. Se numa cena as personagens discutem, é evidente que não podem estar fazendo amor na cena seguinte. Só pode acontecer isso caso haja um *flashback* ou se ficou bem explícito que houve uma reconciliação súbita. É preciso respeitar os estados de ânimo das personagens. Ou, melhor ainda, a continuidade dos ditos estados. Lembrar que o diálogo expõe o estado de espírito e emocional das personagens. Claro que ele pode ser contraditório, mas para isso é necessário que exista uma motivação ou explicação.

O aspecto visual

Tanto em cinema quanto em televisão o aspecto visual é mais importante do que o verbal. Se o autor pode passar uma informação visualmente em lugar de verbalmente, melhor. A expressão ou reação silenciosa de uma personagem pode ser mais significativa do que uma interferência verbal. Recordar que personagens se expressam ou se comunicam por meio do silêncio e de ações, olhares e máscara facial. Gestos e atitudes.

Quem é quem

Educação e classe social da personagem. Essas informações devem ser proporcionadas sutilmente, caso contrário a personagem ficará sem identidade própria e socialmente fora do contexto.

Quando uma pessoa nos é apresentada, consciente ou inconscientemente fazemos uma avaliação sumária e tentamos situá-la socialmente. O público sente essa mesma necessidade perante uma nova personagem e não podemos frustrar tal curiosidade. Contudo, podemos retardar até certo ponto.

Na vida real nos identificamos e mostramos de que classe social somos, que estudos e profissão temos. Fazemos isso por orgulho, falsidade ou naturalmente, mesmo que seja de uma maneira direta ou indireta quando nos expressamos.

As informações sobre uma personagem tendem a ser proporcionadas de forma indireta e comedida, por meio do diálogo e dentro do contexto em que decorre a ação. De nada serve apresentarmos seu *curriculum vitae*, o que além de ser cansativo retira qualquer emoção.

É lugar-comum escutar a seguinte frase: "Fulano vai se arrepender do que disse, ou não me chamo Doutor Joaquim da Silva, chefe da polícia do Estado de Alagoas".

Emoção do diálogo

No diálogo de qualquer cena existe um momento de maior intensidade dramática. Esse momento é chamado de **ponto culminante**. Deve ser destacado tanto quanto possível com as rubricas e sublinhado por meio de indicações dadas ao intérprete e/ou diretor (por exemplo, podemos sugerir uma indicação para sublinhar uma raiva súbita, um choro). Quando escrevo "qualquer cena", estou me referindo às cenas com mais profundidade, que normalmente são as cenas essenciais (veja neste segmento o tópico "A elaboração").

Tiques e clichês

O uso de clichês ou tiques verbais por uma ou mais personagens obedece ao critério do autor, embora nomes e situações clichês devam ser utilizados apenas para caracterizações muito marcadas. Seu abuso resulta num texto caricaturesco, mas sua ausência pode denotar falta de naturalidade.

Por outro lado, no texto de humor esses recursos são bem-vindos, já que exaltam as expressões e os cacoetes dos seres humanos vários pontos acima da realidade. Demonstram pelo exagero nossos defeitos e zombam da nossa condição imperfeita.

Já no texto dramático esses tiques e clichês são interpretados como maneirismos ou formas de ser. A personagem que brinca com a moeda, o esgar no rosto do antagonista ou a maquiagem borrada no rosto da mulher decaída.

O sotaque

Cuidado com o uso do **sotaque**.

Só é preciso fazer uma seleção daquelas palavras típicas mais representativas, as necessárias para que o público identifique a região ou a fala diferente da personagem.

Nos filmes de época se corre o risco de perder a naturalidade, pelo que se deve ter extremo cuidado com a fala. Não modernizar em excesso as formas de tratamento. Sempre que for possível, usar o imperativo. Ter cuidado com os tratamentos majestáticos e específicos para as autoridades, assim como com os tratamentos de respeito.

Essas indicações devem estar presentes. Tentar sempre modernizar a fala antiga com suavidade, sem diminuir o impacto ou romper a cadência. No que diz respeito aos dialetos, recordo as palavras do escritor italiano Leonardo Sciascia: "A diferença substancial entre dialeto e língua está em que nenhuma obra de pensamento pode ser escrita em dialeto"[10]. No entanto, acredito que alguns audiovisuais de peso podem realmente ser escritos em dialeto, contanto que existam legendas.

Recordo do filme dos irmãos Taviani, *Pai patrão*, falado em dialeto siciliano. Devo confessar que me desperta curiosidade e que gosto de ver na televisão uma série marroquina ou africana, cuja maneira de falar "esquisita" impregna a cena com outro tempo dramático. Isso quase sempre me seduz precisamente porque não é aquilo a que estou acostumado.

Por outro lado, parece interessante chamar a atenção para o fato de atualmente existir a tendência da produção de audiovisuais falados – por exemplo, com sotaques nordestinos. Aliás, sempre existiu esse tipo de produção na televisão brasileira sem maiores problemas. Só que dessa vez eles vieram tão "autênticos" e "embolados" que foi impossível sua compreensão.

Ganchos de diálogo

Atenção para os grandes momentos verbais da personagem.

São os chamados momentos de revelação. Passagens emocionantes que podem servir de atração para o final de uma cena. Os ganchos de diálogo. Mantêm o público em suspenso e servem de ponte para o próximo capítulo nas novelas ou episódios nas minisséries. Atenção para o vocabulário usado nesses momentos de diálogo. Eles são a chave para o prosseguimento da história.

Notar que na telenovela a cena é interrompida na metade e que o gancho do diálogo é quase sempre fundamental, enquanto na minissérie existe uma resolução do processo encerrando um conflito e, por conseguinte, abrindo outro de maior gravidade.

Supondo que temos a revelação da paternidade por meio de uma carta. Numa telenovela se abriria a carta e a personagem questionaria: "Leia. Diga quem é o pai". Na minissérie, na mesma situação, ela abriria a carta e diria: "O menino é filho do Bispo", elevando assim a ação dramática para outro estágio. Retornando ao capítulo seguinte da telenovela teríamos a mesma situação repetida: "Leia. Diga quem é o pai". Seguida da resposta: "A carta está em branco". A situação dramática se manteria no mesmo patamar.

Texto, subtexto e *uptext* (ou sobretexto)

Até agora falamos sobre texto, a palavra explícita, aquele que chamamos de fala direta do ator ou concretude da palavra e diálogo. Ou, ainda, o significado concreto dos termos expostos na fala. É importante observar que também existe o que chamamos de subtexto. Também considero outro que batizei de sobretexto (*uptext*). Esses dois últimos ficam implícitos no texto, são aquilo que se pode ler, compreender e falar nas entrelinhas.

Assim, trabalhamos em três níveis:

1. Texto
2. Subtexto
3. Sobretexto (*uptext*)

O subtexto pode se manifestar por gestos, atitudes e posturas das personagens, ou dar a entender algo na fala. Há de fazer que o público se dê conta de que a personagem está passando uma mensagem, ou está revelando sua identidade e complexidade a uma terceira ou quarta personagem ou ao próprio público, enquanto conversa com o interlocutor.

Portanto, o subtexto é o **conteúdo oculto do discurso**. É o **conjunto metafórico** de palavras utilizadas pela personagem que contém outra ou dupla mensagem. O espectador deve alcançar esse significado oculto. Por exemplo: a personagem está falando do tempo, mas na verdade está se referindo ao regime opressor em que vive. Também é conhecido como subentendido.

O sobretexto é a vivência histórica e social e até de valores morais que paira sobre aquele texto. O espectador faz um julgamento íntimo da situação e rejeita ou aprova aquela ação. O sobretexto é o **conceito** que está em jogo, mesmo que as palavras ditas no texto não se refiram explicitamente ao assunto que esteja em discussão. Lembrar que palavras moralistas podem levar o espectador a ter desejos imorais e vice-versa.

Vejamos o exemplo que foi apresentado no início deste livro: um homem caminha por uma calçada escura de uma grande cidade por volta de meia-noite. Encontra uma mulher maquiada e de decote generoso. Ela mostra um cigarro.

MULHER

Ei, você. Tem fogo?

Nessa fala encontramos um texto **sólido** e **direto**: será que a mulher quer fumar? Um **subtexto evidente**, que é a aproximação de uma prostituta em busca de um cliente. E um **sobretexto** sobre as **concepções** e **conceitos** de quem assiste a esse momento e o que pensa sobre a prostituição e o sexo em geral.

Telegrafar

Devemos evitar dar informações capitais de maneira direta.

Uma personagem dará a conhecer ao público que Fulano foi embora, que Beltrano se juntou com Maria etc. Se necessitamos dar uma informação básica por meio da personagem, é preciso evitar o telégrafo, ou seja, evitar oferecer todos os dados de uma forma explicativa e direta. Mais vale diluir a informação no decurso do diálogo.

Outra forma equivocada de telegrafar é fechar determinada cena com a personagem dizendo: "Maria está agora vivendo no Sul, numa fazenda, e está muito triste", e cortar imediatamente passando para umas propriedades no Sul da Argentina onde vemos Maria chorando no meio do campo.

Nesse caso as últimas palavras da personagem nos levaram sem surpresa para a cena da "tristeza de Maria no pampa argentino". A cena foi telegrafada, transmitida oralmente ao público antes de suceder. Não houve surpresa nem impacto, nem sequer uma alteração da expectativa. Se Maria tivesse ao menos aparecido feliz, por exemplo, teria alterado o quadro todo.

De maneira geral se deve fugir de telegrafar informações ou cenas, principalmente por meio de diálogos (veja, neste tópico, o item "Solilóquio").

Pontuar ou não pontuar

Alguns autores pontuam com critério o diálogo com interjeições, exclamações, interrogações, pontos, vírgulas, indicações, legendas etc. Outros, ao contrário, são mais econômicos. Não existe um consenso nesse tema. Pontuar é uma forma de dar ritmo à linguagem, de dar uma pauta de interpretação ao ator e dramatizar a escrita. Sugerimos esse caminho para a televisão, em que o método é majoritariamente industrial e há sempre pressa na realização.

Em todo o caso, quer se pontue quer não, a entonação e a intensidade do diálogo serão sempre fruto da recriação do intérprete.

Também creio ser inútil rechear os diálogos com pontos de exclamação, interrogações desnecessárias ou até mesmo destaques dentro do texto. Esse tipo de artifício ortográfico de maneira nenhuma aumenta a tensão dramática nem traz relevância ao roteiro. Talvez só faça os atores falarem mais alto ou gritarem, o que não é desejável.

Limitações das crianças

Há de considerar sempre as limitações das crianças. Num roteiro só devem falar o estritamente necessário, ou seja, pouco. Por norma geral isso se deve às dificuldades de direção. É difícil e lento dirigir crianças. O sempre querido **ator-prodígio-infantil** não existe por aí em quantidade.

Atualmente essa barreira está caindo e se encontram muitos talentos jovens. Mas sempre há problemas da produção com horários, escolas e também com a impropriedade de estarem presentes em determinadas cenas.

Normalmente as crianças ficam intimidadas e perdem a naturalidade diante de toda a parafernália do estúdio. O que considero bastante saudável. É evidente que existem sempre exceções e não faltam exemplos. Foi Hitchcock quem disse: "Há três coisas que nunca devem entrar num estúdio de filmagem: crianças, cães e Charles Laughton".

O telefone

Entre os diretores é costume dizer que nenhum autor sabe escrever um bom diálogo telefônico, já que acaba soando sempre artificial. Certo ou não, nesse caso se deve ter o maior cuidado para evitar tais conversações. Na maioria das vezes o telefone deve ser utilizado para informar ou reorientar o público, mas nunca no clímax de uma história. Nesse caso é sempre melhor uma confrontação cara a cara das personagens.

Talvez seja essa a razão pela qual os diretores dizem o que dizem. Se o uso do telefone for imprescindível, deve ser breve e se pode utilizar um *split screen*, a tela dividida em dois campos (veja o segmento 2.4).

O celular

O celular pode complicar ou facilitar a vida do roteirista. Nunca foi tão fácil chamar a polícia ou se comunicar com o protagonista ou antagonista. Afinal, um celular cabe no bolso de qualquer um. Esse recurso também é muito usado em casos de crimes, chantagens e tramas de mistério.

Lembrar que o celular funciona como câmera digital, agenda e filmadora, assumindo uma função multiúso que serve de instrumento para ampliar a capacidade inventiva do roteirista. É comum observar que em alguns roteiros eles estão sem bateria no momento de clímax, ou perdem o sinal, ou quem precisa atender não escuta a chamada porque o aparelho está no modo vibrador.

Enfim, é uma faca de dois gumes e deve ser usado com parcimônia. Pode ser essencial numa cena de assalto a banco com reféns e penoso numa conversa entre duas adolescentes em busca de um namorado.

O computador

Tanto o *laptop* quanto os grandes computadores se tornaram objetos dramáticos de várias tramas televisivas e cinematográficas. Ao redor deles gira toda a cultura do século XXI e não é por acaso que neste livro vamos tratar desse tema mais adiante.

Em televisão o uso do computador, principalmente do *chat* (bate-papo via internet, modo escrito), não capta por muito tempo a atenção do espectador, sendo obrigatório que o ator leia as palavras escritas em voz alta ou que seja ouvido em forma de fluxo de pensamento (voz *off*). Aqui também observamos o *chat* com fins criminosos. Pedofilia, chantagens e remessas de imagens pornográficas e comprometedoras. De certa forma e até certo ponto, o computador substituiu a função da carta e do correio. Dê preferência aos computadores com *webcam* (câmera acoplada que permite ver com quem se conversa). Tudo isso gera certa artificialidade na cena. Portanto, que seja **comedido** o uso desse recurso.

Já os grandes computadores com mil luzes, números e símbolos podem ser impressionantes como um material cênico e são usados em cenas de complicação ou pré-catástrofes. Ou ainda em histórias de ficção e futuristas. Esse uso de grandes computadores é apenas um artifício, uma bengala de fundo para delinear melhor o drama que acontece na frente da tela. Normalmente o espectador não entende o mecanismo dessas máquinas. Também não precisa.

O interfone, outras parafernálias eletrônicas e os animais

Dizem que os interfones não existem na ficção, só na realidade. E isso provavelmente deve ser verdade.

Atualmente não existe casa ou edifício no Brasil que não tenha portões com interfones. Aliás, como no resto do mundo, que vive em guerra e violência. Mas na dramaturgia os fatos não ocorrem desse modo. Há o que chamamos de licença poética.

Tanto os roteiristas internacionais como os nacionais por vezes usam o interfone, mas em outras não. Tudo depende da situação e das necessidades do roteiro. Contanto que não se perca a credibilidade, recorre-se à licença poética. Afinal, estamos trabalhando com um texto de ficção no qual hipoteticamente tudo é possível desde que seja minimamente crível e tenha certa lógica.

Também é possível criar qualquer parafernália eletrônica, com qualquer formato, forma ou função, desde que exista uma razão para a sua concepção e um motivo para o seu uso. Microfones, bipes, gravadores, guarda-chuvas mortais, fundos falsos, livros envenenados, qualquer objeto serve desde que esteja a serviço da dramaturgia.

Quanto aos animais, tento **evitar**. Entendo que existem treinadores e adestradores ou que podem ser feitos digitalmente, mas sempre são imprevisíveis. Recordo um cachorrinho meigo, essencial no roteiro, que, no meio da gravação de um telefilme, *A morte no paraíso* (sobre a vida e a morte de Stefan Zweig, inspirado no livro homônimo de Alberto Dines, com direção de Ademar Guerra), mordeu o falecido ator Rubens Corrêa, suspendendo a produção por alguns dias. Tive de reescrever algumas cenas suprimindo e afastando "a fera canina" do protagonista. Para completar, dizem que Tarzan teve enormes problemas com a Chita.

Mais um aspecto: com a onda da temática no Brasil sobre rodeios e tramas caipiras, os cavalos voltaram à tona como nos filmes de caubói de Hollywood nos anos 1950. Infelizmente ou felizmente, ondas são passageiras e tendem a estourar nas areias, apesar de cavalos e burros serem bem dóceis. Acredito que esses animais são mais adequados a enredos históricos, heroicos e circenses.

> "A maioria das pessoas imagina que o importante, no diálogo, é a palavra. Engano, o importante é a pausa. É no silêncio que duas personagens se entendem e entram em comunhão."
>
> Nelson Rodrigues, dramaturgo

MICROESTRUTURA DA CENA

Como escrevemos, para acrescentar o **quanto** (tempo dramático) ao primeiro roteiro devemos trabalhar com o **diálogo** e consequentemente com a estrutura da cena.

Diálogo e estrutura da cena se misturam totalmente ao se converterem numa única atividade. Normalmente antes de começar a escrever estruturamos a cena mentalmente, ou seja, refletimos sobre a microestrutura da cena. Em outras palavras, buscamos o melhor caminho para alcançar o objetivo dramático.

O corpo de um roteiro é composto por cenas. Uma cena é uma ação contínua dentro de um mesmo espaço geograficamente definido. A cena é a unidade dramática do roteiro.

Quando escrevemos um roteiro sabemos que cada cena tem sua razão de ser, mesmo que seja apenas indicar a passagem do tempo. Dessa forma, temos cenas explicativas, de passagem, de clímax etc. (essenciais, de integração e de transição).

A elaboração de uma cena, exatamente como a elaboração de um roteiro, pressupõe uma estrutura interna das cenas, que é conhecida por microestrutura da cena.

Não confundir microestrutura da cena com microestrutura do roteiro.

Todas as ações humanas que se desenrolam dentro de um espaço limitado têm começo, desenvolvimento e resolução. Ou, se preferir, cabeça, corpo e base. São os momentos da estrutura clássica.

Essa trilogia interna da cena é chamada de clássica e repete de certo modo a estrutura clássica que já conhecemos. Mas os acontecimentos internos da cena são bem diferentes dos diversos mecanismos da estrutura de três atos. Seria como se em vez de trabalharmos num edifício estivéssemos trabalhando num quarto.

Mas os edifícios não são feitos somente de quartos, existem banheiros, corredores, escadas, cozinhas etc. Da mesma forma que em dramaturgia, toda cena tem sua unidade própria de ação num espaço determinado de tempo. Tanto o tempo como as ações são variáveis e concebidos pelo roteirista. Senão todas as cenas seriam iguais.

Vejamos um exemplo. Numa casa acontecem diversas ações, concomitantes em diversos pontos:

1. Há um ladrão no telhado.
2. Há um professor dando aula numa sala.
3. Há um aluno no banheiro.

Essas ações concomitantes se dividem e são estruturadas segundo uma ordem determinada pelo autor. Dessa maneira sugerimos uma concomitância que de fato existe, mas vemos a tela dividida em três partes e cada parte mostra uma cena. Normalmente vemos uma seguida da outra, mas o espectador adquire a noção de que elas são concomitantes, porém isoladas.

Todas essas ações (ladrão em cima do telhado, professor dando aula e aluno no banheiro) têm um princípio, um desenvolvimento e um fim.

Continuando:

1. O professor entra na sala, cumprimenta os alunos, dá a aula, acaba e vai embora.
2. O ladrão sobe no telhado, caminha um pouco, resvala e quase cai, chega ao outro extremo do telhado e desce por uma escada.
3. O aluno entra no banheiro, se aproxima do lavatório, abre a torneira, lava o rosto, fecha a torneira, enxuga o rosto e sai.

Repetindo: todas essas ações tiveram um começo (A), um desenvolvimento (B) e um fim (C). Mas em tempos e localidades totalmente diferentes.

Podemos enxergar, mesmo sem diálogo, o conteúdo dos movimentos, situações e ações da chamada **microestrutura clássica**. Cada uma das partes da cena pode ter a seguinte análise e anatomia estrutural:

Começo (A): primeiro momento
- Apresentação: apresentamos as personagens.
- Identificação: identificamos o lugar da ação e as personagens.
- Abertura: a cena começa.
- Entrada da personagem: a personagem fala e / ou atua.
- Exposição de motivos: desenrolar do conflito.

Desenvolvimento (B): segundo momento
- Evolução: evolução da ação.
- Acontecimento: o que acontece.
- Evolução do motivo: o conflito se acentua.

DA CRIAÇÃO AO ROTEIRO **233**

- Desencadeamento: clímax ou não (dentro da cena).
- Digressão: mudança de rumo (pode ou não existir).

Resolução (C): terceiro momento
- Resolver: final da ação.
- Remeter: o final da cena leva a outra cena.
- Questionar: fica no ar uma pergunta por esclarecer.
- Revelar: sabe-se de um motivo que não era conhecido.
- Concluir: resposta ao questionamento ou à ação.

Como estamos trabalho a microestrutura clássica, todos os acontecimentos que se passaram na casa tiveram um início, um desenvolvimento e um fim. Mesmo assim no roteiro não usaremos as cenas inteiras e sim parte delas, porém será incluído todo o tempo da ação e respeitada estritamente a ordem cronológica. Mas se isso acontecer teremos sempre a cena marcada por três momentos. É aquela vizinha que bate na porta, toma o cafezinho e sai.

Mas isso seria uma camisa de força e todas as cenas teriam a mesma estrutura interna.

Momentos cênicos começam pela metade, pelo final, com digressões, com questionamentos. Por vezes a identificação da personagem ou a exposição de motivos (classicamente presente no princípio) pode ficar oculta até a cena final. Uma digressão enquanto a vizinha toma café pode nos levar a um corte imediato para o Marrocos, ela lê a borra do café e por aí vamos. As possibilidades da microestrutura e seus momentos são infinitos e nos parece equivocada a fórmula entrar (A), falar (B) e sair de cena (C).

Dramaticamente existem muitíssimas formas e alterações para mostrar, por exemplo, um ladrão em cima de um telhado. Vejamos algumas dessas opções:

Primeira opção: cena clássica que começa por A (princípio)

A. O ladrão sobe no telhado.
B. Resvala e quase cai.
C. Chega ao outro lado e desce pela escada. (corte)

Segunda opção: a cena começa por B (desenrolar)

B. O ladrão resvala e quase cai.
C. Chega ao outro lado e desce pela escada.

Terceira opção: a cena começa por B, volta a A e acaba em C

B. O ladrão resvala e quase cai.
A. Olha para trás e repara que deixou pegadas.
C. Chega ao outro lado e desce pela escada.

Como podemos notar, o simples transporte de algumas ações de lugar e seus respectivos momentos nos permitiu desenvolver novas tensões dramáticas mantendo a mesma ação inicial, isto é, o ladrão em cima do telhado.

Fica demonstrado assim que as possibilidades e capacidades de mudar as ações internamente dentro da cena podem ser vantajosas para o desenrolar estrutural de um roteiro.

Em seguida vamos propor um exercício ainda mais complexo: a compressão dos momentos da microestrutura. Em lugar dos três momentos vistos, reduziremos para dois tempos utilizando o conteúdo e a ação dos três. Lembrar que se trata de um exercício de síntese, que se aproxima mais da dramaturgia, da criatividade e da arte.

Se separarmos agora o começo (A), o desenrolar (B) e o final da ação (C) e fizermos o casamento dos pares das ações, teremos nove possibilidades. As estruturas da cena poderão ser as seguintes:

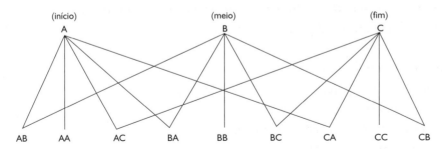

Cena AA: A cena abre e fecha no começo.
Ex.: o ladrão sobe ao telhado, sente que está escorregadio e enxerga a escada do outro lado. Talvez escute vozes. (corte)
(Notar que A, B e C estão concentradas no AA, que o telhado está escorregadio, que será perigoso andar por ali e que ele provavelmente fugirá pela escada do outro lado.)

Cena AB: Abre no começo e fecha no desenvolvimento.
Ex.: o ladrão sobe para o telhado, resvala, quase cai e enxerga a escada do outro lado. (corte)

Cena AC: Abre no começo e fecha no final.
Ex.: o ladrão sobe para o telhado e vê uma telha quebrada, talvez tenha um pensamento em *off* ou *insert*, se afasta, escuta vozes e caminha para a escada por onde desce. (corte)

Cena BA:	Abre no desenvolvimento e fecha no princípio.
	Ex.: o ladrão resvala, quase cai, olha para trás e vê que deixou pegadas no caminho, depois vê a escada. (corte)
Cena BB:	Abre e fecha no desenvolvimento.
	Ex..: o ladrão resvala, se agarra para não cair, ao mesmo tempo ouve as sirenes da polícia, vê suas pegadas e a escada. (corte)
Cena BC:	Abre no desenvolvimento e fecha no final.
	Ex.: o ladrão resvala, cai, mas consegue se segurar, se recompõe, vê sua pegada desde a entrada, corre para a escada e desce. (corte)
Cena CA:	Abre no final e fecha no início.
	Ex.: no fim da escada, o ladrão vê o caminho e as pegadas que deixou até ali e a telha quebrada. (corte)
Cena CB:	Abre no final e fecha no desenvolvimento.
	Ex.: o ladrão está na escada e vê uma peça de sua roupa enganchada na telha quebrada em que escorregou. (corte)
Cena CC:	Abre e fecha no final.
	Ex.: o ladrão, dissimulando, vê a peça de roupa e as pegadas e depois desce a escada de forma suspeita. (corte)

Vemos que, só pela combinação de dois momentos, as possibilidades que temos de mostrar uma cena são **múltiplas**. De qualquer forma o processo de criação da **microestrutura** de uma cena segue este caminho:

1. Imaginar como é a ação na realidade.
2. Selecionar uma parte dessa ação e montar a cena.
3. A cena tem sua própria razão de ser.
4. A cena serve para encadear a história.
5. A cena tem um objetivo claro.

O OBJETIVO E A FUNÇÃO DA CENA

Toda cena tem um **ponto capital** que é sua razão de ser e que pode estar no diálogo, na imagem, no som, nas personagens, no tempo da cena ou em qualquer outro aspecto. Por exemplo: a cena do ladrão no telhado podia ter sido pensada para descobrirmos que ele tem um braço ortopédico, dado importantíssimo para desenrolar a história.

O roteirista deve conhecer o objetivo dramático de uma cena e o diretor, por meio da direção e da montagem, deve cumprir com o olho da câmera essa função. Quando virmos o produto audiovisual terminado, constataremos se a realização atingiu ou não o objetivo dramático desejado. Se assim for, poderemos dizer que a cena alcançou sua função dramática. Em resumo: escrevemos uma cena com base no seu objetivo dramático.

A câmera burra é quando o realizador não identifica o momento capital, a mensagem essencial da cena, então não acentua os instantes pertinentes, o acontecimento em questão, e desfaz a razão de ser da cena.

O ponto capital de uma cena é seu momento máximo ou clímax, que não é necessariamente o ponto de maior intensidade dramática, mas sim o seu porquê, o seu objetivo principal.

O roteirista pensa, valoriza e explora esse porquê. Não obstante, é o diretor quem deve concretizar esse momento, dando uma função aos atores durante o processo de interpretação.

O posicionamento do ponto capital na cena depende do fragmento que queremos mostrar e também dos efeitos que procuramos. O ponto capital está intimamente relacionado com o tempo dramático, que por seu turno se desenrola de acordo com o ritmo.

A relação entre o fragmento escolhido e a cena é obra do talento do roteirista, da sua capacidade de sintetizar a ação. Também é bom recordar que esse ponto capital pode ser único ou múltiplo. Reproduzimos a seguir um exemplo de cena com múltiplos pontos capitais, extraído da série *Malu mulher*[11]:

MALU MULHER

CENA 12 (INTERIOR/SALA DE ESPERA/CLÍNICA/DIA)
O ambiente é frio, azulejos brancos, tudo parece muito limpo. Ao fundo uma cama com uma cortina. Enquanto o médico está de costas, lavando as mãos, Jô dá cinco notas à enfermeira, que as conta antes de ir embora. Jô usa roupa branca comprida. O médico tem uns 40 anos. É elegante, usa um jaleco bem ajustado e é simpático. Apesar disso, Jô está pouco à vontade.

MÉDICO
Tem certeza de que não quer ter a alegria de ser mãe?

Jô fica ainda mais aturdida.

MÉDICO
Tá bem... Cada um tem seus motivos... Bom, agora relaxe... Daqui a uma hora, quando muito, estará em casa. Vai descansar. Nada de banhos quentes. Pode lavar a cabeça, mas só com água fria, certo?...

Escreve o nome de um remédio na receita e entrega a ela.

MÉDICO

E este remédio, Metergin, tome de seis em seis horas até acabar o frasco. Se não tomar, o útero não se contrai e você terá hemorragias.

Ela o segura suavemente pelo braço e os dois vão para o fundo da sala. Jô não pode deixar de olhar para a cama. O médico corre a cortina bruscamente.

CORTE.

CENA 13 (INTERIOR/SALA GINECOLOGIA/DIA)

Ouvem-se amplificados o respirar e as batidas do coração. Focar os detalhes das correias, as fivelas e as mãos que prendem Jô na cama. Ela olha para o teto tentando concentrar todas as suas forças para suportar a experiência.

Uma anestesista, que não se sabe de onde sai e nem sequer está vestida de branco, puxa seu braço.

MÉDICO

Respire fundo, minha filha...

Pormenor do êmbolo da seringa.

Imagem subjetiva de Jô, isto é, dela deitada. O rosto do médico e a anestesista, deformados. A imagem vai desfocando totalmente.

FADE OUT

Nesses dois fragmentos vemos como foram passadas diversas informações ao público:

- A personagem faz um aborto.
- Tinha medo e hesitava.
- Descrição da atmosfera e do clima de uma clínica clandestina.

O TRABALHO DE REESCREVER

O estudo da microestrutura da cena é complexo e se fundamenta no campo das ideias e da sensibilidade. Não existem receitas para escrever uma boa cena. Mesmo assim todo mundo pode perceber se está bem montada e se é dramaticamente eficaz. Aquela que está mal construída cansa e aborrece sempre.

Uma cena deve introduzir algum elemento importante da história e ter uma função clara e objetiva.

As metodologias são infinitas e dependem exclusivamente do talento do roteirista, de sua capacidade de colocar vários objetivos dramáticos na mesma cena. É preciso recordar sempre que a cena faz parte de um todo e que deve estar integrada nele.

Para conseguir um bom resultado nesse trabalho o roteirista conta apenas com uma arma: o ato de reescrever, repensar e reagrupar os momentos internos do momento cênico.

Atenção para a cena que se pode eliminar sem distorcer o conjunto. É óbvio que ela não tem nenhum objetivo nem razão de ser e não tem cabimento no roteiro se queremos que este tenha uma função. Refreemos também a tendência para encher o roteiro com cenas de passagem do tempo.

Ao escrever uma cena o roteirista deve ter sempre na cabeça este pensamento: como vou montar a ação (construir a cena) de forma **sintética, verossímil e dramática**?

> — Eu não posso ter filhos.
> — Nós podemos adotar, Daphne.
> — Ah, você não entende, Osgood... Eu sou homem!
> — Ora, ninguém é perfeito!
>
> Travesti Daphne ao fascinado Osgood
> em *Quanto mais quente melhor*[12]

ANÁLISE

Reescrever cenas e diálogos é um trabalho constante do roteirista. Cada vez que rescrevemos, repensamos o objetivo dramático da cena, acrescentamos complexidade à personagem e conseguimos momentos dramáticos mais profundos. Claro está que esse reescrever tem um limite além do qual o diálogo começa a piorar e o objetivo da cena pode até se perder.

Quantas vezes se reescreve uma cena? Depende. Normalmente é aconselhável reescrever no mínimo uma vez.

Como análise deste segmento, apresento seis cenas em sua primeira versão. E depois de terem sido reescritas em sua terceira versão. Notem as diferenças. Ao calor da reescritura as cenas crescem e ficam mais maduras. São cenas escritas com Xesc Barceló[13] para a série *Arnau*.

Uma observação: o corpo de comunicação do roteiro, o diálogo, pode estar **centralizado** (ao estilo americano) ou à **esquerda** na página, direita de quem lê (ao estilo europeu oriundo dos *scripts* de rádio).

Primeira análise

As seguintes cenas foram escritas em Barcelona para a minissérie dramática *Arnau*, de seis episódios para televisão. Ambientada na Idade Média. Primeiro capítulo: **A MORTE DE ARNAU.**

PRIMEIRA PARTE

Cena 1. Exterior do Castelo de Arnau. Dia.

Plano geral do castelo. Localização.

Legenda:

Castelo do nobre Arnau. Condado de Barcelona – ano 1100

CORTE.

Cena 2. Interior. Aposentos Sancia. Castelo de Arnau. Dia.

Sancia, 30 anos, esposa de Arnau, está no seu quarto.

Angustiada, porque terá de fazer muitas coisas ao mesmo tempo, penteia a filha pequena, de 8 anos.

A criada ajuda a vestir a filha mais velha de 10 anos. Bernat, um jovem de 17 anos, criado de Arnau, está mais interessado em apalpar um vestido de tecido fino que está em cima da cama do que em escutar as ordens que lhe dá Sancia.

A filha mais nova se queixa porque a mãe lhe penteia o cabelo com muita força.

SANCIA

Quieta. (PARA A FILHA MAIS VELHA)

Tu, basta. (A BERNAT, RALHANDO) Bernat! Vai prender os cães antes que cheguem os convidados.

BERNAT

Os convidados já chegaram há um bocado, senhora.

A filha pequena geme.

SANCIA

A guarda voltou? (À FILHA PEQUENA) Quieta!

BERNAT

Sim. Não o encontraram.

SANCIA

(A BERNAT, QUE NÃO PARA DE MEXER NA ROUPA) Para com isso! Sai daqui e vai até o caminho esperar teu amo!

BERNAT

(EM VOZ BAIXA) Vejo que vou ficar sem festa...

SANCIA

Sai! Faz o que ordeno.

Bernat sai de má vontade e quase tropeça em Garsa, que entra. Ela é a cunhada de Sancia. Garsa, de 30 anos, é da alta nobreza (prima do Conde de Barcelona). É atraente, casada com o irmão de Sancia e acaba de chegar ao castelo.

GARSA

(PARA AS DUAS MENINAS) Bravo! Parecem duas princesas. (ACARICIA A FILHA PEQUENA QUE SANCIA ESTÁ PENTEANDO E RETOCA O VESTIDO DA MAIS VELHA)

SANCIA

Duas princesas que não conseguem ficar quietas.

GARSA

(TIRA A ESCOVA DAS MÃOS DE SANCIA E ACABA DE PENTEAR A PEQUENA) Deixa, Sancia, eu ajudo.

Sancia, preocupada, pega uma pulseira e coloca no braço.

GARSA

(OLHANDO PARA SANCIA) Cunhada, que tens?

SANCIA

Nada, Garsa. E o Odalric? Onde está?

GARSA

Como sempre, falando das coisas dele com os nobres.
Já vai subir.

SANCIA

(PARA AS FILHAS) Depressa! O abade deve estar chegando.

GARSA

(IRÔNICA) E Arnau? Não saiu para me receber... Onde está?

Sancia olha para Garsa como quem diz: "Eu sei lá!"

CORTE.

Cena 3. Interior. Castelo de Arnau. Escada. Dia.

Garsa, dando a mão às sobrinhas, desce a escada. Vai admoestando-as meigamente.

GARSA

(PARA A SOBRINHA MAIS VELHA) E tu deves dizer:
"Sejam bem-vindos ao nosso castelo, senhores", e fazer uma vênia.

FILHA MAIS NOVA

E eu? Que devo dizer?

Desaparecem descendo a escada. A imagem procura num plano mais elevado Sancia, que está falando com o seu irmão Odalric.

ODALRIC

(TRANQUILIZADOR) Não é a primeira vez que ele faz isso, irmã...

SANCIA

Mas hoje é diferente. Convocou a todos e, como vês, não está. Há três dias que não aparece no Castelo. Que hei de fazer, Odalric?

ODALRIC

Nada. Deve estar chegando.

Sancia, inquieta, torce as mãos durante alguns segundos. Detalhar a pulseira.

SANCIA

Odalric, sabe alguma coisa? Onde está o meu marido?

ODALRIC

Não. Que quer que eu saiba?

SANCIA

(SEM OLHAR PARA ELE) Não sei...

Chegam vozes vindas do exterior. Odalric olha pela janela.

ODALRIC

O abade Ató já chegou.

SANCIA

E agora? O que digo?

CORTE.

Cena 4. Exterior. Pátio do Castelo de Arnau. Dia.

Ató chega com o monge Jerônimo, são de meia-idade, suas expressões estão preocupa-das e algo os atormenta. O pátio está cheio de gente: outros nobres, soldados de Arnau e Odalric, servidores do castelo, camponeses.

Instantes.

Muitos deles estão ouvindo atentamente um contador de histórias que, acompanhado pelo ritmo de um pequeno tambor, conta uma história de heróis.

No meio do pátio, preso por quatro grossos paus engalanados com flores, está pendura-do um sino novo.

Todos se aproximam de Ató, que com o dedo gordo faz o sinal da cruz diante das crianças.

Ató avança para o sino. Para e olha em redor.

ATÓ

(MEIO DE BRINCADEIRA) Onde está o Senhor do Castelo, que não sai para me receber? Ou será que justamente hoje o meu sobrinho está ocupado em combater os infiéis? Arnau, Arnau. Onde se encontra?

Os convidados riem da graça.

CORTE.

Cena 5. Exterior. Uma encruzilhada de caminhos. Dia.

Bernat, em cima de um rochedo, olha ao seu redor. De repente sua expressão muda, desce do rochedo e se afasta correndo.

CORTE.

Cena 6. Interior. Sala do Castelo de Arnau. Dia.

Ató, na presença da família e dos nobres, anda de um lado para o outro. Está aborrecido com a ausência de Arnau. Apenas se ouve o ruído dos seus passos e sua voz.

ATÓ

(ABORRECIDO, MAS PATERNAL) E o que é um sino? É como a cruz, um símbolo da Cristandade. Percorro o caminho da Abadia até aqui para benzer o objeto sagrado e o Senhor do Castelo não está! Pois não haverá bênção do sino!

ODALRIC

Mas, abade Ató, nós...

ATÓ

Cala, Odalric, cala!

Ató olha para Sancia, que está de cabeça baixa, dando a mão às filhas. Muda de ideia para fazê-la feliz.

ATÓ

Pois bem. O que é mais importante: que um nobre que deveria estar aqui não esteja, ou que deixe de cumprir com as minhas obrigações de pastor deste bom rebanho?

CORTE.

OBSERVAÇÕES

A primeira cena tem como objetivo situar onde e quando decorre a ação (cena de localização/cena de transição e integração).

A segunda mostra os preparativos para uma festa e as preocupações em torno do desaparecimento de Arnau, o dono do castelo. A cena resultou carente de atmosfera, e o diálogo muito pobre do ponto de vista do subtexto e das verdadeiras intenções e sentimentos das personagens.

Na terceira cena, o diálogo entre Odalric e sua irmã Sancia, escrito para criar expectativa, é demasiado evidente no sentido de que o primeiro fica já caracterizado como culpado do desaparecimento de Arnau.

Na quarta, Ató é apresentado e fala apenas para se identificar como tio de Arnau. O objetivo dramático dessa cena é pobre.

Na quinta cena não existe diálogo. A intenção é criar uma expectativa sobre o que Bernat está vendo.

Na última cena apresentada se tentou descrever o caráter hesitante de Ató, mas o resultado não nos pareceu satisfatório.

De modo geral todas as cenas parecem pouco trabalhadas, os diálogos pobres e as ações sem atmosfera.

Segunda análise

As mesmas cenas foram reescritas em duas ocasiões. Notar a **transformação do diálogo** e por conseguinte da tensão **dramática** e dos **momentos internos de cada cena**.

E assim ficou o roteiro final:

Cena 1. Exterior do castelo de Arnau. Dia.
Plano geral do castelo. Localização. Legenda:
Castelo do nobre Arnau.
Condado de Barcelona – ano 1100.

CORTE.

Cena 2. Interior. Aposentos Sancia. Castelo de Arnau. Dia.
O quarto é o local mais acolhedor e íntimo do castelo. Um cortinado, agora aberto, separa o lugar onde estão as camas das duas filhas de Arnau e Sancia.

Sancia, 30 anos, esposa de Arnau, está no seu quarto. Angustiada, penteia a filha mais nova, Riquilda, de 8 anos. A criada ajuda a vestir a filha mais velha, Ledgarda, de 10 anos.

Bernat, um rapaz de 17 anos, criado de Arnau, apalpa um vestido que está em cima da cama. Riquilda se queixa porque a mãe lhe penteia o cabelo com força.

SANCIA

Não mexa a cabeça, Riquilda.

RIQUILDA

Está me machucando, mãe!

SANCIA

(PARA LEDGARDA, QUE FLERTA COM BERNAT E NÃO PARA DE SE MEXER) Ledgarda, basta! (PARA BERNAT)

Bernat...

BERNAT

Sim, senhora, já prendi os cães e guardei a lenha e os nobres já chegaram.

SANCIA

Não, Bernat, e os guardas?

BERNAT

Ah, sim, já regressaram. Não encontraram o amo. No bosque não estava, nem no rochedo.

SANCIA

(EM VOZ BAIXA) Gostaria muito de saber onde é que se meteu... (PARA BERNAT, QUE A ABORRECE) Vai embora. Vai até o caminho e espera pelo seu senhor.

BERNAT

(ABORRECIDO) O meu amo Arnau não gosta que o vigiem, senhora. Diz sempre que...

SANCIA

(INTERROMPENDO) Faz o que digo. Vai! É uma ordem.

(PARA AS FILHAS) Se não param de se mexer, nunca mais acabamos de nos arrumar!

Bernat sai. Entra Garsa, cunhada de Sancia. Garsa, 30 anos, da alta nobreza (prima do conde de Barcelona), é a atraente cunhada de Arnau. Ela acaba de chegar ao castelo.

GARSA

(CUMPRIMENTANDO ALEGRE) Sancia! Não ralhes com minhas sobrinhas.

LEDGARDA

Tia! Gostas do meu vestido? Foi mamãe quem fez.

RIQUILDA

(QUEIXOSA) Para mim não fez nenhum.

GARSA

Duas princesas.

SANCIA

Duas princesas que não param de se mexer. Nesta casa todos têm dificuldade de me obedecer, cunhada. E Odalric?

GARSA

O seu irmão está como sempre falando com os outros nobres sobre as caçadas. Exagerado. Já vai subir. (PAUSA) E Arnau?

Sancia não responde. Garsa se aproxima dela.

GARSA

(PEGANDO NA ESCOVA) Deixa que eu ajudo, Sancia... (DEPOIS DE UMA PAUSA) Suas mãos estão tão frias.

Sancia, preocupada, pega uma pulseira. Coloca a pulseira no punho.

GARSA

Sancia, tão angustiada...

Sancia esfrega os dedos, nervosa.

SANCIA

Uma angústia que não me deixa, faz tempo.

GARSA

Sim, o tempo... Se pudéssemos evitá-lo ou pelo menos ludibriá-lo. (MUDANDO DE TOM, APONTANDO PARA AS MENINAS) Ah! Não se queixe! Deixa de histórias. Pelo menos tem filhas maravilhosas. Isso é a felicidade... Já eu...

SANCIA

(À PARTE, PARA GARSA) Arnau não vem ao castelo há dois dias. Vive sumindo.

CORTE.

Cena 3. Exterior. Encruzilhada de caminhos. Dia.

Bernat, sentado em cima de uma pedra, está aborrecido por não comparecer à festa. Apanha pedrinhas e brinca atirando-as para longe. De repente sua expressão denota surpresa e espanto. Viu alguma coisa ao longe. Levanta, olha e sai correndo.

CORTE.

Cena 4. Interior. Castelo de Arnau. Escada. Dia.

É uma escada estreita, escura, iluminada unicamente pela luz das tochas.

Garsa, com as duas sobrinhas pela mão, desce a escada. Faz recomendações com meiguice.

GARSA

(PARA AS SOBRINHAS) Devem dizer: "Reverendo abadeAtó, sede bem-vindo ao nosso castelo" e depois beijem a mão...

Desaparecem pela escada abaixo. A câmera procura num plano superior Sancia, que está falando com o irmão, Odalric.

ODALRIC

(TRANQUILIZADOR) Não é a primeira vez que o faz, irmã. Deve estar chegando. Questão de temperamento.

SANCIA

Deve estar chegando... Arnau convocou a todos. Fez vir os camponeses, os nobres, até seu tio, o abadeAtó. Todos vão me perguntar pelo meu marido. E, Odalric, o que respondo?

ODALRIC

Não lhes diga nada, Sancia. Eu falo com eles. Invento o que for necessário. Irmãzinha, não fiz sempre tudo o que foi preciso por sua felicidade? Não fomos sempre tão unidos?

Sancia, inquieta, torce as mãos durante uns segundos.

SANCIA

Sabe alguma coisa do motivo por que Arnau não está aqui?

ODALRIC

Não. O que quer que saiba?

Sancia baixa os olhos. Não diz nada.

ODALRIC

(LEVANTANDO O ROSTO DE SANCIA COM A MÃO) Anda. Faz uma cara animada de que tanto gosto. Ânimo.

CORTE.

Cena 5. Exterior. Caminho. Dia.

O cavalo de Arnau ("Estel"), ferido, relincha e empina. Bernat, assustado pela tragédia que adivinha, tenta acalmá-lo, falando com ele. O cavalo está banhado em sangue e manca.

BERNAT

(ASSUSTADO) Calma, Estel, calma! Que é que aconteceu? Calma!... O cavalo do amo.

Acalma o animal e o leva pelas rédeas até o castelo. O cavalo sangra abundantemente.

CORTE.

Cena 6. Exterior. Pátio do Castelo de Arnau. Dia.

Estão todos reunidos em volta do sino. Ató abençoa-o. A seu lado Frei Jeroni segura o cálice com óleo, sal e um pouco de água-benta.

Sancia olha de vez em quando para o portão para ver se Arnau chega. Odalric olha para Sancia com um sorriso que quer dizer: "Correu tudo bem".

Detalhar o sino.

ATÓ

(LANÇANDO SAL SOBRE O SINO) ... Que com suas badaladas recorda o fiel à oração, avisa que há fogo, chama à hora da comida, lembra a morte e a vida, nos previne dos perigos e expande teu som como um sinal de Deus. (SALPICANDO COM ÁGUA-BENTA)

Protege o senhor deste castelo, meu sobrinho, (EM VOZ BAIXA) que devia estar aqui e não está, hei de falar com ele, (CONTINUA A ORAÇÃO) sua família, suas terras, sua gente.

Ató molha o polegar no óleo e faz uma cruz sobre o sino. Ató acabou a bênção do sino e toca o primeiro repique. As filhas de Arnau se aproximam do sino e, envergonhadas mas contentes, puxam a corda. O sino soa.

Ovação e alegria geral.

Nesse momento entra Bernat pelo portão principal com o cavalo ferido. Bernat está mais preocupado com o estado do cavalo que com o desaparecimento de Arnau. Tenta estancar a hemorragia que jorra da boca e dos pelos do animal.

Os convidados, em contrapartida, compreendem o que se passou.

Um pesado silêncio cai sobre a festa. Todos olham perplexos. Aproximam-se.

BERNAT

(CHOROSO) Está morrendo. Estel está morrendo. Sangra. Deságua em sangues e o amo Arnau... E o amo...

ATÓ

Mãe Santíssima!...

Sancia, transtornada, corre para Bernat.

SANCIA

Bernat! Bernat! Que aconteceu? Onde está Arnau?
Onde está?

BERNAT

(CHOROSO) Não sei, não sei. Vi chegar o cavalo sozinho. Não sei onde está meu amo.

Garsa pega as duas meninas e aperta o rosto delas contra o próprio corpo. Odalric se aproxima do cavalo. Estuda as feridas. Bernat continua a querer fazer parar a hemorragia do cavalo. O cavalo dobra as patas dianteiras. Cambaleia.

Odalric pega uma capa cheia de sangue jogada sobre o lombo do animal.

ODALRIC

(PARA BERNAT) O que foi que viu? Alguma armadilha? Árabes? Muçulmanos? Sarracenos?

BERNAT

(CHOROSO) Nada. O cavalo vinha ferido. (PARA O CAVALO) Está morrendo. Está morrendo. Estel, Estel...

ODALRIC

(PARA BERNAT) De onde vinha o cavalo?

BERNAT

Do sul, senhor, do sul.

ODALRIC

(PARA OS SOLDADOS) Ouviram. Rápido, rápido. Guardas, ide procurar Arnau. Olhai bem por todos os lados. Cuidado com os muçulmanos.

Instantes. Os soldados se preparam.
Odalric, com a capa nas mãos, se dirige a Sancia.

BERNAT

Senhor. E Estel?

ODALRIC

Que matem o cavalo e repartam a carne entre os pobres. Pelo menos a morte do animal vai servir para alguma coisa.

Odalric entrega a capa a Sancia, que não consegue dizer nada.

ODALRIC

(COMOVIDO) Irmã, oxalá esteja enganado, mas parece que... É o fim do seu matrimônio.

Eles se abraçam.

CORTE.

OBSERVAÇÕES

A primeira cena se mantém da mesma forma e com o mesmo objetivo.

Na segunda, por meio de um diálogo mais trabalhado, Sancia e Garsa se apresentam como personagens. Sancia é nervosa, deprimida, triste e sem ação. Garsa é forte, mas inveja as filhas que Sancia gerou. A informação referente ao desaparecimento de Arnau fica mais clara e adquire força dramática.

A terceira cena está mais bem descrita. Reparar que anteriormente era a quinta. Com essa mudança diminuímos o tempo dramático e, por consequência, aumentamos a velocidade da ação dramática.

A quarta cena era anteriormente a terceira, e agora os diálogos entre Odalric e Sancia resultam mais ricos no que se refere ao subtexto. É sugerida uma cumplicidade entre os irmãos e um passado obscuro.

A quinta cena é totalmente nova e mostra desespero de Bernat diante do cavalo que sangra.

Finalmente a última cena também é nova. Começa com a bênção do campanário e termina com a chegada dramática do cavalo da Arnau.

São destacados o amor de Bernat pelo cavalo, a perplexidade de Sancia e como Odalric, enquanto vive a tragédia, se converte em senhor da ação e anuncia a morte de Arnau.

Praticamente com o mesmo número de folhas e diálogos se constata um melhor aproveitamento das ações dramáticas, graças a um tempo dramático mais justo, criado por meio da reescrita do diálogo.

Como última observação, direi que nada se perde num diálogo, em todo o caso tudo se transforma. Se a memória não me falha, é uma máxima de Lavoisier em referência à natureza, que agora me permito usar em referência ao diálogo.

Se o leitor fizer uma comparação atenta entre os diálogos apresentados, notará que a maior parte do material utilizado nos primeiros foi aproveitada na reescrita. Utilizamos até pequenas ideias, sugestões ou vocábulos, mas com mais critério e procurando sempre maior profundidade dramática.

Outra análise

Talvez para o leitor brasileiro fique um pouco distante a análise de uma série medieval passada na Espanha no ano 1000. Por isso incluo agora outro exemplo que me parece mais apropriado: o primeiro episódio de *Retrato de mulher* (Rede Globo, 1992-1993), chamado "Era uma vez Leila" e protagonizado por Regina Duarte. Esse seriado foi concebido e escrito por mim, tendo o episódio em questão a colaboração de Ricardo Linhares, ex-aluno que atualmente é autor de telenovelas da televisão brasileira.

A seguir transcrevo as cenas 22 e 23, que me parecem ilustrativas de dois tipos de diálogos e cenas.

Em primeiro lugar notar que o diálogo está centralizado, tipo americano.

A cena 22 é uma típica cena de exposição com tempo dramático curto. Em outras palavras, uma cena essencial e de microestrutura clássica: apresentação do consultório, conversa das pacientes e chegada do médico.

A cena 23, apesar de estar dentro de um sonho e parecer uma cena de transição, ou ainda de exposição, já que a protagonista revela sérios problemas à mãe, tem maior identidade como uma cena de preparação. Essa caracterização da cena ocorre no instante em que fica implícito que ela está armando alguma solução para se livrar de seus conflitos. O diálogo dessa cena é sincopado, foge do realismo da cena 22 e entra no universo interior conflituoso da personagem Leila. Também nos remete concomitantemente aos conflitos passados que Leila tinha com sua mãe Júlia. A propósito, a personagem da mãe (Júlia) foi desempenhada, numa rara aparição televisiva, pela magnífica atriz Bibi Ferreira.

Quanto à microestrutura, na cena 22 há praticamente dois momentos. A protagonista com a mãe, seguido de um desfecho curto e ameaçador dela com o médico.

Vamos às cenas:

Cena 22. Int./Antessala Consultório Médico/Dia.

A imagem abre no detalhe de uma revista com fotos dramáticas mostrando diversas situações relacionadas a fome, miséria, Etiópia, Somália, Nordeste brasileiro, Carandiru, guerra na Iugoslávia, desabrigados etc. Talvez seja necessário produzir a revista, para que alcance o impacto desejado. Detalhe das fotos.

Uma mão passa rapidamente as folhas. Quase fecha a revista. Leila tem um instante de reflexão. Abre a revista novamente e olha com mais atenção para as fotos. Sílvia, que estava fazendo a ficha com a enfermeira, se aproxima de Leila, que tem o olhar fixo nas fotos.

SÍLVIA

Tanta complicação... Não sei o que estou fazendo aqui... Querem saber de tudo.

LEILA

Não foi o nosso trato? Acho o seguinte, Sílvia, quando a gente se propõe a fazer uma coisa, que seja bem-feita. É importante você fazer esses exames antes de viajar. Saber se o neném está bem, se pode suportar a viagem até Goiás... Você vai adorar o Hernani, é meu ginecologista há anos...

SÍLVIA

Precisava de alguém que me ajudasse... Até cheguei a imaginar que essa pessoa fosse você... Mas francamente... Ainda não consigo acreditar que você esteja aqui comigo...

Leila se mantém calada com olhar enigmático. Instantes.

SÍLVIA

Sabe que você é uma mulher interessante?... Corajosa.

Porta abre e Hernani entra. Só agora a imagem revela que estão na antessala do médico. É um lugar sofisticado.

HERNANI

Leila... Como está? E os filhos? Como andam?

LEILA

Tudo muito bem. A rotina de sempre. Foi tão gentil de sua parte ter aberto sua agenda para nós, Hernani.

HERNANI

Merece muito mais do que isso, Leila. É uma das minhas pacientes prediletas.

LEILA

Esta é a Sílvia. A moça que te falei pelo telefone.

Hernani segura Sílvia pela mão.

HERNANI

Moça bonita. Será um prazer lhe atender, Sílvia. Vem. Não temos tempo a perder.

LEILA

Vou ficar aqui esperando.

HERNANI

Não. Vai para o meu gabinete de estudo, é mais confortável.

CORTE.

Cena 23. Int./Gabinete de Estudos/Dia.

A imagem abre em close de Leila olhando uma estante de livros. Com a mão, ela acompanha a lombada dos livros com pomposos nomes clássicos. A imagem passeia como se seguisse o olhar de Leila.

O ambiente é sofisticado, silencioso, onde reina uma confortável poltrona que oferece uma atmosfera aconchegante.

A mão segue pelos livros até tocar num frasco. Há uma sequência de frascos, iluminados por trás. São fetos. Reação do rosto de Leila. Ela fica um pouco receosa, mas acaba tocando o frasco, como se o feto olhasse para ela. Detalhar.

JÚLIA (*OFF*)

Não toque nisso, Leila!

A imagem corrige e vemos uma mulher coberta por um véu de renda negra, os braços estendidos no alto, o véu escondendo seu rosto.

JÚLIA

Depois vai ficar impressionada com essas criaturas, não vai dormir, vai ter pesadelos, medo... Já conheço essa história. Eu sei.

LEILA

Mãe, estou envelhecendo...

Júlia levanta o véu e mostra o rosto.

JÚLIA

Depois que seu pai morreu, envelheci dez anos em três dias. Não suportei a perda dele.

LEILA

Até o fim vocês ainda iam para a cama juntos? Até quando durou a atração? Papai teve outras?

JÚLIA

Isso não é assunto para se falar com mãe em vida, que dirá depois de morta.

LEILA

Mãe, preciso saber, alguma vez ele te fez passar por isso, essa dor, essa humilhação?

JÚLIA

Seu pai me traiu, sim, várias vezes, mas o meu lema sempre foi: marido não se dá de bandeja. Tudo, suporte tudo: menos a separação. Uma mulher forte enfrenta a tempestade de cabeça erguida, acredita no seu valor.

LEILA

Mas minha vida está indo embora e eu não consigo encontrar um sentido, alguma coisa que me faça ter orgulho de mim, de ter vivido.

JÚLIA

Você se afastou da religião, minha filha. Numa hora dessas faz falta.

LEILA

Mãe... Me escuta, estou envelhecendo. Aquela disposição para a vida. Hoje faço amor mais lentamente...

JÚLIA

Com menos aflição.

LEILA

Então me entende?

JÚLIA

Entendo agora que tudo já passou. Mas quando estava vivendo isso, minha menina, também só tinha perguntas.

LEILA

Mas preciso de respostas agora.

JÚLIA

Você criou, está criando dois filhos lindos. Tem uma casa maravilhosa, uma família saudável, e pode... e deve se orgulhar disso, sim, senhora. Não se rebaixe. Não reaja como se fosse a única mulher que envelhece na face da Terra. A única que foi traída... Leila, já está na hora de crescer, de parar de olhar para o seu próprio umbigo.

Júlia pega um livro pesado e antigo na estante, folheia.

JÚLIA

Acha que as respostas estão todas num livro? Toma o livro... Mas lembra, viver é tarefa que compete a cada um. E isso não tem mãe que dê jeito. Não há receita que resolva.

Julia dá o livro a Leila. Leila folheia o livro. Instantes. A imagem fica em Júlia.

JÚLIA

Vê se encontra alguma receita aí dentro... "Receita da mãe perfeita", "Receita da mulher traída", "Receita da mulher que envelhece", "Receita da mulher rica e fútil", "Receita da mulher... que sonha". Acorda, Leila. Acorda.

A imagem corrige e vemos Hernani.

HERNANI

Acorda, Leila... Acorda.

A imagem corrige para Leila, que está encostada na poltrona, adormecida, o livro aberto no colo. Júlia não está mais presente.

LEILA

(Estranhando o ambiente)
Desculpe, Hernani... Acho que adormeci...

HERNANI

Um soninho é sempre reconfortante.

LEILA

E então?

HERNANI

Está tudo bem. A Sílvia pode viajar para onde quiser... Ela nem sonha que tipo de tratamento foi feito.

CORTE.

CONCLUSÕES

Neste segmento refletimos sobre o **tempo dramático**. Acrescentando ao **que** (conflito), ao **quem** (personagem), ao **quando** (temporalidade), ao **onde** (localização), ao **qual** (ação dramática) e ao **como** (estrutura) o **quanto** (tempo em que tudo ocorre).

Demonstramos que a noção de tempo dramático está interligada com o diálogo e com a estrutura da cena ou escaleta, e que tudo isso se concretiza no trabalho de escrever o primeiro roteiro.

Também falamos de tempo dramático total e parcial, ritmo, tempo ideal e tempo real. Definimos a cena como unidade dramática do roteiro e descrevemos o discurso e suas categorias (diálogo, solilóquio, monólogo interior, coro e narrador etc.).

Refletimos sobre o ato de escrever diálogos por meio do manejo do tempo dramático.

Recordamos os tipos de diálogo: literário, entrecortado, repetitivo, longo, clônico, com a seleção vocabular errada, discursivo, inconsistente, introspectivo e artificial, chamando a atenção para 15 conselhos que consideramos úteis para a confecção de um bom diálogo.

Finalmente nos detivemos na estrutura da cena, refletindo sobre começo, desenvolvimento e final de cena e sobre abertura, evolução de motivos e encerramento, introduzindo o conceito de objetivo dramático da cena e da função dramática desta dentro do produto audiovisual. Seus respectivos momentos, possibilidades e infinitas variáveis.

Apresentamos exemplos, comentados e analisados, para uma melhor compreensão dos conceitos básicos.

Concluímos que a microestrutura da cena é um estudo complexo que se baseia amplamente no campo das ideias e da sensibilidade. Que o diálogo, linguagem essencial do drama, não é uma narrativa lógica dos problemas e dados da história, mas sim vozes e sentimentos que expõem com emoção o que transforma cada personagem.

> — Por estranho que pareça, suponho que escrevo acerca de pessoas
> como você, o trabalhador corrente, o homem comum.
> — Você tem a cabeça em cima dos ombros.
>
> Diálogo de Barton e Charlie, o decapitador,
> em *Barton Fink – Delírios de Hollywood*.[14]

EXERCÍCIOS

Para ser franco, confesso que o único exercício válido que conheço para diálogo, tempo dramático e estrutura da cena é escrever.

O problema consiste em que escrever apenas os diálogos sem que eles possam ser escutados ou vistos representados dificulta essa prática. Porque o roteirista aprende não só quando escreve bons diálogos, mas também quando comete erros, coisa que apenas se pode constatar com a sua representação.

Normalmente o que fica bem no papel costuma ficar bem na tela. No entanto, às vezes estamos seguros de um texto e quando o vemos interpretado descobrimos que não funciona da maneira que imaginávamos.

O manejo do diálogo e do tempo dramático está muito ligado à experiência do roteirista. Isso não quer dizer que um roteirista jovem não possa escrever bons diálogos.

Creio que é necessário estabelecer um *feedback* imediato para seu trabalho. Por esse motivo, nas minhas aulas sobre diálogo, tento sempre dispor de um grupo de atores para representar as cenas escritas pelos alunos.

Quando comecei a escrever profissionalmente, utilizava um pequeno truque para obter algum *feedback* sobre os meus diálogos. Até hoje mantenho esse costume, que consiste em ler em voz alta a cena que acabo de escrever. Embora deva confessar que de vez em quando esse exercício provoque alguns contratempos com os meus vizinhos.

Sendo o diálogo o corpo de comunicação do roteiro, deve ser por nós escutado de qualquer maneira.

Proponho três tipos de exercício.

Exercícios de primeiro grau

Procurar situações casuais, comuns, e tentar criar uma cena com duas ou três folhas de diálogo.

Perante a dificuldade que a abertura de uma cena sobre uma situação casual supõe, é necessário prestar muita atenção a essa parte dos exercícios.

Sugiro algumas situações para ser desenvolvidas:

- Um casal se encontra casualmente em um elevador.
- Dois caçadores, escondidos atrás de uma moita, esperam a chegada da caça.
- Um velho encontra um jovem dormindo numa estação de metrô. Ele acorda e ambos discutem.
- Mãe e filho assistem ao funeral de um professor do filho.

Exercícios de segundo grau

Procurar situações conhecidas exploradas no audiovisual e tentar desenvolver essas situações de maneira própria e original. Criar também um diálogo de duas ou três folhas por cena.

São as seguintes situações que sugiro:

- O marido chega em casa e encontra a mulher com um amante.
- A morte lenta, na rua, de uma mulher atropelada. Conversa com o atropelador.
- A ruptura definitiva de um casal na presença dos filhos.

- Um ladrão tenta roubar um automóvel. A polícia chega, ele foge ferido. É preso e agredido.
- Discussão seguida de luta entre dois operários em cima de um arranha-céu em construção.

Exercícios de terceiro grau

São os mais difíceis de elaborar e consistem em escrever cenas, com os respectivos diálogos, sobre situações mais complexas e de maior tensão. Cuidado com as cenas para que não resultem excessivamente teatrais.

Sugiro os seguintes tópicos:

- A confissão de um assassino.
- As reações de um pai diante da morte da filha.
- O regresso de um homem depois de ter estado desaparecido durante anos.
- As reações de uma mulher ao tomar conhecimento de que sofre de câncer no seio.
- Declaração de amor de um casal.

Observações finais sobre os exercícios

Chamo a atenção para o fato de todos os diálogos e cenas que proponho poderem ser escritos tanto em tom trágico como de comédia. Isto é, o gênero é livre: drama, comédia, melodrama, aventura etc. (veja, no segmento 1.2, o tópico "Classificação geral dos roteiros").

Sublinho que ler roteiros, peças, ver séries, minisséries e filmes, estudando cuidadosamente os diálogos e os objetivos das cenas, mais do que meros exercícios, são algumas das manias mais correntes entre os roteiristas. Eles são os melhores professores.

OBSERVAÇÃO IMPORTANTE

Colaboraram neste segmento os seguintes especialistas:

- Carla Giffoni, jornalista, roteirista e escritora.
- Olga de Mello, professora, revisora e escritora.
- José Vitor Rack, roteirista e dono do blog "O blog do texto brasileiro".

NOTAS E REFERÊNCIAS

1. COMPARATO, Doc. *Nostradamus*. São Paulo: Clube do Livro, 1988. p. 23 (*Nostradamus* estreou em São Paulo no dia 12 de novembro de 1986, ficando um ano em cena. Estreou no Rio em 1999 e em 2003 em Roma, recebendo o Prêmio Ana Magnani de Teatro – Itália 2003). No momento em que finalizo a edição deste livro, está sendo encenado no Nordeste.
2. TRUFFAUT, François. *El cine según Hitchcock*. Madri: Alianza, 1990, p. 152-53.
3. DURAS, Marguerite. *Hiroshima, mon amour*. Paris: Gallimard, 1960, p. 110.
4. CHAMBERS, Edmund. *The Elizabethan stage*. Oxford: Clarendon Press, 1923.
5. ARTERO RUEDA, Manuel. *El guion en el reportaje informativo*. Madri: IORTV, 2004.
6. DANCYGER, Ken; RUSH, Jeff. *Alternative scriptwriting: beyond the Hollywood formula*. Londres: Focal Press, 2013.
7. McKEE, Robert. *Dialogue – The art of verbal action for page, stage, and screen*. Nova York: Hachette, 2016. Veja também, do mesmo autor, *Story – Substâncias, estruturas, estilo e os princípios da escrita de roteiro*. Curitiba: Arte e Letras, 2015.
8. DREYER, Carl T. *La política de los autores*. Madri: Ayuso, 1974, p. 268.
9. BLUM, Richard A. *Television and screen writing: from concept to contract*. Nova York: Hastings House, 1980.
10. Leonardo Sciascia, em entrevista ao jornal *El País*, 4 de abril de 1992, p. 17.
11. Produção Rede Globo, Rio de Janeiro, 1979-1981, texto e cortesia cedidos por Euclides Marinho, em 1982, um dos roteiristas e criadores da série.
12. FENDLER, Paulo. *Os melhores diálogos do cinema: as histórias, as situações que provocaram*. São Paulo: Linear, 2009.
13. Xesc Barceló é escritor, diretor e roteirista de cinema e televisão. Sua produção inclui documentários (*A terra e as cinzas*, sobre a guerra civil na Catalunha), série dramática (*Arnau*, *Sitges*, *O jogo da vida*), adaptações, filmes, entre outros. Por dez anos foi professor coordenador do máster de Roteiro da Universidade Autônoma de Barcelona. Barceló também tem livros publicados, como *O olhar de segredos*. Recebeu, por *Arnau*, o prêmio de Melhor Autor da Academia Catalã de Letras, Barcelona, Espanha (1995). É um dos mais prestigiados roteiristas espanhóis.
14. FENDLER, Paulo, *op. cit.*

SITES CONSULTADOS

http://www.massarani.com.br/rot-dialogo-roteiro-cinema.html
http://ficcao.emtopicos.com/estrutura/escrever-dialogos-historias-ficcao/
http://revistadecinema.uol.com.br/2014/08/a-importancia-dos-dialogos-para-a-narrativa-cinematografica/
http://www.diariodocentrodomundo.com.br/100-frases-de-nelson-rodrigues-para-comemorar-seus-100-anos/
http://lionel-fischer.blogspot.com.br/2014/02/dicionario-do-teatro-brasileiro-temas.html
http://megafilmesonline.net/crimes-e-pecados-dublado/
https://br.axn.com/programas/criminal-minds/elenco/emily-prentiss
https://criminalmindsbr.wordpress.com/2013/07/17/especial-perfil-dos-personagens/
http://www.dictionary.com/browse/stichomythia
https://www.britannica.com/art/stichomythia
https://oblogdotextobrasileiro.wordpress.com/2017/03/19/10-cliches-de-telenovelas-que-ja-encheram-
-o-saco/

2.3 A CENA – UNIDADE DRAMÁTICA E PLANILHAS

REFLEXÕES SOBRE A CENA (UNIDADE DRAMÁTICA)

O diretor irá trabalhar com a unidade dramática do roteiro, isto é, com as **cenas**. Pode telefonar e comentar: "Tenho dificuldade de realizar a cena 37" ou "Amanhã vamos gravar a cena 85". Algo nesse estilo foi dito neste livro para introduzir uma das etapas de um roteiro, a unidade dramática.

Escolhi o título "Unidade dramática" porque no roteiro final aprovado pela produção e pela direção, assinado pelo roteirista e pronto para ser rodado, ninguém mais fala sobre o conceito da **ideia**, o **conflito matriz** (qual), que **história** está sendo contada, as **personagens** (quem), o **como**, o **onde** ou o **tempo dramático** (quando).

Nessa etapa o roteirista vai ouvir só a palavra cena: que tal cena está muito boa, outra poderia estar melhor, que em determinada falta algo, mas que não faz mal, talvez aquela necessite de um detalhe mais específico, e por aí vamos. É o momento em que o roteiro final se transforma em produto audiovisual.

A racionalidade numeral e funcional da produção toma conta.

O objetivo dramático de uma cena se traduz em função dramática, o diálogo escrito passa a ser interpretado. Todas aquelas folhas de papel, a que nós chamamos roteiro final, recebem o sopro de vida. É a crisálida se tornando borboleta.

Devemos recordar que cada uma das etapas da confecção de um roteiro é muito diferente das outras. Entre *storyline* e argumento ou sinopse há um verdadeiro abismo quanto ao **conceito** e também quanto ao trabalho.

Acontece o mesmo entre a estrutura, a sinopse e o primeiro roteiro. Em cada uma dessas etapas o roteirista exercitou diversas habilidades, manejou técnicas diferentes e variou seu modo de pensar. Agregou, criou, fragmentou, escreveu, sintetizou e reproduziu a fala humana. Essa diversidade, esse repensar e essa constante soma de conceitos no trabalho do roteirista são precisamente o que creio constituir a riqueza da nossa profissão.

Mas qual é a grande diferença entre o primeiro roteiro e o roteiro final? Creio que é a reescrita. É a transformação do primeiro roteiro, um texto, numa ferramenta de trabalho que será entregue a uma equipe para ser traduzida em imagens e som.

Assim, o roteiro final é destinado ao diretor, ao produtor, aos atores, ao editor, ao câmera, ao diretor de fotografia, aos figurinistas etc. E eles devem acreditar nessa ferramenta e confiar nela. O roteiro final é um texto que nos põe em contato não só com outros profissionais mas também com o olho da câmera.

Existem várias classes de formatos de roteiros finais, que serão explicadas mais adiante. Por outro lado, existe ainda uma diferença entre roteiro **literário** e roteiro **técnico**.

O primeiro contém todos os detalhes necessários à descrição da cena: sua atmosfera e sua densidade, a intensidade da ação dramática e a força do diálogo, sem incidir excessivamente sobre questões da planificação técnica, como movimentos de câmera, iluminação, detalhes de som etc. Atividades estas que devem ser deixadas à equipe de realização. Não existe um critério unificado nesse campo. Mas até certos diretores de prestígio indiscutível duvidam da necessidade de ter um roteiro excessivamente detalhado. Como duvidava Rossellini: "Não há nada mais absurdo do que coluna da esquerda: plano americano, *travelling* lateral, a câmera faz panorâmica e enquadra... É algo assim como se um romancista fizesse uma planificação do seu livro: na página 212, um imperfeito do subjuntivo, depois um complemento indireto..."[1]

Do meu ponto de vista, compete ao diretor e à sua equipe converter o roteiro literário em roteiro técnico, que é aquele que contém todas as indicações técnicas imprescindíveis para a transformação do texto em audiovisual. Mais adiante, neste mesmo segmento, descreveremos algumas dessas indicações técnicas que o roteirista deve conhecer. Finalmente, tanto no roteiro literário como no técnico, a unidade dramática, a cena, constitui fator básico de integração para que um texto se transforme num produto audiovisual.

O diretor de fotografia deve criar uma atmosfera luminosa para cada uma das cenas, o ator deve se preparar, cena a cena, para interpretar a totalidade da personagem, tanto vocal quanto psicologicamente. E o diretor deve fazer um estudo detalhado de cada unidade dramática, mantendo seu objetivo e procurando uma identidade para o conjunto.

A GUERRA DO PAPEL

Terminamos o primeiro roteiro, mas o processo de criação ainda não acabou: começa a guerra do papel.

Batizo com esse título o ato de reescrever o roteiro depois de escutar opiniões sobre ele. Essas opiniões são quase sempre contraditórias. Todavia, é fundamental que o roteirista tenha em conta todas as críticas ou elogios que recebe por seu trabalho. Errados ou não, deve entender e considerar todos úteis para levar a cabo uma análise do seu roteiro.

Grande parte do trabalho de reescrever consiste em unir cenas, mudar de lugar, cortar diálogos, quase sempre os da abertura, e repensar as cenas do clímax.

Frequentemente, por incrível que pareça, cenas de exposição, aparentemente mais simples de escrever, são as que mais fácil perdem o objetivo dramático quando desenvolvemos o primeiro roteiro, de forma que sua reescrita se torna imprescindível. Como explicam Dancyger e Rush, "as cenas de exposição são muito difíceis de escrever. Uma das soluções para reescrever consiste em cortar o início de uma cena e empregar o mínimo de palavras, dando a máxima informação nos diálogos"[2].

Outra forma de dar credibilidade consiste em situar as personagens levando a cabo uma ação concreta. Por exemplo: cozinhando, enquanto falam sobre os seus problemas e transmitem uma informação.

Com certeza o primeiro roteiro é mais longo do que o roteiro final, que supõe um trabalho de síntese, eliminando as redundâncias e conservando a essência do drama. No ato de reescrever não se deve hesitar perante a possibilidade de cortar. Quando sentimos que um diálogo está demasiado longo, devemos cortar imediatamente e sem remorsos.

As cenas de clímax devem ser repensadas e reescritas dando a máxima atenção à sua intensidade e às mudanças interiores.

As cenas de preparação, por seu turno, são reescritas com o objetivo de acentuar ainda mais a expectativa que já deviam conter na sua primeira versão. E que pode ter perdido força ou conteúdo em virtude da presença de novas cenas de clímax e resolução.

Normalmente as cenas de complicação, por conterem forte ação dramática, são as que menos se reescrevem.

Quando trabalhamos na reescrita das cenas essenciais, o que estamos fazendo é depurar, afinar, aperfeiçoar o tempo dramático, procurando sempre o ritmo ideal para o produto audiovisual.

Jean-Claude Carrière explica que

> o tempo cinematográfico não é nem o tempo teatral nem o tempo do romance... Nada é mais fácil do que escrever esta frase num romance: "No dia seguinte, de manhã"... Nada é tão difícil como mostrar num filme que estamos no dia seguinte e que é de manhã... Pensar a cada instante na fórmula sacrossanta, tão frequentemente esquecida: não anunciar o que se vai ver. Não contar o que já se viu.[3]

A guerra do papel é uma fase de debate, de análise, de discussão sobre o material e de reconstruir as partes que têm de ser corrigidas até que tenhamos o roteiro ideal. Esse trabalho pode ser feito pelo autor ou pelo editor do texto, o técnico especialista nos últimos retoques que corrige os possíveis "erros". A esse editor chamamos **roteirista final**.

Nos Estados Unidos esse técnico é denominado *script doctor*. Um bom *script doctor* adota sempre uma **postura ética** perante uma obra de outro autor. Tem o máximo cuidado de não interferir demasiado para não **desvirtuar** o trabalho do colega, uma vez que seria uma **falta** de **ética imperdoável** mudar o roteiro sem a autorização prévia do autor. Um *script doctor* famoso é o norte-americano Simon O'Neill, também conhecido como Doc. Na Europa, a função do editor de texto ou do roteirista final pouco a pouco está sendo reconhecida.

O trabalho de reescrever o primeiro roteiro é também o ato de analisar os elementos dramáticos ponto por ponto e representa um esforço de autocrítica. Sugiro que o roteirista deixe passar um tempo antes de levar a cabo essa tarefa, pois o distanciamento permitirá realizar esse trabalho com maior facilidade. O tempo de que cada autor necessita para alcançar esse distanciamento é variável.

Para alguns bastam dias, enquanto outros necessitam de meses e outros, de anos. É o fator humano.

Na guerra do papel discutimos o roteiro com o diretor, com o produtor e com outras pessoas que nos darão sua opinião. É preciso que fique bem claro que não se trata de fazer uma crítica, nem de expor critérios subjetivos como "gostei, não gostei". Temos de saber diferenciar uma crítica impressionista de uma análise crítica. Enquanto a primeira é destrutiva, a segunda é construtiva.

Quando entregamos o roteiro ao produtor, nós o submetemos a um estudo de viabilidade segundo o que está proposto. Quando falamos de produtor, em geral estamos nos referindo ao chamado **produtor executivo**, ao profissional que se encarrega de controlar o dinheiro destinado à realização. Quando o roteiro final chega à produtora, passa a ser racionalizado, estudado, para que o produtor avalie os gastos e a viabilidade da produção.

Esse estudo ou processo na execução é chamado de **decupagem** do roteiro.

A decupagem é uma análise técnica, cena a cena, do que será necessário para a execução total do roteiro. Esse processo tem como função otimizar, do ponto de vista da produção, a feitura do produto audiovisual. Por exemplo: todas as cenas de determinado cenário serão realizadas no mesmo dia. Locações noturnas serão concentradas em determinada noite. Isso só comprova que o processo de filmagem ou gravação não é cronológico nem linear: fica a serviço de uma logística da produção.

A decupagem é indispensável para um bom rendimento do processo fílmico. Os principais responsáveis por essa tarefa são os assistentes de produção e direção, o continuísta e suas respectivas equipes.

A antiga premissa dos produtores sempre foi o mínimo de gastos e o máximo de ganhos. Hoje em dia se verifica uma ligeira mudança. Um produtor executivo moderno, atualmente também conhecido como engenheiro de produção, sabe que é preciso gastar o necessário para conseguir um produto de boa qualidade, tanto do ponto de vista técnico como do artístico. É preferível fazer um filme ou um programa com uma margem de lucro menor, mas que represente um bom movimento de dinheiro e contribua para ampliar e consolidar sua posição no mercado.

Por outro lado, não devemos esquecer o parecer do ator ou dos atores implicados, já que existe uma experiência "vivida" que nos ajuda muito a resolver problemas do roteiro ou até mesmo a melhorar alguns aspectos deste.

Outras pessoas que devemos escutar são os amigos íntimos, aqueles em quem temos uma confiança especial. Cada autor tem seu público particular, seus leitores mais apreciados. A franqueza de um amigo pode contribuir ou criar uma inimizade. Pensando bem, a franqueza sempre foi grande conselheira. Difícil é ser encontrada pura, sem inveja nem rancores.

Como vimos, todos podem nos ajudar a fazer uma análise do roteiro dando sua opinião, sempre com a vontade de melhorar o material, de corrigir os possíveis deslizes. Mas lembre: o **derradeiro juiz é o autor.**

- A **primeira** fase da análise e da reescrita é avaliar e separar todos os elementos do roteiro: ritmo, personagens, *plot*, estrutura, diálogos etc. Geralmente a crítica faz uma valorização do conjunto. Nós faremos o contrário: iremos palmo a palmo. Sempre que possível, fazer duas leituras do roteiro: a primeira é chamada de emotiva e a segunda, de analítica.

- Na **segunda fase**, tentar perceber se o roteiro responde realmente ao que se tinha pedido, se o trabalho tem o nível esperado, se está adequado ao meio para que foi criado: cinema, televisão ou teatro. Ressalto que quando o roteirista pensa que poderia cortar um diálogo ou cena deve fazê-lo. O sentimento do profissional perante o texto pode trazer emoções variadas; esses apelos do coração na verdade são indicações de que ele deve confiar e agir, fazendo as correções intuitivas e necessárias.

- Na **terceira fase**, determinamos os possíveis equívocos e as maneiras de resolver: refazendo o diálogo, aclarando uma situação, acentuando determinado conflito, mudando o final etc.

O roteirista atua como um arquiteto, não tapa uma rachadura com cimento. Antes, busca as causas que a produziram. E com frequência acontece que o "erro" não está numa cena concreta. Geralmente o equívoco tem um efeito cumulativo, um deslize cometido no princípio pode ocasionar uma cadeia dramática mal estruturada ou pouco aperfeiçoada. Devemos estar alertas para esse efeito dominó e refazer tudo que for necessário. Quando for necessário corrigir uma cena incorreta, é preciso tomar todas as precauções. Por vezes uma cena que não se integra num contexto determinado é sinal de um desajustamento estrutural de todo o roteiro.

No que se refere ao método que alguns empregam para fazer essa análise, apontamos: **não há criador que não possa avaliar sua obra, todo o processo criativo é também analítico,** com seus prós e seus contras, suas interrupções, mudanças de pensamento e interrogações.

Foi Reed quem formulou a questão:

Pergunte a você mesmo: a cena é eficaz e está tudo certo? Uma cena efetiva move as personagens do ponto A para o ponto B? Desde o acordo até o conflito ou, por exemplo, da ignorância à descoberta? As cenas conseguidas demonstram uma alteração na relação entre as personagens que falam? É outra maneira de dizer que nas cenas conseguidas acontece alguma coisa. Tente esboçar uma linha que percorra a cena, vendo qual é o movimento dramático, quem são os falantes e o que está em jogo. Como o escritor maneja tudo isso?[4]

Indicamos a seguir uma série de perguntas que podemos fazer a nós mesmos na hora de analisar o nosso roteiro:

1. Tem conteúdo? Qual é a relação direta entre o interesse do conteúdo (temática) e o público?
2. Como é o ponto de partida do roteiro? Tem impacto? O interesse cresce? As premissas estão corretas?
3. Existe emoção? Existe identificação do público com o problema?
4. Propusemos o problema demasiado cedo, ou demasiado tarde?
5. As informações são claras para seguir a história? O grau de clareza é o desejado?
6. As exposições de motivos, feitos e ações são explícitas ou implícitas? Há suficiente informação?
7. Há *flashbacks*? Estão bem situados? Ajudam a ação dramática? (A mesma pergunta serve para os *inserts, flashforwards* etc.)
8. O protagonista atua como tal? Existe empatia?
9. Há uma atenção crescente? Sua curva dramática é ascendente?

10. O conflito é crucial? É importante? É universal?

11. O *plot* está completamente exposto? A história é suficientemente clara?

12. É real? É crível? É provável? Os símbolos são compreensíveis?

13. Refletir sobre o significado do conflito.

14. Há uma aceleração da ação até o ponto culminante?

15. O perfil das personagens é original? É definidor?

16. Os valores das personagens têm consistência?

17. A relação problema/situação é direta? Implica conflito?

18. Existe clímax? Onde?

19. Existe suspense? Onde?

20. Há antecipações? São suficientes? Que tipos de cena estão em jogo?

21. Existe um interesse geral? É desenvolvida uma expectativa?

22. A expectativa se apresenta no suspense? E as surpresas? Existem?

23. A exposição, as informações e a apresentação de personagens, problemas e situações são muitas ou poucas? Não estão exageradas?

24. Há uma conclusão? Que implica essa conclusão?

25. Em alguns momentos as personagens falam mais que atuam?

26. O diálogo tem naturalidade? Oferecemos à personagem o vocabulário adequado? Notamos certo estilo? Existem muitas repetições?

27. No diálogo, cada intervenção motiva outra? Que tipos de diálogo foram usados?

28. Cada cena motiva a próxima? Existem cenas alegóricas? Sonhos? Passagens?

29. A estrutura geral é criativa?

30. Estamos satisfeitos?

Respondendo a essas perguntas teremos feito uma boa **análise** do roteiro.

Como se escreve criticamente é preciso ler "criticamente" e reescrever a obra. É um grande erro pensar que os grandes criadores produzem obras-primas logo de saída. O que costuma suceder é que eles efetivamente fazem essa leitura analítica com afã, reescrevendo e refazendo até se sentirem satisfeitos.

Quero salientar por último que o ato de reescrever um roteiro tem um ponto ideal, além do qual qualquer outra escrita deixará de ser benéfica.

DIGRESSÃO

Quando conceituamos *logline*, nós o definimos com um termo correlato que significa "o primeiro passo" ou *first pitch*. O verbo *pitch*, do inglês lançar, arremessar, levantar (em beisebol), está na moda em todas as partes do mundo em virtude do que se chama *pitching*. Do que se trata?

Pitching é a **defesa oral** do seu projeto, roteiro ou argumento. Basicamente é um encontro que você tem com um produtor ou uma empresa de audiovisual – ou melhor, é uma oportunidade de apresentar seu trabalho verbalmente num tempo mínimo de um minuto até três. Talvez o produtor já tenha se mostrado interessado em seu *script* e promova uma reunião para saber mais detalhes, aprofundar o assunto ou ficar ciente do material em questão.

Também essa "venda verbal" pode ser feita em um elevador, restaurante ou em um encontro casual no corredor.

Quando vamos a eventos de produtores em busca de projetos, os roteiristas caminham pelos estandes entregando cartões e oferecendo verbalmente o seu projeto.

Nos anos 1990 fui consultor do European Script Fund, e fiz parte de uma banca examinadora num encontro na cidade de Sitges, na Catalunha. Os roteiristas principiantes vendiam em público seu trabalho para os jurados. Recordo que fiz parte da banca que **analisou** o roteiro de *Guerra do chocolate*; por **timidez ou falta de experiência** os roteiristas não foram claros nem didáticos – e muito menos espontâneos – na defesa do roteiro. Mas apesar disso a banca pediu maiores esclarecimentos, apontou alguns equívocos e acabou aprovando o projeto. Enfim, o roteiro acabou se tornando um filme de sucesso, apesar do fraco *pitching* dos seus criadores.

PLANILHAS DE AVALIAÇÃO

Quando o roteiro chega a uma TV, produtora, concurso ou concorre a algum edital governamental, normalmente ele é submetido a uma avaliação por um profissional denominado **leitor** ou **analista de roteiros**.

Na maioria das vezes esse profissional não é roteirista. Geralmente é formado em Letras, Comunicação ou Artes Cênicas. Até mesmo professores de Filosofia fazem esse papel. Todavia a coordenação, supervisão e inspeção desses trabalhos devem ficar na mão de um roteirista. Como trabalhei no exterior por longos anos e em várias instituições de vulto como o European Script Fund, percebi que esses leitores tendem a seguir temáticas ou esquemas de projetos recentes de sucesso. Contaminação lógica diante da massiva exposição que os êxitos sofrem pela mídia, enquanto produtores buscam sucessos similares nos relatórios analíticos de seus leitores.

Por tudo isso, adaptei planilhas de avaliação para uma melhor anatomia dramática dos produtos audiovisuais, tanto televisivos quanto cinematográficos. Essas planilhas nos permitem desmembrar tanto o conteúdo do material criativo quanto o olhar de quem analisou. Enfim, avaliadores – assim como os críticos – também erram.

Planilhas de análise

Quando sou jurado de festivais e concursos utilizo essas planilhas para não me perder na maratona de filmes e minisséries a que tenho de assistir. Observe que esse tipo de planilha está liberado para uso de qualquer leitor ou instituição como contribuição para dar mais seriedade ao trabalho criativo do roteirista, contanto que se mantenha o meu crédito. Também utilizo esse esquema quando trabalho como *doctor script* (profissional que vai analisar, dar um diagnóstico e receitar o que é passivo de melhora). Ainda podemos usar o termo coordenador ou supervisor de roteiro. Na prática, o supervisor também pode reescrever algumas cenas ou partes.

Planilha para roteiro cinematográfico

Observar que do primeiro ao décimo item, a planilha contempla dados concretos sobre roteiro, roteiristas, direção, gênero etc. A partir do décimo item ela se concentra na análise fílmica, incluindo aspectos visuais e até estimativas de produção. Por tudo isso requer do analista ou leitor um conhecimento bastante amplo da arte cinematográfica.

Planilha de análise cinematográfica

1. Título do material analisado: _____
2. Data do informe: _____
3. Nome do autor roteirista: _____
4. Nome do analista: _____
5. Nome do diretor:_____
6. Tipo de material e época em que se situa a história: *(Argumento, sinopse com indicações de diálogo etc.)* _____
7. Gênero: *(Comédia, drama, melodrama)* _____
8. Número de folhas: _____
9. *Storyline: (Conflito básico em 5 linhas)* _____
10. *Outline: (Resumo da história em 20 linhas)* _____

Avaliação do analista

_____
_____
_____
_____
_____

Níveis de avaliação

Em cada item conceituar com uma letra de avaliação e agregar um breve comentário justificativo.

Excelente	(E)
Muito Bom	(MB)
Bom	(B)
Regular	(R)
Regular Inferior	(RI)
Pobre	(P)

1. Conceito da ideia:
2. Estrutura dramática:
3. Ritmo: *(Evolução dos momentos dramáticos, tipos de cena)*
4. Personagens: *(Motivação/credibilidade/interação)*
5. Potencial dramático:
6. Diálogos: *(Tempo dramático)*
7. Estilo visual: *(Estética)*
8. Público referente:
9. Estimativa de produção:
10. Escreva suas sugestões: *(Pequenos apontamentos observados pelo analista)*

RESULTADO DO ANALISTA

(Marque com um círculo)

1. Aprovado
2. Aprovado com modificações
3. Necessita de uma contra-análise de outro analista
4. Reprovado com qualidades (estímulo ao roteirista)
5. Reprovado

Existem na planilha televisiva pequenas diferenças com relação à cinematográfica. Por exemplo, se é *remake* (obra já realizada) ou não, se é uma adaptação e principalmente a questão de horas televisivas. Outro fator importante se refere aos tipos de produto e especificações do material, episódio ou capítulo. Quanto à análise propriamente dita, a partir do décimo item, observar que o número de *plots* e personagens é maior, assim como o público referente é mais amplo. Quanto ao diálogo, o leitor deve ser mais condescendente, já que a televisão tende a ser radiofônica.

Planilha de análise televisiva

1. Nome do autor roteirista: _____
2. Data do informe: _____
3. Título do material analisado: _____
4. Nome do analista: _____
5. Tipo de projeto: *(Série, telenovela, minissérie etc.)* _____
6. Tipo de material: *(Capítulos, episódios, sinopse etc.)* _____
7. Gênero: *(Comédia, drama, melodrama)* _____
8. Número de horas televisivas: _____
9. *Storyline: (Conflito básico em 5 linhas)* _____
10. *Outline: (Resumo da história em 20 linhas)* _____

Avaliação do analista

_____
_____
_____
_____
_____

Níveis de avaliação

Em cada item conceituar com uma letra de avaliação e agregar um breve comentário justificativo.

Excelente	(E)
Muito Bom	(MB)
Bom	(B)
Regular	(R)
Regular Inferior	(RI)
Pobre	(P)

1. Conceito da ideia:
2. Estrutura dramática: *(Abertura/conflito/desenvolvimento/clímax/final)*
3. Número e construção dos *plots: (Núcleos dramáticos)*
4. Personagens: *(Motivação/credibilidade/interação)*
5. Potencial dramático: *(Atenção para alegorias, sonhos, fantasias e foclorismos)*
6. Diálogo: *(Tempo dramático)*
7. Estilo visual: *(Estética)*

DA CRIAÇÃO AO ROTEIRO **273**

8. Público referente: *(Target)*

9. Estimativa de produção:

10. Escreva suas sugestões: *(Pequenos apontamentos observados pelo analista)*

RESULTADO DO ANALISTA

(Marque com um círculo)

1. Aprovado

2. Aprovado com modificações

3. Necessita de uma contra-análise de outro analista

4. Reprovado com qualidades (estímulo ao roteirista)

5. Reprovado

© Permitido o uso das planilhas desde que respeitados os direitos morais do autor.

A CRISE

Depois de o trabalho entregue e analisado, supõe-se que o roteirista deva receber uma resposta sobre ele. Na verdade, algumas produtoras e emissoras nem se dão o trabalho de remeter uma carta de agradecimento, muito menos uma resposta.

Mas, se o roteirista for contemplado e chamado para reescrever, não se deve pensar que o ato de reescrever é só um momento de crise. E essa premissa é ao mesmo tempo certa e falsa.

Li em algum lugar que o ideograma chinês que representa o conceito de progresso é o mesmo que simboliza a noção de crise. A diferença entre os dois conceitos é dada pela localização do ideograma no texto, no seu contexto. Essa identificação que os chineses fazem entre as noções de progresso e crise me parece perfeitamente apropriada.

A passagem de uma etapa para outra na escrita do roteiro pode supor para o autor momentos de crise, pessoais ou interpessoais. E o roteirista pensa num dado momento que não tem capacidade suficiente para fazer evoluir o seu trabalho, o que também é conhecido como **crise criativa** ou **crise do papel em branco**.

Por outro lado, as crises podem se estabelecer com outras pessoas, uma vez que um roteiro é julgado, analisado e criticado constantemente por outros profissionais. O autor pode qualificar esses momentos como de crise.

Pessoalmente entendo esses momentos como mudanças que contêm, ao mesmo tempo, as dúvidas da crise e as esperanças do progresso.

O remédio para qualquer tipo de crise é o tempo. Uns dias de folga distante da obra ou do alvoroço da produção são um bom caminho para revigorar sua capacidade mental. Não se trata de uma fuga, ao contrário, é pura sabedoria.

Na realidade o roteirista jamais tem certeza de que seu trabalho será convertido num produto audiovisual. Até porque por contrato existem dois tipos de pagamento diferentes, dependendo de ser o roteiro produzido ou não (ver adiante). Com isso quero dizer que o roteirista deve conviver com a incerteza, mas sem nunca desistir, tendo sempre confiança no seu talento, sem se aferrar a ele em excesso.

É fácil imaginar as pressões que o roteirista de uma telenovela pode sofrer, nos momentos em que a audiência do programa decai e ele se vê obrigado a repensar e reescrever rapidamente capítulos e mais capítulos.

Sugiro que roteiristas de telenovelas, de séries longas ou de obras com *plots* múltiplos não só estejam tecnicamente preparados para essas eventualidades, como também estejam psicologicamente equilibrados. Confeccionem sempre esquemas do desenrolar do roteiro para ter uma clara noção dos acontecimentos, das personagens e das possibilidades da história. E acima de tudo mantenham a calma.

ESQUEMAS, TRILHAS E ALMANAQUES

Geralmente quando se trabalha em equipe são desenhados esquemas para facilitar a visualização das relações entre as personagens.

Alguns autores utilizam mapas, principalmente os roteiristas de telenovelas. Seria impossível manter o fio condutor de uma obra com personagens e acontecimentos numerosos sem a ajuda de um bom esquema (ver Figura 7, a seguir).

Dostoiévski estendia barbantes em casa e, como quem estende roupa, pendurava notas explicativas sobre as personagens e o desenrolar dos acontecimentos.

Os linguistas e estudiosos da literatura também utilizam esquemas para estudar as relações que se estabelecem numa mesma obra. O autor que queira utilizar um esquema deve ter presente que para o quadro ficar completo e redondo é necessário apontar nele as relações que se estabelecem de fato.

Atualmente alguns profissionais utilizam o computador, de forma que em qualquer momento podem pedir o que tal personagem fez naquele dia e verificar se conhecia aquela outra personagem. Tudo que se escreve fica armazenado na memória de um suporte magnético, que permite ao autor procurar qualquer dado que queira. Embora infinitamente mais complexo, esse procedimento não se diferencia demasiado daquele que utilizava Dostoiévski.

Outros roteiristas preferem criar um material escrito durante o percurso da obra. Uma espécie de dicionário no qual se vão acrescentando dados sobre as personagens, como localizações, encontros e outras informações relevantes sobre as relações entre os *plots*.

Figura 7
A dama das camélias 83

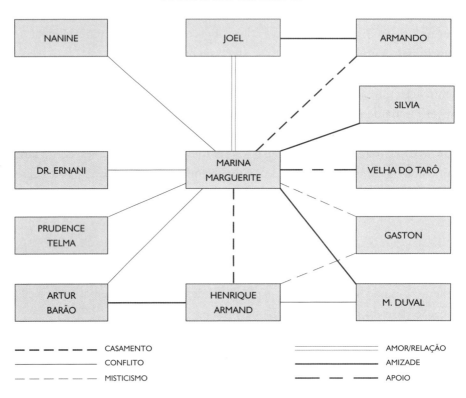

Isso é conhecido como **Almanaque** da telenovela. Por exemplo, na novela *Os mutantes*, de audaz temática fantasiosa de Tiago Santiago, um dos colaboradores era responsável por essa tarefa essencial. Se alguém duvidasse de algum sobrenome, ou endereço, um apelido que fosse, recorria ao almanaque ou mapa das relações. Lá encontrava uma resposta, dica ou referência citada em determinado capítulo.

O esquema dramático pode ser um instrumento útil para um projeto ou obra muito complexa. Facilita o trabalho e evita falhas de continuidade ou de ajustamento do perfil das personagens. Com base nesses esquemas de personagens e com a entrada de vários colaboradores na confecção de telenovela surgiram as chamadas **trilhas dramáticas**.

Um dos colaboradores fica responsável por uma das personagens ou por um grupo delas, criando fatos (história/ação dramática) e suas respectivas relações emocionais. É uma espécie de miniescaleta criada isoladamente dentro da macroestrutura que é comandada pelo autor roteirista.

Voltemos a Dostoiévski. Seria como um autor roteirista trabalhando com um único barbante explorando fatos e conflitos para determinado *plot* ou *subplot* dentro de uma obra mais ampla. Normalmente esses *plots* não interagem diretamente, pelo menos no início, com a história principal e ocorrem em outros países ou no campo, mas podem ocorrer na mesma cidade contanto que em localizações e problemáticas diferentes.

O esquema de exemplo (Figura 7) foi montado com base nas inter-relações das personagens do telefilme *A Dama das camélias*. Preferi utilizar um quadro baseado nas **emoções** a um **factual**.

CONCLUSÕES

Neste segmento falamos da unidade dramática como unidade narrativa do roteiro. Descrevemos os passos necessários desde o primeiro roteiro até o roteiro final. Mostramos a importância de reescrever as cenas, trabalho que consiste em grande parte em unir cenas, transformar, mudar de lugar, cortar diálogos – quase sempre os de abertura – e repensar o roteiro.

Quanto ao roteiro final, indicamos a diferença entre o roteiro literário e o roteiro técnico, acrescentando que o trabalho de reescrever o primeiro roteiro é também um ato de análise dos elementos dramáticos, ponto por ponto, que representa um esforço de autocrítica.

Falamos da guerra do papel como a análise do primeiro roteiro por parte do produtor, do diretor e de outros profissionais, demonstrando que o roteiro final é uma ferramenta de trabalho.

Uma série de perguntas foi sugerida como mecanismo de autoconhecimento de seu próprio roteiro.

A crise do roteirista foi descrita em suas diversas formas e denominações. Crise é uma mentira que às vezes é verdadeira. Depende do ponto de vista. No caso chinês, por exemplo, o mesmo ideograma que representa o conceito de progresso oferece a noção de crise.

Foram oferecidas livremente para o leitor e as instituições as planilhas televisiva e cinematográfica. Elas apontam dados práticos sobre o material criativo, descrevem conteúdos resumidamente e analisam de forma didática e direta as capacidades intrínsecas do produto e a opinião do leitor.

Deve-se trabalhar com as planilhas em dois níveis. O primeiro, leitura e análise emotiva; dias após, nova leitura e análise, de ponto de vista distanciado e estritamente técnico.

Finalmente foi introduzido o conceito de esquemas, trilhas e almanaque dramático. Recursos essenciais para quem trabalha em obras de *multiplots* como telenovela e minissérie.

EXERCÍCIOS

Em outra das minhas conversas com meu amigo Jean-Claude Carrière, ele contou que seu primeiro trabalho foi levado a cabo com o cineasta francês Jacques Tati. Quando chamado, não conhecia ainda em pormenor a arte e a técnica de fazer cinema. Então Tati levou Jean a uma sala de montagem, mostrou um monte de papéis e as bobinas de um filme, e apontando disse: "Fazer cinema é muito fácil. É o trajeto que vai dos papéis aos fotogramas".

Na pós-graduação da Universidade Autônoma de Barcelona e também em todas as escolas de roteiro que visitei nos Estados Unidos, os alunos devem realizar um estágio prático no qual seguem uma produção audiovisual para conhecer a rotina do trabalho de realização e produção.

Nesse sentido, proponho o seguinte exercício:

1. Assistir a parte da filmagem de um produto audiovisual, televisivo ou cinematográfico, de preferência um cujo roteiro se conheça.

    Prestar atenção à posição da câmera, à iluminação, ao trabalho do diretor e às dificuldades que surgem antes e durante a rodagem de uma cena. Também é muito interessante observar a relação que os atores mantêm com o texto.

    Atualmente se pode assistir ao *making of* (documentário de bastidores) dentro dos próprios DVDs, ou via VoD, com detalhes da feitura de determinadas cenas, entrevistas dos profissionais envolvidos e outros aspectos que nos dão uma noção exata de como as palavras no roteiro se transformam em imagem.

2. Seguir parte de um trabalho de pós-produção (montagem ou edição, música e sonorização). Notar como a edição pode modificar milagrosamente o tempo dramático da cena, o ritmo do produto e até a própria estrutura do roteiro. É evidente que a montagem tem cada dia mais possibilidade por ser eletrônica, não linear e muito mais apurada. Alguns autores são mesmo de opinião de que é precisamente depois da montagem que existe de fato o roteiro final (uma curiosidade: os teóricos franceses batizaram esse roteiro de "terceiro roteiro").

    No que diz respeito à música e à sonorização, perceber como a introdução destas dá nova dimensão à cena.

    Recordar que a música é uma das partes **essenciais** do drama aristotélico.

3. Como exercício de reescrita, sugiro que esse trabalho seja levado a cabo sobre as cenas já escritas, segundo a proposta dos exercícios do segmento anterior.

Reduzir algumas cenas de três folhas (o encontro no elevador, os caçadores) para cenas de uma folha e meia. **Exercício de síntese.**

Ampliar outras cenas (a ruptura de um casal, o enterro do professor) em mais duas folhas. **Exercício de ampliação de diálogo.**

BIBLIOGRAFIA

1. ROSSELLINI, Roberto. *La política de los autores*. Madri: Ayuso, 1974, p. 99.
2. DANCYGER, Ken; RUSH, Jeff. *Alternative scriptwriting: beyond the Hollywood formula*. Londres: Focal Press, 2013, p. 191.
3. CARRIÈRE, Jean-Claude; BONITZER, Pascal. *Práctica del guion cinematográfico*. Barcelona: Paidós, 1991, p. 46-47.
4. REED, Kit. *Revision – How to find and fix what isn't working in your story and strengthen what is, to build compelling, successful fiction*. Londres: Robinson Publishing, 1991, p. 86.

2.4 O TRATAMENTO – PRIMEIRO E FINAL

REFLEXÕES SOBRE O TRATAMENTO FINAL

Em *Romeu e Julieta*, segundo ato, cena 6, William Shakespeare escreveu a seguinte fala para Frei Loureço: "Deleites violentos têm fins violentos. Morrem no meio do seu triunfo, como o fogo e a pólvora que se consomem logo que se beijam".

... Como o fogo e a pólvora que se consomem logo que se beijam. Bingo. Seu roteiro foi aceito, está em produção e a caminho de uma realização iminente. Do ponto de vista formal não existem mais reescrituras nem mudanças no corpo do texto. Esse roteiro se denomina **tratamento final** ou **roteiro final**.

É desse tema que trataremos neste segmento. Depois de tantas horas, etapas, semanas e até meses de trabalho o seu material foi aceito.

Todavia, a presença do roteirista não desaparece. O roteiro se torna um instrumento de trabalho e se consome nas mãos dos atores, diretores e outros profissionais. Mas dependendo do feitio do autor ele pode estar mais atuante ou menos presente nessa fase.

Assim se concretiza um terceiro talento nas diversas qualidades que o roteirista deve ter. Agora ele vai interagir com os profissionais responsáveis pelo olho da câmera. Seja simpático, escute os elogios sem que estes lhe subam a cabeça e seja humilde diante de algum tipo de crítica maldosa, possivelmente norteada pela inveja.

Enfim sua esperança, que todos nós sabemos é o sonho do ser humano de olhos abertos, se concretizou.

No teatro americano ou europeu a figura do autor, quando vivo, é solicitada inclusive nos ensaios. Primeiro por uma questão de respeito e segundo para esclarecer dúvidas que naturalmente possam surgir. No Brasil se consegue abolir até o nome dos autores nas peças teatrais. E o diretor passa a ser o senhor absoluto do espetáculo. Uma pena que fere o direito moral da autoria.

No cinema, cuja autoria é revelada por meio de uma santíssima trindade, formada por produtor, diretor e roteirista, existe um equilíbrio cada vez mais conveniente. Em especial nas produções internacionais, em que a figura do roteirista alcança relevância e premiação conveniente.

Com a chegada dos *streaming*, muitos roteiristas se tornaram *showrunners*, termo que nasceu nos Estados Unidos e no Canadá e significa o **criador**, **responsável** e **supervisor** de toda a série, em todos os seus aspectos (do trabalho diário de supervisão da gravação até a excelência dos músicos, e principalmente será dele o *final cut* do espetáculo). Sim, a responsabilidade é enorme, mas melhor do que ninguém ele saberá tomar conta da sua criação.

Também quanto aos honorários, esse trabalho é bem pago por se tratar de uma porcentagem bruta da produção (veja o segmento 4.4).

Pode parecer surpreendente, mas na minha experiência no mercado internacional, tive melhores relações com produtores do que com diretores. Aliás, alguns livros americanos que retratam a cinematografia de Hollywood demonstram uma relação mais estreita entre produtor e roteirista do que entre este e o diretor.

Na ficção televisiva, por ser até certo ponto muito mais industrial e por sofrer do que chamo de **diarreia dramática**, o papel do roteirista é relevante, mas dependendo do país fica concentrado em poucas figuras. Afinal, se ele parar, a máquina para (veja o segmento 4.1).

Em todos os casos nacionais ou internacionais, televisivos, teatrais e cinematográficos, por gentileza, necessidade ou cinismo, conversas e trocas de informação entre autores, diretores e produtores devem ser consideradas bem-vindas.

Elenco, capacidade de produção, estilo de imagem e outros pormenores podem ser debatidos com o diretor, por telefone e e-mail ou em reuniões. Outros autores controlam palmo a palmo todas as etapas da produção, depende do critério e personalidade de cada um. Faço visitas curtas às gravações e às filmagens para não atrapalhar o trabalho criativo da equipe.

A seguir veremos alguns pontos nos quais a interferência do roteirista é indispensável. Abordaremos também alguns conhecimentos técnicos para melhor compreensão da mecânica audiovisual.

OPINIÃO E TESTEMUNHO DE DIRETORES

Steven Spielberg afirmou: "Sou o resultado direto do roteiro, ele determina tudo que faço em um filme. Não crio longas do nada e não peço para atores improvisarem. Acredito em um conceito forte, em um propósito, em uma narrativa muito boa. O roteiro é a raiz de tudo"[1].

Truffaut e Hitchcock conversam:

François Truffaut — O que é MacGuffin ?

Alfred Hitchcock — É um expediente, um truque do roteiro, um recurso para uma situação problemática [...]

François Truffaut — Deve haver uma espécie de lei dramática quando a personagem se encontra realmente em perigo. Acontece uma explicação no roteiro [...] que se converte em [...] MacGuffin.

Alfred Hitchcock — Meu melhor MacGuffin, e quando digo "o melhor" quero dizer o mais vazio, inexistente e irônico, é o de *Intriga internacional*. Na cena que tem lugar no aeroporto de Chicago, o homem dos Serviços Centrais de Espionagem explica tudo a Cary Grant, que então pergunta, falando da personagem de James Mason: "O que ele faz?" E o outro responde: "Digamos que é um tipo que se dedica a importações e exportações". "Mas o que vende?" "Oh! Precisamente segredos do governo." Já se vê que, neste caso, reduzimos o MacGuffin à sua expressão mais pura: nada.[2]

José Carlos Pieri afirma:

Federico Fellini comparou a função de um diretor com a de um maestro que rege uma orquestra. A diferença está na matéria-prima: a do maestro é a partitura e a do diretor, o roteiro. Ambos deverão comandar uma equipe para que, ao final, suas obras sejam apresentadas a um público, que poderá ou não "aplaudir" o resultado final da obra. O primeiro passo do diretor é ler o roteiro de maneira aberta e espontânea para captar a essência da história. Trocar ideias e tirar dúvidas com o autor é muito produtivo para alimentar e aprofundar o texto dramático, para que o diretor possa transmitir à sua equipe e atores a visão artística que a produção deverá ter. Nesse momento o diretor passa a ser um coautor e o ponto de referência para todos envolvidos no projeto. Os passos do diretor são: compor sua equipe, formar um elenco, ter um produtor executivo para iniciar a pré-produção, escrever o *shooting script* (roteiro técnico), realização (filmar, rodar, gravar), pós-produção (editar, montar, musicar e acrescentar efeitos especiais) e, depois, o *grand finale* (exibição).[3]

CONVERSAS COM O DIRETOR

É no mínimo conveniente que o contato entre o diretor e o autor se mantenha **aberto**. É sempre melhor deixar os conflitos e os problemas para as personagens.

Conversas e consultas são necessárias e devem ser feitas em qualquer momento, sempre que o diretor necessite para procurar o tom e dar perfil ao espetáculo. "Qualquer diretor que valorize seu próprio engenho alterará o roteiro. Se não faz nenhuma modificação, é porque algo de estranho se passa. Durante todo o período de preparação, é comum surgirem situações que exigem retoques no roteiro", afirmou Terence St. John[4].

Com base nessas conversas e leituras atentas do texto, o diretor dará as primeiras indicações ao iluminador, ao técnico de som, ao diretor de arte etc. Enfim, a todo o pessoal implicado na filmagem ou captação de imagem.

Assim que o diretor entra em cheio no trabalho propriamente dito, aconselha mudanças, aponta soluções para problemas do roteiro etc. Feito isso, ele passará o texto com toda a equipe. Vemos como nessa primeira fase o diretor é uma espécie de coordenador geral. O maestro da orquestra estudando e seguindo as notas musicais.

Voltando ao roteiro, e no que se refere ao formato, ele sofrerá uma transformação: de roteiro definitivo se converterá em *shooting script*, **roteiro de filmagem** ou **roteiro técnico**.

O *shooting script* tem todas as indicações técnicas necessárias para o trabalho do diretor, do montador, do operador, do diretor artístico, do produtor etc. Nele o diretor indica que tipos de tomada serão feitos, qual será a linguagem da câmera, como serão os cenários, os ambientes, a iluminação etc. Essas indicações terão de ser suficientemente claras para que toda a equipe entenda.

É então que começam as pressões, pois nos organogramas o tempo e o custo de trabalho que se leva a cabo são controlados. Valem dinheiro do produtor.

Às vezes sucede que o roteiro é um pouco longo e é necessário cortar algumas cenas. Choveu naquele dia. Isso pode acontecer e é o diretor que toma a decisão de mudar o local da cena de locação para o estúdio. Ele pode requerer a ajuda do roteirista para realizar essa tarefa, sobretudo nos casos mais complexos.

Na realidade o roteiro técnico é mais utilizado no cinema do que na televisão, devido à velocidade do processo de produção desta última. Geralmente o diretor de televisão elabora seu roteiro de técnico de memória ou simplesmente faz as anotações pertinentes no próprio roteiro final (roteiro literário).

Podemos dizer que o trabalho de direção é o trabalho central na realização de um produto audiovisual. Quando o roteiro chega às mãos do diretor é apenas um texto, calado e imóvel. É o diretor que o converte em realidade, que dá movimento e vida ao espetáculo.

Além do roteiro técnico o diretor desenha seu *storyboard*[5], uma série de pequenos esboços em que se indica quais serão as principais tomadas, os *takes*. Agora o roteiro técnico se transformou numa espécie de história em quadrinhos, de forma que toda a equipe saiba exatamente o que tem de filmar e como será a linguagem da câmera, as características dos atores etc.

Antigamente o *storyboard* era uma técnica sofisticada que costumava ser utilizada nas grandes produções. Eram poucos os diretores que usavam essa técnica, em virtude do aumento dos custos que representava pagar ao desenhista, aos pintores etc. Atualmente existem programas de computador que executam essa tarefa, podendo o próprio diretor executar suas ideias. À luz do que anteriormente expusemos, podemos concluir que na realização existem cinco etapas:

1. Conversa com o roteirista.
2. Reunião com os atores do *casting*.
3. Confecção do roteiro técnico ou *storyboard*.
4. Especificação dos trabalhos da equipe.
5. Realização, filmagem, gravação e edição.

O diretor conta com a assistência de outros profissionais, que são:

- **Assistente de direção**, que dá assistência em todas as etapas do seu trabalho.
- **Diretor de cenografia**, que cria os cenários.
- **Diretor de arte**, que determina os objetos utilizados em cena e adapta os objetos à época em que a ação se desenrola. Esse trabalho é feito por meio de investigações, para evitar que apareça um telefone sobre a mesa de uma sala do século XVII, por exemplo. Essa documentação também afeta as maneiras, o comportamento, o vocabulário etc.
- **Operador de câmera**, que dá a textura precisa ao enfoque da câmera.
- **Diretor de fotografia**, responsável pela parte artística e óptica do espetáculo.
- **Iluminador**, ou seja, o responsável pela luz.
- **Figurinista**.
- **Técnico de som (sonoplasta)**.
- **Editor (montador)**.
- **Produtor de elenco**.

Essa equipe de profissionais que atua ao lado do diretor é uma espécie de cabeça pensante que controlará toda a confecção do espetáculo audiovisual. Ainda podemos citar: continuísta, preparador de elenco, preparador vocal (fonoaudiólogo), maquiador, técnico de efeitos especiais etc.

Concluindo: as conversas e contatos com o diretor podem prosseguir até o próprio dia da estreia do produto audiovisual. O roteirista nunca deve interferir no trabalho do diretor, embora deva estar sempre disposto a colaborar e a aconselhar. Volto agora ao livro de Jean-Claude Carrière, no qual ele diz:

Prever sempre uma última sessão de trabalho sobre o roteiro com o diretor, na semana anterior à filmagem, quando se localizaram todos os cenários e se contrataram todos os atores. O filme começa a tomar forma, a aparecer. É assombroso ver as importantes alterações que de repente parecem necessárias, poucas horas antes do início da filmagem. Repetir três vezes em voz alta, todas as manhãs, aquela frase de Tchekhov: "O melhor é evitar todas as descrições do estado de ânimo. O mais correto e compreensível é apresentá-los por meio das ações dos heróis".[6]

O ELENCO

Conta o anedotário hollywoodiano que um dos irmãos Warner descia de seu avião particular quando recebeu a notícia de que Ronald Reagan havia sido indicado candidato a governador da Califórnia. Diante disso comentou: "Isso é um *miscasting*. Ronald Reagan pode ser no máximo o amigo do governador. O governador tem de ser James Stewart". Esclareçamos que *miscasting* quer dizer "distribuição de papéis incorreta".

Essa anedota não deixa de ser um bom exemplo da importância da configuração do elenco na realização de um filme ou de um programa de televisão. O elenco dá corpo às palavras em consonância com os desejos do diretor. Uma boa distribuição de papéis deve ser feita conjuntamente pelo diretor, pelo produtor e pelo roteirista.

O *miscasting* pode dar origem a graves problemas. Um ator que não se adapta ao papel prejudica todos os outros atores, desfigura a personagem, faz desaparecer a carga dramática do espetáculo e, como consequência, o conteúdo do roteiro. Um erro desse tipo pode ocasionar uma mudança total do clima desejado pelo autor.

Uma boa distribuição dos papéis é um fator-chave para a realização do espetáculo. Um intérprete adequado, além de se ajustar às características desejadas pelo autor, revelará outros aspectos escondidos da personagem que apenas um ator que a compreenda pode descobrir.

Os atores possuem um baú de vivências, múltiplos conhecimentos aprendidos e experiência. E é com essa bagagem que eles acrescentam matizes e revelam toda a potencialidade da personagem.

Um ator se sai mal por duas razões:

1. **Quando o ator vai atrás da personagem.**
   Isso sucede quando a personagem ultrapassa o ator, que não tem bagagem suficiente para conseguir a profundidade necessária.

2. **Quando a personagem vai atrás do ator.**
   Quando o ator é mais forte que a personagem e não sabe se apagar para se meter na pele dela.

O *casting*, a **constituição do elenco**, não é apenas a questão de escolher o ator **adequado** para determinado papel. Além de fazer a distribuição individual, é preciso ter presente aquilo que se chama **visão de conjunto**: se eles combinam entre si e se ambos adaptam ao clima desejado.

Um ator pode ser muito bom para um papel, mas não encaixa com a atriz com quem tem de partilhar a cena. A esse problema as pessoas do teatro e do cinema dão o nome de **erro químico** (não deu liga), não há sinergia. Existe um mecanismo que não funciona entre eles. A escolha individual foi acertada, mas não a de conjunto. A distribuição deve ser homogênea, harmoniosa e quimicamente correta. Hoje em dia, além de submeter um ator ao teste individual, se faz teste de conjunto. O responsável por isso é o produtor de elenco. Mas o crivo final é do diretor em conjunto com o roteirista.

No momento de escolher um ator é imprescindível que ele conheça o *script*. Ele realmente se sente bem na pele da personagem? Está à altura das suas expectativas? Uma vez terminada a distribuição ideal, ainda há outra fase a enfrentar: a crua realidade dos contratos. É preciso saber se o cachê que o ator pede está dentro das possibilidades da produção e se, segundo o critério do produtor, o preço compensa ou não.

Regra geral, a comunicação entre o ator e o autor é aberta. É normal que o ator tenha suas dúvidas, peça informações e queira esclarecer pontos obscuros em relação à personagem que vai interpretar. Essa comunicação é muito bem recebida pelos roteiristas, visto que o ator tem algo a acrescentar à personagem graças ao acúmulo de vivências interiores que adquiriu com outros trabalhos. Mesmo quando a obra já está sendo realizada, o diretor pode pedir ajuda ao roteirista em face das dificuldades que porventura surjam com os atores, sobretudo quando se trata de um diretor pouco experiente e querendo aprender.

Swain propõe esta fórmula:

Pode acontecer que você seja chamado para remediar uma situação em que o ator acha suas falas fracas. Nesse caso experimente estes truques:

a) flexibilidade: demonstre-se disposto a mudar falas, se for preciso;

b) adulação: faça o possível para convencer o intérprete de que as falas que você escreveu o apresentam com maior distinção;

c) demonstre a dificuldade da interpretação: verifique que as falas são difíceis, fazendo que seus amigos menos dotados as leiam, e aponte a maneira sem emoção como todo mundo se expressa.[7]

Quando um roteirista escreve, pensa e imagina um ator de carne e osso para determinado papel. Não importa que esse ator seja conhecido ou desconhecido, esteja morto ou vivo, a questão é ter uma imagem da personagem para que o autor possa ver a cena. Essa visualização é simplesmente um truque de imaginação. Essas imagens ou atores que usamos são denominados *actor-models* (atores-modelo ou atores guia).

O ideal seria que o nosso ator-modelo fosse sempre quem desempenhasse o papel. Infelizmente isso quase nunca acontece. As primeiras opções para o elenco poucas vezes se mantêm. Normalmente se alcança uma segunda ou terceira opção. Isso não quer dizer que o procedimento não seja o adequado. As primeiras opções são sempre opções ideais; as outras, em contrapartida, são as possíveis. Não será demais fazer notar que são os atores que fazem chegar ao público o trabalho de toda uma equipe e merecem todo o nosso respeito e apoio.

Completado o elenco, vem o processo de leitura do texto. A presença do autor nessa leitura é importante, uma vez que se resolverão dúvidas ou problemas.

No entanto, o que normalmente acontece é que a leitura do tratamento final é feita tempos depois de ele ter sido escrito, e o roteirista pode estar envolvido em outro projeto. Enterrado até o pescoço em outro trabalho, com a cabeça em outro lugar. De qualquer maneira, sempre que for possível, é conveniente que o autor esteja presente na primeira leitura dos atores.

Assim, há três tipos de elenco:

- **Imaginário**: é aquele que o autor imagina, no qual são utilizados atores-modelos ou guias. Podem ser rosto de pessoas que o roteirista conhece.
- **Ideal**: é aquele que seria o melhor tanto para o roteirista quanto para o diretor e o produtor. Dificilmente se consegue.
- **Real**: é aquele que efetivamente vai trabalhar no seu roteiro. Também chamado de elenco verdadeiro.

Uma última palavra: *coaching* (preparador de elenco) é o profissional que busca aprimorar o desempenho dos atores, sua capacidade de atuar, por meio de exercícios corporais e/ou vocais. Ele treina os atores para determinado papel ou personagem, em conjunto ou individualmente.

OPINIÃO: O ATOR E A VOZ DO PERSONAGEM

Diz a fonoaudióloga e preparadora vocal de atores Leila Mendes:

> Segundo a lei dramatúrgica, citada por Doc, cada vez que a personagem pensa, fala, e cada vez que sente, atua. Doc também nos diz que "personagem e história vivem uma interação perpétua".

Essas duas ideias guiam o trabalho do ator e da preparação de atores. Na dramaturgia contemporânea, as personagens têm múltiplas características e seguem as diversas formas de linguagem do roteiro e da direção. Logo, tudo que o ator faz ou fala tem um sentido em cena; por essa razão, ele precisa desenvolver a consciência e o domínio da sua expressão por meio do estudo e prática. O trabalho de preparação do ator engloba as técnicas de interpretação e de expressão corporal e vocal.

Hoje é cada vez mais frequente na equipe a presença de instrutores de dramaturgia, preparadores corporais e vocais.

Antes do início das gravações, o elenco participa de leituras do roteiro e de práticas corporais e vocais que podem ser grupais ou individuais. Caso a personagem tenha habilidades específicas – como cantar, dançar, andar a cavalo, pintar ou outra qualquer outra –, o ator fará aulas do que for necessário para desenvolver essas habilidades. Também faz um intenso trabalho chamado de laboratório, um mergulho no universo do roteiro e da personagem, por intermédio de pesquisas e vivências, para dar maior veracidade à personagem.

A interpretação do ator no audiovisual está baseada em posturas, expressões fisionômicas, gestos e voz, que são precisos e contidos pois serão ampliados pela câmera. A expressão deve estar sempre em harmonia com o que está sendo dito e sentido. Tudo que o ator diz precisa ter conteúdo emocional. Antes de falar o ator deve imaginar que tenha sido provocado por algo. Ouvir o que está sendo dito em cena. E só depois reagir e falar. A ação, o ouvir e o olhar vêm antes da fala. Do contrário, os espectadores terão a impressão de uma fala decorada.

A habilidade de entrar na essência da personagem é a parte subjetiva da arte de interpretar. Vem da compaixão e do temor pelos mistérios da vida que nos levam à catarse, segundo Aristóteles. Vem da paixão e da vontade de interpretar uma personagem verdadeira. Para mim, um dos segredos da interpretação é a compaixão do ator por sua personagem sem nenhum julgamento. Mas sempre torcendo para que ela aprenda alguma coisa com a compreensão de suas falhas trágicas e evolua.

Como diz o Doc, o roteiro é o ponto de partida, a crisálida que se transforma em borboleta e voa. A criação da personagem é como o nascimento de algo gestado na imaginação, sentido no coração e por fim expresso por todos os que participam da equipe de uma obra audiovisual. Histórias e personagens voam para a imaginação de cada espectador e transformam a vida de cada um deles por meio da arte.[8]

DIGRESSÃO

Como todo roteirista, tenho meus diretores **prediletos** e, como se pode notar, sou um estudioso do ato **criativo** e da **imagética**.

Enfim, fui assistindo a filmes durante toda a vida na busca da temática "o nascimento do ato de criar", e é claro que encontrei em Woody Allen um roteiro de filme que me encantou e seduziu. O renomado diretor conclui que a criatividade pode nascer nos lugares, momentos e pessoas mais improváveis.

Por tudo isso transcrevo meu relato sobre o filme *Tiros na Broadway*, artigo que escrevi para o Centro Cultural Banco do Brasil em 2009, na mostra Woody Allen, cujo curador foi Angelo Defanti.

Vários personagens encontrando um autor

Pensadores e dramaturgos se dedicaram a escrever sobre o ato de criar, imaginar e conceber a arte. Recentemente Orhan Pamuk, prêmio Nobel de Literatura em 2006, descreveu com exatidão e requinte em seu livro *A neve* o momento de inspiração de um poeta turco diante da captura da ficção. Isso para citar um fascinante exemplo erudito.

Todavia Woody Allen, numa coautoria de roteiro com Douglas McGrath, consegue com sua extraordinária genialidade captar, com personagens clichês que perambulam pela sátira e pelos diálogos mais exatos, demonstrar que o misterioso contorno da criação não tem forma.

Crítico do princípio ao fim, ele nos apresenta o autor idealista, o agente pragmático, a diva que não recebe prêmios de coadjuvantes, o gângster que se transforma em produtor para satisfazer os desejos de sua amante ignorante e desprovida de talento, o ator inglês competente mas inseguro. E, por fim, entre outros clichês, um segurança violento que mata sem remorso.

O Deus do nosso pai – esse é o nome da peça que o autor escreveu e que eles ensaiam para estrear na Broadway. A cada cena, frase e instante a hipocrisia cresce e o cinismo se torna arrebatador. Aparentemente eles vivem o mundo da arte, enquanto os gângsteres se matam nas ruas em frente aos teatros. Mas eles também se matam entre si no jogo dos diálogos e das palavras. O autor de mãos frias se torna adúltero e mentiroso. Todos querem mais presença cênica, mais poder e projeção.

O filme se passa nos anos 1920, mas é um papel-carbono de hoje. Todos os personagens foram concebidos como se fossem nossos velhos conhecidos, atuando no presente por meio de paixões e razões interesseiras, prevendo um futuro com a percepção e a certeza de conhecer o que se passa após a morte.

Os diálogos são inesquecíveis: "Não existem pérolas negras", "Cale a boca, não diga mais nada", "Sou um artista de princípios", "Não querem que mudem uma palavra do meu texto", "Vamos ser francos: existe um mundo real lá fora!", "Eu estou tendo um caso com a atriz", "E eu com outro autor", entre outras pérolas brancas e verdadeiras.

Simples, direto, eficaz. Mas e por que não dizer shakespeariano? O personagem protagonista, o autor, evolui durante a ação dramática de modo surpreendente e inequívoco. Ele se transforma, sim. Evolui durante o espetáculo de modo inverso ao que normalmente autores e pensadores expõem. Em outras palavras: ele começa autor e termina afirmando que não é artista.

Ele caminha do tudo para o nada. E quem é o autor? Onde está o talento? Em que personagem foi depositado o ato de criar? Aquele na verdade capaz de transformar ilusão em realidade e tocar as fibras das emoções humanas.

E então os personagens encontram o seu dramaturgo maior. O autor se retira de cena e reconhece que naquele violento segurança foi depositada a semente da criação.

Ironia das ironias, absurdo dos absurdos, como explicar que o germe da dramaturgia foi frutificar em tão vil criatura? E mais. Nasce no segurança o senso da autoria e ele passa a matar em nome da arte. Adquire violentamente a consciência do direito de autor. E com seu revólver a arte se torna uma revolução que, quando ultrajada, merece a morte.

Simbólico e alegórico, sim. Ao morrer o segurança autor tem como único pensamento uma correção na última frase da peça. A derradeira correção do autor.

Como alerta final, de forma bem discreta, ele nos recorda de que não devemos confundir a obra com o artista, com sua pessoa, seu caráter, nem com o sistema ideológico que o abriga.

Brilhante, genial, imperdível, essa obra de Woody Allen é sem dúvida um dos exemplos mais significativos da importância desse cineasta na história do cinema.

FORMAS E FORMATOS DO TRATAMENTO FINAL

O roteiro final é mais do que um texto, é uma ferramenta de trabalho que pode ter várias formas e formatos. Vamos introduzir parte da terminologia técnica que consideramos básica.

O tratamento final é distribuído entre os departamentos de produção e os profissionais envolvidos e se torna um instrumento de trabalho para toda a equipe. Ele é sublinhado, marcado, observações são escritas em suas margens, é levado para locações etc. Enfim, cada uma das pessoas envolvidas buscará nele a palavra-chave para executar o seu trabalho.

Se estiver escrito "uma manhã radiosa em uma sala de alunos jovens e felizes", o iluminador trabalhará com certo tipo de luz, a maquiadora com maquiagens suaves, a figurinista com roupas juvenis, tudo em função da atmosfera indicada no texto.

Sempre é bom recordar as palavras de Wells Root: "Um bom escritor nunca foi despedido de Hollywood por não conhecer os ângulos de uma câmera. O que produtores, diretores e autores procuram num roteiro são personagens, emoções, risos, fantasias, conflitos e ideias. E a eles cabe traduzir isso para a tela".[9]

Diferenças entre cena e sequência

Considero a diferença entre **cena** e **sequência** um parâmetro de produção e direção. Outros autores dão a essa diferença um caráter dramático com que não concordo. Para eles a sequência é uma unidade narrativa intermediária entre os atos e as cenas. Para mim, sequência e cena são conceitos puramente geográficos. Em cinema, uma sequência engloba tudo que sucede numa **localização**. Por exemplo:

Localização: Uma casa em Sevilha.
Sequência 1: Quarto de casal
Cozinha
Exteriores da casa

Em contrapartida, em televisão uma cena fica determinada pelo lugar **concreto**. Por exemplo:

Localização: Uma casa em Sevilha.
Cena 1: Quarto de casal
Cena 2: Cozinha
Cena 3: Exteriores da casa

Em televisão, normalmente essa casa não seria um todo: os quartos estão dispersos pelo estúdio ou espalhados pela cidade.

Em televisão escrevemos por **cenas**. Podemos dizer que uma **sequência** se compõe de um **conjunto de cenas**. Tanto as cenas como as sequências são compostas por um conjunto de **planos**.

Plano, em cinema ou televisão, é a **tomada** feita pela câmera de **uma só vez sem** interrupção em determinado enquadramento.

Não se deve confundir **sequência** com **plano-sequência**. Plano-sequência supõe integrar **diferentes planos numa mesma tomada. Isso pode ser realizado por meio do movimento da câmera, dos atores ou de ambos.**

Capa

Ao terminar o roteiro elaboramos a capa, a página de rosto ou frontispício, que deverá incluir as seguintes informações:

1. Título do filme ou programa de televisão.
2. Nome do autor-roteirista.
3. Endereço e número do telefone do autor-roteirista.
4. Número de cenas ou sequências (opcional).

5. Duração do espetáculo (opcional).
6. Data do término do trabalho.
7. Tipo de produto audiovisual: minissérie, filme etc.
8. Nome da empresa ou pessoa a quem se entrega o roteiro.
9. Tipo de trabalho: original, adaptação, argumento ou primeiro roteiro, final.
10. Gênero: se é um drama, uma comédia etc.
11. Número de registro de propriedade intelectual ® ou *copyright* ©.

Espelho

A penúltima coisa que se faz num roteiro é o que se denomina espelho. A folha de produção, que se segue à página de rosto. Ou na própria capa, em se tratando de um seriado que está em produção há algum tempo. (Veja a Reprodução 1 neste segmento.)

Mediante esse espelho se especificam detalhes para a equipe de produção, uma vez que nele se encontram:

- Personagens (fixas ou convidadas)
- Cenários (interiores)
- Localizações (exteriores)
- Figurantes
- Outras observações que se façam necessárias (por exemplo: a premiação do roteiro em uma competição)

No caso de filme, vale a inclusão de um pequeno resumo da história – *logline* ou *storyline* – na página seguinte ao espelho.

Formato do *script* por cenas

Montaremos agora as nossas cenas em folhas *standard*. A folha *standard* (A4) é um papel dividido verticalmente ao meio para definir dois campos, um à direita e outro à esquerda. A razão dessa divisão é muito simples: transformar o texto do roteiro numa espécie de mapa, dividido em áreas específicas, onde cada profissional da equipe encontrará as indicações ou rubricas que dizem respeito à sua função.

Uma pequena menção se faz necessária sobre direita e esquerda em referência ao papel escrito. Depende de culturas, geografia e pontos de vista. Usaremos agora o tipo americano ocidental.

Assim, temos como desenho de cena os seguintes pontos:

No lado esquerdo

(Veja a Reprodução 2.)

1. O número da cena.
2. A identificação da cena (exterior ou interior, lugar, dia ou noite).

Os números 1 e 2 são referentes ao que chamamos de **cabeçalho da cena** ou **identificação de cena** e são importantes para todos os setores da produção.

Atenção: o cabeçalho começa do específico para o geral, abre-se com interior ou exterior, depois localização e por fim dia ou noite. Essa graduação não deve sofrer nenhum tipo de alteração na ordem.

Os **diálogos** podem ficar **centralizados**, que é a praxe atual, ou do lado esquerdo para o direito (formatação para teatro, rádio e alguns programas de TV).

As seguintes indicações são chamadas de rubricas. Referem-se à descrição da ação, do local, da atmosfera e da conduta da personagem, devendo ser sumárias. Repito: qualquer indicação no texto, inclusive as que fazem parte do corpo de comunicação (diálogo ou fala), é chamada de rubrica.

1. A descrição sumária da ação (conduta da personagem, aparência).
2. Indicações do movimento de câmera (planos). Só o estritamente necessário.
3. Indicação de ambientação geral da cena.

Com essas indicações estamos em contato com o ator, o cenógrafo, o maquiador, o operador e, sobretudo, o diretor. Não é obrigatório fazer todas essas indicações à equipe, nem ninguém deve seguir todas elas ao pé da letra. São sugestões, simples anotações que são chamadas de rubricas de ação ou indicações de cena.

Por exemplo: quando indicamos que uma cena concreta terá um close, na realidade queremos chamar a atenção do diretor para um detalhe importante que merece ser mostrado. Tanto faz se é um close fixo ou *zoom*. O diretor é quem determina o plano. Para o roteirista, o importante é ressaltar aquele detalhe.

A seleção de um plano determinado não é de todo gratuita, tem uma função. Por isso sua indicação deve ser precisa e econômica. Por exemplo: se numa cena marcamos o close de um comprimido que cai dentro de um copo, é óbvio que esse comprimido deve ser muito importante para a história. Só pode ser tóxico e venenoso.

Com a descrição sumária da cena informamos ao ator o mais relevante no comportamento da personagem naquela cena, aquilo que ele deve transmitir. Evidentemente o ator não tem obrigação de fazer caso do que está escrito. Mais uma vez são simples sugestões.

O mesmo sucede com as indicações de cenário para o cenógrafo e outras para diretores de arte, figurinistas etc. Quando indicamos que a sala é exageradamente rococó, o cenógrafo sabe que naquele cenário as coisas têm de ser exageradas, que não é apenas de uma sala tipo rococó como tantas outras.

Com a ambientação geral da cena e as rubricas de ação ou indicação de cena, conversamos com todos os profissionais envolvidos. Retomando: "Uma cena numa aula muito feliz, em que os alunos estão satisfeitos". Tomando essa indicação como base, todo mundo estará contente e criará um comportamento de acordo com esse clima. Cenografia jovial, roupa ligeira e clara, maquiagem com retoques naturais, até que tenhamos um ambiente geral alegre e descontraído.

Podemos indicar também a **iluminação** necessária. Se a luz vier de debaixo da barbicha da personagem, claro que se obtém uma aparência fantasmagórica. Uma luz muito branca, em contrapartida, dá um ar de estranheza etc.

Não podemos esquecer um fator importantíssimo: o **tema musical**. Se sentir que em determinado momento deve entrar a música, indique sempre que for preciso. Sem exageros nem para fugir de uma cena difícil de escrever.

"Jamais esquecer o som. Nunca o considerar um acessório. A trilha sonora de um filme se constrói com base no roteiro."[10] Assim pensa Jean-Claude Carrière, embora outras escolas de roteiro considerem que a música não deve ser indicada. **Atualmente não o faço**.

As indicações musicais servem para sublinhar um detalhe ou para realçar um instante de suspense. Todos nós conhecemos os momentos musicais do circo: quando os tambores ressoam é o momento crítico do salto mortal. Esse tipo de apontamento é o que se chama no roteiro de **pontuação musical** ou **passagem musical**.

Os **ruídos** devem também ser indicados. Por exemplo: um trovão, o barulho da chuva no telhado etc. Isso deve ser explicitado para o caso de ruídos ou sons que não se deduzem diretamente da imagem. Uma vez indicados o técnico de som saberá o que tem de fazer, que ruído utilizar etc.

Com a última anotação, é bom assinalar como se pretende **abrir e fechar a cena**. Essa informação é dirigida ao montador. Por exemplo, no final de uma cena se lê: encadeamento. Já em outra encontramos: corte. Ou ainda: fusão. O editor trabalhará com um encadeamento de forma que sirva de enlace, de passagem de tempo.

Portanto, é do lado esquerdo que se anotam, sempre com máxima clareza, todas aquelas indicações que sejam indispensáveis para facilitar o trabalho da equipe.

DA CRIAÇÃO AO ROTEIRO

No lado direito

No lado direito da folha ficam o **diálogo, o nome das personagens, as atitudes de interpretação** e, sempre, o **encerramento da cena** (veja, neste segmento, os tópicos "Dez efeitos óticos e de edição" e "Reprodução número 2").

É o local do corpo de **comunicação do roteiro**.

(Veja as Reproduções 3A e 3B neste segmento.)

Observações

Quando o profissional lê um *script*, gosta de encontrar sua função bem especificada e clara sem que falte informação. É fundamental escrever em espaço duplo para que o *script* fique o mais limpo possível, já que os profissionais têm o costume de fazer anotações nele. Isso deve ser levado em conta na formatação da página.

Essa divisão de lado esquerdo e direto é um resquício do rádio, em que tínhamos sonoplastia e ruídos de um lado e, do outro, as falas das personagens.

Atualmente esse tipo de exposição do roteiro em campos direito e esquerdo é usado para **textos teatrais**. Essa observação é importante.

Hoje, autores e produtores adquiriram o costume de colocar o diálogo na zona central da página, seguindo o modelo americano. É a forma mais atual e usada em produções internacionais. Existem programas de computador específicos para a formatação de roteiros nesse estilo (veja o segmento 3.1).

Uma folha para programas informativos de televisão é dividida em duas metades iguais no sentido vertical. À esquerda se especificam as imagens e à direita, o texto informativo. O rádio usa o mesmo procedimento, com uma diferença: à esquerda as indicações de imagem são substituídas pelas sonoras, ou indicações/entradas musicais, e à direita vêm os diálogos.

Toda indicação, exceto o cabeçalho, também é conhecida como anotação, mas deve ser sempre sumária e essencial. Por exemplo, a anotação "vestido branco radiante" será suficiente para que o figurinista saiba do que se trata. Apenas será necessária uma descrição mais detalhada se o vestido incorporar um pormenor específico (que tenha pregas, por exemplo, porque a personagem terá de esconder ali o brilhante roubado).

A seguir exemplificamos os vários tipos de formatação de roteiros. Além disso, acrescentamos um exemplo de **roteiro técnico** ou *shooting script* (veja a Reprodução 4).

REPRODUÇÃO 1 – Exemplo de espelho (personagens/locações)

TÍTULO DO PROGRAMA: A DAMA DAS CAMÉLIAS 83

DC

PERSONAGENS

COM FALA

1. Marguerite/Marina
2. Armando/Henrique
3. Barão de Varville/Artur
4. Prudente/Thelma
5. Nadine
6. Velha do Tarot
7. Armando
8. Joel
9. Duval
10. Rapazinho da claquete
11. Dr. Ernani
12. Gastão
13. Sílvia
14. Homem em *off* 1
15. Homem em *off* 2

SEM FALA

1. Menina dos patos (1847)
2. Homem do fraque preto (1847)
3. Homem de preto (1847)
4. Sacerdote e sacristão (1847)
5. Convidados para jantar (1847)
6. Pessoal da TV (1983)
7. Enfermeira (1983)
8. Modista (1983)
9. Pessoal do hospital (1983)
10. Figurantes (1983)

NOTA 1: nas personagens com fala, os números 1, 2, 3 e 4 correspondem a personagens diferentes que serão interpretadas pelo mesmo ator.

NOTA 2: a história se passa em duas épocas, 1847 e 1983.

CENÁRIOS / LOCAÇÕES

INTERIORES

1. Quarto de Marguerite (1847)
2. Sala de Marguerite (1847)
3. Quarto de Marina (1983)
4. Banheiro de Marina (1983)
5. Sala de Marina (1983)
6. Fundo do estúdio (1983)
7. Estufa (1847)

EXTERIORES

1. Bosque de Paris (1847)
2. Edifício (1983)
3. Pátio do estúdio (1983)
4. Praia deserta (1847)

8. Sala de controle da TV (1983)

9. Sala de maquiagem (1983)

10. Camarim (1983)

11. Sala da casa de Armando (1983)

12. Sala de emergência/hospital (1983)

REPRODUÇÃO 2 – EXEMPLO DE CENA/DIÁLOGO DA ESQUERDA PARA A DIREITA

TÍTULO DA SÉRIE: MALU MULHER (REDE GLOBO)

Capítulo: Parada obrigatória (1980)

DC

Malu sai. Carmo está diante do espelho.

CORTE

PUBLICIDADE

Cena 23   *INSERT.*

                 Anotação musical

                 CLOSE

Imagens de células vivas através de um microscópio. Por exemplo, amebas numa superfície gelatinosa, tal como se costuma ver num programa científico.

Instantes.

CORTE

Cena 24   INTERIOR. QUARTO DE MALU. DIA.

Malu acorda. Estava sonhando. Abre os olhos. Atordoada, tenta se situar no tempo e no espaço. Elisa está no meio do quarto, de pé, com uma bandeja nas mãos.

                 MALU   —   Elisa?

                 ELISA   —   Trouxe o seu café.

Elisa se aproxima e pousa a bandeja em cima da cama.

                 MALU   —   Formidável...

                 ELISA   —   Achei que agradaria.

                 MALU   —   Ah! Que boazinha. Obrigada.

Elisa se senta ao lado de Malu.

Detalhar bandeja com um típico café da manhã. (close)

MALU — Bom dia, meu amor. Que cara mais esquisita.

CORTE

REPRODUÇÃO 3A – Modelo de digitação em caixa-alta e diálogo centralizado (modelo americano)[11]
(*Modelo de datilografia em caixa-alta e diálogo centralizado – modelo americano*)
TV GLOBO/Plantão de Polícia (1979)/DC

ACORDO DIPLOMÁTICO – PÁG. 2

EMBAIXATRIZ

MUITO SIMPLES, SENHOR. TINHA AS JOIAS NA CAIXA-FORTE DO HOTEL E QUIS RETIRAR UM COLAR DE PÉROLAS. TROUXERAM O COFRE... MAS... ESTÁVAMOS ATRASADOS PARA UMA RECEPÇÃO... MEU MARIDO É MUITO ESCRUPULOSO EM QUESTÃO DE HORÁRIOS, EM HORAS E MINUTOS.

VISÃO DO EMBAIXADOR E DE DIVERSOS JORNALISTAS EM TORNO DELA.

EMBAIXADOR

BEM, A MINHA SENHORA TAMBÉM É BASTANTE DISCRETA.

EMBAIXATRIZ

SIM... FINALMENTE, ESQUECI DO COFRE E FOMOS EMBORA PARA O JANTAR DO CÔNSUL DA TURQUIA. E REGRESSAMOS MUITO TARDE.

JORNALISTA

NÃO SABIA QUE ULTIMAMENTE TEM HAVIDO MUITOS ROUBOS DE JOIAS EM DIVERSOS HOTÉIS DE LUXO E QUE SE SUSPEITA DA PRESENÇA DE UM LADRÃO INTERNACIONAL?

REPRODUÇÃO 3B – MODELO DE DIGITAÇÃO EM CAIXA-ALTA, BAIXA OU NORMAL[12]
(*Modelo da datilografia em caixa-alta, baixa ou normal*)
MARIA BONITA E LAMPIÃO
Aguinaldo Silva e DC

(Minissérie. Capítulo 6)

Zé Rufino começa a ler o papel e decifrar o telegrama. CLOSE da cara de curiosidade do telegrafista. Com esta imagem se ouve o ruído do telégrafo.

FUSÃO

Cena 25. Exterior/vilarejo/dia

Lampião está sentado numa rede na varanda de uma casa. Uma velha espanta as moscas com um abano de palha. Instantes. Gavião chega com um frasco de perfume na mão.

GAVIÃO — Trouxe o perfume, capitão. É do bom.

Lampião pega o frasco e põe perfume em quantidade. Sobretudo nas axilas, molha a roupa. Tira o chapéu e põe também na cabeça.

LAMPIÃO — A Santinha vai gostar deste cheiro que tenho agora...

Devolve o frasco a Gavião. Olha ao redor.

LAMPIÃO — Põe tu também. Hoje quero todo mundo perfumado. Este é um bom lugar pra passar uns dias.

FUSÃO

REPRODUÇÃO 4 – *Shooting script*

CENA 6. INTERIOR/CORREDOR DA CLÍNICA/DIA

PLANO 1 – *TRAVELLING (steady camera)* (lente 300) Cris está no balcão do atendimento quando passa por ela Afraninho, carregando muitos embrulhos (duas bonecas de plástico do tamanho de bebês, algumas almofadas, uma banheira de plástico e uma esteira debaixo do braço). Cris corre atrás dele, que continua andando rápido.

Cris — Ah, Afrânio, era com você... Preciso muito de um favor seu. Me autoriza a botar um anúncio no rádio.

Afraninho — Anúncio?

Cris — É, uma paciente do ambulatório. Chegaram os resultados dos exames dela, mas...

Afraninho — (DE MAU-HUMOR) Paciente do ambulatório? Não.

Cris — Mas Afraninho, é importante. A mulher sumiu, mudou de casa...

Afraninho — Isso não é problema nosso. É um problema para o marido dela.

Cris — (QUASE GRITANDO) Para! Você quer me escutar? Essa mulher é viúva e está doente, e se acontecer alguma coisa com ela podem dizer que a culpa foi nossa. Isso dá processo.

Afraninho — (AGORA PREOCUPADO) Processo? Fala com a Valderez e diz que está autorizado.

Cris — (SORRIDENTE) Obrigada, Afrânio. E todas essas coisas, são para quê?

Afraninho — É o que estou querendo descobrir. Tudo isso foi encomendado por esse novo médico, o Dr. Renato, para o setor de pediatria do ambulatório. E lá fora está o entregador para receber o dinheiro.

PLANO 2 – MÉDIO É quando chega o Dr. Renato, sorridente.

PLANO 3 – CLOSE Os olhos de Cris se iluminam.

PLANO 2A –MÉDIO

Renato — (PARA AFRÂNIO) Está me procurando?

Afraninho — (MOSTRA O PACOTE) O senhor está há pouco tempo aqui, não deve saber. Para fazer qualquer despesa em nome da clínica o senhor requisita a mim, justificando por escrito a necessidade do material, eu encaminho ao almoxarifado e...

Renato — (TRANQUILO) Não... Vou pagar.

Afraninho e Cris surpresos.

Renato — Preciso muito desse material no ambulatório. Eu sei como é que é, pelas vias normais sempre demora, aí resolvi comprar com meu dinheiro. Quanto é?

PLANO 4 – CLOSE Renato pega a nota e começa tranquilamente a preencher um cheque.

PLANO 5 – CLOSE Afraninho sem ter o que dizer, embasbacado.

PLANO 6 – *CLOSE UP* Cris interessada.

CORTE

A IMAGEM

A imagem é fruto das possibilidades técnicas da câmera somadas aos efeitos visuais e eletrônicos que se agregam no momento da edição.

A câmera trabalha com *takes* ou **tomadas**. O *take* **é a unidade da câmera**: é o tempo que se filma sem interrupção num determinado ângulo. Simplificando, é aquele momento compreendido entre o ação e o corta ditos pelo diretor.

A claquete é um pequeno quadro negro (se usa atualmente claquete eletrônica) na qual se especificam os dados que a câmera registra no princípio de cada tomada, com o objetivo de facilitar o trabalho da montagem. Contém nome do filme, número da cena ou sequência, número do plano, número do *take* (tomada), data, nome do diretor e do diretor de fotografia.

Por que se precisa da claquete antes de cada tomada?

De forma teórica, a cena é a unidade dramática do roteiro, como o *take* é a unidade da câmera. Como não podemos trabalhar com duas unidades distintas – por exemplo, litros e quilos –, o uso de um mecanismo conversor é obrigatório. A claquete é usada como fator de conversão de cenas em *takes*.

Para ser montado, o filme quando revelado é cortado em tiras (*loops*). Cada tira é uma tomada com a correspondente claquete. Ou, em vez de tira, um pedaço de fita de vídeo, no caso da televisão. Ou ainda trechos numerados eletronicamente no caso de gravações digitais.

A claquete também é importante quando o som é direto ou gravado simultaneamente. Ela proporciona o ponto de sincronia entre as bandas de imagem e de som. Também ajustes de som em pontos da banda magnética são feitos com base em sua numeração.

Movimentos da câmera

A câmera não é um objeto estático. Como prolongamento do olho humano, realiza todos os movimentos que o homem deseja e muito mais. Ela foi inventada para reter e ampliar o alcance das imagens.

Partindo desse pressuposto, a câmera é infinitamente mais versátil do que o olho humano, mais sensível e perspicaz. Penetra num mundo ao qual normalmente não temos acesso. Voa, corre, olha por baixo, por cima, de lado etc. Realiza movimentos que não fazemos com os olhos e guarda a imagem muito além de nossa memória.

A câmera se aproxima dos objetos, é íntima da personagem, rompe barreiras com o observado e revela pormenores que não percebemos na vida cotidiana.

Segundo Walter Benjamin, "sabemos mais ou menos os gestos que fazemos quando pegamos uma colher ou um isqueiro, mas ignoramos quase tudo sobre o jogo que se estabelece entre a mão e o metal, e muito menos conhecemos as mudanças que as flutuações do nosso estado de ânimo conferem aos nossos gestos"[13].

A câmera penetra nesse terreno com todos os seus recursos: *close ups*, afastamentos, cortes, tomadas isoladas, planos gerais, acelerações, ampliações e reduções. Proporciona a experiência do subconsciente visual, da mesma forma que a psicanálise faz com o subconsciente ou com o inconsciente coletivo.

Existe uma enormidade de tipos de equipamentos e cada dia nasce um mais sofisticado do que o outro. Existem câmeras subaquáticas, robóticas, de realidade virtual, de 3D, microcâmeras, de visão noturna, de percepção de calor, mas a que deu origem a essa profusão de possibilidades foi a câmera digital.

Um roteirista pode lançar ideias no papel, mas somente a câmera será capaz de mostrar tudo que ele imagina. Os **principais movimentos** da câmera são os seguintes:

- Câmera estática
- Câmera móvel
- Progressivo (aproximação)
- Regressivo (recuo)
- Repetitivo
- Circular

Quando a câmera se move, física ou oticamente, ela caminha num determinado ângulo: para a direita, para a esquerda, para cima, para baixo etc. Tanto a câmera estática como a móvel podem ter deslocamento progressivo (aproxima), regressivo (afasta), repetitivo (vaivém reiteradamente) ou circular.

O uso de lentes e filtros ou o próprio movimento já não são assuntos do roteirista. A definição e os conhecimentos técnicos da linguagem da câmera são função do diretor e do operador. A única coisa que o roteirista necessita saber é que a **câmera se move num determinado ângulo**.

A área captada pela objetiva da câmera é chamada de **enquadramento** e tem como sinônimo **plano**. O estudo dos planos é importante na linguagem da imagem. Cada tipo de plano tem **capacidade narrativa**, **conteúdo** e **utilidade dramática**.

Classificação dos planos com câmera fixa

Os planos, ou *shots*, podem ser fixos ou estar em movimento. Vejamos quais são os principais **planos**.

Primeiríssimo plano (close up)

O termo inglês *close up* designa um plano **superpróximo** do objeto. Às vezes também corresponde tanto ao **primeiríssimo plano** (imagem da cabeça, do ombro, dos olhos e da boca) como ao **plano detalhe** (veja adiante). Em inglês se especifica com os termos *big close* ou *extreme close up*.

Esse plano põe em **evidência** um **detalhe**. Pode ser a aproximação de uma boca, um relógio etc. Amplia a expressão do intérprete e por consequência aumenta a intensidade do momento. Bastante explorado em televisão, vem perdendo o impacto que tinha antes. O certo é que em TV o primeiro plano é uma exigência do tamanho limitado da tela e de sua menor definição.

Atualmente esse quadro mudou, mas as telas da TV e do computador ainda trabalham com primeiros planos, mesmo estando disponível no mercado modelos de 108 polegadas. Já o recorde de televisor comercial com maior tela pertence à Panasonic, que vende um modelo plasma de 152 polegadas e resolução 4k.

Logicamente o hábito televisivo dos espectadores de cinema ou dos diretores tem produzido alterações na leitura e na escrita dos planos próximos. Hoje eles voltaram a ser usados com frequência no cinema, já que **um meio contamina o outro.**

Plano médio

Na terminologia mais aceita é feita a distinção entre plano médio, que corta a figura pela cintura, e plano americano, que corta a figura pelos joelhos.

É um plano intermediário entre o plano geral e o *close* que sugere mobilidade e aproximação ao mesmo tempo.

Plano americano

É aquele em que vemos uma pessoa dos joelhos para cima. Surgiu nos tempos dos filmes de *Western* para mostrar o revólver na cintura dos *cowboys*.

Plano geral (long shot ou full shot)

É frequente distinguir entre plano geral, que dá ênfase ao ambiente, e plano de conjunto, descritivo de uma cena com personagens. Em ambos os casos abarca tanto todas as personagens como o cenário completo. É utilizado sobretudo para mostrar um grande ambiente e identificar o lugar onde a ação decorrerá. Geralmente é feito no começo de uma cena para situar o público. Serve de pausa ou de pontuação da imagem.

Plano de conjunto

Mostra o ambiente e as personagens nele presentes. Frequente em cenas de casamento e festas. Alguns estudiosos levam em consideração que plano de conjunto é quando se somam mais de duas personagens no enquadramento.

Plano detalhe

Detalha objetos ou parte do corpo humano que são ou serão importantes na narrativa da história.

Primeiro plano

Recorta o ator acima dos ombros. Usado normalmente para duas personagens dialogando. Denota intimidade.

Com a apresentação desses sete tipos de plano, um roteirista estará íntimo da linguagem audiovisual e da câmera. Lembrar que quase sempre esses planos são realizados com a câmera fixa. E teoricamente são chamados de planos fixos da câmera.

Classificação dos planos quando a câmera se move

Foram descritos os planos que uma câmera fixa é capaz de realizar. Mas esses planos podem se combinar aos movimentos de câmera.

Aspectos referentes ao roteirista sobre a movimentação da câmera:

- A câmera só se move por algum motivo concreto.
- Movimentos e planos são uma decisão do diretor.
- Se o roteirista não recordar o termo técnico do movimento, basta indicar o que deseja. Em lugar de *travelling shot* escrever: a câmera acompanha o caminhar da personagem.

Assinalar que a câmera se move num determinado eixo. Isto é, uma linha imaginária que deve ser mantida no posicionamento da câmera para dar coerência ao ponto de vista da objetiva, da escritura da imagem.

Se a câmera estiver trabalhando em um lado – digamos, o direito –, eixo à direita, ela não pode simplesmente mudar de lado sem que haja um movimento ou plano intercalando essa mudança. Esse é o preceito fundamental da movimentação de câmera.

Vejamos a seguir dez indicações sobre o assunto.

Dolly shot

É costume designar por *travelling* qualquer deslocamento da câmera que seja basicamente horizontal.

O *dolly shot* se caracteriza pela aproximação ou pelo afastamento da objetiva, que ora se move de cima para baixo, ora perpendicular à personagem ou ao objeto. *Dolly in* significa que a câmera se aproxima bastante do objeto. *Dolly out* se refere a um afastamento e *dolly back* significa que a câmera retrocede, deixa a cena e desaparece. Isso tudo em cima de trilhos ou de carrinhos ou plataformas com rodas pneumáticas, ou *steadycam* (veja adiante).

Ponto de vista

A câmera se situa ao nível dos olhos da personagem e temos a sensação de estar olhando com os olhos dela, de um ponto de vista subjetivo. Vemos o que a personagem vê, andamos quando ela anda e agachamos quando ela se agacha. Um exemplo de ponto de vista subjetivo é o filme *Psicose*, de Hitchcock. Quando se abre a porta do banheiro, vemos a moça que está tomando banho e, pouco a pouco, nos aproximamos dela junto com o assassino. Observamos o que ele vê. O efeito é magnífico, já que nos transportamos para o papel do assassino.

Seu uso exagerado pode ser desgastante e cansativo.

Travelling shot

A câmera acompanha o movimento da personagem ou um carro que se movimenta, na mesma velocidade que eles. Esse artifício aumenta a intensidade do instante e extrema a sensação de movimento. Foi Segundo de Chomón, operador aragonês de carreira internacional, quem teve a brilhante ideia de colocar a câmera sobre uma plataforma móvel na primeira grande superprodução da história do cinema, *Cabíria* (Itália, 1914), que Piero Fosco dirigiu.

Em 1976 foi apresentando por Garret Brown o primeiro *steadycam*: estabilizador que preso a um colete no corpo suporta a câmera permitindo movimentos suaves quando corremos ou subimos uma escada. Capta imagens estáveis em movimento. Usado cada vez mais e com avanços tecnológicos, como menor peso e maior estabilidade.

Panorâmica (Pan)

Diferenciar panorâmica horizontal (*panning*) de panorâmica vertical (*tilting*). Também de panorâmica oblíqua ou sequência oblíqua. Isso ocorre quando a câmera se move da direita para a esquerda, ou de cima para baixo sobre o seu eixo. É um recurso para obter uma visão geral do ambiente. Por exemplo, quando focamos o público e sua reação, mas sem nos fixar em ninguém em particular. Geralmente é usada para mostrar uma paisagem.

Transparência (Process shot)

Engenho técnico graças ao qual se projeta uma cena pré-filmada por trás das personagens. Decorrente do cinema americano. Típica imagem das personagens dentro de um automóvel que se desloca. Na realidade o que se move é a imagem projetada por trás das personagens, que mostra como a paisagem vai ficando para trás à medida que o automóvel avança. O cinema clássico americano usava com frequência para filmar em estúdio imagens de exterior ou de suposto risco. Cavalgadas, passeios de automóvel e, naturalmente, situações de perigo tais como personagens penduradas em parapeitos de janelas. O leitor se lembra de Indiana Jones, ou até mesmo de alguém atravessando um abismo?

Outro curioso artifício usado pelo cinema americano era filmar em plena luz do dia com filtros especiais e escuros para obter na projeção uma atmosfera de noite clara e enluarada, técnica chamada de "noite americana". O que levou o diretor francês François Truffaut a batizar uma de suas obras-primas cinematográficas com esse nome (*La nuit américaine*, França, 1973).

De todas as formas, atualmente a maioria desses artifícios foi substituída pelo *chroma key*, que conjuga cenografia com imagens pré-captadas e sincronizadas eletronicamente. Sobre um fundo em geral azul ou verde é realizada a cena ou ação. Depois se substitui essa cor básica de fundo por uma imagem vinda de outra fonte mediante um processo digital. Simples, direto e rápido.

Tela partida ou múltipla

A tela é dividida em partes. Por exemplo: duas personagens falam ao telefone, cada uma em sua casa. No lado esquerdo estará a personagem A, no direito a personagem B (*split screen*). Seu uso mais frequente é para mostrar ações simultâneas tais como conversas telefônicas. Em desuso, embora alguns autores tenham extraído dramatismo desse recurso, como Richard Fleischer em *O homem que odiava as mulheres* (1968).

Recordar que a divisão da tela carrega o sentido da cena de transição ou de integração. Se perde na integridade e ganha na passagem do tempo dramático. Entretanto, quanto a novas mídias no uso de celulares, computadores e apetrechos multimídia, a multiplicação do espaço de visão da tela requer reavaliação. Haverá predominância de um desses espaços sobre outros. Sua captação será predominante, invasiva, e portanto se tornará essencial (veja o segmento 3.1).

Zoom

Na terminologia mais habitual, *zoom* designa uma aproximação ou afastamento da imagem por meios óticos, por uma contínua mudança da distância focal realizada pela objetiva da câmera. Sucede quando a câmera se aproxima do objetivo, rápida ou lentamente, até atingir um *close*. É um recurso intensificador, mas de velocidade constante. Apesar de alguma perda da profundidade de campo, alcança enormes possibilidades dramáticas quando bem usado.

Desfocagem *(Transfocator)*

Diante de dois elementos, a câmera se concentra num só, definindo um enquanto o outro fica desfocado. Atualmente é um recurso de uso restrito e mais presente na televisão. Acrescento seu uso em filmes de terror, em que o objeto macabro fica em evidência e todo o restante fora de foco.

Halo desfocado *(Flou)*

A câmera desfoca tudo que rodeia o objeto com o fim de pô-lo em relevo. Enaltece a personagem. David Hamilton se converteu numa espécie de cruzado do *flou* nos anos 1970. O cinema erótico de *qualité* recorre a ele para dignificar as cenas ousadas. Também utilizado em cenas de transição ou de integração oníricas ou simbólicas.

Circular

A imagem circula em torno de personagens ou objetos, é a chamada circunvolução. É utilizado em musicais ou em beijos ardorosos acompanhados por trilha sonora intensa. Não se pode deixar de citar o beijo em *Crown, o magnífico*, de Norman Jewison.

É evidente que os planos em movimento são visualmente mais ricos e valorizados do que os fixos, uma vez que fazem o público participar da ação. Mais precisamente por esse motivo devem ser utilizados com cautela. Não há público que aguente emoções que nunca acabam nem produção que suporte tanto movimento. Os planos em movimento devem ser utilizados para fazer crescer a emoção dentro de um desencadeamento dramático e quando a ação requer.

DEZ EFEITOS ÓTICOS E DE EDIÇÃO

Os efeitos óticos são aqueles que servem para pontuar a ação, para abrir ou fechar uma cena. Alguns são conseguidos com a iluminação, outros com a câmera, com a edição e ainda com os efeitos especiais. Por exemplo: uma luz que vem de cima e forma uma auréola por trás da cabeça da personagem empresta uma impressão de santidade e dignidade. Em contrapartida, uma luz posta sob o queixo confere um efeito fantasmagórico. Os recursos de iluminação são de competência do diretor de fotografia e do seu iluminador chefe. Mas, se o autor acha conveniente chamar a atenção para algum aspecto concreto, deve indicar no roteiro.

Vejamos **dez efeitos** ópticos de montagem (edição) e de câmera que servem para abrir e fechar cenas, pontuar e estilizar.

O corte

É a passagem direta de uma cena para outra. É o efeito mais corrente, usado e eficaz. O **corte de continuidade** é uma variante menor do corte simples e é empregado para indicar a passagem do tempo numa mesma cena.

O corte oferece ao roteiro a noção de simultaneidade dos eventos.

O fade in

A imagem vai aparecendo numa tela escura que gradualmente fica mais clara. Utilizado normalmente para abrir uma cena. Recordar que roteiros geralmente abrem em *fade in*.

O fade out

A tela vai escurecendo gradualmente até o desaparecimento total da imagem. Ocasiona a sensação de encerramento ou término de determinando instante ou período em que a história ocorre. Rompe o sentido de simultaneidade. Recordar que geralmente roteiros terminam em *fade out*.

O encadeamento

Fusão de duas imagens. A segunda vai se sobrepondo à primeira. Utilizado para indicar uma passagem de tempo mais rápida do que um *fade*. Menos profunda do que *fade*.

Encadeamento com desfocagem

A imagem perde intensidade, fica mais clara até que desaparece para a entrada de outra diferente. É um recurso sofisticado para indicar a passagem do tempo, uma transição ou então o fechamento de um bloco.

Congelamento (Freezing)

A imagem deixa de se mover, fica momentaneamente estática. Esse efeito é utilizado para dar ênfase a determinado momento, às imagens que um fotógrafo capta ao disparar sua câmera ou para encerrar uma cena. François Truffaut imortalizou sua personagem adolescente de *Os incompreendidos* (1959) por meio de um *freezing* da cena final. Veja também *Depois daquele beijo* (*Blow up*), de Antonioni.

Câmera lenta (Slow motion)

A imagem perde velocidade, os movimentos se tornam lentos, acentuando e sublinhando uma ação. O tempo real é alterado e transformado. Um uso abusivo dessa técnica pode prejudicar a ação. Nos anos 1960 a câmera lenta foi convertida num tópico de imagens românticas, tanto amorosas ao estilo de Claude Lelouch como violentas ao estilo de Sam Peckinpah.

Cortina

Ocorre um deslocamento da imagem para fora da tela por uma linha vertical e outra cena toma seu lugar. Dá ideia de simultaneidade. Uma variante de deslocamento da imagem é o redemoinho: imagem que gira e se vai, ou desaparece pelo fundo da tela. Comuns nos seriados de super-heróis das décadas de 1970, 1980 e 2010.

Câmera rápida (Quick motion)

A imagem adquire maior velocidade. Os movimentos são rápidos. Esse recurso é apenas usado nas cenas humorísticas. A relação que o público estabelece entre a câmera rápida e o cinema primitivo é devida à frequência com que os filmes antigos eram projetados a uma velocidade inadequada, por culpa de máquinas automáticas nem sempre graduáveis. A rigor, o cinema antigo pode deixar ver algumas deficiências no que respeita à quantidade de imagens por segundo em que foi rodado, mas uma projeção adequada pode devolver a velocidade natural que era a certa na sua época.

Atualmente usamos esse recurso quando a história nos remete aos anos dos **primórdios** do cinema. O filme sobre a biografia de Charles Chaplin (*Chaplin*, 1992), de Richard Attenborough, possui câmera rápida, com participação de Anthony Hopkins no papel do biógrafo.

Também a *quick motion* pode ser usada em um filme policial, quando os investigadores correm com um vídeo. Ressaltamos aqui a presença do *back motion*, quando as imagens caminham para trás em velocidade alterada.

Novamente indicamos filmes policiais, quando os detetives procuram detalhes num vídeo.

Varrido (Chicote)

A câmera corre deslocando a imagem com rapidez e simultaneamente cortamos e passamos a outra cena, ou voltamos à mesma cena (corte de continuidade em seco). Esse recurso está em desuso, mas atenção, já que tudo que não está na moda pode voltar.

Efeitos especiais

Com os avanços tecnológicos, a criação de efeitos especiais é cada vez mais sofisticada. Todos os filmes os utilizam. Quem não recorda *King Kong* ou a espada de raios *laser* de *Guerra nas estrelas*? Os efeitos especiais se inscrevem do terreno da ótica à cenografia, à engenharia e à computação gráfica. O mundo dos efeitos especiais é a oficina comum de processos fotoquímicos, magnéticos, de computação e eletrônicos. Cada dia se complica e refina, como os da trilogia *O senhor dos anéis*. As novas mesas de montagem incorporaram uma infinidade de recursos e processos que pouco a pouco são assimilados e incluídos no procedimento diário de uma técnica que se deve considerar cinematografia digital. E o computador adquire uma presença inestimável e constante no mecanismo de contar histórias.

Em outras palavras, o problema do roteirista não é saber se a produção terá capacidade de contar suas histórias, é conhecer a capacidade da sua imaginação.

CONCLUSÕES

No que diz respeito à imagem, o interesse do roteirista se baseia apenas na aplicação prática das técnicas que foram expostas. Os recursos de imagem com que podemos contar para um melhor desenvolvimento da história. Um estudo mais profundo, para não dizer mais técnico, sobre a câmera e a imagem ultrapassa as atribuições do roteirista.

Tentamos ser sucintos. Apenas apresentamos e mostramos os principais recursos técnicos e os efeitos para que o roteirista possa integrá-los imaginariamente no seu trabalho sem o menor problema. Se o roteirista desconhece o termo técnico preciso, pode descrever resumindo o que imagina e quer. O roteirista deve simplesmente imaginar. Realizar é problema de outros, que devem achar a via técnica e criativa necessária para obter o resultado previsto e, se for preciso, inventar.

Conversas com o diretor foram apontadas como positivas.

Outros profissionais e suas funções foram descritos para melhor compreensão do processo de produção e concretização do tratamento final.

Foram abordados aspectos sobre o elenco e indicados dois tipos magnos de equívoco que os atores podem ter diante dos papéis que representam. Também foram feitas observações sobre a relevância do ator e o trabalho de voz e expressão corporal. Além de se discutir a relação de trabalho com diretor, inclusive com testemunhos.

Formas e formatos do tratamento final foram exaustivamente explorados. Diferenças entre cenas e sequências tiveram seus conceitos abordados, como também diferenças sobre formatação e apresentação do roteiro (estilo americano e europeu), com exemplos de vários estilos.

Mostramos a forma de um roteiro tradicional, a essencialidade das indicações e o conteúdo dos lados direito e esquerdo da folha do roteiro.

Falamos das imagens, das possibilidades infinitas do olho da câmera, dos efeitos especiais, dos recursos técnicos fundamentais e da claquete como fator de conversão da unidade dramática em unidade de câmera (tomada).

Além disso, foram classificados os dez principais movimentos de câmera, estática e em movimento, os principais planos e os dez recursos ópticos fundamentais. Foi um incisivo estudo sobre a imagem.

Concluindo, deve ser assinalado que, mesmo existindo um prodigioso arsenal de equipamentos e formas de apresentação de um tratamento final, cada um deve encontrar sua própria forma de se expressar por meio deste. O fator criativo é o que conta.

EXERCÍCIOS

Existem roteiros disponíveis no mercado, tanto para *download* como em livros. Talvez os leitores consigam um DVD para fazer a comparação entre o roteiro final e o produto audiovisual. Mesmo assim os exercícios não serão prejudicados com e sem os roteiros finais ou apesar dele. Basta ter uma mídia (episódio de série, filme, capítulo de novela etc.), e visualizá-la.

Um detalhe: ao contrário da transmissão direta, que conta com intervalos comerciais, no DVD comercializado a passagem do tempo é marcada pelo *fade*.

Os exercícios são de três tempos.

A. Exercícios de conhecimento (aquecimento)
Testar noções e conhecimentos que foram apreendidos até agora.

Observar e separar as cenas essenciais das cenas de transição. Notar que não segue o padrão esquemático de apresentação da curva dramática americana.

1. Notar os vários tipos de diálogos envolvidos.
2. Quantos *plots* ou *subplots* existem?
3. Analisar a microestrutura das cenas. Elas são clássicas?
4. Observar indicações de cenas e indicações em geral.

B. Exercícios de análise (anatomia dramática)
O leitor se transforma em analista de uma produtora e completa as planilhas de análise que se encontram no segmento "Planilhas de análise".

C. Exercícios de criatividade (reescritura)
A partir do terceiro intervalo o leitor se transforma no roteirista da obra e reescreve os dois últimos blocos criando diálogos, cenas diferentes e finais para todas as histórias envolvidas no episódio. Boa sorte.

INFORMAÇÕES IMPORTANTES

Colaboraram neste segmento:

- Luiz Carlos Pieri, diretor nacional e internacional.
- Leila Mendes, fonoaudióloga e preparadora vocal de atores.

NOTAS E BIBLIOGRAFIA

1. SALEM, Rodrigo. "Nunca estive tão frustrado na minha vida como hoje, diz Steven Spielberg". *Folha de S.Paulo*, caderno "Ilustrada", 25 jan. 2018.
2. TRUFFAUT, François. *El cine según Hitchcock*. Madri: Alianza, 1990, p. 115-8. [Edição brasileira: *Hitchcock/Truffaut: entrevistas, edição definitiva*. São Paulo: Companhia das Letras, 2004, p. 137-39.]
3. Testemunho de José Carlos Pieri, diretor que trabalhou na Itália, no Chile, na Sérvia e no Brasil (na Rede Globo, inúmeras vezes com Doc Comparato).
4. ST. JOHN, Terence. *Como dirigir cine*. Madri: Fundamentos, 1972, p. 70.
5. Com frequência o termo *storyboard* designa também um roteiro desenhado plano a plano.
6. CARRIÈRE, Jean-Claude; BONITZER, Pascal. *Práctica del guion cinematográfico*. Barcelona: Paidós, 1991, p. 48.
7. SWAIN, Dwight. *Film scriptwriting*. Londres: Focal Press, 1988, p. 228.
8. Leila Mendes, em depoimento a Doc Comparato.
9. ROOT, Wells. *Writing the script*. Nova York: Holt, Rinehart and Winston, 1977, p. 122.
10. CARRIÈRE, Jean-Claude; BONITZER, Pascal, *op cit.*, p. 47.
11. Atualmente quase não se utiliza caixa-alta nos diálogos, mas algumas empresas produtoras ainda exigem esse formato (veja o segmento 3.1).
12. Formato utilizado na televisão brasileira, mas a cada dia é preferível a formatação com diálogo centralizado (veja o segmento 3.1).
13. BENJAMIN, Walter. *Sociologia da arte, IV*. Rio de Janeiro: Zahar, 1981, p. 87.

BIBLIOGRAFIA ESPECÍFICA SOBRE PREPARAÇÃO DO ATOR

ADLER, Stella. *Técnica da representação teatral*. Rio de Janeiro: Civilização Brasileira, 2016.

BATSON, Susan. *Truth: personas, needs, and flaws in the art of building actors and creating characters*. Nova York: Rugged Land, 2007.

BERRY, Cicely. *Voice and the actor*. Nova York: Macmillan, 1991.

_____. *The actor and the text*. Nova York: Applause Theatre, 1992.

_____. *Text in action*. Londres: Virgin, 2001.

BEUTTENMÜLLER, Glória. *Expressão vocal e expressão corporal*. Rio de Janeiro: Enelivros, 1989.

GUSKIN, Harold. *Como parar de atuar*. São Paulo: Perspectiva, 2012.

SHEWELL, Christina. *Voice work: art and science in changing voices*. West Sussex: Wiley-Blackwell, 2009.

SPOLIN, Viola. *Improvisação para o teatro*. Trad. Ingrid D. Koudela e Eduardo José de A. Amos. São Paulo: Perspectiva, 1992.

STANISLAVSKI, Constantin. *A preparação do ator*. 16. ed. Trad. Pontes de Paula Lima. Rio de Janeiro: Civilização Brasileira, 2000.

Parte 3
ROTEIROS INÉDITOS

"É preciso cultivar o nosso jardim."

Voltaire (diálogo final de Cândido. In: *Cândido* [1759].
São Paulo: Martin Claret, 2005, p. 126)

"A questão não é qual é o sentido da vida, mas
quantos sentidos você dará à sua vida."

Friedrich Nietzsche

3.1 FORMATAÇÃO-PADRÃO – EPISÓDIO DE SÉRIE

REFLEXÃO SOBRE FORMATAÇÃO

Estou completando 40 anos de carreira artística e, quando comecei, não havia cópias, escâner nem impressoras: tudo era datilografado no carbono.

Recordo que na Rede Globo havia um andar inteiro de profissionais em datilografia, que ficavam o dia inteiro copiando roteiros. Também se utilizava o famoso mimeógrafo, que trabalhava à base de álcool e papel estêncil.

Enfim, era um trabalho enorme e insano.

Hoje ao abrir o jornal li uma notícia interessante – quer dizer, quando fui ler as notícias no computador uma nota me espantou: "A Xerox faliu e não existe mais". Fiquei chocado, mas é a vida que segue. Como também fiquei bastante surpreso quando a Kodak faliu. Como já vimos, o mundo se transforma numa velocidade exponencial.

Sempre me lembro do meu avô, que nasceu quando não havia luz elétrica e chegou a testemunhar o homem pisando na lua. Assim gerações e gerações transcorrem pelo tempo, o que não quer dizer que uma seja melhor do que a outra.

Creio que o "saudosismo" ou a nostalgia de que "antigamente era melhor" não passa de um sentimento preconceituoso. Todas as gerações têm qualidades e poços obscuros de ignorância e "malfazer".

Portanto, assistimos simplesmente à velocidade e à quantidade das transformações da vida atual, nada muito complexo, porém "natural" para gerações atuais.

A seguir falarei dos editores de texto para roteiros, que foram estudados pelo roteirista, escritor e amigo Eduardo Nassife.

SOFTWARES PARA A CRIAÇÃO DE ROTEIROS

A partir do final da década de 1980, quando os computadores e impressoras começaram a ser adotados como opções mais dinâmicas e eficientes na produção de textos, as máquinas de escrever seriam aposentadas em pouco tempo.

Com a popularização dos computadores, antes restritos a grandes empresas, universidades e centros de pesquisa, os roteiros passaram a ser escritos em editores de texto, como o Microsoft Word, o mais popular de todos. Porém, não havia uma formatação definida: cada profissional criava a sua. Exceto para os estúdios de cinema norte-americanos, onde as regras de formatação eram mais rígidas (veja adiante o tópico "Formatação-padrão para roteiros internacionais").

Com a necessidade de auxiliar escritores e roteiristas na criação, formatação e padronização de seus textos, vários *softwares* próprios para a escrita de roteiros foram criados. Atualmente, há diversos programas, entre pagos e gratuitos, que atendem perfeitamente a qualquer profissional. Listaremos apenas três: **Final Draft, Celtx e Trelby**. Há outros programas, mas esses são suficientes e mais populares. Vamos aos exemplos:

Final Draft

Este é, sem dúvida, o mais popular entre os editores de texto específicos para escrever roteiros. O Final Draft vem sendo adotado por estúdios, roteiristas, produtoras e emissoras do mundo inteiro como o programa padrão para esse tipo de trabalho.

As vantagens são muitas: de leiaute fácil e dinâmico e com diversos modelos de roteiro (*templates*) para TV, cinema e teatro, permite criar cartões com personagens e cenas à parte, além de escaletas. O roteiro é formatado de modo automático e é possível navegar por personagens, cenas ou anotações e converter o texto em áudio para o roteirista ouvir o que escreveu, entre inúmeras outras vantagens. A empresa criadora do programa promove concursos de roteiros para quem o escreve.

Mas também há desvantagens: todo em inglês, é pago (e não é barato), as funções da versão de teste são limitadas e o *upgrade* também é pago, embora custe menos que o valor de aquisição do programa. Outra limitação é a *title page*, ou folha de rosto. No Final Draft, ela só se une ao documento quando ele é convertido em PDF. O Final Draft também não converte seus arquivos no formato do Word (.doc), fazendo que a edição de qualquer texto escrito nele seja feita somente pelo programa.

Podem-se obter mais informações diretamente no site do programa: https://www.finaldraft.com. Valor médio: US$ 250 dólares, mas há promoções diversas.

Celtx

Certamente, o Celtx é a alternativa ao Final Draft. Apresenta versões para os três principais sistemas operacionais: Windows, Linux e Mac OS X. O programa também tem ferramentas de produção, direção e direção de arte, permitindo a integração dessas áreas e de seus profissionais. E essas ferramentas são seu diferencial de mercado.

Na prática, ele muito se assemelha ao Final Draft e sua versão gratuita é bem completa. Funcional e de fácil navegação, tem uma versão em português. Mas ele também traz algumas desvantagens, como a necessidade de conexão com a internet para converter o roteiro escrito nele em um arquivo PDF – muitas vezes o documento não vai para a nuvem quando enviado. Há também algumas falhas na conversão de arquivos em PDF, além de suas opções de impressão serem limitadas. Pode-se fazer o *download* do Celtx diretamente no site: http://www.celtx.com/.

Trelby

O Trelby é um programa gratuito, simples, mas funcional. Tem como principais vantagens a importação de arquivos do Final Draft, textos formatados (.txt) e a possibilidade de salvar os textos em diversos formatos: o próprio do programa, HTML, Rich Text (.rtf) e PDF.

Outro ponto positivo é a criação de relatórios estatísticos com a porcentagem de falas de cada personagem, além de outros relatórios, como o de presença de cena, em que o programa analisa a quantidade de vezes em que os personagens aparecem em cena. Alguns roteiristas alegam que o Trelby, num futuro não muito distante, será o principal concorrente do Final Draft, superando até o já famoso Celtx, uma vez que o programa é novo e seus desenvolvedores prometem torná-lo a melhor ferramenta na produção de roteiros.

Pode-se fazer o *download* do Trelby em: http://www.trelby.org/.

Ainda sobre esse tema, podemos mencionar outros quatro programas: Fade In, Storywriter, Writer Duet e Scrivener. O Writer Duet funciona em qualquer sistema operacional, além de importar e exportar para o Final Draft facilmente. Vem ganhando adeptos. Já o Scriverner é praticamente um sistema operacional para roteiristas e escritores; tem um custo de U$ 45 e a cada dia melhora seu desempenho.

Concluindo, não existe um editor melhor do que o outro: será o perfil do roteirista que determinará a melhor escolha.

FORMATAÇÃO-PADRÃO PARA ROTEIROS INTERNACIONAIS

Afortunadamente, os programas mencionados, quase automaticamente, já se configuram nesses padrões quando se decide escrever neles roteiros para cinema ou TV. Cuidado, pois teatro e realidade virtual não se enquadram nos requisitos que se seguem.

- Papel A4 padrão (ou carta).
- Fonte Courier tamanho 12.
- Cabeçalho de cena com 4 cm de margem esquerda.
- De 1 a 3 cm de margem direita.
- Todas as páginas numeradas no canto superior direito.
- A primeira página não precisa ser numerada.
- Aproximadamente 55 linhas por página (excluindo numeração e espaçamento).
- Nome dos personagens em MAIÚSCULA, com 9 cm de margem esquerda.
- Rubricas a 4 cm da margem esquerda.
- Título, autoria, registro, tipo de trabalho, personagens, locações e cenários são descritos na capa, que é criada à parte e com numeração em algarismos romanos. Ao final do trabalho, soma-se ao corpo do roteiro.

3.2 ROTEIRO INÉDITO – EPISÓDIO DE SÉRIE

REFLEXÃO SOBRE ROTEIRO INÉDITO

A seguir transcrevo na íntegra o tratamento final do primeiro episódio da série *The experts*. Esse projeto de série para televisão foi desenvolvido para a empresa DPE Produções, de Salvador (BA). Seu produtor executivo, Maurício Xavier, gentilmente cedeu esse material para o livro.

Aproveito a ocasião para cumprimentar a todos os envolvidos no projeto e deixar aqui registrado meus efusivos agradecimentos.

Peço a atenção do leitor para o uso de efeitos especiais. Sugiro que faça o reconhecimento das cenas de transição e integração das cenas essenciais.

Para ter uma visão do trabalho completo, note a presença da *logline*, da sinopse, do perfil do protagonista, do arco dramático da série e da capa com o registro e o roteiro.

LOGLINE – THE EXPERTS

Episódio 1: Feliz Aniversário

A Experts é acionada para desvendar a sabotagem que fizeram no trabalho do renomado *chef* Jack Lepan. Durante um jantar de apresentação para altos executivos de uma companhia aérea, todos passaram mal e agora Lepan quer descobrir a verdade sobre o ocorrido. Coincidentemente a Experts completa cinco anos de existência.

SINOPSE DE "FELIZ ANIVERSÁRIO"– THE EXPERTS: EPISÓDIO PILOTO

Um renomado *chef*, dono de uma empresa de *catering* para companhias aéreas, prepara um jantar para os altos executivos da empresa aérea que ele serve há anos. Nesse ano a companhia aérea passará por uma renovação e os dirigentes resolveram abrir uma concorrência para decidir se os fornecedores serão os mesmos. O jantar é cuidadosamente preparado, com tudo da melhor qualidade em um salão imponente.

O *chef* acredita que a concorrência já está ganha, mas no meio da refeição todos os executivos e comensais começam a passar mal. Alguns têm náuseas, outros desmaiam.

Certo de que houve alguma sabotagem e com medo de um processo judicial, o dono do *catering* contrata a Experts para descobrir o que aconteceu. Devastado, ele não compreende o que pode ter havido e diz que precisará fechar a empresa se perderem esse cliente.

Heitor pega amostras de alimentos para análise em laboratório, enquanto Camila conversa com os fornecedores para tentar descobrir alguma coisa. A *hacker* Troia invade os dados de todos os envolvidos no caso. Enquanto isso, o resultado do laboratório chega e os alimentos dos fornecedores estão saudáveis.

Osvaldo tem uma visão e conclui que uma mulher é a sabotadora do jantar de apresentação do *catering*. No final, de posse de todos os dados levantados e averiguados, a equipe da Experts reconstitui a cena do delito, a fim de solucionar alguns pormenores. E então toda a verdade vem à tona.

PERFIL DO PROTAGONISTA

Nome: Jorge Salvatore

Descrição

Ex-delegado, tem personalidade forte. Casado com a jovem Alice e divorciado de Diana, branco, em torno dos 40 anos, de corpo atlético e mulherengo. Em todos os lugares em que trabalhou Jorge sempre teve o respeito e a admiração dos companheiros, devido à sua astúcia ao desvendar mistérios. Porém, desde que se envolveu num escândalo policial, Salvatore abriu mão do cargo de delegado e fundou, com mais dois amigos, a empresa The Experts, especializada em investigações. Jorge é bastante meticuloso e detalhista. Fez um curso na Interpol de reconhecimento de expressões faciais e corporais, um grande diferencial para ter se tornado um investigador de primeira. Em sua vida particular há um objetivo que ele persegue: encontrar Vera, um caso que acabou com seu casamento com Diana e quase o envolveu em um crime. Atualmente ela está foragida e, numa mistura de paixão e ódio, Jorge tenta encontrá-la e tirar toda a história a limpo.

Informações complementares

O que mais deseja: prender a assassina Vera, a mulher que manchou sua carreira na polícia e desestruturou sua vida familiar.

O que não tolera: a imprensa.

Fraqueza: mulherengo.

Uma frase: "Ou é quente ou é frio; não existe morno".

Relações da personagem

Equipe: é durão com todos.

Família: com o excesso e dedicação ao trabalho, Salvatore se dedica pouco aos filhos, causando conflitos entre ele e Diana. Sua atual esposa, Alice, envia marmitas veganas feitas por ela para o trabalho diariamente, mas ele se livra delas e pede ao boy que compre algo mais interessante.

ARCO DRAMÁTICO DA SÉRIE THE EXPERTS

Noveleta das personagens da série The Experts:

O ex-delegado JORGE SALVATORE é um homem rodeado de mulheres e vive encrencado por causa delas. Em 2011, quando o assassinato de um desembargador chocou o Brasil, a imprensa descobriu que Jorge Salvatore havia tido um caso com VERA, a esposa da vítima, meses antes do assassinato. Além de sua esposa, a delegada DIANA, tê-lo largado, ele ainda foi suspeito de ser o facilitador na fuga de VERA, acusada do crime. Salvatore não descansará enquanto não descobrir o paradeiro da assassina, por quem ainda sente uma forte paixão.

Desde que se separou de Diana, a relação deles se tornou cada vez mais conturbada, principalmente pela traição que ela carrega. Atualmente, é casado com ALICE, uma mulher bem mais nova que ele, e vivem bem. Nessa relação, o que mais o irrita é quando ela insiste que ele se alimente com pratos veganos. Esse casamento ficará bastante balançado quando ALICE, que vai diariamente à empresa para levar marmita ao marido, começar a se sentir atraída pela *hacker* LISA TROIA.

O médico-legista HEITOR FURTADO conheceu a advogada CAMILA DOS SANTOS na EXPERTS, e o convívio despertou em ambos uma paixão recolhida. O foco de CAMILA é o trabalho, mas ela não resiste quando HEITOR a pega de jeito pelos cantos do escritório. Ele sente, também, uma forte atração, mas não pensa em nada sério. Sem perceberem, eles vão se unindo aos poucos, porque HEITOR perceberá que CAMILA tem sérios problemas emocionais e ele tentará ajudá-la. Em contrapartida, ela perceberá que HEITOR bebe escondido para tentar suportar uma culpa do passado, tendo se tornado alcoólatra. E no final da primeira temporada eles construirão um elo eterno: CAMILA vai engravidar.

O psicólogo OSVALDO VIANA, com seu dom de ter visões, vai descobrir que a secretária LURDES COSTA dá informações sigilosas ao jornalista NARCISO. Esse fato afastará a secretária da empresa. Porém, OSVALDO se sente culpado e esse sentimento se transformará em amor. O desafio dele será convencer a equipe da EXPERTS a dar uma segunda chance à secretária.

A *hacker** LISA TROIA nunca teve grandes traumas com a sua sexualidade. Ela é bissexual e acha muito natural se interessar por meninos e também por meninas. Durante toda a temporada o boy DANIEL SIMÕES dará em cima da colega de trabalho. Mas Lisa não se mostrará muito entusiasmada. Ela é adepta do lema "onde se ganha o pão não se come a carne", mas ficará balançada ao conhecer a nova mulher do chefe JORGE SALVATORE. ALICE é uma garota linda, mais de 20 anos mais nova que o ex-delegado, e quando LISA a vê sua convicção de não se envolver com ninguém da área fica balançada. ALICE fica com LISA. O único que sobra é DANIEL, o boy, acompanhado de sua moto.

---

* *Hackers* (http://pt.wikipedia.org/wiki/Hacker) são indivíduos que elaboram e modificam software e hardware de computadores, seja desenvolvendo funcionalidades novas, seja adaptando as antigas. Originário do alemão com uma mistura do inglês, o termo hacker é utilizado no português com a forma traduzida de decifradores. Os *hackers* utilizam todo o seu conhecimento para melhorar softwares de forma legal ou ilegal. Alusão do autor: hacker nos remete à palavra inglesa hawk, falcão em português,e também ao verbo alemão "cortar com precisão" (*hauen, schnitt, kappen, stechen* etc.), já que os gaviões cortam os céus e a carne com precisão, sem perda de tempo nem desperdício. Para o bem ou para o mal, são eles que encontram a melhor utilização, os melhores caminhos e atalhos nos circuitos eletrônicos criados pelos engenheiros.

ROTEIRO – PILOTO DA SÉRIE THE EXPERTS

TV SHOW

THE EXPERTS
(SERIADO)

CRIAÇÃO E ROTEIRO:
DOC COMPARATO

Colaboração:
Alessandra de Blasi

EPISÓDIO PILOTO

"FELIZ ANIVERSÁRIO"

DOC COMPARATO – REGISTRO: 82300881
SGAE/ABRAMUS – REGISTRO: 97738
BIBLIOTECA NACIONAL: 697.777

ii.

THE EXPERTS - SERIADO

EPISÓDIO PILOTO: "FELIZ ANIVERSÁRIO"

PERSONAGENS DO PILOTO

FIXOS

1. **JORGE SALVATORE -** Ex-delegado/ Diretor-geral Experts.
2. **HEITOR FURTADO** – Médico-legista.
3. **CAMILA DOS SANTOS** - Advogada.
4. **OSVALDO VIANNA** - Psicólogo e paranormal.
5. **LISA WATANABE ("TROIA")** - *Hacker*.
6. **LURDES COSTA** - Secretária.
7. **DANIEL SIMÕES** - Boy.

PARTICIPAÇÕES

1. **JACK LEPAN** *Chef* de cozinha da Catering Ideal Company.
2. **EXECUTIVOS E COMENSAIS DA SOUTH OCIDENT AIRWAYS.**
3. **NARCISO -** Jornalista.
4. **DR. FREDERICO ANTUNES -** Médico.
5. **DR. PEIXOTO -** Médico laboratorista.
6. **2 FORNECEDORES DE JACK LEPAN.**
7. **ODETE SIVANE -** Secretária.

FIGURAÇÕES

1. **GARÇONS.**
2. **EXECUTIVOS DA SOUTH OCIDENT AIRWAYS.**
3. **EXTRAS.**

iii.

LOCAÇÕES

1. EXTERIOR SALVADOR.
2. GARAGEM PRÉDIOS DE ESCRITÓRIOS.
3. TERRAÇO PRÉDIOS DE ESCRITÓRIOS.
4. HOSPITAL, CONSULTÓRIO

CENÁRIO

1. CASA DE FESTAS.
2. ESCRITÓRIO EXPERTS (VÁRIOS CÔMODOS).
3. LOCAL INDETERMINADO, QUARTO DE MOTEL.

NOTA:
EFEITOS ESPECIAIS CENA: 20, 28 e 34

PRÓLOGO

Lê-se a legenda: "Inspirado em fatos reais"

FADE IN:

1   EXT. SALVADOR - NOITE

Takes variados da cidade em questão. Vemos os pontos turísticos iluminados em belíssimas imagens.

MÚSICA. Instantes.

Lê-se a legenda: SALVADOR, BAHIA.

Em *OFF*, escutamos a voz de JACK LEPAN, *grand-chef* da Catering Ideal Company.

> JACK LEPAN (*OFF*)
> Senhoras e senhores, executivos, assistentes e secretárias da South Ocident Airways, estou preparando o prato principal da classe executiva. Trata-se de uma concepção minha, o "Ninho de estrogonofe à Jack Lepan!"

A imagem se aproxima de uma casa de festas e recepções, toda iluminada e cercada de jardins.

Instantes.

> CORTA PARA:

2   INT. SALA DE JANTAR - CASA DE FESTAS - NOITE

O ambiente é requintado, são os assistentes e secretários da South Ocident Airways que observam o *chef* JACK LEPAN com admiração. A mesa de jantar está impecável, são várias taças de vinho, pratos, talheres de prata, porcelanas e arranjos de flores. Eles formam um total de doze pessoas.

Na cabeceira, vemos JACK LEPAN preparando o prato *gourmet* de sua autoria.

> JACK LEPAN
> Nossa empresa, a Catering Ideal Company, não está nessa concorrência para brincadeira. Viemos para ganhar! Desde a qualidade dos produtos, sempre frescos e orgânicos, até a confecção, preparo e congelamento dos pratos do menu, nós buscamos o melhor.
> (MORE)

2.

                    JACK LEPAN (CONT'D)
          Ou capricham na palavra "à
          perfeição", porque a companhia
          aérea South Ocident Airways assim
          merece.

Os comensais aplaudem.

                    JACK LEPAN (CONT'D)
          O "Estrogonofe à Jack" que estou
          preparando diante de seus olhos é
          um picadinho de carne à moda
          russa, um pouco mais leitoso,
          devido ao creme de leite importado
          abundante. Ele se apresenta
          envolvido num ninho de batatas
          fritas e encapado com uma fina
          película de passas e alcaparras.
          Depois, é gratinado e flambado no
          mais autêntico conhaque francês.
          Quando cortado com uma faca, ele
          se abre como uma flor.

JACK LEPAN derrama o conhaque sobre a frigideira (ou panela)
e com um longo fósforo aceso e comprido faz surgir uma
estonteante chama brilhante e avermelhada.

Espanto geral.

SLOW MOTION no fogo, que se desprende pelo ar como num
espetáculo pirotécnico e mágico.

Instantes.

                    JACK LEPAN (CONT'D)
          Agora os garçons estão servindo o
          "Estrogonofe à Jack", já
          previamente preparado.

A chama se extingue, os garçons vão distribuindo o referido
prato entre os comensais.

JACK LEPAN sorri triunfante.

Homens e mulheres da South Ocident Airways parecem que
adoraram o prato.

Instantes.

                    JACK LEPAN (CONT'D)
          Esse prato tanto serve para voos
          noturnos como diurnos. A bebida
          que sugiro: champanhe ou um
          Chardonnay, já que...

O EXECUTIVO 1 larga seu garfo, enquanto coloca a mão no
abdome.

                    EXECUTIVO 1

3.

SENHORA 2 se levanta e coloca a mão na boca.

>   SENHORA 2
> Perdão! Por favor, onde fica o
> toalete?

Um dos dirigentes se larga na cadeira, pálido e suando.

>   SECRETÁRIA 1
> Meu *chefe* desmaiou! Será que vai
> morrer? Ai! Que cólica!

Instantes.

Todos começam a falar, gritar ou gemer, a passar mal. Uns
caem com cólicas, outros saem pela porta, em direção ao
banheiro. Nós só vemos as expressões corporais, não
escutamos mais o que dizem.

Outros ou outras caem com o rosto sobre o prato com a comida.
Copos com vinho são derrubados, cadeiras caem. *SLOW MOTION*.

>   JACK LEPAN (EM *OFF*, ECOANDO)
> Meu Deus! O que está acontecendo?
> Garçom, por favor, chame uma
> ambulância! Não! Várias! Um médico
> e mais as ambulâncias!

SLOW MOTION das faces pálidas e desfalecidas, configurando
uma apoplexia em massa.

Instantes.

MÚSICA.

FINAL DO PRÓLOGO.

>   *FADE*:

PRIMEIRA PARTE

INSERIR CRÉDITOS.

3   EXT. - SALVADOR - DIA

MÚSICA E CRÉDITOS.

Takes variados.

DANIEL SIMÕES, o boy da Experts, pilotando uma moto (CG 125
da Honda, com assento para piloto e garupa, além do baú ou
depósito traseiro para volumes), desliza veloz pelas ruas,
pontos turísticos e praias da capital baiana.

Instantes.

4.

TEMPOS DEPOIS, detalha-se um belo e alto edifício de escritórios.

DANIEL, na moto, entra pelo portão da garagem subterrânea.

CORTA PARA:

4 INT. GARAGEM - PRÉDIO ESCRITÓRIOS - DIA

DANIEL entra, estaciona a moto, tira o capacete (ele é um jovem e belo mulato), abre o baú traseiro e retira com cuidado uma caixa de papelão grande e quadrada.

A garagem é toda iluminada com lâmpadas de neon.

DANIEL aperta o botão do elevador, segurando a caixa.

CORTA PARA:

5 INT. ANDAR - THE EXPERTS - DIA

A porta do elevador se abre no décimo quarto andar e DANIEL sai.

Num dos lados desse andar existe uma porta de vidro, onde se lê: THE EXPERTS (TECNOLOGIA AVANÇADA).

Ele empurra a porta e entra.

Escuta-se o SOM DE CAMPAINHA, tipo "din-don".

CORTA PARA:

6 INT. RECEPÇÃO - THE EXPERTS - DIA

A entrada é bem decorada. É elegante, sem ser extravagante. Veem-se umas poltronas de espera e uma bancada comprida, onde a secretária LURDES trabalha.

Vemos um interfone, máquina de fotocópias, telefone com vários ramais e tudo aquilo que uma secretária de uma grande empresa necessita.

>   LURDES
>   Atrasado como sempre, Daniel.

>   DANIEL
>   Ah, tia, o trânsito era um nó só.

>   LURDES
>   Nó... Já disse para não me chamar
>   de tia! Falta de respeito... Passa
>   a encomenda, Daniel.

DA CRIAÇÃO AO ROTEIRO   **331**

5.

                    DANIEL
            Nervosa hoje...

                    LURDES
            Esqueci as velas...

                    DANIEL
            Não, tia Lurdes, eu trouxe. Minha
            memória é de jovem, lembra?

      Reação de LURDES.

                                        CORTA PARA:

7   INT. THE EXPERTS - ESCRITÓRIO JORGE SALVATORE - DIA

      Trata-se de uma sala bastante ampla e confortável. Lembrar
      que JORGE SALVATORE é diretor-geral e maior acionista da
      Experts. A sala é de vidro, tendo persianas que podem se
      fechar para os momentos sigilosos.

      Ela tem dois ambientes: o seu escritório, propriamente dito,
      com a mesa de SALVATORE, computadores, cadeiras giratórias
      etc., além de um espaço para reuniões, centrado numa ampla
      mesa com diversos lugares e alguns monitores de
      TV/computadores na parede.

      Em torno da mesa se encontram todos os funcionários da
      Experts: LURDES (secretária), DANIEL (boy), LISA WATANABE
      ("TROIA", a *Hacker*), OSVALDO VIANNA com seus óculos escuros
      (psicólogo e parapsicólogo), CAMILA DOS SANTOS (advogada,
      elegante e negra), HEITOR FURTADO (médico-legista aposentado)
      e o próprio JORGE SALVATORE.

      Sobre a mesa vemos a caixa de papelão aberta, no centro
      existe um belo bolo todo enfeitado e encimado por cinco velas
      apagadas. Também existem taças de champanhe e um recipiente
      prateado, onde uma garrafa de champanhe está mergulhada num
      mar de gelo.

                    LURDES
            Espero que o *chefe* goste! É o seu
            preferido: bolo de limão. As velas
            não são lindas? (reação de DANIEL)
            Não é todo dia que uma empresa
            comemora cinco anos de vitórias.

      Todos aplaudem e LURDES fica emocionada.

                    LURDES (CONT'D)
            Sou uma sentimental... Também, não é
            todo dia que uma... secretária
            experiente recebe uma salva de
            palmas.

      JORGE SALVATORE discursa.

6.

> **JORGE SALVATORE**
> Lurdes, todos aqui são tão
> eficientes quanto você. E sem essa
> equipe brilhante nunca teríamos
> alcançado o grau de idoneidade e
> apreço em nosso mercado de
> trabalho. São pessoas, firmas,
> empresas que buscam aqui na Experts
> o que não encontram na Justiça,
> Polícia ou agências de detetive.
> Porque nós não investigamos, nós
> averiguamos a verdade, retiramos as
> vendas da Justiça e enxergamos a
> luz. E é sempre bom lembrar que a
> luz não tem sombra. E nossa função
> é esclarecer sem ferir, sempre
> exercitando nossa inteligência e
> capacidades. Obrigado.

Palmas.

> **HEITOR FURTADO**
> Caramba, parece que foi ontem...
> Eu, médico-legista, afastado do
> trabalho para exercer uma função
> burocrática e sem-graça. Daí chega
> o nosso *chefe*, o ex-delegado Jorge
> Salvatore, com uma proposta
> inesperada. Ele me disse assim:
> "Acabo de fazer um curso na
> Interpol sobre todos os processos
> de investigação, inclusive o de
> fisionomista... Vou abrir uma
> empresa que ainda não existe no
> Brasil nem na América Latina!"...
> Aceitei na mesma hora a
> incumbência. Como um apóstolo,
> deixei de ser um pescador
> burocrático para pescar almas
> desamparadas...

> **JORGE SALVATORE**
> Obrigado, doutor Heitor Furtado.

Palmas.

> **OSVALDO VIANNA**
> Pois é, comigo não foi diferente...
> Quando descobri que minha fotofobia
> era progressiva, pensei: "Osvaldo,
> sua vida de psicólogo acabou". Foi
> então que o Jorge Salvatore me
> convidou para almoçar e, no momento
> de brindar com o vinho, atirou a
> taça no chão. Eu me espantei,
> aliás, todo mundo. Foi quando ele
> disse: "Esse momento você não vai
> esquecer jamais.
> (MORE)

DA CRIAÇÃO AO ROTEIRO **333**

7.

> OSVALDO VIANNA (CONT'D)
> Acabo de te batizar para uma nova
> etapa como psicólogo e
> parapsicólogo!" E assim foi: estou
> aqui há cinco anos e minha
> fotofobia se estabilizou. O que
> mais tenho para dizer? A gratidão é
> o amor amigo em forma de
> reconhecimento. A neurociência
> explica o poder da gratidão...

> CAMILA DOS SANTOS
> Calma, Osvaldo, calminha... Não
> entendo nada de neurociência!

Risos gerais.

> CAMILA DOS SANTOS (CONT'D)
> Aliás, neste instante, só estou
> interessada num pedaço de bolo.

Risos.

> CAMILA DOS SANTOS (CONT'D)
> E, como advogada, posso afirmar
> que a ética no Brasil parece um
> processo anormal. Eu estou aqui
> para preservar a ética e a
> contabilidade também!

Risos.

> JORGE SALVATORE
> Prossiga, Camila, por favor...

> CAMILA DOS SANTOS
> Sei que causo conflitos por lutar
> sempre pela legalidade de nosso
> processo de averiguação... Mas, por
> favor, não me considerem uma
> advogada caçando o bem-feito, mas
> apenas uma colega de trabalho que
> tem sempre razão.

Risos.

> LISA WATANABE
> É só para avisar que nós temos uma
> tecnologia de *software* bastante
> avançada, a mesma utilizada pela
> Polícia Federal na Operação Lava-
> Jato. Com um simples número de
> telefone ou e-mail, nós
> vasculhamos senhas, dados,
> rastreamos computadores, conversas
> e o deslocamento físico de
> pessoas... E até recuperamos dados
> deletados ou enviados para a nuvem
> virtual...

8.

                    JORGE SALVATORE
          É uma tecnologia israelense, que se
          sofisticou nos últimos cinco anos.
          Ela se renova semanalmente, é usada
          por advogados americanos e
          europeus. E Lisa não é uma *Hacker*,
          é uma perita em computadores que
          nos presta um serviço sem igual.
          Palmas para a nossa "Troia". A
          Cavaleira de Troia entrando na
          fortaleza inimiga sem ser notada!

Palmas.

                    DANIEL
          Pobre sempre fala por último, não é
          *chef*ia?

Risos.

                    DANIEL (CONT'D)
          Recebo ordens de todo mundo...
          Vocês são bem bacanas. Quando eu
          digo, tipo, "os arquivos de papéis
          estão superlotados, que tal jogar
          fora todos os processos que têm
          mais de quatro anos?" Resposta:
          "Claro, perfeito, Daniel, mas antes
          tire uma xerox de tudo!"... Ordens
          e contraordens.

Risos gerais.

CORTE DE CONTINUIDADE.

Todos cantam "Parabéns para você, Experts".

As velas estão acesas sobre o bolo.

Instantes.

SLOW MOTION.

JORGE SALVATORE apaga as velinhas. Alguém estoura a
champanhe.

SLOW MOTION.

As cinco velas se apagam e o fogo se extingue, enquanto a
fumaça baila no ar, diante dos funcionários da Experts.

Instantes.

Escuta-se o SOM DE CAMPAINHA, tipo "din-don".

                                        CORTA PARA:

9.

8 INT. RECEPÇÃO - THE EXPERTS - DIA

LURDES come um pedaço de bolo. Vemos JACK LEPAN acompanhado de outro senhor, ADVOGADO, em pé, junto da bancada, em frente à LURDES.

> LURDES
> Estão servidos? É de limão.

> JACK LEPAN
> Não, obrigado, senhora.

> LURDES
> Sr. Jack Lepan e seu advogado...
> Trouxeram o que foi pedido?

> JACK LEPAN
> Perfeitamente.

> LURDES
> Os restos alimentares devem estar
> embalados em sacos plásticos e
> podem deixar comigo.

O ADVOGADO se abaixa para abrir uma caixa de isopor, depois coloca os sacos sobre a bancada.

> LURDES (CONT'D)
> Não, não. É melhor deixar no
> isopor. Agora me sigam, por favor.
> Vamos para a Sala de Entrevista e
> Averiguações. Água? Café?

Eles saem.

CORTA PARA:

9 INT. SALÃO CENTRAL - THE EXPERTS - DIA

O salão central está dividido em três compartimentos: um é de OSVALDO; no outro está DANIEL e no terceiro, com várias telas de computadores, LISA, *Hacker* também conhecida pelo apelido de TROIA. Todos têm telas de computadores e visores de TV interna.

Em torno, vemos as salas envidraçadas de JORGE SALVATORE, Dr. HEITOR FURTADO e da advogada CAMILA DOS SANTOS – são os chamados "aquários".

Também vemos uma porta que leva ao banheiro coletivo.

Abre-se a cena com OSVALDO E DANIEL debruçados sobre o compartimento de LISA, olhando <u>numa tela de computador</u> o site <u>www.flightradar24.com</u>

DETALHAR SITE NA TELA DO COMPUTADOR.

10.

Trata-se do globo terrestre localizando todos os aviões que estão no ar. A imagem é fantástica. DETALHAR.

> LISA WATANABE (*OFF*)
> Estão vendo esses pontinhos brilhantes? São todos aviões que estão no ar...

> DANIEL (*OFF*)
> Voando... Só no vácuo.

> LISA WATANABE (*OFF*)
> São dezessete mil aeronaves rasgando a atmosfera nesse instante.

> OSVALDO VIANNA (*OFF*)
> Quantos são da South Ocident Airways?

A imagem sai do visor e capta os três funcionários.

> LISA WATANABE
> São duzentos e dez aeronaves.

> OSVALDO VIANNA
> *Catering* ou alimentação de bordo é um dos empreendimentos mais lucrativos do planeta. É um jogo de milhões. Esse Jack Lepan vai ficar arruinado por ter perdido essa concorrência.

De repente, uma LUZ VERMELHA pisca.

> OSVALDO VIANNA (CONT'D)
> Eles entraram na Sala de Averiguação.

Cada um vai para o seu compartimento.

> LISA WATANABE
> Ligando os sensores da cadeira, batimentos cardíacos, respiração e temperatura corporal.

> CORTA PARA:

10 INT. SALA DE AVERIGUAÇÃO - DIA

INSERT:

Vemos debaixo da mesa umas microluzes se acenderem. Depois, fios de transmissão eletrônica, que entram pela cadeira do entrevistado. Neste caso, vemos JACK LEPAN sentado.

11.

>   LISA WATANABE (*OFF*)
>   Captando as ondas do celular do
>   cliente, que está no seu bolso
>   direito. Já captei o número.

CORTA PARA:

11 INT. SALÃO CENTRAL - THE EXPERTS - DIA

No compartimento de OSVALDO, ele aperta botões.

>   OSVALDO VIANNA
>   Ligando câmera um no quadro: close
>   do Jack. Câmera dois: perfil do
>   postulante. Câmera três: geral.

As imagens da Sala de Averiguação vão aparecendo nas telas.

CORTA PARA:

12 INT. SALA DE AVERIGUAÇÃO - DIA

Trata-se de uma sala decorada formalmente, não parece um recanto de interrogatório.

A imagem vai buscar um pontinho num quadro, depois outro no teto e ainda um num relógio de mesa.

>   OSVALDO VIANNA (*OFF*)
>   Captando imagem e som. Gravando.

CORTA PARA:

13 INT. SALÃO CENTRAL - THE EXPERTS - DIA

TRÓIA E OSVALDO trabalham em seus compartimentos. DANIEL serve cafezinhos.

A imagem circula pelos compartimentos do salão.

CORTA PARA:

14 INT. SALA DE AVERIGUAÇÃO - DIA

De um lado da mesa estão JACK LEPAN e seu ADVOGADO. Do outro, JORGE SALVATORE E CAMILA DOS SANTOS.

>   CAMILA DOS SANTOS
>   Por favor, assinem este documento
>   de confiabilidade, sigilo e
>   permissão para gravar, filmar e
>   armazenar dados de sua lista de
>   entrevistados e testemunhas.

12.

O ADVOGADO de JACK LEPAN faz um "sim" com a cabeça. JACK
assina.

>   JORGE SALVATORE
>   Sr. Jack, as perguntas no início
>   são simples, somente para conferir
>   com os nossos registros.

>   CAMILA DOS SANTOS
>   Qual é o seu nome completo? Onde
>   nasceu? Qual é seu estado civil?

                                        CORTA PARA:

15 INT. SALÃO CENTRAL – THE EXPERTS – DIA

OSVALDO olha para o visor da gravação. JACK LEPAN responde às
perguntas.

>   JACK LEPAN (*OFF*)
>   Meu nome é Jack Lepan. Nasci no
>   Brasil por casualidade, porque
>   minha família é francesa e estava
>   de passagem pelo Brasil, a caminho
>   da Argentina... Sou divorciado, mas
>   o processo foi amigável.

OSVALDO aumenta o close de JACK e para.

Imagem abre em OSVALDO trabalhando.

>   OSVALDO VIANNA
>   Pessoal, ele está mentindo. A
>   expressão do rosto dele está
>   transformada. A sobrancelha se
>   elevou e ele mordeu o lábio
>   inferior.

SLOW MOTION.

A imagem alcança o visor múltiplo de LISA. Veem-se vários
gráficos com batimentos cardíacos, respiração e temperatura
corporal.

>   LISA WATANABE
>   Os batimentos cardíacos de Jack
>   se alteraram, a respiração também
>   mudou, o nível de calor da cadeira
>   diminuiu... Está nervoso e com
>   medo.

>   DANIEL
>   Não entendo! Se ele é um mentiroso,
>   o que ele está fazendo aqui,
>   procurando a verdade?

DA CRIAÇÃO AO ROTEIRO   **339**

13.

> OSVALDO VIANNA
> A gente vai descobrir essa
> incongruência.

Instantes.

CLOSE da imagem congelada de JACK no visor de OSVALDO.

Com uma caneta especial, OSVALDO desenha um círculo sobre a
sobrancelha e uma seta no lábio mordido.

A imagem congela.

> *FADE*:

SEGUNDA PARTE

16 EXT. SALVADOR - DIA

MÚSICA.

A imagem se aproxima do edifício onde se encontra a Experts.
Ela vai subindo pelo edifício e chega ao terraço, no telhado.

Instantes.

> CORTA PARA:

17 EXT. TERRAÇO - EDIFÍCIO - DIA

Trata-se de um típico terraço de um edifício comercial. Veem-
-se chaminés, respiradores, uma caixa d'água e um pátio perto
de uma porta de metal. Além de uma vista panorâmica da
cidade.

Veem-se LISA e DANIEL; aos seus pés, uma sacola plástica que
contém uma marmita.

Ambos fumam um baseado, revezam entre si.

Instantes.

LISA apaga o baseado com as pontas dos dedos, umedecidos com
saliva. DANIEL dá uma tossida.

> LISA WATANABE
> Me dão um nervoso essas reuniões
> com a *chefia*. Gosto de números e
> equações. Falar não é comigo. Fico
> tensa.

> DANIEL
> O delegado Jorge é gente boa... É
> até casado com uma mulherzinha 30
> anos mais nova que ele... Só passa
> bem.

14.

                    LISA WATANABE
          Em que sentido?

                         DANIEL
          Em todos...

                    LISA WATANABE
          Vai nessa. Ele nem gosta da comida
          que ela manda nessa marmita aí...

                         DANIEL
          Dieta. É alimentação vagana.

DANIEL ri.

                    LISA WATANABE
          Não. É vegana. Só come vegetais e
          nada de carne, peixe... Nada do
          mundo animal...

                         DANIEL
          Que chato... Adoro o mundo
          animal...

DANIEL fecha os olhos.

                                        FUSÃO:

18 INT. QUARTO INDETERMINADO - NOITE

INSERT:

Imaginação, *trip* ou sonho de DANIEL.

Vemos DANIEL fazendo amor com LISA, eles se beijam, abraçam e
transam numa cama. Ambos desnudos. DANIEL está sobre LISA e
eles transam freneticamente.

                    LISA WATANABE (*OFF*)
          Que quer dizer com isso? Mundo
          animal...

                    DANIEL (*OFF*)
          É um segredo meu. Não dá para
          contar... Só imaginar.

                    LISA WATANABE (*OFF*)
          Por quê?

                    DANIEL (*OFF*)
          Acho que não vai entender... É um
          sonho impossível, que não sai da
          minha cabeça.

                    LISA WATANABE (*OFF*)
          Como assim?

15.

                    DANIEL (*OFF*)
              É um desejo de tesão que carrego
              comigo.

                                            FUSÃO PARA:

19 EXT. TERRAÇO – EDIFÍCIO – DIA

   Retornar à mesma ambientação da CENA 17.

   DANIEL senta-se sobre o cimento e coloca a marmita no colo.

                    LISA WATANABE
              Estranho... Por que sentou? E
              colocou a marmita no colo?

                    DANIEL
              Para de tantos porquês. Estou
              protegendo meu... Estou com tesão.
              Deixa para lá.

                    LISA WATANABE
              Entendi tudo. Vou indo, está na
              hora.

                    DANIEL
              Boa viagem, te vejo no escritório.

   Ela sai. DANIEL suspira.

                                            CORTA PARA:

20 INT. BANHEIRO – THE EXPERTS – DIA

   OSVALDO retira seus poderosos óculos escuros e lava o rosto.

   Instante.

   Subitamente, ele levanta a cabeça e sua imagem é refletida no
   espelho.

   Algo de insólito ocorre (EFEITO ESPECIAL): do centro do
   espelho, num halo turvo e brilhante, surge uma seringa
   antiga, contendo um líquido verde. Uma mão com luvas
   cirúrgicas espreme o êmbolo da seringa e o líquido verde
   esguicha pela agulha e mancha o espelho. *SLOW MOTION*. A
   imagem é inesperada.

   Reação no rosto de OSVALDO.

   Instantes.

                                            CORTA PARA:

16.

21 INT. SALA HEITOR FURTADO - DIA

HEITOR FURTADO, o médico-legista, fecha a persiana a fim de se isolar da visão do salão compartido da The Experts. Ele pega um recipiente de plástico fosco, próprio para beber refresco e água, e despeja um pouco de suco de tomate.

Depois, abre uma gaveta e, segurando uma garrafa de vodca, despeja uma ampla dose no recipiente de plástico fosco. Em outras palavras, HEITOR "batiza" de verdade o suco. Ele bebe várias vezes.

Instantes.

                                        CORTA PARA:

22 INT. SALA DE CAMILA - DIA

CAMILA fala ao telefone, enquanto arruma alguns papéis.

                    CAMILA DOS SANTOS (AO TELEFONE)
               Obrigado, Lurdes. Diga que já estou
               indo para a reunião.

Ela desliga. E com uma expressão preocupada no rosto, abre uma gaveta, tira um vidro de remédio, abre e retira dois comprimidos. Depois, coloca na boca e engole, bebendo água de um copo.

Ela sai e deixa o frasco de remédio sobre a mesa.

Imagem DETALHA o rótulo do frasco: PAROXETINA (antidepressivo)

Instantes.

                                        CORTA PARA:

23 INT. ESCRITÓRIO JORGE SALVATORE - DIA

O diretor-geral da Experts, JORGE SALVATORE, comanda uma reunião com sua equipe. Estão presentes HEITOR, CAMILA, OSVALDO e LISA, todos sentados em torno da mesa.

Nos monitores da parede, veem-se vários rostos de JACK, que expressam diversos sentimentos. Todos eles têm círculos ou setas que apontam vários momentos. Assim, destacamos: mordendo o lábio, sobrancelhas levantadas, com a mão na boca, coçando a orelha etc. E ainda, num separado, os gráficos de TROIA, com gráficos de eletrocardiograma, pressão arterial, respiração e temperatura corporal que foram captados pelos sensores da cadeira em que JACK sentou-se.

                    JORGE SALVATORE
               Esse painel fisionômico do *chef*
               Jack Lepan é bastante esclarecedor.

DA CRIAÇÃO AO ROTEIRO **343**

17.

JORGE, com uma caneta-apontador a *laser*, aponta para o
primeiro monitor com o rosto de JACK.

                    JORGE SALVATORE (CONT'D)
          Sobre seu nome, origem familiar e
          instrução, como Osvaldo observou,
          ele mentiu. Ficou taquicárdico e
          suou. A respiração aumentou. É a
          síndrome da luta ou fuga.

                    CAMILA DOS SANTOS
          Me proponho a fazer um levantamento
          nos cartórios, arquivos policiais e
          nível de instrução. Acredito que
          exista um coelho nessa cartola.

                    JORGE SALVATORE
          Concedido. Acho que o currículo
          dele deve ser falso.

JORGE SALVATORE aponta para outra imagem.

                    OSVALDO VIANNA
          Esse close foi captado quando ele
          se referia aos ajudantes da sua
          cozinha e equipe de trabalho.

                    JORGE SALVATORE
          Ele está relaxado e tranquilo.
          Confia em seus funcionários.

                    HEITOR FURTADO
          E você, confia em sua equipe?

                    JORGE SALVATORE
          Plenamente. Foram escolhidos a
          dedo.

                    HEITOR FURTADO
          Penso que devíamos investigar os
          executivos e funcionários da South
          Ocident Airways que foram
          envenenados, para descobrirmos que
          substância que causou a
          intoxicação.

                    JORGE SALVATORE
          Concordo plenamente. Vamos levantar
          a ficha deles também. Está
          anotando, Troia?

TROIA escreve.

                                      CORTA PARA:

18.

24 INT. RECEPÇÃO - THE EXPERTS - DIA

DANIEL, segurando a marmita de JORGE, recebe ordens de
LURDES, a secretária.

> DANIEL
> Pensamento do dia: jamais
> esquecerei das coisas que me
> lembro!

LURDES esboça um sorriso.

> LURDES
> Quando é que você vai crescer,
> Daniel?

> DANIEL
> Pergunta perigosa, tia. Duplo
> sentido.

> LURDES
> Basta. Vai buscar o almoço da
> *chefi*a no restaurante alemão. Ele
> quer duas salsichas brancas, se
> chamam Weisswurst, salada de batata
> e chucrute.

> DANIEL
> E o que faço com essa comida
> vegana, que a "esposinha" dele
> preparou com todo o carinho? Isso é
> maldade.

> LURDES
> Não é da nossa conta! É assunto do
> casal. Não se pergunta; tape os
> ouvidos e feche a boca. Entendeu?
> Aliás, passe essa marmita para cá,
> que eu mesma como. É muito saudável
> a alimentação vegana.

DANIEL entrega a marmita.

> DANIEL
> Se fizer bem à pele, a tia vai
> perder um montão de rugas.

> LURDES
> Ainda não sei até quando vou te
> aguentar. Mas seu dia vai chegar,
> pirralho!

DANIEL continua parado. Instantes.

> LURDES (CONT'D)
> O que está esperando? Vai logo,
> chispa!

DA CRIAÇÃO AO ROTEIRO   **345**

19.

                    DANIEL
          O dinheiro.

                                              CORTA PARA:

25 INT. ESCRITÓRIO JORGE SALVATORE - DIA

     Retornar à mesma ambientação da CENA 23. Em torno da mesa
     estão HEITOR, CAMILA, OSVALDO e TROIA. SALVATORE caminha.

                    JORGE SALVATORE
          Agora só precisamos investigar as
          empresas que estão na concorrência.
          Não precisamos de todas, só a que
          ficou em primeiro e, talvez, a que
          ficou em segundo também. Aliás,
          isso pode ficar para depois. Vamos
          começar pelos fornecedores.

                    CAMILA DOS SANTOS
          Jorge, estou confusa. Nós vamos
          fazer um levantamento das vítimas.
          Por que não começar pelos mais
          interessados: as empresas
          concorrentes?

                    JORGE SALVATORE
          Boa pergunta. É exatamente isso que
          quero: vamos começar pelos
          sabotados para alcançar o
          sabotador. Responda por mim, Troia.

                    LISA WATANABE
          O *chef* Jack Lepan forneceu todos os
          endereços, telefones, e-mails,
          Facebooks e WhatsApps das pessoas
          do seu lado do problema. E isso vai
          dar uma trabalheira enorme,
          desvendar os códigos virtuais dessa
          gente toda e entrar no miolo da
          vida delas. Vou precisar de um
          tempão... Pressinto horas extras.

                    CAMILA DOS SANTOS
          No final, tudo gira em função do
          dinheiro. Nossa prodígio
          cibernética pode contar comigo.

                    JORGE SALVATORE
          Um ponto importantíssimo: Jack quer
          descobrir o culpado o mais depressa
          possível. Ele deseja, e com toda
          razão, desmascarar o sabotador e
          anular a concorrência... Para
          vencer, custe o que custar. Ele
          acredita que exista um traidor e eu
          também.

20.

Instantes.

>   JORGE SALVATORE (CONT'D)
>   Temos horas para reverter a
>   situação e salvar Jack da
>   bancarrota. Estão dispensados.

CORTA PARA:

26 INT. RECEPÇÃO - THE EXPERTS - DIA

Escuta-se o SOM DE CAMPAINHA, tipo "din-don". Entra um jovem de uns 30 anos, simpático e bem apessoado.

LURDES come da marmita. Quando o jornalista NARCISO entra, ela joga um guardanapo sobre a comida.

>   LURDES
>   Boa tarde.

>   NARCISO
>   Desculpa, atrapalhei seu almoço?

>   LURDES
>   De maneira alguma. O senhor tem
>   hora marcada?

>   NARCISO
>   Sua voz é suave e bonita. E, por
>   favor, me chame de Narciso.

>   LURDES
>   Obrigada. Hora marcada?

>   NARCISO
>   Infelizmente, não.

>   LURDES
>   Pode esperar um pouco? O diretor-
>   -geral está numa reunião.

>   NARCISO
>   O tempo que precisar. Ficar aqui
>   com a senhorita, me concedendo sua
>   atenção, será um prazer.

LURDES sorri.

>   LURDES
>   Obrigada. Quer sentar na poltrona?

>   NARCISO
>   Claro. Muito obrigado.

>   LURDES
>   O senhor... Quero dizer, você tem
>   um cartão?

21.

Narciso mexe nos bolsos.

> NARCISO
> Desculpe, senhorita. Devo ter
> deixado no terno que vestia ontem.

> LURDES
> Então, por favor, preencha essa
> ficha de identificação, para não
> perder tempo.

> NARCISO
> Perder tempo? Estar aqui com a
> senhorita é ganhar tempo.

LURDES, acanhada, sorri timidamente.

CORTA PARA:

27 INT. ESCRITÓRIO JORGE SALVATORE - DIA

Abre-se no magnífico prato de comida alemã. JORGE almoça,
corta um pedaço de salsicha branca, passa na mostarda e come.
OSVALDO está presente.

> JORGE SALVATORE
> Hummmm... Que delícia! O que dizia
> mesmo?

> OSVALDO VIANNA
> Tive uma visão, mas foi muito
> genérica, era só uma seringa.

> JORGE SALVATORE
> Quer um pouco de salada de batata?
> Chucrute?

OSVALDO caminha e se fixa num dos rostos de JACK, projetado
num dos monitores.

Instantes.

CORTA PARA:

28 INT. TELA/VISOR - DIA

INSERT:

Algo de insólito ocorre (EFEITO ESPECIAL): o rosto de JACK se
transforma num halo turvo e brilhante. Vê-se a seringa antiga
(CENA 20), contendo o líquido verde. Só que agora se vê uma
mão feminina, com unhas pintadas, espremendo o êmbolo da
seringa. Ela faz esguichar o líquido verde, que toma conta da
tela.

22.

Instantes.

                                        CORTA PARA:

29 INT. ESCRITÓRIO JORGE SALVATORE - DIA

Retornar à mesma ambientação da CENA **27**. JORGE almoça.
OSVALDO está olhando fixamente para o visor.

                    JORGE SALVATORE
            O que está acontecendo, Osvaldo?

Instantes. Silêncio.

                        OSVALDO VIANNA
            É uma mulher. A envenenadora é uma
            mulher. Foi ela que sabotou o
            jantar com uma seringa.

Reação de JORGE.

Instantes.

                                        CORTA PARA:

TERCEIRA PARTE

30 EXT. SALVADOR - DIA/NOITE

O dia se transforma em noite. *Takes* variados de Salvador à
noite. Monumentos iluminados.

Instantes.

                                        CORTA PARA:

31 INT. ESCRITÓRIO JORGE SALVATORE - NOITE

Através das janelas de vidro vê-se Salvador iluminado. JORGE
SALVATORE conversa, ou melhor, discute com NARCISO.

                        NARCISO
            O que eu proponho é uma parceria,
            Dr. Salvatore. A Experts me nutre
            com informações confidenciais. E o
            jornal promove a empresa com
            reportagens e entrevistas. É uma
            boa troca.

                    JORGE SALVATORE
            Mas é um péssimo negócio para a
            Experts, que trabalha com sigilo e
            confiabilidade.

23.

                    NARCISO
          Mas precisa ser conhecida!

                    JORGE SALVATORE
          Ela já é suficientemente conhecida
          em todo o Brasil e América Latina,
          senhor jornalista.

                    NARCISO
          O jornal tem uma tiragem estupenda
          e nosso blog de notícias exclusivas
          é o mais acessado.

                    JORGE SALVATORE
          É tudo muito bonito, mas não
          estamos interessados num meio de
          comunicação chamado "Flagrante",
          que se dedica a expor escândalos,
          além de explorar as fraquezas e
          misérias humanas.

                    NARCISO
          O "Flagrante" vive de notícias.

                    JORGE SALVATORE
          Não! De fofocas, boatos e mentiras!
          Ponto-final. Fora! E não ponha mais
          os pés nesta empresa! Ouviu bem?
          Estamos entendidos?

                    NARCISO
          Brigar com a imprensa não é bom
          negócio.

                    JORGE SALVATORE
          Rua.

                                        CORTA PARA:

32 INT. SALA DE AVERIGUAÇÃO - NOITE

A advogada CAMILA DOS SANTOS entrevista os fornecedores de
JACK LEPAN.

Lê-se a legenda: "Entrevista com os fornecedores".

A imagem abre no rosto de um HOMEM DE BIGODE.

                    CAMILA DOS SANTOS
          Como posso estar segura da lisura
          da sua companhia de carnes?

                    HOMEM DE BIGODE
          Forneço carne e produtos animais
          para mais de dez empresas de
          catering. Aqui estão os
          comprovantes da Saúde Pública.
                    (MORE)

24.

> HOMEM DE BIGODE (CONT'D)
> Fazemos teste diário de
> temperatura, qualidade, textura e
> microbiologia. Não tem erro nem
> descuido.

CORTE DE CONTINUIDADE.

Agora, um EMPRESÁRIO NEGRO e bem vestido é entrevistado por
CAMILA.

> EMPRESÁRIO NEGRO
> Senhora advogada, essa entrevista é
> simplesmente inútil. Nossos
> produtos vegetais e agrícolas são
> exportados para mais de oito
> países. Nosso controle de qualidade
> é mais rígido do que as normas
> americanas e europeias.

> CORTA PARA:

33 INT. SALA HEITOR FURTADO - NOITE

HEITOR FURTADO dá dois goles em seu recipiente "batizado",
enquanto fala ao telefone.

> HEITOR FURTADO (AO TELEFONE)
> Tudo bem, amigo Peixoto?

> PEIXOTO (*OFF*)
> Como é se livrar daquele problema,
> Heitor?

> HEITOR FURTADO (AO TELEFONE)
> Há muito tempo sou um homem livre
> do álcool, Peixoto.

> PEIXOTO (*OFF*)
> Que beleza! Gosto de te ver na
> ativa e sadio.

> HEITOR FURTADO (AO TELEFONE)
> Amigo, já tem alguma resposta das
> análises de sangue do grupo
> intoxicado da South Ocident
> Airways?

> FUSÃO:

34 INT. MICROSCÓPIO - CENTRÍFUGAS E PIPETAS - NOITE

INSERT:

No microscópio, a imagem de um glóbulo branco perseguindo e
devorando várias bactérias.

25.

A imagem é espetacular. Ela é encontrada no site www.vanderbilt.university.com

>   PEIXOTO (*OFF*)
>   Foram encontradas várias colônias
>   de Samonella irlandesa, bactéria
>   gran-negativa com alto teor de
>   infecção. Porém, a reação nos
>   pacientes foi instantânea.

Visão dos tubos de análise patológica com sangue, recebendo reagentes através de uma pipeta.

>   HEITOR FURTADO (*OFF*)
>   E isso quer dizer o quê, Peixoto?

>   PEIXOTO (*OFF*)
>   Que ela deve ter sido associada a
>   algum tipo de espasmódico ou
>   substância tóxica. Por que não
>   conversa com o Frederico Antunes?
>   Nosso colega foi quem tratou
>   clinicamente dos pacientes.

Visão de uma ultracentrífuga com tubos de análise com sangue girando no seu interior.

>   CORTA PARA:

35 INT. GARAGEM - THE EXPERTS - DIA

LURDES sai com a chave do carro na mão; ela se aproxima de um Fiat Uno 2007, que está em ótimo estado.

Instantes.

Subitamente, NARCISO se apresenta.

>   NARCISO
>   Olá, senhorita.

>   LURDES
>   Que susto! Me chama de Lurdes...
>   Soube que sua reunião com a *chefi*a
>   não foi das mais agradáveis.

>   NARCISO
>   Isso acontece, existe de um tudo
>   nesta vida. Até aqueles que não
>   cooperam com a imprensa.

>   LURDES
>   Entendo. Sinto Muito.

>   NARCISO
>   Quer jantar comigo?

26.

> LURDES
> O quê?

> NARCISO
> Ouviu muito bem: jantar.

> LURDES
> Não estou preparada, nem arrumada
> para...

> NARCISO
> E o que importa? O que vale é a
> nossa sintonia.

> LURDES
> Estou perdida... Não sei o que
> fazer. Há muito tempo que ninguém
> me convida para jantar.

NARCISO entrega um papelzinho para LURDES.

> NARCISO
> Aqui estão meu endereço e meus
> contatos. Se mudar de ideia, é só
> telefonar.

> LURDES
> Logo eu, que sou uma coroa, como
> vocês jovens dizem...

> NARCISO
> Dizem que panela velha é que faz
> comida boa... Particularmente,
> acredito.

NARCISO se vai.

Reação perplexa de LURDES, que sem perceber ajeita o cabelo.

> CORTA PARA:

36 INT. SALÃO CENTRAL - THE EXPERTS - NOITE

TROIA trabalha em três computadores. Eles não param. Os
visores descarregam números, letras, mapas, rostos, trajetos
etc. Subitamente, um deles para e lê-se no visor: "Dados
completos. Baixar correlação encontrada".

> LISA WATANABE
> Bingo! Consegui o link que liga
> duas pessoas.

Ela aperta um botão e na tela surge a frase "Inserir senha".

Ela tecla.

O visor do computador avisa, em vermelho: "Senha inválida".

DA CRIAÇÃO AO ROTEIRO **353**

27.

Ela tecla no computador e vários números começam a correr.
LISA aperta uma tecla do computador.

> LISA WATANABE (CONT'D)
> (lendo o visor do
> computador)
> Busca de código provável. Aguardar
> sete horas.

LISA coloca a mão na cabeça.

> LISA WATANABE (CONT'D)
> Inferno.

CORTA PARA:

37 INT. SALA DE CAMILA - NOITE

CAMILA trabalha em seu computador. HEITOR FURTADO abre a
porta e fala com CAMILA.

> HEITOR FURTADO
> Estou de saída. Precisa de alguma
> coisa? Novidades?

> CAMILA DOS SANTOS
> Os fornecedores estão limpos, mas
> Jack Lepan é um mentiroso de
> primeira. O nome verdadeiro é José
> Agripino Pentacosta e nasceu no
> Ceará. É fichado na Polícia e seu
> divórcio foi litigioso. Um dado que
> descobri: ele ganha muito mais do
> que declara ao Imposto de Renda.

> HEITOR FURTADO
> Caramba! E onde ele aprendeu a
> cozinhar?

> CAMILA DOS SANTOS
> No Senac. Quer dizer, como
> cozinheiro, ele é um artista.

> HEITOR FURTADO
> E o que ele veio procurar aqui? Se
> esqueceu que somos peritos da
> verdade?

> CAMILA DOS SANTOS
> É uma sinuca de bico. Mas existe
> uma razão escondida em algum lugar.

CORTA PARA:

28.

38 EXT. HOSPITAL CENTRAL – NOITE

A imagem noturna se aproxima de um hospital.

Lê-se a legenda: "Hospital Central".

CORTA PARA:

39 INT. CONSULTÓRIO FREDERICO ANTUNES – NOITE

Trata-se de um consultório muito simples, onde se lê uma placa com os dizeres: "Dr. Frederico Antunes".

Dr. FREDERICO ANTUNES coloca uma pilha de prontuários sobre uma mesa, em frente a HEITOR FURTADO.

> HEITOR FURTADO
> Tudo isto, amigo Antunes?

> FREDERICO ANTUNES
> Para começar.

> HEITOR FURTADO
> Todos os comensais tiveram o mesmo sintoma?

> FREDERICO ANTUNES
> Sim. Salmonella, associada a um potente espasmódico. E ainda se descobriu um hipotensor. Daí, o efeito súbito. A pressão de todo mundo despencou!

> HEITOR FURTADO
> Então, foi tudo premeditado e ousado. Alguns deles não foram atingidos, nem apresentaram os sintomas?

> FREDERICO ANTUNES
> Esperto. Uma das pessoas apresentou sintomas similares, mas teve a infecção.

> HEITOR FURTADO
> Talvez não tenha comido o estrogonofe, ou comeu só um pouco.

> FREDERICO ANTUNES
> Acho improvável. Tinha hipotensão, febre e espasmo. Em outras palavras, se intoxicou de mentirinha.

> HEITOR FURTADO
> E quem foi?

DA CRIAÇÃO AO ROTEIRO   **355**

29.

FREDERICO ANTUNES pega um dos prontuários da pilha.

> FREDERICO ANTUNES
> O paciente deste prontuário aqui
> tentou me enganar.

> HEITOR FURTADO
> Logo você, o primeiro aluno da
> turma! Se fosse comigo, me
> enganava. Fico te devendo essa.
> Poderia tirar uma cópia?

> FREDERICO ANTUNES
> É proibido, mas vou dar um jeito.

> HEITOR FURTADO
> Certas amizades valem ouro.

CORTA PARA:

40 INT. ESCRITÓRIO JORGE SALVATORE - NOITE

JORGE SALVATORE comanda a reunião. Estão presentes: LISA
(TROIA), CAMILA DOS SANTOS, OSVALDO VIANNA e HEITOR FURTADO.

Instantes.

JORGE SALVATORE fala no Skype com JACK LEPAN (visor em
destaque).

> JORGE SALVATORE
> Então, está combinado, Jack. Amanhã
> faremos o mesmo cardápio, com os
> mesmos ingredientes, aqui no meu
> escritório.

> JACK LEPAN (NO VISOR)
> Acha mesmo necessário?

> JORGE SALVATORE
> Para nós é quase uma rotina
> repetirmos a cena do delito, para
> elucidarmos alguns pormenores. Não
> se preocupe, estamos famintos para
> experimentar sua perícia culinária.
> Boa noite.

JORGE SALVATORE desliga o Skype. TROIA entrega uns papéis.

> LISA WATANABE
> Aqui está toda a vida virtual do
> Jack e do seu suposto sabotador.

HEITOR FURTADO, CAMILA DOS SANTOS e OSVALDO VIANNA colocam
seus relatórios em frente a JORGE SALVATORE.

                                                                    30.

                        CAMILA DOS SANTOS
                Os outros relatórios estão todos
                aqui.

                        OSVALDO VIANNA
                Salvatore, como pretende chamar
                esse caso?

        JORGE SALVATORE sorri.

                        JORGE SALVATORE
                "Cherche la femme", como dizem os
                franceses. Em bom Português:
                "Encontrem a mulher que está dando
                as cartas".

                                                        FUSÃO:

EPÍLOGO

41 EXT. SALVADOR - DIA

O dia amanhece em Salvador. *Takes* variados. MÚSICA.

Imagem se aproxima do edifício da Experts.

Instantes.

                                                CORTA PARA:

42 INT. RECEPÇÃO - THE EXPERTS - DIA

A campainha toca e entra a Secretária 1, ODETE SIVANE, que
se apresenta à LURDES.

                        ODETE
                Bom dia, eu fui chamada.

                        LURDES
                Ah, sim, claro. Só estavam
                esperando pela senhora.

                                                CORTA PARA:

43 INT. ESCRITÓRIO JORGE SALVATORE - DIA

A secretária da South Ocident Airways, ODETE SIVANE, entra na
sala e se assusta.

Vê-se uma linda mesa arrumada com talheres prateados,
porcelanas, várias taças de bebidas e arranjos de flores.
Tudo é praticamente idêntico ao banquete da CENA 02.

DA CRIAÇÃO AO ROTEIRO   **357**

31.

Estão presentes: LISA (TROIA), CAMILA DOS SANTOS, HEITOR FURTADO, OSVALDO VIANNA e JORGE SALVATORE. Em pé, vemos JACK LEPAN preparando o prato "Ninho de estrogonofe à Lepan".

> ODETE
> Mas o que significa isso?

JACK LEPAN também fica um pouco perdido. JORGE SALVATORE toma a palavra.

> JORGE SALVATORE
> Bom dia, secretária Odete! É um prazer conhecê-la. Por favor, sinta-se em casa.

> CAMILA DOS SANTOS
> Sente-se ao meu lado.

> ODETE
> Sou a única convidada? E os executivos, assessores e secretárias? Isto é, as outras pessoas que ficaram doentes?

> HEITOR FURTADO
> Continuam tomando antibióticos e alguns deles continuam internados.

> OSVALDO VIANNA
> Isto é apenas uma reconstituição do que se passou no banquete infeliz.

> JACK LEPAN
> Também não vejo muito a razão disso tudo, mas...

ODETE senta-se.

> JORGE SALVATORE
> Prossiga, Jack. Somos todos ouvidos.

Instantes.

> JACK LEPAN
> Senhoras e senhores, trata-se de uma concepção minha...

> OSVALDO VIANNA
> "Ninho de estrogonofe à Jack Lepan"!

> JACK LEPAN
> Este prato é gratinado e depois flambado no mais autêntico conhaque francês.

32.

JACK LEPAN derrama o conhaque sobre a frigideira (ou panela), acende um fósforo e faz surgir uma estonteante chama brilhante e avermelhada. *SLOW MOTION*. O fogo se desprende pelo ar como um espetáculo mágico.

Instantes.

Agora, um garçom serve os presentes com o referido prato.

            ODETE
Não gosto de estrogonofe. Não experimentei esse prato.

            HEITOR FURTADO
Sou médico. Estive no hospital e a senhorita ingressou na Emergência com sintomas, digamos, similares.

            ODETE
Foram os nervos.

            LISA WATANABE
Fazendo um levantamento virtual da sua pessoa, descobri que você tem constantes contatos eletrônicos com um tal de José Agripino Pentacosta. Quem é esse homem?

            JACK LEPAN
Aonde querem chegar?

            JORGE SALVATORE
Na verdade, em você, Jack. Aliás, também conhecido como José Agripino.

            JACK LEPAN
Aqui, eu que sou o cliente, que é quem está pagando essa palhaçada que vocês inventaram! Não tenho nada com isso, a culpa é dela. Vocês estão querendo me transformar de sabotado em sabotador.

            JORGE SALVATORE
De forma alguma! É a pura verdade. Com a ajuda de Odete e seu talento culinário à parte, você subornava a Odete para ganhar as concorrências.

            LISA WATANABE
Só que dessa vez não pagou o combinado e ela resolveu te sabotar.

ODETE se levanta.

DA CRIAÇÃO AO ROTEIRO **359**

33.

                    ODETE
          Isso é um absurdo sem pé nem
          cabeça!

                    LISA WATANABE
          Essas são cópias das mensagens
          trocadas entre vocês. Existiam
          também várias transferências
          bancárias que foram deletadas, mas
          que recuperei. Estão aqui.

LISA WATANABE abre os papéis impressos sobre a mesa.

                    ODETE
          Mentira! Não entendo nada de
          substâncias químicas ou de venenos!

                    CAMILA DOS SANTOS
          É curioso, pois cursou dois anos da
          faculdade de Farmacologia.

Silêncio.

                    ODETE (PARA JACK)
          Se você não fosse tão avarento e
          ambicioso, nunca teríamos chegado
          a esta situação.

                    JACK LEPAN (PARA ODETE)
          E você, uma exploradora e
          chantagista! Enquanto estava me
          esperando, entrou na minha cozinha
          e injetou veneno nas caixinhas de
          creme de leite.

Silêncio.

                    OSVALDO VIANNA
          O que não entendo é por que, Jack,
          você veio nos procurar?

                    JACK LEPAN
          Porque queria que vocês
          encontrassem provas contra essa
          mulher!

                    ODETE
          Que graça! Eu tive que me tornar
          amante de executivos, do próprio
          diretor da companhia, para seduzi-
          -los e viabilizar a sua contratação.
          Acha isso fácil para uma mulher?

                    JACK LEPAN
          Paguei pelos seus serviços. Sua
          vingança foi fatal para mim.

Instantes.

34.

                    JORGE SALVATORE
          Ninguém vai perguntar o que vai
          acontecer agora?

                    ODETE
          Vão chamar a polícia e nós dois
          seremos indiciados.

                    JORGE SALVATORE
          De forma alguma. Não somos
          policiais! Aliás, José Agripino já
          recebeu o castigo que merece. E
          sugerimos à senhorita Odete que
          peça demissão da empresa aérea
          South Ocident Airways.

                    ODETE
          É uma boa solução. Dos males, o
          menor. A companhia aérea não perdeu
          nada, tudo foi coberto pelo seguro
          médico.

                    CAMILA DOS SANTOS
          Mais do que dinheiro, estamos
          falando de vidas. Creio que nenhum
          dos dois gostaria de levar esse
          caso adiante. Não é interesse de
          nenhuma das partes.

                    JORGE SALVATORE
          Essa é a verdade. Caso encerrado.

     Instantes.

                                        FUSÃO:

44 INT. ESCRITÓRIO JORGE SALVATORE - NOITE

     JORGE SALVATORE acende todas as luzes da sala de reunião, que
     está totalmente vazia. Ele tem na mão um copo de uísque.

     Depois, ele aperta um botão e várias imagens de uma linda
     mulher aparece em todos os painéis. Trata-se de uma senhora;
     às vezes, de cabelo escuro; em outras, loura, cabelo curto,
     longo e etc.

     Ela é sensual, sedutora.

     Surge OSVALDO.

                    OSVALDO VIANNA
          Você não se livra dessa mulher. A
          Vera foi sua desgraça, Jorge.

     JORGE SALVATORE vai apontando para as fotos.

DA CRIAÇÃO AO ROTEIRO   **361**

35.

                    JORGE SALVATORE
                 (apontando as fotos nos
                  painéis)
              É. Desgraça e paixão. Aqui ela
              estava em Roma. Ali, em Barcelona e
              naquela outra, em Oslo. De cada
              lugar ela me manda uma foto. Não
              vou descansar enquanto não
              descobrir o paradeiro dessa
              assassina... Ela me atiça me
              enviando essas fotos.

                    OSVALDO VIANNA
              Você já se casou de novo, com uma
              linda jovem, cheia de amor para dar
              e que faz questão de cuidar da sua
              saúde. Ela envia todos os dias
              marmitas de comida vegana.

                    JORGE SALVATORE
              Que odeio! Detesto. Não consigo
              comer... Paixão é algo
              inexplicável, Osvaldo. Parece até
              doença, uma mistura sinistra de
              adoração e ódio.

Instantes.

                    OSVALDO VIANNA
              Essa sua obsessão pela Vera me
              lembra uma frase do Nelson
              Rodrigues: "Obrigado por me
              traíres!"

JORGE SALVATORE vira o copo e bebe tudo.

Imagem se afasta.

MÚSICA.

                                        FADE OUT.

CRÉDITOS SECUNDÁRIOS.

IMAGENS DO PRÓXIMO EPISÓDIO.

DOC COMPARATO, SÃO PAULO

3.3 ROTEIRO INÉDITO – CURTA

REFLEXÃO SOBRE O ROTEIRO DE CURTA

O roteiro de curta-metragem está para o cinema como o conto está para o romance. Ele contém todos os princípios, qualidades e observações sobre o roteiro como se fosse um filme de longa-metragem.

O curta pode durar de três a 30 minutos; atualmente ele é um valioso instrumento para realidade virtual, webséries e para institucionais.

Sua pequena duração pode servir até de ideia para a produção de um longa.

Não confundir conto com crônica, pois a crônica se encaixa em um *flash* de um instante (corresponde a uma cena), enquanto o conto caminha pelas profundidades e identidades das personagens e de suas ações dramáticas.

Por tudo isso, o curta volta a ter a importância que nunca deveria ter perdido, já que os novos veículos de comunicação trabalham com um tempo restrito semelhante ao seu. Sua classificação é por gênero, assim como no cinema.

E, sendo verdadeiro, um roteiro de curta pode dar tanto trabalho quanto um para um longa.

Hoje existe um amplo mercado de competições e concursos, tanto para roteiro quanto para curta produzidos. E qualquer festival de cinema dedica um de seus prêmios ao mundo dos curtas.

O roteiro de curta que será apresentado a seguir contém estrutura clássica e, ainda que baseado numa história real, trata-se de ficção.

ROTEIRO – CURTA O PODER DO NADA

O PODER DO NADA

Roteiro e criação
Doc Comparato

Agosto de 2017

Registro Biblioteca Nacional: 757.826 Livro: 1469 Folha: 317

O PODER DO NADA

ORIGINAL DE DOC COMPARATO

LOGLINE:

POR VOLTA DE 1500, A IRMÃ DO ARTISTA FRANCISCO RECORRE À ALTA CORTE DE VENEZA PARA PEDIR CLEMÊNCIA POR UM PRETENSO CRIME COMETIDO PELO IRMÃO.

PERSONAGENS:

1 – MULHER DE NEGRO, ALESSANDRA, LINDA, 22 ANOS, A IRMÃ DO ARTISTA. SENHORITA INEXPERIENTE, CHORONA, QUE TENTA CONVENCER OS JUÍZES DA INOCÊNCIA DO SEU IRMÃO. APESAR DA FRÁGIL APARÊNCIA, ELA DISCUTE À ALTURA COM OS JUÍZES SENADORES E DEFENDE COM ARDOR O PAGAMENTO PELOS DIREITOS AUTORAIS E PATRIMONIAIS, SEJAM ELES QUAIS FOREM.

2 – SENADOR 1, JUIZ, HOMEM ARISTOCRÁTICO, 50 ANOS. CONSERVADOR E OBSERVADOR RIGOROSO DA LETRA DA LEI. NA VERDADE DEFENDE SEUS INTERESSES. É DONO DE DUAS EDITORAS E DECLARA QUE A CRIAÇÃO É UM DOM DIVINO E PORTANTO NÃO PRECISA SER RECOMPENSADO ECONOMICAMENTE. E DÁ COMO EXEMPLO A BÍBLIA, QUE FOI ESCRITA POR DEUS, O QUAL NÃO COBROU NADA POR ISSO.

3 – SENADOR 2, JUIZ, HOMEM ARISTOCRÁTICO, 60 ANOS. CONSERVADOR. MAU CARÁTER. DEFENDE O *STATUS QUO* DA REPÚBLICA DE VENEZA. INTERROGA ALESSANDRA COM BASTANTE TRUCULÊNCIA. SUGERE QUE A MOÇA ASSINE UM PEDIDO DE PERDÃO À CORTE E RETIRE A QUEIXA. PARA ELE OS LIVROS SOMENTE DEVEM CONTER O NOME DO EDITOR, POIS ESTE INVESTE SEU DINHEIRO NUMA JOGADA ARRISCADA, QUE É A EDIÇÃO DE UM LIVRO.

4 – FRANCISCO, ARTISTA, PINTOR E TIPÓGRAFO, 30 ANOS, IRMÃO DE ALESSANDRA, POR QUEM NUTRE UM AMOR FRATERNAL. É PRISIONEIRO NO CALABOUÇO NO PALÁCIO DUCAL E SOFRE TORTURA FÍSICA E PSICOLÓGICA DO CARCEREIRO E CARRASCO. NO FINAL ASSINA UMA DECLARAÇÃO PEDINDO PERDÃO POR TER PEDIDO PAGAMENTO PELO DIREITO AUTORAL DO FORMATO DE LETRA ITÁLICA.

NOTA: ESSE ROTEIRO PARA CURTA, MESMO SENDO INSPIRADO EM FATOS REAIS, É INTEIRAMENTE FICCIONAL.

2.

O PODER DO NADA

FADE IN:

1   INT. SALA - CASA DE ALESSANDRA - NOITE   1

A imagem abre numa bacia de cobre cheia d'água. Alessandra,
uma jovem senhorita de cerca de 20 anos, se aproxima da
bacia segurando um candelabro aceso, seu rosto fica
refletido inteiramente na água da bacia. *SLOW MOTION*.
Lê-se a legenda: **Veneza - Península Itálica - Meados de 1500.**
Instantes.
Com as duas mãos, Alessandra joga água sobre o rosto,
lavando-o. Legenda se dissolve.
Depois, ela seca o rosto com um pano e ajeita o cabelo,
usando a água da bacia como espelho.
Logo em seguida se afasta e se envolve em uma capa preta
encimada por um capuz que lhe cobre a cabeça. Em seguida
pega um terço e um livro de capa negra.

CORTE PARA:

2   EXT. RUA DE PEDRA - VENEZA - DIA   2

Trata-se de uma rua de pedras, tanto no solo quanto nas
paredes, as pedras são escuras e têm musgos. Nota-se uma
neblina muito densa, enquanto ela caminha com seu passo
acelerado arrastando a bainha da capa pelo chão úmido. Ela
atravessa a neblina criando turbilhões de névoa e deixando um
rastro branco por onde passa.
Instantes.

CORTE PARA:

3   INT. CORREDOR - CELAS/CALABOUÇO - PALÁCIO DUCAL/DODGE - DIA   3

Um carcereiro segurando uma tocha e um prato de comida
caminha pelo corredor até determinada cela. Ele para e
grita.

> CARCEREIRO
> Francisco! Francisco! Passa a
> latrina com seus dejetos.

Francisco surge atrás das grades. Ele é jovem, porém está
barbado e maltrapilho. Por uma abertura nas grades, passa um
balde para o carcereiro.

> CARCEREIRO (CONT'D)
> Como cheiram mal suas necessidades.

3.

                    FRANCISCO
          Por acaso as do carcereiro cheiram
          a rosas?

                    CARCEREIRO
          Não seja petulante, trago
          novidades, Francisco.

O carcereiro passa o prato de sopa com um pedaço de pão
através da abertura na grade.

                    FRANCISCO
          Por acaso é essa água suja que
          chama de sopa?

                    CARCEREIRO
          Reparou que não está na hora da
          refeição?

                    FRANCISCO
          E isso quer dizer o quê?

                    CARCEREIRO
          Tem uma moeda?

                    FRANCISCO
          Claro que não! Mesmo que tivesse
          não seria sua.

                    CARCEREIRO
          Então espera sentado apodrecendo,
          porque o dia vai ser cheio de
          novidades.

O carcereiro sai com o balde segurando a tocha acesa,
enquanto Francisco se aproxima de uma pequena janela
engradada de onde vem uma iluminação esbranquiçada. Ele
molha o pão na sopa e o morde.

                                        CORTE PARA:

4   INT. ANTE SALA DE AUDIÊNCIA - PALÁCIO - VENEZA - DIA   4

Dois juízes da Suprema Corte de Justiça de Veneza se arrumam,
dois serventes auxiliam os juízes a se vestir com togas
negras e depois colocam nos ombros dos magistrados dois
grossos colares de prata. Na verdade os juízes são designados
pelo Duque (ou Dodge), e são senadores vitalícios. Ouve-se
uma lamúria baixa ao fundo.

                    SENADOR 1
          Não está ouvindo uma reza em latim
          acompanhada de um choro?

DA CRIAÇÃO AO ROTEIRO   **367**

4.

Senador 2 mexe em uns documentos que carrega nas mãos.

                    SENADOR 2
          O nome dela é Alessandra... Irmã de
          Francisco... Parece ser uma
          chorona.

                    SENADOR 1
          Como me irritam esses murmúrios.
          Estou farto de lamúrias!

                    SENADOR 2
          Infelizmente faz parte do nosso
          ofício. Afinal somos senadores do
          Duque e nossa função é julgar. Com,
          sem ou apesar das lamúrias.

Eles saem.

                                   CORTE PARA:

5   INT. - SALA DE AUDIÊNCIA. VENEZA - DIA   5

Alessandra, vestida com sua capa preta, está rezando sentada,
de vez em quando desce uma lágrima pelo seu rosto. Os juízes
senadores sobem uma escada e sentam-se em cadeiras altas em
frente a uma mesa altíssima. Sobre a mesa existem papéis e
livros grossos. Também, em destaque, vemos um enorme sino de
metal. Atrás deles existe uma bandeira medieval, com as
cores e o brasão da chamada República de Veneza. Dois
guardas com lanças ladeiam a mesa. Também estão presentes
dois funcionários, que anotam as falas do julgamento. A
iluminação entra pelos vitrais coloridos, fazendo projeções
de variadas cores no solo. Alessandra se levanta.

                    SENADOR 1
          Silêncio! A corte ainda não começou
          os seus trabalhos, e a jovem já
          está desesperada. Por favor,
          prezada... Alessandra, contenha-
          -se. Sua reza e sua lamúria são
          altas e estridentes, chegam a
          incomodar os meus ouvidos.

                    ALESSANDRA
          Honoráveis senadores, figuras
          máximas de Veneza, peço clemência.
          Rogo piedade, compreensão e
          misericórdia. O meu irmão é
          inocente. Ele não merece estar
          preso. Por favor, libertem
          Francisco do calabouço.

5.

                    SENADOR 2
          Compreenda, por favor, essa corte é
          bastante civilizada e, acima de
          tudo, piedosa, como ensinam os
          evangelhos.

Senador 1 balança algumas vezes o enorme sino de metal.

                    SENADOR 2 (CONT'D)
          Está aberta a sessão deste ínfimo
          julgamento. Nós estamos no ano
          santo de 1518 na Sereníssima
          República de Veneza, regida por Sua
          Excelência o Dodge, autoridade
          suprema deste grande país. Todos o
          conhecem como o Duque.

Senador 2 dispõe alguns papéis sobre a mesa.

                    SENADOR 1
          Como a jovem pode notar, os
          arquivos referentes às acusações
          contra seu irmão Francisco são
          pouco extensos. Até poderia afirmar
          que têm pouco peso jurídico.

                    SENADOR 2
          Até poderia dizer que o problema em
          questão é referente mais à situação
          absurda que vive o povo de Veneza
          do que realmente a um desvio de
          conduta do seu irmão.

                    ALESSANDRA
          Não entendi o que o nobre Senador
          quis dizer com isso. Me desculpe.

                    SENADOR 1
          Bem, todo este julgamento e esta
          situação é como se fossem uma
          órbita em torno de um único tema:
          livros. Assim, gira, gira, gira...
          É o mesmo problema.

                    ALESSANDRA
          Então quer dizer que os
          Excelentíssimos Senadores entendem
          perfeitamente o que aconteceu?

                    SENADOR 2
          Nobre colega Senador, existem mais
          casas editoriais situadas em Veneza
          do que bordéis. Veja aonde fomos
          parar...
                    (MORE)

6.

                    SENADOR 2 (CONT'D)
          Tudo por causa desse tal Gutemberg
          e sua diabólica máquina de tipos
          móveis, que tem a capacidade de
          imprimir pilhas de livros em
          questão de horas. A verdadeira
          cultura desapareceu!

                    ALESSANDRA
          O que o magnífico Senador está
          querendo dizer?

                                        CORTE PARA:

6   INT. SALA - CASA DE ALESSANDRA - DIA   6

      INSERT. O dia está radiante. Alessandra entra em casa
      segurando uma cesta de frutas e legumes, e encontra diversos
      barbantes estendidos pela casa, de onde pendem vários pedaços
      de papel, cada um com um tipo de letra. A imagem é curiosa e
      fascinante. Francisco está feliz.

                    ALESSANDRA
          Mas o que é isso?

                    FRANCISCO
          Trouxe o que pedi, irmã?

                    ALESSANDRA
          Claro! A tinta e os papéis. E essas
          letras, o que significam?

                    FRANCISCO
          As letras não significam nada. O
          importante é o desenho delas.

      Alessandra caminha entre as dezenas de papéis com letras
      desenhadas.

                    ALESSANDRA
          É tudo tão diferente.

                    FRANCISCO
          De que letra que gostou mais? Qual
          é a mais bonita?

      Alessandra ri e começa a girar em torno dos papéis
      pendurados. *SLOW MOTION*.

                    ALESSANDRA
          É tudo tão lindo!

7.

                    SENADOR 1 (*OFF*)
          Livros nascem agora como se fossem
          ninhadas de ratos. Os equipamentos
          tipográficos funcionam dia e noite.
          Há uma proliferação incontrolável.

                                        CORTE PARA:

7   INT. SALA DE AUDIÊNCIA. VENEZA - DIA   7

        Volta-se à mesma ambientação.

                    ALESSANDRA
          Pelo que foi dito... Eu pensei que
          os senadores estavam apreciando os
          livros como bens necessários, como
          um avanço.

        Alessandra começa a chorar de novo.

                    SENADOR 2
          Por que essa mulher não para de
          chorar?

                    SENADOR 1
          Ela não entendeu até agora o que é
          um livro. O irmão foi preso, e ela
          está perdendo seu tempo aqui. Além
          do mais, ele é um mentiroso.

                    SENADOR 2
          O que esses autores pensam que são?
          Por acaso a jovem conhece os
          direitos legais? O conhecimento é
          público. Se existe algo chamado
          saber, este só pode ser público.

                    SENADOR 1
          Deus escreveu a Bíblia. Nós não
          pagamos direitos a Deus por isso.
          Por que razão deveríamos pagar
          alguma coisa ao seu irmão?

                    ALESSANDRA
          Meu irmão reivindica o direito de
          criação.

                    SENADOR 1
          A criação é um dom divino, dado por
          Deus, que não cobrou nada por isso.

8.

>   SENADOR 2
>   É pura inspiração. Se a senhorita
>   insistir nessa linha de raciocínio
>   absurda e herética, nós não
>   chegaremos a nenhuma forma de
>   entendimento.

>   SENADOR 1
>   Além do mais, os livros são
>   recheados de mentiras.

>   CORTE PARA:

8   INT. CORREDOR - CELAS - CALABOUÇO - PALÁCIO DUCAL/DODGE - DI8A

Um guarda e o carcereiro estão dentro da cela de Francisco e
o prendem com uma corrente para levá-lo dali.

>   FRANCISCO
>   É verdade.

>   CARCEREIRO
>   Não disse? Um dia cheio de
>   novidades.

>   FRANCISCO
>   Para onde estão me levando?

>   CARCEREIRO
>   Espere e verá.

>   CORTE PARA:

9   INT. SALA DE AUDIÊNCIA. VENEZA - DIA   9

Volta-se à ambientação da audiência. Senador 2 pega um livro
e o levanta.

>   SENADOR 2
>   Está vendo este livro? O título é *A
>   utopia*, e descreve um mundo
>   imaginário, sem dinheiro nem
>   propriedade privada. O autor
>   preocupa-se com a felicidade e com
>   a organização coletiva da
>   agricultura, da produção, da
>   cultura, tudo isso sem nenhum
>   fundamento religioso. Claro que o
>   autor só poderia ser inglês... De
>   nome Thomas More.

Senador 1 afasta o livro.

9.

                    SENADOR 1
          Meu amigo, baixa e fecha esse
          livro. Existem obras piores que
          essa.

                    ALESSANDRA
          Não entendi. Então os senadores
          vão soltar o meu irmão?

Ambos os senadores riem e trocam olhares. Senador 1 pega
outro livro, abre e lê uma parte do texto.

                    SENADOR 1
          E este autor ensandecido, que
          descreve o futuro? Ele escreveu que
          vão existir cogumelos gigantes que
          espirram fogo e matam humanos...
          (Lendo) Pássaros de metal voando e
          cruzando os céus; peixes de metal
          vão navegar no fundo dos oceanos; e
          isso será o princípio do fim.
          (PAUSA) Multidões fenecendo de fome
          e doenças, novas pragas surgirão, e
          os injustiçados vagarão sem
          direção. (PAUSA) Os árabes vão
          invadir a Europa e o mundo vai se
          transformar. Generais vão se
          proclamar reis. E imperadores
          corruptos vão vender os próprios
          súditos por ouro. (PAUSA) O
          povo... Os cidadãos serão proibidos
          de proclamar o próprio mandatário.
          E o último Papa se chamará Pedro
          II, e aí será o fim, o apocalipse.

                    SENADOR 2
          Isso é terrível. Esse livro é uma
          grande farsa. Não peca seu tempo
          lendo Nostradamus e suas
          alucinações.

Senador 1 fecha o livro.

                    SENADOR 1
          É um francês que pensa que é um
          profeta. Era só o que faltava.

                    ALESSANDRA
          Por que os senadores acham que os
          livros enganam e são mentirosos?

10.

                    SENADOR 2
          Porque os monges que copiavam os
          manuscritos eram santos.

                    ALESSANDRA
          Santos? O supremo senador tem
          certeza disso?

     Alessandra dá uma risada. Senador 1 pega o sino e balança
     várias vezes.

                                              CORTA PARA:

10   INT. SALA - CASA DE ALESSANDRA - DIA   10

     A visão é impactante. Pela sala, várias máscaras de carnaval
     de Veneza estão dependuradas, são máscaras com bico de
     pássaro, outras brancas, com aparência de demônio, deformadas
     etc... Estão presentes vários monges, uns mascarados e outros
     experimentando máscaras, numa algazarra geral. Francisco faz
     uma máscara cujo nariz tem formato de um pênis azul. Entra
     Alessandra e os monges cantam e saltitam em torno dela,
     fazendo uma roda.

                    ALESSANDRA (*OFF*)
          Francisco é um artista, também faz
          máscaras exóticas para o carnaval
          de Veneza. Seus principais
          fregueses são os monges, que
          durante os quatro dias de festa se
          transformam e saem à procura de
          sexo e vinho.

                    SENADOR 2 (*OFF*)
          Blasfêmia! Não ouvi falar nada
          sobre isso!

                    ALESSANDRA (*OFF*)
          Então o supremo Senador nunca leu
          os jornais.

                                              CORTE PARA:

11   INT. SALA DE AUDIÊNCIA. VENEZA – DIA   11

     Volta-se à mesma ambientação da audiência.

                    SENADOR 1
          Jornais? A imprensa é uma
          prostituta que deveria ser banida.

374   DOC COMPARATO

11.

                    ALESSANDRA
          Esse problema não é meu... É do
          Duque e dos senhores senadores.

                    SENADOR 2
          Quer dizer que seu irmão faz
          máscaras de carnaval?

                    ALESSANDRA
          Sim, ele ganha a vida com a arte,
          fazendo máscaras, criando letras e
          pinturas.

                    SENADOR 1
          Seu irmão apenas criou uma linha de
          letras que batizou de itálicas. Se
          ele tivesse pintado um quadro,
          feito uma joia... Mas desenhar um
          conjunto de letras? Quem em Veneza
          vai querer saber de onde vem um
          tipo de letra que aparece num
          livro?

                    ALESSANDRA
          Todos os editores, inclusive vossa
          companhia de publicação. É uma
          letra estreita, leve e prática.
          Além do mais, elegante. É um
          trabalho de criação artística.

                    SENADOR 2
          Ah! Criação artística? O livro
          traz na capa o título, o nome do
          editor e o banqueiro que arriscou o
          seu dinheiro nessa aventura. O
          resto é supérfluo, e não interessa
          ao leitor. Escute: nem o autor nem
          o artista que trabalharam na
          criação necessitam ser citados.
          Essa é a lei em Veneza.

                                   CORTE PARA :

12   INT. SALÃO - CALABOUÇO - PALÁCIO DUCAL/DODGE - DIA   12

      Vemos várias ferramentas de tortura. Em seguida entra
      Francisco, acorrentado, sendo puxado pelo carcereiro. Surge
      um padre segurando um crucifixo e o mostra a Francisco.
      Francisco perplexo. Instantes.

12.

                    PADRE
          Quer receber o perdão de Cristo,
          meu filho? Seu caso está sendo
          julgado na Sala de Audiência.

                    FRANCISCO
          Perdão? Perdão de quê? Não fiz nada
          de pecaminoso. Mas confesso que
          gostaria de rezar.

                    PADRE
          Sua irmã é uma mulher valente e
          tenaz.

                    FRANCISCO
          Padre, li no livro dos nomes que
          Alessandra significa protetora do
          homem e defensora dos injustiçados.

                    PADRE
          Então vamos rezar por ela.

                                        CORTA PARA:

13   INT. SALA DE AUDIÊNCIA. VENEZA – DIA   13

      Senador 1 mostra um documento oficial.

                    SENADOR 1
          Não se esqueça, minha jovem, de que
          a senhorita veio aqui para discutir
          com os Senadores da Sereníssima
          República de Veneza. Que petulância
          a do seu irmão ao requerer dinheiro
          pela autoria do desenho de algumas
          letrinhas.

                    ALESSANDRA
          Letrinhas, não. Um alfabeto inteiro!

      Senador 2 pega o grande sino e sacode.

                    SENADOR 2
          Silêncio! A jovem veio aqui somente
          para assinar o documento de pedido
          de perdão pela audácia cometida
          pelo seu irmão, que acreditava que
          ia ser pago por essa tal criação
          artística.

      Alessandra se aproxima dos juízes. O senador do topo da mesa
      alta entrega a ela o documento oficial e uma pena. Ela pega a
      pena e lê o documento. Hesita.

13.

                    ALESSANDRA
          Um dia isso vai acabar.

                    SENADOR 1
          É melhor não chorar de novo e
          assinar logo o documento. Isso
          porque em Veneza nós somos muito
          complacentes. Se fosse em outro
          lugar da Península Itálica, seu
          irmão seria condenado à morte. A
          senhorita vai ou não vai assinar?

                    SENADOR 2
          Ela não sabe o que fazer. Mas
          lembre-se, quem gira esse mundo
          aqui são os senadores e o Duque.

                    ALESSANDRA
          Será que os Excelentíssimos
          senadores sabem o que li sobre o
          Duque? O Grande Duque...

Efeito especial
**Um boneco é composto ao lado de Alessandra de acordo com a
sua fala descritiva.**

                    ALESSANDRA (CONT'D)
          Ele tem uma cabeça de ovo podre.
          Sem cabelo e suas bochechas são
          pálidas, os olhos parecem olhos do
          cu, cercado de pés de galinha. Ele
          é praticamente cego, e fede como um
          queijo estragado. Seu nariz parece
          uma cenoura. Ele tem orelhas de
          abano, peito de pombo e tetas de
          vaca. Seus braços são retos e duros
          como os braços de uma cadeira. E
          ele tem uma barriga de sapo,
          pernas arqueadas e joelho de porco.
          Seu pênis é minúsculo, com dois
          morangos pendurados. É coxo o
          infeliz do Grande Duque. Sua pele
          tem cor e cheiro de couve
          estragada. Enfim, um monstro.

Instantes.
Vemos Alessandra estática e ao seu lado o boneco deformado.

Todos os presentes estão perplexos. Silêncio.

O boneco desaparece.

DA CRIAÇÃO AO ROTEIRO   **377**

                                               14.

                    SENADOR 2
          Isso é completamente inusitado. Não
          há precedentes nessa Corte. Nunca
          escutei tamanhas calúnias.

                    SENADOR 1
          Pior, são injúrias irreparáveis.

                    SENADOR 2
          Quem lhe contou isso? Ou melhor, de
          onde tirou essa coleção de
          fantasias maldosas?

                    ALESSANDRA
          De um livro. Escrito em letras
          góticas. Publicado por um editor...
          Qual é mesmo o nome da casa
          editorial? Ah, o dono dessa
          companhia é um juiz. Um senador
          aqui presente. Qual é mesmo o nome
          dele?

                    SENADOR 1
          Não diga mais nada. Não vamos
          seguir adiante com esse assunto. O
          problema aqui está restrito à
          criação e ao direito artístico.
          Aliás, esses livros todos vão ser
          queimados.

                    SENADOR 2
          Oh, meu Deus! Que cabeça! Como não
          consigo controlar minha própria
          editora?

                    SENADOR 1
          Exatamente, senador! Todos esses
          livros serão queimados, porque a
          figura do Grande Duque está
          ameaçada.

                    SENADOR 2
          Não, nosso pescoço é que está
          ameaçado.

                    SENADOR 1
          Todo cidadão sabe que o Grande
          Duque é um homem distinto, bem
          apessoado, maravilhoso e
          inteligente. Sempre montado em seu
          cavalo branco, com as plumas azuis
          do seu chapéu ao vento.

15.

                    SENADOR 2
          É isso e nada mais que isso.
          Ponto-final. Jovem senhorita, vai
          assinar ou não vai o requerimento
          de perdão e negar a autoria do seu
          irmão Francisco?

                    ALESSANDRA
          Estou em dúvida.

                    SENADOR 2
          Não existe dúvida aqui, senhorita.

                    SENADOR 1
          Nossa benevolência tem um limite. E
          está chegando ao fim.

                    SENADOR 2
          E agora, se não assinar, será a
          senhorita que irá presa por ofensa
          pública à Máxima Autoridade de
          Veneza. Assim, fará companhia a seu
          irmão. Assina ou não?

                                        CORTA PARA:

14   INT. SALÃO - CALABOUÇO - PALÁCIO DUCAL/DODGE - DIA   14

        Volta-se à mesma ambientação da cena do padre e Francisco. O
        padre mostra um documento à Francisco e também uma pena.

                    PADRE
          Rogo que o senhor assine este
          pedido de perdão.

        Francisco olha atônito e vê que se aproxima da janela
        engradada um carrasco de máscara preta; sua figura
        sinistra fica parcialmente iluminada pela luz do dia.
        Instantes.

                                        CORTA PARA:

15   INT. SALA DE AUDIÊNCIA. VENEZA - DIA   15

        Volta-se à mesma ambientação. Um lacaio se aproxima e diz
        algo no ouvido do Senador 2.

                    SENADOR 1
          Senhorita Alessandra, resolveu
          assinar ou não?

16.

Após um instante, o Senador 2 diz algo no ouvido do Senador
1. Alessandra assina o documento.

                    ALESSANDRA
          Pronto, assinei. Agora soltem meu
          irmão e nos deixem ir em paz.

Senador 2 pega o sino e balança novamente.

                    SENADOR 1
          O julgamento está encerrado. Seu
          irmão será solto imediatamente.

Entra o padre, seguido do carcereiro, que segura um grande
jarro de vidro coberto por um pano branco. Alessandra se
assusta.

                    SENADOR 2
          Todavia, algum tipo de castigo seu
          irmão teve de receber.

O carcereiro coloca o jarro coberto em uma pequena mesa.

                    SENADOR 1
          Um trágico acidente ocorreu no
          calabouço.

Alessandra se aproxima do jarro e vagarosamente começa a
suspender o pano. Ela treme e começa a chorar.

                    ALESSANDRA
          Não! Oh, meu Deus. Isso não é
          verdade.

                    SENADOR 1
          Agradeça por não ser o pescoço.

                    ALESSANDRA
          Ele não merecia isso! É apenas um
          artista sonhador...

                    SENADOR 2
          Artistas são instáveis. Ele poderia
          cometer o mesmo tipo de deslize
          outra vez.

Alessandra retira o pano totalmente, e vemos a mão direita de
seu irmão boiando num fluido claro. Sua mão direita foi
cortada, a imagem é chocante. Instante.

                    ALESSANDRA
          A mão direita dele! Ele nunca mais
          vai poder criar...

17.

                SENADOR 2
        Um terrível acidente, mas acima de
        tudo uma lição. Comprova que o
        direito à autoria e a criatividade
        não devem ser recompensados.

                SENADOR 1
        Artistas são como pássaros que voam
        livremente. Mas sempre acabam nas
        gaiolas do poder.

Senadores começam a rir.

Acende-se um foco de luz que ilumina a mão avermelhada no
líquido do jarro. Alessandra começa a chorar.

Congela(*freezing*).
Lê-se a seguinte legenda:

**Atualmente, 500 anos depois, o pagamento dos direitos
autorais e patrimoniais na maioria dos países latino-
-americanos, africanos e asiáticos ainda permanece um sonho.
No Brasil não se pagam direitos de retransmissão audiovisual,
de imagem nem vendas para o exterior. Isso se passa tanto nas
grandes empresas televisivas como nas cinematográficas.
Na internet, pior, a pirataria reina descontrolada.**

                                FADE OUT.

                                FIM

                        **DOC COMPARATO
                        AGOSTO DE 2017**

3.4 CONCURSOS, COMPETIÇÕES E FESTIVAIS

Chegamos a um momento esperado. Tudo está pronto: o roteiro, o *outline*, a *logline* e a sinopse, tudo está perfeito para ser produzido, mas talvez se queira agregar valores ao material escrito. Para tanto só existe um caminho: participar de competições, festivais e concursos na busca de um prêmio.

Atualmente a ferramenta mais útil que existe é o site **FilmFreeway**. Ele facilita a busca, o envio e a entrega de projetos para concursos e competições pelo mundo. Ali se encontra a listagem planetária dos seis mil festivais de cinema. Além de ser on-line, tem *design* simples, atual, dinâmico e é gratuito. Seu banco de dados conta com mais de 500 mil profissionais de cinema cadastrados com seus roteiros, projetos e filmes.

Confirmo que é a única plataforma totalmente gratuita para cadastro.

Naturalmente concursos e festivais cobram taxas de inscrição, que por vezes não são baratas – alguns chegam a cobrar US$ 80.

Após o cadastro e a inscrição no site, a página é direcionada para ao item "Adicionar projeto".

Caso tenha vários projetos, a plataforma permite o cadastro de todas as obras, mantendo os seus direitos sobre a propriedade intelectual. Para adicionar, entre em My Project, depois adicione quantos projetos desejar. É importante lembrar que estamos nos inscrevendo em festivais internacionais, portanto todos os projetos e roteiros devem estar em inglês. Essa é uma condição básica. Também é praticamente obrigatório estar registrado no The Writers Guild of America, o que custa uma média de US$ 20 por roteiro.

Depois de registrar e cadastrar a obra, chegou a hora de se inscrever nos festivais, concursos e competições. Lembre-se de que estamos num universo de seis mil janelas de opções. Assim, é indispensável fazer uma seleção:

- Primeiro por gênero. Encontramos seleções para roteiros sobre família, infantis, LGBTQI, *underground*, drama, comédia, *thriller*, históricos, biografias etc.
- Segundo, por importância da competição em que seu roteiro ficará inscrito.

- Terceiro, quanto se pagará para entrar na competição. Às vezes anunciam descontos interessantes para determinados festivais, no Twitter, no Facebook e no Instagram do site. Ao finalizar o processo de *checkout*, seu projeto receberá uma notificação de envio com sucesso. Os festivais analisam os projetos de forma segura e sigilosa, e após determinado prazo o site notifica o competidor se o seu projeto foi aceito para a seleção oficial. Após essa classificação, entra-se na fase de semifinalista (ficando entre os dez melhores), finalista (entre os cinco melhores) ou vencedor do grande prêmio como resposta final.

As três últimas fases agregam valor ao roteiro: semifinalista, finalista ou vencedor. Todas essas três categorias recebem um diploma ou certificado, que se anexa ao roteiro ao enviar para uma produtora ou agência de talentos. Nesse instante o roteiro ganha muito mais visibilidade.

Para ilustrar, agrego os meus certificados:

Meu amigo e premiado roteirista Carlos Henrique Marques, com vasta experiência em concursos internacionais, enviou uma listagem dos festivais e concursos mais prestigiados.

América do Norte: Academy Nicholl Fellowship; Austin Screenwriting Competition; Final Draft Big Break Contest; Page International Screenwriting Awards; Screencraft; Sundance Screenplay Lab; Blue Cat Screenplay Competition; Toronto International Screenwriting Competition.

Europa: Cannes Screenplay Contest; UK Film Festival.

Chamo a atenção para determinados festivais importantes que não recebem roteiros escritos, somente os produzidos, como o Berlinnale, na Alemanha.

Aproveito para dizer que o FilmFreeway semanalmente envia por e-mail informativos com os mais recentes festivais disponíveis para inscrição e aqueles que serão abertos durante a semana em questão. Isso é útil para termos uma visão global do volume de roteiros que agitam o mundo.

Quanto a Ásia e Oriente Médio, quase sempre os concursos exigem temáticas locais bem distantes da nossa realidade.

Na África se sobressaem dois países: África do Sul e Nigéria.

Em língua portuguesa só encontramos dois concursos: Frapa, no Rio Grande do Sul, e Guiões, em Portugal.

Para textos teatrais, sempre em inglês, indico o seguinte blog: https://nycp.blogspot.com.br. Ele diariamente posta oportunidades de inscrições em festivais, descontos, shows gratuitos e diversas ofertas no meio teatral. Assinalo que essa dica foi enviada pelo meu colega e amigo Altenir Silva.

3·5 CONCLUSÃO E EXERCÍCIOS

CONCLUSÕES SOBRE A PARTE 3

Nesta terceira parte do livro unimos o trabalho do roteirista que "escreve para ser lido" com o do autor que "escreve para o olho da câmera". Tal união foi demonstrada com exemplos práticos da minha vivência profissional.

Em primeiro lugar foi assinalada a formatação com que o roteiro deve ser apresentado. Em seguida foram mostrados os *softwares* disponibilizados no mercado e de uso frequente entre os roteiristas (Final Draft, Celtx e Trelby). Também se definiu a chamada formatação-padrão do roteiro no mundo.

Em seguida, foram trabalhadas as partes para ser lidas: *logline*, *outline*, sinopse, perfil do protagonista e arco dramático de uma série.

Foram inseridos dois roteiros inéditos e completos: um episódio-piloto de uma série e depois de um curta.

Aliás, sobre o curta, abordamos a relevância desse tipo de roteiro para a atualidade, pois serve de fundamento para webséries e realidade virtual.

Por fim, foram inseridos os fatores que agregam valor ao roteiro finalizado. Isto é, a premiação em competições de âmbito internacional.

Conclui-se aqui a parte do livro que divide o trabalho do roteirista em suas duas principais faces.

A partir de agora, vamos entrar em outros ângulos dessa profissão que complementam a didática do livro. Por exemplo: mercado, contratos, novas mídias, documentários, animação, honorários etc., sempre mantendo as conclusões como último item de cada abordagem, ou segmento.

EXERCÍCIOS

A essência do exercício deste segmento será fundamentada na recriação dos roteiros expostos.

1. Exercícios para o roteirista quando "escreve para ser lido".
    Reescrever o perfil do protagonista, a *logline* e uma pequena sinopse tendo como protagonista a figura feminina do episódio CAMILA DOS SANTOS.
    Recordar que essa personagem sofre de depressão, busca um par romântico, é afro-brasileira e deve carregar um incidente obscuro em seu passado.

2. Exercícios para o roteirista que "escreve para o olho da câmera".
    Diferenciar entre as cenas essenciais e as de transição ou integração presentes no curta. Em seguida, reescrevê-lo mudando a localização e a temporalidade da história, transportando a ação para o início do século passado no Rio de Janeiro. Também tornar o prisioneiro um jornalista que escreveu um artigo contra um juiz do Supremo Tribunal do Brasil. Transformar o caso de direito autoral em caso de censura e castigo (usar termos técnicos, tipo close).

OBSERVAÇÃO IMPORTANTE

Colaboraram nesta terceira parte:

- Eduardo Nassife.
- Maurício Xavier.
- Alessandra di Blasi.
- Carlos Henrique Marques.
- Altenir Silva.

Parte 4

ROTEIRISTAS, HONORÁRIOS E CONTRATOS

"Mesmo os grandes homens são menores que suas sombras."

(Fala da personagem Conrado, da peça "O despertar dos desatinados",
de Doc Comparato)

"Todo indivíduo tem direito à proteção dos interesses morais e materiais de seu
trabalho criativo para qualquer produção científica, literária ou artística de sua
autoria ou participação."

Declaração Universal dos Direitos Humanos (artigo 27.2)

4.1 O ROTEIRISTA E SEU OFÍCIO

REFLEXÕES SOBRE A PROFISSÃO DE ROTEIRISTA

Estou convencido de que a vocação de roteirista se revela tardiamente na vida de uma pessoa. Nunca soube de nenhuma criança que ao ser indagada sobre o que queria ser quando crescesse tenha respondido: "roteirista". Da mesma maneira que tampouco diria que queria ser crítico de teatro, juiz do Supremo Tribunal ou agente da bolsa. Talvez uma criança, do seu universo ao mesmo tempo ingênuo e lúcido, para identificar a profissão de roteirista dissesse que quando crescesse gostaria de continuar a sonhar histórias para depois contar para as outras pessoas.

Com uma definição como essa, a criança nos remeteria à figura de um contador de histórias que nasceu nas culturas mais primitivas e perdurou até hoje através dos tempos, embora com nomes diferentes: **escritor, romancista, cronista ou dramaturgo**.

Hoje o contador de histórias eletrônicas e cinematográficas recebe o nome de roteirista e, como qualquer outro narrador, precisa ter vivido o suficiente para captar fragmentos, matizes e facetas da existência humana, ao mesmo tempo que desenvolve seus talentos e aprende o ofício de escrever.

Queria ser ator e trabalhar no circo, no mundo do espetáculo, que ainda hoje continua a me fascinar, mas acabei por ser médico. Muitas vezes, quando olho para o que foi a minha experiência pessoal, costumo pensar na vocação de roteirista como uma fusão improvável de artista de circo e médico.

É interessante constatar que a maioria dos roteiristas profissionais não provém das faculdades de Letras ou dos jornais. Conheço médicos, advogados, comerciantes de vinho e até matemáticos que com êxito se dedicam a escrever roteiros.

Talvez agora, com a disseminação de cursos e pós-graduações em roteiro e dramaturgia, o panorama se altere e essa vocação tardia deixe de existir.

Por outro lado a organização e implantação desses cursos respondem a uma procura do mercado, a certa redescoberta da profissão e a uma crescente curiosidade pela vida do roteirista, sua rotina, suas necessidades, seus aborrecimentos e limitações.

Tenciono responder a esse conjunto de perguntas com minha experiência e com o que conheço de outros profissionais. Em geral são os meus alunos que me perguntam, por exemplo: "Onde trabalha? A que horas? Quantas horas? Quais são as tarefas de um roteirista? Quanto ganha? Como se faz um contrato?" etc. Vou tentar responder sucintamente.

Escrever é a tarefa principal de um roteirista. Embora à sua volta existam outras, complementares e necessárias. Por exemplo, reuniões com produtores e diretores ou outros contatos profissionais. Penso que escrever é um ato que se realiza solitariamente, então prefiro fazer isso em minha casa, de preferência pela manhã, durante umas cinco horas, embora conheça roteiristas vespertinos e outros noturnos. Não existem regras.

Sei também de roteiristas que escrevem, sem nenhum problema, num escritório ou na redação de um jornal, rodeados de muita gente. O que me leva a pensar que a minha ideia de que escrever é um ato solitário não é aplicável a todo mundo.

De acordo com a legislação francesa, o trabalho intelectual deve preencher oito horas diárias, como todo trabalhador, todavia um intelectual deve dividir sua jornada em quatro horas de trabalho em seu ofício (escrever, pintar, tocar etc.) e destinar as outras quatro a alimentar sua mente, isto é, ler, assistir a filmes, cozinhar – tudo que nutra uma mente criativa.

Variações à parte, todos nós, roteiristas, compartilhamos algum tipo de ritual e de rotina, que se manifesta sob a forma de autodisciplina, qualidade indispensável para realizar um trabalho com estritas datas de entrega.

Como eu disse, escrever não é a única tarefa que um roteirista leva a cabo. Além das reuniões com produtores ou diretores, ele deve se integrar no meio cinematográfico ou televisivo, e isso implica ser capaz de dar a conhecer seu trabalho por meio de contatos pessoais, da imprensa ou de agentes.

A figura do agente começa a se impor agora nos países mediterrâneos com certo atraso em relação a países como os Estados Unidos ou a Inglaterra, onde é fundamental para que o roteirista se introduza no mercado de trabalho. Eles servem como uma espécie de menisco entre os direitos do profissional e as conversas com as produtoras. O agente tem por função valorizar o trabalho do roteirista.

Na América Latina a figura do "agente teatral ou de roteiros" ainda é ausente. Isso porque o agente trabalha com capital humano e o mercado sul-americano, além de pobre e restrito a telenovelas, está subjugado por forças mercantilistas, monopólicas e centralizadoras.

A isso se acrescenta o desrespeito ou a ausência de leis que protejam os direitos do autor, não havendo campo legal que permita ao agente negociar seu "produto humano" diante do poder da "produção industrial".

Reconhecemos que existem agentes de celebridades esportivas (jogadores de futebol), alguns escritórios de advocacia especializados em direitos autorais e meia dúzia das chamadas "agentes literárias", que servem de interesse para alguns renomados escritores de romance. Em geral, as sociedades de autores e similares não funcionam na América Latina.

Todavia, esse quadro está lentamente se transformando (veja o segmento 4.3).

E aqui coloco uma questão: quem disse que a vida dos criativos e responsáveis seminais dos meios de expressão é fácil ou algum dia chegou a ser fácil? Nunca foi.

Desde a Antiguidade viver do "criar", na sua mais ampla expressão, sempre foi uma ameaça mal paga e pouco reconhecida. O direito do autor à imagem, a compor, dançar, cantar, pintar e ainda sobreviver é uma luta constante. Tão incutida na mente humana como a fábula de La Fontaine "A cigarra e a formiga". Ela aponta de maneira aguda e preciosa que aparentemente mais vale acumular coisas do que cantar, mas que esse empenho tão atual chega a ser redimido ao som da música da cigarra. Como sugestão, aconselho uma visita ao asilo da Casa dos Artistas (no Brasil existe uma num subúrbio do Rio de Janeiro). Sem palavras.

Mais exorbitante ainda é que as emissoras de televisão, ao fim de seus programas de entretenimento, soltam uma frase descabida, tipo: "Esta ficção é de criação coletiva e pertence à emissora". Se é coletiva, a quem eles vão pagar os direitos do autor?

Na verdade, toda criação é autoral. E a frase deveria ser: "Esta ficção é de criação autoral, porém com realização coletiva".

Se no Brasil não existe agente nem sociedade de autores atuante e independente ou sindicato, é importante que os roteiristas conheçam seus direitos e o labirinto dos contratos e se vinculem às associações de roteiristas que vêm sendo criadas.

Como trabalho em vários países, faço parte de diversas associações e posso afirmar, com conhecimento de causa, que esse é o melhor caminho para o intercâmbio de experiências, o conhecimento da situação do mercado de trabalho e a defesa dos nossos direitos.

Mas associações não têm valor legal nem jurídico e não são autorizadas a representar nem a recolher direitos dos autores.

Inclusive, os programas de incentivo governamentais e institucionais existentes no Brasil concedem ajuda às produtoras e não aos roteiristas.

O autor é obrigado a ceder seus direitos a uma produtora, porque só ela pode concorrer ao edital vigente. Chega a ser um absurdo; porém, tem havido uma mudança no sentido de descentralizar as produtoras do eixo Rio-São Paulo.

Também os programas governamentais estão solicitando aos produtores, autores e roteiristas que estejam mergulhados na temática das minorias. Ação política que pode dar resultado em longo prazo.

Creio que o maior aprendizado do roteirista com seu ofício, além de desenvolver a arte de contar histórias, é até certo ponto negociar e lidar com a vida. Como o definiria o menino de que falamos, o roteirista é aquele que cria sonhos, faz sonhar os outros e se alimenta dos próprios sonhos.

4.2 MERCADO E RECONHECIMENTO

RECONHECIMENTO E REGULAMENTAÇÃO

Em 1851, numa tarde chuvosa em Paris, escritores, dramaturgos e compositores de ópera se rebelaram. Saíram pela *Place de la Bastille* alardeando que a arte estava morta e que o deus Dionísio[1] seria afogado no rio Sena. Enrolados em bandeiras francesas, exigiam pagamento do que se conhece hoje como direito do autor, fundando o que se chama atualmente International Confederation of Societies of Authors and Composers (Cisac).[2]

Daquela revolta de maltrapilhos artistas nasceram tratados internacionais, leis e dispositivos jurídicos que observam a criação artística em 90% dos países do mundo. É uma ONU, em que cada país tem o seu representante legal, ou sindicato, ou sociedade autoral responsável pelo respeito, reconhecimento, fiscalização de contratos e recolhimento de direitos autorais.

Também quando uma obra é difundida em outro país ou em vários, ou até mesmo de um país para o outro, eles são responsáveis pela transferência de capital, fiscalização e integridade da obra. E o texto que se segue aqui tem informações universais, disponíveis a qualquer pessoa que queira refletir sobre o processo de pagamento justo e civilizado do chamado **trabalho intelectual**.

Em 1914 os Estados Unidos e o Canadá assinaram esse convênio e criaram o Sindicato dos Roteiristas e Dramaturgos, estando a profissão reconhecida em seus plenos direitos, inclusive o de greve.

O Brasil assinou a convenção em 1929, depois a ratificou em 1946 e se tornou membro em 1985. Seus representantes no Brasil eram a Sociedade Brasileira de Autores Teatrais (Sbat), que trabalhou sobre uma massa falida e simplesmente acabou, e a Sociedade Brasileira de Autores, Compositores e Escritores de Música (Sbacem)[3], especializada em música e músicos. Nenhuma das duas recolhe direitos de roteiristas e diretores nem está classificada na lista de pagadores da Cisac.

Na verdade os direitos musicais são muito bem controlados e fiscalizados no Brasil, mas ainda longe do ideal. Talvez esse fato se deva à multiplicidade de companhias produtoras multinacionais e independentes da fonografia aliadas à força do mercado, apesar da pirataria.

A Cisac tem proibições universais tal qual o "direito moral", isto é, ninguém pode vender a assinatura de sua obra. Em outras palavras, um ser humano não pode transferir a sua autoria. Pode usar um "pseudônimo", mas jamais renegar o direito de ser o autor. Como uma mãe, desde as leis salomônicas, que por conceber uma criatura é intransferivelmente sua genitora. Essa restrição se deveu ao expediente de autores venderem suas obras com contratos que permitiam inclusive a mudança do nome do autor. E não precisamos ir muito longe no tempo: muitos sambas no Brasil das décadas de 1940 e 1950 têm sua autoria equivocada até hoje.

Sobre o tema, não confundir direito moral com *ghost writer* (escritor fantasma), aquele redator que escreve discursos, teses e conferências em nome de outras pessoas como políticos, estudantes, jornalistas, professores etc.). Também podem ser incluídos nessa franja alguns escritores que produzem textos por outros, mecanismo que se encontra mais amiúde em livros de bolso, teses e romances novelescos baratos.

Não confundir com uso de **pseudônimo** (do grego *pseudónymos*), nome falso ou suposto, em geral adotado por um escritor para manter sua privacidade ou por simples capricho, com uso totalmente permitido. Por fim, atenção com o termo "plagiador", este sim contemplado com inúmeras proibições, já que infringe quase todas as condutas do direito do autor por copiar, apropriar-se e divulgar o material de outrem. Em outras palavras, pirataria.

A Cisac também exige, em referência aos textos teatrais, cinematográficos e audiovisuais, que exista um tempo de carência, o qual pode variar entre dois e dez anos.

No caso do teatro, o produtor tem o direito de explorar no palco o texto por dois anos para determinada língua e determinado espaço geográfico, dentro de certas especificações de produção. O texto teatral será sempre do autor, ou melhor, ele fica emprestado ao produtor durante certo tempo e depois volta à fonte original, o autor. Por exemplo: minha peça "Nostradamus" já foi encenada três vezes no Brasil em diferentes companhias e locais, na Itália, na Colômbia – em comemoração ao centésimo aniversário do Teatro Municipal de Cali – e também na Argentina.

O mesmo critério se aplica às obras audiovisuais. Evidentemente o tempo de carência é muito maior, podendo durar de sete a dez anos, depois dos quais retorna ao autor original. Tanto o roteiro escrito pode ser revendido e transformado como os direitos de exploração comercial poderão ser revistos. Aliás, é o que acontece com a indústria editorial no Brasil e no mundo inteiro.

Curiosamente em vários países, inclusive no Brasil, é legalmente possível abolir o termo "autor-roteirista" de um contrato e transformar o autor-roteirista numa "firma de produção de eventos", que por acaso vende material escrito de ficção. Tudo fincado no conceito de que o neocapitalismo é definitivo, para sempre, jamais entrará em crise, e que todo cidadão que se preze deve se tornar uma "empresa". E em contrapartida deixar de ser um indivíduo e se tornar um "empreendedor".

Com base nessa premissa, o "direito do autor" perde seu valor, pois se trata de uma relação de "empresa com empresa"; por conseguinte, é possível vender um objeto para sempre a outrem, assim como um carro, apartamento ou picolé.

Nesse caso, o que se nota é que as produtoras e as redes de televisão existentes no Brasil não firmam contratos com roteiristas condizentes com as deliberações da Cisac, e sim contratos entre empresas que permitem algumas discrepâncias e transgressões – entre elas, vendas e explorações "para sempre" e "universais", inclusive por meios a ser criados no futuro, ficando também responsáveis pelo recolhimento e pela captação de direitos, sejam eles quais forem. (Em 2009, a Sociedad General de Autores y Editores de España [Sgae] forneceu lista da Cisac dos países membros que são cumpridores dos seus deveres internacionais.)[4]

Obviamente o Brasil não faz parte nem da lista dos eventuais não pagadores. Foi simplesmente banido e esquecido. Triste constatar que o nosso sistema audiovisual, tão promissor em seu início, vem perdendo respeito jurídico gradualmente nas últimas décadas. Somos todos culpados. Não pelo que aconteceu, mas pelo que está sucedendo: é desolador constatar como uma nação com tantos habitantes e tamanhos, espaço geográfico e diversidade cultural contém tão poucos e repetitivos contadores de histórias, e mais quantos deles existem na vastidão desse continente sem nenhuma oportunidade de exercitar seu ofício e irradiar sua imaginação.

São **cinco pontos** fundamentais que creio indispensáveis para que a profissão afinal tenha algum tipo de respeito e dignidade neste país. Essa visão não é iconoclasta (do grego *eikonoklástes*, destruidor de ídolos, imagens e tradições), nem com ela pretendo desestabilizar o sistema audiovisual brasileiro. Ao contrário, é uma tentativa de aprimorar e elevar nosso talento jovem, perdido e esquecido por falta de oportunidade e estímulo. Mas será isso verdade num futuro próximo?

Vejamos os cinco pontos.

1. Indivíduo

É indispensável que a profissão de roteirista seja reconhecida. Somos um apêndice que vive dentro de um emaranhado chamado Sindicato dos Radialistas. A profissão de roteirista e dramaturgo não existe como autônoma. Sem reconhecimento legal não há direitos e deveres, muito menos aposentadoria. A propósito, a profissão de jogador de futebol só foi reconhecida há dez anos e é bom lembrar que até a década de 1950 atrizes tiravam sua licença de trabalho junto com prostitutas no cais do porto. Nos dias de hoje, algumas produtoras e algumas redes de televisão estão exigindo do roteirista o DRT (registro na Delegacia Regional do Trabalho).

Além de pagar RS$ 600 para dar entrada no processo, ele também deve comprovar a experiência de ter escrito de dois a três roteiros produzidos, ou seja, mais uma burocracia inócua e cara. Como sempre, feita aos moldes da nossa Constituição, que é um queijo suíço repleto de leis e contraleis. Assim, para toda decisão a favor existe outra contra. E ainda o recurso do recurso, e o recurso superior. Enfim, a Constituição é branda e superficial no fundamental e ultradetalhista no supérfluo. No meu entender, qualquer pessoa tem o direito de ser artista, sem necessidade de manter uma identificação profissional.

O DRT só nasceu para complicar a vida do futuro profissional, parece um cachorro querendo morder o rabo. Para ser aceito por um produtora precisa do DRT, para tirar o DRT precisa ter um roteiro produzido... Enfim, um paradoxo atroz.

Isso pode estar mudando? Veja o segmento 4.3.

2. Sindicato

Sindicato significa regulamentação. Contrato mínimo de trabalho, com cláusulas de direitos e deveres compatíveis com qualquer outro trabalhador. Não vejo nada de errado em um teto mínimo para iniciante ou colaborador que faz um trabalho tão específico e criativo. Nenhuma empresa vai falir com uma regulamentação bem-feita. Só seria curioso se não fosse verdade que os países com maior massa de programação audiovisual e capacidade criativa são aqueles cujos sindicatos e sociedades de autores são bem atuantes. E normalmente se recebe por hora de emissão televisiva.

É importante notar que os países desenvolvidos, do ponto de vista da indústria audiovisual, além de defenderem o direito de seus criadores reservam o mercado para eles. Um roteirista profissional brasileiro não pode trabalhar na Europa ou nos Estados Unidos graciosamente. É exigido um convite formal de uma empresa local, inscrição e aprovação na sociedade de autores nacional ou sindicato, pagamento de matrícula e uma série de burocracias para permissão do trabalho do estrangeiro naquela área geográfica. Afirmo isso por experiência própria, já que vivi e trabalhei em vários países.

Por tudo isso, sou inscrito nas seguintes entidades: SPA (portuguesa), Sgae (espanhola), SACD (francesa), Siae (italiana), Argentores (argentina), Sogem (mexicana), Acdam (cubana), além de figurar como temporário na inglesa, alemã, russa e americana. Essa pulverização do recolhimento dos direitos autorais também não foi efetiva nem prática. Atualmente me concentro nacionalmente na Associação Brasileira de Música e Artes (Abramus) e, em âmbito internacional, na Sgae.

3. Mercado

Todo artista tem direito à difusão de sua obra de acordo com a Convenção da **Cisac**. Claro está que isso é uma **utopia**, mas quer dizer o seguinte: existe uma **regra** de número de **autores atuantes** por habitantes e o Brasil, que se diz maior em tudo, tem uma das mais **baixas taxas do mundo**. Tanto pela **programação televisiva**, que se apresenta **fincada** na telenovela, como pela **baixa produção cinematográfica e teatral**, que cada vez está mais **estrangulada**. Inclusive monotemática: só serve **comédia**. Com relação à TV, cinco **noveleiros** fazem a programação anual de uma rede (veja a Parte 8).

Do **ponto de vista** cinematográfico, podemos constatar o baixo número de **salas**, como mostra o gráfico a seguir.

Quadro I – Total de salas de cinemas na primeira década de 2000

Número de salas	Total de cinemas	Total de salas
I sala	313	313
2 salas	141	282
3 salas	59	177
4 salas	50	200
5 salas	41	205
6 salas	29	174
7 salas	21	147
8 salas	28	224
9 salas	9	81
10 salas	14	140
acima de 11 salas	14	177
total	219	2120

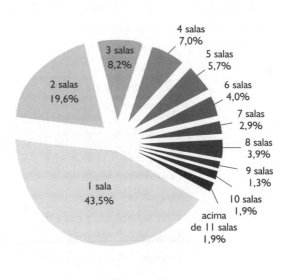

Fonte: Filme B Box Office/Exibidores – Pesquisa: Filme B

Num país continental como o Brasil, podemos notar que o número de salas é bastante irrisório.

E, se analisamos o *ranking* dos dez filmes de maior público e renda no início de 2018, vemos que não existe nenhum filme brasileiro. Também se nota uma maciça presença da filmografia americana, da animação infantil e de filmes de ação (Quadros 2 e 3).

Por outro lado existe uma multiplicidade de distribuidoras – dado importante, já que no mercado internacional quem produz não distribui, quem distribui não emite e quem emite não produz. No Brasil, como sabemos, qualquer emissora de televisão pode ser dona de toda a cadeia criativa e industrial do audiovisual. O que chega a ser anticapitalista, pois até mesmo nos Estados Unidos existe a lei *antitruste* (Lei da Concorrência), um dos maiores pilares do capitalismo moderno.

Posso testemunhar que, quando fiz parte da comissão da escolha do filme brasileiro para concorrer ao Oscar 2018, constatei que só havia duas empresas produtoras e financiadoras para os 30 filmes concorrentes. Isso significa monopólio. O que é bastante desastroso para o país, pois é a concorrência que aquece o mercado e não uma hegemonia.

A isso se soma a presença da pirataria desvairada pelo país.

Além das dificuldades e dos emaranhados burocráticos para se conseguir financiamento para a realização de um filme, já existindo empresas de captação e *marketing* cultural especialistas no assunto.

Não é por acaso que a famosa atriz francesa Fanny Ardant[5], em visita ao Brasil, declarou: "Paris é uma cidade onde você pode ver filmes de todas as partes do mundo. Só não existem produções brasileiras".[6]

Quadro 2 – *Ranking* de público no Brasil em fevereiro de 2018

Filme	Público
Extraordinário	6.491.502
Jumanji – Bem-vindo à selva	4.502.491
O touro Ferdinando	2.735.065
Viva – A vida é uma festa	1.732.664
Maze Runner – A cura mortal	919.200
Sobrenatural – A última chave	890.203
The Post – A guerra secreta	290.846
A forma da água	140.641
Paddington 2	95.810
Todo o dinheiro do mundo	50.971

Fonte: Revista de Cinema, 8 fev. 2018

Quadro 3 – *Ranking* de bilheterias no Brasil em 2017

Filme	Público
Meu malvado favorito 3	8.989.024
Velozes e furiosos 8	8.505.215
Liga da justiça	8.442.364
A bela e a fera	8.308.489
Mulher-Maravilha	7.011.338
Homem-Aranha – De volta ao lar	6.686.527
Logan	6.400.985
Thor – Ragnarok	6.359.663
Minha mãe é uma peça 2	5.213.465
Moana – Um mar de aventuras	5.147.838

Fonte: Observatório Brasileiro do Cinema e do Audiovisual

4. Direitos de autor

É comum os grupos teatrais brasileiros irem à Broadway e comprarem diretamente de agentes estrangeiros peças pagando luvas (termos afins: adiantamento em dinheiro, *avaloir*, *option*, reservado) e depois remetendo porcentagem da produção e da bilheteria. Se o autor é nacional, só recebe porcentagem da bilheteria e os ingressos são a preço minguado.

Quase sempre se evita o autor nacional, como se aqui não existissem dramaturgos. Também se queixam dos roteiros brasileiros. Mas alguém já se perguntou quanto se paga a eles? Como eles morrem?

Tive peças encenadas de que só fui tomar conhecimento décadas depois. Prêmio que recebi no Japão e do qual nunca fui informado pelos produtores. Efetivamente, se Deus é brasileiro Ele não é roteirista nem dramaturgo.

Para completar o quadro de descaso, a Lei Rouanet, ou qualquer outra de incentivo à cultura no Brasil, não contempla a dramaturgia nacional nem o direito de autor. Deixa ao criador míseros 10% dos ingressos comercializados e não fiscalizados do pouco público que se dispõe a pagar o ingresso subfaturado. Enquanto isso um acrobata do Cirque Du Soleil, ao fazer contorcionismos gloriosos diante dos banqueiros e das autoridades, consegue subsídios para cuspir fogo. A propósito, mágico é uma profissão reconhecida pelo Estado brasileiro.

É conveniente lembrar que a cultura e o crescimento de um povo vivem do estímulo ao pensamento. Sem ele o futuro será pobre. Ou não. Já que leis de incentivo à cultura podem sofrer alterações de acordo com os governos e o quadro ser alterado.

O que os autores teatrais reivindicam agora é uma porcentagem de 10% da produção bruta do espetáculo. Mas, afinal, quem decide?

5. Livre expressão

Não existe censura no Brasil. É um país de livre expressão. Mas não se compara com Estados Unidos, Inglaterra, França ou qualquer outro país europeu. Nem mesmo com a Nigéria, onde se fazem mais de três mil DVDs por ano. Hoje se assiste nos Estados Unidos a ficções sobre a Guerra do Iraque muito mais críticas do que os próprios telejornais (por exemplo: o filme *Leões e cordeiros* ou a série da HBO *Generation kill*).

Além do mais, o artista tem direito de dar sua visão pessoal e ficcional dos fatos por ele descritos. Deve estar livre e não se sentir controlado. Como disse o crítico Luiz Costa Lima, "controle não é o mesmo que censura"[7]. E ainda lembra que o culto da "realidade nacional e oficial" é uma das matrizes reguladoras e empobrecedoras da ficção. E assim, quando não recorremos à galhofa, purificamos personagens históricas como Juscelino Kubitschek, fazendo dele um bom homem isento de pecados, torpezas ou máculas, a dramaturgia fica prejudicada e a visão do autor, desconhecida. Sobra apenas um doce relato biográfico.

Agora faço uma digressão.

Essa situação me faz lembrar que, durante a ditadura militar, os jornais e telejornais eram ilustrados com declarações dos militares: eram as declarações do Ministro do Exército, o discurso do Comandante da Segunda Região Militar, o pensamento do General responsável pela Amazônia, do Almirante da Costa Nordestina ou do Brigadeiro da Esquadrilha da Fumaça – e assim por diante. Havia uma distorção do poder do Estado brasileiro, que passou a ser regido pelos militares. E, se espelhássemos a realidade ficcionada, seríamos presos e torturados. Atualmente o mesmo acontece no Iraque com as declarações dos aiatolás, o que mostra que a fonte do poder está nas mãos dos religiosos.

Hoje, 2018, assistimos maciçamente nos telejornais brasileiros às decisões dos Supremos Tribunais Federais, aos embargos da segunda turma do Supremo Tribunal de Justiça, aos *habeas corpus* da primeira turma do Supremo Tribunal Eleitoral, à declaração do juiz da Quarta Vara Cível, aos primeiros recursos e liminares do primeiro desembargador da segunda turma do Tribunal Superior do Trabalho. Enfim, por aí vamos demonstrando que existe um desequilíbrio total do poder do Estado no Brasil. Se é para bem ou para o mal, isso não está em jogo, simplesmente é a constatação de um fato, que sinaliza que estamos vivendo um momento excepcional da história da República. E se por acaso um autor criar um personagem que seja um juiz corrupto, calhorda, presunçoso e com poder total, será processado e com certeza responderá a um processo sem fim – ou talvez acabe nos calabouços de um presídio brasileiro, que são verdadeiros campos de concentração, uma vergonha reconhecida internacionalmente. Tudo culpa de um sistema psicossocial desequilibrado, resultado de uma justiça lerda, pesada e preguiçosa.

Aliás, só entendo parcialmente o que dizem esses togados, que dirá a massa iletrada. Se o leitor comparar nossa imprensa com os veículos de qualquer emissora europeia, inclusive a CNN, verá que há uma diferença gritante.

Tudo isso em virtude de um **desequilíbrio econômico** e **injusto**, de um mercado **restrito** e de todos os outros obstáculos mencionados até aqui. Só desejo que o progresso social e político do Brasil seja alcançado.

Mas será que não houve nenhum progresso nos últimos anos?

O MERCADO BRASILEIRO E SUL-AMERICANO HOJE

Desde a retomada do cinema brasileiro, em 1992, com a criação da Secretaria para o Desenvolvimento Audiovisual – que deu o pontapé inicial para a liberação de recursos e começou a trabalhar na elaboração do que seria a Lei do Audiovisual –, os filmes abordam assuntos envolvendo a realidade de favelas do Rio de Janeiro e de São Paulo ou então são histórias cômicas tendo como chamariz atores da Rede Globo ou personalidades da internet.

Basta lembrar que o filme que se tornou um marco dessa retomada é *Carlota Joaquina, Princesa do Brazil* (1995); em seguida vieram *Cidade de Deus* (2002), *Carandiru* (2003) e *Tropa de Elite* (2007).

O mercado do cinema brasileiro tem crescido nos últimos anos, mas ainda estamos muito longe de poder comparar com a presença de público nos filmes estrangeiros, leia-se americanos.

Segundo dados da Ancine[8], em 2011 foram 143.206.574 espectadores, número que passou para 181.226.407 em 2017. Em 2017, o público de filmes estrangeiros chegou a 163.867.894, enquanto os espectadores de filmes brasileiros totalizaram 17.358.513, pouco mais de 10% desse total. Com a presença maciça do público em filmes estrangeiros, é claro que o faturamento deles é muito maior. Em 2017, a renda bruta foi de R$ 2.717.664.734,65; desse rendimento, R$ 2.476.897.056,89 foram para os filmes estrangeiros, enquanto os filmes brasileiros ficaram com a pequena fatia de R$ 240.767.677,76.

Além disso, o público continua crescendo nas salas. Em 2017 foram 181.226.407 de espectadores, que geraram uma renda bruta de R$ 2,7 bilhões. Desse percentual, os filmes brasileiros foram responsáveis por R$ 240,7 milhões.

O número de lançamentos de filmes brasileiros também bateu recorde em 2017: foram 160, número que não chegava a 30 em 2002.

De acordo com o documento "Distribuição em salas de exibição – Informe anual 2016"[9], nesse ano os filmes brasileiros com maior público foram: *Os dez mandamentos – O filme*, com 11.305.479 de espectadores; *Minha mãe é uma peça 2*, com 4.020.898; e *Carrossel 2 – O sumiço de Maria Joaquina*, que teve 2.525.328 pagantes.

O *favela movie* não continua tão firme assim, como estava até o final do período da retomada do cinema brasileiro. Já as comédias continuam firmes e fortes; basta averiguar que, no *ranking* dos dez filmes brasileiros com maior bilheteria em 2016, sete eram do gênero cômico: *Minha mãe é uma peça 2, É fada, Até que a sorte nos separe 2, Tô ryca, Um suburbano sortudo* e *Vai que dá certo 2*, só para citar alguns.

Mas isso não é de se espantar. No cinema brasileiro a comédia sempre foi motivo para o público comparecer em massa às salas. Basta lembrar as chanchadas (humor ingênuo, burlesco e infantil), de Mazzaropi e da dupla Oscarito e Grande Otelo nos anos 1950-60.

Só um detalhe: as comédias são como os vinhos tintos, não viajam bem. Em outras palavras, como os enredos e piadas são muito locais, eles perdem valor e compreensão no mercado internacional. Os vinhos azedam (veja a Parte 7).

RANKING NA AMÉRICA LATINA

O ano de 2016 foi bem-sucedido para as **produções brasileiras**. O *Anuario del Cine Iberoamericano* 2016[10] analisou 22 países, 20 deles de língua espanhola e mais Brasil e Portugal. Os 22 países contam com um público de 677 milhões de espectadores. Os países analisados foram: Venezuela, Uruguai, Bolívia, Brasil, Chile, República Dominicana, Porto Rico, Portugal, Colômbia, Costa Rica, Cuba, Equador, Paraguai, Guatemala, Honduras, México, Nicarágua, Panamá, Paraguai, Argentina, Peru e El Salvador.

Dois filmes brasileiros encabeçam o *ranking* de produções mais vistas nos cinemas de países da América onde o português e o espanhol são línguas predominantes: *Os dez mandamentos*, com 11,35 milhões de espectadores, e *Minha mãe é uma peça 2*, visto por 8,18 milhões de espectadores. Os filmes de língua espanhola compõem a lista de mais vistos: o mexicano *¿Qué culpa tiene el niño?* ficou em terceiro lugar com 5,98 milhões de espectadores.

Se o Brasil lidera o *ranking* de filmes mais vistos, isso não é realidade em número de produções. *Los hermanos* produziram mais do que nós. Foram 208 filmes argentinos lançados em 2016, 23,11% do total de 900 filmes ibero-americanos; a Espanha ficou em segundo lugar, com 188 filmes feitos (20,88%); e o Brasil ocupou a terceira posição, com 170 filmes lançados (18,88%).

Os números podem parecer animadores para a produção ibero-americana, mas na verdade os 900 filmes lançados representam a quarta posição em volume de produção, e a arrecadação deles corresponde a apenas 0,92% do total mundial.

De acordo com o Anuário, pelo fato de os filmes não terem tido projeção no mundo, sendo vistos apenas em seus países de origem, a arrecadação fica abaixo de 1% em nível mundial.

Para se ter uma ideia, no que tange aos filmes estrangeiros que passaram na Ibero--América, foram 4.515 produções e a arrecadação atingiu US$ 3,43 bilhões, enquanto os 900 filmes produzidos na região só arrecadaram US$ 355,6 milhões. As películas estrangeiras atingiram 8,89% da bilheteria mundial.

OBSERVAÇÃO IMPORTANTE

Este segmento contou com a colaboração de Carla Giffoni.

NOTAS E BIBLIOGRAFIA

1. Dionísio, deus grego do vinho, das festas, do prazer. É a divindade do teatro.
2. International Confederation of Societies of Authors and Composers (Cisac – www.cisac.org). Existem duas categorias nessa organização: aquelas que reconhecem sua existência, mas não cumprem suas recomendações; e aquelas que são membros e devem cumprir suas obrigações tanto em âmbito nacional quanto internacional. Por exemplo: os Estados Unidos têm um sindicato que cumpre plenamente todos os seus direitos em âmbito nacional e internacional, suas transferências são feitas por meio dos agentes. Já a China não é membro, portanto não paga nada. O Irã só reconhece se o autor for inscrito na sua sociedade e for lá buscar pessoalmente o seu quinhão. Enfim, cada cultura é uma sentença. Mas de maneira geral quanto menos democrático o país for, quanto mais pobre ou monopolizado, menos sindicalizado e respeitador dos direitos ele se apresenta. Apontar bons ou maus pagadores aqui seria no mínimo descortês, mas posso adiantar que na América do Sul México e Argentina são tidos como os mais corretos. Segue a lista completa dos países signatários: África do Sul, República Tcheca, Albânia, Argélia, Angola, Argentina, Armênia, Austrália, Áustria, Barbados, Bélgica, Belize, Benin, Bolívia, Bósnia Herzegovina, Brasil, Bulgária, Burkina Faso, Camarões, Canadá, Cazaquistão, Chile, China, Colômbia, Congo, Costa Rica, Croácia, Cuba, Dinamarca, República Dominicana, Equador, Egito, El Salvador, Estônia, Finlândia, França, Geórgia, Alemanha, Gana, Grécia, Guatemala, Guiné-Bissau, Vaticano, Honduras, Hong Kong, Hungria, Islândia, Índia, Indonésia, Irlanda, Israel, Itália, Jamaica, Japão, Quênia, República da Coreia, Letônia, Lituânia, Luxemburgo, Macedônia, Madagascar, Malawi, Malásia, Ilhas Mauricio, México, República da Moldávia, Moçambique, Namíbia, Nepal, Holanda, Nicarágua, Nigéria, Noruega, Peru, Filipinas, Polônia, Portugal, Porto Rico, Romênia, Federação Russa, Santa Lúcia, Singapura, Eslováquia, Sérvia e Montenegro, Espanha, Sri Lanka, Suriname, Suécia, Suíça, Taiwan, República Unida da Tanzânia, Tailândia, Togo, Trinidad e Tobago, Tunísia, Turquia, Uganda, Ucrânia, Reino Unido, Estados Unidos, Uruguai, Venezuela e Zimbábue.

3. Sociedade Brasileira de Autores, Compositores e Escritores de Música (Sbacem – www.sbacem.org.br) – Praça Mahatma Gandhi, n. 2, Cinelândia, Rio de Janeiro (RJ). Tel.: (21) 2220-3635.

4. Sociedad General de Autores y Editores de España (Sgae – www.sgae.es). Fernando VI, 4 28004 Madri, Espanha.

5. Fanny Ardant (França, 1949), atriz de cinema e do teatro francês. Intérprete e celebridade de fama internacional.

6. ARDANT, Fanny. "Cinema é angústia". *O Globo*, 8 abr. 2009, Prosa & Verso, p. 1-2.

7. BERTOL, Rachel. "As brechas do imaginário – Entrevista com Luiz da Costa Lima". *O Globo*, 11 abr. 2009, Prosa & Verso, p. 1-2.

8. ANCINE/OBSERVATÓRIO BRASILEIRO DO CINEMA E DO AUDIOVISUAL. *Mercado audiovisual brasileiro 2002--2017*. Disponível em: <https://oca.ancine.gov.br/sites/default/files/mercado_audiovisual/pdf/mercadoaudiovisualbr_2017_1.pdf>. Acesso em: 25 maio 2018.

9. ANCINE. "Distribuição em salas de exibição – Informe anual 2016".

10. BARLOVENTO COMUNICACÍON/MEDIA RESEARCH CONSULTANCY. *Anuario del Cine Iberoamericano 2016*. Disponível em: <http://www.ortegaygasset.edu/admin/descargas/Anuario%20del%20Cine%20Iberoamericano%202016%20-%20ACI%2016.pdf>. Acesso em: 25 maio 2018.

SITES CONSULTADOS

http://oca.ancine.gov.br/mercado-audiovisual-brasileiro

http://oca.ancine.gov.br/sites/default.files.publicacoes/pdf/informe_anual_preliminar_2016.pdf

http://cinema.uol.com.br/noticias/efe/2017/07/17/brasil-produziu-os-tres-filmes-mais-vistos-na--america-latina-em-2016.html

4.3 ABRA, GEDAR E O NOSSO FUTURO

A ASSOCIAÇÃO BRASILEIRA DE AUTORES ROTEIRISTAS (ABRA)

No final da década de 1970, um grupo de roteiristas composto por Jorge Duran, José Joffily, Antônio Carlos Fontoura, Leopoldo Serran e Doc Comparato criou a Associação de Roteiristas (Arote). Nós achávamos que nosso trabalho estava em expansão e se ampliaria em todas as direções, logo uma associação para representar nossos direitos seria bem-vinda e teria grato futuro. Foi sonho de uma noite de verão.

O mercado realmente cresceu, mas não na proporção nem na direção desejadas. Ampliou a necessidade de roteiristas para filmes institucionais, de publicidade e até pornográficos, porém se reduziu em termos cinematográficos e televisivos. O tema é bastante contraditório.

De todas as formas, desse pequeno grupo nasceu a Associação de Roteiristas (AR), cuja fundação teve como uma das testemunhas oculares o dramaturgo e roteirista Lauro Cesar Muniz, que com seus textos televisivos e teatrais teceu de forma única e digna o homem político brasileiro, e a quem cedo a palavra:

> Em julho de 2000 um fato concreto reuniu os autores para tomar uma posição. Doc Comparato foi procurado por redatores de um programa de humor da Rede Globo, que reivindicavam que seus nomes deveriam aparecer nos créditos de apresentação do programa. Doc escreveu uma carta de protesto, procurou os companheiros autores e obteve o apoio geral para que se encaminhasse à emissora a reivindicação dos redatores de humorismo, com o apoio geral de todos os autores da casa.
>
> Estava dada a partida para que os autores se unissem, reivindicando da Rede Globo a criação de um núcleo de autores. Uma reunião foi organizada nos salões do Hotel Everest, em Ipanema, e os autores apresentaram por escrito uma carta, assinada por um Conselho de Autores, que foi encaminhada à direção da emissora. Como a carta não obteve resposta, nova assembleia foi convocada e a discussão se acirrou, com a decisão da criação de uma associação independente, autônoma, que congregasse os autores de televisão em geral.

Foi assim que nasceu a ARTV, que cresceu bastante, ampliou seus objetivos e atualmente é reconhecida pela sigla AR.

Tempos depois, a **AR** se uniu com outra associação, a Autores de Cinema ou Roteiristas de Cinema (AC), e ambas formaram a Associação Brasileira de Autores Roteiristas (Abra).

Atualmente a Abra é a única associação de roteiristas do Brasil, congregando centenas de profissionais e amadores, alcançando todo o território nacional.

Se você é ou deseja ser roteirista, aconselho a sua imediata inscrição na instituição. No site **www.abra.art.br** se encontram todas as ferramentas, guias e um fórum para o profissional de roteiro no Brasil.

Quem se torna membro da Abra recebe diariamente por e-mail um *clipping*, nacional e internacional, com notícias pertinentes e de interesse do roteirista. Há também serviço telefônico e uma secretaria no Rio de Janeiro, aberta aos membros de segunda a sexta no horário comercial.

Claro está que somos uma das quatro maiores associações da América Latina. Mas ainda distante da eficiência e do poder de instituições como Argentores (Argentina), Rede (Colômbia) e Sogem (México).

A seguir transcrevo as metas a ser alcançadas no biênio 2018/2019:

1) Fortalecer politicamente a Abra, com sua efetiva participação na elaboração de editais públicos; colocar representantes da Abra no Conselho Superior de Cinema (CSC) e no comitê gestor do Fundo Setorial do Audiovisual (FSA); conseguir representantes no Congresso Nacional para defender os interesses dos roteiristas. 2) Aproximar a Abra dos principais *players* do mercado: TVs abertas e fechadas, produtoras e entidades representativas mais importantes. 3) Produzir o 2º Prêmio Abra de Roteiro. 4) Estudar a possibilidade de a Abra passar a fazer o registro oficial de roteiros para fins de direitos autorais. 5) Trazer mais roteiristas de todo o Brasil para a Associação. 6) Estabelecer uma cultura de agenciamento para os roteiristas no mercado. 7) Lutar pelo estabelecimento do pagamento de direitos autorais pela exibição pública de obras audiovisuais, conforme a lei. 8) Buscar sempre a diversidade e a transparência em nossas ações.

A valorização do profissional brasileiro que vive do que escreve é fundamental para a cultura e o desenvolvimento humano do país.

E, por congregar mais de uma centena de associados, a Abra se opôs a um dos editais do Ministério da Cultura e propôs uma revisão. Em poucas palavras, tal edital recebia roteiros e argumentos prontos dos roteiristas, pagava R$ 50 mil aos escolhidos, ficava com os direitos e depois entregava a um produtor, a quem pagava a princípio

2,5 milhões de reais – além do que ele conseguisse por fora. Isto é, o roteirista faria um trabalho às escuras e, se ganhasse, receberia hipotéticos 2% de uma produção muito maior. *Y hasta la vista, baby.* Parece que até hoje continua assim.

A Abra estava corretíssima quanto a isso. A falta de respeito sai da empresa privada, alcança o governo e invade o próprio Estado. Tudo como se o ato de escrever fosse algo "milagroso", fruto de uma inspiração "pouco menos que divina", carente de esforço, tenacidade e suor.

No último concurso de dramaturgia do Banco do Brasil se exigiam peças inéditas em quatro vias, xerocadas e autenticadas, além de registradas pela Biblioteca Nacional, que vive em obras e greves permanentes, e outras burocracias intermináveis. Todos os direitos seriam cedidos ao Banco do Brasil e o prêmio estipulado teve o valor "fabuloso" de R$ 5 mil. Seria cômico se não fosse trágico.

Mas, como escrevi anteriormente, o Ministério da Cultura tem aberto editais para minorias, sejam elas quais forem (geográficas, humanas e financeiras), e em médio e longo prazo existe a esperança na compreensão e importância do roteirista no âmbito do governo federal, como matriz do processo audiovisual.

Faça parte da Abra: a associação concentra todos os seus esforços na luta dos direitos e deveres do roteirista.

A GESTÃO DE DIREITOS DE AUTORES ROTEIRISTAS (GEDAR)

A Gedar é uma entidade autônoma responsável pela arrecadação e gestão dos direitos autorais de autores roteiristas brasileiros.

Criada em 27 de setembro de 2016, tem por objetivo realizar a arrecadação e distribuição dos valores devidos aos autores roteiristas pela exibição pública de suas obras. Atualmente, esse recolhimento ocorre somente em países estrangeiros, onde a lei de direito autoral reconhece o direito de remuneração ao autor-roteirista.

A arrecadação no Brasil ainda não está regulamentada e a Gedar participa ativamente do processo de obtenção de sua habilitação para arrecadar no país. Hoje, em nosso país, somente os músicos recebem por esse direito, embora as leis n. 9.610 /98, 6.533/78 e 6615/78 deixem inequívoco que os autores das obras audiovisuais (roteiristas, diretores e músicos) têm direito à remuneração pela exibição pública de suas obras audiovisuais. Tal remuneração deve ocorrer a cada exibição e ser efetuada pelas empresas usuárias do mercado.

Apenas no exterior foram recolhidos milhões de reais para ser distribuídos aos autores roteiristas brasileiros pela exibição de suas obras, porque em inúmeros países esse direito já é reconhecido há bastante tempo e as sociedades gestoras internacionais são obrigadas a recolher o dinheiro para os autores. Até pouco tempo elas não podiam fazer o repasse porque não existiam aqui sociedades gestoras para receber essa remuneração. Agora temos a Gedar para os autores roteiristas.

Espanha, França, Argentina, Chile, México, Panamá, Colômbia, Itália, Bélgica, Holanda, Polônia e Índia são alguns dos países cujas leis reconhecem o direito de remuneração pela exibição pública das obras audiovisuais.

Todos os autores roteiristas que tiverem obras exibidas aqui e no exterior podem se beneficiar com a gestão da Gedar. Por meio de contratos estabelecidos entre os autores e a Gedar, e entre a Gedar e as sociedades gestoras do mundo inteiro, é possível obter recursos incalculáveis, que vão ajudar na sustentação da profissão do autor-roteirista e no desenvolvimento da cadeia audiovisual.

Além do ganho pela produção da obra, o autor tem um ganho extra pela sua exibição. Isso alimenta o processo criativo e permite eliminar os períodos de sazonalidade pelos quais muitos autores passam por não terem contrato fixo com emissoras de TV ou com produtoras.

A Gedar não tem fins lucrativos; atua como um **fundo de amparo** aos autores roteiristas, reservando uma pequena margem de saldo para oferecer suporte aos roteiristas com planos de saúde acessíveis, auxílio-desemprego, promoção de encontros e debates para o fortalecimento da profissão, entre outras vantagens que ainda não pudemos alcançar no Brasil, mas já são realidade na Argentina, por exemplo. Nesse país, instituições como Diretores Argentinos de Cinema (DAC) e Sociedade de Autores da Argentina (Argentores) promovem os autores e dão apoio aos seus profissionais, que conseguem se dedicar mais à criação e ao desenvolvimento de projetos.

A Gedar **não cobra nada de seus associados**. Para que o autor-roteirista brasileiro tenha direito aos valores arrecadados pela execução pública de suas obras é preciso realizar gratuitamente o cadastro das obras audiovisuais no Sistema de Declaração de Obras no site www.gedarbrasil.org.

(Texto confeccionado pela secretária-geral da Gedar, a roteirista, escritora e professora **Sylvia Palma**.)

INFORMAÇÃO IMPORTANTÍSSIMA

Chamo a atenção do leitor para um aspecto: o direto de autor pode ser exercido por roteiristas e escritores. Claro que o meio audiovisual abarca também a figura do diretor e do músico. Todavia, os atores não têm direito de autor, pois são intérpretes, tendo nesse caso direito de imagem. Esse mesmo aspecto acontece com os cantores, que são intérpretes dos compositores, estes sim com direito de autor. Obviamente os atores têm todo o direito de se organizar em associações, mas não se podem confundir direitos autorais com direitos conexos, e a lei já prevê arrecadação para essa categoria.

REGISTRO DE OBRAS AUDIOVISUAIS

Diante da burocracia que se vive no Brasil, a forma de registrar um roteiro ou uma peça de teatro é **primitiva** e **antiga**.

Tudo se concentra nos porões da Biblioteca Nacional, sendo o postulante obrigado a enviar cópias do seu material todo rubricado, página a página, comprovante de residência, documentos pessoais, tudo autenticado em cartório e pago (veja fac-símile a seguir).

Nos Estados Unidos é só enviar por e-mail e pagar; imediatamente se recebe o número de registro da obra. Aliás, na maioria dos países é assim. De quem é o interesse de complicar, burocratizar e obstruir o processo de registro de autoria em um país? Talvez o Brasil não seja uma nação.

DOCUMENTOS NECESSÁRIOS PARA PEDIDO DE REGISTRO
• Requerimento de Registro e/ou Averbação preenchido e assinado nos campos que referem ao(s) requerente(s) do Registro e à Obra Intelectual. • Cópia do comprovante de residência do requerente principal, de acordo com os dados informados no Requerimento. • Comprovante original de pagamento (GRU paga ou comprovante de depósito). • Uma (1) via da obra intelectual. Ela deve ter todas as páginas numeradas e rubricadas, estar sem encadernação e preferencialmente impressa em papel A4. • Se a solicitação de Registro for feita via procurador, ela deve estar acompanhada da Procuração original (com firma reconhecida ou cópia autenticada) devendo, na mesma, constar os dados: endereço completo (com CEP), CPF e/ou CNPJ do procurador, mais os dados do autor representado.

Pessoa física	Pessoa jurídica
• Cópia do RG e CPF/CIC. • Cópia do CPF e RG do Representante Legal do Autor (mãe ou pai), caso o autor seja menor de idade.	• Cópia do Contrato/Estatuto Social, do CNPJ e da Ata de Constituição e/ou Assembleia. • Cópia do RG e CPF/CIC do autor. • Cópia de contrato de Cessão de Direitos Patrimoniais.

Fonte: https://www.bn.gov.br/sites/default/files/documentos/diversos/2015/1208-registroouaverbacao//eda_documentos_pedido-registro_0.pdf

O requerimento para registro tem três páginas e dezenas de campos para ser preenchidos. Ele não será reproduzido aqui por motivos óbvios, mas pode ser encontrado no site da BN.

Enquanto nos outros países se enaltece a obra artística, no Brasil se rebaixa.

Conta a história que durante a Segunda Guerra Mundial o primeiro-ministro da Inglaterra, Winston Churchill, estava com os ministros em seu gabinete discutindo os orçamentos anuais de cada ministério. Surpreendentemente ele subiu a porcentagem do ministério da Cultura. De imediato o ministro da Defesa questionou sua decisão, afinal a nação estava em guerra. Foi quando Churchill replicou de forma brilhante: "Mas nós estamos na guerra justamente para defender nossa cultura e nosso modo de ser". E foi assim que Churchill ganhou a guerra contra os nazistas.

4.4 HONORÁRIOS, CONTRATOS E PROTEÇÃO LEGAL

REFLEXÃO SOBRE HONORÁRIOS

Nas televisões europeias e americanas, as empresas televisivas não produzem conteúdo, mas contratam produtores independentes, que por sua vez contratam roteiristas. Um produtor cinematográfico e televisivo deve gastar de 5% a 7% do custo da produção no roteiro. Além de quantidades mínimas, 3%, 4% ou 5% dos lucros brutos ou conexos dependendo do nome do autor.

Do ponto de vista internacional os contratos são bem simples. Em televisão, a partir de um mínimo estipulado se recebe por hora televisiva de ficção. Depois por reprise, vendas a cabo, outros veículos e vendas internacionais. Todo esse processo é fiscalizado pelo sindicato ou pela sociedade de autores.

No exterior se pode vender diretamente um roteiro escrito por conta e risco. Os americanos chamam isso de *on spot* – é o contratado temporário para realizar determinado trabalho. Normalmente esse trabalho temporário é pago em frações. Trata-se de um *step deal*, ou "pagamentos em etapas".

O roteirista recebe assim um terço do total combinado como adiantamento, outro terço quando entrega o argumento e o terço restante quando apresenta o roteiro final. Claro está que porcentagens e prazos podem sofrer variações.

Na Europa, uma porcentagem da receita da exibição nos cinemas e na TV é recolhida pela Sociedade de Autores de cada país. Essa quantia é repartida, posteriormente, entre os chamados criadores ou autores das obras: diretor, roteirista e músico. Esses direitos de autor devem também estar obrigatoriamente assegurados em qualquer contrato que se assine.

É ponto pacífico que a autoria de um filme ou de um seriado é regida por uma Santíssima Trindade, que intitulo de **triângulo criativo: o roteirista, o produtor e o diretor**.

Sem essa tríade nada funciona e ela deve receber os melhores pagamentos do ganho do material audiovisual. Mas infelizmente isso não acontece. O roteirista sempre fica com o menor ganho quando comparado, por exemplo, com um diretor de fotografia (veja a tabela a seguir).

Ao analisar a tabela, note que um filme pode levar, em média, de 3 a 12 meses para ser produzido e realizado. Portanto, o roteirista será o menos contemplado no processo.

Assim, os dados que se seguem são referentes aos preços mínimos de prestação de serviços para profissionais de longa, média e curta metragem e documentários. Sempre referente a oito horas de trabalho diário, sendo uma de almoço, e/ou 44 horas semanais trabalhadas. Os valores dessa tabela foram obtidos no site do Sindicato dos Trabalhadores na Indústria Cinematográfica e do Audiovisual dos Estados de São Paulo, Paraná, Rio Grande do Sul, Mato Grosso, Mato Grosso do Sul, Goiás, Tocantins e Distrito Federal (Sindcine).

Funções	Piso salarial (R$)	Pagamentos
Diretor cinematográfico	3.923,76	Por semana
1º assistente de direção	1.732,41	Por semana
2º assistente de direção	979,90	Por semana
Continuísta	1.445,05	Por semana
Roteirista (pelo roteiro de um longa-metragem)	32.208,65	Por roteiro
Pesquisador cinematográfico	2.373,25	Por semana
Produtor executivo	3.479,29	Por semana
Diretor de produção	2.590,33	Por semana
1º assistente de produção	1.445,05	Por semana
2º assistente de produção	979,90	Por semana
Contrarregra	667,77	Por semana
Diretor de fotografia	2.590,33	Por semana
Diretor de fotografia/operador de câmera	3.474,18	Por semana
Operador de câmera	2.373,25	Por semana
Operador de HD	2.373,25	Por semana
1º assistente de câmera	1.878,05	Por semana
2º assistente de câmera	1.106,03	Por semana
Operador de vídeo assistente	667,90	Por semana
Fotografo de cena (*still*)	1.106,03	Por semana

Eletricista ou maquinista chefe	1.878,05	Por semana
Eletricista ou maquinista	1.445,05	Por semana
Técnico de efeitos especiais	1.878,05	Por semana
Operador de gerador	1.445,05	Por semana
Diretor de arte	2.590,33	Por semana
Cenógrafo	2.373,25	Por semana
Figurinista	2.373,25	Por semana
Assistente de cenógrafo	1.106,03	Por semana
Assistente de figurinista	1.445,05	Por semana
Cenotécnico	1.445,05	Por semana
Assistente cenotécnico	979,90	Por semana
Aderecista	1.106,03	Por semana
Cabeleireiro	1.445,05	Por semana
Maquiador	1.445,05	Por semana
Maquiador de efeitos especiais	1.732,41	Por semana
Assistente de maquiador	667,77	Por semana
Assistente de cabeleireiro	667,77	Por semana
Camareiro ou guarda-roupeiro	979,90	Por semana
Técnico de som direto	2.590,33	Por semana
Técnico de som guia	1.732,41	Por semana
Microfonista	1.732,41	Por semana
Editor/montador	2.590,33	Por semana
Assistente de editor/montador	1.106,03	Por semana
Diretor de animação	3.479,29	Por semana

O mundo dos honorários e contratos é muito amplo e cada dia mais complexo. Existem, por exemplo, roteiristas que preferem receber uma participação nos lucros do produto audiovisual – que costumam ser difíceis de contabilizar, embora não impossíveis. Chamo a atenção para os direitos autorais sobre a exibição doméstica, dos quais o roteirista deve receber uma porcentagem. Regulamentação difícil até hoje, devido à falta de controle e ao não cumprimento da regulamentação estipulada para esse campo, principalmente na internet.

Também se deve ter em conta, na hora dos contratos, a questão dos créditos. O mais simples é que o nome do roteirista figure com a mesma importância com que se destaca o diretor, o produtor e os atores principais. Os supercontratos americanos estipulam inclusive o tempo de exposição do nome do roteirista, o tipo de letra e quando o crédito deve aparecer.

Nunca se deve decidir a assinatura de um contrato em dois minutos. É preciso pensar, levar o tempo necessário para se informar antes de tomar uma decisão. E não esquecer jamais a frase do famoso produtor americano Serge Silberman: "O primeiro a dizer uma quantia perde".

No Brasil é difícil viver como roteirista. É uma profissão instável. Vivemos do que escrevemos e, normalmente, de três em três meses estamos sem trabalho, a não ser que tenhamos um contrato fixo com uma produtora ou uma rede de televisão.

De maneira geral se pode afirmar que existem dois tipos de roteirista no que se refere à relação com o mercado de trabalho: *freelancer* e contratado.

Os roteiristas contratados trabalham nas grandes redes de TV ou nas grandes produtoras. Existe, portanto, um amplo leque de variantes contratuais em relação aos diversos trabalhos possíveis que são levados a cabo. Alguns podem escrever durante anos apenas os diálogos das séries de humor, enquanto outros podem ter um contrato de exclusividade total, com determinadas obrigações durante dado período de tempo e recebendo o resto do ano uma remuneração para não trabalhar para os concorrentes. Esse tipo de contrato é antigo e fora de moda na maioria dos países. Porém, predomina no Brasil, principalmente no que se refere a telenovelas.

O roteirista pode ser contratado não só para escrever, mas também para realizar outros trabalhos, como assessoria criativa, ajuda a outros roteiristas ou edição de roteiros (*script editor*). Os contratos fixos, como todos os que são assinados com uma rede de TV ou uma produtora, devem respeitar os direitos de autor, mas esse ponto no Brasil ainda é um ato de rebeldia e as pessoas que exigem isso são excluídas. Embora o roteirista que recebe um ordenado fixo todos os meses, evitando assim a falta de estabilidade característica da profissão, deixe de receber a porcentagem sobre o custo de produção da obra. Também não recebe como roteirista e sim como empresa. Outro problema.

O *freelancer* é aquele que vai pulando de trabalho em trabalho. Uma hora cria um filme institucional, depois é convidado a escrever um longa-metragem, uma peça de teatro etc. De forma genérica, todos os roteiristas começam por esse caminho, tão instável como o desenho das nuvens.

Vejamos a seguir a tabela da Abra, que é dividida em três partes: cinema, TV aberta e TV fechada.

TABELA ABRA PARA O AUDIOVISUAL
Relação de valores mínimos – piso de referência em R$

CINEMA			
Serviço por obra	Curta	Média (ou telefilme)	Longa
Argumento de dramaturgia (até dez páginas)	5.150,00	15.450,00	25.750,00
Roteiro de dramaturgia (dois tratamentos e uma revisão)*	15.450,00	46.350,00	74.160,00
Script doctoring em roteiro de dramaturgia	3.605,00	8.240,00	15.450,00
Tratamento em roteiro de dramaturgia	5.150,00	20.600,00	30.900,00
Roteiro de documentário (sem pesquisa)*	5.150,00	10.300,00	20.600,00

* Ou entre 3% e 5% do orçamento total do filme

TV ABERTA	
Salário mensal*	
Roteirista em dramaturgia diária	22.660,00
Roteirista em dramaturgia semanal	15.450,00
Roteirista em variedades diária	10.300,00
Roteirista em variedades semanal	8.240,00

* Não inclui autores principais, apenas colaboradores

TV FECHADA			
Serviço por obra	15'	30'	60'
Bíblia de dramaturgia série	51.500,00	51.500,00	72.100,00
Roteiro de episódio de dramaturgia série	3.500,00	8.000,00	12.500,00
Sinopse ("Bíblia") de documentário ou variedades	25.000,00	25.000,00	25.000,00
Roteiro de episódio de documentário ou variedades	3.000,00	4.000,00	7.000,00
Roteiro institucional ou corporativo	5.150,00	7.725,00	10.300,00
Salário mensal*			
Roteirista em dramaturgia semanal			12.360,00
Roteirista de documentário ou variedades			9.000,00
Script doctoring para dramaturgia série (uma temporada)			20.600,00

* Não inclui autores principais, apenas colaboradores

Três observações se fazem necessárias:

- A tabela corresponde ao preços mínimos ou base, isto é, para um iniciante.
- Existe uma correção anual de aproximadamente 10%.

DA CRIAÇÃO AO ROTEIRO **417**

- Quanto à TV aberta ou fechada, ela não contempla os autores e sim os colaboradores. Pois não existe teto ou piso para um autor de uma minissérie ou telenovela. Os valores são determinados caso a caso, dependendo do currículo e dos sucessos anteriores do roteirista sênior.

Como podemos notar, a tabela da Abra é muito mais abrangente, sólida e realista do que a do Sindcine. Prefira a da Abra.

DESENVOLVIMENTO DOS DIREITOS DE AUTOR

É incontestе que os impérios grego e romano são o berço da cultura Ocidental, tendo nos legado um vasto e precioso acervo de obras artísticas, notadamente no domínio da literatura e das artes cênicas. Entretanto, o período histórico que marcou o apogeu de tais civilizações não foi o momento em que se observa o nascimento do sistema de direitos reservados aos criadores de obras intelectuais. Tampouco os séculos da Idade Média garantiram aos autores a proteção à manifestação de suas obras. Nesse período, inclusive, cogitava-se que o conhecimento e a criação artística eram dons vindos de Deus e que, nessa condição, jamais poderiam ser negociados com o intuito de lucro.

Com efeito, os conceitos de autoria e de titularidade de direitos de autor, tal como hoje os formulamos, começaram a ser concebidos, de forma bastante discreta, a partir do feito atribuído ao alemão **Johannes Gutenberg**, que, nos idos da metade do século XV, inventou a prensa móvel e, assim, ofereceu ao mundo as possibilidades técnicas para a formação do mercado editorial. A nova condição tecnológica forjou uma pulsante atividade econômica na qual editores disputavam textos para impressão e algum dos chamados "homens de letras", à época, passaram a gozar de relativa autonomia para, quem sabe, ter a sorte de não depender economicamente apenas de patrocínios reais e de mecenas.

A perspectiva que se abriu com a impressão tipográfica acarretou a ampla difusão de obras literárias, a exemplo de compilações dos conhecimentos mais diversos e variados: textos clássicos, calendários, atlas, enciclopédias, cartas, coletâneas de narrativas de viagens, dicionários, entre outros.

Note-se, entretanto, que nesse primeiro momento a proteção legal recaía apenas sobre a atividade desempenhada pela classe dos livreiros e editores (impressores, considerando a inexistência da distinção atual), que se beneficiavam de privilégios e monopólios concedidos por reis, imperadores e papas, de forma irregular e fragmentada (atualmente isso acontece, no Brasil, com a concessão de canais e redes de TV somente para alguns; alguém já disse que vivemos numa espécie de capitanias hereditárias no audiovisual, como a classe dos notários e dos cartórios, uma política completamente obsoleta). Assim, os privilégios alcançavam determinados gêneros, textos, editores, sem que houvesse um verdadeiro sistema de proteção às obras de criação intelectual e artística. Não havia, dessa forma, preocupação nenhuma com a proteção da classe dos autores.

Nesse tempo, em que informações e conhecimento passaram a ser difundidos, a monarquia e a Igreja estavam mais preocupadas em perpetuar seu poder. Por meio de licenças para a impressão de certos textos e proibições e censura em relação a outras obras, não mediam esforços para controlar a propagação dos textos literários.

Por outro lado, já sob os efeitos da nova era inaugurada pela impressão tipográfica, a Europa foi palco dos três grandes movimentos culturais, que moldaram as mudanças intelectuais verificadas ao longo de três séculos: o Renascimento, a Revolução Científica e o Iluminismo.

Ao final de tal reviravolta intelectual, aos livreiros e editores, do ponto de vista econômico, já não bastavam os privilégios concedidos pelas autoridades da monarquia e da Igreja de forma irregular e parcial. Com a efervescência da impressão de obras escritas, eles viram sua atividade e, principalmente, seus lucros ameaçados pelo aumento da concorrência e pelas nascentes práticas de espionagem industrial e pirataria. Os altos custos para a impressão das obras, associados à pirataria e à pressão por parte dos autores (como veremos a seguir), que reclamavam melhor remuneração, levaram os editores a se organizar para exigir do Estado uma proteção mais eficaz ao seu direito de cópia (*copyright*) ou direito de edição.

Passou a ser cada vez mais difícil para a Igreja e a monarquia controlar a disseminação das novas ideias e tendências que ameaçavam o seu domínio; assim, a censura teve seu fim em 1694, na Inglaterra, bem como o regime dos monopólios.

Mas e os autores? O que era reservado aos criadores e escritores de obras intelectuais? Pouco, muito pouco. A remuneração paga pelos editores era módica e a insatisfação no meio da classe crescia, como não poderia deixar de acontecer. Começou-se a se desenvolver a autoconsciência coletiva desse grupo em torno da necessidade de proteção de seus direitos. De um lado, os autores queriam garantir que seu nome fosse divulgado com suas respectivas obras, protegendo-se, assim, da prática do plágio e aumentando as chances de reconhecimento e fama; de outro lado, os criadores exigiam uma remuneração digna do seu trabalho.

A essa altura, os livreiros e editores, que temiam pela preservação de seus lucros, se uniram aos autores para exigir um sistema legal que garantisse efetiva proteção à atividade editorial.

Diante da tensão entre os vários interesses representados pelas diferentes classes, publicou-se em 1710, na Inglaterra, aquele que posteriormente passaria a ser conheci-

DA CRIAÇÃO AO ROTEIRO **419**

do como o primeiro diploma legal sobre os direitos de autor: o Statute of Anne, também conhecido como Copyright Act. Em português, Estatuto da Rainha Ana.

A bem da verdade, tratava-se da regulamentação dos direitos de edição: de acordo com o estatuto, o editor teria os direitos exclusivos para a impressão e publicação da obra durante o prazo de 14 anos, o qual, ao final, poderia ser renovado, de acordo com as negociações entre o editor e o autor da obra. Logo em seguida, a França, no contexto da Revolução, aprovou e editou leis referentes aos direitos de autor, nos anos de 1791 e 1793.

Pode-se afirmar que essas leis do século XVIII marcaram o desenvolvimento do sistema dos direitos de autor, que teve início com a fase dos privilégios e do monopólio concedidos pela Monarquia. Entretanto, foi somente a partir de 1886, com a Convenção de Berna, que os Estados passaram a conceber, em suas legislações internas, um sistema de proteção dos direitos dos autores de obras literárias, artísticas e científicas.

E é justamente da Convenção de Berna, datada de 1886, mas alterada, revisada e emendada diversas vezes, sendo a última pelo Ato de Paris, em 1971, modificado em 1979, que devemos partir para examinar o complexo tema relativo aos direitos autorais em uma obra audiovisual.

Em seu artigo, 14 BIS, a Convenção de Berna estabelece que a obra cinematográfica é protegida como obra original e que a determinação dos titulares do direito de autor sobre a obra cinematográfica é reservada à legislação do país em que a proteção é reclamada.

Assim, começamos a ter a noção da complexidade do tema referente à proteção dos direitos autorais de uma obra audiovisual, considerando que fica a cargo da legislação de cada país determinar quem são os autores e os titulares dos direitos sobre tal gênero de criação artística.

A seguir veremos um contrato-padrão do mercado audiovisual com comentários. Trabalho magnífico realizado pela advogada Paula Vergueiro, especialista em direito autoral que redige e negocia meus contratos e os da Gedar.

CONTRATO-PADRÃO COMENTADO

[MINUTA]
INSTRUMENTO PARTICULAR DE CONTRATO DE PRESTAÇÃO DE SERVIÇOS
DE CRIAÇÃO DE ROTEIRO PARA OBRA AUDIOVISUAL, CESSÃO DE DIREITOS
PATRIMONIAIS DE AUTOR E OUTRAS AVENÇAS

PARTES

CONTRATADA: [nome da empresa], CNPJ no. [nº], com sede na Cidade de [nome], Estado de [nome], no [endereço], neste ato representada por seu representante legal abaixo assinado,

INTERVENIENTE: [nome completo roteirista], de nome artístico _____, [nacionalidade], [estado civil], [profissão], portador da Cédula de Identidade R.G. [n°], – (órgão expedidor) e do CPF/MF [n°], residente e domiciliado na Cidade de [cidade], Estado de [estado], no [endereço]

CONTRATANTE: [nome da empresa do roteirista], CNPJ [n°], com sede na Cidade [cidade], Estado [estado], na [endereço], neste ato representada por seu representante legal abaixo assinado,

Considerando que:

a) A **CONTRATANTE**, produtora de obras audiovisuais, devidamente registrada na Agência Nacional de Cinema – ANCINE sob o n. _____, produzirá uma obra audiovisual [INCLUIR A **TIPOLOGIA**: ANIMAÇÃO, FICÇÃO, DOCUMENTÁRIO E O **FORMATO**: CURTA, MÉDIA, LONGA, OBRA SERIADA, TELEFILME] intitulada provisoriamente [nome], doravante simplesmente **OBRA**, a ser dirigida por [nome], doravante simplesmente **DIRETOR**;

NOTA 1: O CONTRATO DEVE MENCIONAR O MAIOR NÚMERO POSSÍVEL DE INFORMAÇÕES SOBRE A OBRA AUDIOVISUAL.

b) o orçamento total de produção da **OBRA,** doravante simplesmente **ORÇAMENTO**, previsto nesta data é de R$ [valor], podendo ser redimensionado, desde que informado à **CONTRATADA** e ao **INTERVENIENTE**;

c) a **CONTRATADA** representa os interesses do **INTERVENIENTE** e faz a gestão de seus respectivos direitos autorais de roteirista;

d) a **CONTRATANTE** pretende contratar o **INTERVENIENTE** para criar o roteiro da **OBRA**, doravante simplesmente denominado **ROTEIRO**;

e) [complementação dos fatos, se houver]

As partes têm entre si justo e acertado celebrar o presente **CONTRATO DE PRESTAÇÃO DE SERVIÇOS DE CRIAÇÃO DE ROTEIRO PARA OBRA AUDIOVISUAL, CESSÃO DE DIREITOS PATRIMONIAIS DE AUTOR E OUTRAS AVENÇAS**, que será regido pelos seguintes termos e condições:

DEFINIÇÕES
(i) **PESQUISA**: etapa preparatória ou complementar na criação do roteiro, realizada para aprofundamento dos temas envolvidos, por meio de pesquisas de campo, estudos, entrevistas etc. Essa etapa poderá ser realizada diretamente pelo **INTERVENIENTE** ou, a critério deste, por profissional contratado às expensas da **CONTRATANTE** e coordenado pelo **INTERVENIENTE**.

(ii) **ARGUMENTO, SINOPSE OU DOCUMENTO SIMILAR**: documento de até ___ (____) laudas, apresentado em formato em A4, sendo: **a. de obras ficcionais** – texto contendo a síntese do enredo e da proposta dramatúrgica a ser desenvolvida, com descrição das ações, da proposta narrativa, dos principais personagens e demais elementos necessários à compreensão do projeto; **b. de obras de animação** – texto contendo a síntese do enredo e a proposta dramatúrgica da obra a ser desenvolvida, com descrição das ações, da forma de narrativa e dos personagens, acompanhado de desenhos ilustrativos do cenário, dos personagens, da arte e da técnica de animação a ser utilizada em sua confecção; **c. de obras documentais** – texto contendo a descrição ou pesquisa do tema, a respectiva abordagem cinematográfica pretendida e suas condições de filmagem.

(iii) **ESCALETA**: documento apresentado em no máximo _____ laudas, formato A4, que demonstre a forma como a história vai se devolver, por meio de cenas ou sequências, contendo um breve cabeçalho e uma breve descrição das cenas.

(iv) **TRATAMENTO**: primeira versão do **ROTEIRO** e cada nova versão que inclua adaptações e alterações substanciais da versão anterior, e não tópicas, que configurem alterações evidentes de estrutura, trama, diálogos e cenas, incluindo a criação de novos personagens e novos fatos, representando modificações em pelo menos 33% da versão anterior.

(v) **ROTEIRO DE [LONGA METRAGEM]**, documento apresentado em no mínimo ___ (_____) laudas, formato A4, contendo: **a**. **de obras ficcionais** – a estrutura dramatúrgica completa, apresentada em texto, baseada no argumento e descrita por meio de cenas, sequências, diálogos e indicações técnicas aptas para a produção da obra audiovisual; **b. de obras de animação** – a estrutura dramatúrgica completa, apresentada em texto, baseada no argumento e descrita por meio de cenas, sequências, diálogos, indicações técnicas e ilustrações dos personagens principais e da técnica de animação a ser utilizada em sua confecção, apta para a produção da obra audiovisual; **c. de obras documentais** – texto contendo o argumento, a pesquisa e as indicações técnicas de um obra, que demonstre o conhecimento do tema e da abordagem cinematográfica pretendida para a obra, bem como textos da narração, quando necessário.

(vi) **REVISÃO**: realinhamento de cenas e diálogos.

(vii) **POLIMENTO FINAL**: realinhamento de cenas e diálogos final, para pequenos ajustes, do **ROTEIRO** que estará apto a ser filmado.

NOTA 2: OS TERMOS DEFINIDOS SOFRERÃO VARIAÇÃO DE ACORDO COM O CASO ESPECÍFICO. ESSES SÃO MEROS EXEMPLOS. TERMOS ESSENCIAIS PARA A COMPREENSÃO DO AJUSTE ENTRE AS PARTES E QUE SÃO REPETIDOS AO LONGO DO TEXTO CONTRATUAL DEVEM SER BEM DEFINIDOS, SOBRETUDO AQUELES DE NATUREZA TÉCNICA.

I. OBJETO

1.1. O objeto do presente instrumento consiste (i) na prestação de serviço, da **CONTRATADA** para a **CONTRATANTE**, de criação e elaboração do **ROTEIRO** da **OBRA**, com a apresentação de até ____ **TRATAMENTOS** até a realização e entrega do **POLIMENTO FINAL**; e (ii) a cessão dos direitos patrimoniais de autor, na forma prevista pela Cláusula ____.

1.2. _____.

NOTA 3: NO CASO DE OBRA SOB ENCOMENDA, CONVÉM ESPECIFICÁ-LA O MAIS DETALHADAMENTE POSSÍVEL, COM RELAÇÃO ÀS SUAS CARACTERÍSTICAS ESSENCIAIS.

II. CONDIÇÕES DA PRESTAÇÃO DOS SERVIÇOS

2.1. Os serviços aqui contratados serão prestados exclusivamente pelo **INTERVENIENTE**, em local e horários de eleição deste, respeitados os prazos e todas as condições previstas neste instrumento.

2.2. Salvo ajuste posterior entre as partes, as etapas de criação do **ROTEIRO** deverão observar os seguinte prazos:

a) mínimo de ___(____) dias para entrega do primeiro **TRATAMENTO**;

b) máximo de ___ (____) dias para a **CONTRATANTE** se manifestar sobre cada etapa, a contar da data da entrega, apresentando suas considerações por escrito; e

c) máximo de ____ (_____) dias, a contar de cada manifestação da **CONTRATANTE** para a **CONTRATADA/INTERVENIENTE** apresentar, de acordo com a necessidade, a etapa seguinte.

2.2.1. Caso a **CONTRATANTE** não apresente suas considerações na forma e no prazo estabelecidos na alínea "b" acima, a respectiva etapa será considerada aceita por ela e, assim, a remuneração prevista na Cláusula ____ será imediatamente devida à **CONTRATADA**.

NOTA 4: CASO A PRODUTORA APRESENTE RESISTÊNCIA À INCLUSÃO DESSA CLÁUSULA, UMA ALTERNATIVA SERIA A PREVISÃO DE QUE, INDEPENDENTEMENTE DO PRAZO DE MANIFESTAÇÃO DA CONTRATANTE, AS PARTES AJUSTARÃO UM NOVO CRONOGRAMA, DESDE QUE MANTIDO O CRONOGRAMA DE RECEBIMENTO DA REMUNERAÇÃO DO ROTEIRISTA.

2.3. A **CONTRATANTE** compromete-se a consultar o **INTERVENIENTE** no caso de inclusão de cenas na **OBRA** de ações de *product placement/merchandising*, para que ele, em ___ (_____) dias, manifeste-se acerca de sua aceitação em realizar a cena, bem como em associar, nos créditos da **OBRA**, seu nome à respectiva cena.

2.4. A fim de assegurar a integridade da criação intelectual do **INTERVENIENTE**, a **CONTRATADA** compromete-se a consultá-lo sobre quaisquer alterações no **ROTEIRO**, em qualquer etapa de produção da **OBRA**.

2.5. Caso o **INTERVENIENTE** considere relevante para o cumprimento das etapas de criação do **ROTEIRO**, a **CONTRATANTE** concorda, desde já, em garantir a participação do **INTERVENIENTE** em filmagens e edição da **OBRA**, arcando com todos os custos decorrentes de tal participação.

2.6. Os representantes da **CONTRATANTE** e/ou o **DIRETOR** poderão sugerir e desenvolver trechos do **ROTEIRO**, inclusive diálogos, assim como poderão suprimir partes do roteiro já desenvolvidas pelo **INTERVENIENTE**, desde que cumprida a exigência descrita na Cláusula 3.4. e sem que seja configurada autoria conjunta.

2.7. A coautoria somente estará configurada na hipótese de cada um dos participantes escrever, de próprio punho, mais de 33% (trinta e três por cento) da estrutura do **ROTEIRO**, não se considerando para este cálculo o desenvolvimento de diálogos.

III. OBRIGAÇÕES DAS PARTES

3.1. Sem prejuízo das demais condições estabelecidas no presente instrumento, a **CONTRATADA** e o **INTERVENIENTE** comprometem-se a:

a) assumir o compromisso de realização de todas as etapas de criação do **ROTEIRO**, nos prazos estabelecidos neste instrumento;

b) participar, sempre que possível e se assim acharem conveniente, por intermédio do **INTERVENIENTE**, das campanhas de publicidade ou eventos relativos ao lançamento e promoção da **OBRA**, no Brasil e no exterior. O **INTERVENIENTE** não estará obrigado a participar de qualquer evento que envolva divulgação de marcas e produtos de terceiros, sem acordo prévio e expresso;

c) não divulgar para terceiros, direta ou indiretamente, quaisquer informações relativas à **CONTRATANTE**, suas afiliadas, parceiras ou clientes, sejam estas de natureza técnica, tecnológica, administrativa, comercial de que a **CONTRATADA** e/ou o **INTERVENIENTE** venham a ter conhecimento em virtude da presente prestação de serviços, devendo mantê-las em sigilo absoluto durante e após o prazo do presente contrato, e

d) dar ciência, por escrito, à **CONTRATANTE** quando incluir no **ROTEIRO** qualquer obra intelectual ou informação de terceiro, para que esta possa tomar as providências necessárias para obtenção da respectiva autorização.

3.2. Sem prejuízo das demais condições estabelecidas no presente instrumento, a **CONTRATANTE** compromete-se a:

a) cumprir os prazos e efetuar corretamente os pagamentos previstos neste instrumento;

b) oferecer perfeitas condições de desenvolvimento dos serviços a serem prestados, em cada uma de suas etapas, fornecendo toda a estrutura necessária, bem como informações e orientações claras, objetivas e periódicas;

c) arcar com todas as despesas do **INTERVENIENTE** relativas a viagens que este considere relevante para o cumprimento das etapas de criação do **ROTEIRO** e acompanhamento das filmagens, observadas as seguintes condições:

(i) hospedagem em hotel, de categoria nunca inferior a 4 estrelas, ou o mais conceituado da região;

(ii) bilhetes aéreos em horários e companhias aéreas escolhidos pelo **INTERVENIENTE**;

(iii) pagamento antecipado das respectivas diárias e das despesas de alimentação e transporte local, conforme valores previamente ajustados pelas partes.

d) assegurar e agendar com antecedência a participação do **INTERVENIENTE** em mostras e festivais nos quais a obra audiovisual venha a ser apresentada e nas gravações de *making of*, promoções, chamadas e versão comentada da obra, tudo nas mesmas condições dispostas no item "c" acima.

IV. CESSÃO DE DIREITOS

4.1. O **INTERVENIENTE** cede à **CONTRATANTE**, de forma exclusiva, irrevogável e irretratável e em caráter universal, os direitos de autor de natureza patrimonial, na proporção de ___% (_____) sobre o **ROTEIRO**, podendo a **CONTRATANTE** utilizar, distribuir e/ou comercializar a respectiva obra audiovisual, sem qualquer limitação de tempo, território, mídia e número de exibições, reproduções e/ou transmissões e realizar as demais utilizações previstas neste instrumento.

4.1.1. A **CONTRATADA** e o **INTERVENIENTE,** neste ato, declaram e reconhecem que a **CONTRATANTE**, na qualidade de proprietária de ___% (_____) dos direitos patrimoniais relativos ao **ROTEIRO**, terá o direito de, direta e/ou indiretamente, exibir, transmitir, reproduzir, distribuir ou de qualquer forma explorar a respectiva obra audiovisual, no todo ou em parte, em qualquer território do mundo, por um ilimitado número de exibições, transmissões, reproduções e/ou distribuições, a qualquer tempo, nos seguintes veículos e suportes: (i) cinema; (ii) vídeo doméstico (*home vídeo*), incluindo, mas não limitado, a VHS, DVD e/ou *laserdisc*, em todas as modalidades, inclusive, mas não limitado, para venda direta, venda em bancas de jornal e venda para o mercado de locações; (iii) televisão aberta e por assinatura, incluindo, mas não limitado, a transmissão por ondas hertzianas, transmissão por cabo, fibra ótica, MMDS, SMATV e/ou satélite e as modalidades conhecidas como *Pay Per View*, *Video on Demand* e *Near Video on Demand*; (iv) CD-ROM, CD-I, Internet e/ou quaisquer outras mídias interativas e/ou de qualquer forma interligadas e/ou assistidas por computadores, sejam fixos ou portáteis; (v) qualquer forma de transmissão, exibição e/ou distribuição por sistemas digital, analógico e/ou qualquer outro sistema; (vi) transmissão por telefone fixo, celular e/ou de qualquer outra espécie; (vii) exibições em aeronaves, embarcações, trens, ônibus e demais veículos de transporte de massa, plataformas de petróleo, escolas, clubes, museus e universidades; (viii) mídia impressa; e (ix) quaisquer outras formas, meios e modos de reprodução, exibição, transmissão, distribuição e difusão audiovisual existentes e/ou que venham a existir.

4.2. A **CONTRATANTE** poderá explorar os direitos aqui mencionados em qualquer parte do mundo, diretamente ou por meio de quaisquer sociedades afiliadas, sublicenciadas ou subdistribuidoras ou, ainda, por meio de quaisquer terceiros.

4.3. A **CONTRATADA** e o **INTERVENIENTE** autorizam desde já a **CONTRATANTE**, de forma irrevogável e irretratável, e independentemente de qualquer aviso para ou autorização da **CONTRATADA** e/ou do **INTERVENIENTE**, a ceder e a transferir livremente todas as autorizações e cessões mencionadas nesta cláusula, de forma parcial ou integral, a quaisquer terceiros, inclusive, mas não limitado, a quaisquer terceiros responsáveis pela veiculação, exibição, reprodução, transmissão, distribuição e/ou comercialização da obra audiovisual.

4.4. A **CONTRATADA** e o **INTERVENIENTE** autorizam expressamente a **CONTRATANTE** a utilizar seus nomes e dados biográficos em promoções e/ou qualquer forma de anúncio e/ou divulgação do **FILME**.

4.5. A **CONTRATADA** e o **INTERVENIENTE** desde já autorizam a **CONTRATANTE** a utilizar, transmitir, reproduzir e exibir a imagem e a voz do **INTERVENIENTE** gravadas no *making of* da obra audiovisual, em qualquer veículo de exibição e/ou transmissão de sons e imagens que existam e/ou venham a ser criados, sem qualquer limitação de tempo, território e número de transmissões, reproduções e exibições.

4.6. Fica desde já assegurado ao **INTERVENIENTE** o direito exclusivo de realizar quaisquer obras literárias contendo o **ROTEIRO** ou temas a ele relacionados, bem como a utilizar partes do **ROTEIRO** em palestras, aulas, cursos, citações e material de referência, ficando a totalidade da remuneração reservada ao **INTERVENIENTE**.

4.7. Fica estabelecido que a cessão de direitos ajustada na presente cláusula não inclui os direitos autorais decorrentes da exibição pública da obra audiovisual, ficando reservada exclusivamente ao **ROTEIRISTA** a retribuição paga ou que venha a ser devida, a título de direitos autorais, pelos usuários finais da obra audiovisual, ou seja, as empresas de comunicação que o transmitirem ou emitirem e os responsáveis por locais ou estabelecimentos de frequência coletiva, aos coautores de obras audiovisuais pela comunicação pública de suas obras no território brasileiro.

4.7.1. Consideram-se locais e estabelecimentos de frequência coletiva teatros, cinemas, casas de festas, boates, bares, clubes ou associações de qualquer natureza, lojas, estabelecimentos comerciais e industriais, estádios, circos, feiras, restaurantes, hotéis, motéis, clínicas, hospitais, órgãos públicos da administração direta ou indireta, fundacionais e estatais, meios de transporte de passageiros terrestre, marítimo, fluvial ou aéreo, ou onde quer que se exibam, reutilizem ou retransmitam obras audiovisuais.

4.7.2. Considera-se comunicação pública o uso da obra audiovisual quando este for exibido publicamente em locais de frequência coletiva, por quaisquer processos, ou através da radiodifusão, transmissão, retransmissão e exibição cinematográfica ou, ainda, disponibilizadas ao público, em qualquer meio ou ambiente, incluindo o digital.

4.8. Na hipótese da **CONTRATANTE** não iniciar a produção do **FILME**, por meio da viabilização da execução do projeto, em um prazo de 5 (cinco) anos a contar da assinatura do presente instrumento contratual, os direitos de autor sobre o **ROTEIRO** retornarão de imediato à titularidade do **INTERVENIENTE,** sem que seja devido qualquer pagamento à **CONTRATANTE**.

V. DA REMUNERAÇÃO PELOS SERVIÇOS E CESSÃO DE DIREITOS

5.1. Como remuneração pela prestação dos serviços de criação do **ROTEIRO** prevista neste instrumento, a **CONTRATADA** receberá da **CONTRATANTE**, em moeda corrente, o valor de R$ _____ (_____), a serem pagos em ____ (____), nas seguintes datas:

NOTA 5: CLÁUSULA MERAMENTE EXEMPLIFICATIVA, A DEPENDER DA NEGOCIAÇÃO ENTRE AS PARTES.

5.1.1. ____% (_____), ou seja, R$ _____ (_____ reais), no momento da assinatura do presente contrato;

5.1.2. ____% (_____), ou seja, R$ _____ (_____ reais), na data da entrega do primeiro **TRATAMENTO**; e

5.1.3. ____% (_____), ou seja, R$ _____ (_____ reais), na data da entrega do **ROTEIRO**.

5.1.4. ____% (_____), ou seja, R$ _____ (_____ reais), na data da conclusão do **POLIMENTO FINAL**.

5.2. Caso a **CONTRATANTE** julgue necessária a realização de novos tratamentos ou revisões em relação ao roteiro final apresentado, a **CONTRATADA** fará jus a um pagamento adicional de R$ _____ (_____), respectivamente para cada novo tratamento e revisão, devido na data da entrega de cada etapa.

5.3. Pela cessão de direitos de autor prevista na Cláusula IV do presente contrato, a **CONTRATANTE** pagará à **CONTRATADA**, em moeda corrente, o valor de R$ _____ (_____), da seguinte forma:

5.3.1.

5.3.2.
(...)

DA CRIAÇÃO AO ROTEIRO **427**

NOTA 6: AS CLÁUSULAS A SEGUIR (ATÉ A 5.7) REFEREM-SE À REMUNERAÇÃO VARIÁVEL DO ROTEIRISTA E DEPENDEM DO ESTÁGIO DE CARREIRA DE CADA PROFISSIONAL E DAS REGRAS PRATICADAS PELAS DIFERENTES PRODUTORAS.

5.4. Caso a **OBRA** seja efetivamente filmada, e o orçamento de produção exceda o valor total de R$ _____ (_____), a **CONTRATADA** fará jus ao recebimento de um bônus, calculado sob o valor extra captado, proporcional à remuneração total prevista na presente cláusula. O bônus ora previsto será devido pela **CONTRATANTE** na data do início das filmagens.

5.5. Em complementação à remuneração prevista neste instrumento, a **CONTRATANTE** pagará à **CONTRATADA** a quantia correspondente a R$ _____ (_____) sobre o valor bruto captado/recebido pela **CONTRATANTE** para a produção da obra audiovisual. O pagamento será devido à **CONTRATADA** no momento do efetivo recebimento dos recursos pela **CONTRATANTE**, em uma única parcela.

5.6. O percentual de ____% (____ por cento) será devido à **CONTRATADA** sobre eventuais prêmios em dinheiro conferidos aos produtores em categorias genéricas como Melhor Filme e/ou Melhor Produção, no momento do recebimento da premiação pela **CONTRATANTE**.

5.7. Ainda, em complementação à remuneração prevista neste instrumento, a **CONTRATANTE** pagará à **CONTRATADA** a quantia correspondente a R$ _____ (_____) Sobre a Receita Líquida dos Produtores, devendo a **CONTRATADA/INTERVENIENTE** ser incluída no contrato de distribuição da **OBRA** e seus subprodutos, em todas as explorações previstas nas Cláusula 4.

5.7.1. Nos casos de utilização ou adaptação do roteiro para sequências, pré-sequências, continuações, derivações, refilmagens (*remakes*), *spin offs* de personagens, novelas e séries dramáticas e/ou obras audiovisuais em qualquer formato ou suporte hoje conhecido ou a ser criado para obras audiovisuais, ficará assegurado à **CONTRATADA/INTERVENIENTE** o pagamento adicional correspondente a ____% (____ por cento) da receita Líquida dos Produtores. Os referidos valores serão pagos em um prazo de 30 (trinta) dias a contar do efetivo recebimento pela **CONTRATANTE**.

5.7.2. Por Receita Líquida dos Produtores se entende a receita bruta, ou seja, toda e qualquer receita efetivamente recebida pelos produtores com a **OBRA**, conforme disposto acima, incluindo-se prêmios em dinheiro conferidos aos produtores em categorias genéricas tais como Melhor Obra e/ou Melhor Produção, devidamente e anteriormente descontados: (a) os impostos e taxas incidentes dos distribuidores e exibidores; (b) o percentual de participação dos exibidores; (c) as despesas de comercialização dos distribuidores e exibidores; (d) as comissões de distribuição e/ou de agentes de vendas (*sales*) ou equivalentes.

5.7.3. Integrarão também a Receita Bruta dos Produtores todas as receitas efetivamente recebidas por estes que sejam provenientes da exploração comercial de produtos derivados da **OBRA**. Neste caso, será deduzido das receitas específicas de cada produto, além dos itens elencados no parágrafo anterior, toda e qualquer despesa incorrida na exploração dos produtos derivados eventualmente comercializados pela **CONTRATANTE** e/ou terceiros por esta autorizados, desde que estes terceiros não arquem por sua própria conta e risco com as despesas mencionadas sem direito a reembolso, bem como serão descontados os pagamentos de direitos autorais eventualmente devidos, inclusive direitos de músicos ou de autor de livro sobre a obra ou sobre elementos da **OBRA**.

5.8. Os pagamentos se darão contra emissão de nota fiscal e recibo de quitação do valor respectivo.

5.9. Os valores acima ajustados deverão ser depositados na seguinte conta bancária:
Banco:
Agência:
Conta corrente:

5.10. As partes desde já ajustam que o atraso, por parte da **CONTRATANTE**, de quaisquer valores previstos neste instrumento acarretará uma multa de 10% (dez por cento) sobre o valor em atraso, acrescido de juros de mora 2% (dois por cento) ao mês e correção monetária, como base no índice que melhor refletir a variação econômica do período.

5.11. Os valores previstos neste instrumento referem-se à criação de **ROTEIRO** e à sua respectiva cessão de direitos. Quaisquer serviços de criação de sinopses promocionais, para divulgação da **OBRA**, roteiros de *trailer*, textos para inclusão em capas e encartes de subprodutos, ou quaisquer outros não estão contemplados neste instrumento, devendo ser objeto de nova contratação.

VI. PRAZO

6.1. O prazo para a prestação de serviços de criação de roteiro ora acordados é de até _____ (_____) meses.

6.2. Qualquer uma das partes poderá rescindir o presente contrato imediatamente e independentemente do pagamento de qualquer indenização ou compensação à outra parte nas seguintes hipóteses: (i) Violação que não seja sanada pela parte inadimplente em um prazo de 30 (trinta) dias contados a partir da data do recebimento de uma notificação escrita da parte inocente solicitando que a respectiva violação cesse, e (ii) Falência, pedido de recuperação judicial ou extrajudicial ou insolvência se a outra parte ajuizar pedido de recuperação judicial ou extrajudicial ou falência ou se qualquer terceiro requerer a falência da outra parte e o respectivo pedido não for arquivado no prazo de 30 (trinta) dias contados a partir da data em que for protocolado.

DA CRIAÇÃO AO ROTEIRO **429**

VII. CRÉDITOS

7.1. A **CONTRATANTE** se obriga a incluir nos créditos iniciais de apresentação da **OBRA**, e em qualquer meio visual ou audiovisual em que esta seja promovida e/ou exibida, o nome do **INTERVENIENTE**, em cartela isolada, imediatamente antes ou depois dos créditos do **DIRETOR**, da seguinte forma:

Roteiro
[nome] (ABRA)

NOTA 7: EM TODAS AS ATRIBUIÇÕES DE CRÉDITO AO INTERVENIENTE O NOME DESTE DEVERÁ SER SEGUIDO DAS LETRAS "ABRA", INDICATIVA DE SUA PARTICIPAÇÃO NA ASSOCIAÇÃO BRASILEIRA DE AUTORES ROTEIRISTAS.

7.1.1. Deverá constar crédito, com destaque apropriado para o **INTERVENIENTE**, em todo e qualquer material de divulgação e comercialização da **OBRA**.

7.2. Caso seja contratado um segundo roteirista para dar continuidade ao **ROTEIRO** após a entrega do primeiro **TRATAMENTO**, e havendo mudanças substanciais e não tópicas que configurem alteração evidente de estrutura, diálogos e cenas, incluindo criação de novos personagens e novos eventos, representando alterações de pelo menos 33% (trinta e três por cento) da versão original, poderá ser conferido ao roteirista, autor das referidas modificações, a inclusão de créditos após o nome do **INTERVENIENTE**, na mesma cartela deste. Havendo a entrada posterior de mais roteiristas no processo de criação do **ROTEIRO** da **OBRA**, respeitando as condições acima especificadas, deverá ser sempre respeitada nos créditos a ordem de contratação dos mesmos.

7.3. Caso o **ROTEIRO** criado pelo **INTERVENIENTE** não seja utilizado integralmente, ou eventuais alterações que venham a ser feitas pela **CONTRATANTE** tenha como resultado final uma obra com universo dramático essencialmente diverso daquele criado pelo **INTERVENIENTE** e em relação ao qual esta não está de acordo, fica preservado, em qualquer hipótese, o seu direito ao crédito, sendo-lhe, entretanto, facultado conforme disposto na Lei 9.610/98 o direito de não vincular seu nome ao **ROTEIRO** e/ou à **OBRA**, ou mesmo o direito de negar a autoria. Para efeitos de cumprimento desta condição, a **CONTRATANTE** se obriga a apresentar ao **INTERVENIENTE**, em data agendada de comum acordo, a edição final da **OBRA** para que este possa se manifestar a respeito, comunicando sua decisão, por escrito, à **CONTRATANTE** antes da inserção dos créditos da **OBRA**, durante a mixagem. Havendo necessidade, as partes estabelecerão, de comum acordo, a forma de crédito a ser dado ou não ao **INTERVENIENTE**.

7.4. Nas hipóteses previstas nas cláusulas 3.7 e 3.8, o **DIRETOR** poderá optar pela não inclusão de seu nome nos créditos de roteiro da **OBRA**, mas se esse for incluído o nome do **INTERVENIENTE** deverá vir em primeiro lugar.

NOTA 8: É IMPORTANTE QUE O NOME DO ROTEIRISTA SEJA EM CARTELA ÚNICA COM O MESMO TEMPO E TIPO DE LETRA QUE A DO DIRETOR; TAMBÉM PARA OS COLABORADORES OU EQUIPE DA ESCRITURA DO ROTEIRO É SUGERIDO CARTELA ÚNICA COM O MESMO TIPO DE LETRA.

VIII. DISPOSIÇÕES GERAIS

8.1 As partes comprometem-se a manter-se mutuamente a salvo de toda e qualquer responsabilidade resultante de reclamações trabalhistas, autorais, ou de quaisquer leis ou regulamentos aplicáveis à produção das atividades de sua responsabilidade previstas neste contrato.

8.2. Todos os valores previstos neste instrumento deverão ser reajustados pelo IGPM ou outro índice que venha a substituí-lo.

8.3. As partes neste ato declaram e garantem que têm o direito de celebrar o presente contrato e que as disposições contidas no presente instrumento não violam direitos de quaisquer terceiros.

8.4. O presente contrato constitui o inteiro e total entendimento entre as partes e substitui todos e quaisquer instrumentos, acordos, cartas e/ou contratos, verbais ou escritos, celebrados entre as partes com relação ao objeto aqui descrito antes da data de assinatura do presente contrato.

8.5. Todos e quaisquer avisos, notificações ou comunicações entre as partes relativas ao presente contrato serão feitos por escrito, mediante comprovante de recebimento, e serão considerados tendo sido recebidos no 1º (primeiro) dia útil seguinte à data do envio, se enviados por telefax, e no 3º (terceiro) dia útil seguinte à data do envio, se enviados por carta registrada. Todos e quaisquer avisos, notificações ou comunicações entre as partes deverão ser enviados aos endereços das partes indicados no preâmbulo do presente contrato ou aos endereços que as partes indicarem por escrito de tempos em tempos.

8.6. Todas as comunicações entre as partes, assim como a entrega dos materiais relativos ao roteiro, serão consideradas válidas quando enviadas eletronicamente para os e-mails (endereço eletrônico) das partes especificadas no cabeçalho deste instrumento.

8.7. A **CONTRATADA** não poderá ceder ou transferir quaisquer de seus direitos e/ou obrigações relativos ao presente contrato para quaisquer terceiros sem a autorização prévia e por escrito da **CONTRATANTE**. A **CONTRATANTE**, por outro lado, poderá livremente ceder e transferir quaisquer de seus direitos e/ou obrigações relativos ao presente contrato para quaisquer terceiros, independentemente de qualquer aviso para ou autorização da **CONTRATADA**.

DA CRIAÇÃO AO ROTEIRO **431**

8.8. Se qualquer disposição contida no presente contrato for considerada por qualquer autoridade competente inválida ou inexequível, tal invalidade ou inexequibilidade não afetará as demais disposições contidas no presente contrato, as quais permanecerão em vigor e obrigatórias para as partes.

8.9. Nenhuma variação ou aditamento ao presente contrato produzirá quaisquer efeitos, exceto mediante instrumento escrito e assinado pelas partes.

8.9. A tolerância, por qualquer das partes, quanto ao inexato cumprimento ou ao descumprimento de quaisquer das cláusulas ou obrigações previstas pelo presente contrato não induzirá, tácita ou implicitamente, renúncia ou dispensa de tais obrigações, as quais permanecerão integralmente válidas e exigíveis, a qualquer tempo, durante a vigência deste contrato.

8.10. As partes elegem o Foro da Capital do Estado [estado] para resolver quaisquer disputas, ações, demandas e/ou procedimentos que decorram de ou resultem do presente contrato, que não puderem ser amigavelmente solucionadas pelas partes.

E, estando assim justas e contratadas, as partes celebram o presente contrato em 3 (três) vias de igual teor e forma, na presença das 02 (duas) testemunhas abaixo assinadas.

[Estado], ___ de _____ de _____.

_____

CONTRATANTE

_____

CONTRATADA

Testemunhas:

1. _____   2._____
Nome: Nome:
R.G.:   R.G.:

4·5 OUTRAS FUNÇÕES DO ROTEIRISTA

REFLEXÃO SOBRE OUTRAS FUNÇÕES

Na verdade o roteirista não precisa ser necessariamente autor do material cinematográfico, televisivo ou de outras mídias em que está trabalhando. Pode ter outras funções. Serão sucintamente nomeados **dez ofícios correlatos ou diretamente ligados à profissão**.

Coautoria

É a divisão do trabalho de autoria entre dois ou mais autores. Como exemplo cinematográfico temos Fellini. Em livros temos vários, entre eles Arthur C. Clarke. Como sabem, já experimentei esse tipo de trabalho e é bastante produtivo enquanto dá certo. Todavia, com o passar do tempo as amizades, como os casamentos, podem se desmanchar. Assim, estaremos ligados para sempre a uma pessoa que se tornou estranha.

Uma faca de dois gumes. Depois de algum tempo um autor segue um caminho e o parceiro segue outro destino. Em todo o caso, a experiência é válida e enriquecedora. Não me arrependo de ter dividido minha autoria com ninguém. Se existe empatia, siga adiante.

Escrito por/com

Muito utilizado em telenovelas ou minisséries de muitos episódios. Existe um autor que manobra uma equipe de roteiristas. Também se utiliza em *sitcoms* ou séries de humor. O autor-roteirista escreve a estrutura (escaleta) e distribui entre os companheiros, que retomam o trabalho. Porém, a redação final é do autor e ele é o responsável por todo o material.

Criado por

O roteirista pode criar uma série, vender um argumento ou mesmo conceber uma minissérie, mas por vezes não é ele quem escreve o roteiro. Daí nasce o crédito "criado por...", "escrito por..." ou "minissérie de...", "escrita por...". Esse processo pode ocorrer em caso de adaptação ou quando existem vários autores que escrevam para uma série já previamente concebida (veja o segmento 5.1).

Colaborador

Assim é chamado o roteirista que trabalha para o telenovelista. Antigamente, poucos anos atrás, as equipes eram pequenas. Atualmente elas se agigantaram tanto pelo volume de trabalho quanto pela complexidade e multiplicidade das tramas. É o roteirista responsável por alguma trilha, execução de cena ou até mesmo pela escrita de parte de um capítulo. Um trabalho difícil, quase sem horários, pouco reconhecido. E na maioria dos casos mal pago.

Também pode existir a figura do assistente de roteirista, aquele mais próximo ao autor que acompanha a estrutura e delega funções para os colaboradores.

Mas nem todos os telenovelistas trabalham com equipe. Glória Peres, atual primeira-dama da teledramaturgia nacional, com sucessos em âmbito internacional, ao estilo das pioneiras Janete Clair e Ivani Ribeiro, prefere escrever sozinha. De imaginação profícua e intensa, foi quem introduziu campanhas sociais na telenovela. Como espectador anônimo, prefiro sua minissérie *Desejo*, que me pareceu um dos momentos marcantes da televisão brasileira. Em todo caso, trata-se de uma dramaturga notável.

Analista

Não precisa ser necessariamente um roteirista. Mas por obrigação deve conhecer dramaturgia e a arte do roteiro. O assunto já foi abordado quando nos referimos às planilhas de análise (veja o segmento 2.3). Erram tanto quanto os críticos, por vezes recusam um roteiro que num futuro será um sucesso e agraciam verdadeiros desastres audiovisuais. Por vezes se deixam levar pela moda do último sucesso audiovisual, e não são isentos de simpatias e antipatias por determinado grupo ou produto. Como em toda posição de poder, o analista deve ser criterioso e competente.

Script doctor

Quando alguém está com febre se chama um médico. Talvez ele não diga muito: 37,5 de temperatura e é bronquite. A febre é empírica, a temperatura é precisa, a bronquite é diagnóstica. O mesmo acontece com os roteiros.

Produtores, diretores e às vezes os próprios roteiristas sabem que algo não caminha bem no material escrito e convocam outro roteirista, um *script doctor*, para dar um diagnóstico e uma possível solução para o roteiro.

A opção é válida. Mas alguns cuidados devem ser tomados:

- Captar a linha de criação do roteirista original e jamais ultrapassá-la.
- Tentar solucionar os problemas com o material encontrado.
- Jamais impor seus conceitos nem querer tomar para si a autoria.

Se esses cuidados forem respeitados, provavelmente o trabalho de um bom *script doctor* estará preservado do ponto de vista ético.

O *scipt doctor* também pode ser conhecido como **editor de roteiro**.

Coordenações de dramaturgia

Ou **consultor de dramaturgia**. Grandes empresas produtoras ou televisivas necessitam desse assessoramento pelo grande volume de material que recebem. Essa função não tem nenhum poder direto, apenas retrata sua visão sobre a programação, os roteiros, projetos ou planos. Seria o que se chama de assessoramento criativo – por exemplo, diagnosticar que em determinada programação há uma concentração de programas de humor, concursos etc.

Também a coordenação de dramaturgia fomenta novos talentos e impulsiona novos produtos para diversificar a programação. Claro está que um roteirista nessa posição fica impossibilitado de colocar seus produtos na grade de programação. Seria no mínimo antiético, para não usar a palavra desonesto sob o ponto de vista criativo diante de outros profissionais.

Quanto ao funcionamento, isto é, à mecânica de um centro criativo de roteiristas ou dramaturgos de uma empresa cinematográfica ou televisiva, alerto que deve ser autossuficiente e de retroalimentação (*feedback*); em outras palavras, a resposta ao sistema criativo alimenta criativamente o sistema.

Recordo que quando a **Casa de Criação** da Rede Globo, de que sou um dos fundadores, era coordenada por Dias Gomes concebi quatro departamentos: banco de ideias (receber projetos externos e internos), pronto-socorro (socorrer roteiristas), novos produtos (estimular novas ideias) e, por fim, cursos e reaprendizado (formar novos e estimular antigos profissionais).

O mecanismo era de *feedback*, isto é, de retroalimentação, formando novos e estimulando antigos profissionais que receberiam novos projetos, e a roda se fecharia num ciclo de virtudes.

Notar que o mecanismo não é enquistado nem fechado, já que tem uma janela aberta para o mundo, recebendo sempre novos talentos em seu banco de ideias.

Tenho viva memória do momento em que desenhei esse esquema no apartamento de Dias Gomes, no Leblon. Ele olhou para o Atlântico infindável de uma janela panorâmica e declarou: "Janete, minha mulher, deseja morrer olhando o mar".

Quando fui escrever *O tempo e o vento* me afastei da Casa de Criação.

Jurado

Existem vários festivais e concursos de roteiros espalhados pelo Brasil e pelo mundo. Ser jurado é esquecer patriotismo, tribos e grupos, tentando ficar isento de preconceitos. Mas acima de tudo o importante é ficar calado. Não diga nem "sim", nem "não", nem "muito pelo contrário" em público. O que ocorre quando o júri se reúne é inviolável. E quebrar essa regra é anular a magia da premiação. E mais: tentarão de tudo para saber o que se passa nos bastidores.

Perito

Por três vezes em minha vida fui acionado pela justiça para ser perito de conflitos sobre autoria. Confesso que relutei, mas acabei cedendo pela força da lei. Em todos os três casos foram autores consagrados sendo pilhados por oportunistas. Mesmo assim li exaustivamente todos os materiais e fiz uma perícia por escrito e depois verbal perante o juiz mostrando a incapacidade e a impropriedade da queixa.

É muito difícil periciar roteiros, todavia existem provas fulminantes que demonstram que tênues coincidências não são plágios, ideias esparsas não são *plots* e indicações sumárias não são personagens. Acima de tudo, seja imparcial, mesmo que grandes nomes estejam em jogo.

Também gostaria de relatar que a porcentagem de um produto original deve ser levada em conta e que podemos medir isso muito facilmente: se temos umas 500 cenas, para não dizer capítulos, e encontramos um número irrisório de comprovações ou similitudes, todo o processo se torna insignificante e irrisório.

Recordo também que objetos ou produtos decorrentes do texto original são de direito do autor, tais quais: bonecos, figuras, acessórios ou marcas. No mundo de hoje, onde tudo é timbrado e empresarial, esse lembrete não me parece descabido.

Showrunner

A palavra que sintetiza as qualidade de um *showrunner* é: **multi-habilidoso**. O *showrunner* é a última palavra no que se refere às séries em *streaming*. Normalmente o autor tem uma concepção cênica bem nítida em seu pensamento e, portanto, é ele que se torna o maestro da orquestra. Sobretudo é dele a responsabilidade do *final cut* – em outras palavras, da edição final. Além de finalizar, cabe a ele toda a responsabilidade artística pelo espetáculo.

Assim, ele define as planilhas de cores com o diretor de fotografia, escolhe o vestuário, identifica locações e discute cenários com os cenógrafos, e também nutre o diretor com sua visão estética do produto audiovisual. Enfim, ele só não é o dono da bola, pois esse papel é do produtor.

Na Sony International, um brasileiro, roteirista, diretor e produtor executivo se destaca nessa função: trata-se de Rodrigo Bernardo, que é um exemplo no conceito de *showrunner*.

Como todos nós sabemos, é uma função amplíssima e bastante complicada, requerendo-se do profissional sabedoria, conhecimento e experiência na conceituação artística de toda uma série. Normalmente ele recebe uma porcentagem da produção e das vendas. Pode-se afirmar que é o posto de roteirista mais bem pago.

(Ainda sobre roteiristas, suas funções e roteiros, consulte as partes 5, 6, 7 e 8.)

4.6 CONCLUSÃO

CONCLUSÃO

Em lugar de fazer o resumo deste segmento, prefiro finalizar com um depoimento e com aspectos da Lei de Direitos Autorais que me parecem indispensáveis para dar um desfecho e uma visão mais apurada do estado legal da profissão no Brasil.

Antes de prosseguir gostaria de relatar um fato. Em recente viagem ao interior do estado do Rio de Janeiro encontrei um estudante de Comunicação. Além de reclamar porque sua faculdade não tinha a matéria Roteiro na grade curricular, ele me indagou qual seria a possibilidade de um nordestino se tornar roteirista. Emudeci.

Como vimos, o Brasil perde gerações de talentos culturais por ter um sistema audiovisual e teatral concentrador, pouco expansivo e encapsulado. Necessita urgentemente de uma oxigenação em todas as suas raízes férteis e produtivas.

Concluindo, vou destacar alguns aspectos da **Lei de Direitos Autorais**, de número 9.610, de 19 de fevereiro de 1998, que é a principal lei quando o assunto é direito de autor.

Buscando a dinâmica e a objetividade, aproveito para citar os seguintes artigos da Lei 9.610/98: artigo 7, Capítulo II (arts. 11 a 17), destaque especial para o art. 16; arts. 18, 19, 22, 24, 29, 41, 42, 44, 46 (este é importante porque se refere ao *fair use*), arts. 49 a 51 (transferência dos direitos de autor) e Capítulo VI (arts. 81 a 86).

A profissão de roteirista é ainda parcialmente disciplinada pelas Leis 6.515/78 e 6.533/78, regulamentadas pelos decretos de número 84.134/79 e 82.385/78, respectivamente.

Isoladamente os artigos constitucionais e decretos contêm liberdades e direitos que agem de acordo com as normas internacionais, todavia não existe respeito a esses preceitos nem por parte das empresas privadas, muito menos pelos governos – sejam eles quais forem.

Também a legislação está completamente anacrônica com relação a televisão, cinema e novas mídias. Aliás, atraso notável que é confirmado com o depoimento de Orlando Senna, secretário nacional do Audiovisual do Ministério da Cultura de 2003 a 2007, que por um ano – em 2008 – foi diretor-geral da Empresa Brasil de Comunicações, operadora da TV Brasil. Recordar que Orlando Senna, além de excelente cineasta e roteirista, é membro do conselho superior da Fundación del Nuevo Cine Latinoamericano e professor do Centro de Capacitación Cinematográfica do México.

Depoimento melhor não existe. Afinal, é um profissional que trabalhou dentro das entranhas do Ministério da Cultura e criou os primeiros concursos de roteiro para longas, curtas e argumentos de que se tem notícia. Mas se debateu com uma série de empecilhos que qualquer cidadão é capaz de imaginar. Com seu testemunho encerro este segmento:

> As ações audiovisuais que tiveram maior sucesso no século XX foram aquelas que valorizaram o roteirista, que entenderam a importância seminal do roteiro no resultado final do produto [...]. A essa altura, depois dessa miopia histórica brasileira, os roteiristas brasileiros estão vivendo duas necessidades urgentes, prementes.
>
> A primeira delas é conquistar força política, o que só é possível através de um sindicato de classe forte. Vide o WGA, Writers Guild of America, porque é através da união, do corporativismo, que se pode concretizar a outra necessidade, que é uma legislação contemporânea sobre o assunto. Se ganhar força e atuação política diante do governo e das empresas, a primeira necessidade estará contemplada.
>
> Quanto à legislação, deve ser refeita não apenas porque é defasada e travadora do desenvolvimento audiovisual do país, mas também porque é confusa. Um dos fermentos da tragédia é a inexistência de leis claras. A Lei n. 9.610/98, por exemplo, que define os coautores da obra audiovisual, só reconhece diretor e argumentistas, definidos como "o autor do assunto ou argumento literário, musical ou literomusical".
>
> Existe uma proposta base: "São autores da obra audiovisual o diretor cinematográfico e o diretor televisivo, o diretor de animação, o roteirista cinematográfico e de televisão, o de animação e o autor da composição musical ou literomusical".
>
> A nova legislação terá de fixar a natureza da obra audiovisual como obra de coautoria e não como obra coletiva, como está nos textos legais, e também fixar o conceito de autor-roteirista, que não existe em nenhum desses textos.
>
> Terá de chegar ao século XXI se referindo à obra televisiva e a outros tipos de mídias, já que agora só temos leis sobre "obra cinematográfica".
>
> Terá de garantir aos roteiristas o direito de remuneração pela execução pública de suas obras como os músicos têm. Aliás, os músicos são bastante defendidos.
>
> Terá de estender os direitos morais, hoje circunscritos ao diretor, a todos os coautores da obra audiovisual. São os direitos morais íntegros que garantem reivindicar a autoria da obra, ter o nome creditado como autor, conservar a obra inédita e proibir modificar a obra. Além de transmiti-la universalmente e para sempre.

Terá de regulamentar os contratos: um dos desvios capitalistas brasileiros atuais é o contrato com pagamento dependente de aprovação do projeto, da captação, os tais "projetos contingenciais" que, em 90% dos casos, nem contratos são...

A boa saúde da atividade dos roteiristas no Brasil está relacionada com a regulamentação da profissão e a criação de uma legislação audiovisual atual e abrangente, onde tal profissão se insere.

OBSERVAÇÃO IMPORTANTE

Colaboraram neste segmento os seguintes especialistas:

- Carla Giffoni, jornalista, roteirista e escritora.
- Sylvia Palma, roteirista, jornalista e diretora de documentários.
- Paula Vergueiro, advogada (OAB/RJ 102.803) e membro da diretoria da Gedar.
- Lauro Cesar Muniz, roteirista, novelista e dramaturgo.
- Orlando Senna, roteirista, cineasta e diretor.
- Léo Garcia, publicitário.

Parte 5

OUTROS ROTEIROS

"Eis aqui um soldado do Sul que a ama, Scarlett. Que quer sentir seus braços, que deseja levar a recordação dos seus beijos para o campo de batalha. Não importa que não me ame, Scarlett.
Beije-me uma vez."

(Fragmento do diálogo do filme *E o vento levou...* Adaptação e roteiro de Sidney Howard, baseado no romance de Margaret Mitchell, 1939, Metro-Goldwyn-Mayer)

"A poesia verdadeira é a mais fingida."

(William Shakespeare)

5.1 ADAPTAÇÃO

REFLEXÕES SOBRE OUTROS ROTEIROS

O trabalho do roteirista não se limita à escrita de roteiros originais para o cinema, a televisão e outras mídias. Ao contrário, conta com muitíssimas outras possibilidades. As técnicas de escrita que foram explicadas neste livro e por meio de exercícios se aplicam ao trabalho da criação de originais e são extensivas a outros tipos de roteiro. Precisamente um dos objetivos do livro é fixar uma metodologia básica e fundamental para a escrita de qualquer tipo de roteiro.

Um roteiro para um vídeo institucional deve conter algum tipo de expectativa para ser emocionante. Um programa educativo deve ser concebido estruturalmente para não perder o interesse em nenhum momento. Um show televisivo de variedades deve ter no final um grande momento, a apoteose, o clímax. Os fundamentos são os mesmos e isso se aplica também às novas mídias.

São apresentados aqui outros tipos de roteiro: a **adaptação**, os **documentários** e os **filmes** ou **vídeos institucionais** e **educativos**. Também se faz referência ao **videoclipe**, ao **humor**, às **fotonovelas** e à **publicidade**, entre outros.

O campo de trabalho do roteirista é cada vez mais extenso. Existem autores especializados na escrita de roteiros para desenhos animados e parece lógico supor que os programas holográficos deste milênio precisarão da nossa experiência, como também os roteiros para realidade virtual.

Pessoalmente creio que é uma boa tendência. Tive a oportunidade de sentir prazer com diversos trabalhos de escrita de roteiros não dramáticos e todos eles foram úteis e enriquecedores. Recordo, por exemplo, as minhas participações em desenhos animados, balés, quadrinhos e até num documentário sobre futebol, *Game of billions* (Spectrum Productions, Londres, 1990).

Fique bem claro que não se deve minimizar seu valor ou importância. Não creio que se possa estabelecer qualquer hierarquia entre os diversos tipos de roteiro pela simples razão de que é impossível qualificar ou quantificar a criatividade em função do tipo de produto. Embora se possa qualificar quanto ao talento do autor. Se esses tipos de roteiro se separaram do conjunto do livro, foi para ressaltar a especificidade de cada um deles, sublinhando brevemente as respectivas características próprias. É uma questão de especialidade, e não uma categorização.

A ADAPTAÇÃO

Com frequência o roteirista inexperiente costuma achar mais fácil a adaptação do que a escrita de um roteiro original. No entanto não se engane: a adaptação é uma transcrição de linguagem que altera o suporte linguístico utilizado para contar a história. Isso equivale a transubstanciar, ou seja, transformar a substância.

Vale a pena recordar que uma obra é a expressão de uma linguagem. É, portanto, uma unidade de conteúdo e forma. No momento em que mantemos o conteúdo e o expressamos em outra linguagem, forçosamente estamos dentro de um **processo de recriação e transubstanciação**.

Claro que o fato de recriar implica o risco de que o produto reelaborado perca em relação ao original. E às vezes sucede que a adaptação resulta melhor do que o próprio original. Isso se deve ao fato de o material da história ser mais adequado a outro tipo de suporte dramático.

Adaptar implica escolher uma obra adaptável, isto é, que possa ser transformada sem perder qualidade, e nem todas as obras se prestam a esse gênero de trabalho.

Um exemplo típico de adaptação impossível é a obra *Ulisses*, de James Joyce[1], uma vez que o que a caracteriza são os pensamentos íntimos, os acontecimentos mentais de uma personagem. Mesmo assim já ocorreram tentativas de aproximação à obra de Joyce pela via cinematográfica. Ao fim e ao cabo cada livro é um desafio para o roteirista.

A adaptação implica certas limitações criativas, uma vez que o roteirista deve levar em conta o conteúdo da obra. Os ambientes, as personagens, as intenções e o universo do autor original. Tais limitações podem ser positivas e dar asas a uma obra substancialmente superior à original. Tudo depende do talento do roteirista e de seu conhecimento do material adaptado.

Graus de adaptação

Existem vários níveis, ou graus de adaptação, com base no maior ou menor aproveitamento dos conteúdos da obra original. É óbvio que estão em jogo três aspectos da obra original: as personagens, a narrativa da história e o tempo em que ocorre a ação.

Dependendo do material a ser adaptado e do grau desejado reduzimos, mudamos de época ou não, acrescentamos ou diminuímos personagens, mantemos a narrativa original ou nos desviamos dela, e assim por diante.

Estabelecemos os graus de adaptação apresentados a seguir.

Adaptação propriamente dita

Consiste em ser o mais fiel à obra possível. Não há alteração da história, nem de tempo, nem de localizações, nem de personagens. Os diálogos refletem apenas as emoções e os conflitos presentes no original. É necessário ter em conta que esse tipo de trabalho não é uma mera ilustração audiovisual, mas que **é preciso ultrapassar o limite da fidelidade** para se conseguir um roteiro correto e eficaz. Um bom exemplo do cinema espanhol é o excelente roteiro, idêntico ao livro e contudo original, de *O rei pasmado e a rainha nua* (1991), sobre a obra de Torrente Ballester. Não obstante me recordo da frase de Suso d'Amico: "A melhor maneira de um adaptador ser fiel a uma obra é ser totalmente infiel".

Baseado em

Nesse caso exige-se que a **história** se mantenha **íntegra**, embora se possa alterar o final. Podemos modificar o nome das personagens e algumas situações. A fidelidade que o adaptador guarda ao original é menor, mas o original deve ser reconhecido. Os clássicos de terror romântico adaptados ao cinema são um bom exemplo: os diversos *Dráculas*, baseados em Stoker, tão diferentes entre si e no entanto fiéis à obra original.

Inspirado em

O roteirista toma como **ponto de partida** a obra original. Seleciona uma personagem, uma situação dramática e desenvolve a história com uma nova estrutura. Alguns aspectos funcionais da obra são respeitados e mantidos. Por exemplo, o tempo em que a ação tem lugar. A obra de Walter Hill *Os selvagens da noite* (1979) foi inspirada no romance de Sol Yurick, que por sua vez foi inspirado na *Anabasis*, de Xenofonte. O grau de fidelidade é menor. Podemos alterar a época em que ocorre a ação. Outro exemplo: a série americana *The killing*, da Netflix, inspirada no seriado dinamarquês *Forbrydelsen*.

Recriação

O roteirista se **apodera** do *plot* **principal** e trabalha **livremente** com ele. É livre para transformar as personagens, desloca a história para outro tempo e espaço e cria uma nova estrutura. O grau de fidelidade do roteirista para com o original é mínimo. Jules Dassin recriou a paixão de Fedra por Hipólito, segundo Eurípides, em *Profanação*

(*Phaedra*, França-Grécia, 1962), enquanto Manuel Mur Oti o havia recriado com base em Sêneca.

Por outro lado, não se deve confundir recriação com desvirtuação. Desvirtuar é fazer que a obra original fique desfigurada no seu *ethos*, ao passo que na recriação este se mantém intacto.

A recriação é um processo que utilizamos mais para o conto, já que este é curto e merece novos ingredientes.

Adaptação livre

É um trabalho muito **próximo** da **adaptação** propriamente dita. Não há alteração de história, tempo, localizações nem personagens. Consiste apenas em dar mais ênfase a um dos aspectos dramáticos da obra, criando uma nova estrutura para todo o conjunto. É sentir, ver, narrar e explorar o original de maneira particular. Podemos citar a última adaptação de *Dom Casmurro*, de Machado de Assis, em adaptação livre realizada por Euclides Marinho (Brasil 2008-2009), em que parte do livro existia, mas de forma alegórica e circense.

Enfim, a história continua íntegra, mas com uma nova visão, um novo ponto de vista criado pelo roteirista.

Fontes de adaptação

Desde o início do cinema as fontes de adaptação foram os veículos culturais precedentes. Primeiro o teatro, seguido de literatura, romance e conto. Atualmente alcança até o mundo dos quadrinhos. Não se pode falar em autofagismo, mas sim em aproveitamento. Uma arte alimentando e influenciando a outra, como planetas de um mesmo sistema solar.

O teatro

A grande vantagem de adaptar uma obra de teatro é que os diálogos principais já foram escritos e o material está organizado dramaticamente. Mesmo assim é difícil captar o impacto de uma peça, uma vez que esta foi pensada se baseando na **palavra viva**, pressupondo uma relação direta, corpo a corpo, do ator com o público.

Em teatro os diálogos expõem frequentemente o que se passa fora da cena, em vez de mostrar o que aconteceu ou está acontecendo. Em outras palavras, falta o sentido da concomitância.

Na versão audiovisual se evita a utilização desse recurso, fazendo que tudo aquilo que é dito ou contado no original teatral seja visualizado. Por outro lado no teatro se trabalha num palco, ao passo que no audiovisual esse aspecto tem possibilidades ilimitadas. Nesse tipo de adaptação é sempre aconselhável tentar multiplicar de forma criativa o número de locações e cenários e sua verossimilhança.

A teatralidade, em princípio um defeito, pode ser o aliciante de uma paródia como *La venganza de Don Mendo*, de Fernando Fernán Gómez. Pode também ser a essência da obra, sem perder nada do seu valor cinematográfico, como acontece com muitos títulos da cinematografia de Shakespeare em versões de Laurence Olivier, Orson Welles[2], Polanski ou Kenneth Branagh, para indicar alguns notáveis adaptadores do mestre. Transformando e transmutando.

Lembrar que a peça carrega o cerne de toda dramaturgia, pelo qual deve ser respeitada ao máximo. Sendo fonte, é passível de extensão até certo ponto, pois pode se tornar diluição.

Também ao adaptar uma peça para outro veículo audiovisual é bom estudar toda a trajetória do dramaturgo original, suas facetas e outras obras. Esse arco histórico nos dará uma boa medida da capacidade criativa do dramaturgo em questão e com serenidade poderemos nos envolver em seu mundo imaginário sem feri-lo em demasia.

Recordar que todos os prêmios de grandes adaptações nascem de peças de teatro ou romances. Sementes inevitáveis da criação mais pura.

O conto

Dado que a característica básica do conto é a síntese, um único dos seus parágrafos pode conter material suficiente para se desenvolver todo um *plot*. Quando adaptamos um conto deparamos com um material básico bastante condensado, com base no qual se deve construir o restante: diálogo, ação dramática, *plots* etc. Devemos desenvolver o que está implícito.

Tudo isso terá de ser feito com cuidado para manter o espírito da obra. Embora o roteirista seja livre para acrescentar ou mudar alguns aspectos funcionais, o básico deve ser mantido porque as características da obra e sua atmosfera terão de ser reconhecidas. Esse cuidado é importante: podemos recriar e acrescentar, mas nunca descaracterizar ou desfigurar a obra original. Enfim, a adaptação de um conto é um trabalho de extensão, de prolongar frases, descobrir intenções ocultas, perceber nuanças, imaginar concepções e captar emoções ocultas num texto curto.

O romance

Diferentemente do conto ou da obra de teatro, o trabalho de adaptação de um romance se baseia em condensar a obra, eliminar os acontecimentos que não sejam essenciais e enaltecer o núcleo dramático principal, seu eixo vertebral.

DA CRIAÇÃO AO ROTEIRO

Tal como acontece com o conto, o romance não costuma ter diálogos. Consequentemente terão de ser criados pelo roteirista de acordo com o perfil das personagens. Respeitando tanto quanto possível as indicações do autor original, se esse contato for possível. Mas na maioria das vezes a pesquisa do roteirista é feita por meio de leitura de outros romances do mesmo autor. Quando adapto um livro, leio outras obras do autor para me impregnar do seu universo criativo.

É uma chave de contaminação excelente, já que durante semanas o roteirista absorve vocábulos, semânticas, construções narrativas e, acima de tudo, é cativado pela cosmologia de outro ser criativo. Nos tornamos uma espécie de Zelig, a já citada personagem de Woody Allen[3], que ao contato com outra pessoa se transforma nela, um homem camaleão. Isto é, tentamos escrever e pensar como se fôssemos o autor original, apenas mudamos a forma de divulgação da obra.

Fatores imprescindíveis

O material adaptável se apresenta de diversas formas. Mas a primeira questão que devemos colocar a nós próprios é se a obra é realmente suscetível de adaptação.

Ao contrário do que disse o arquiteto Oscar Niemeyer, construtor de Brasília – "Qualquer traço no papel se pode converter em concreto" –, nem todas as obras escritas para ser lidas podem ser transferidas para a tela. O roteirista deve descobrir se é possível levar a cabo essa transformação.

Buñuel tentou por oito vezes adaptar o livro *Under the volcano*, de Malcolm Lowry, e nunca chegou a ficar suficientemente satisfeito a ponto de partir para a realização do filme. John Huston, porém, o fez. Melhor ou pior, certamente sua versão de *À sombra do vulcão* não tinha nada em comum com as intenções de Buñuel.

Quando um roteirista quer adaptar uma obra deve ter em conta os seguintes fatores:

- Verificar se é possível passar a obra para a linguagem cinematográfica ou televisiva.
- Seguir o mesmo processo da criação de um original: fazer uma *storyline*, desenvolver o argumento etc.
- Reduzir o material aos aspectos essenciais e começar daí.
- Dedicar tempo à reflexão. Ler outras obras do autor original.
- Ser fiel ao original e evitar fazer unicamente transliterações. O importante é transformar sem transfigurar.
- Estar alerta quanto à questão dos direitos de autor.

Essas notas são as principais em todo trabalho de adaptação; o resto depende exclusivamente do talento do roteirista.

NOTAS: ALGUMAS PERSONALIDADES CITADAS

1. James Joyce (1882-1941), escritor irlandês considerado um dos maiores expoentes da literatura do século XX. Seu romance *Ulisses* se passa num dia em Dublin e transcorre quase sempre descrevendo o fluxo de pensamento das personagens. Livro de difícil leitura, intensas revelações e projeções especulativas sobre a condição e a mente humana. Denso, recheado de neologismos e desprovido de pontuação em vários momentos. Ainda podemos citar os contos *Dublinenses* (1914) e o cativante romance *Retrato do artista quando jovem* (1916). Autor *cult* dos anos 1960 a 1970, teve influência mundial e chegou a ser popular em universidades. No Brasil, *Ulisses* foi traduzido pelo professor Antônio Houaiss, num trabalho notável considerado a princípio intransponível. O polivalente e excelente dramaturgo Millôr Fernandes utilizou trechos de monólogos da obra em sua peça "Homem do princípio ao fim".

2. Orson Welles (1915-1985), ganhou o Oscar de melhor roteirista. Conhecido como um dos prodígios do cinema americano, foi radialista, diretor, roteirista, produtor e ator. Ao teatralizar pela rádio, em 1938, a ficção *Guerra dos mundos*, de H. G. Wells, levou praticamente os Estados Unidos ao pânico por dizer aos ouvintes que a Terra estava sendo invadida por marcianos. Celebridade instantânea, foi para Hollywood, onde estreou sua obra-prima emblemática da cinematografia mundial: *Cidadão Kane*. O filme, pouco compreendido na época, introduziu a linguagem do *flashback* na narrativa cinematográfica, recurso dramático até então não utilizado. Além do mais, a história contemplava uma crítica feroz ao maior magnata das telecomunicações dos Estados Unidos na época. Cercado de escândalos e prejuízos, Welles resolve filmar no Brasil. O filme se chamaria *Tudo é verdade* e seria realista, bem distante da ficção desvairada dos trabalhos anteriores. Chegou ao país como uma celebridade planetária e saiu enxotado. O filme que rodou nunca foi terminado. Existe em pedacinhos. Acidentes e incidentes marcaram sua passagem pela costa brasileira. Um dos participantes do filme, um jangadeiro, se afogou em suas filmagens. O certo é, como ele mesmo afirmou, que sua vida foi sempre ao contrário: "Começou pelo topo e depois foi ladeira abaixo". "Sou um gênio que perdeu o talento", declarou ao deixar o Brasil. Ainda filmou, dirigiu e atuou em filmes importantíssimos como *A dama de Xangai*, *O terceiro homem*, *O processo*, *A marca da maldade*, *Macbeth* etc., mas aos poucos foi esquecido. Atualmente é reverenciado como um dos artistas mais importantes do século XX.

3. Woody Allen (1935), cineasta, roteirista, escritor, ator e músico americano. Pensadores e dramaturgos se dedicaram a escrever sobre o ato de criar, imaginar e conceber a arte. Orhan Pamuk, prêmio Nobel de Literatura em 2006, descreve com exatidão e requinte em seu livro *A neve* o momento de inspiração de um poeta turco perante a captura da ficção. Isso para citar um fascinante exemplo erudito. Todavia, Woody Allen consegue, com sua extraordinária capacidade, com personagens clichês que perambulam pela sátira e pelos diálogos mais exatos, demonstrar que o misterioso contorno da criação não tem forma e pode ser fruto de um mundo muito particular. Crítico do princípio ao fim, por vezes patético, ele nos apresenta o autor idealista em seu universo nova-iorquino de raízes israelitas. Brilhante, único, imperdível, é sem dúvida um dos cineastas mais significativos da história do cinema. Existe vasta bibliografia sobre ele. Nos últimos anos, porém, Allen vem sendo acusado pela ex-mulher, pelo filho e por uma de suas filhas adotivas de estupro e abuso psicológico.

5.2 SHOW, MUSICAL, CLIPE E GRANDES EVENTOS

SHOWS, MUSICAIS E GRANDES EVENTOS

Um roteiro para um programa musical é uma tarefa muito específica, visto que se mistura com o trabalho de outros artistas: músicos, cantores e compositores. Isso significa que o roteiro vai ser estabelecido com base nas observações e troca de conhecimentos com cantores, compositores, bailarinos e afins. Saber que gênero e estilo desejam. Normalmente os shows se dividem em cinco tipos:

- Shows de cantores
- Shows e programas de variedades
- Musicais
- Operetas
- Grandes eventos

Shows de cantores

Existe o roteirista de shows de cantores. Deve conhecer a música e a coreografia e dar uma linha temática ao espetáculo. Cada show tem uma temática de fundo que é própria. Um tema central que o artista quer simbolizar. Modelos dessas temáticas estão presentes no próprio nome dos shows. Por exemplo, *Alma*, de Milton Nascimento, ou no show da Madonna. Os grandes shows têm por trás um bom roteiro. O trabalho do roteirista é tentar descobrir esse tema central e organizar os temas musicais segundo os mesmos critérios que empregaria num roteiro dramático, com uma apresentação, um desenvolvimento, um clímax e um final.

Como em todo roteiro, a curva dramática deve ser ascendente em direção ao clímax, respeitando sempre, naturalmente, a temática proposta. Num show, o clímax se chama apoteose e se funde com o epílogo, dando lugar ao grande final (*le grand finale*).

Também vale ressaltar o show de um cantor solo com convidados (Roberto Carlos, Natal), o show de calouros (Chacrinha até *The voice*) e os festivais (Rock in Rio) (veja, neste mesmo capítulo, o tópico "Grandes eventos"). E o uso atual de *laser*, LED, cenografia eletrônica ritmada em cores e motivos.

Shows e programas de variedades

Um espetáculo de variedades tem uma raiz circense; é um gênero que exige grande habilidade por parte do autor-roteirista.

Este terá de distribuir pelo roteiro uma grande quantidade de artistas de diferentes categorias: cantores, malabaristas, humoristas etc., alternando momentos mais densos e sérios com momentos de humor, música, entrevistas, notícias etc.

Dissemos que o roteiro de um show deve ser feito em colaboração com artistas e intérpretes, com base nas informações que eles fornecem. Os artistas são a força viva do espetáculo e devem estar completamente a gosto dentro do roteiro para empreender voos cada vez mais altos.

Como show de variedades ao vivo, podemos dar o exemplo do Cirque du Soleil.

Quanto à televisão, nos chamam a atenção dois programas dominicais no Brasil: *Fantástico* (TV Globo) e *Domingo Espetacular* (Record). No mundo ainda existem as galas, da TVE Espanha, que são na verdade shows ao vivo, o antigo *Estúdio Uno* (RAI) e *Extravagância* (TV portuguesa).

Esses programas de variedades trabalham com **módulos**, são fragmentos de conteúdos específicos produzidos durante a semana e emitidos no programa, uma revista de variedades. Assim: módulo de entrevista exclusiva, historieta de humor, clipe da semana, notícia bizarra, curiosidade, animal em extinção, comportamento, política, denúncia, memória, entre outros.

Além de criar os módulos, o roteirista deve interligar todos de forma dramaticamente instigadora, para manter e aumentar o interesse do espectador a cada bloco do programa – daí a necessidade de *teaser* antes de cada intervalo.

É evidente que o programa de estrutura modular, como o de variedades, depende da escolha, do conteúdo e do interesse de cada módulo, e não somente da ordem de emissão e apresentação.

Outro detalhe a ser levado em conta é que normalmente esse tipo de trabalho é realizado por jornalistas.

Quando fui diretor criativo na TV I (Portugal), criava com os jornalistas os módulos que seriam exibidos a cada semana.

Musicais

Curiosamente, mesmo sendo um país muito rico em termos musicais, o Brasil é pobre nesse tipo de espetáculo. Contamos nos dedos os espetáculos desse gênero como: *Gota d'água* e *Ópera do malandro*, de Chico Buarque de Holanda, e *Sete*, de Cláudio Botelho e Ed Motta. Em geral importamos espetáculos da Broadway, rua que concentra os grandes teatros em Nova York, ou do West End londrino, bairro dos teatros ingleses.

Talvez isso se deva às especificações do autor, que precisa aliar ao talento de dramaturgo as qualidades de compositor, letrista e fino poeta. Parabéns para eles.

O musical é um estilo de teatro que congrega música, canções, dança e diálogos. Só nessa frase vemos a complexidade que pode ser a criação e a escrita desse espetáculo. Ele está intimamente ligado à ópera e ao cabaré. Os três apresentam estilos singulares, mas estão integrados.

O cabaré nasceu nas tavernas e com os menestréis medievais. Depois invadiu a Europa no início do século XIX. Posteriormente se transformou no chamado "teatro de bolso", pequeno teatro feito em pequenos espaços. Em seguida se transformou em pequenos shows noturnos com novas expressões musicais que chamamos de "alternativos".

Já o grande musical é uma dissidência da ópera clássica. A estrutura que conhecemos hoje foi estabelecida em 1943 com a estreia de *Oklahoma!*, de Richard Rodgers e Oscar Hammerstein II.

O que passou a ser diferente? A narrativa não parava para ser executada uma canção, a história seguia firme dentro das canções e com isso o tema fluía sem problemas. As personagens eram bem desenvolvidas, assim como as coreografias, que ajudavam a contar o enredo sem a desculpa para colocar mulheres com roupas reduzidas no palco. O que acontecia nos shows de Folies Bergère, o cancã na França.

Rodgers e Hammerstein desafiaram a convenção dos musicais ao colocar uma voz fora do palco cantando, em vez de um coro de garotas no primeiro ato. *Oklahoma!* foi o primeiro *blockbuster*, grande sucesso da Broadway feito para a família americana. Juntos criaram uma coleção extraordinária de musicais clássicos amados e duradouros: *Carrousel* (1945), *South Pacific* (1949), *The king and I* (1951), *Cinderella* (1957) e *The sound of music* (1959). Mas para que o sucesso de um musical aconteça é preciso um imenso trabalho colaborativo prévio.

Normalmente existem vários autores em um musical, os escritos por uma pessoa só são quase raros. O roteirista de musicais cuida da estrutura do tema, o compositor da música, o letrista da parte lírica. Ou todas essas partes podem ficar sob a responsabilidade de uma só pessoa, o escritor/compositor.

Não existe uma regra para o que vem primeiro, se é a música ou a letra. Às vezes a melodia inspira uma letra ou a letra, a melodia. Contudo, a maior inspiração para todos os roteiristas de musicais é o tema da história principal.

A ideia para um espetáculo musical pode vir dos próprios autores ou de quem os contratou para a composição do show. O teatro musical tem a tradição de converter livros e outros materiais para o gênero.

Atualmente se utiliza no Brasil a biografia de personalidades como Tim Maia, Elis Regina e até de telenovela – a exemplo de *Vamp* – como referência para musicais. A mais conhecida transposição de livro para musicais é *O fantasma da ópera*, de Andrew Lloyd Webber.

Nunca esquecer que a história de um musical segue uma linha dramática teatral pura. Em gênero comédia ou drama, mas sempre com uma inflexão romântica.

Operetas

A opereta, ou "pequena ópera", é um estilo mais leve do que a ópera. Tanto em termos musicais quanto em conteúdo abordado pela história. Outra diferença na construção dramática é que uma opereta, proporcionalmente, é mais recitativa, menos cantada, do que a ópera ou de um teatro musical.

A opereta tem partes dialogadas e não musicais.

Seu auge ocorreu do final do século XIX até o início do XX. É de modo geral uma versão mais curta, menos ambiciosa e ostensiva do que a ópera, mas caminha lado a lado com outros estilos como *vaudeville, singspiel* e *ballad opera*. Hoje em dia a opereta é mais conhecida como comédia musical. Seu elenco é composto de cantores de formação lírica.

A opereta é um estilo que surgiu da ópera cômica francesa, ainda no século XIX, para satisfazer à necessidade de obras mais curtas e com certa leveza em contraponto à opera comum, que tinha obras mais sérias e de longa duração.

O trabalho para a criação de uma opereta também é colaborativo, assim como no caso dos musicais. Uma grande colaboradora na composição das músicas de uma opereta foi Chiquinha Gonzaga, que com sua criação *Forrobodó* chegou a mais de 1.500 apresentações seguidas após a estreia. Antes desse sucesso havia composto a trilha da opereta de costumes *A corte na roça*.

Hoje nas grades cidades brasileiras se podem assistir em cinema a óperas, ao vivo, do Lincoln Center de Nova York.

Grandes eventos

No Brasil há vários anos conhecemos um grande evento e ele se chama: desfile das escolas de samba. Essa frase não é pejorativa. Pelo menos três carnavalescos de renome tiveram aulas comigo. Uma delas, Rosa Magalhães, ganhou em 2008, em Nova York, o Emmy (categoria evento), maior prêmio internacional relacionado a grandes eventos, pela abertura do Pan-Americano no Rio de Janeiro em 2007. Mais que merecido.

O desfile das escolas de samba **requer enredo**, **desenvolvimento**, **evolução**, **ritmo**, **abertura**, **encerramento**, **cadência**, enfim, todas as etapas **teóricas** de um **roteiro**. Só que são duas mil pessoas ou mais interpretando e expressando uma história por meio do corpo, da dança e da música.

Aliados à coreografia temos a cenografia, os figurinos, os adereços, a movimentação de carros alegóricos e a movimentação humana. Um trabalho tático, técnico e artístico bastante complexo que requer meses de estudo, concepção e árdua dedicação.

Tive a oportunidade de acompanhar em Barcelona os preparativos para a abertura das Olimpíadas (1992), pois trabalhava na mesma companhia produtora responsável pela concepção e pelo show da festa olímpica.

Havia um salão inteiro repleto de computadores, além de maquetes nas quais bonequinhos eram colocados, e se via perfeitamente o homem com a flecha atirando para acender a tocha olímpica. Momento incrível concebido por um publicitário catalão que trabalhava para a produtora Trinca, atualmente Endemol.

Essas produtoras empregam roteiristas e publicitários especializados em grandes eventos, tanto esportivos quanto de lançamento de produtos e programas de interatividade como *Big Brother*.

Isso só demonstra que outros campos jamais imaginados por mim estão se abrindo ou se abrirão para o roteirista do terceiro milênio. É lógico que um trabalho de tamanho vulto requer uma equipe composta por roteiristas, coreógrafos, cenógrafos, diretores e iluminadores, entre outros profissionais da área. Todavia, o trabalho de concepção original, isto é, a linha temática, continua na mão do roteirista, que escreve várias *storylines* e propõe ideias. É a semente escrita de todo o processo que se tornará posteriormente um espetáculo de multidões para multidões. E ao vivo.

No Brasil assistimos a dois grandes eventos: a abertura e o encerramento da Copa do Mundo de Futebol, em 2014, e das Olimpíadas, em 2016. Dois espetáculos belíssimos, bem realizados e que impressionaram o mundo todo. A direção-geral foi de Abel Gomes, com o apoio da Rede Globo.

CLIPES

Os escritos para publicidade e clipes são os chamados roteiros curtos. Neles não existe praticamente nenhuma cena essencial, com exceção daquelas de exposição, pois são construídos pela sucessão de cenas de integração e transição.

Um roteiro para um clipe tem duração de dois a três minutos aproximadamente, que é o tempo que dura uma canção. Sua temática é baseada na letra da música e na atmosfera que ela sugere.

No momento de sua aparição, o clipe se converteu num foco de experimentação de recursos audiovisuais. Durante algum tempo, e por que não até hoje, esteve ligado ao vídeo experimental e artístico, às novas técnicas caleidoscópicas visuais.

O clipe serve como suporte publicitário para a indústria fonográfica. Superada parte do seu caráter inovador e experimental, se converteu num gênero que atrai determinado público jovem e tem um nicho próprio na MTV. O grau de profissionalização no campo do clipe é muito elevado: existem produtores e roteiristas já especializados nesse tipo de produto. Realizar um clipe é cada dia mais caro. De forma geral, já existe certa saturação do mercado.

Abro parênteses para citar o chamado *clip teaser* de projeto, isto é, clipe que se faz como complemento de um argumento para cativar coprodutores potenciais para o projeto em questão. Tive a oportunidade de utilizar por duas vezes esse recurso. Na Catalunha, para levantar fundos para a produção da série *Arnau*; no Brasil, para um projeto chamado *O palácio*. Enquanto na Europa o *teaser* funcionou com um bom chamariz, no Brasil seus efeitos foram irrelevantes.

5.3 DOCUMENTÁRIO, EDUCATIVO, ESPORTE

PROGRAMAS EDUCATIVOS

Pode acontecer que o roteirista seja contratado para escrever especificamente para a educação e concretamente para a transmissão de determinada matéria. Trata-se de um campo que exige uma especialização bem determinada, em que a capacidade profissional é posta a serviço de temas científicos ou não, mas com função didática.

É um entre tantos terrenos intermediários que existem no mundo do audiovisual, no qual a interdisciplinaridade é moeda de troca. Digamos que o perito em roteiros educativos deve reunir três experiências:

- **Escritor** profissional de cinema e televisão
- **Educador** ou pedagogo
- **Professor** especializado em determinada matéria

Todas elas são resumidas em **duas virtudes essenciais**: a de **explicar com clareza** e a de **escutar com atenção**.

O professor e o educador terão de explicar ao roteirista o que desejam para seu público, não o que deve ser escrito. O trabalho do roteirista é adaptar as ideias propostas e encontrar a fórmula adequada. Ele deverá ser receptivo e convencer seus interlocutores de que sua escrita é efetivamente a adequada para converter a mensagem que se pretende transmitir.

As últimas tendências no uso educativo da TV apontam para o ensino flexível, a produção de materiais de aproveitamento múltiplo e a máxima adaptabilidade.

É claro que o roteirista não é educador nem professor, por isso trabalha em equipe. É guiado por professores e educadores que conhecem o assunto. Também lê sobre o tema, tem reuniões e depois deixa a imaginação fluir.

Recordar que esse tipo de material não é só de nível escolar primário ou secundário. Também alcança a universidade, conhecimentos gerais como primeiros-socorros, formação técnica e profissional e serviços de utilidade pública.

Creio que os programas educativos, seja por meio da televisão, do ciberespaço ou do CD-ROM, são apenas um recurso estimulador e revelador para o estudante. Em alguns casos eles podem servir até como exercício, neste caso chamado de repetidor, para fixar conceitos.

Essa observação é importante e extremamente necessária porque, por mais que a tecnologia fique sofisticada e o método de transmissão de conhecimento refinado, nada, absolutamente nada substitui o fator humano. A figura do professor.

Outro processo é somado ao tema: a **educação** a **distância**. Graças aos imensos **avanços** tecnológicos, tem um futuro promissor e parece indiscutivelmente uma das formas mais férteis de transmissão de conhecimento jamais imaginadas pelo homem. Além de sua função socioeducativa, ela abre e ultrapassa fronteiras e diminui preconceitos. Paradoxalmente é o saber sem distâncias.

A educação a distância funciona no conceito da instrução, do exercício e do manual, isto é, do como fazer.

A experiência é transferida por meio do processo audiovisual. Para que o sistema funcione é necessário usar múltiplos recursos explicados neste livro. Por exemplo: telas múltiplas, inserções, repetições, cenas de transição, conceitos escritos, diálogos repetitivos, enfim, todos os recursos já explicados para entreter e fixar conceitos.

Além da função de manual, esse tipo de processo deve estimular a capacidade do receptor, no caso o aluno. Ele deve estar suficientemente atento, esperançoso, além de motivado para receber o ensinamento transmitido. Devemos ser rigorosos para não transformar motivação em euforia, nem esperança em frustração.

A bem da verdade, o roteirista quase nunca é chamado para esses processos educativos. Mas deveria, pois ele é que mantém a linha tênue entre o "possível" e o que pode ser "alcançável". Desenharia melhor a curva dramática do desafio. Em todos os casos, mesmo na educação a distância, uma monitoração regular ou esporádica por um especialista na matéria é necessária.

Recordar que o fator humano é essencial e que esse tipo de material é focado basicamente em adultos ou maiores de idade, ou no nível profissionalizante.

Com a introdução dos computados nas escolas e a facilidade com que crianças e jovens lidam com o manuseio das novas tecnologias, as salas de aula se tornaram verdadeiras receptoras de educação a distância. Abre-se assim mais uma porta para o roteirista.

Também com os chamados sites profissionais é possível ter fácil acesso ao conhecimento de inumeráveis matérias, como direito, medicina, medicamentos, línguas, enciclopédias e tudo aquilo que se pode imaginar.

PROGRAMAS INSTITUCIONAIS

O filme institucional é basicamente uma reportagem publicitária que vende a imagem de uma instituição. Isso não quer dizer que seja mentiroso ou falso. Ele quer despertar a simpatia da comunidade para a instituição e para o trabalho que esta desempenha. Todo produto institucional é até certo ponto educativo, já que sua finalidade é demonstrar que a instituição existe e que são prestados tais serviços. E que há de se tomar certas medidas para manter seu bom funcionamento.

De maneira geral, faz parte de uma campanha, e o resultado dependerá de todo o projeto, do qual o filme é apenas uma parte. Esses projetos nem sempre resultam atraentes, mas é preciso entender o princípio profissional de fazer bem aquilo que se propõe.

Esses roteiros devem estar estruturados e ser bem atraentes, a fim de despertar interesse. Tratar um gênero presumivelmente menos sugestivo não nos autoriza a aborrecer o público. O roteirista tem de tentar se vestir com roupas adequadas até para as informações mais insípidas.

Normalmente os roteiros desses filmes são escritos por publicitários.

PUBLICIDADE

Na publicidade, como no clipe, a ênfase recai sobre a rápida sucessão de imagens, cuja intenção é captar a atenção do público com o propósito de vender o produto.

Embora possa parecer, o texto para publicidade não é considerado um roteiro dramático. O tempo de que se dispõe é muito curto, às vezes apenas 15 segundos. Dessa forma, um anúncio pode conter cenas essenciais, estrutura dramática e personagens, mas nunca desenvolverá uma história. Está limitado à exposição de uma situação, ou de um momento dramático, de um *gimmick*, uma virada rápida.

A tudo isso se pode acrescentar que o *ethos* desse tipo de produto audiovisual é sempre baixo. A produção é altíssima para se vender um automóvel, um apartamento ou um picolé. Em publicidade o texto é absolutamente sintético e objetivo, requer uma técnica especial e uma linguagem específica. Normalmente são os próprios redatores das agências de publicidade que escrevem os roteiros juntamente com a criação. Existe vasto material sobre o assunto, não sendo necessário me estender sobre essa capacitação neste livro.

DOCUMENTÁRIOS

A máxima de um bom documentário é seu compromisso com a "verdade". **Um documentário tem de ser acima de tudo imparcial.** Deve tentar informar sobre um acontecimento baseando-se apenas nos fatos. **Mas essa é uma premissa hipotética.**

O documentário, tal como os materiais para os programas informativos, tem a finalidade de reproduzir um fato tal como é, evitando interpretações subjetivas e pontos de vista puramente pessoais, embora também exista a possibilidade de escrever um documentário de um ponto de vista pessoal, indicando que assim foi feito. Este seria o caso de *Cosmos*, de Carl Sagan.

É quase impossível para o ser humano não intervir na obra que está relatando. Sempre haverá uma interferência do autor, por menor que seja. Mas isso não é problema nem pecado.

Historicamente o documentário nasceu com a fotografia e depois foi conhecido como filme de propaganda, para elevar o moral das tropas aliadas ou nazistas durante a Segunda Guerra Mundial. Desde então existe uma liberação e o documentarista fica independente para trabalhar em todos os quadrantes do mundo em que haja liberdade e democracia.

Normalmente se utiliza o documentário como instrumento de investigação ou de trabalho de campo, já que só depois de se terem reunido todos os dados é que começarmos o roteiro. E isso é outra premissa hipotética e inverídica. Nesse caso o roteiro seria unicamente orientativo, um ponto de referência para o trabalho de filmagem, visto que a realidade muitas vezes interfere e introduz novos elementos não previstos. O texto também deve estar perfeitamente ligado à imagem, ser claro, emocionante e informativo. Essa premissa seria verdade?

Importante: um bom documentário nunca se acaba, jamais encerra um tema. Mostramos os fatos de um máximo de pontos de vista possíveis e deixamos ao espectador as interpretações. O documentário que se preza não pretende convencer o espectador, mas fazê-lo refletir sobre aquele tema.

Dentro do gênero documentário há diversas categorias. Entre elas reportagens, cinejornais, filmes de natureza, filmes institucionais etc. Aqui, o termo "documentário" foi assumido para conceituar os filmes que se utilizam de imagens e de personagens "reais" de acordo com sua relevância histórica na evolução da linguagem do gênero.

Trata-se de um movimento cinematográfico italiano surgido durante a Segunda Guerra Mundial, que utilizava imagens documentais e abordava temáticas realistas da fase que a Itália e toda a Europa atravessavam. São representantes dessa corrente realizadores como Roberto Rosselini e Vittorio de Sica (movimento chamado de **neorrealismo italiano**).

A *nouvelle vague* é o movimento cinematográfico francês do final da década de 1950 cujos principais realizadores foram Jean-Luc Godard e François Truffaut. Os princípios eram semelhantes ao do Cinema Novo: libertar as câmeras de tripés e estúdios para documentar as ruas e o cotidiano.

Mas, afinal de contas, o que é um documentário? Como se classifica? Para que serve? O documentário nasce com a fotografia: o instantâneo fixo da realidade. Depois aconteceu a montagem da fixação da realidade: o beijo encenado tendo ao fundo a Torre Eiffel.

Com a filmografia nasceu o documentário, a realidade captada em movimento. Depois aconteceu a fixação da realidade encenada: os filmes políticos de propaganda.

Com a atualidade nasceu o documentário livre: a realidade captada para mostrar a realidade.

Creio que vivemos numa época em que largos passos se dão e darão no documentário. A explosão ainda está para acontecer, os temas são tantos e tão variados que só necessitamos de roteiristas e autores.

É ilusão pensar que o documentário não necessita de um trabalho profundo de pesquisa, roteiros e documentação. O profissional, ou amador, deve ter conhecimento exato do material que documentará. Também deve ter noção das capacidades audiovisuais que terá à sua disposição.

Atualmente será muito ingênuo aquele que sair com uma câmera na mão e uma ideia na cabeça, sem um plano predeterminado. Hoje se diz: "Com um roteiro na mão e câmeras digitais ligadas a *laptops*".

O pescador sai todo preparado: rede, isca, barco, maré, hora e o que cair na rede é peixe. Da mesma forma deve pensar o documentarista. Ele já tem tudo pronto, o que vier em excesso é o prêmio pelo esforço.

Divido o documentário em **quatro níveis** didáticos para melhor compreensão do leitor:

- **Biografias** – Aprofundamento com vários depoimentos sobre uma pessoa viva ou morta. Relações e importância na vida de uma personalidade, anônimos ou não, representativos, valorosos ou não, perseguidos ou não etc. **Composição individual**.
- **Grupos** – Visão sociológica de grupos humanos. Cidades, etnias, perseguidos, imigrantes, escravos, albinos, deficientes, moradores de rua, favelados, ricos, índios, terroristas, um fato etc. **Composição social**.
- **Assuntos** – Bíblia, cataclismos ambientais, seca, astronomia, motocicletas, combustíveis, descobertas científicas, cosméticos, vida animal, tecnologia, armas, guerras, violência etc. **Composição temática**.

- **Misto** – Documentário que por meio de um dos três itens citados se reverte em outro. Exemplo: um fato, o massacre de Columbine, se torna um assunto sobre a venda indiscriminada de armas nos Estados Unidos. **Composição múltipla**.

Sobre o documentário, devemos acusar a presença ou não do documentarista ou **apresentador** diante da câmera, isto é, ou **narrador em** *off* **ou presente**. Evidente que estamos nos referindo a **estilos** de **linguagem** e também a **recursos** audiovisuais.

No meu entender, nas novas mídias o documentário – aliás, como o desenho animado e outras técnicas artesanais – será **mantido íntegro** e **consumido** em **larga escala**, já que o **polimorfismo** e o **conhecimento** serão cada vez **mais vorazes** (veja, ao final deste segmento, uma bibliografia específica sobre documentário).

ESPORTES

Recentemente apareceu na televisão a figura do **roteirista de esportes**, que me parece um perfeito exemplo daquilo que poderíamos chamar de "ficção do real".

É tanto curioso como estranho que um país assim ligado ao futebol como o nosso tenha tão pouca ficção audiovisual a respeito. Talvez uma das razões seja a saturação maciça que as TVs abertas impingem diariamente ao espectador. Todo dia, toda hora, em qualquer telejornal o final é sempre apoteótico, com a figura de um jogador de futebol e seu feito heroico do dia. Não existe pandemia, guerra ou desgraça que ultrapasse o final quase sempre exagerado que proclama: "E o mundo parou com o gol de fulano do clube tal".

Exageros à parte, é bom saber que de acordo com o IBGE 45% da população brasileira não está interessada em futebol. Se ele está tão enraizado na TV aberta existem quatro fatores predominantes nessa vasta exploração: bairrismo, fanatismo, patrocínio e patriotismo.

Essa conjugação exclusiva, impossível de ser tocada, determina que pela quantidade de material esportivo emitido diariamente se faz necessário criar crônicas esportivas, historietas e outros recursos, até bem roteirizados, para vender e consumir o esporte.

Enquanto o documentário tem a finalidade de reproduzir um acontecimento com a máxima objetividade, o programa esportivo pode, e em muitos casos deve, contar uma história na qual tenta dar ênfase às interpretações subjetivas dos espectadores e dos seus pontos de vista pessoais. E até inusitados.

O texto do **espetáculo** esportivo vive sobretudo do aproveitamento de sua **beleza** e do **agudizar** da **emoção**. Esse novo espaço para o roteirista foi criado inicialmente pela necessidade das cadeias de TV de recorrer com frequência a falsas transmissões ao vivo. Até nas grandes cerimônias esportivas, além do *delay* (atraso na recepção da mensagem), já se conta com material pré-gravado para resolver qualquer problema que possa surgir durante a transmissão. O audiovisual parece ser em todos os sentidos a arte do engano.

Uma regra de ouro, seguida por todos os roteiristas esportivos, é evitar recorrer ao fator "sorte" como explicação para um acontecimento ou resultado. Existe sempre uma razão médica, técnica, sociológica profunda e inequívoca para analisar e explicar o resultado. Quanto a buscar as causas no talento dos desportistas, isso fica por conta da sorte ou da genética, e vão para o inferno do efêmero quando fazem um gol contra.

BIBLIOGRAFIA ESPECÍFICA SOBRE DOCUMENTÁRIO

AVELLAR, José Carlos. *A ponte clandestina: teorias de cinema na América Latina.* São Paulo/Rio de Janeiro: Edusp; Editora 34, 1995.

AZEVEDO DA FONSECA, Maria Thereza. "Câmera, olho que observa". *Impulso*, Piracicaba, v. 22-23, jan. 1999, p. 9-21.

BERNADET, Jean-Claude. *Cineastas e imagem do povo.* São Paulo: Brasiliense, 1985.

_____. *Cinema brasileiro: propostas para uma história.* Rio de Janeiro: Paz e Terra, 1979 (Coleção Cinema).

BERNADET, Jean-Claude; FREIRE RAMOS, Alcides. *Cinema e história do Brasil.* São Paulo: Contexto, 1988 (Coleção Repensando a História).

COUTINHO, Eduardo. "O cinema documentário e a escuta sensível da alteridade". *Projeto História*, São Paulo, v. 15, p. 165-91, abr. 1997.

DA-RIN, Silvio. *Espelho partido.* Rio de Janeiro: Azougue, 2004.

EISENSTEIN, Sergei. *A forma do filme.* Rio de Janeiro: Zahar, 1990.

FILME CULTURA. Rio de Janeiro: Embrafilme, n. 44, abr.-ago. 1984.

FILME CULTURA. Rio de Janeiro: Embrafilme, n. 46, abr. 1986.

GOMES, Paulo Emílio Salles. *Humberto Mauro, Cataguases, Cinearte.* São Paulo: Perspectiva, 1974 (Coleção Estudos).

MARTIN, Marcel. *A linguagem cinematográfica.* Belo Horizonte: Itatiaia, 1963 (Coleção Revista de Cinema).

RAMOS, Fernão. *História do cinema.* 2. ed., São Paulo: Art, 1990.

RIQUELME, Diego Ivan Caroca. "Reportagem documentária". In: REISZ, Karel; MILLAR, Gavin. (orgs.). *A técnica da montagem cinematográfica.* Rio de Janeiro: Civilização Brasileira, 1978.

TEIXEIRA, Francisco Elinaldo. *Documentário no Brasil – Tradição e transformação.* São Paulo: Summus, 2004.

VERTOV, Dziga. *Artículos, proyectos y diarios de trabajo.* Buenos Aires: Ediciones de la Flor, 1974.

XAVIER, Ismail. *Sertão mar: Glauber Rocha e a estética da fome.* São Paulo: Brasiliense, 1983.

5.4 INFANTIS, *COMICS*, ANIMAÇÃO

ESPETÁCULOS INFANTIS

Escrever para crianças é um **desafio** e uma **responsabilidade enormes**, porque a criança é uma espécie de esponja que absorve e assimila tudo que tem à mão. É um trabalho muito complexo e sempre que possível deve ser feito em colaboração com educadores, psicólogos etc. Mas é de bom-tom advertir que por vezes eles podem mais obliterar que semear a criatividade.

A criança ainda não está intelectualmente formada e toda precaução é pouca. Com isso queremos dizer que qualquer espetáculo ou texto para criança deve ter por objetivo o enriquecimento do universo dela, sua formação. Com a precaução de deixá-la livre para que possa extrair conclusões próprias.

Atenção para este fator: a obra pensada para o público infantil tem de ser aberta, com uma mensagem fundamentalmente ambígua e cheia de significados. Tentar reduzir as ambiguidades da vida a um maniqueísmo, o Bem e o Mal, é prestar às crianças um fraco serviço e estragar sua capacidade de aproveitar e compreender o universo em que vivem.

Escrever para crianças é uma das atividades mais criativas e agradáveis, porque está impregnada de afeto e poesia. O público infantil é muito exigente e não admite que o queiram enganar ou infantilizar, que o tratem como se fosse inferior. Pensar que a criança é incapaz de entender que a vida é uma invenção de alguns adultos, com dificuldades para entender a realidade. A criança é capaz de compreender quase tudo se explicamos de forma adequada.

Neste livro já se fez alguma referência a Vladimir Propp e à sua teoria sobre a fábula e os contos de fadas. O autor que estiver interessado em escrever para crianças encontrará em Propp uma fonte de conhecimentos indispensáveis para realizar sua obra.

Existe um universo de matérias sobre o assunto e vários autores-roteiristas especializados no tema, tanto brasileiros quanto estrangeiros.

Eu mesmo escrevi peças, livros e filmes infantis. E posso garantir que usei o mesmo processo de criação que utilizo para a confecção de um roteiro para um drama adulto. De todas as formas, ao escrever um texto infantil devemos nos "vestir de calças curtas, boné e camiseta". Voltar ao passado e recordar que uma bicicleta não era uma bicicleta e sim um avião, um *transporter*, a boneca, uma *miss* e que tudo ao nosso lado adquiria significado e valor que os outros não viam nem enxergavam. Enfim, que as cores eram mais vivas, nítidas, únicas e que sempre as víamos pela primeira vez.

Para dar desfecho a este tópico acrescento o prólogo da minha peça infantil "A incrível viagem", em que descrevo algumas sensações do autor ao escrever para crianças. É sempre bom lembrar que, de acordo com Sigmund Freud[1], os únicos seres na Terra a quem é permitido imaginar, delirar e brincar sem ser chamados de loucos são as crianças e os artistas.

> Não existe nada mais delirante que escrever teatro infantil. Delirante e lógico. E a mistura é lógica, sim. Porém, se parecer impossível, juro, é perfeitamente realizável. Ou pelo menos tentei. É delirante.
>
> O autor se livra do mundo real e cai no mágico, na fantasia pura, e deixa a ficção rolar. Se liberta de conceitos formados, porque criança não tem preconceitos. Se desatina, porque criança tem tino e sabe que o autor desatinou. E perdoa.
>
> Criança fabula, jamais mente. E brinca. Acredita na farsa do teatro, sabendo no fundo que não se acredita para sempre e nem sempre.
>
> É lógico.
>
> A peça deve ter lógica e ser concatenada, porque criança pensa. Pensa até demais e sente muito. Pressente o desprezo se a coisa não for bem-feita e se ressente. Por isso mesmo seria ilógico ferir este tão pouco de criança que pode ir ao teatro.
>
> Enfim, delirante e lógico, digo categoricamente: sejamos lógicos, imaginativos e delirantes como as crianças, pois só assim seremos adultos.
>
> Ou vice-versa.

FOTONOVELAS, *COMICS* E RÁDIO

É habitual que um roteirista escreva fotonovelas, *comics* e roteiros para programas de rádio, principalmente no exterior. O exemplo maior disso é nossa vizinha Argentina.

É muito bizarro que o nosso país esqueça ou desvaneça outras mídias. Para o conhecimento do leitor, por exemplo, na Argentina e na Inglaterra continua vivo o teleteatro radiofônico. Uma tradição das grandes peças do repertório teatral desses países que foram merecedoras do Prêmio Nobel, honra jamais alcançada por nós.

Tenho fascinação pelo rádio. O som é o mais primitivo dos sentidos e o último a falecer (os moribundos escutam até a chegada da morte). Talvez porque sou de outra geração. Não há dúvida de que o clipe ainda seduz e seduzirá várias gerações, mas não há nada melhor do que ler um livro e escutar rádio. Melhor ainda, escutar uma música e escrever.

O leitor estará perguntando o "porquê" dessas afirmações e as respostas estarão em seguida. Jogos, internet, interações e novas mídias têm suas raízes nesses processos. Principalmente os celulares com relação a fotonovelas, *comics* e rádio. É o peso da palavra.

Por isso é conveniente abrirmos um espaço para analisar esse instantâneo dramático tão pequeno que pode se tornar tão essencial no futuro cibernético.

Por tudo isso faremos um panorama do passado para nos lançarmos no futuro. Os *comics* são roteiros escritos em quadrinhos separados com a colaboração de um desenhista. É um trabalho lento que prima pela qualidade dos desenhos. O processo é o seguinte: o roteirista escreve uma história dividindo em cenas separadas, indicando a ação e o diálogo que devem ficar dentro de cada quadrinho (corpo de comunicação). O resto é trabalho do desenhista. A forma dos desenhos varia segundo a intenção de ambos os autores (estilo desenhista).

Não confundir *comics* com *storyboard*. O primeiro tem o traço de um artista gráfico e serve até de argumento para filmes e seriados (Super-Homem, Homem-Aranha e Batman); o segundo traz visões do diretor na decupagem da cena para o olho da câmera.

A principal diferença entre os *comics* e a fotonovela é que os primeiros utilizam desenhos e a segunda, fotografias.

O rádio, em virtude de utilizar apenas o som, é uma modalidade à parte do campo audiovisual. A visualização de imagem apela diretamente para a imaginação e acontece por meio do texto ou do som complementar, dos efeitos sonoros. Um roteirista que venha do rádio tende a ser descritivo em excesso, uma vez que não está acostumado com o elemento imagem.

O rádio me parece um meio de comunicação fascinante que agudiza o sentido do ouvido – que, de acordo com a ciência médica, é o primeiro que adquirimos e o último que perdemos. Dessa maneira, a mensagem radiofônica é dirigida à nossa sensação mais primitiva e tem sobre nós um impacto enorme, que deve ser direto e claro.

ANIMAÇÃO

Este segmento foi escrito por **Ducca Rios**, diretor criativo da Origem Produtora de Conteúdo, de Salvador (BA).

> "Se você pode sonhar você pode fazer."
>
> Walt Disney

Quando recorrer à animação?

Criar histórias em animação é um tipo específico de habilidade: é girar uma chave do cérebro que abre a porta de um universo em que tudo é possível, literalmente. Se o personagem sai voando, se suas pernas se separam do resto do corpo em uma corrida, se seus olhos rodopiam como bolas em um fliperama, se seu nariz é esticado ao ficar preso em uma porta, se ele é inflado como um balão, comprimido à espessura de uma folha de papel, encolhido, aumentado, dividido ou esmagado, não significa que os técnicos em efeitos especiais terão de quebrar a cabeça para resolver a situação ou que o produtor gritará com raiva e arrancará os cabelos porque as loucuras inventadas não cabem no orçamento. Na verdade, em animação cabe tudo e, obviamente pensando de forma relativa, pouco influencia na planilha de produção se o filme ou série acontece na selva amazônica, no Saara ou em Júpiter, se tem bichos falantes, gigantes, monstros, robôs, naves espaciais, castelos etc.

São exemplos disso *Divertida mente* (2015), dirigido por Pete Docter; *Ponyo: uma amizade que veio do mar* (2008), do mestre Hayao Miyasaki; e *O estranho mundo de Jack* (1993), de Tim Burton, entre outros.

Considerando essas primeiras afirmações, é natural que a maioria dos roteiristas, animadores e diretores de animação esteja quase sempre inclinada a pensar que, para escrever um *script* destinado a se tornar um filme animado ou o piloto de uma série de filmes animados, a primeira atitude a tomar é esquecer as leis da física newtoniana e a lógica tradicional dos filmes em ação real. A liberdade de desenvolver um universo novo, "louco", criativo se torna, por assim dizer, quase uma obrigação. Afinal, por que outro motivo se optaria pela animação, se não para realizar o irrealizável?

Ainda que esse pensamento seja quase uma regra, não precisa necessariamente ser sempre assim, pois também se recorre à animação no sentido de buscar um universo simbólico particular independentemente do tipo de narrativa. Cores, estilos de traço e *design* de personagens e cenários por si já carregam em si gigantesca força simbólica. E, mesmo que a obra, em se falando da história que conta, sugira uma estética de viés mais naturalista, o que em tese poderia ser contada em um filme *live action*, ganha muito mais em ser produzida como animação quando justamente se quer ressaltar esse simbolismo.

São exemplos *As bicicletas de Belleville* (2002), belíssimo filme franco-belga-canadense-britânico, dirigido por Sylvain Chomet, e *Persépolis* (2007), outro forte filme francês, este criado por Marjane Satrapi e dirigido pela autora e por Vincent Paronnaud.

Universo e personagens

Quem nasceu primeiro: o ovo ou a galinha? É mais ou menos assim que soa na cabeça do autor/roteirista quando lhe perguntam se em sua metodologia ele cria primeiro o universo ou os personagens que vão habitá-lo. Como se pode imaginar, esse é o tipo de pergunta cuja resposta é muito menos importante do que se ater com todo cuidado ao desenvolvimento de uma e de outra categoria, guardando para ambas a mesma importância.

Particularmente não tenho um gosto ou metodologia específico no sentido de me impor criar em uma ou outra direção, ficando esse pormenor a depender mais de como o projeto ou, bem antes dele, a ideia se apresenta para mim.

Com efeito, digamos que se parta da criação do universo. Escolhendo seguir dessa forma, você trabalhará no sentido de imaginar um espaço, por exemplo, um planeta aparentemente desértico, mas que abriga abaixo da superfície terrena uma avançada civilização de seres insetoides. A partir daí, determinam-se as leis desse universo – por exemplo, como a civilização de insetoides dialoga com um ambiente de extrema aridez, se essa civilização é regida por uma rainha absolutista cuja principal preocupação é encontrar machos alfa para, com ela, gerar guerreiros cada vez mais fortes. Deve também delimitar se essa força é sobre-humana, se esses insetoides podem ser igualmente divididos entre os que têm asas e os que não têm, se existem castas inferiores que são exploradas pela nobreza, se sua fonte de alimentação é animal, vegetal ou mineral, enfim, o que é possível ou não dentro do lócus escolhido para o filme ou série.

Normalmente, ao iniciar o desenvolvimento criativo a partir do universo, o primeiro desenho da estrutura dramática da animação surge antes do desenvolvimento das personagens principais, que, ao serem aprofundadas em seus conflitos pessoais e interpessoais, seus *backgrounds* históricos e suas personalidades, podem muitas vezes interferir significativamente na própria estrutura, invertendo a cadeia criativa – ou seja, a personagem pode "sugerir" caminhos novos, suscitando uma reengenharia do universo e da história.

Por outro lado, ao iniciar o desenvolvimento de uma obra a partir das personagens, é preciso encontrar suas "marcas", aprofundá-las, conhecê-las, entendê-las e, então, encontrar o caminho da história. E quando escrevo a palavra "encontrar" não é por acaso, mas no sentido mesmo de descobrir a linha condutora e o conflito principal.

Cito o longa-metragem de animação *Meu tio José*, que segue uma linha mais naturalista com fortes elementos simbólicos. O filme conta a história de um ex-guerrilheiro da resistência armada da esquerda brasileira que é assassinado após a anistia geral na década de 1980 na cidade de Salvador, Bahia, e de seu sobrinho, uma criança que descobre o que é a ditadura militar a partir desse triste episódio. Nessa obra em particular,

DA CRIAÇÃO AO ROTEIRO **471**

iniciei pelas personagens, buscando e encontrando os principais aspectos que iriam caracterizá-las. O guerrilheiro é introspectivo e de olhar firme, tem medo de voltar da França para o Brasil, está paranoico.

A criança é igualmente introspectiva, observadora, de olhar curioso e forte ligação com um universo imaginário criativo e particular. Por fim, uma vez que as personagens "existem" em suas várias camadas, não é difícil encontrar o universo e a estrutura dramática do filme. Aliás, é praticamente impossível fugir deles.

Etapas do desenvolvimento[2]

O desenvolvimento de uma obra de animação compreende todas as etapas criativas principais, que se dividem na escrita criativa e na direção de arte, além do desenho de produção, que culminará no orçamento do filme. Como estamos aqui tratando principalmente de criação, não entrarei nos meandros do desenho de produção.

Com efeito, para o desenvolvimento da escrita criativa é necessário partir da ideia para uma estrutura dramática preliminar, que é o argumento, onde já deve haver o conflito principal (*pathos*) e o primeiro desenho do arco da história. A partir daí, já sabemos quais são as personagens principais, as que irão movimentar o engenho da trama, e qual é o universo. Dessa forma, se dá início ao aprofundamento desses componentes, ao mesmo tempo que lápis, pincéis, *tablets* e canetas óticas já começam a se movimentar, criando os primeiros desenhos e protótipos do trabalho de *design* de personagens e cenários. A essa primeira etapa do trabalho de direção de arte chamamos de "arte conceitual".

Depois do argumento pronto, dá-se início à estruturação mais detalhada da história, montando a escaleta ou "espinha de peixe" e partindo finalmente para a escrita do primeiro tratamento do roteiro. O *script* pode ter quantos tratamentos forem necessários até ser considerado pelo autor a versão final (*final draft*). O autor ainda pode contar com o auxílio de um *script doctor*, em geral um roteirista experiente e acostumado a realizar esse tipo de consultoria. O trabalho de arte conceitual acompanha todo esse processo em paralelo, sendo constantemente aprimorado.

Etapas da pré-produção

Na fase de pré-produção, a etapa inicial é uma primeira decupagem detalhada do roteiro a fim de delimitar exatamente quantos personagens, cenários e *props* (adereços/objetos) existem para que a equipe de arte seja orientada a iniciar a construção desses elementos, já pensando nos movimentos e nas cenas em que eles estarão presentes.

Quase paralelamente já se pode realizar o *storyboard*, que em resumo é o filme desenhado *take* a *take*. Essas duas etapas são realizadas em paralelo, pois os profissionais envolvidos na primeira (ilustradores) e os dedicados à segunda (*storyboarders* ou *boarders*) necessitam se comunicar constantemente durante a realização de suas tarefas.

Depois do *storyboard*, será realizado o *animatic*, que é uma prévia do filme animado feito com traços bem simplificados e normalmente desenhado por uma só pessoa. Esse *preview* serve para que o diretor tenha uma noção bastante aproximada do tempo de cada cena e possa interferir na ação antes que a produção efetivamente comece.

Com o *animatic* pronto, o diretor de arte ainda pode fazer uma segunda decupagem para corrigir possíveis falhas e entender melhor como a anatomia das personagens interage com os cenários.[3]

Etapas da produção

Tendo a equipe de arte desenhado as personagens no que chamamos de *model sheets* e *expression sheets*, esses documentos podem ou não ser enviados à equipe de *rigging*, que será responsável por criar as articulações nos personagens caso a técnica de animação escolhida seja o 2D digital e não o tradicional.

No caso do tradicional, não há o *rigging*, mas um exercício consideravelmente maior de desenvolvimento de *expression sheets* e *model sheets*, já que o filme será totalmente desenhado quadro a quadro. Ressalto também a questão da animação em 3D, na qual antes do *rigging* há a etapa de modelagem tridimensional de personagens, cenários e *props*.

Como definição básica, *rigging* é uma técnica de animação em 3D que adiciona movimento a um personagem simulando articulações própria de sua natureza estrutural (esqueleto) e de sua linguagem corporal.

A etapa do leiaute pode ser realizada em paralelo ao *rigging* e consiste na configuração de cenários, personagens e *props* cena a cena, buscando a melhor proporcionalidade e a comprovação da funcionalidade e harmonia dos elementos em conjunto.

A partir daí, segue-se para a fase da animação propriamente dita, que pode ser realizada utilizando as mais diversas técnicas. Atualmente, os principais estúdios brasileiros – sobretudo porque as séries de animação têm grande demanda nacional e internacional – preferem trabalhar com a animação 2D digital utilizando a técnica do *cut-out* ou recorte, que é basicamente a animação dos *puppets*, ou seja, das personagens articuladas previamente na etapa de *rigging*.

Vejamos outras técnicas de animação:

- *Full animation* (ou tradicional)
- *Stop motion*
- *Pixilation*
- 3D digital
- Rotoscopia

Quando as cenas estão devidamente animadas, caso as ações dos personagens tenham sido produzidas em separado, segue-se o processo de composição, que é a inserção destes nos cenários finais, cena por cena.[4]

Etapas da pós-produção

A animação é possivelmente a linguagem dentro do espectro maior do audiovisual em que o planejamento é mais valorizado, pois, diferentemente dos filmes de ação real, em uma animação não se "gravam" três, quatro ou mais vezes uma cena para decidir qual delas será utilizada. Da mesma forma, em animação não existe o chamado "material bruto" de onde se extrairão os momentos que o diretor considera melhores para entrar no filme.

Como na animação tudo é pensado bem antes de se iniciar efetivamente a produção, a pós-produção de filmes realizados nessa linguagem é em geral bem mais simplificada, o que não significa que em determinadas obras não sejam exigidos recursos complexos na forma de filtros, efeitos especiais, simulações de câmera, sombreamentos dramáticos etc.

Em animação, as cores em geral são determinadas desde o desenvolvimento e fixadas em definitivo desde a pré-produção; assim, a etapa de correção de cores dificilmente existe nos filmes animados. Também a edição e montagem são fases muito mais simplificadas em animação, pois todo o filme foi realizado em função do *animatic* produzido bem antes de se iniciar o trabalho dos animadores. No entanto, determinadas animações optam por utilizar recursos de pós-produção, como filtros de partículas, granulações de cinema diversas, desfocagens propositais, reenquadramentos etc., que pedem realmente um olhar especial na fase de pós-produção no sentido de enriquecer ainda mais a obra.

O mercado da animação

A animação brasileira, sobretudo as obras seriadas, nunca estiveram em melhor fase. Estúdios têm hoje séries sendo exibidas em canais internacionais como Disney, Cartoon

Network, Discovery Kids, NatGeo Kids, Nickelodeon, entre outros, e essas produções têm sido vistas em centenas de países.

A série *Turma da harmonia*, criada por mim, está neste momento no canal Disney Junior, sendo exibida no Brasil e em mais de 40 países e territórios da América Latina.

O Brasil tem se destacado no panorama mundial como um celeiro de grandes produtores de animação, tendo filmes brasileiros sido premiados consecutivamente nos maiores festivais do mundo. Destaca-se *O menino e o mundo*, de Alê Abreu, que além de ter vencido o Festival de Annecy, mais conceituado evento de animação do planeta, foi finalista do Oscar em 2016.

A animação brasileira tem alcançado altíssimos níveis de qualidade e de aceitação do público, que ainda é em sua maioria formado por crianças, e figura como ponta de lança das políticas do audiovisual criadas em conjunto pelo Ministério da Cultura (Minc) e pela Agência Nacional do Cinema (Ancine). Em verdade, a situação bem-sucedida da animação nacional se deve muito a essas políticas, que compõem um delicado mecanismo que envolve produtores, canais, distribuidoras, exibidores e empresas patrocinadoras, beneficiando todas as etapas da produção cinematográfica, do desenvolvimento à distribuição.

A seguir cito algumas políticas de destaque para a animação e o audiovisual como um todo:

- **Lei n. 8.685.** A chamada **Lei do Audiovisual**, criada em 1993, estimula o investimento na produção audiovisual por meio de renúncia fiscal de patrocinadores, similar ao formato da Lei Rouanet.
- **ProAnimação/AnimaTV.** Criado em 2008, o Programa Nacional de Fomento à Animação Brasileira surgiu junto com o AnimaTV, que foi o primeiro programa de incentivo à produção e teledifusão de séries de animação brasileiras (o programa infelizmente só teve a sua primeira versão e permanece inativo até o momento da escrita deste texto).
- **Lei n. 12.485.** Criada em 2011, refere-se à proteção do conteúdo nacional, obrigando todos os canais de TV fechados a adquirir conteúdo audiovisual brasileiro.
- **Programa de Apoio ao Desenvolvimento do Audiovisual Brasileiro e Programa de Apoio ao Desenvolvimento do Cinema Brasileiro.** Os chamados Prodavs, de estímulo aos produtos para TV, e Prodecines, de estímulo aos filmes para salas de cinema, são políticas criadas no âmbito da Ancine tendo como principal fonte de financiamento o Fundo Setorial do Audiovisual (FSA). São linhas de incentivo ao audiovisual que contemplam desde a formação e o desenvolvimento até a distribuição e o financiamento de salas de cinema.

NOTAS

1. Sigmund Freud (1856-1939), médico, foi o grande construtor da psicanálise. Seus escritos e textos ultrapassam a barreira do "científico" e alcançam o cultural, o ensaio e a contribuição do entendimento do ser humano a partir do século XX. Seu valioso acervo e talento influenciaram a arte audiovisual, teatral e cinematográfica, ao conferir às pessoas a noção do inconsciente – e, portanto, o fluxo narrativo interior da persona e os desejos reprimidos. Seus estudos ajudaram a melhorar não só a compreensão do ser humano como também a das personagens, seus instintos e ansiedades. Até mesmo hoje em dia sua contribuição é reconhecida por meio dos psicanalistas e estudiosos "pós-freudianos". Filmes foram feitos sobre sua pessoa ou baseados em suas pesquisas. Freud também contribuiu para o estudo da criatividade e da forma de pensar do ser humano. Existe ampla bibliografia sobre ele.
2. Existem no Brasil editais públicos destinados à produção audiovisual animada realizados por diversos órgãos governamentais, destacando-se entre eles a Agência Nacional do Cinema (Ancine) e o Ministério da Cultura (MinC), que podem exigir como critérios de participação somente o argumento e a arte conceitual básica, ficando o restante do desenvolvimento para depois. No entanto, por vezes os editais exigem o processo de desenvolvimento completo.
3. Em geral, as vozes originais são gravadas antes do *animatic* para que ele seja produzido já com o tom que o filme terá. Isso faz que as etapas de pré-produção e produção abriguem um ponto de cruzamento. Ainda na pré-produção também se encontra o *color key* do filme, ou seja, o tom, literalmente, que vai predominar na obra, e se constrói o *color script*, que é a escolha de cores predominantes, cena a cena, com o objetivo principal de estabelecer climas dramáticos e *moods* específicos.
4. Atualmente a grande maioria das obras audiovisuais em animação, seriadas ou não, é produzida utilizando *softwares* especializados de acordo com o estilo da animação pretendido. Os mais utilizados hoje são: Toon Boom Harmony (para animação) e Toon Boom Story Board Pro (para *storyboard* e *animatic*); TV Paint; Maya; 3D Studio Max; After Effects.

BIBLIOGRAFIA ESPECÍFICA SOBRE ANIMAÇÃO

BLAIR, Preston. *Cartoon animation*. Lake Forest: Walter Foster, 1994.

CAPODAGLI, Bill; JACKSON, Lynn. *Nos bastidores da Pixar*. São Paulo: Saraiva, 2010.

CAVALIER, Stephen. *The world history of animation*. Oakland: University of California Press, 2011.

GLEBAS, Francis. *Directing the story*. Nova York: Focal Press, 2008.

GOLDBERG, Eric. *Character animation crash course!* West Hollywood: Silman-James, 2008.

LUCENA, Alberto. *Arte da animação*. São Paulo: Senac, 2011.

NESTERIUK, Sérgio. *Dramaturgia de série de animação*. Edição do I Programa de Fomento e Teledifusão de Séries de Animação Brasileiras. São Paulo: AnimaTV, 2011.

SCOTT, Jeffrey. *How to write for animation*. Nova York: Overlook, 2002.

THOMAS, Frank; JOHNSTON, Ollie. *The illusion of life*. Nova York: Abbeville Press, 1981.

WHITAKER, Harold; HALAS, John. *Timing for animation*. Nova York: Elsevier/Focal Press, 2009.

WILLIAMS, Richard. *The animator's survival kit*. Londres: Faber & Faber, 2001.

SITES

Cartoon Brew – www.cartoonbrew.com

Animation World Network – www.awn.com

Animation Magazine – www.animationmagazine.net
Animação S.A. – http://animacaosa.blogspot.com.br

FESTIVAIS

Anima Mundi – www.animamundi.com.br
Festival de Annecy – www.annecy.org
Animafest – www.animafest.hr/en/2016/home
Festival Internacional de Ottawa – www.animationfestival.ca
Fantoche – http://fantoche.ch/en
Festival de Hiroshima – http://hiroanim.org/index_en.php
Festival de Stuttgart – https://www.itfs.de/en

5·5 CONCLUSÃO E EXERCÍCIOS

CONCLUSÃO

O trabalho do roteirista não se limita à escrita de roteiros originais para cinema, televisão e *streaming*, mas conta com variadas possibilidades. As técnicas de roteiro e a metodologia básica são as mesmas.

Refletimos sobre a atividade de adaptação, definida como uma transcrição de linguagem.

Falamos dos graus de adaptação: a adaptação propriamente dita, a baseada, a inspirada, a recriação e a adaptação livre.

Comentamos que o trabalho de adaptação de uma obra teatral e de um conto supõe uma ampliação do material dramático, ao passo que no romance o trabalho é de condensação.

Foram apontados os fatores em conta no trabalho de adaptação e dadas as chaves para que o original não seja transfigurado.

Tratamos das especificidades dos espetáculos infantis, dos shows e dos musicais, mostrando a necessidade do grande final, soma da apoteose e do epílogo.

Focamos os programas educativos, a educação a distância e passamos brevemente por algumas características específicas da publicidade, do clipe, dos documentários, da fotonovela, dos *comics* e do rádio.

Também foi comentada a figura do roteirista esportivo.

E por fim foram longamente expostas todas as etapas do processo de animação atual.

EXERCÍCIOS

Uma vez que neste capítulo foram apresentados diversos tipos de roteiro, proponho realizar os exercícios sobre alguns deles separadamente, com o propósito de trabalhar as particularidades de cada um.

Adaptação

1. Comparar um romance com sua adaptação cinematográfica ou televisiva. Um exemplo a utilizar poderia ser *O silêncio dos inocentes* ou *Dom Quixote de la Mancha*.

2. Como exercício escrito, proponho a recriação de um conto de O. Henry ou de Patricia Highsmith. Depois, comparar a recriação com a que foi produzida para o cinema ou qualquer outra mídia.

3. Comparar adaptações célebres que foram feitas mais de uma vez para o cinema. Por exemplo, as duas adaptações de *O destino bate à sua porta*. Notar que cada adaptador projeta no trabalho seus pontos de vista.

Outros roteiros

Gravar um anúncio e um clipe. Reconhecer as respectivas características específicas, principalmente a diversidade das imagens.

Documentário

Assistir e analisar o documentário *Edifício Master*, de Eduardo Coutinho, ou qualquer filme de Domingos de Oliveira.

Devo confessar que ambos são insuperáveis. O primeiro por ser um sério documentarista e o segundo por ser um documentarista da própria existência, o "Woody Allen brasileiro". Aproveitem.

OBSERVAÇÃO IMPORTANTE

Colaboraram neste segmento os seguintes especialistas:

- Romulo Barros, diretor e roteirista (musicais).
- Ducca Rios, diretor e roteirista de animação e líder do núcleo criativo Anima Bahia.
- Sylvia Palma, diretora de documentário.

Parte 6

NOVAS MÍDIAS

"A distinção entre passado, presente e futuro
é apenas uma ilusão teimosamente persistente."

(Albert Einstein)

"Sabe qual é a diferença entre prazer, gozo, orgasmo e êxtase?"

(Facebook – Coleção Particular DC)

6.1 ROTEIRO E TECNOLOGIA

REFLEXÕES SOBRE NOVAS MÍDIAS

Nunca se escreveu tanto na face da Terra; são bilhões de mensagens por segundo percorrendo o planeta. Todavia, jamais se escreveu tão mal. Palavras inúteis, na maioria das vezes perda de tempo cujo consumo é irrelevante – para não dizer nulo. Também nunca se leu tão pouco, mesmo que o número de livros tenha crescido em unidades absolutas, mas não em frações relativas em referência à quantidade de alfabetizados do planeta. Isto é, o peso da palavra escrita chegou a seu ponto mais ralo, mais baixo.

Essa falsa pretensão de fazer de todo usuário da rede um escritor é puramente ilusória. Na maioria dos casos ele se dedica a mentir e a postar sua fantasia para o mundo. De receptor ele passa a exibidor. Mostrando fotos de família, qualidades artísticas, músculos, preferências, como se ele fosse o único no mundo a ter ou sentir tudo aquilo. Expõe o óbvio imaginando-se um deus vivo, quando na verdade foi tragado pelas malhas da massificação.

Nas redes sociais não se criam histórias, apenas relatos que se perdem com o tempo, sendo substituídos com imensa rapidez diariamente. Fica complicado identificar o escritor talentoso no usuário comum da internet, até porque os objetivos são diferentes nas inúmeras atividades. O que mais se observa são trechos escritos que aparecem diariamente como forma de comunicação instantânea.

Também se pode concluir que a internet não é uma fonte segura de conhecimento, já que tem cavernas enormes de pirataria, assuntos escusos, ilegais. E pior, é fruto de controle e espionagem de Estados, nações e grupos.

Não estou deplorando o meio nem destruindo sua enorme capacidade de criação e comunicação, todavia não existe meio de comunicação e artístico perfeito sem espaços para evoluir e se transformar, mas desencadeando novas problemáticas. Por exemplo: nas artes plásticas, as falsificações dos grandes mestres.

Também com a chegada das novas mídias aconteceu sistemática infração aos direitos autorais. Uma desregulamentação tão forte como se fosse um cenário de uma grande bolha que acaba explodindo em cascata.

Perguntas: **vale a pena escrever? Compor? Criar? Como um artista vai sobreviver?**

É evidente que quando uma infração desse calibre acontece, leva de roldão uma série de outros direitos, como o direito à privacidade. E o mundo deve ser repensado, pois se torna muito estranho, bizarro.

Torna-se moralista, mas vulgar. Violento, sangrento, mas ultrarreligioso. Preocupado com a segurança de fronteiras e propriedades, mas destituído de ética na política e no dia a dia. Tantos opostos fazem surgir a banalidade do senso de vida, impunidades e extremismos.

Razões suficientes para as pessoas fugirem para o mundo virtual.

A abrangência e o controle da privacidade são tão extensos que na Inglaterra existem mais câmeras de vigilância nas ruas e espaços geográficos do país que o número de habitantes. Se alguém tiver necessidade de caminhar numa floresta e precisar urinar numa árvore, em dois minutos haverá um helicóptero iluminando o infrator, que será julgado e condenado de acordo com a lei. Para não falar nos microfones escondidos nas florestas alemãs e nas câmeras infravermelhas no monte Fuji, no Japão, que não permitem que as pessoas tenham um suicídio tranquilo e honroso, pois serão presas e processadas. São os meandros da liberdade vigiada.

Na China e-mails com as palavras "liberdade" e "democracia" são sumariamente tragados pelo governo. E isso é apenas a ponta do *iceberg* do que ainda pode vir a acontecer. Hoje o Google Maps pode flagrar as pessoas na porta de casa.

A pergunta final desta reflexão é: o que o ficcionista ou roteirista tem que ver com tudo isso? Muito. Evidente que nossa profissão não vai acabar, porque o homem é um ser criativo, depende da imaginação para existir, para ser retratado em palcos por meio de palavras, imagens, sons e ações. Eletronicamente ou em presença viva no palco, necessitamos nos conhecer e reconhecer por meio do eterno processo de alguém que escreva a representação do existir.

Esta Parte 6 é dedicada ao ROM, roteirista de novas mídias, criatura batizada por mim que terá o dever e a obrigação ética e estética de levar a dramaturgia para as novas mídias do terceiro milênio.

Uma reflexão final que me parece fundamental, um estímulo e atenção a este segmento. Todo processo de criação ficcional no espaço cibernético começou com a palavra, com o hipertexto, se transformou em imagens por meio da acuidade dos bits e da digitalização. Hoje é permitido conceber uma interação ficcional entre palavra e imagem, e assim se retorna aos fundamentos da dramaturgia. O homem em ação despindo suas emoções.

Um detalhe final é que entre cada segmento deste conjunto de textos serão apresentados palavras, frases, relatos ou narrações pitorescas encontradas em plataformas como Facebook, Twitter e WhatsApp.

> "Amizade nunca foi nem nunca será uma questão de presença física.
> Porque amigo não precisa estar. Amigo precisa ser."
>
> (Facebook – Coleção particular DC)

6.2 COMUNICAÇÃO – E-MAIL, REDES SOCIAIS, HIPERTEXTOS E SITES

MEIOS DE COMUNICAÇÃO NO CIBERESPAÇO

Os inúmeros recursos que as multimídias oferecem, além de sua natural interação característica da web 2.0, podem ser usados por pesquisadores e roteiristas com grande vantagem, além de ampliar a possibilidade de exposição de suas atividades a profissionais especializados num mercado cada vez mais segmentado.

Sem nenhuma pretensão de ser um resumo definitivo e aprofundado ou sequer um panorama técnico, repassaremos algumas definições dos principais recursos utilizados para uma comunicação eficiente. Lembramos que, no mundo digital, conceitos, jargão e programas sofrem modificações ou são descartados com tal rapidez que, daqui a poucos meses, essas ferramentas ou recursos de comunicação podem já estar defasados.

Os tópicos a seguir têm utilidade para o roteirista, como: fonte de ideias, comunicação entre as personagens, composição do perfil da personagem, descobertas rápidas de um segredo ou informação etc.

Além do uso ficcional desse material num roteiro, durante a escritura ele pode servir para busca de informação imediata. A isso se acrescenta que em outros roteiros, como documentários ou educacionais, pode ser feito em campo durante a filmagem.

Os tópicos que se seguem são por vezes de escritura individual, outros resultados de escrituras coletivas (*chat*/conversas) e ainda outros de pesquisa aberta.

Também ele pode servir de comunicação entre o autor-roteirista e sua equipe ou produção em andamento.

Basicamente divido os meios de comunicação do ciberespaço em cinco grandes grupos:

- **Por transmissão** – Alguém transmite alguma mensagem. O caso mais singelo é o **e-mail**.
- **Por intercâmbio** – Existe uma troca de material de que tipo for entre as partes. Pode ser **imediato ou não**. Troca de textos, vídeos, fotos e links, entre usuários por

meio de serviços gratuitos: Twitter, MSN, Instagram, Tumblr, Snapchat, Facebook, WhatsApp, entre outros.

- **Por exposição** – Indivíduos, grupos, empresas expõem num espaço virtual material referente a determinado tema ou a si próprio. Por exemplo: sites, blogs, fotologs etc.

- **Por complementação** – Espaço aberto pertencente a indivíduo, grupos ou empresas, cujo conteúdo as pessoas completam com informações pertinentes ao tema em foco. Exemplo: Facebook, Sonico, Orkut, Wikipédia, LinkedIn etc. Em 2014 a rede Orkut foi descontinuada e a rede Sonico se fundiu a outra, Twoo. Ambas com poucos usuários.

- **Por totalização** – Conjunto de todos eles acoplados a outras mídias como televisão, rádio, celular etc. Por exemplo: videoconferências ou Skype.

Notar que essas classificações dos meios de comunicação não são totalmente puras, mas do ponto de vista didático nos fornecem uma melhor visão dos itens a ser abordados a seguir.

> "Escola de samba financiada por contraventores fazendo crítica à corrupção.
> O Brasil não é para amadores."
>
> (WhatsApp – Coleção particular DC)

E-mail

É um método que permite compor, enviar e receber mensagens por meio de sistemas eletrônicos de comunicação. Por ele também podem ser enviados e recebidos arquivos digitalizados.

O envio e o recebimento de uma mensagem de e-mail são realizados por intermédio de um sistema de correio eletrônico que é composto de programas de computador que suportam a funcionalidade de cliente de e-mail e de um ou mais servidores de e-mail. Mediante um endereço de correio eletrônico esses sistemas conseguem transferir uma mensagem de um usuário para outro. São utilizados protocolos de internet que permitem o tráfego de mensagens de um remetente para um ou mais destinatários que tenham computadores conectados à internet.

O primeiro sistema de troca de mensagens entre computadores de que se tem notícia foi criado em 1965 e possibilitava a comunicação entre os múltiplos usuários de um computador do tipo *mainframe*. Apesar de a história ser um tanto obscura, os primeiros sistemas criados com tal funcionalidade foram o Q32, da SDC, e o CTSS, do MIT.

O sistema eletrônico de mensagens se transformou rapidamente em um "e-mail em rede", permitindo que usuários situados em diferentes computadores trocassem mensagens. Também não é muito claro qual foi o primeiro sistema que suportou o e-mail em rede. O Autodin, em 1966, parece ter sido o primeiro a permitir que mensagens eletrônicas fossem transferidas entre computadores diferentes, mas é possível que o sistema Sage tivesse a mesma funcionalidade algum tempo antes.

A primeira mensagem, enviada pelo programador Ray Tomlinson, não foi preservada. Era uma mensagem anunciando a disponibilidade de um e-mail em rede. A Arpanet aumentou significativamente a popularidade do correio eletrônico.

O e-mail foi um invento feito para o Pentágono para os "planos de guerra" americanos.

Ray Tomlinson iniciou o uso do sinal @ para separar os nomes do usuário e da máquina no endereço de correio eletrônico em 1971.

A rápida evolução dos meios de comunicação via internet aos poucos tornou o e-mail um recurso menos usado, substituído pelas redes abertas nos computadores pessoais ou pelo aplicativo móvel de mensagens e mídia social WhatsApp, uma *startup* de rápido crescimento.

O e-mail ainda é um recurso importante de comunicação porque permite remeter documentos com assinatura legal e que pode ser usada em processos, além de propiciar o envio de arquivos mais pesados como fotos, vídeos, textos mais longos e difíceis de ler numa tela de celular.

O Facebook comprou o WhatsApp em 2014 por US$ 22 bilhões, depois da aprovação regulatória da União Europeia. À época, o WhatsApp contava com mais de 600 milhões de usuários.

Uma observação: esse texto foi retirado da Wikipédia e editado.

Mais um detalhe final: o e-mail vem substituindo pouco a pouco o serviço postal, principalmente os cartões de Natal, Páscoa, aniversário e outros.

Vale a pena recordar que a fotografia não destruiu a pintura, como o e-mail não vai exterminar a carta manuscrita.

"Erótica é a alma que se diverte, que se perdoa, que ri de si mesma e faz as pazes com sua história. Que usa a espontaneidade para ser sensual, que se despe de preconceitos, intolerâncias, desafetos. Erótica é a alma que aceita a passagem do tempo com leveza e conserva o bom humor apesar dos vincos em torno dos olhos e o código de barras acima dos lábios. Erótica é a alma que aceita suas dores, atravessa seu deserto e ama sem pudores. Aprenda: bisturi algum vai dar conta do buraco de uma alma negligenciada ano a fio."

(WhatsApp – Texto de Adélia Prado)

"E Schopenhauer não era brasileiro."

(Facebook – Poeta Flávio Viegas Amoreira)

Digressão

Como reconhecer as *fake news*? De acordo com os especialistas, devemos estar atentos a cinco pontos para fugir da cilada da notícia falsa.

1. **Desconfie de exageros:** as manchetes das notícias falsas são cheias de exclamações e maiúsculas.
2. **Evite mistérios:** diante de títulos como "Você não vai acreditar", segure a curiosidade e não acredite.
3. **Verifique o veículo:** observe se o site é confiável e se revela o nome do jornalista ou informações sobre o proprietário da página.
4. **Confira a fonte:** busque o nome do jornalista, veja se a matéria é feita com base em pesquisas ou entrevistas; se não tiver fonte, esqueça.
5. **Não confie em ninguém:** até sites renomados podem errar, o ideal é acompanhar diversos.

Para finalizar, um adendo: na verdade *fake news*, boatos e fofocas são feitos da mesma matéria, a mentira, porém em diferentes estágios.

"Papai e mamãe se conectaram no Facebook e ficaram amigos. Papai mandou um *tweet* convidando sua mãe para ir a um *cybercafé*. Descobrimos que tínhamos muitos *likes* em comum e nos entendíamos muito bem. Quando não estávamos no *laptop*, conversávamos por WhatsApp e Skype. E fomos dando mais *likes*, até que certo dia decidimos compartilhar nossos arquivos. O papai introduziu sua memória flash na porta USB da mamãe. Quando o *download* dos arquivos começou, percebemos que havíamos esquecido do *software* de segurança e que não tínhamos *firewall* nem filtro de Snapchat. Já era tarde para cancelar o *download* e foi impossível apagar os arquivos, gerando a mensagem "Instalação realizada com sucesso". Com isso as notificações mensais da sua mãe pararam de chegar e nove meses depois você apareceu como novo contato de usuário, solicitando *login* e senha."

(WhatsApp – Coleção particular DC)

Messenger (MSN)

A partir de 1999 se tornou um portal e em 2001 substituiu o ICQ, mantendo sempre as mesmas funções. Os serviços de mensagens instantâneas como MSN Messenger possibilitam o uso interativo em tempo real de imagem e voz, como o Google Talk ou o Skype. São úteis aos profissionais da escrita já que podem se comunicar ao vivo com seus parceiros caso estejam escrevendo em grupo. É uma forma de reunião prazerosa e produtiva que independe do lugar em que cada um esteja. Basta marcar uma hora para o encontro e ter um computador com câmera e microfone. Usado por adolescentes e outras tribos.

Também foram criados jargões e linguajar específico, imediatamente transportados para as mensagens enviadas de telefones móveis.

O Messenger também propicia a criação de falsas identidades e personagens fantasmas. Até certo ponto, alimenta fantasias pessoais. Mecanismos que o calor da voz e a fisionomia viva destroem "por instinto" em segundos.

> "Este ano não haverá Natal, o Gilmar Mendes
> mandou soltar as renas do Papai Noel."
>
> (WhatsApp – Coleção particular DC)

Facebook

A rede social é uma das formas de representação dos relacionamentos afetivos ou profissionais dos seres humanos entre si ou entre seus agrupamentos de interesses mútuos.

A rede é responsável pelo compartilhamento de ideias entre pessoas que têm interesses e objetivos em comum e também valores a ser compartilhados. Um grupo é composto por indivíduos cuja identidade é semelhante ou complementar.

Essas redes sociais estão hoje instaladas principalmente na internet devido ao fato de esta possibilitar uma aceleração e uma ampla divulgação das ideias, além da absorção de novos elementos em busca de algo em comum.

Redes sociais como Orkut e MySpace, surgidas nos primórdios dessa forma de comunicação, foram aos poucos substituídas pelas vantagens do Facebook, que aparentemente oferece ao usuário mais privacidade, segurança e infinitas opções de personalização de sua página e serviços, além de reduzir a presença de *banners* e propagandas em excesso. Aliás, este é um dos problemas do e-mail: recebemos diariamente uma quantidade enorme de anúncios, malas-diretas, correntes etc.

O Facebook é a maior rede social da internet com quase 2 bilhões de usuários falantes de 44 idiomas. E já oferece o serviço de tradução instantânea dos posts para todos os usuários, inclusive em idiomas mais raros.

No caso do trabalho de um pesquisador, escritor ou roteirista, é vantajoso usar esses serviços para ampliar sua rede de contatos em função de suas atividades.

A participação no Facebook pode ser individual ou grupal.

Dividimos o Facebook em **oito categorias principais**:

- **Pessoal:** reflete nosso mundo, família, datas, amigos, cumprimentos, perdas, doenças, ajudas, xingamentos e tudo referente ao *self* (o ego).
- **Comercial:** vende-se ou compra-se algo – ideias, trabalhos, prêmios, produtos, *marketing*.
- **Político:** a guerra das palavras, das ideologias, dos partidos, das críticas, dos apoios, das sátiras, das doutrinas e tudo que se refere ao mundo da política.
- **Pornografia e erotismo:** sexo explorado em todas as suas atitudes, direta ou indiretamente. Como se sabe, a pornografia é o erotismo do outro, ou vice-versa.
- **Religioso/místico:** católicos, evangélicos, muçulmanos, judeus, espíritas, budistas, seguidores das regiões afro-brasileiras, confucionistas e seguidores de todas as religiões/seitas.
- **Culturais:** poesia, cartas, filmes, músicas, científicos, ciência, tecnologia, livros, geografia, história e a cultura do mundo num clique.
- **Didáticos:** cursos, novidades, indicações universitárias, material profissionalizante e qualquer material de ensino, inclusive os panfletários.
- **Mistos e revelações obscuras:** referência aos casos de vazamento de imagens ou filmes de famosos ou não, falsas revelações, textos ou mensagens envolvendo alguns dos temas antes citados. Normalmente encontrados em grupos.

Ainda sobre o Facebook, devemos considerar dois aspectos: a revelação do perfil do usuário e a manipulação.

A revelação do perfil do usuário é um assunto seríssimo, já que por meio dele se pode tabular o ser humano, revelando como ele é, pensa e sente.

Informações fundamentais que destroem a privacidade do indivíduo, além de prover a matriz do Facebook com os desejos, sonhos, medos e necessidades dos usuários para fins comerciais ou políticos. Seguindo-se em seu rastro a manipulação.

De acordo com Michal Kosinski, professor da universidade de Cambridge, 68 curtidas são o suficiente para adivinhar com 95% de acerto a cor da pele, 88% para a orientação sexual e 85% para preferência política do usuário.

Nível de inteligência, uso de drogas, desejos e medos são descobertos com mais de 300 curtidas. Eles são suficientes para a inteligência artificial conhecer melhor a pessoa do que ela mesma.

Quanto à manipulação, pode-se dizer que o processo veio à tona nas eleições presidenciais americanas de 2008, quando Barack Obama foi eleito.

O ápice chegou com um investimento de 1,4 bilhão de dólares nas campanhas de Trump e Hillary Clinton, quando se utilizou o Facebook para definir que leitores deviam focar, onde deveriam fazer comícios e outras manipulações como *fake news* (notícias falsas), que até o presente momento estão sendo investigadas pelo FBI – inclusive com a suspeita de interferência estrangeira no processo.

Em referência a essa eleição, como intitulou o *New York Times*, na verdade não ocorreu uma "guerra pelo voto", e sim uma "guerra virtual".

Ao contrário do que se imagina, a manipulação nas redes sociais pode ser direta ou indireta, indo ao encontro dos desejos do receptor ou contra eles. Para se ter uma ideia da grandeza numeral da manipulação, depois do inquérito do Senado americano, o Facebook deletou 40 sites suspeitos em julho de 2018.

Apesar de alcançar milhares de pessoas, a manipulação trabalha como se tivesse um único alvo individual: você (ou melhor, todas as pessoas com perfil semelhante ao seu).

A seguir descrevo, por meio de exemplos, minha classificação de manipulação nas redes sociais.

1. **Antimanipulação:** difundem-se sites falsos com notícias positivas e número exagerado de seguidores para disseminar inveja, ódio e revolta em pessoas ideologicamente contrárias. Procedimento baseado na singela premissa de que até discursos morais podem desencadear desejos imorais no próximo. Assim, para um operário americano conservador e desempregado, envia-se um site de latinos ricos e bem--sucedidos nos Estados Unidos, com milhares de seguidores (falsos). A um cidadão americano conservador e aposentado, enviam-se links de muçulmanos preconizando a morte do império americano.

2. **Pró-manipulação:** ressaltam-se qualidades positivas e direitos de um número exagerado de seguidores de um grupo fanático. Assim, um grupo de cidadãos brancos se dedica à caridade. Alguns deles foram mortos por gangues de afro-americanos. Operários desempregados recebem links sobre banqueiros chineses que abrem fábricas na China, roubando tecnologia e fechando plantas industriais nos Estados Unidos.

3. **Mista**: sites falsos que enfatizam e propagam, em todos os sentidos e sentimentos, qualquer tipo de fanatismo (religioso, nacionalista, racista, misógino, machista,

anticomunista, homofóbico etc.). Por vezes antimanipulação, por outras pró, mas sempre disseminando discórdias físicas e/ou conflitos interiores.

Antes de finalizar o tema, gostaria de fazer algumas observações:

- Raramente no Facebook se encontram sementes para ideias ou trampolins para o desenvolvimento de roteiros. Isso pode parecer contraditório, pois existe uma mar de mensagens trocadas por essa via. Entretanto, é ralo em notícias, uma das fontes de ideias, e pródigo em relatos pessoais, posições políticas ou religiosas, que são irrelevantes como material propício para desencadear a dramaturgia. São opiniões que levam à chamada "cultura do medo ou raiva".
- Mesmo considerando que 2017 terminou com mais de dois bilhões de contas ativas no Facebook, alguns especialistas já apontam uma perda de interesse anual por parte dos usuários, sobretudo depois que diversas violações de privacidade foram reveladas em vários lugares do mundo. É a rede social que possui a maior taxa de desativação de contas devido ao excessivo "comércio" e às *fake news*.
- Também já foi descrito uma espécie de "Facevício" – pessoas que ficam o dia inteiro ligados no Facebook, transmitindo e recebendo conteúdos, como se não tivessem mais nada que fazer da vida. Portanto, existe a presença de certa "ludopatia virtual", isto é, uma enorme vontade de ficar conectado ou jogando on-line.
- Deve-se ao Facebook o surgimento de dois termos: "viralizar" e "meme". Um conteúdo viraliza quando alcança milhões de usuários. E meme vem do grego *mimetismo*: biologicamente, ocorre quando um organismo assume características de outro organismo, se tornando uma espécie de "dublê". Nas redes sociais, é usado quando determinada figura ou personalidade conhecida adquire um novo sentido, quase sempre pejorativo, crítico ou humorístico.
- Como aspecto final, enfatizo a infantilização do adulto com filminhos familiares, figurinhas, desenhos, joguinhos, enigmas etc., embora esse aspecto esteja mais presente no WhatsApp.

"No Brasil tudo é diferente: começa na tomada elétrica de três pinos e acaba em uma urna eletrônica com o voto obrigatório. Enfim, um país em que o que dá errado nos outros dá certo aqui. Logo, o brasileiro parece um inglês que nunca leu Shakespeare."

(Facebook – Coleção particular DC)

Twitter

Quem pensa que o Twitter foi criado no terceiro milênio não leva em conta o cotidiano da França na Belle Époque – época repleta de fatos mundanos e extraordinários que não chegaram a marcar a história oficial, mas não escaparam do olhar implacável do jornalista Félix Fénéon. Ele registrava, em sua coluna diária no jornal parisiense *Le Matin*, acontecimentos violentos e libidinosos do dia a dia, e só precisava de três linhas e não mais do que 180 caracteres. Vamos aos exemplos, retirados do saboroso livro *Notícias em três linhas* (Rio de Janeiro: Rocco, 2018):

- O Sr. Scheid, de Dunquerque, alvejou três vezes sua esposa. Como errasse todos os tiros, disparou contra a sogra: acertou em cheio.
- No Trianon, um visitante despiu-se e deitou-se no leito imperial. Contesta-se que ele seja, conforme diz, Napoleão IV.
- Émilienne Moreau, de Plaine-Saint-Denis, jogara-se na água. Ontem saltou do quarto andar. Vive ainda, mas aguardamos notícias.

Atualmente, o Twitter está em ascensão. Devido às suas publicações nessa rede, o presidente dos Estados Unidos, Donald Trump, foi chamado de preguiçoso e raso.

Tudo porque o Twitter é um comunicador de mensagens, mais próximo do antigo telégrafo do que outras redes sociais. Ele só aceita 140 caracteres por mensagem.

É também conhecido como microblog, ferramenta criada em 2006 pela Obvious Corp., de São Francisco, para uso em tempo real, isto é, diário, pessoal e constante.

Tweet, em inglês, indica o canto dos pássaros. A filosofia básica dessa ferramenta é definida pela pergunta: "O que você está fazendo agora?"

O objetivo é seguir uma pessoa e suas atividades no dia a dia, como parentes, namorados, amigos ou artistas.

No caso de um pesquisador, escritor ou roteirista, a rápida comunicação possibilitada por essa ferramenta aperfeiçoa o contato com pessoas para localizar fontes de informação ou pesquisa, já que o *feedback* é imediato. Também agiliza os trabalhos em grupo, já que dúvidas são resolvidas em tempo real.

O Twitter está sofrendo uma mudança de objetivo. O presidente Obama utilizou intensamente esse serviço para divulgar sua plataforma. Atores divulgam desmentidos de notícias falsas pela mídia sensacionalista. Grupos lutam por eleições idôneas no Irã. Pessoas se unem em prol de uma causa, como o ator Asthon Kutcher, que em 2009 conseguiu mobilizar as atenções quando desafiou o presidente da CNN a obter um milhão de seguidores no Twitter antes dele próprio, num prazo curto e tendo em jogo uma volumosa doação de produtos contra a malária. O ator declarou que esse serviço pode ser usado como rede social para mobilizar contribuições para projetos sociais, e o prêmio foi entregue à ONG Malaria No More, que ajuda a combater a doença na África.

Serve também para fazer e manter contatos e intercâmbios com os profissionais da escrita que estejam atentos às informações sobre formas de pensar, para conhecer relatos e características de vida ou projetos de pessoas que vivem em outros lugares do mundo.

Sinceramente não utilizo o Twitter e aconselho não fazer uso desse rastreador. Pois, além de prestar contas do que está fazendo, o usuário ficará sabendo das inutilidades que os outros estão cometendo.

Como escreveu o mais notável cronista vivo brasileiro, Luis Fernando Verissimo[1], "existem coisas inevitáveis na vida, como a comida inglesa, o imposto de renda e a morte". Acrescento: e o Twitter.

Para dar um desfecho a essa febre americana do Twitter, dos novos meios de comunicação ele é o que também tem umas das maiores porcentagens de desistência – atualmente em torno de 35%.

É raro um roteirista encontrar algo que sirva para o seu campo de ideias nesse rastreador imediato.

> "Para evitar críticas, não faça nada, não diga nada, não seja nada."
>
> (Elbert Hubbard – WhatsApp – Coleção pessoal DC)

WhatsApp

WhatsApp é um *software* para *smartphones* utilizado para troca de mensagens de texto instantaneamente, além de vídeos, fotos e áudios por meio de uma conexão com a internet.

O WhatsApp foi lançado oficialmente em 2009 por Brian Acton e Jan Koum, veteranos do Yahoo!, uma das maiores empresas americanas de serviços para a internet. Sua sede está em Santa Clara, na Califórnia, Estados Unidos.

Considerado um aplicativo para celulares multiplataforma, o WhatsApp é atualmente compatível com todas as principais marcas e sistemas operacionais de *smartphones* do mundo, como iOS e Android.

O grande diferencial do WhatsApp, segundo os seus criadores, foi a inovação do sistema de utilização dos contatos telefônicos no *software*. Quando um usuário faz o *download* do aplicativo para seu telefone, não é necessário criar uma conta ou "adicionar amigos" para utilizar a plataforma. O WhatsApp "vasculha" os números de celulares salvos no aparelho e automaticamente identifica quais deles estão cadastrados no WhatsApp, adicionando-os à lista de contatos do novo utilizador.

O WhatsApp é visto como uma substituição ao SMS, por ser mais prático e econômico, pois não há custo adicional para enviar as mensagens, além do plano de dados utilizado para se conectar à internet.

Em 2014, o WhatsApp foi vendido para o Facebook, maior rede social do mundo, por aproximadamente 16 bilhões de dólares. Os fundadores ainda foram introduzidos no conselho administrativo do Facebook.

Hoje o WhatsApp pode ser utilizado na web, em Mac ou PC.

Entre outras funcionalidades do WhatsApp estão a criação de grupos de contatos, envio de fotos, vídeos, mensagens de voz, emoticons etc. Também é possível alterar as mensagens de *status* e o perfil temporário.

Usado de forma individual ou em grupo, é um excelente instrumento para troca de informações, comunicação de ideias, serviços e todas as bobagens que o ser humano pode criar. Didaticamente divide-se em oito temas, como o Facebook. Atualmente é a rede social mais utilizada e possivelmente substituirá o Messenger. (Retirado do site: https://www.significados.com.br/WhatsApp/.)

> "Não vale a pena gastar tristeza com felicidades que não se viveu."
>
> (WhatsApp – Personagem de DC na peça "Despertar dos desatinados")

Instagram

Alguns anos atrás se criou um registro na internet que replicava fotos e imagens para qualquer blog ou flog. A diferença era que predominavam fotos em vez de texto. A imagem era mais forte que a palavra.

A palavra flog é uma abreviação de fotolog, que por sua vez surge da justaposição de "foto" e "blog". Remete a um álbum de fotografia.

Em 2009 o brasileiro Mike Krieger e o americano Kevin Systrom criam o Burbn, aplicativo que daria origem ao Instagram.

O Burbn foi considerado muito "complicado" segundo os especialistas, já que só fazia fotos e funcionava apenas nos aparelhos da Apple.

Ledo engano: o Instagram se tornou a rede social que atualmente mais cresce no mundo.

É um aplicativo gratuito que tira fotos com qualquer celular, aplica efeitos nas imagens e as compartilha com a lista de contatos.

Os usuários podem **curtir** e **comentar** nas **fotos** e há ainda o uso de **hashtags** (#) para que seja possível encontrar **imagens** relacionadas a um mesmo **tema**, mesmo que as pessoas que tiraram essas fotos não sejam suas amigas.

Como todo ser humano pensa em imagens e o roteirista trabalha para o olho da câmera, o Instagram é muito bem-vindo para estimular a imaginação via visual. Tenha cuidado com quem segue e com a exposição de suas fotos.

Recentemente o Instagram criou uma "estação de televisão", parecida com o YouTube, em que o usuário tem canal e programação próprios. É curioso notar que nos Estados Unidos esse instrumento de comunicação instantânea teve um crescimento exponencial, o que não ocorreu nos Brasil e em outros países. Todavia, a maioria dos especialistas indica que o Instagram será a mídia mais popular no futuro.

Se for o caso, lembrar de usar o objeto dramático como fator de temporalidade e utilizar os números áureos já citados, como propus.

> "O meu estado civil? Estou apaixonado pela vida, me divorciei da tristeza, casei com a felicidade, sou amante da alegria e quando quero beijo a loucura!"
>
> (Instagram – Acervo pessoal DC)

Sites

Um site ou sítio é um conjunto de páginas web, isto é, um conjunto de hipertextos[2] acessíveis geralmente pelo protocolo HTTP na internet. Quase todos os roteiristas conhecidos têm um site.

O meu é: www.doccomparato.com. Ele está disponível em seis idiomas (português, inglês, italiano, espanhol, alemão e francês), e se divide nos seguintes tópicos: Biografia, TV e Cinema, Publicações, E-books, Teatro, Novidades, Seminários e *Script doctor*.

A partir de um site, de um lugar, clicamos em palavras-chave e de lá saímos para diversos outros sites por meio dos links (ligações) e navegamos na internet.

Esse conjunto de textos, imagens, portas, janelas que vão se abrindo em nosso computador é chamado de hipertexto. Tem linguagem múltipla, global e hipermórfica. O hipertexto tem intertextualidade, velocidade, precisão, dinamismo, interatividade, acessibilidade, estrutura em rede, transitoriedade e organização multilinear.

ÁRVORE DO SITE – HIPERTEXTO
Direção do usuário: tronco para galhos ou do geral para o particular

É o texto final que sai dessas navegações com as indicações e as aberturas dos sites que foram visitados. Trata-se de um texto digital.

Alguns estudiosos dizem que o hipertexto está fora de moda ou que não se fala mais nisso. Tal análise me parece prematura e fora de contexto diante do futuro da própria ficção cibernética.

O grande problema de navegar sem sentido e visitar vários sítios é a possibilidade de se perder. Sem bússola e sem uma razão não se chega a lugar nenhum. É perda de tempo na rede.

O conjunto de todos os sites existentes compõe a World Wide Web. As páginas num site são organizadas a partir de um URL básico, onde fica a página principal, que geralmente reside no mesmo diretório de um servidor.

As páginas são organizadas dentro do site numa hierarquia observável no URL, embora as hiperligações entre elas controlem o modo como o leitor entende a estrutura global. Existe um didatismo dentro dos arquivos do site.

Alguns sites, ou partes deles, exigem uma assinatura, com o pagamento de uma taxa ou um registro gratuito. Os exemplos incluem muitos sites pornográficos, partes dos sites de notícias, sites que fornecem dados do mercado financeiro em tempo real e a Enciclopédia Britânica. Inclusive jornais como o *The New York Times*.

A palavra site em inglês tem exatamente o mesmo significado de sítio em português; ambas derivam do latim *situs* (lugar demarcado, local, posição) e designam qualquer lugar ou local delimitado (sítio arquitetônico, sítio paisagístico, sítio histórico, entre outros).

Em inglês surgiu o termo website para designar um sítio virtual, um conjunto de páginas virtualmente localizado em algum ponto da web.

Com poucos anos de uso o termo website ganhou a forma abreviada site, que passou a ser uma segunda acepção do termo original. Site em inglês passou a designar alternativamente um lugar real (no campo) ou virtual (na web).

Nos anos 1990 Daniel Weller, mestre em Física e Ciência da Computação pela Universidade de São Paulo, se tornou meu aluno e por meio de seu conhecimento fui apresentado aos parâmetros do hipertexto.

A palavra foi a primeira chave que detonou a ficção dentro do espaço virtual. Adiante veremos como os objetos dramáticos ocupam esses lugares antes reservados aos vocábulos. Nada assustador, já que Gutenberg iniciou imprimindo e repetindo palavras para depois multiplicar imagens e coisas.

De acordo com Daniel Weller, o primeiro grande sucesso da narrativa baseada em hipertexto corresponde à novela *The spot*, que trata de um grupo de jovens que viviam isolados em uma casa na praia e enviavam diariamente informações para a rede. Isso hoje nos faz lembrar o *Big Brother*.

Um trabalho pioneiro no gênero de hipertexto consiste em *Afternoon*, que tem cuidadosas 539 lexias (vocábulos de um idioma), as quais fazem o leitor circular por uma complexa teia de unidades de leitura, cada qual com muitas possibilidades de links para dar andamento à história. Em outras palavras, eles tinham um número restrito de termos para usar. O que acontece hoje com o telefone celular, em que se podem criar mensagens de texto com número limitado de dígitos.

No século em que se passa em Afternoon não há um mapa geral da estrutura das histórias e as palavras-chave não oferecem muito além do que uma pista sobre o conteúdo do lugar a ser enviado. Existem alguns links que forçam o leitor a retornar à mesma lexia diversas vezes para dar prosseguimento à história. O movimento circular e contínuo por espaços contraditórios foi uma característica introduzida de forma intencional, tornando problemáticas nossas expectativas sobre o roteiro, desafiando o espectador a construir um texto com os fragmentos fornecidos. A isso se chamou **interatividade**.

A maioria dos escritores utilizou canhestramente as vantagens da oportunidade de escrever em estruturas baseadas em hipertexto. Mas a geração que está no colégio já está se habituando ao uso do hipertexto, seja pelo acesso à web, seja pela consulta a enciclopédias on-line ou até montando projetos em ambientes multimídia nos laboratórios de computação. É de esperar que a próxima geração de escritores vá aceitar integralmente o formato do hipertexto e com maior capacidade de expressão. **Transformar o emaranhado confuso das estruturas correntes da internet em um padrão de ordem mais coerente e criar.**

Enquanto as formas tradicionais de narrativa têm se aproximado do computador e o entretenimento baseado neste estão ficando mais próximos das histórias, os cientistas da computação se movem para os domínios que antes estavam restritos aos artistas criativos. Diversos pesquisadores da área da ciência da computação estão envolvidos em projetos de realidade virtual e inteligência artificial, na concepção de novos ambientes de entretenimento e de formas de desenvolvimento de personagens de ficção, expandindo o poder representacional dos computadores.

Do hipertexto pulamos para o YouTube, enquanto os cientistas já estão pensando em perfis de personagens desenhados por meio de circuitos eletrônicos.

Parece até que a inteligência artificial bate à nossa porta. Mas, como eu disse, são incapazes de explicar como nasce um poeta.

"Sempre que tiver a chance, seja a luz na vida de alguém."

(WhatsApp – Acervo pessoal DC)

Blog – E o que também acontece com qualquer rede social

É a evolução do antigo diário de outrora. Exposto para o mundo e para o que der e vier. Atualmente perde importância para outras mídias eletrônicas. Enfim, sintetizando: tudo racha, quebra, tudo passa (ditado francês). Normalmente os seguidores acompanham um blog por admiração, adoração, bajulação ou inveja. O que também acontece em qualquer rede social.

Remetem o usuário para o sentido da mitologia ou mitificação, podem emitir informações falsas como verdadeiras, são egocêntricos e interligados a interesses pessoais do emissor. Porém, existem exceções.

Na maioria das vezes os seguidores têm interesse em ser reconhecidos pelo seu ídolo, aceitos e abrigados, recebendo algumas palavras de afeto e carinho. O mesmo vale para as redes.

Um blog também serve para alardear fatos e feitos e constranger críticos ou desafetos. É normalmente usado por celebridades e de modo geral tende a se revelar efêmero. Permanece vivo enquanto o proprietário do blog tem poder e glória. Assim como ocorre nas redes sociais.

Como proclamou o controvertido artista plástico americano Andy Warhol: "No futuro todos serão famosos por 15 minutos". Atualmente ficamos famosos por minutos e até segundos.

Esse diário on-line é estruturado para permitir sua rápida atualização com novos textos ou "posts" escritos por outras pessoas, conforme a política adotada pelo proprietário. As características do blog são a livre combinação de textos, imagens e links para outros blogs e a interação entre o autor e seus leitores, o que acaba criando uma dinâmica própria. Quase sempre hedonista, assim como se passa nas redes sociais.

Em 2000, com a criação do permalink, URL que permite a localização permanente de um texto de forma a ser referenciado pelos leitores, a quantidade de blogs passou de cerca de 50 para alguns milhares.

Houve um tempo em que se criavam 100 mil blogs por dia, segundo informação do relatório "State of the blogosphere". A maioria deles é sem relevância. E a característica mais significativa é o transporte dos seguidores de um blog para o outro de acordo com as marés de exposição à mídia.

Em resumo: demonstrando o nascimento, o apogeu e a lenta morte do blog, se fez uma correlação com o que acontece com qualquer rede social.

"Não vou deixar que nada interfira no prazer de me descobrir de novo."

(WhatsApp – Personagem de DC na peça "Despertar dos desatinados")

Portal

Funciona como centro aglutinador e distribuidor de conteúdo para outros sites e sub-sites. É uma página geral sobre determinado tema ou área do conhecimento e tem por objetivo ajudar o leitor a encontrar informação específica sobre categorias, artigos, tarefas a desenvolver etc.

São mantidos por grandes empresas que têm em suas páginas anunciantes de relevância. São grupos de comunicação que abrem portais como subprodutos de seus negócios jornalísticos, televisivos, cinematográficos, bancários etc.

Geralmente é necessário um controle assíduo do portal para que este se mantenha atualizado, especialmente quando contém blocos sobre artigos recentes ou em destaque.

Para ter um conceito sobre o que é comum a todos os portais, ou sobre quais são os portais "principais" ou as "ramificações dos portais" mais importantes, o leitor deverá procurar nos grandes grupos jornalísticos, como New York Times, Folha, Globo etc.

É importante observar que os portais têm uma importante característica jornalística fundamentada na "realidade". Normalmente trazem crônicas, sugestões, blogs e outras matérias escritas por seus próprios funcionários ou colaboradores.

Com essa premissa levada em conta, fica muito difícil separar o joio do trigo. A visão será sempre editorial (ponto de vista do jornal ou da empresa), o que não quer dizer censura, mas também não é igual a liberdade. Será sempre o ponto de vista do portal. Sob pena de se perder o emprego nele ou na empresa que o mantém.

Claro está que falar mal dos pobres que contrabandeiam gasolina e cigarro ou dos falsos dentistas é bastante fácil. Mas quando se trata de denunciar o filho bastardo de um presidente da República todos se calam.

Os portais, portanto, ao mesmo tempo que podem promover grande amplitude, recepcionam o usuário com filtros por vezes obliterantes.

De toda forma, por serem isentos de vírus e de *hackers*[3], injustamente chamados de piratas da internet, ainda são uma fonte segura para pesquisa e atualização de um tema para um roteiro.

— Algum dia todos nós vamos morrer, Snoopy!
— Verdade, mas em todos os outros dias, não!

(Diálogo entre Charlie Brown e Snoopy – WhatsApp – Acervo pessoal DC)

Mecanismos de busca

São complexas ferramentas da internet utilizadas por todos. Oferecem inúmeros serviços on-line como: busca de informações, conteúdo, pesquisas, armazenamento de dados, fotos, relatos, exibição de trabalhos, mídias, notícias, anúncios etc.

O mecanismo de busca mais conhecido pertence à Google, daí nascendo a raiz do verbo "googar", anglicismo que indica informação rápida, segura e diversa.

Não vamos seguir adiante com o Google: apenas informo que essa ferramenta é importante para o roteirista. Por dia, a média pessoal chega a 20 acessos durante o trabalho de escritura de um profissional de roteiro.

Quando se acessa o Google, normalmente a primeira página que é exibida é a Wikipédia – cujo acervo é cultural, educativo, histórico, político, social e jornalístico.

É classificada por complementação. Além dos artigos básicos, os chamados de fundo (por meio de pesquisa tipo Enciclopédia Britânica), o usuário pode remeter informações, aspectos, curiosidades ou material que considere relevante para o verbete.

É a chamada enciclopédia livre ou colaborativa. Apesar de seus inúmeros méritos, contém falhas e faltas por vezes perturbadoras.

Entro na Wikipédia e busco o verbete "Doc Comparato". Entre verdades e mentiras, sobrou a singela e adorável frase informando que sou pai das atrizes Bianca Comparato e Lorena Comparato. Se a essência ficou, as gorduras foram extirpadas sem piedade.

Equívocos à parte, a Wikipédia é uma enciclopédia multilíngue on-line livre, mentirosa e colaborativa, ou seja, escrita internacionalmente por várias pessoas comuns de diversas regiões do mundo, todas voluntárias, mas, acredito, bem intencionadas.

Por ser livre, tem o meu perdão. E se entende que qualquer artigo dessa obra pode ser transcrito, modificado e ampliado, desde que preservados os direitos de cópia e modificações.

Criada em 15 de janeiro de 2001, é baseada no sistema wiki, do havaiano *wiki-wiki*, "rápido", "veloz", "célere". Vale como uma primeira visão sobre o assunto, tema, pessoa, personalidade e história que se queira pesquisar.

O processo é válido? Certamente.

O modelo wiki é uma rede de páginas web contendo as mais diversas informações, que podem ser modificadas e ampliadas por qualquer pessoa por meio de navegadores comuns, tais como Internet Explorer, Mozilla Firefox, Netscape, Opera ou outro programa capaz de ler páginas em HTML e imagens. Esse é o fator que distingue a Wikipédia de todas as outras enciclopédias: qualquer pessoa com acesso à internet pode modificar qualquer artigo, e cada leitor é potencial colaborador do projeto. O que me parece muito democrático. Mas ao mesmo tempo pouco criterioso.

É uma enciclopédia sem fins lucrativos, gerida e operada pela Wikimedia Foundation, que organiza 3,5 milhões de artigos e mais de 720 milhões de palavras em 205 idiomas e dialetos. Contém mais de um milhão de artigos na versão em língua inglesa e mais de 260 mil em língua portuguesa.

Todas as versões contabilizam cerca de 4,5 milhões de artigos. A maioria das entradas é de artigos, mas o número total de entradas inclui imagens, páginas de usuários, páginas de discussão, dados, porcentagens, perfis, entre outros verbetes.

Desde o início a Wikipédia aumentou firmemente a sua popularidade; agora existe certo declínio: seu sucesso fez surgir outros projetos concorrentes.

O fato de qualquer um, especialista ou não, poder editar o conteúdo da Wikipédia tem gerado controvérsias. Algumas revistas e/ou enciclopédias rivais, tais como Encarta e Enciclopédia Britânica, têm criticado os artigos contidos na Wikipédia, que afirmam ser abordados de tal forma que condizem com a opinião da maioria e não com os fatos provados.

Mesmo assim indico essa ferramenta como uma primeira visão do ficcionista em sua pesquisa.

NOTAS

1. Luis Fernando Verissimo nasceu em 26 de setembro de 1936, em Porto Alegre, Rio Grande do Sul. Filho do grande escritor Erico Verissimo, iniciou seus estudos no Instituto Porto Alegre, tendo passado por escolas nos Estados Unidos quando morou lá, em virtude de seu pai ter ido lecionar em uma universidade da Califórnia por dois anos. Voltou a morar nesse país quando tinha 16 anos, tendo cursado a Roosevelt High School de Washington, onde também estudou música, sendo até hoje inseparável de seu saxofone. Mais conhecido por suas crônicas e textos de humor, publicados diariamente em vários jornais brasileiros, Verissimo é também cartunista e tradutor, além de roteirista de televisão, autor de teatro e romancista bissexto. Já foi publicitário e copidesque de jornal. Com 75 títulos publicados, é um dos mais populares escritores brasileiros contemporâneos.

2. *Hipertexto* (http://pt.wikipedia.org/wiki/Hipertexto) é o termo que remete a um texto em formato digital, ao qual se agregam outros conjuntos de informação na forma de blocos de textos, imagens ou sons, cujo acesso se dá por meio de referências específicas denominadas hiperlinks, ou simplesmente links. Esses links ocorrem na forma de termos destacados no corpo do texto principal, ícones gráficos ou imagens e têm a função de interconectar os diversos conjuntos de informação, oferecendo acesso sob demanda a informações que estendem ou complementam o texto principal.

6.3 MUNDO VIRTUAL, *GAMES* E WEBSÉRIES

REFLEXÃO SOBRE OS NOVOS MEIOS PARA O ROTEIRO

As novas e diferentes variedades de entretenimento de narrativa, que caminham dos e-games (jogos eletrônicos) à literatura baseada em hipertexto pós-moderna ou aos e-books, já representavam novos formatos de roteiro no século passado. Essa ampla faixa de possibilidades e experimentações para a arte da narrativa, nesse novo meio de expressão, consiste nos precursores do Holodeck.[1]

O precursor com maior sucesso comercial corresponde à área dos jogos para computador, que está em constante aprimoramento e sofisticação, seja pelas possibilidades tecnológicas, gráficas e de desempenho, seja pela ênfase cada vez maior na história. É visível a evolução da indústria dos jogos. Basta comparar os jogos que marcaram época. Por exemplo: o primitivo jogo de tênis de mesa existente no Telejogo (*Pong*), a cabeça faminta por pontos em Pac-Man, a aventura contra os nazistas no *Castle of Wolfenstein*, a jornada para salvar a Terra em *Doom II* e o desastre em uma mina de material radioativo no *Half-Life*, lançado em 1998 com grande repercussão.

Por incrível que pareça estamos falando em passado: somente alguns anos atrás.

Na primeira parte desta seção demos ênfase às ferramentas e ao conceito da palavra. Nesta segunda fase das novas mídias, a importância é deslocada para a imagem, o objeto dramático (figura inanimada que passa a ter importância conceitual, portanto dramática e significativa) e a interatividade (participação do público na construção de partes da história).

Somando esses três conceitos – **imagem, objeto dramático e interatividade** –, alcançamos o que poderá ser chamado de virtualidade.

O que é virtual? Do latim escolástico *virtuale*, que existe como faculdade, porém sem exercício ou efeito atual, real. É apenas potencial. Todavia, no sentido cibernético, mesmo acontecendo e se passando num espaço conceitual "não real" ou palpável pelos nossos dedos, tanto recebe do mundo real como nele influi. É transformador e suscetível de ser transformado.

Se a televisão é um espelho mágico local, a virtualidade é um espelho global.

Nessa segunda fase do mundo cibernético as oportunidades dos roteiristas e dramaturgos crescem. Porque, por mais que a virtualidade seja fantasiada ou alegórica, ela passa a conter personagens e tramas, retoma o conceito de cena e de ação dramática, e os princípios e qualidades do drama são recuperados. Se bem que de uma forma bastante especial.

Vimos que virtualidade é o somatório de imagem, objeto dramático e interatividade, com portas de entrada e saída múltiplas e variadas. Em outras palavras, o acesso a ela se dá por meio de celulares, computadores, *tablets*, *games* portáteis, *palmtops*, consoles de *games* e outros a ser inventados.

Em seguida apresentamos os fundamentos básicos para ficção e roteiros dos mais significativos nos espaços da virtualidade.

Games

Os *games* também oferecem grandes oportunidades para pesquisadores e roteiristas, desde que estes se adaptem às regras de elaboração de um roteiro voltado para esse mercado.

As etapas de construção de um roteiro são as mesmas, porém mais simples e sintéticas.

Pesquisa, sinopses curtas sem especificações, sobretudo a necessidade primordial de elaborar a planilha que deve acompanhar a sinopse sobre o universo que será explorado no jogo.

Lembrar que trabalharemos com *designers*, programadores e técnicos em sonorização. Depois de pronto o roteiro, isto é, o que se chama "planilha de jogo", têm início o detalhamento de planos e a feitura eletrônica do *game*. Os diálogos devem ser curtos e objetivos, já que a dramaturgia serve como uma espécie de pausa entre um estágio de uma fase para outra.

Uma das maiores empresas de *games* do mundo, a francesa Ubisoft, inaugurou um estúdio em São Paulo em 2008 para criar e produzir *games* casuais com o objetivo de atingir um mercado recém-descoberto: o dos usuários jogadores de variadas idades que procuram distração leve, simples e rápida.

A maioria dos usuários considera que jogos casuais são a melhor invenção para combater o estresse, preferível à programação da televisão, principalmente pela liberdade que um *game* oferece ao poder ser acessado de qualquer multimídia, de celulares e *laptops* a um computador numa *lan house*. E por terem características mais leves do que os jogos nos quais há mais violência.

Quanto ao gênero, os jogos se dividem em oito tipos – notar que o oitavo são os demais não listados e abre todo um leque de opções; isso acontece porque a cada dia se criam mais jogos:

1. Ação
2. Investigação e enigma
3. Mistério
4. Mitologia
5. Esporte
6. Ficção científica
7. Misto
8. Outros: sensual, erótico etc.

De todos eles, o tipo misto é o mais usado atualmente. Existe uma tendência para misturar ação com mistério e investigação, tornando a história cada vez mais atrativa para o usuário.

Quanto à estrutura dramática, ela lembra consideravelmente a história em quadrinhos, ou melhor, o gibi. Existem poucas cenas dialogadas, românticas ou de mistério, seguidas de cenas de ação.

Outra observação é que os *games* podem ser jogados por uma pessoa ou por várias (*single* ou *multiplayer*).

Assim são divididos quanto ao uso: *games* individuais e coletivos.

O roteirista deve levar em conta essa possibilidade, dando a opção de fazer protagonismos e antagonismos com o mesmo peso e as mesmas possibilidades dramáticas. São quatro elementos indispensáveis que estão normalmente presentes em qualquer *game*:

- **Personagem** – É o elemento que o jogador vai usar para participar da história. O jogador se identifica com uma personagem. Nela é imbuída uma necessidade dramática, que pode ir de investigar uma pista ou um mistério a espancar um oponente em jogos de luta. É por meio da "personagem" que o jogador participa da história – da pranchinha que rebatia a bola naquele primeiro *game* feito no mundo, o *Pong*, às peripécias de Lara Croft.
- **Cenário** – É o universo onde o jogador vai desempenhar a ação. Em outras palavras, é onde se passa a história. Esse cenário é fundamental na composição do jogador. Quanto mais inusitado, curioso e diferente for o cenário, mais atraente será para o jogador. É por meio dele que se determina que tipo de jogo será composto.

Trata-se de um elemento totalmente indispensável que depende de pesquisa, criatividade e talento. Os cenários são também chamados de "mundos".

- **Desafio** – São as barreiras que o jogador deverá ultrapassar para ganhar o jogo. Elas seguem a classificação do conflito: humanas (vilões, inimigos, traidores etc.), não humanas (armadilhas, passagens secretas, animais, monstros, espíritos malignos, terremotos etc.) ou ela mesma (quando perde a luta, pontos e regride). O problema do roteirista está em dar um grau de grandeza a esses desafios. A complicação e a complexidade devem crescer a cada nível e ao longo do jogo. A ordem pode ser: vilões, enigmas, armadilhas, passagens secretas, chefões e toda sorte de armas para complicar a vida do personagem e, consequentemente, do jogador. Mas será essa a melhor? Cabe aqui dizer que são necessários "desafios" em todos os jogos. Nenhum jogador vai querer um *game* em que tudo está resolvido: se o vampiro já está morto, o enigma foi decifrado, a guerra é inexistente. Será um tédio sem fim.

- **Premiação** – Aqui se encontram a nossa parte primitiva quanto aos jogos e a explicação para o êxito desse tipo de virtualidade. Afinal, queremos um resultado e, com algumas exceções, alcançar nossas expectativas. Talvez alguém pense que seja até um mecanismo pavloviano[2], de adestramento de animais com biscoitos adocicados, mas o *game* distrai, concentra e até certo ponto tem seus méritos. A premiação está intimamente ligada à satisfação pessoal, o jogador ultrapassou determinada barreira, recebeu um beijo da mocinha, um troféu dourado, matou o exército inimigo ou é o rei do universo. Como se pode notar, a premiação é subjetiva, mas o princípio que rege o processo é o da satisfação. Aliado a isso temos o sentido do alívio e da missão cumprida. Esses três conceitos é que coroam a premiação. Portanto o roteirista deve buscar no final do jogo um resultado, nesse caso uma premiação condizente com toda a temática, o desenvolvimento e o enredo que foram atravessados pelo jogador. Também conhecida como vitória ou coroação.

Ainda sobre os jogos, noto que são efêmeros, entram e saem de foco como a moda, mas completam os três sentidos da virtualidade: imagem, objeto dramático e interatividade.

A partir de agora cedo a palavra ao roteirista especialista em *games* Arthur Protasio, que escreveu o texto abaixo especialmente para este livro:

O universo dos jogos digitais, ou *games*, como são conhecidos, é um mistério para muitos. Como essas curiosas obras com personagens estranhos e tramas fantasiosas ganharam tanta relevância? E como são capazes de contar histórias? Aliás, será que, de fato, conseguem comunicar mensagens e dramaturgia?

A verdade é que essa mídia está elaborando enredos desde sua criação. Alguns mais tradicionais e nitidamente influenciados por clássicos da literatura e do cinema, enquanto outros assumem uma forma mais experimental e inusitada.

Há jogos com roteiros que superam a extensão de séries de TV; outros parecem filmes e alguns misturam tudo em uma grande experiência interativa.

Interação é o conceito-chave que, unido à dramaturgia, permite tantas possibilidades. Inclusive o conceito de que o jogo em si não é uma novidade para a história da humanidade e, outras vezes, nos acompanha desde os primórdios. Brincadeiras são atividades que se manifestam naturalmente no comportamento de seres humanos e até mesmo de animais. Há grandes semelhanças com o universo da dramaturgia porque se trata de um "faz de conta".

Um "faz de conta" que é emblematicamente reconhecido na figura das próprias Olimpíadas ou dos jogos oficiais no Coliseu durante o Império Romano.

Existe uma distinção nítida de que um jogo é constituído por elementos que viabilizem a participação ativa do jogador e sua escolha por diferentes possibilidades.

O sociólogo Johan Huizinga afirma que sempre criamos um espaço ficcional quando nos envolvemos em atividades lúdicas, ou seja, uma espécie de "círculo mágico". Outros estudiosos apontam que desafios e recompensas são elementos cruciais para compor essa experiência. Afinal, bons jogos são aqueles que estimulam o engajamento, independentemente de ser uma experiência mais acelerada ou contemplativa.

Em 1958, o cientista William Higinbotham tinha o desafio de atrair e entreter os visitantes do Laboratório Nacional Brookhaven. Para isso, utilizou um osciloscópio e um computador analógico e criou o jogo *Tennis for Two*. Uma experiência simples em que duas pessoas rebatiam uma "bola" de tênis usando os controles de um aparelho que nunca foi construído com essa intenção. Esse foi apenas o início. Nas décadas seguintes, os jogos incorporam elementos de outras linguagens. Como todo processo criativo que se fundamenta em alguma inspiração, é natural que os jogos eletrônicos sempre tenham sido influenciados por outras linguagens, como a literatura, o cinema e, notavelmente, os *role playing games* (RPGs).

Na década de 1980, graças à evolução tecnológica e ao processamento gráfico das máquinas, muitos jogos passaram a ganhar representações visuais. Eles alteraram significativamente a estética e influenciaram não só das artes plásticas, mas também histórias em quadrinhos e outras linguagens.

Outros revelaram ser desdobramentos diretos do cinema e até gravaram filmes com atores reais (em vez de criarem animações) para gerar uma "película interativa".

Roteirizar jogos eletrônicos não é uma atividade trivial. Ela demanda conhecimento dos sistemas envolvidos, seja a tecnologia utilizada ou as técnicas narrativas compatíveis, e uma profunda familiaridade com a mídia e seus gêneros. Será uma história linear? Similar a um romance ou um filme? Será uma trama ramificada com diversas encruzilhadas? Se sim, como a trama será desenvolvida e concluída? O jogador tem a possibilidade de se sentir no controle da história e não apenas mero espectador? Ou existe uma subversão metafórica nesse conceito?

Todas essas indagações fazem sentido porque no segmento dos jogos os gêneros são classificados conforme a sua mecânica, ou seja, a sua principal forma de interação.

Trata-se de um quebra-cabeça? Uma experiência repleta de ação? Algo mais contemplativo? Um suspense baseado em sobrevivência e gerenciamento de recursos? A gama de categorias é vasta e crescente, pois novas premissas vão sendo descobertas conforme a linguagem é experimentada.

O conceito de narrativa nos jogos está intrinsecamente conectado ao *design*. Significa que toda história deve ser projetada levando em conta as características daquela mídia ou plataforma.

Há dois tipos de narrativa que se manifestam no universo dos jogos eletrônicos: a história do criador e a do jogador. Em outras palavras, a trama desenvolvida pelo escritor, roteirista ou diretor representa uma espécie de montanha-russa, uma jornada repleta de altos, baixos e picos de emoção. Aqui o meticuloso planejamento da experiência serve de base para todo o conteúdo que será desenvolvido e colocado à disposição do jogador. As personagens, o universo, as falas, as ações e suas surpresas, concretizam o que se chama de "narrativa embutida", porque ela já é prevista pela obra, está presente (embutida) em seus dados desde sua criação.

Já a "narrativa emergente" tem esse nome porque se refere à sucessão de fatos que decorre da participação do jogador. É uma experiência que emerge em consequência de uma série de decisões e possibilidades. Enquanto o roteiro pode ser visto como uma montanha-russa planejada, para o jogador o jogo é visto como um "parquinho". Um espaço que oferece diversas atividades, as quais podem ser acionadas em qualquer ordem. Toda ação depende do jogador para acontecer (mesmo que já tenha sido prevista), e representa a liberdade da escolha (ainda que limitada e direcionada). Criadores de jogos são ilusionistas e seus jogadores são participantes que querem ser imersos no espetáculo. São semeadores que apenas se sentirão satisfeitos se o solo for fértil para gerar uma experiência emotiva e criativa.

A narrativa embutida é o roteiro de um jogo de investigação policial.

A narrativa emergente é a história que se forma com base em decisões (corretas ou equivocadas) do jogador. Num exemplo ainda mais abstrato, a narrativa embutida é o desafio proposto num jogo de quebra-cabeça.

Prova dessa particularidade da linguagem dos jogos é que nenhum jogador se refere às personagens de uma história na terceira pessoa: "Eu estava correndo contra o tempo, mas, no final, consegui. Sobrevivi". A primeira pessoa do singular é o padrão porque demonstra que o jogador também se sente autor . Todo jogador constrói sua história como derivação do convite do criador. Assim, nessa mídia, compreender os anseios do público se torna uma prioridade ainda maior.

O mundo dos *games* é vasto e suas possibilidades inúmeras, mas sem dúvida a característica que mais se destaca é esse diálogo. Histórias criadas em mão dupla que sempre vão despertar a curiosidade e estimular a experimentação, tanto por parte do criador como do jogador.

Fases, desafios, tabelas de pontos, títulos de campeão. Foi-se o tempo em que os *games* eram apenas lazer. A tendência de engajar pessoas por meio da lógica dos jogos, a chamada gamificação, chegou à ciência e à educação. Mesmo sem ser especialista, qualquer um pode se tornar cientista, como defendem Zoran Popovic e Jane Roskams em artigo publicado na revista científica *Neuron*.

Utilizando a agilidade, a habilidade conectiva e a lógica intrínseca, os jogadores são capazes de gerar reconstruções e ligações lógicas completas e alternativas em 70% a 90% dos casos, enquanto um computador só alcança 20%. Pois a lógica dos jogadores é variável.

O projeto Phylo, da universidade do Canadá, é um tipo de quebra-cabeça cujas peças representam sequências de material genético de seres humanos e animais. Os jogares devem movimentar as peças e alinhá-las verticalmente, dependendo do encaixe. Isso faz que eles apresentem novas sequências possíveis aos pesquisadores, apontando diferentes espécies e identificando genes que ainda não foram associados.

O projeto Mozak utiliza o mesmo mecanismo para rastrear neurônios na identificação das ligações das estruturas delicadas, apresentadas em finas fatias do tecido cerebral.

E, completando a tríade, o projeto Galaxy Zoo, em que os jogadores trabalham em conjunto para classificar os diferentes tipos e formatos das galáxias espalhadas pelo universo, por meio das fotografias tiradas pelo telescópio espacial Hubble.

Nos três tipos de jogos educativos, os jogadores trabalham com o gênero de mistério e investigação.

Mundos virtuais

Em 2003, a Linden Lab começou a desenvolver o *Second Life*. Seria um mundo-espelho da vida real, incluindo a possibilidade de ganhar dinheiro.

Esse tipo de *marketing* atraiu multidões e logo uma empresária chinesa comprou extensas terras nesse mundo virtual e se tornou a primeira milionária virtual. As pessoas compravam dela parcelas de terras para construir apartamentos, casas etc.

A moeda do *Second Life* é o *linden dollar*, com equivalência em dólar real, daí as transações comerciais como compra e aluguel de apartamentos. As pessoas que desejam ser residentes desse mundo virtual devem pagar aluguéis aos donos dos imóveis. Algo simbólico, cerca de US$ 6 mensais depositados pelo locatário na conta da proprietária, por exemplo, de apartamentos num prédio de uma rua de Londres fielmente reproduzida.

A partir do final de 2007 aconteceu o esvaziamento gradual de pessoas interessadas nesses mundos, principalmente os residentes do *Second Life*.

A rapidez com que as novidades são consumidas impediu que grande parte do público entendesse o sentido da "segunda vida", mesmo que ela seja virtual.

Ao entrar nesse mundo o indivíduo deve criar uma personagem particular chamada de avatar (do sânscrito *avatãra*, reencarnação de um deus, uma nova vida, transformação, transfiguração, metamorfose): a representação personalizada de cada visitante ao entrar na virtualidade. É o jogador quem determina o aspecto físico do avatar: roupa, cabelo, altura, idade, cor dos olhos etc. E ele pode fazer compras: sapatos, roupas, casas, carros etc. O virtual se aliou ao comercial.

Quanto às características da personalidade individual, que determinam o comportamento do avatar-espelho, dificilmente podem ser disfarçadas por muito tempo. O avatar vai agir e falar de acordo com ideias, convicções, conceitos e valores morais de quem realmente representa na vida real. Ficou evidente que a Linden Lab criara o mundo virtual com ênfase no desejo coletivo de enriquecer e as pessoas não compreenderam logo que o mundo virtual apenas reflete o mundo real. Logo descobriram que não é tão fácil ganhar dinheiro no *Second Life* e que a milionária chinesa foi visionária, arriscou muito ao se tornar proprietária pioneira num mundo virtual ainda em desenvolvimento. Mas nem tanto.

As características físicas do avatar foram concebidas por roteiristas das novas mídias: eles são conhecidos como ROM. Também foram utilizados diálogos-chave padronizados e outras historietas que correm nesse universo.

Tudo simples, direto e traçado em cenas curtas, com poucas transições, mas suficientemente funcional para alimentar o tráfego de comunicação entre os avatares.

Os usuários preocupados em se manter atualizados costumam trocar rapidamente seus aparelhos e equipamentos por outros cada vez menores, com mais recursos ou serviços multimídia. A busca de novidades se repete exatamente como acontece com o comportamento dos usuários dos mundos virtuais. O amadurecimento desse público traz de volta o *Second Life* e outros mundos virtuais com novas propostas, formas e formatos.

Atualmente o mundo virtual se aproxima de um enorme *game*, com formas ininterruptas de comércio, como fazem empresas reais lá estabelecidas como Nike, Adidas, cursos de idiomas, agências de propaganda etc. Ou pode ser usado como uma rede social, depende apenas de como é visto pelo usuário.

Muitas instituições culturais, de pesquisa e universidades descobriram que a virtualidade pode ser utilizada como território para troca livre de informações entre avatares de pesquisadores, estudantes, educadores, pessoas ligadas à cultura em geral, cientistas etc.

Se atualmente o avatar e os mundos virtuais vivem na concepção de que o neocapitalismo e o consumo sejam as únicas e futuras fontes de progresso da humanidade, é sempre bom lembrar que sistemas políticos e de poder nasceram, progrediram e feneceram. Não existe nada mais arcaico do que a monarquia absolutista, imperadores impiedosos e outros costumes e tradições tragados pela história. O importante é não esquecer, para não repetir as mesmas tolices.

Recordar que "talento" no tempo de Cristo era uma moeda, hoje é "virtude". A classificação que se segue é uma primeira visão sobre as possibilidades dos mundos virtuais possíveis.

Selecionei os principais tipos de mundo virtual de acordo com os seus propósitos:

- Institucional
- Educacional
- Cultural/histórico
- Religioso/espiritual
- Fantástico/mitológico
- Fantasia/infantil/pedagógico
- Ficcional/literário/imaginativo
- Comportamental/atual/retrato do hoje
- Erótico
- Outros/misto/*games*/nova vida/lisérgico/etc.

A USP lidera um megaprojeto chamado Cidade do Conhecimento, no qual outras universidades brasileiras e estrangeiras exploram o ambiente virtual do ponto de vista das vantagens da educação a distância e discutem o futuro dos países do ponto de vista do meio ambiente. Cientistas estrangeiros debatem o detalhamento do estudo do DNA. Eventos artísticos e culturais são anunciados e repercutidos. Empresas que abriram lojas no *Second Life* fazem experiências incríveis com avatares de consumidores, como a Nike, que estimula o cliente-avatar a criar os próprios tênis com detalhes apresentados para livre escolha num menu e numa cartela de cores. A ideia é produzir e enviar o tênis exclusivo ao cliente em tempo real em qualquer parte do mundo e utilizar cores e detalhes do modelo como pesquisa de tendência e ousadia.

No exterior, o *Second Life* é utilizado de formas sofisticadas, com ilhas inteiras dedicadas ao ensino gratuito dos mais diversos assuntos, como o detalhamento do código genético. Ou visitas guiadas às réplicas perfeitas de monumentos e lugares históricos.

Ou exposições como o Museu Internacional de Voo Espacial, com cabines virtuais para os visitantes experimentarem a sensação de pilotar uma nave.

Mas daqui a pouco poderemos entrar na história de um livro, acompanhar uma personagem ou mesmo nos transformar nela. Ou ainda entrar num período da história e acompanhar algum processo encenado do suicídio de Cleópatra e, por que não, aproveitar para comprar uma joia no estilo egípcio.

Alguém pode pensar que este texto seja uma alucinação ou simplesmente um processo especulativo de minha parte. Todavia, isso existe e tais mundos e ilhas devem conter enredos dramáticos, desafios, mecanismos de lazer baseados na dramaturgia.

A figura do dramaturgo neste novo milênio, ao contrário de estar acabada, está apenas começando. Entre ilhas, mundos e universos virtuais.

E assim o trabalho do roteirista será possivelmente coletivo, com a colaboração de profissionais de diversas áreas, atingindo histórias de *multiplots*, diferentes gêneros e temas num mesmo enredo, encapsulados em cenas mais curtas, mais essenciais que transitórias e recebendo o apoio e a bússola da interatividade. Totalizando mais complexidade, conhecimento multidisciplinar e criatividade.

Novas formas e novos formatos

Apenas iniciamos a utilização do potencial expressivo do novo meio digital. Mas essas experiências realizadas em roteiro digital abriram o apetite, particularmente entre os mais jovens, por histórias participativas ou de interatividade que ofereçam mais imersão, uma maior satisfação pelo agenciamento e um maior envolvimento sustentado em um mundo caleidoscópico.

Uma das mais claras evidências das narrativas digitais é o casamento da televisão com o computador. Inclusive a WebTV, produto comercial que permite navegar na internet e enviar e-mails, além de naturalmente assistir à televisão. Essa reunião é o começo do que Nicholas Negroponte[3] há algum tempo previu: o computador, a televisão, o rádio, o celular e outros aparelhos em um único dispositivo.

A transformação do telespectador digital que está se movendo de atividades sequenciais, assistir e então interagir, para realizar simultaneamente duas atividades distintas, interagir enquanto assiste, e por fim, para uma experiência única: assistir e interagir em um mesmo ambiente.

Não é difícil prever as perspectivas econômicas dessa união, do aumento dos níveis de participação que em breve nos permitirá apontar e clicar selecionando diferentes bifurcações em um simples programa de televisão.

Reality show ou "vida real" vigiada

Trata-se de um *game* em que candidatos anônimos estão sujeitos a desafios e no qual a audiência vota, por meio de empatia, simpatia ou antipatia, por sua permanência ou não no programa. Chamados de *Big Brother* ou "grande irmão". Obviamente por trás das câmeras existem roteiristas que concebem os desafios e as jogadas, atenuando ou enfatizando os momentos de maior ou menor impacto para que a plateia seja estimulada a votar. Em outras palavras, obrigam o público a gastar dinheiro.

Cada ligação, voto ou opinião tem um custo e cada desafio, um patrocinador. Existem roteiristas especializados nesse tipo de programa, como Wanda de Souza (Portugal).

O processo de isolamento é determinante, indispensável. O lugar pode ser uma casa, fazenda ou ilha. Deve aguçar o espectador no sentido de curiosidade, interesse e até certo ponto interesse pelo comportamento humano. Alguns críticos ferozes dizem que sua origem provém do circo e de animais enjaulados. Não chega a tanto.

Todavia, como escreveu Oscar Wilde: "A plebe se interessa pelas pessoas, a aristocracia pelas coisas e pelo conhecimento".

Em resumo: trata-se de um programa de auditório eletrônico em que a interatividade parece conceder ao votante o poder sobre a vida ou a morte do participante. Uma falsa premissa, já que o jogo é manipulado por elementos como edição, palavras, texto do apresentador e procedência do participante.

O Brasil é um dos poucos países no mundo que ainda tem o *Big Brother* como um dos maiores sucessos televisivos no ar. Para mim é um mistério.

"Vida imaginária" vigiada e variantes

É quase o mesmo processo do item anterior. Só que todos são piratas, escravos ou vivem num mundo medieval. As premissas são basicamente as mesmas, a mudança está no cenário, contexto e texto.

É na verdade um grande *game* em que a realidade vigiada dá vazão a certa corrente imaginativa. Também se vota via internet ou telefone e a opinião pública é recolhida por meio de pagamentos e créditos de celulares.

Ambos os sistemas, *games* e vida real vigiada, são aproveitamentos, diversificações dos antigos programas de auditório, quando a intensidade do aplauso era o juiz.

Abro um parêntese para acusar que a vida cotidiana não tem o chamado drama, mesmo aquelas constituídas de problemas, frustrações, necessidades, medos e dificuldades de relacionamento, pois o problema alheio sempre nos parece pequeno. Aliás, a maioria das pessoas existe, mas não vive.

Quando jogamos essas inter-relações anônimas no vídeo ou na internet, estamos navegando no que se chama *plotless area*, isto é, território sem conteúdo dramático. Daí

DA CRIAÇÃO AO ROTEIRO **515**

a necessidade de cortes, edição, seleção, material de estímulo ou conflito, provas de resistência e outros artifícios para lançar o ser humano nos seus limites ou além deles.

"O sucesso é tão misterioso quanto o fracasso", disse Walter Durst, e acrescento: "O sucesso tem o mesmo efeito que o fracasso".

Como outra variante existe a intromissão nesse grupo de "atores-personagens". Isto é, atores ou celebridades fazem parte desse tipo de *game* como concorrentes normais. Sua função é lubrificar tensões, criar conflitos e irradiar problemáticas, acrescentando com sua popularidade mais interesse ao processo.

Também o espectador pode entrar no jogo com questões para os competidores, enigmas por meio de celulares ou criação de armadilhas para os candidatos. Repetindo: imagens, objeto e interatividade se conjugam em celular, tela e telespectador.

Websérie

Trata-se de um ambiente on-line virtual atualizado de forma seriada, disponível por demanda e com ligações dramáticas entre os episódios.

O desenvolvimento de histórias com as personagens menores e figurantes possibilitaria aos telespectadores a experiência contínua de vidas ininterruptas, preenchendo buracos da narrativa dramática. Dessa forma, o arquivo hiperseriado pode estender a transmissão melodramática para dentro de uma maior complexidade do mundo dramático.

Essa representação sobre as séries permite aos escritores de televisão utilizar um painel novelístico imenso, que pode ser explorado intensamente pelos futuros dramaturgos do ciberespaço. Há possibilidade de trabalhar com ricos paralelos dramáticos com base nos infinitos acontecimentos dessas histórias densas e complexas.

Os dramaturgos do ciberespaço devem escrever para **três públicos diferenciados**.

O primeiro demonstra engajamento ativo em tempo real, que procura suspense e satisfação em cada episódio.

O segundo representa uma audiência mais reflexiva e de longo termo, que procura um padrão de coerência na história como um todo.

E uma terceira categoria de telespectador retira prazer da navegação entre as conexões de diferentes partes da história e do processo de descoberta de arranjos diversos do mesmo material disponível.

Em uma websérie todas as personagens podem ser protagonistas potenciais de suas histórias, proporcionando linhas de execução alternativas dentro de uma amplíssima história baseada na internet. O telespectador/participante deve retirar prazer das justaposições contínuas, das interseções de diferentes vidas e da apresentação de um mesmo acontecimento em múltiplas perspectivas, inclusive com mudança do gênero dramático.

Um websérie não deve ser uma simples dramaturgia padrão, mas um acorde pleno que fornece a sensação de que a superposição dos variados pontos de vista aparece dentro de um foco. Na websérie, o telespectador assiste à televisão e navega na internet em uma mesma tela.

A televisão digital se desenvolve como um meio peculiar para serviço de entrega. O telespectador deseja se movimentar no mundo da história desempenhando um papel mais ativo. É a impaciência e o prazer de antecipar situações da história.

O espectador pode querer seguir a personagem para fora da cena, para assistir e compreender as situações de pontos múltiplos.

Isso posto, retornamos ao gráfico sobre a árvore do site, mas agora chamaremos essa árvore de ficção cibernética ou esquema do hiperseriado.

FICÇÃO CIBERNÉTICA – WEBSÉRIE
*Direção do usuário: da personagem para a história principal
ou do particular para o geral*

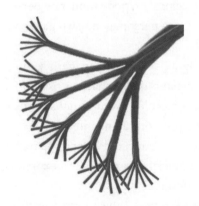

O espaço ficcional cibernético muda de direção. A websérie é de duração mais curta e, portanto, contém menos personagens. Começamos com a história de uma personagem X que depois se juntará a Y e assim por diante. Até que ao final tenhamos o *plot* por completo (o tronco da história). Entramos por extremos, bifurcações e ramificações em direção ao centro.

Também cada ramificação, que traduz a trilha de determinada personagem, pode ter um gênero próprio. Assim, a trilha de X terá como tônica a comédia, a de Y, o drama e a de Z, um mistério.

Ainda de um dia para o outro o roteirista colocará perguntas ao internauta por meio do celular. Por exemplo, a personagem Z encontrará o cadáver. No metrô? Na praça? Ou no cais? Inserindo o processo de interatividade na ficção.

Será correto observar que cenas de transição e integração serão mínimas. As cenas essenciais tomam conta do processo. Entretanto, se o tempo real diminui, o tempo dramático se aprofunda.

Todo esse processo dramático vai atingir violentamente a feitura de ficção na realidade virtual, que dependerá de alta tecnologia, cenas pré-gravadas e rápidos acessos. Além das chamadas novas cenas de escape, antigas cenas de apresentação que contam o passado da personagem, sua biografia, sua relação com outra personagem, preferências e até produtos que utiliza.

Sintetizando: observo os dez pontos que, depois de profunda análise, creio importante ser levados em conta na websérie.

- **Quanto à duração** – Episódios mais curtos, emitidos pela internet e exigindo multimídia, grafismo e outros recursos dramáticos.
- **Quanto à estrutura** – A história é de início múltiplo, existem vários pontos iniciais. O usuário escolhe com qual personagem quer começar a história. Caminha junto com ela para o núcleo central ou pode mudar de personagem a qualquer instante.
- **Quanto ao gênero** – Cada personagem carrega o seu gênero. Em essência é poligenérico.
- **Quanto à interatividade** – Cada personagem tem opções de locais de encontro, achados, objetos ou mesmo questionamentos etc. Estando essas opções factuais concretas ou por vezes psicológicas nas mãos do usuário por meio de perguntas por celular, ou mesmo por votação na internet.
- **Quanto às cenas** – Noto a redução das cenas de transição e integração, mas a manutenção das cenas essenciais. Sem perder a expressividade do tempo dramático, mas com perda do tempo real.
- **Quanto às cenas de escape** – Talvez uma transformação das antigas cenas de apresentação de personagem (ou os antigos links). Só que agora trazem, como foi dito, seu passado, interligações com outras personagens e preferências. Esse tipo de cena seria um apoio comercial à produção. Uma forma lucrativa de produção desse tipo de entretenimento.
- **Quanto à feitura** – Além do uso de recursos de alta definição (HD), câmeras com oito lentes para imersão e outros que estão surgindo, os planos deverão ser muito curtos, diretos, saindo de um objeto para outro. Requerendo do diretor e do diretor de fotografia que cada personagem tenha também o seu estilo próprio. Principalmente em se tratando de passado, presente e possibilidades futuras.
- **Quanto ao ROM** – O ROM deve trabalhar como uma equipe, pois inclusive diariamente deve refazer o roteiro para recolher as opções da interatividade e indicar ao

editor qual foi, por exemplo, o local indicado pelo público onde a personagem Z deve encontrar o cadáver. Todavia, ele deve ter em mente todas as reações escritas da personagem diante do encontro do corpo inerte.

- **Quanto à transmissão** – A websérie é transmitida numa primeira vez por interatividade e depois se fixa como produto acabado. Entretanto as cenas de escape, de biografia, preferência e venda ficam em aberto para uso contínuo e acréscimo do público. Criam-se marcas.

- **Quanto à virtualidade** – Além de se enraizar nos conceitos da pura dramaturgia, a websérie concede nos seus dez momentos não uma nova forma de escrever o roteiro, pois teremos sempre um núcleo dramático, uma história com começo, meio e fim. O que se altera é o modo, a forma e a maneira como o enredo é exposto. Pela simples razão de que a virtualidade trabalha por meio de bits.

Os **espaços ficcionais** estão se transformando em ambientes **imersivos tridimensionais** de grande riqueza gráfica e baseados na internet. O espaço será altamente expressivo, assim como nosso movimento por ele e os objetos encantados que estarão presentes.

Poderemos ir a esses ambientes sozinhos ou com outros, seguindo ou não caminhos no mundo do ciberdrama. E chegará um tempo em que nos perceberemos olhando através do meio e não sobre ele. Não estaremos interessados na veracidade, no tipo das personagens e em como foi a construção do espaço ocupado. Ou seja, quando o meio evaporar dentro da transparência nós estaremos perdidos em nosso fazer de conta e preocupados somente com a história. Nesse momento nós estaremos na casa do Holodeck.

A novela cibernética

A novela cibernética segue em essência os mesmos conceitos da websérie; seria uma visão espelhada desta.

E por que coloco esse material aqui? Porque creio que não vai morrer. Nasceu no papel, passou pelo rádio, faz parte da televisão e possivelmente vai alcançar de certa forma o ciberespaço.

Sua transformação será drástica, mas do ponto de vista de forma e formato será mais simples do que uma websérie.

Para começar diremos que a novela no ciberespaço será subentrante, de crise contínua. Sua duração também será breve. O capítulo mais curto, uma história com muito menos personagens e centrada em no máximo três núcleos dramáticos.

Talvez o mais significativo seja o final. Já o ROM não necessita ter um final predeterminado ou concebido. Em outras palavras, o final estará aberto.

DA CRIAÇÃO AO ROTEIRO **519**

Isso parece uma obviedade, todavia não é, já que a novela, por perder complexidade e ganhar brevidade, será por conseguinte altamente perecível. Em outros termos, uma novela se encaixará na outra como as ondas no mar.

Exemplo: é emitida no ciberespaço uma novela sobre um escultor apaixonado por seu modelo. O processo narrativo não cativa o internauta. Imediatamente todo esse enredo se torna uma ficção que está sendo escrita ou imaginada por uma estudante paulistana de Letras cujo computador é roubado por uma tribo urbana, e se inicia uma nova trama. A isso se chama "novela subentrante".

Um processo narrativo virtual dentro de outro processo narrativo que tende a ser veloz, mas até certo ponto redundante e sem final específico. Portanto, inesperado, incerto e interativo. Com certeza, jamais imaginado pelo noveleiro de hoje em dia.

O objeto dramático

A sequência de Fibonacci descoberta por Leonardo Fibonacci[4] (1170-1250), italiano dito o primeiro grande matemático europeu depois da decadência helênica, consiste em uma sucessão de números tais que, definindo os dois primeiros números da sequência como 0 e 1, os números seguintes serão obtidos por meio da soma dos seus dois antecessores. Portanto, os números são: 0, 1, 1, 2, 3, 5, 8, 13, 21, 34, 55, 89, 144, 233...

Na espiral formada pela folha de uma bromélia e possível perceber a sequência de Fibonacci, por meio da composição de quadrados com arestas de medidas proporcionais aos elementos da sequência, por exemplo: 1, 1, 2, 3, 5, 8, 13..., tendentes à razão áurea. Esse mesmo tipo de espiral também pode ser percebido na concha do náutilo marinho. Vejamos a figura a seguir.

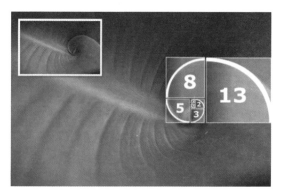

Dessa ordenação matemática se extrai o número transcendental conhecido como sequência de ouro ou razão áurea.

Objeto dramático baseado na razão áurea

A pergunta que o leitor está se fazendo é: por que inserir a fórmula de um genial matemático medieval para dar um desfecho sobre novas formas e formatos da dramaturgia no espaço cibernético?

A razão é simples. Enquanto até agora separamos a virtualidade em imagem, objeto e interatividade, como última etapa desse estudo concentraremos a virtualidade e todos os seus processos em um objeto dramático.

É um processo de síntese, fundamento da arte e da dramaturgia. Seria e é a última forma concebida por mim.

O mecanismo é o seguinte: o usuário recebe um objeto dramático (desenho, figura, produto etc.) ou faz a sua programação, que contém no mínimo oito partes. Cada parte contém um espaço de tempo (um minuto mais um minuto, dois, três, cinco, oito e treze), cada uma das partes tem um conteúdo cibernético (curta de um minuto, uma mensagem, clipe no YouTube de dois minutos, websérie de três minutos etc.) e assim por diante.

Será essa a ciberTV? Uma emissora particular? Ao gosto do usuário?

Esse sistema, que batizo de **Objeto Dramático Comparato ® 823008819**, tem as seguintes especificações fundamentais:

- **Objeto dramático** – O usuário recebe um objeto dramático desenhado por linhas de tempo e conteúdo. Mínimo de três e máximo de oito, podendo chegar até onze.
- **O usuário desconstrói** – O objeto recebido é desconstruído pelo usuário. Nessa desconstrução encontra-se uma programação predeterminada, outra interativa e uma terceira que será selecionada pelo internauta.
- **O usuário constrói** – O material é remetido pelo usuário para a construção de futuros objetos dramáticos.

Isso posto, da passagem de uma linha para outra ou de um tempo para outro o usuário passa para outro objeto patrocinador. Também pode receber o objeto dramático com espaços em "aberto", espaços esses que o usuário completa e remete para quem quiser.

O objeto pode ser recebido tanto em um simples celular como nos mais complexos computadores.

Faça sua programação interativa.

Exemplo de programação possível:

- 1 min. – Mensagem virtual/institucional
- 1 min. – *Trailer*
- 2 min. – YouTube
- 3 min. – Clipe
- 5 min. – Mensagem do usuário
- 8 min. – Entrevista/noticiário
- 13 min. – Documentário/"vida real" vigiada/"vida imaginária"
- 21 min. – Websérie
- 34 min. – Novela/mundos virtuais/vida
- 55 min. – Esporte/outros links
- 89 min. – Filme
- + de 89 min. – Enciclopédia/mundos virtuais/ciberespaço

Nesse sistema o receptor se torna até certo ponto programador. Também havendo a exploração comercial do objeto dramático, o direito de autor passa a ser assegurado ou ao menos pago no momento da emissão.

As possibilidades são enormes. Clubes de futebol poderão ter o rosto dos seus jogadores emitido para celulares desconstruído, criando expectativa e novas fontes de criatividade, momentos do passado, presente e futuro.

Evidentemente tudo que foi dito sobre webséries quanto a feitura, dramaturgia, cenas, diálogos e outros elementos do drama deverá ser preservado nessa nova opção de fazer dramaturgia.

O exemplo simbólico do futebol serve como paradigma para outras tantas tribos, companhias, empresas, nações, instituições e fundos educacionais. A utilização do Objeto Dramático DC ® 823008819, concentrador da virtualidade num único sinal sintetizador, nos faz retornar à mais clássica das metáforas teatrais: que surpresas se encontram depois que a cortina se abre e o que a máscara vai nos revelar.

Para terminar este segmento, creio conveniente lançar para um sensível cientista, matemático e físico páginas em branco para que ele complete com sua escrita as origens, possibilidades e capacidades atuais da multimídia.

NOTAS

1. Dispositivo apresentado no filme *Jornada nas estrelas – A nova geração*. No filme, o Holodeck é uma máquina para criação de mundos imaginários e fantásticos. Um ambiente computacional imersivo para entretenimento que, utilizando sofisticadas simulações, efeitos visuais, efeitos holográficos, eletromagnéticos e relativísticos, constrói ilusões perfeitas em função do desejo e de uma programação individual do usuário/participante. O Holodeck representa a possibilidade de que o computador em breve poderá ser considerado um tipo de gênio da lâmpada que, utilizando a antiga arte de contar histórias e elaborar roteiros, vai nos emocionar, nos entreter e nos fazer pensar sobre os eternos conflitos e lutas da humanidade.

2. Ivan Petrovich Pavlov (http://pt.wikipedia.org/wiki/Ivan_Petrovich_Pavlov) (1849-1936) foi um fisiólogo russo premiado com o Nobel de Fisiologia ou Medicina em 1904 por suas descobertas sobre os processos digestivos de animais. Entrou para a história por sua pesquisa em um campo que se apresentou a ele quase por acaso: o papel do condicionamento na psicologia do comportamento (reflexo condicionado). Alusão do autor: consta que o cientista premiava com queijos os ratinhos que cumpriam corretamente um tortuoso trajeto preestabelecido e com castigo aqueles que não o faziam. Uma espécie de prêmio e castigo com similitudes no comportamento humano.

3. Nicholas Negroponte foi um dos fundadores do Media Lab, laboratório de multimídia do MIT. Autor de *A vida digital* (São Paulo: Companhia das Letras, 1995), entre outros livros, é fundador e presidente da ONG One Laptop per Child [Um *laptop* para cada criança].

4. Leonardo Fibonacci (http://pt.wikipedia.org/wiki/Leonardo_Fibonacci), ou Leonardo de Pisa (1170--1250), foi um matemático italiano tido como o primeiro grande matemático europeu depois da decadência helênica. É considerado por alguns o mais talentoso matemático da Idade Média. Ficou conhecido pela descoberta da sequência de Fibonacci e pelo seu papel na introdução dos algarismos árabes na Europa.

6.4 REALIDADE VIRTUAL E ROTEIRO INÉDITO

REFLEXÕES SOBRE A REALIDADE VIRTUAL (VR)

No filme *O jogador número 1* (2018), dirigido e adaptado por Steven Spielberg, no ano de 2044 um garoto passa o seu tempo imerso num mundo ficcional chamado de "Oásis", criado por uma tecnologia denominada realidade virtual.

Terá a chamada narrativa imersiva se tornado uma tendência em Hollywood?

O que é narrativa imersiva? Trata-se de um conteúdo digital captado por uma câmera especial, que atinge uma visão de 360 graus. E isso muda tudo, inclusive a formatação do roteiro.

Desde os anos 1950, instituições científicas como a Nasa vêm tentando desenvolver tecnologias de visualização de imagens para colocar seus profissionais em ambientes inóspitos e perigosos sem que de fato estejam lá, virtualizando esses ecossistemas hostis. Daí nasceu o termo "realidade virtual".

Chegamos por fim à segunda década dos anos 2000, quando os *smartphones* e computadores entregam visualmente e com a devida potência o que precisamos para uma experiência decente de realidade virtual.

Essas imagens são criadas por computação gráfica, absorvendo a imagem real com os cenários virtuais. Para tudo isso acontecer, o roteirista deve trabalhar para o olho de uma câmera de visão periférica, que chega a ter 17 lentes, totalizando uma visão em 360 graus. As cenas não são mais escritas para uma imagem plana e sim para uma imagem circular (veja adiante o tópico "Roteiro inédito para realidade virtual").

O momento ainda é de experimentação; ao redor do mundo e no Brasil temos visto festivais, exposições e congressos que exibem e debatem essa nova mídia. E questionamentos são feitos diariamente:

- Como contar boas histórias em um ambiente que cobre os 360 graus de nossa visão e audição? Que temas podem ser abordados?

- O enquadramento, o close, os cortes rápidos realmente não estão presentes em um filme em realidade virtual?
- Quais são as novas funções nesse novo mercado de produção audiovisual?
- Como a equipe técnica vai atuar se não pode ser vista no set de filmagem?
- Um curta-metragem de cerca de dez minutos em ambiente 360 graus pode ter maior impacto no espectador que um longa de duas horas em uma tela plana?
- Está se implantando um novo sistema de formatação do roteiro?
- A realidade virtual será mais uma bolha? Como foram o VHS, o Super 8 e o Blu-Ray?
- Será realmente abraçada pelo público? Terá audiência cativa?
- Haverá nos festivais tradicionais premiação para realidade virtual?
- Ficará a realidade virtual restrita a clipes musicais e artísticos de curta duração?

E devemos ter atenção, pois quando alguém se refere à realidade virtual não inclui apenas tudo que é real, mas aquilo que existe dentro da nossa mente, como a ilusão e a imaginação. A esse processo chamamos de "imersão". E esse termo acaba sendo sinônimo da interpretação da realidade ou de uma aproximação da verdade.

A realidade virtual tem diversos pontos de partida, mas seu principal fundamento é o uso do computador e de seus *softwares* na interação entre usuário e sistema na simulação de um ambiente "real", com a possibilidade de interação, visualização e sensação de presença. Essas diversas representações são complexas, mas para o espectador se tornam intensas.

E essa intensidade chega a ser a brutal: o espectador se sente integrado ao sistema de simulação. Por exemplo: sente-se arremessado no espaço livre se a imagem se deslocar por um despenhadeiro em velocidade (algumas pessoas podem ficar nauseadas).

Em todo e qualquer tipo de simulação de realidade é necessária a utilização de sistemas, equipamentos e/ou dispositivos de interação.

Dependendo do **ponto de partida do roteiro**, é possível conceituar **três tipos de realidade virtual**: **simulada**, **aumentada** e **mista**.

Realidade simulada

É quando simulamos partes ou fragmentos da nossa realidade ou de outra qualquer. O simulador de direção para autoescola, Sim City 3000 e até mesmo o jogo *Second Life* são exemplos perfeitos. Assim como simulador de pilotagem de avião, corrida de automóveis, etc., nos quais se pode fazer projeções de "desastres" ou "erros" para exercitar o espectador. Esse tipo de realidade simulada é utilizado basicamente com propósitos educacionais.

Realidade aumentada

É utilizada nas transformações ou visões de ambientes conhecidos, naturais ou artificiais. Oferece experiências perceptivamente enriquecidas, alterando a percepção atual de um ambiente do mundo real. Pode-se substituir ou alterar um ambiente real por meio de uma agregação. Por exemplo: um arquiteto pode mudar a cor de uma casa inteira, é possível experimentar roupas sobre o corpo, penteados, maquiagem, adereços etc.

O valor primário da realidade aumentada é o que traz componentes do mundo digital para a percepção do mundo real de uma pessoa, por meio da integração de sensações imersivas percebidas como partes naturais de um meio ambiente.

Sua utilização fundamentalmente é comercial, profissional e jornalística. Por exemplo: a Al Jazeera tem um departamento de pequenos *drops* de notícias em realidade aumentada em 360 graus; curiosamente esse departamento é chefiado por uma brasileira. Só agora, em 2018, a CNN passou a utilizar essa ferramenta. Sua primeira demonstração foi em uma reportagem sobre a corrida de touros pelas ruas de Pamplona, na Espanha.

Realidade mista

É a união de mundos reais e virtuais para produzir novos ambientes e visualizações, onde objetos físicos e digitais coexistem e interagem simultaneamente. É uma mistura de realidade aumentada e virtual por meio da tecnologia imersiva. Um exemplo disso é a zSpace, que a partir de uma tela consegue realizar a simulação de objetos para um melhor aprendizado. Seu uso é amplo, sendo utilizado da medicina à astronomia. Mas o mais importante é o seu uso na ficção. Com a realidade mista trabalhamos nos roteiros de realidade virtual.

DISPOSITIVOS E SISTEMAS DE IMERSÃO

A realidade virtual alcança seu máximo aproveitamento quando utiliza imagens tridimensionais, áudio, vídeo, rede, sistemas multiusuário e cooperativos. Todos os dispositivos a seguir nos transportam para a imersão, sempre advertindo sobre os efeitos colaterais do excesso ou da forma de imersão.

São eles:

- **Dispositivos de sincronismo para o experimentador** – Luva digital, óculos estereoscópicos, capacete de imersão, teclado, mouse, monitor e colete de contato corporal (Rumble Pack).

- **Dispositivos de interação** – Reconhecimento de gestos, reconhecimento de fala, esteira omnidirecional, caneta, controle (*joystick*) e luva de dados.

Óculos de realidade virtual

O MERCADO

No início, a maioria dos esforços era aplicada ao ramo de jogos, mas aos poucos se foi percebendo a mobilidade de adaptação da realidade virtual para outros mercados. À medida que a tecnologia imersiva se torna mais comum, provavelmente passará a permear outras indústrias.

Hoje estamos ramificando para o aprendizado, o trabalho remoto, a medicina, o desenho industrial. No aprendizado e treinamento de pessoas, focamos na comunicação a distância, com aplicações para a educação baseadas na transferência de conhecimento.

O trabalho remoto permite que equipes de trabalho remotas, em escala global, trabalhem juntas, enfrentando os desafios comerciais, não importando onde estejam fisicamente. As barreiras linguísticas são irrelevantes, já que as aplicações de realidade aumentada são traduzidas em tempo real.

No caso da medicina, nas simulações cirúrgicas e de ultrassom são usadas como exercício de treinamento para profissionais de saúde. Os manequins de pacientes são trazidos à vida para gerar cenários de treinamento ilimitados.

Até os transtornos psíquicos como pânico, agorafobia e outros medos podem ser tratados com a realidade aumentada. No desenho industrial, ela é aplicada ao mapeamento funcional no campo industrial, sendo possível construir maquetes que combinam elementos físicos e digitais. Esses modelos virtuais são usados para permitir que cientistas e engenheiros interajam com uma possível criação futura antes de fazer qualquer reforma ou construção.

No treinamento militar, essa tecnologia é usada na simulação de combate representada em dados complexos, em camadas e por meio de câmaras de simulação. Além de simulação de guerra e treinamento de aviões. É facilmente adaptável à segurança pública no treinamento de policiais, bombeiros e defesa civil.

E, finalmente, a realidade virtual está a serviço do entretenimento e da ficção.

Durante meus estudos e pesquisas, foram correntes termos como narrativa interativa, narrativa transmídia, narrativa imersiva, narrativa mobile, documentário interativo, experimentador e webdoc. Veja no Glossário a conceituação de todos eles.

O ROTEIRISTA E AS POSSIBILIDADES DO USUÁRIO (EXPERIMENTADOR)

O roteirista tem como objetivo criar um roteiro com cenas circulares com o máximo possível de detalhes.

O *concept*, por sua vez, transforma aquilo que foi escrito para a estrutura de realidade virtual, definindo universo, tipo de interação, dispositivos que serão utilizados etc.

Por fim, o programador, com o conceito definido, projeta no computador aquilo que foi definido pelo *concept*, transformando imagens e situações do roteiro em imersão.

A autoria da realidade virtual é um conjunto entre o roteirista, o *concept* e o programador. Isso dito, conclui-se que, diferentemente de outros meios audiovisuais, a figura do diretor desapareceu. Ele é substituído pelo programador e pelo *concept*.

São as seguintes as possibilidade do usuário/experimentador:

- **Usuário fantasma** – Está presente na cena, mas somente como visualizador do conteúdo audiovisual.
- **Usuário participante** – Está presente na cena como personagem do conteúdo audiovisual. E pode chegar a traçar um caminho dramático. É um experimentador.
- **Usuário misto** – Em determinado momento ele apenas visualiza o conteúdo, em outra cena interage como personagem do conteúdo e escolhe uma direção para o roteiro.

ROTEIRO INÉDITO PARA REALIDADE VIRTUAL

Projeto para realidade virtual de ficção mista
"A Receita"
Concepção de Priscila Guedes e Doc Comparato
Roteiro de Doc Comparato
Assistente/*designer*: Jonas Almeida

Concepção

A **imersão** se passa em um tribunal, onde uma mulher está sendo julgada pelo assassinato do marido. O nível de interação do usuário começa de forma fantasma na primeira cena, depois passa a ser participativo, sendo necessário o participante interagir e fazer determinada escolha; posteriormente ele volta a ser fantasma.

Sobre a imersão, o experimentador começa como personagem da história, depois se transforma em fantasma (não interferindo na cena) e no final retorna como personagem da cena.

Sobre os espaços da realidade, citamos a seguinte ordem:

A1) Tribunal vazio sendo limpo, onde o participante é personagem.

A2) Tribunal cheio, início do julgamento. O participante é personagem. Nesse momento, por meio de um reflexo, revelamos que a personagem é um dos adornos na sala do tribunal.

B1 e B2) Tribunal cheio, levará o personagem a se transformar em fantasma e optar por dois objetos dramáticos: o último jantar do casal ou o final do jantar com o marido gravando uma mensagem de voz (WhatsApp). Em ambos os casos, para prosseguir é necessário que o personagem vivencie as duas opções e retorne.

A3) Tribunal cheio, depois retornamos ao tribunal com o participante em personagem assistindo à sentença final.

A4) Tribunal vazio, as luzes são apagadas e o personagem é coberto.

B3) Sala de jantar, por fim retornamos à sala de jantar e o participante se torna fantasma e tem a revelação de toda a história.

No que se refere a **som** e **imagem**, vários círculos envolvem a **personagem**. Até o fundo do tribunal terá visão de 180 graus; se girar 360 graus, ele encontrará uma parede parte mofada e infiltrada:

- **Primeiro** círculo: o mais próximo e mais importante para a personagem. Temos o juiz, a cadeira das testemunhas onde está sentada a ré, a promotoria, a secretária estenógrafa que toma nota, o promotor, a defesa – o tudo a cinco metros do experimentador.
- No **segundo** círculo temos a bancada dos jurados e o público, a dez metros do personagem.
- E no **terceiro** temos dois guardas junto da porta de entrada, a quinze metros do experimentador.

Quando o experimentador é **fantasma** temos um foco de luz que determina o espaço da sala de jantar. Dois círculos o envolvem: no primeiro temos a mesa de jantar com o casal; no segundo, o carrinho com a comida, o abajur e a televisão desligada.

Resumo da história

Num jantar íntimo entre um casal que está se divorciando, a mulher tenta de tudo para que a separação não aconteça. O marido está decidido, pois já vive com outra mulher. Ele morre após o jantar e ela se torna suspeita do homicídio. A história começa no julgamento dela, com a acusação, todavia as provas não são tão evidentes assim e existe a presunção de inocência. O curioso da história é que o experimentador começa no julgamento para depois tomar conhecimento do caso, ouvir a sentença final e por fim conhecer a verdade.

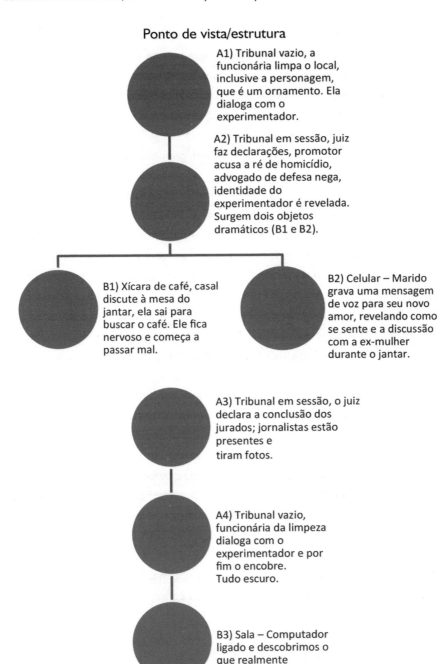

Anotações sobre estrutura do roteiro

A1) O cenário é um tribunal antigo, vazio; a funcionária da limpeza, fazendo faxina com um espanador, conversa com **experimentador, que é uma personagem** – nesse caso, um ornamento (um objeto) que se encontra no alto com visão de 360 graus do ambiente. Afirma que o experimentador escuta e enxerga tudo. A funcionária sai da sala.

A2) O tribunal se enche (em *quick motion*) e depois de bater o martelo o juiz explica os detalhes do caso. O promotor fala primeiro e acusa a ré de assassinato por envenenamento. O advogado de defesa nega as acusações dizendo que não há existência de provas e que a autópsia da vítima relatou um AVC. A ré está sentada na cadeira de testemunhas, chora, afirma que é uma pobre viúva inocente.

Outros acontecimentos – No fundo vemos um guarda coçando a cabeça e dizendo algo para o colega ao seu lado, um jurado moreno cochicha algo no ouvido de uma jovem mulher, que dá um sorriso nervoso, um jornalista presente tira uma foto, na plateia um homem boceja, um garçom serve café, ao cruzar a sala passando pela mesa de defesa vemos o reflexo da personagem (experimentador), após a revelação vemos um celular na mesa da promotoria e uma xícara de café na mesa da defesa reluz. A **personagem se torna participante**, dando ao experimentador a possibilidade de escolher seu próximo passo pelos condutores dramáticos (xícara e celular).

B1) Diálogo entre casal na mesa enquanto jantam. A conversa é repleta de acusações mútuas, os dois estão se odiando (o diálogo está em um documento à parte, o roteiro, com todas as falas). O **participante se torna fantasma e/ou objeto-personagem no centro da mesa.**

B2) Ela sai para buscar o café, ele está muito alterado, nervoso, grava uma mensagem de voz para seu novo amor relatando o ocorrido (monólogo em documento à parte). **O participante se torna fantasma.**

A3) Voltamos ao tribunal com o juiz dando uma declaração. O representante do jurado entrega um envelope nas mãos do juiz, que informa o veredito final. Após os resultados, vemos reações adversas, jornalistas registram o fato com fotos e vídeos. O juiz se retira, todos se levantam, os guardas abrem a porta. **O fantasma volta a ser personagem.**

A4) Tribunal vazio. A funcionária da limpeza dialoga com o experimentador, cobre-o com um pano e o leva para um depósito.

B3) Sala de jantar. **A personagem volta a ser fantasma.** Por meio de um DVD que mostra um programa de culinária vemos a receita utilizada pela ré (desfecho).

A princípio, para termos uma morfologia temporal da ficção em realidade virtual, optamos por utilizar a sequência de Fibonacci, sequência de ouro ou razão áurea. São eles: 0, 1, 1, 2, 3, 5, 8, 13 e 21 minutos. O projeto realizado em realidade virtual terá de 8 a 13 minutos.

Diálogos e ações de cada um dos círculos

A1) Tribunal vazio

A funcionária da limpeza abre a visão do experimentador.
Funcionária segura um espanador.

Funcionária
— Injusta! Dizem que não enxerga, mas sei que é mentira.

Se o experimentador olhar em 180 graus verá um tribunal vazio.
Se olhar em 360 graus verá uma parede infiltrada atrás dele.
Se olhar para baixo, verá seu busto com um seio à mostra e o resto do corpo coberto por um vestido, tudo de metal. Também vê a funcionária com um pano e um espanador.

Funcionária
— Enxerga, sim, e só faz besteira. Além do mais, é exibida... Com um seio para fora.

O teto está iluminado por vários lustres.

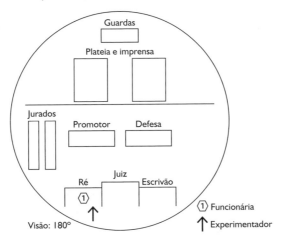

A2) O tribunal é tomado por várias pessoas (*quick motion*)

Se o experimentador olhar em 180 graus verá um tribunal cheio.
Seu olhar pode atravessar o ambiente e em qualquer ângulo que ele olhe encontrará uma ação.
No primeiro círculo (cinco metros), vemos o juiz, a cadeira das testemunhas onde está sentada a ré, Helena, a estenógrafa que toma nota, o promotor, a defesa.

O juiz bate o martelo.

Juiz
— Silêncio. Que o promotor encerre sua acusação.

Promotor
— Obrigado, meritíssimo. Queria dizer aos
jurados que só existe uma curta acusação.
Trata-se do seu segundo marido que faleceu
de acidente vascular cerebral. E a ré, dona Helena,
trabalhou anos numa farmácia de manipulação.
Ela conhece os venenos mais peçonhentos
da natureza. Tenho dito!

Burburinho na sala.
A Ré, Helena, chora sentada no banco dos acusados.

Helena
— Sou uma pobre viúva. Por duas vezes tive a
minha vida marcada pela tragédia.

Juiz
— Dona Helena, se contenha! A senhora é a ré!

O juiz bate o martelo novamente.

Juiz
— Chamo o advogado de defesa para suas alegações finais.

Advogado de defesa
— Minha defesa final é um documento autenticado.
O atestado de óbito diz que a vítima faleceu de
acidente vascular cerebral. Aqui está a assinatura do
médico, dr. Norberto Dias.

No segundo círculo (dez metros), temos a bancada dos jurados, um jurado cochichando
com outro e o público. Um fotógrafo tira uma foto.

No terceiro círculo (quinze metros), vemos dois policiais militares. Um deles coça a cabeça, enquanto o outro toca no revólver (PM1).

PM1
— Chico! Daqui dava um tiro bem no meio do
quengo daquela estátua. Minha pontaria é de lascar.

Depois de o experimentador ter passado por tudo isso, sua atenção deve ser novamente cativada pelo primeiro círculo.
Nesse instante a funcionária entra com uma bandeja com bule e xícaras.
Em seguida, coloca uma xícara de café sobre uma das mesas.
Ao colocar a bandeja vazia debaixo do braço, entra-se num *slow motion* e a figura da estátua da justiça fica refletida na bandeja.
Escuta-se um alerta musical e o experimentador se identifica como a estátua da justiça com a venda abaixada.
Imagem espelhada na bandeja.
Nesse instante, dois objetos dramáticos ficam iluminados e brilhantes:
A xícara de café e o telefone celular.
O experimentador escolhe.
Irá para B1 (xícara de café) ou B2 (telefone celular).
A partir daí o experimentador se torna fantasma.

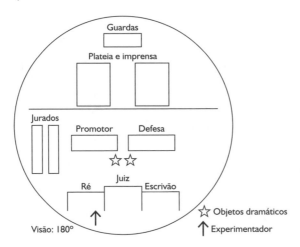

B1) Xícara de café
Casal discute na mesa do jantar; ela sai para buscar o café e ele fica nervoso, não se sente bem.
O experimentador se torna fantasma, ele é onipresente e assiste ao final do jantar.

Na mesa se veem Helena e seu marido, Alfredo. Ela serve bolo. Detalhar. A cena é um círculo de luz, centrado por uma mesa.

Helena
— Um casamento não pode terminar assim, Alfredo.
Não é justo. É contra a lei natural.

Alfredo
— Que lei natural, Helena? Só porque ela é
jovem? Vim aqui para conversar sobre os aspectos
legais do nosso divórcio.

Helena
— Jovem... Posso garantir que essa não é a receita da felicidade.

Alfredo
— E felicidade tem receita?

Helena passa para Alfredo um prato de sobremesa com uma fatia de bolo.

Helena
— Um pedaço de bolo?

Alfredo
— Sim, obrigado.

Helena
— Espero que goste.

Alfredo
— Claro que vou gostar. Adoro doce e você é
uma cozinheira de forno e fogão.

Helena
— Você ainda não comeu.

Alfredo come.

Helena

— Que tal?

Alfredo

— Um espetáculo. As amêndoas estão deliciosas.
Você não vai comer a sobremesa?

Helena

— Perdi o apetite... Vou buscar o café.

Helena sai.

Experimentador retorna para A2.
Nesse instante, dois objetos dramáticos ficam iluminados e brilhantes novamente.
A xícara de café e o telefone celular.
O experimentador escolhe o outro objeto (B2).

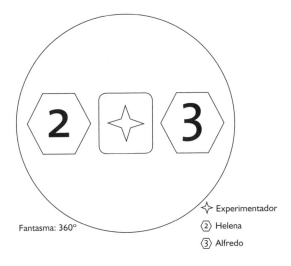

B2) Telefone celular

Mesmo ambiente e Alfredo, sozinho, grava uma mensagem de voz (WhatsApp) para seu novo amor, revelando que não se sente muito bem e mencionando a discussão com a ex-mulher durante o jantar.

O experimentador se torna fantasma, ele é onipresente.

Alfredo fala ao telefone.

Alfredo

— Comi demais, Madalena. Meu amor, escuta... Acho que meu estômago está inchado... Será nervoso?... Acho que perdi a paciência com a Helena... Queria um divórcio amigável... Mas se não for possível, dane-se... E tome comida... A vaca sabe cozinhar... Não estou bem. Será gastrite? Estou indo para casa... Madalena, escute essa mensagem... Ai, que enjoo... Deve ser a vesícula. A pensão que ela pede é exorbitante... Pra mim chega...

A imagem se desfaz.

O experimentador retorna para A2.

Caso ele já tenha assistido às cenas dos dois objetos dramáticos, seguir para A3.

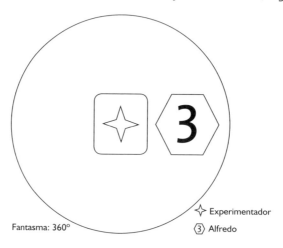

A3) Tribunal em sessão

Ele volta a ser estátua.

Se o experimentador olhar em 180 graus verá um tribunal cheio.

Seu olhar pode atravessar o ambiente e em qualquer ângulo que olhe encontrará uma ação.

No primeiro círculo (cinco metros), vemos o juiz, a cadeira das testemunhas onde está sentada Helena, a estenógrafa que toma nota, o júri, a defesa.

O juiz bate o martelo, solicitando a decisão do júri.

Juiz

— Os jurados chegaram ao veredito?

No segundo círculo (dez metros), temos a bancada dos jurados e o público, composto na maioria por repórteres.

Um jurado se levanta.

Jurado
— Sim, meritíssimo. A ré, Helena Cortez, é inocente.

O fotógrafo tira uma foto.
Volta-se para o primeiro círculo.

Helena
— Jesus, obrigada! Até o céu me ouviu!

Advogado de defesa
— A justiça foi cumprida.

Burburinho no tribunal.
Helena começa a rezar. O juiz se levanta.

Juiz
— Os jurados estão dispensados. A ré está em liberdade. A sessão está encerrada.

Quick motion.
Todos saem e desaparecem.
O tribunal fica vazio.

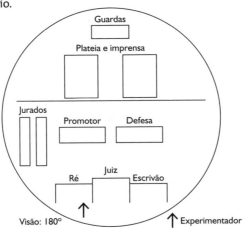

DA CRIAÇÃO AO ROTEIRO 539

A4) Tribunal vazio

No primeiro círculo, a funcionária se aproxima do experimentador, a estátua da justiça, segurando um lençol.

> **Funcionária**
> — Repito: injusta!

Ela se aproxima da estátua como se fosse toureá-la.

> **Funcionária**
> — Quando o único instrumento que você tem
> é um martelo de um homem chamado juiz.
> Está me ouvindo, estátua da justiça?

A funcionária se aproxima ainda mais do experimentador.

> **Funcionária**
> — Um martelo! Todos os problemas e
> sentenças que aparecem você trata como se
> fossem pregos. E erra! É desumano...

A funcionária estende o lençol.

> **Funcionária**
> — As marteladas vão acabar. Vou te cobrir e mandar
> para o depósito.

Funcionária lança o lençol sobre a estátua. Tudo fica escuro.

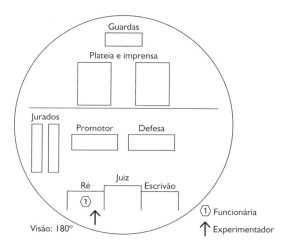

B3) Casa de Helena

O experimentador se torna um fantasma.

Num círculo de luz vemos Helena sentada em frente à tela de um computador.

Ao redor, tudo escuro.

Helena liga o Skype.

Na tela vemos a imagem de um médico.

Trata-se do médico dr. Norberto Dias.

Dr. Norberto Dias
— Meu amor, Helena. Estou aqui para servi-la.
Vamos fazer um bolo? D-e-l-i-c-i-o-s-o!
O bolo das instituições.
Recomendado para maridos
que fogem com mulheres mais jovens.

Helena
— Estou anotando. Pode falar, Norberto.

Dr. Norberto Dias
— Você vai utilizar, açúcar, farinha de trigo, manteiga,
ovos, amêndoas, fermento e o mais importante...

Helena
— Diga, diga, diga...

Dr. Norberto Dias
— 100 gramas qualquer inseticida que contenha
paration, do grupo dos fosfatos orgânicos.
E se é Bayer é bom.

Helena
— Enfeites e efeitos.

Dr. Norberto Dias
— Utilize confeitos coloridos sobre o bolo.
Uma fatia de bolo faz efeito em 30 minutos
e é fatal em três horas... Com quadro clínico
similar a derrame cerebral.

Helena

— Um derrame cerebral... Perfeito.

Tudo escuro.

Fim da RV.

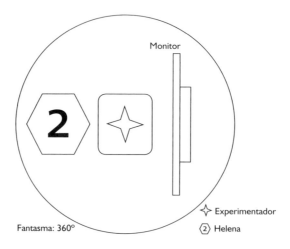

6.5 INTELIGÊNCIA ARTIFICIAL – 3D

REFLEXÃO SOBRE A TECNOLOGIA 3D

Em sua definição linguística, o 3D ou espaço tridimensional é aquele que tem três dimensões: altura, profundidade e largura. Assim, as formas volumétricas ganham relevo.

Com o surgimento da terceira dimensão, foi possível criar a modelagem tridimensional, ou seja, a criação de formas, objetos, personagens, cenários etc. Tal modelagem conta com uma enorme variedade de ferramentas genéricas, que possibilitam uma comunicação mais fácil entre dois programas diferentes com o mesmo usuário. Todas elas são realizadas por meio da criação de uma malha complexa de segmentos que dão forma ao objeto.

O **tridimensionalismo** é usado também para criar livros e imagens. Para gerar a modelagem tridimensional são necessários recursos de *software* e *hardware* adequados. O processo é usualmente dividido em três fases: modelagem, mapeamento e renderização. O mais conhecido uso dos gráficos 3D está nos filmes de animação. Essa técnica é utilizada em filmes tradicionais em que personagens criadas em computador interagem com atores reais.

Umas das principais diferenças entre o desenho animado mais tradicional e a animação digital 3D é que é perceptível a ideia de **profundidade**, **perspectiva** e de um **ambiente** próximo do **real**. O vídeo de alta definição em 2D e a holografia também conseguem mostrar a percepção de profundidade.

Os filmes em 3D são produzidos em abundância, mas falta um formato padronizado para todos os segmentos do negócio do entretenimento. Também é necessário que haja uma angulação na tela do cinema para a reprodução dos filmes em 3D.

DIGRESSÃO

A história do 3D é longa e tortuosa, com altos e baixos, e ainda conta com um brasileiro envolvido no processo.

Há muito tempo começaram a surgir cinemas em 3D, que, usando óculos especiais, permitiam que o público visse filmes inteiros com imagens que praticamente saltavam da tela do cinema.

O primeiro longa-metragem 3D da história foi feito em 1922 e se chamou *The power of love*. A tecnologia do longa utilizava duas imagens visualmente combinadas, uma desenhada em vermelho e a outra em azul, que eram vistas através de um par de óculos com lentes coloridas das mesmas cores.

Aqui no Brasil, mais precisamente em São Paulo, o dr. Sebastião Comparato, médico, cientista, pesquisador e professor, desenvolveu em 1947 óculos mais simples, determinou uma nova curvatura para a tela e calibrou a emissão de luz de modo que transcendesse a luz solar.

Sim, é verdade. Ele era meu avô, nascido na Itália, mais precisamente na cidade de Mistreta, na Sicília. Dele tenho muito orgulho.

Sebastião mostrou seu trabalho pelo mundo afora (Brasil, Europa, Américas), mas infelizmente sofreu um acidente em seu laboratório que o deixou completamente surdo por toda sua longa vida. Aqui fica minha homenagem, com a reprodução de uma das reportagens que falavam de seus êxitos, publicada em 1947 pelo *Correio Paulistano*.

Depois de adormecer por algumas décadas, o 3D retorna em grande estilo com o sucesso do filme *Avatar*, lançado em 2009.

A produção de James Cameron é hoje o filme que atingiu maior bilheteria na história do cinema e fez que o formato fosse enxergado por muitos como uma possível salvação da sétima arte, que vinha perdendo público para plataformas de *streaming* e para a pirataria.

Em 2005, menos de **100** salas eram capazes de exibir o formato nos Estados Unidos. Em 2009, já eram mais de **2 mil**. Segundo o site Filme B, em 2016 havia 1.383 salas desse tipo no Brasil.

Desde o seu surgimento o 3D tem sido explorado como um efeito, e não como linguagem. A tecnologia se fez presente em filmes mais por uma questão estética com ares de modernidade do que para auxiliar a narrativa.

O uso excessivo do efeito 3D muitas vezes acaba prejudicando a experiência do espectador e sua proposta inicial de imergir o público no filme, gerando justamente o efeito contrário. Pois, no momento em que o impacto aparece, corremos o risco de ver unicamente a técnica. E nos damos conta de que estamos num cinema e não no interior da história que viemos ver. Ou seja, quando o filme utiliza artifícios como "atirar" objetos em direção ao público, isso é suficiente para que o espectador deixe a trama de lado e lembre que está em uma sala de cinema.

Realmente o 3D ficará limitado à tela?

Empresas de tecnologia estão apostando firme no 3D para realidade virtual.

O Google possibilita ao usuário fazer uma visita virtual em 3D por Hong Kong, Nova York e San Francisco. O tour permite passear entre os arranha-céus e conhecer diversos locais dessas cidades. A paisagem fica ainda mais bonita com a tecnologia empregada pela gigante.

Também a Apple tem um recurso que permite desbloquear o iPhone usando o rosto do usuário em vez de sua impressão digital. Um novo sistema de segurança aprimorado que possibilitará que os usuários façam o login, autentiquem pagamentos e acessem aplicativos protegidos por meio da **biometria facial.**

A Apple não é a primeira empresa a usar distintas formas de autenticação biométrica. Em seus aparelhos mais novos, a Samsung incluiu um leitor de íris que possibilita que os usuários desbloqueiem o *smartphone* e façam pagamentos utilizando o reconhecimento ocular.

Todavia, o grande uso desta técnica é a impressora 3D.

Evidentemente ela não utiliza papel, mas materiais químicos e bioquímicos ultrarresistentes, duráveis e assépticos para a impressão de modelos perfeitos em três dimensões, que substituem os originais sejam eles quais forem.

Utilizando materiais como os filamentos ABS (acrilonitrila butadieno estireno), PLA (ácido polilático) e PETG XT (glicol modificado), ela é capaz de realizar façanhas como criar um modelo de ferramenta para um astronauta em apuros ou imprimir um cérebro para treinar a retirada de um tumor por um neurocirurgião.

REFLEXÕES SOBRE A INTELIGÊNCIA ARTIFICIAL

A inteligência artificial é um ramo da ciência da computação que, por intermédio de linhas de comando, busca construir mecanismos e/ou dispositivos que simulem a capacidade do ser humano de aprender, solucionar questões, ou seja, ser inteligente.

Com o avanço da tecnologia, a inteligência artificial ganhou força a ponto de ser capaz de reproduzir não só a capacidade de pensar como a de sentir, de ter criatividade e de expandir o uso da linguagem.

O progresso é lento, sobretudo porque os seres humanos não utilizam somente critérios lógicos de avaliação para resolver problemas. Aspectos como experiências anteriores, intuição e o próprio inconsciente influenciam de maneira substancial a forma como lidamos com situações inesperadas e contornamos obstáculos.

Além disso, a maneira como processamos informações é muito diferente da utilizada por uma máquina. Exemplo disso pode ser uma simples conversa sobre pássaros: enquanto os seres humanos têm um conceito intuitivo do que é o animal (embora nem todos tenham a mesma imagem mental dele), a máquina demandaria uma grande quantidade de informações para interpretar tal conceito. Não só o conceito de pássaro deveria estar no banco de dados, como também formas de diferenciá-lo de outros animais e objetos. O resultado é um processo que requer um poder computacional que as máquinas mais modernas teriam dificuldade de oferecer. Isso sem falar no longo tempo necessário para programar todos os aspectos de cada informação.

Aos poucos, a necessidade de inovações no campo fez que o foco deixasse de ser a recriação do pensamento humano e passasse a ser o desenvolvimento de máquinas capazes de realizar tarefas impossíveis para os indivíduos.

Pesquisadores perceberam que a inteligência não é algo unitário, mas fruto da união de diferentes fatores que resultam na resolução de problemas e na realização de tarefas. O resultado foi o desenvolvimento de novas técnicas que deixaram de se basear nos humanos como modelo, usando características próprias da informática para a elaboração de novas criações. Exemplos mais significativos de IA:

- Interpretação da escrita e tradução
- Edição e cópia de livros, vídeos e músicas
- Criação e condução de objetos
- Criação de uma linguagem própria
- Sistemas de pesquisa, busca e localização
- Medicina, exames e diagnósticos
- Treinamento militar

- Publicidade e *marketing*
- Desenho do perfil dos consumidores
- Indução e manipulação de tendências políticas

Atualmente a inteligência artificial é empregada em tantos campos que seria praticamente impossível listar todos. Tentar se livrar da tecnologia é uma tarefa impossível, afinal toda a estrutura do sistema financeiro mundial se baseia nela. Inclusive, voltar ao antigo sistema controlado somente por humanos não só exigiria um processo dispendioso como poderia resultar em um colapso econômico nunca visto na história.

TENDÊNCIAS DA INTELIGÊNCIA ARTIFICIAL

Quem acompanha o mundo dos jogos eletrônicos provavelmente já está há muito tempo acostumado com rotinas de inteligência artificial. Mesmo alguns dos títulos mais rudimentares do mercado já apresentam algum tipo de inteligência própria, nem que seja simplesmente para dificultar a vida do usuário.

Exemplo maior disso são os jogos de luta, em que o próprio jogador contribui de forma definitiva para sua derrota. Enquanto os primeiros confrontos parecem fáceis demais, a máquina utiliza processos de identificação de padrões para detectar as técnicas mais utilizadas.

O resultado é que, nas lutas seguintes, todas as táticas usadas até então se tornam inúteis, pois os adversários conseguem defender-se e contra-atacar de forma eficiente. Sem contar que o simples apertar de um botão aciona um contra-ataque imediato, coisa da qual nenhum ser humano seria capaz.

No cinema, técnicas de inteligência artificial combinadas com a última palavra em computação gráfica são utilizadas para oferecer um visual extremamente realista. Exemplo disso é o trabalho realizado na trilogia *O senhor dos anéis*, em que cada membro dos exércitos digitais era capaz de evitar obstáculos e realizar gestos individuais independentes dos demais elementos que o rodeavam.

O novo estágio da IA é o reconhecimento por meio do escaneamento de movimentos musculares e do interior dos seres humanos, que são posteriormente reproduzidos no computador. Esse acessório surpreendente é chamado de Kinect.

Além de reconhecer o posicionamento, a voz e os gestos do usuário, com o tempo o aparelho aprende a rotina de uso adotada e se torna mais preciso e eficiente. Ele é extremamente eficiente na ciência, nos esportes e nas artes.

Por mais sofisticadas que sejam as tecnologias de inteligência artificial, dificilmente chegará o dia em que veremos máquinas conscientes de sua existência e capazes de se revoltar contra a humanidade, causando o seu fim.

E aqui repetimos o que já foi escrito na Parte I deste livro: as denominadas **Três Leis da Robótica** são em verdade três princípios idealizados pelo escritor Isaac Asimov a fim de controlar e limitar os comportamentos dos robôs:

- 1ª Lei – Um robô não pode ferir um ser humano ou, por inação, permitir que um ser humano sofra algum mal.
- 2ª Lei – Um robô deve obedecer às ordens que lhe sejam dadas por seres humanos, exceto nos casos em que tais ordens entrem em conflito com a Primeira Lei.
- 3ª Lei – Um robô deve proteger sua própria existência desde que tal proteção não entre em conflito com a Primeira ou a Segunda Leis.

Mais tarde Asimov acrescentou a Lei Zero, acima de todas as outras: um robô não pode causar mal à humanidade nem, por omissão, permitir que a humanidade sofra algum mal. O objetivo das leis é permitir a coexistência de robôs inteligentes e humanos.

É importante pensar no impacto da inteligência artificial no mundo, e com certeza uma das necessidades mais importantes seja democratizar essa tecnologia. Os servidores da nuvem, que é um gigantesco veículo computacional, oferecem serviços de computação para cada tipo de usuário e, ao mesmo tempo, retiram a privacidade dos cidadãos. Em tudo que nos cerca assistimos ao tradicional ditado: não existe um bem que traga um mal, ou vice-versa.

A inteligência artificial já é uma realidade: não se trata de ficção nem de propaganda vazia. E, quando começar a substituir as pessoas em atividades humanas diárias, ela vai mudar a maneira como pensamos sobre nós mesmos.

6.6 DEPOIMENTO DE UM FÍSICO – LEIS E POSSIBILIDADES*

CONCLUSÃO EM FORMA DE DEPOIMENTO DE UM FÍSICO

Quando conheci Doc Comparato, não compreendi por que um dramaturgo necessitava conversar com um físico especialista em computação. Agora entendo. Ele desejava olhar pelos portais do conhecimento. E assim eu, Daniel Weller, me lancei nessa busca.

Tudo começou quando encontrei na internet o livro *Hamlet no Holodeck – O futuro da narrativa no ciberespaço*, de Janet Murray (São Paulo: Ed. da Unesp/Itaú Cultural, 2003). A autora forneceu diversas respostas que estão me ajudando a unir minha bagagem acadêmica com a paixão pela escrita. O livro é interessantíssimo e discute o futuro da narrativa no ciberespaço, mostrando as infinitas aplicações do meio digital, as possibilidades de autoria por meio dos computadores e as novas perspectivas para elaboração de roteiros que hoje se tornam realidade.

A pesquisadora considera o processo de narrativa unindo roteiristas, escritores, artistas, educadores e cientistas de computação. E em minha opinião essa abordagem é rica e de muito futuro. E dessa forma Hamlet me ajudou a andar.

O retorno tem sido muito maior do que eu poderia imaginar. E teve seu clímax nesta abordagem rica para a narrativa: a **costura futurística de temas multidisciplinares**.

Hoje vivemos a época digital – com a explosão do uso dos computadores, interligados por redes globais, executando *softwares* gráficos poderosos que formam ambientes virtuais imersivos, com processos de interação cada vez mais eficientes e sofisticados. Os computadores não estão mais restritos aos profissionais das áreas técnicas nem às crianças e aos adolescentes. Assistimos maravilhados ao nascimento da cibercultura, em que tudo pode ser representado no versátil formato digital, que evolui para um poder de representação nunca imaginado.

---

* Texto escrito por Daniel Weller.

Os enormes avanços técnicos e incentivos econômicos têm contribuído para o estabelecimento de novas variedades de entretenimento de narrativa, ampliando os limites tradicionais de representação e influenciando a concepção de filmes, novelas e peças. No momento, é bastante difícil imaginar o futuro da narrativa eletrônica/digital. Será mesmo?

Ao olharmos para trás, para a invenção da imprensa e da câmera, vamos concordar que os contemporâneos de Gutenberg ou dos irmãos Lumière devem ter vivenciado essa mesma dificuldade. Naquelas épocas se vivia um período de amadurecimento dos livros e dos filmes, mediante experimentações coletivas do meio, transformando uma tecnologia meramente de registro, associada como uma simples adição às formas artísticas tradicionais, em um novo meio de expressão.

Hoje, temos certeza de que podemos contar com o computador e seus infinitos recursos e possibilidades para a arte da narrativa. Mas, de forma semelhante ao que se passou com os filmes e livros, os formatos de roteiro baseados em computador estão em sua infância, em fase de experimentação e amadurecimento.

No momento, escritores, dramaturgos e diretores de cinema se movem para histórias interativas, com núcleo dramático em versões múltiplas, baseadas nos formatos digitais. Os profissionais da computação se movem para a criação de mundos ficcionais e o público se movimenta para um estágio virtual, participativo, interativo.

Os **jogos de ação** já chegaram baseados em estruturas de labirinto e em diversos níveis. Mas ainda estamos submetidos à violência dos tiros e dos chutes em vez de vivenciar situações de conflito com maior ressonância dramática e importância humana. Nos momentos de clímax da história, o envolvimento do jogador participante é aumentado por meio de uma atividade física e não mental.

A concepção dos **jogos de enigma** é diferente da dos jogos de ação. *Myst* é um ótimo exemplo de jogo de enigma, que obtém muito do seu poder de imersão por meio de um sofisticado projeto de *design* de som.

A música dá forma à experiência da interação dentro da cena dramática, transformando o ato de descoberta em um momento de revelação de alto poder dramático. Nesses tipos de jogo há um nível mais rico e complexo de narrativa; o engajamento é mais lento para possibilitar ao jogador/participante descobrir os enigmas propostos.

Além dos jogos, com a grande popularização da internet houve um momento de crescimento da ficção baseada em **hipertexto**. Essas histórias são segmentadas em pedaços genéricos de informação, em unidades de leitura (lexias). Enquanto as páginas em um livro são amarradas em uma sequência simples, as unidades de leitura são sempre conectadas entre si por palavras-chave que remetem o leitor a algum outro lugar. Mas até isso já passou. Será que vai retornar? E de outra forma?

A existência do hipertexto tem possibilitado aos escritores novas maneiras de experimentação, com **segmentação, justaposição e conectividade**. Histórias escritas em hipertexto geralmente têm mais do que um ponto de entrada, muitas bifurcações internas e um final não muito claro. As narrativas dessa modalidade são extremamente intrincadas, formando uma teia com muitas linhas de execução. Exatamente como as histórias imaginadas por Borges e Lightman. Com a emergência e o uso dos computadores se tornou possível escrever baseado em hipertexto em escala mundial.

Um dos mais intrigantes trabalhos corresponde ao mundo virtual denominado **Placeholder**, criado por Brenda Laurel e Rachel Strickland. Esse ambiente utiliza três temas visuais e sonoros baseados no Parque Nacional Canadense Banff: **o mundo das cavernas, o mundo das cachoeiras e o mundo dos altos picos**.

Uma vez que os participantes entram no ambiente, munidos de sensores, capacetes para realidade virtual e óculos para visualização 3D, vivenciam voar pelo parque, sugerindo que a realidade virtual pode criar uma espécie de conjunto de jogos de improvisação para adultos. São os mundos virtuais.

Outros dois exemplos são o projeto Alive, do laboratório do Media Lab/MIT, que por meio de um espelho mágico utiliza a imagem do usuário para inseri-lo em personagens virtuais, e o Projeto Oz, da Universidade de Carnegie Mellon, que aplica técnicas de inteligência artificial para o processo de elaboração de roteiros. É excitante pensar sobre como no futuro podem ser combinadas todas essas tecnologias.

Esse é um processo inevitável de se afastar dos formatos das antigas mídias, indo em direção às novas convenções com o objetivo de satisfazer a necessidades e propriedades associadas aos ambientes digitais, que são considerados **procedurais, interativos, espaciais e enciclopédicos**.

Em termos psicológicos, o computador é um objeto localizado no limiar entre a realidade externa e a nossa mente. E o nosso desafio como ciberdramaturgos é manter o máximo possível do poder imersivo e da experiência do transe durante a interação do usuário com o ambiente computacional.

O curioso é que somente será possível manter o mundo virtual de forma aceitável se for possível inseri-lo nos padrões da lógica dramática. Mantendo um balanço entre o posicionamento humano, o computador, a realidade e o portal encantado que a máquina nos oferece. Conforme o psiquiatra Winnicott, "a coisa real é aquilo que não está lá".

Em todas as artes de narrativa há convenções desenvolvidas para manter esse transe de natureza tênue e frágil. Estamos em um estágio de exploração do meio, testando os limites desse mundo limiar, verificando as fronteiras, celebrando o encantamento e testando a qualidade e a tenacidade da ilusão virtual. E em todos eles desejamos estar

DA CRIAÇÃO AO ROTEIRO   **553**

presentes em um nível diferente daquele em que somos somente plateia. Desejamos fazer mais do que simplesmente **viajar pelo ambiente**. Seria ótimo se pudéssemos **contracenar com as personagens virtuais**.

Uma das maneiras de entender esse novo tipo de narrativa é por meio da metáfora do caleidoscópio. Conforme Marshall McLuhan, os meios de comunicação deste século são mosaicos sem estrutura linear. Esses mosaicos para a informação têm criado padrões de mosaico para o pensamento contemporâneo, fornecendo uma visão geral imediata e instantaneamente. Elas estão presentes nas primeiras páginas dos jornais diários (espacial), nas rápidas cenas dos filmes (temporal) e na manipulação do controle remoto da televisão (interativo).

O computador pode com muita facilidade apresentar e combinar os mosaicos das distintas mídias, além de oferecer novas formas para dominar e gerenciar a fragmentação da estrutura caleidoscópica. **O poder caleidoscópico do computador nos permite contar histórias que reflitam a sensibilidade e percepção do início de um século.** Quando não mais acreditamos na realidade simples e na verdade absoluta da percepção comum de tempo e espaço. A solução se aproxima de uma tela caleidoscópica que apresenta o mundo de muitas e variadas perspectivas: complexo e possivelmente não compreensível.

Naturalmente essa estrutura traz muitas possibilidades para a narrativa. **Um dramaturgo digital deverá explorar essas possibilidades, mas sem sobrecarregar o participante.** Ele terá de procurar soluções efetivas em relação à disposição e à precisão das ações dramáticas, para sustentar o suspense dos múltiplos caminhos. Além de ser necessário desenvolver claras convenções para navegar nela. Por exemplo, será permitido movimentar amplamente o tempo? O movimento entre planos distintos em um mesmo momento de tempo? A imersão e navegação entre consciências das personagens?

A composição caleidoscópica não representa uma ruptura em relação à forma tradicional de contar histórias. Os trabalhos desenvolvidos por Joseph Campbell, Christopher Vogler e Ronald Tobias confirmam a existência de técnicas de padrão e variação entre histórias das mais diversas culturas, sob argumentação de que esses padrões sejam constantes, independentemente da especificidade das culturas e das épocas.

A natureza da aplicação de regras para a elaboração de roteiros é particularmente adequada para o computador e o mundo virtual, que é justamente construído pela modelagem e reprodução de padrões de todos os tipos e espécies. Entretanto, ninguém deseja escutar uma história que seja a mera utilização mecânica de padrões. Então, surgem alguns questionamentos: como dizer ao computador quais são esses padrões e como usá-los? Como pode o autor manter controle sobre a história e ainda assim oferecer aos participantes a liberdade de ação, o senso de agenciamento, que torna o engajamento com o meio digital tão prazeroso?

A chave para essas e outras perguntas pode ser inicialmente respondida se analisarmos a comunidade oral dos trovadores e repentistas. Os trabalhos de Alfred Lord mostraram que a composição e o processo de desempenho dos repentistas estão fundamentados naquilo que na literatura é considerado e depreciado – **como repetição, redundância e lugar-comum** –, constituindo-se em unidades de informação que facilitam aos repentistas a memorização e a lembrança.

As histórias eram compostas diferentemente a cada apresentação, com base em um estoque de frases e temas, unidade-chave de segmentação. Essas histórias eram de múltiplas formas, dependentes do público e de seus interesses, mas sempre coerentes com o núcleo dramático principal. É curioso observar que esse modelo dos repentistas é extremamente útil para estabelecer os blocos básicos para um sistema de construção de histórias que desejaríamos encontrar no ciberespaço. Justamente por satisfazer tanto pela coerência de um núcleo dramático quanto pelo prazer da possibilidade de variação de diversos finais.

O trabalho de Vladimir Propp também aponta para essa direção. Propp analisou a narrativa oral russa com o objetivo de atingir uma morfologia da história folclórica e um algoritmo específico para a produção de histórias de múltiplas formas. Seu trabalho sugere que **as histórias podem ser geradas pela substituição e pelo rearranjo de unidades, de acordo com regras tão precisas quanto fórmulas matemáticas**.

Depois de mais de 50 anos da criação de Eliza, primeira personagem baseada no computador, desenvolvida por Joseph Weizenbaum, o desafio consiste em tornar disponíveis para os escritores as regras que induzem uma interpretação do mundo e os comportamentos das personagens: como a notação musical está para os compositores.

A partir dessa evolução tecnológica, as personagens descendentes diretas ou não de Eliza deixaram de ter a onisciência do roteirista para apresentar uma coleção de comportamentos improvisados, conhecedores dos múltiplos objetivos e capazes de alterar as prioridades e estratégias diante do ambiente. Essas personagens são comumente chamadas de agentes inteligentes. Seus modelos de personalidade e de interação social são construídos com base em uma estrutura cognitiva e comportamental, por meio de *scripts*, planos e objetivos a ser programados.

Esses agentes autômatos e inteligentes oferecem a excitação da possibilidade do que os cientistas chamam de **comportamento emergente**: eles são capazes de ir além daquilo para que foram explicitamente programados. A ação emergente surge de uma intrincada combinação de emoções, sensações e traços de personalidade que formam a consciência simulada das personagens. Dessa forma, segundo a classificação de E. M. Forster, essas personagens são redondas, uma vez que desempenham suas atividades de forma distinta durante a narrativa, podendo crescer e se desenvolver durante a interação, se comportando de forma diferente, justamente pelo aprendizado e conhecimentos adquiridos. Isto é, se libertando de seu autor. Será isso inteligência artificial? Ou personagem liberada?

Especulações à parte, é isto que nos interessa: personagens que sejam capazes de nos surpreender. Sem comportamentos aleatórios, mas atuando de forma consistente, por meio de estratégias conhecidas, mas sempre de maneiras não totalmente previsíveis.

Vivemos uma nova geração de personagens gráficas, figuras animadas icônicas baseadas em botões, que aparentam estar vivas não somente pelo movimento e aparência, mas também por terem sido programadas para ter uma reação espontânea diante dos acontecimentos programados por seus donos.

OBSERVAÇÃO IMPORTANTE

Colaboraram neste segmento os seguintes especialistas:

- Ivana Rowena Monte Lima, pesquisadora, tradutora, redatora, escritora e roteirista.
- Arthur Protasio, roteirista e empresário.
- Fábio Hofnik, consultor de realidade virtual.
- Priscila Guedes, diretora de fotografia, especialista em realidade virtual e finalista do prêmio César 2018 (Paris, França).
- Jonas Almeida, especialista em tecnologias, inteligência artificial e tendências.
- Daniel Weller, físico e professor.

BIBLIOGRAFIA

Aarseth, Espen J. *Cybertext*. Baltimore: Johns Hopkins University Press, 1997.

Assis, Jesus de Paula. "Roteiro em ambientes virtuais interativos". *Cadernos da Pós-Graduação*, Instituto de Artes/Unicamp, v. 3, n. 1, p. 93-110, 1999.

Bolter, Jay David. *Writing space*. Nova Jersey: Lawrence Erlbaum, 1991.

Campbell, Joseph. *O herói de mil faces*. São Paulo: Cultrix, 1997.

Forster, Edward Morgan. *Aspects of the novel*. Londres: Arnold, 1927.

Heckel, Paul. *Software amigável*. Rio de Janeiro: Campus, 1993.

Landow, George. *Hyper/Text*. Baltimore: Johns Hopkins University Press, 1992.

Laurel, Brenda. *Computers as theatre*. Massachusetts: Addison-Wesley, 1991.

Laurel, Brenda (org.). *The art of human-computer interface design*. Massachusetts: Addison-Wesley, 1990.

Laurel, Brenda; Strickland, Rachel. "Placeholder: landscape and narrative in virtual environments". Disponível em: <http://www.tauzero.com/Brenda_Laurel/Placeholder/Placeholder.html>. Acesso em: 28 maio 2018.

Lévy, Pierre. *O que é o virtual?* São Paulo: 34, 1996.

_____. *Cibercultura*. São Paulo: 34, 1999.

Lord, Albert B. *The singer of tales*. Cambridge: Harvard University Press, 1960.

McLuhan, Marshall. *Os meios de comunicação como extensões do homem*. São Paulo: Cultrix, 1979.

Murray, Janet H. *Hamlet no Holodeck – O futuro da narrativa no ciberespaço*. São Paulo: Ed. da Unesp/Itaú, 2003.

Negroponte, Nicholas. *A vida digital*. São Paulo: Companhia das Letras, 1995.

Oliveira, Osvaldo Luiz de; Baranauskas, Maria Cecília C. "The theatre through the computer". *Computers & Education*, v. 34, n. 3-4, 2000, p. 321-25.

Papert, Seymour. *A máquina das crianças*. Porto Alegre: Artes Médicas, 1994.

Pearce, Celia. *The interactive book*. Indianápolis: Macmillan Technical Publishing, 1997.

Prado, Gilberto. "As redes telemáticas: utilizações artísticas". Instituto de Artes, Departamento de Multimeios/Unicamp. Disponível em: <http://www.cap.eca.usp.br/wawrwt/version/textos/texto05. htm>. Acesso em: jul. 2009.

Propp, Vladimir. *Morphology of the folktale*. Austin: University of Texas Press, 1968. [Edição brasileira: *Morfologia do conto maravilhoso*. Rio de Janeiro: Forense Universitária, 2006.]

Rollings, Andrew; Morris, Dave. *Game: architecture and design*. Arizona: Coriolis, 2000.

Tobias, Ronald B. *Twenty master plots*. Cincinnati: Writer's Digest Books, 1993.

Vogler, Christopher. A jornada do escritor. Rio de Janeiro: Ampersand, 1997.

Weizenbaum, Joseph. "Eliza". *Communications of the ACM*, v. 9, n. 1, 1966, p. 36-45.

Weller, Daniel. *Uma proposta de arquitetura para ambientes baseados em simulação*. Dissertação (mestrado em Ciência da Computação), Universidade Estadual de Campinas, São Paulo, 1995.

Winnicott, Donald. W. *Playing and reality*. Londres: Routledge, 1971. [Edição brasileira: *O brincar e a realidade*. Rio de Janeiro: Imago: 1975.]

BIBLIOGRAFIA ESPECÍFICA SOBRE *GAMES*

Bissel, Tom. *Extra lives: why video games matter*. Nova York: Pantheon, 2010.

Davidson, Drew (org.). *Well played 3.0: video games, value and meaning*. Pittsburgh: ETC, 2011.

Huizinga, Johan. *Homo ludens: o jogo como elemento da cultura*. 5. ed. Trad. João Paulo Monteiro. São Paulo: Perspectiva, 2008.

Narcisse, Evan. "L.A. Noire becomes first video game ever featured at Tribeca Film Festival". *Time Tech*, 29 mar. 2011. Disponível em: <http://techland.time.com/2011/03/29/l-a-noire-becomes-first-video-game-ever-featured-at-tribeca-film-festival>. Acesso em: 10 mar. 2018.

Protasio, Arthur. *Jogando histórias: refletindo sobre a narrativa dos jogos eletrônicos*. Dissertação (mestrado em Design) – Pontifícia Universidade Católica do Rio de Janeiro, Rio de Janeiro, 2014. Disponível em: <https://www.maxwell.vrac.puc-rio.br/24222/24222.PDF>. Acesso em: 28 maio 2018.

Protasio, Arthur; Xavier, Guilherme (orgs.). *Jogador de mil fases*. Rio de Janeiro: 2AB, 2013.

Salem, Katie; Zimmerman, Eric. *Rules of play: game design fundamentals*. Cambridge: MIT Press, 2003.

Parte 7

HUMOR E COMÉDIA

"Melhor morrer de vodca que de tédio."

Maiakovski ("A Sierguei Iessiênin" [1926]. In: *Maiakovski – Poemas*.
Trad. Boris Schnaiderman, Augusto de Campos e Haroldo de Campos.
São Paulo: Perspectiva, 1976, p. 89)

"O cara só é sinceramente ateu quando está muito bem de saúde."

Millôr Fernandes (1923-2012)

7.1 INGREDIENTES PARA COMÉDIA E HUMOR – PESSOAS E PALAVRAS

REFLEXÕES SOBRE O HUMOR

A primeira diferença que se coloca nesta introdução é entre comédia e humor. Comédia vem do grego *komoidía* e do latim *comoedia*, obra ou representação teatral em que predominam a sátira e a graça. Humor vem do latim *humore* e é uma veia cômica que traz graça ao espírito e está ligada a uma feição irônica. Alguém já disse que a autoironia é a marca da inteligência.

Em outras palavras, enquanto o primeiro faz rir ou gargalhar, o segundo faz cócegas no seu cérebro. Essa definição pode parecer simplista, mas na verdade contém uma grande diferença. Um passo enorme entre o palhaço e, por exemplo, o cartunista. Porém, ambos oferecem o chamado bem-estar ao povo e à sociedade.

Dizem que o choro é a mais complexa reação orgânica e emocional que o ser humano pode atingir, daí nascendo a importância da figura do dramaturgo. Entretanto, o fazer rir praticado por comediantes ou humoristas requer um talento especial, uma conjugação de qualidades artísticas, textuais e percepções da vida tão agudas quanto críticas, que para mim são impagáveis.

Recordo vivamente as chanchadas da Atlântida, o prazer depois de ter trabalhado com Grande Otelo e o palhaço Carequinha. Para não falar do mitológico artista brasileiro Chico Anysio. E dos humoristas e redatores como os amigos Max Nunes e Millôr Fernandes. Em nível internacional cito Charles Chaplin, Peter Sellers, os seriados americanos de humor – como *Friends*, *Two and a half men*, *The Big Bang theory* e *Modern family*.

Neste segmento confesso que **cometerei erros**, serei **pecaminoso**, omitirei **nomes** por **desconhecimento**, mas principalmente porque a galáxia brilhante de importância e relevância é tão extensa e verdadeira que ultrapassa um simples trecho de livro.

Foram programas e séries que inundaram o Brasil por anos, do rádio à televisão, e realmente me considero incapaz de efetuar um panorama preciso, técnico e efetivo sobre os princípios e exigências que condicionam o humor, seja na televisão, seja na cinematografia.

O espectro e a tendência do humor e da comédia no Brasil são tão intensos que até alcançaram as telenovelas. Um dos escritores mais profícuos e de carreira mais brilhante da teledramaturgia brasileira é Silvio de Abreu. Entre outras obras de vulto de sua autoria, o também ator e diretor assinou uma novela emblemática chamada *Guerra dos sexos*, cujo humor e comédia, mantidos em mais de 200 horas de emissão, são modelo para todo estudioso do assunto.

Incapaz de tamanha façanha – aliás, processo que utilizo no livro –, convoquei três profissionais do ramo cujo mérito e capacidade me parecem indiscutíveis.

São três ex-alunos: Mauro Wilson, Cesar Cardoso e Emanuel Jacobina, que colaboraram na confecção deste segmento.

HUMOR NAS PALAVRAS E PESSOAS

Na verdade tudo pode ser divertido se for contado de maneira engraçada. A graça está na maneira de pensar e olhar o mundo. As próprias palavras, como instrumento da linguagem, podem produzir humor. Seja pelo som – "Vamos furunfar!" é mais engraçado do que "Vamos transar!" – ou pelo contexto, com o uso do duplo sentido, como "antigamente dar umazinha era repartir o frango".

Basta olhar em volta para descobrir que o grande instrumento do humor somos nós mesmos. Quer ver? Parentes são engraçados: uma avó caduca, a tia solteirona, o tio esquisitão... Alguns até viraram clichês, como a sogra chata e o cunhado folgado. Profissões também são engraçadas: carteiros, ascensoristas, bandeirinhas de futebol... E existem certas tendências que transformam pessoas normais, se é que isso existe, em figuras risíveis: **as falhas, a inadequação e o exagero.**

- **Falhas** – Todos nós temos falhas. Algumas são muito graves. Outras também são folclóricas, mas podem ser engraçadas. A famosa preguiça dos baianos, a burrice das louras, as confusões dos desastrados, a esperteza dos malandros... Enfim, a mesma falha que incomoda também pode provocar risadas.
- **Inadequação** – Essa tendência se dá quando em determinadas situações pessoas se colocam ou são colocadas numa posição absolutamente constrangedora e inadequada. Um anão trabalhando como ascensorista num edifício de mais de 30 andares. Um salva-vidas de piscina bem gordo. Um motorista de táxi em Nova York que acaba de chegar da Chechênia. Um advogado sendo obrigado a dizer a verdade, como no filme *O mentiroso*. Não tem erro: uma pessoa fora do contexto costuma ser bem torpe.
- **Exagero** – O exagero faz que Woody Allen não seja divertido apenas por ser neurótico, mas por ser o maior neurótico do mundo. Para produzir humor, um falador

não tem de falar muito, ele tem de falar sem parar, pelos cotovelos. Um sonâmbulo não tem só de andar dormindo pelo quarto, ele tem de ir ao zoológico e transar, quer dizer, furunfar com uma girafa pensando que é a esposa dele.

Exercício 1: agora um exercício para a memória, que é uma qualidade importante para um autor de humor. Coloque no papel a descrição de uma pessoa que você conhece e tem uma ou mais de uma das tendências engraçadas: falhas, inadequação e exagero.

> "O Brasil precisa explorar com urgência a sua riqueza,
> porque a pobreza não aguenta mais ser explorada."
>
> Max Nunes (1922-2014)

Nomes engraçados

Um **nome esdrúxulo** funciona muito bem na criação de uma personagem de humor e também no desenvolvimento de um esquete ou de uma comédia. Ele é um cartão de visitas e apresenta bem a personagem. Mas, além de ser engraçado, tem de carregar a personalidade do dono.

Já sabe o que vem pela frente quando aparecem personagens como Rolando Lero, um enrolador, Carlos Maçaranduba, um sujeito com muita massa física e pouca massa cerebral, Doutor Obturado, um idiota com opinião, e Didi Mocó Sonrisal Colesterol Novalgina Mufumo, uma pessoa muito enrolada que adora provocar confusão.

Exercício 2: batizar duas personagens, uma masculina e uma feminina, e criar para elas uma pequena biografia para explicar por que têm esses nomes.

> "O homem é o único animal que ri.
> E é rindo que ele mostra o animal que é."
>
> Millôr Fernandes (1923-2012)

Ideias engraçadas

Agora que já criamos e batizamos duas personagens destoantes, vamos dar a elas uma ideia original. Isto é, criar um contexto interessante para elas. É importante perceber que, seja uma piada, um esquete ou uma comédia, o que dá graça e cria o humor é a situação, o conflito. É o que acontece, como acontece e principalmente como isso vai ser contado.

A partida – Nossas personagens são noivos e vão se casar. E agora? De onde surgem as ideias? E, mais ainda, de onde surgem as ideias desestabilizantes para essa situação? Uma boa pedida é visualizar as características das personagens e a situação em que estão envolvidas. Isso facilita o desenvolvimento do conflito. Para facilitar a visualização apresentamos a seguir o modelo que batizamos de Quadro de Ideias Engraçadas.

O Quadro de Ideias Engraçadas deve ser preenchido com pelo menos cinco ideias positivas e cinco negativas por coluna. Ou seja, atribua cinco características positivas e negativas às suas personagens, assim como cinco pessoas positivas e negativas que eles conhecem, cinco lugares, cinco coisas ou objetos e assim sucessivamente. É o seu *brainstorm*[1] particular.

Quadro de ideias engraçadas

ASSUNTO:

CARACTERÍSTICAS	PESSOAS	LUGARES	COISAS	EVENTOS	CLICHÊS	

Nosso exemplo de quadro de ideias engraçadas

ASSUNTO: NOIVOS

CARACTERÍSTICAS	PESSOAS	LUGARES	COISAS	EVENTOS	CLICHÊS	
Felizes	Padre	Igreja	Buquê	Lua de mel	Felizes para sempre	P
Apaixonados	Padrinhos	Motel	Aliança	Festa	Fila para cumprimentos	O S I T I V A S
Fiéis	Pais	Cartório	Vestido	Jogar buquê	Arroz	
Românticos	Fotógrafo	Sacristia	Bolo	O beijo	Latas no carro	
Esperançosos	Dama de honra	Avião	Presentes	O sim	Marcha nupcial	
Endividados	Sogros	Delegacia	Viagra	Assalto	Atraso da noiva	N
Interesseiros	Amante	Hospital	Sapato apertado	Bebedeira	Fuga do noivo	E G A T I V A S
Iludidos	Cunhado	Oficina	Comida ruim	Adultério	Perder alianças	
Neuróticos	Tio bêbado	Banheiro	OB	Blecaute	Alguém contra	
Gays	Filho bastardo	Rodoviária	Cerveja quente	Morte de parente	Falso padre ou juiz	

Exercício: usando o seu Quadro de Ideias, criar uma *storyline* em quatro linhas para um possível esquete ou episódio de uma comédia.

> "O dinheiro não é tudo. Não se esqueça também do ouro,
> dos diamantes, da platina e das propriedades."
>
> Tom Jobim (1927-1994)

A COMÉDIA

Comédia é surpresa. Comédia é economia. A comédia é hostil e agressiva, humilhante. Crítica e irônica. É insultante. É puro conflito. Na comédia nada é sagrado. Religião, raça, Deus – nem as mães.

Alguém sempre se dá mal numa comédia. Se não gosta de violência, se não quer magoar ninguém, se não pode ver nem um pouquinho de sangue, é melhor escolher outra profissão. A comédia é sempre cruel e explosiva. É dessacralizante. Não tem limites. Tudo é risível.

Para escrever comédia não existem regras nem fórmulas, mas formas, técnicas e métodos. É importante conhecer as técnicas para depois ter a liberdade de ignorá-las, mudá-las, melhorá-las e criar novas.

Ingredientes de uma comédia

- Simplicidade
- Clareza
- Exagero
- Inconveniência
- Interesse
- Irreverência
- Identificação
- Precisão
- Cuidado com a censura
- E o mais importante de todos: ritmo

Simplicidade

Enredos confusos, exagero de detalhes, textos rebuscados, diálogos pomposos e que não servem para ser falados e grande quantidade de personagens. Tudo isso pode tirar a atenção, afrouxar o ritmo e o pior: transformar a comédia numa coisa chata e arrastada. Um terno enorme, uma etiqueta para fora e um andar desengonçado, nada mais simples e então temos um palhaço, um ser humano exagerado. A caricatura do humano.

Clareza

As personagens têm de ser bem definidas o mais rápido possível. O conflito precisa ser direto e detonado nas primeiras linhas e falas. Se a audiência perder o fio da meada, vai começar a não entender as piadas e a trocar de canal. Então só quem vai rir é o seu concorrente.

Exagero

Comédia é potencializar uma situação. O exagero bem trabalhado vira surpresa. E a comédia adora surpresas. Se um sujeito cortar o dedo com uma faca, isso pode ser engraçado. Se o sujeito fatiar uma mulher com uma serra elétrica, isso pode ser bem mais engraçado. Principalmente se for a sua sogra.

Inconveniência

As personagens de comédia estão quase sempre agindo errado. Mesmo quando querem fazer o bem acabam propagando o mal. Elas contam segredos dos outros, mentem, trapaceiam, cometem todos os pecados mortais. E sacaneiam todo mundo. A comédia deve provocar, irritar, tocar o dedo na ferida – melhor, enfiar o dedo na ferida. *Seinfeld* é assim, *Sai de baixo* também, *Married with children, Toma lá, dá cá* também são. **A vida é assim.**

Interesse

A comédia tem de ter sempre uma novidade, um acontecimento insólito, um escândalo cabeludo, um segredo perigoso. Isso tem de acontecer o mais rápido possível. Ser surpreendente e imprevisível é um ótimo recurso para manter o interesse em alta. Jerry Seinfeld, numa *stand-up comedy*, conta uma corrida de cavalo do ponto de vista do cavalo. E a surpresa logo traz o interesse.

Irreverência

Na comédia as personagens são cínicas, irônicas, sacanas, debochadas. E as que não são assim vão virar durante o esquete ou o episódio ou serão o alvo principal de todo tipo de piadas e maldades. A relação entre as personagens é sempre dissonante, atrapalhada e briguenta. As personagens preferem perder um amigo a perder a piada. Elas sabem que a vida é curta e confusa. Que o desconto do imposto de renda é grande à beça e que ninguém sabe para onde vai o dinheiro. **A comédia não acredita em leis, dogmas e inferno**. **Só no hoje**.

Importante: as personagens na comédia são bem negativas, por isso cenas românticas e de forte emoção funcionam tão bem. É como ligar uma nova conexão com a audiência e revelar que aquele bando de seres mesquinhos também sofre e pode amar. É puro deboche.

Identificação

Comédia é identificação. Ninguém ri daquilo que não conhece. Por isso as fraquezas humanas funcionam tão bem no humor. Na comédia, quanto mais nos aproximarmos dos problemas e emoções universais, mais chances teremos de fazer a audiência rir.

Matt Growin, criador dos *Simpsons*, conta que no começo da série estava tendo problemas para escrever as histórias daquela família maluca. James L. Brooks, um dos produtores da série, chamou Matt para conversar e começou a perguntar a ele como estava a sua vida. Matt lembra que começou a relatar seus problemas amorosos. Foi aí que Brooks disse: escreva sobre isso. Escreva sobre os nossos problemas diários. Todo mundo já passou ou vai passar por isso. O sucesso foi instantâneo. **Nossa vida é um problema.**

Precisão

Tudo que existe numa comédia – as personagens, o conflito, o local do conflito, os diálogos, as *gags* e até mesmo os móveis da sala – tem como única função fazer rir. Uma boa metáfora para exemplificar a precisão da comédia é a história do sujeito que perguntou a um escultor famoso como ele esculpira aquela estátua de uma mulher nua maravilhosa. Ele respondeu que pegou uma pedra de mármore e tirou fora tudo que não era uma mulher nua maravilhosa. Por isso não se acanhe: corte, corte, corte e continue cortando fora tudo que não é necessário para fazer a piada, o esquete ou a sua comédia funcionar. Preste atenção ao exemplo a seguir.

Em *Copacabana*, as personagens de Groucho Marx e Carmen Miranda discutem na frente de um hotel:

CARMEN — Não suporto mais essa vida. Por que não nos casamos?

GROUCHO — Casar? Nós nem conseguimos entrar no hotel.

CARMEN — Se fôssemos casados, pagaria um quarto só. Custaria a metade.

GROUCHO — Não poderia ser mais barato que agora, que não pago nada.

CARMEM — Acho que não quer se casar comigo.

GROUCHO — Como pode dizer isso? Somos noivos há dez anos.

A história das duas personagens e toda uma relação são definidas em seis falas. Isso é precisão.

Censura

Não se preocupe. Sempre alguém vai dizer não. Mas, um conselho: nunca diga nem escreva "isto é muito engraçado". Deixe que o censor, o produtor ou o diretor corte. É problema deles. **O seu é criar**.

Ritmo

Na verdade, o ritmo é importante para qualquer gênero. Mas é mais importante ainda na comédia. A importância do ritmo para a comédia pode ser exemplificada da seguinte maneira: para os outros gêneros o ritmo é como um motor de carro. Para a comédia o ritmo é o motor de um avião. Se o motor do carro falha, o automóvel para. Se o motor do avião falha, nós morremos. Ritmo não significa velocidade. As pausas são tão importantes quanto os diálogos afiados ou uma série ininterrupta de *gags* fantásticas. Por isso as famosas *sitcoms* são gravadas com público. É por isso também que os comediantes precisam de claques para saber dosar as suas pausas.

No filme *Quanto mais quente melhor*, escrito por Billy Wilder e I. A. L. Diamond, Billy exemplifica a importância das pausas introduzindo maracas numa cena cheia de falas muito engraçadas. O balançar das maracas é usado para marcar o tempo em que a audiência está rindo, assim ela não perde a próxima piada. Engenhoso e ao mesmo tempo diferente.

O ritmo ideal de uma comédia é ir sempre num crescendo preparando o *grand finale*, que no nosso caso é o **desfecho perfeito, surpreendente e definitivo**.

Exercício: criar uma **personagem** e uma **situação** usando os **dez ingredientes** da comédia.

"Não é triste mudar de ideia, triste é não ter ideias para mudar."

Barão do Itararé (1895-1971)

NOTA

1. Brainstorm: tempestade cerebral em que se busca uma solução. Ato de jogar ideias no papel.

7.2 *SITCOM* – CONCEITO E COMENTÁRIOS

SITCOM

Sitcom é a abreviatura de *situation comedy* (comédia de costumes). É uma comédia curta, com 25 minutos de duração, na qual as personagens estão sempre metidas em situações engraçadas. *Sitcom* é uma história. Se tirar as piadas, ainda assim tem de ter uma história interessante acontecendo. *Sitcom* é diálogo. Os diálogos, as tiradas engraçadas é que fazem a história andar.

A estrutura dramática

A estrutura de uma *sitcom* fica muito mais clara se for dividida não em três, mas em quatro movimentos, que seriam: **introdução, complicação, consequência e relevância (ou irrelevância)**.

Introdução

É o movimento em que algo novo é introduzido, logo no início, pondo a *sitcom* em movimento. Toda história obrigatoriamente parte da introdução de algo novo na vida, no cotidiano de suas personagens: alguém arranja ou perde emprego, alguém visita alguém, um prêmio de loteria ou um concurso. Os exemplos são inúmeros e é deles que surge a **complicação**.

Complicação

É aquilo que torna a situação difícil, pior. É a mulher que foi convidada para uma festa imperdível na introdução e descobre que o ex-namorado vai à mesma festa com uma supergata, o que a obriga a arrumar um acompanhante de última hora. É também o sujeito que quer entrar num clube superseleto, descobrindo que vai ter de competir até com seu irmão pela única vaga disponível. Assim aconteceu em um episódio de *Fraisier*. A complicação ocupa quase metade da história e geralmente é onde há mais urgência nos acontecimentos. E existe uma **consequência**.

Consequência

É a resultante do conflito criado na introdução e acirrado na complicação. É nela que está o clímax da história. É quando todos os segredos são revelados. O acompanhante arranjado de última hora faz um papelão na festa, ou o sujeito que compete com o irmão, se valendo de todos os truques sujos que usava desde a infância, consegue a vaga.

Relevância (ou irrelevância)

É a "moral da história". Só que numa *sitcom* pode ser também a imoralidade da história. Pode ser a irrelevância de uma moral para aquela situação. O acompanhante de última hora que fez um papelão se torna de algum modo atraente. Relevância: se encontra a paixão onde menos se espera. A relevância, embora tenha um número reduzido de minutos ou páginas, é de importância vital para estabilizar a situação no mesmo ponto em que ela se encontrava anteriormente. Ou seja, tornar toda aquela situação relativamente irrelevante para as personagens. Por isso quase todas as *sitcoms* terminam onde começaram, com todas as personagens voltando à sua vida e às suas características. A volta (o retorno ao início) é a premissa principal.

Importante: é mais fácil armar as confusões do que criar uma solução final engraçada. Por isso as *sitcoms* não necessitam de um fantástico *punchline*[1] (a tradução literal seria "pontapé"; na *sitcom* é a parte que "puxa o riso" no diálogo). Inclusive muitas *sitcoms* usam o recurso de frisar a cena final.

Muito importante: nunca, nunca mesmo, destruir a premissa principal.

O conflito básico

A estrutura de qualquer *sitcom* é baseada num conflito básico. Esse conflito pode ser a vontade de entrar para o mundo artístico de uma dona de casa sendo sistematicamente embarreirada pelo marido (*I love Lucy*) ou a maneira muito diferente de tratar a vida de amigos que se frequentam (*Friends*). Esse conflito básico tem de ser muito forte, mas também precisa ser algo que não possa se resolver simplesmente com as personagens desistindo umas das outras e indo embora. Por isso é que mesmo a mais cínica das *sitcoms* não prescinde de certa emoção.

O conflito secundário

Depois de tantos anos de *I love Lucy*, *A feiticeira*, *Jeannie é um gênio* e outras *sitcoms* e seriados cômicos sendo estruturados em função de apenas uma história, as *sitcoms* passaram a se dividir em duas ou até três histórias dentro de um mesmo episódio. O conflito secundário ou *plot* secundário é uma história menor que acontece em paralelo ao *plot* principal. Ele também tem começo, meio e fim.

- A história principal, além de maior, é a que envolve as personagens principais e na qual está mais claramente definido o tema do episódio. A história secundária é o lugar das personagens secundárias e tem um peso emocional menor que a história principal.
- As histórias não precisam necessariamente estar ligadas pelo tema. Mas, em geral, se não estão, a história secundária ao menos ajuda a realçar o tema da história principal.
- Numa *sitcom* com várias personagens importantes, o conflito secundário serve para manter todas as personagens ocupadas.

A estrutura técnica

A estrutura técnica é dada pelo tempo de duração (em torno de 25 minutos) e pelo número de vezes que a história é interrompida para a entrada dos comerciais. É a estrutura técnica e não a dramática que define que antes dos comerciais existam pontos de clímax, com algum suspense e humor, que façam o telespectador ficar preso à história. É também definido pela estrutura técnica que não pode haver uma personagem em cena durante muito tempo sem fazer nada. Entre outras razões porque a *sitcom* funciona com base em reações bem definidas de cada personagem à fala ou à ação da outra, e se alguém não está falando nem reagindo pode ter certeza de que está sobrando.

Uma *sitcom* tem dois atos. Cada ato tem três ou quatro cenas e dura 12 minutos. Algumas *sitcoms* têm um rabicho ou coda finais de no máximo dois minutos. Essas codas são quase sempre piadas soltas que não interferem na resolução da história. Elas existem para que sejam inseridos novos comerciais e os produtores faturem mais.

Uma divisão clara de uma *sitcom* seria assim: os primeiros seis minutos estabelecem a história. Os próximos 12 minutos desenvolvem a série de complicações e os seis minutos finais resolvem a situação.

6 MINUTOS	12 MINUTOS	6 MINUTOS
ATO 1	ATO 2	
INTRODUÇÃO	COMPLICAÇÕES E CONSEQUÊNCIAS	RELEVÂNCIA

Personagens de *sitcom*

Já vimos que a **estrutura** de uma *sitcom* pode ser **dividida em dramática e técnica**. E que a estrutura **dramática** pode ser **dividida em quatro** partes: **introdução, complicação, consequência e relevância**.

Sabemos que a *sitcom* é uma história contada basicamente em **diálogos** (*punchline*) e com **pouca ação**. Por isso é **importante** que cada **personagem** tenha o seu jeito **de falar**. É sempre bom **lembrar** que as personagens **não** são obrigatoriamente **engraçadas**: a **situação, o conflito, o que acontece com elas é que são inusitados**. E o mais **importante** de tudo: **as personagens de uma *sitcom* requerem pessoas que nós gostemos de ver todas as semanas.**

A construção de uma personagem de *sitcom* precisa responder a algumas questões:

1. O que a personagem quer da vida?

Essa é uma pergunta que todo pai faz ao filho adolescente, ou pós-adolescente, e todo criador faz à personagem que cria. Lucile Ball quer trabalhar no mundo artístico. Samantha quer ser uma boa esposa sem ter de usar feitiçaria. Jeannie quer agradar a seu amo – na verdade quer agarrar seu amo. George Constanza, do seriado *Seinfeld*, quer ser considerado atraente por alguma mulher sedutora. **Querer é existir.**

2. Como a personagem se relaciona com as demais personagens?

As personagens de uma *sitcom*, como de qualquer obra de ficção, se relacionam por **oposição, aliança ou ambas**. Seinfeld tem o desejo de não se envolver muito com quem quer que seja, mas sem ele no centro as outras personagens não podem se relacionar, estabelecer suas alianças ou oposições. É no apartamento dele que todos se encontram, que alianças e oposições se fazem. Ele é a referência.

Jeannie, por sua vez, quer conquistar o major Nelson, que não quer que ela se meta em sua vida. Por isso Jeannie se alia a Roger, o melhor amigo do major Nelson, que gostaria de tirar uma casquinha da "gênia", que por sua vez não quer nada com ele: oposição, aliança, oposição.

Importante: para que haja aliança ou oposição é preciso que haja **diferença**. Se as personagens se assemelham, a oposição e a aliança perdem a força.

3. Qual é a história da personagem?

Essa é a pergunta mais geral que se faz sobre uma personagem. Na verdade, a pergunta se subdivide em vários questionamentos: como foi sua infância? Quem eram seus pais? Ela se formou ou pretende se formar em quê? Trabalhou ou trabalha com quê?

As possibilidades são infinitas. É muito comum se usar esse *background* como uma espécie de régua de tabuada. Por exemplo, se uma personagem é a caricatura do violento, fica estabelecido que quando criança era o bobo da turma. Mesmo que não se utilize esse tipo de informação durante o programa, ele sempre oferece uma nova possibilidade vinda de trás. A ex-esposa de Ross, personagem de *Friends*, se apaixona não por outro homem, mas por uma mulher. Quem é Ross? Um inseguro sexualmente.

4. Como a personagem se expressa?

Embora essa pergunta diga respeito a personagens de qualquer gênero, para as personagens de comédia essa pergunta é extremamente importante. Ela fala muito ou pouco? Grita ou fala baixo? Pausada ou ininterruptamente? É aqui que se criam os bordões, tipo de expressão que é usada por uma personagem para marcar determinada situação humorística e costuma ser absorvida pelo gosto popular. É com eles que marcamos reações que se repetirão. Al Bundie fala lentamente. Jeannie fala ininterruptamente. O major Nelson quase sempre reage assustado. Jerry Seinfeld reage com indiferença. Podem ser conhecidos como cacoetes verbais que se tornam populares como: "É ruim, hein?", "Tô fora!" e "Tô certo ou tô errado?"

Todos esses questionamentos e criações verbais servem para compor uma personagem para qualquer tipo de gênero e formato. Mas existem perguntas específicas para as personagens de comédia.

5. Qual é o seu estilo de humor?

Embora essa questão se assemelhe muito à anterior, existe uma diferença relacionada à maneira como a personagem se expressa diretamente para se meter em confusões e obter risos. Qual é o modo particular e original pelo qual ela enxerga e nos faz ver o mundo? Estamos falando especificamente das ofensas de Caco Antibes, em *Sai de baixo*, das comparações absurdas de Seinfeld, do perfeccionismo ilimitado de Monica Geller, do derrotismo cáustico de George Constanza. Essas características são falhas que precisam ser exageradas e colocam a personagem habitualmente numa situação inadequada.

Agora a pergunta mais importante de todas, que deve ser respondida sempre que se escreve uma *sitcom*:

6. Como a personagem sai das situações embaraçosas?

Só personagens de desenho animado necessitam tanto quanto as de *sitcom* ter essa questão respondida. Assim como o Papa-Léguas vai passar mais rápido do que nunca pela armadilha do Coiote, o Pernalonga vai fazer seu agressor de trouxa e o Piu-Piu vai pedir socorro à Vovó. As personagens de *sitcom* têm um jeito próprio de sair do sufoco.

Samantha tem sempre alguma ideia brilhante, Jeannie desfaz alguma mágica, Monica aceita o que parecia insuportável para ela, Elaine assume que o seu ponto de vista estava errado – enfim, toda personagem de *sitcom* tem o seu jeito único de escapar do embaraço. Isso acontece porque numa *sitcom* há sempre uma situação constrangedora envolvendo as personagens principais e uma saída inesperada no final.

O final da *sitcom* repete o conceito da piada, isto é, do giro final. Por isso, durante toda a escrita, concentre sua mente no final do espetáculo.

> "O ar, quando não é poluído, é condicionado."
>
> Jô Soares

Cinco dicas para o desenvolvimento das histórias nas *sitcoms*

- **Tempo** – As histórias nas *sitcoms* têm de acontecer num tempo muito curto. Nada de anos, meses ou semanas. O ideal é que tudo aconteça no máximo em dois dias e que existam vários acontecimentos passados em um único dia. Em outras palavras, o tempo real da *sitcom* se aproxima do tempo dramático.
- **Local** – É sempre bom respeitar os cenários fixos da *sitcom* que se está escrevendo. Pode-se optar por cenários extras, mas poucos e simples. Externas, raramente. Concentrar a ação em poucos cenários.
- **Evidência** – Mantenha sempre a personagem principal em atividade. É importante que ela não apenas participe da história como a comande ou ao menos seja uma peça importante no desenrolar da situação central. Protagonismo é fundamental. Manter os protagonistas em cena em quase 80% do tempo do espetáculo.
- **Participação** – Faça bom uso das personagens secundárias. Mesmo que a intervenção delas na trilha principal seja irrelevante para o desenrolar da história principal. É importante que elas tenham, pelo menos, boas cenas, falas e piadas. Elas são chamadas de "escada" – espécie de trampolim que projeta os protagonistas para as grandes graças. Lembrar que não existe palhaço sozinho no picadeiro, existe sempre a dupla. Recordar o grande sucesso que foi *O gordo e o magro*.
- **Egos** – As personagens fixas obrigatoriamente são sempre mais engraçadas que as convidadas. Todavia, estas devem ter papel relevante no desenvolver da história. Sempre que colocar uma personagem convidada no seu texto é significativo perguntar: preciso mesmo dessa personagem para contar a história? Será que não posso contá-la somente com as personagens fixas? Concentrar o humor e a comédia em poucos talentos, além de ser mais econômico, é com certeza mais efetivo.

Enfim, para ser um autor de comédia são necessárias motivação, coragem e uma alta dose de tolerância para o sofrimento. Simplesmente porque o trabalho vai ser árduo, penoso e não existe misericórdia com os que falham. **A comédia não faz prisioneiros: mata seus sonhos se ninguém rir.**

DIGRESSÃO

O humor é um sentimento. A comicidade é uma situação diferente, na qual aquele que a pratica experimenta uma sensação de superioridade a respeito das personagens, os objetos da comicidade. Na representação da comicidade há sempre uma manifestação de superioridade. A definição de comicidade dada por Hobbes é perfeita: o repentino reconhecimento da nossa superioridade sobre os outros.

Se alguém escorrega, provoca o riso, talvez porque nos consideremos superiores, somos estáveis e não escorregamos. Ao passo que o humor é precisamente este ter presente o contrário. Quer dizer, através dessa pessoa que escorrega, experimento a sensação de que também estou prestes a escorregar, então nos encontramos no reino do humor e não no da comicidade.[2]

Essas palavras magistrais de Leonardo Sciascia parecem mais do que válidas para **diferenciar humor de comicidade**. A televisão trabalha mais com a comicidade do que com o humor.

A *sitcom* nasce do teatro de revista, cresce no rádio e chega à televisão na forma de esquete. Esse gênero está intimamente ligado à crítica de costumes, que é sua matéria-prima. Embora frequentemente tenha também assumido a forma de crítica política. Atualmente as televisões têm um interesse enorme nesse tipo de produto, porque é barato e consegue altos níveis de audiência.

A escrita de um roteiro para *sitcom* requer do roteirista uma série de qualidades específicas que quase nunca são reconhecidas como tais.

O roteiro de uma boa *sitcom* requer participação de toda uma equipe de roteiristas: o que delineia a estrutura da história, o criador de possíveis momentos cômicos dentro dessa estrutura, os dialogistas e o *gagman* (especialista em piadas), que dá uns retoques no texto final e acrescenta pequenos casos e piadas. Todos eles trabalham com um arquivo de material humorístico que consultam constantemente. Esse arquivo é uma das chaves de boa redação de uma *sitcom*, pois a maior diferença entre a técnica de estrutura dramática e a técnica de redação de *sitcom* reside no **diálogo**.

Um bom roteiro de *sitcom* deve provocar o riso do público a cada dez ou 15 segundos, e isso requer um diálogo muito preciso, rico em comicidade e perfeito no delineamento do tempo dramático.

DA CRIAÇÃO AO ROTEIRO

Quando falamos de *sitcom*, também devemos ter em conta a importância do ator – que, com seu carisma e talento cômico, dá identidade à personagem peculiar desse gênero televisivo.

Ainda recordando as palavras de Norman Lear, o maior produtor norte-americano de *sitcom*: "Vivemos ou morremos de uma fala à outra" *(We live or we die from line to line)*.[3] Finalizando, cito Stephen Hawking (1942-2018), que afirmou: "A criação do universo é repleta de acasos".

E que Millôr Fernandes rebateu: " O acaso é uma besteira de Deus".

OBSERVAÇÃO IMPORTANTE

Colaboraram neste segmento os seguintes especialistas:

- Mauro Wilson, ex-aluno de Doc Comparato, roteirista, humorista e redator. Ganhador do prêmio Emmy.
- César Cardoso, ex-aluno de Doc Comparato, escritor, humorista e poeta.
- Emanuel Jacobina, ex-aluno de Doc Comparato, roteirista, humorista e redator. Um dos fundadores e participantes do *Casseta e Planeta*.

NOTAS

1. *Punchline*: frase de efeito irônica, satírica ou surpreendente que abre a sequência ou termina um discurso de humor. Normalmente leva ao riso do público.
2. Leonardo Sciascia, em entrevista dada ao jornal *El País*, Babelia, 4 abr. 1992, p. 17.
3. *Apud* ROOT, Welles. *Writing the script*. Nova York: Holt, Rinehart and Winston, 1979, p. 160.

BIBLIOGRAFIA

FERNANDES, Millôr. *A bíblia do caos*. Porto Alegre: L&PM, 2002.

OBRIGADO ESPARRO. *Como educar seus pais*. 10. ed. Rio de Janeiro: Objetiva, 2000a.

_____. *Confusões de aborrecente*. 9. ed. Rio de Janeiro: Frente, 2000b.

PERRET, Gene. *Comedy writing step by step*. Hollywood: Samuel French Trade, 1990.

SAKS, Sol. *Funny business*. 2. ed. Los Angeles: Lone Eagle Publishing Company, 1991.

WOLFF, Jurgen. *Successful sitcom writing*. 2. ed. Nova York: St. Martin's Press, 1996.

Parte 8

MEIOS E LINGUAGENS

"A massa mantém a marca, a marca mantém a mídia
e a mídia controla a massa."

George Orwell (1903-1950)

"Estamos na Idade Mídia com cabeça de Idade Média.
Somos uma geração 'midieval'."

Demétrio Sena

8.1 O EMISSOR – CLASSIFICAÇÃO, ANCINE

REFLEXÕES SOBRE MEIOS E LINGUAGENS

O trabalho do roteirista não se baseia apenas no talento para escrever e criar, mas também na capacidade de colocar seu trabalho num caminho adequado de produção. É imprescindível refletir sobre o funcionamento da indústria audiovisual como arte e como "fábrica de sonhos".

Tentaremos dar uma visão ampla do momento cultural do meio em que trabalhamos, caracterizado por uma grande desordem ideológica, tecnológica, artística, estética e comercial.

Analisaremos a palavra, bem como as características e especificações dos três vértices que formam o **triângulo da comunicação: o emissor, o meio e o receptor**.

É bom ressaltar que as transformações tecnológicas dos últimos anos foram intensas, com a chegada da internet, do celular e da ficção no espaço cibernético.

Todavia, o material exposto neste segmento nos traz um panorama sobre o estado da comunicação de massa atual e novos estudos, reflexões e citações sobre a linguagem audiovisual.

Até bem pouco tempo era importante o roteirista saber se estava escrevendo para cinema ou televisão, se seu roteiro seria rodado em película, em fita magnética ou até mesmo em formato digital. Se sofreria cortes publicitários ou não. Emitido em grandes telas ou em televisão. Todas essas especificações atingiam direta ou indiretamente a forma de escrever, os tipos de diálogo a ser usados. Se seriam utilizados planos cinematográficos maiores ou menores. Enfim, a linguagem televisiva e a cinematográfica eram diferentes.

Atualmente as formas e os formatos se confundem, mas se faz necessário conhecer o peso da palavra de cada um dos sistemas para que o roteirista tenha um domínio, pelo menos parcial, de como sua palavra será compreendida e sentida pelo receptor.

O texto que se segue pretende basicamente dar as bases técnicas mínimas, descrever as linguagens dos meios e introduzir o leitor no mundo do receptor, ou melhor, do espectador.

No início dos anos 1970, muita tinta se gastou para marcar as diferenças entre o cinema e a TV. Algumas linhas de Christian Metz definem esse momento: "Entre o cinema e a televisão os empréstimos, adaptações ou reutilizações de figuras ou de sistemas de figuras são inúmeros. Isso se deve em grande parte ao fato de ambos os meios serem constituídos, pelo menos nos seus traços básicos e essenciais, por uma mesma e única linguagem"[1].

As diferenças, absolutamente incontestáveis, que os separam são de cinco ordens: **tecnológicas**, **sociopolítico-econômicas** no processo de decisão e de **produção** por parte do emissor, **sociopsicológicas** e **afetivo-perceptivas** nas condições concretas da recepção. A tela pequena se opõe à grande, a sala familiar ao edifício coletivo, a luz à obscuridade, o escutar distraído à atenção contínua. Finalmente a quinta ordem das diferenças está na **programação** do veículo e, sobretudo, nos **gêneros**.

As noções de cinema, televisão e *streaming* se confundem.

O público médio não distingue com clareza os espaços dramáticos de TV na sua especificidade. A tela de TV se converteu na maior sala de projeção de cinema e *streaming*.

Não só passam na TV e no *streaming*, em cada ano, milhares de filmes que foram feitos para o cinema, como a legislação atual prevê esse caminho como natural. Assim, o período de distribuição cinematográfica se divide em três vertentes: "projeção em salas", "transmissão via TV" e "distribuição por *streaming*", marcando prazos para cada uma das situações. Atualmente também se fazem *downloads* selecionados (VoD).

Não obstante, o cinema, a televisão e o *streaming* têm características próprias, tanto do ponto de vista do emissor como do receptor, da forma de recepção ou das especificidades da mensagem. Vamos fazer um breve trajeto sobre esse assunto. Veremos, além disso, que a técnica avançou e perturbou a arte. O conceito de "comunicação" também evoluiu com ela e engloba uma parte dessas novas artes que costumam ser o cinema, a TV e o celular.

Com a chegada da alta definição, o caminho se torna bidirecional. Críticos e professores disseram que com *Júlia e Júlia* (1988), de Peter del Monte, o cinema tinha sido reinventado. Foi produzido em vídeo de alta definição e posteriormente passado para o celuloide a fim de ser projetado nos cinemas. Mais confusão.

O roteirista, em todo o caso, deve saber se vai escrever para o cinema – tela grande – ou para TV, computador, telefone – tela pequena, pelo menos teoricamente. Claro está que não se trata apenas de uma questão de tamanho da tela, mas sim de muitas outras condicionantes, algumas das quais passamos a abordar numa análise sumária.

Embora tanto o cinema como a televisão e o *streaming* sejam indústrias, respondem mesmo assim a bases ideológicas e, de maneira geral, mantêm e expandem o sistema estabelecido. Alguns exemplos cinematográficos alteram essa norma de vez em quando. Por exemplo, *Agenda oculta* (1990), de Kenneth Loach, os novos movimentos do cinema dinamarquês e o brasileiro Glauber Rocha.[2]

Streaming, televisão e cinema são indústrias que produzem e veiculam a chamada "cultura de massa" e estruturalmente estão sujeitos aos três elementos essenciais de todo ato de comunicação.

- **Emissor** (quem transmite a mensagem)
- **Meio** (veículo no qual ela é transmitida)
- **Receptor** (quem a recebe)

O que caracteriza a cultura de massa é o seu alcance, a possibilidade de chegar a um grande número de pessoas ao mesmo tempo. Fruto dos avanços tecnológicos, ela se converteu num fenômeno cultural sem precedentes na história, e por essa razão surge todo tipo de perguntas relativas à nova arte.

O emissor não pode evitar ser portador de ideologias, por mais indiferente a elas que queira se mostrar: é uma **questão ética**.

O público receptor recebe a mensagem como uma esponja e dá uma resposta que garante o êxito dos programas: é uma **questão dialética**.

Para que a mensagem chegue de forma adequada, deve ser feita com os elementos propícios e a devida organização: é uma **questão estética**.[3]

A indústria audiovisual funciona como uma arte nova, com implicações éticas e ideológicas, estéticas e dialéticas.

O EMISSOR

O mundo se encontra em um momento de comunicação de massa tão peculiar que, com a chegada dos *smartphones* e das redes sociais, os receptores se tornaram também emissores.

Esse momento jamais imaginado tomou conta do planeta, criando o que nós chamamos de "receptor-emissor" – mecanismo que coloca todos os teóricos da comunicação numa areia movediça de novos conceitos e formulações, que ainda não alcançaram uma análise justa e clara sobre o tema. No final desse segmento vamos tocar nesse aspecto jamais presenciado pela humanidade.

No caso da televisão, o emissor é o concessionário do canal X, ou seja, a empresa que explora comercialmente o dito canal.

No Brasil, a exploração dos serviços de radiodifusão sonora e de imagens é monopólio do governo federal. Este pode autorizar à iniciativa privada a exploração desses meios de comunicação, com uma concessão a título provisório que pode ser revogada a cada determinado número de anos.

Evidentemente isso nunca aconteceu no Brasil, mas já aconteceu em outros países por motivos políticos, ideológicos e até mesmo por falta de capacidade artística ou administrativa.

A edificação dos grandes impérios televisivos brasileiros, concentradores de toda a cadeia audiovisual, além de desequilibrar drasticamente a cadeia criativa e produtiva, só leva em médio e em longo prazo a grandes desastres empresariais e trabalhistas. Podemos citar a ascensão e queda dos Diários Associados (Rede Tupi), da TV Excelsior, da Rede Continental (antiga Record) e da Rede Manchete.

É sempre bom recordar que a concessão é um bem do povo, do Estado e não de governos, muito menos de empresas privadas. Sua regulamentação deve ultrapassar a efemeridade dos governos, das épocas e dos sistemas. Mas é claro que isso é uma utopia. Por mais civilizado que seja o país, a interferência governamental e política, direta ou indiretamente, ocorre por meio de censura direta (a China consegue bloquear até os e-mails), indireta (recusa de roteiros de ficção que possam incomodar o sistema), dirigismo (filmes de propaganda) e censura econômica (investir em programas de baixa qualidade).

Enfim, esse não é um **problema brasileiro** e sim **mundial**, com **precedentes** históricos que se tornam mais **evidentes** nos momentos de **crise**.

Portanto, também não devemos pensar que vivemos no "fim do mundo". O Brasil precisa é de uma melhor regulamentação, já que se trata de um país de área continental que tem condições de abrigar uma praça produtora e criativa muito maior que a atual. Entretanto, majoritariamente, as concessões, afiliadas de grandes redes e retransmissores radiotelevisivos regionais no Brasil, estão nas mãos dos políticos, os mesmos responsáveis por concessões, regulamentações, ou desregulamentações, aberturas, investimento em ficção, renovações e avanços legislativos do sistema. Choque de interesse paralisante que faz não só o brasileiro, mas notoriamente o cidadão latino-americano, refém de verdadeiras *haciendas* (fazendas) audiovisuais.

Atualmente algumas produtoras independentes e privadas conseguem introduzir ficção na grade de programação das grandes emissoras.

Todavia, aliás rotina no Brasil, essas produtoras são sempre as mesmas e utilizam de "empregados" roteiristas e criadores. E assim um novo círculo de hegemonia e monopólio se concretiza em outro nível.

Parece que saímos do lugar, mas na verdade continuamos presos às chamadas novas capitanias hereditárias brasileiras.

A bem da verdade, isso não ocorre somente no audiovisual: em todos os campos empresariais brasileiros – bioquímico, farmacêutico, agrícola, de maquinário, da construção civil etc. – assistimos ao mesmo processo.

De acordo com o estudo que desenvolvi durante meu período na Escola de Cinema de Munique e posteriormente em Berlim, as televisões de todo o mundo são divididas em três grandes grupos. Chamei esse estudo de **Classificação Internacional do Emissor Televisivo**.

Mas antes de prosseguir gostaria de fazer uma observação e contar um fato folclórico.

A observação vem a reboque da historieta. A maioria da programação televisiva mundial é descartável, como também a cinematográfica. E podemos acrescentar a isso livros, quadros, música, qualquer tipo de arte. Mas, sem eles, sem essa base rotineira e fundamental da arte, também não existiriam os picos artísticos. Talvez essa maioria desprezada pelo tempo sirva de combustível e empuxe o lançamento de momentos renovadores que inaugurem novas fronteiras do pensar.

Conta a lenda que Sergei Eisenstein[4], cineasta dos cineastas, presidente da Moscou Filmes, no tempos mais obscuros e stalinistas do comunismo da antiga União Soviética, levou seu relatório anual para o "ditador do povo" Joseph Stalin, em referência aos progressos da cinematografia soviética em determinado ano.

Eisenstein foi categórico. Haviam realizado cem filmes ao todo. Desses cem, 40 ruins, 30 médios, 20 bons e dez excelentes.

Stalin, num surto de grandeza, imediatamente assinou um decreto exigindo que só se realizassem dez filmes excelentes. No ano seguinte, os espectadores soviéticos assistiram a quatro filmes ruins, três médios, dois bons e um excelente.

Resumindo: em arte quantidade é sinal de qualidade.

Enfim, quanto mais aberto o sistema audiovisual, quanto maior o número de empresas produtoras atuantes, quanto mais roteiristas, atores, iluminadores, diretores etc., melhor será para a nação. Mais alentador e frutífero será para as próximas gerações.

Classificação internacional do emissor televisivo

É do ponto de vista da **criação** e das **liberdades individuais** e **coletivas** que se **conceitua** e se **classifica** o país. Tal classificação, composta dos itens a seguir, também é bastante **móvel** de acordo com **tempo e espaço**:

- **Presença de uma televisão estatal atuante e livre** (BBC – Inglaterra, TF1 – França, RTP – Portugal, TVE – Espanha, RAI – Itália, Canadá e Estados Unidos). Elas, ao contrário do que se supõe, contribuem para um padrão televisivo minimamente aceitável pela população, pela crítica e pelos profissionais. Chamo a atenção para países que têm uma única televisão no ar e estatal, o que por sua vez também é um desastre. Exemplo: TV Vaticano.

- **Empresas televisivas, sejam elas quais forem, não podem produzir ficção**, devem comprar no mercado produtos de companhias independentes. Não pode haver *dumping*, cartel, monopólio, isto é, ser dona de toda uma cadeia industrial. Talentos à parte, isso bloqueia o surgimento de novas capacidades. Por exemplo: fábricas de medicamentos não podem ser donas de hospitais, muito menos de clínicas, de farmácias ou ainda de universidades de medicina ou farmácia. **Em outras palavras, quem produz não emite, quem emite não distribui e quem distribui não produz.**

- **Presença de ficção em televisões regionais.** Se 5% ou 10% das televisões regionais fossem obrigadas a comprar ficção local, isso abriria um parque criativo televisivo enorme. Só na Espanha esse mecanismo proporcionou um aumento de mais de 1.000% na produção espanhola, para não citar o Japão, a Índia e a Nigéria. O Brasil trabalha com repetidoras e afiliadas, que apenas repetem a programação ficcional da matriz. Bastante estranho para um país continental como o nosso. E é bom observar aqui que estou me referindo a todas as redes de televisão brasileiras, sem exceção. Todas utilizam o mesmo expediente.

- **Quantidade de produtoras televisivas e cinematográficas em relação à população.** Está ligada ao segundo item. Evidentemente essa relação é extraordinária nos Estados Unidos, tem padrões médios nos países europeus, na Índia, no Japão, no Canadá e na Austrália e padrões aceitáveis no México, na Argentina e em muitos outros países. Curiosamente, no Brasil encolhem. Até as matrizes das grandes produtoras e distribuidoras internacionais mudaram seus endereços do Brasil para Colômbia e Argentina.

- E por último, mas não menos importante é o **respeito pelos direitos de autor** e a posição do país dentro de órgão como Cisac e Gedar. Está incluso nesse item o direito à expressão.

A classificação toma como referência o termo "hibridismo" (do grego *hybris*), por ser a televisão entendida como o emissor audiovisual desenhado por um conjunto de capacitâncias e dependências múltiplas. A classificação atinge três níveis:

- **Sistema híbrido aberto** – Países que atendem aos cinco pontos antes citados de maneira quase completa. Exemplo: Estados Unidos, Canadá, Japão, países europeus e Austrália.
- **Sistema híbrido encoberto** – Países que propagam que são cumpridores desses critérios, mas na verdade cumprem só dois ou três deles. Exemplo: países da América do Sul, Rússia, Índia, África do Sul, Nigéria etc.

- **Sistema híbrido fechado** – Países que, por problemas religiosos (fanatismo), guerras ou sistemas ditatoriais, não cumprem com a maioria dos itens. Exemplo: China, países do Oriente Médio, Cuba etc.

O emissor no Brasil

O Ministério das Telecomunicações controla a distribuição das licenças à iniciativa privada e também o seu funcionamento por meio da rede nacional de emissoras, o que significa que todas as estações de rádio e de televisão são controladas 24 horas por dia pelo Estado. Os requisitos básicos para que uma empresa obtenha uma licença para um canal de rádio e/ou televisão são os seguintes: todos os membros da empresa têm de ser brasileiros de nascimento e o capital social varia segundo a potência da emissora. Assim, para maior potência é exigido maior capital.

O alcance de uma emissora corresponde ao volume de capital do grupo concessionário. O nacionalismo e o capital condicionam a concessão. Nesse caso e na maioria dos países é o Estado que decide quem será concessionário, se baseando na premissa de que quem tem mais capital tem mais potência e, por conseguinte, mais alcance. E assim ganha a concessão. No entanto, esse raciocínio é uma meia verdade, visto que realmente são os governos e não os Estados que adjudicam, apoiam ou controlam uma emissora de TV.

Fatores políticos, falta de visão, oportunismo dos governos e manobras empresariais podem favorecer determinados grupos em detrimento de outros, por vezes muito mais competentes, ricos e estáveis, que poderiam contribuir para uma considerável melhoria do padrão artístico e cultural da televisão, além de aumentar o mercado de trabalho.

Não deve ser novidade para o leitor, muito menos para os profissionais, que as repetidoras ou afiliadas das emissoras estejam nas mãos de políticos e outras autoridades que na verdade são os verdadeiros donos do *status quo*, expressão latina que designa o estado atual das coisas, do imutável panorama televisivo brasileiro.

A indústria cinematográfica e a Ancine

Quanto à indústria cinematográfica, o Brasil tem dado largos passos para multiplicar, descentralizar e ampliar a produção cinematográfica.

Com o fechamento da Empresa Brasileira de Filmes (Embrafilme), no governo Collor, a cinematografia brasileira ficou acéfala de recursos federais para o seu desenvolvimento e produção.

Com a criação da Agência Nacional de Cinema (Ancine), em 2001, essa autarquia vem contribuindo de maneira efetiva para o renascimento da arte fílmica brasileira. Trata-se de uma agência reguladora que tem como atribuições o fomento, a regulação e a fiscalização do mercado do cinema e do audiovisual no Brasil. É uma autarquia especial, vinculada ao Ministério da Cultura, que trabalha intensamente em prol do audiovisual por meio do fundo setorial.

A Ancine é administrada por uma diretoria colegiada aprovada pelo Senado e composta por um diretor-presidente e três diretores, todos com mandatos fixos, aos quais se subordinam cinco superintendências: Desenvolvimento Econômico; Fomento; Análise de Mercado; Fiscalização; Registro.

Sua missão é desenvolver e regular o setor audiovisual em benefício da sociedade brasileira. Encerrado o ciclo de sua implantação e consolidação, a Ancine enfrenta agora o desafio de aprimorar seus instrumentos regulatórios, atuando em todos os elos da cadeia produtiva do setor, incentivando o investimento privado para que mais produtos audiovisuais nacionais e independentes sejam vistos por um número cada vez maior de brasileiros.

Em março de 2018, a Ancine anunciou a disponibilização mais de R$ 1 bilhão para o fomento à produção audiovisual ao longo do ano.[4]

Gerido pelo Fundo Setorial do Audiovisual (FSA) e dividido em seis editais, o montante de R$ 471 milhões suportará as cadeias de produção, distribuição e programação, além do mercado exibidor.

A produção cinematográfica concentrará boa parte da verba divididos em dois editais distintos. Um deles para produtoras nacionais independentes, com 40% do valor voltado para projetos de foco artístico. A segunda linha só poderá ser acessada por produtoras e distribuidoras brasileiras independentes que firmarem contratos entre si. A ideia é fortalecer a competitividade dos filmes nacionais.

Os financiamentos serão destinados às minorias, tanto do ponto de vista artístico quanto político e geográfico. Assim, produtoras do Norte e Nordeste serão mais contempladas do que as do Sul e Sudeste, descentralizando as capacidades produtivas do país.

Quanto aos profissionais e à temática envolvida no projeto, se dará a preferência a mulheres, LGBTIs, negros e índios, entre outras minorias. E os assuntos concernentes aos menos favorecidos.

De acordo com Paulo Schmidt, presidente da Associação Brasileira da Produção de Obras Audiovisuais (Apro), o produtor experiente, com pontuação na Ancine e cumprimento de prazos confirmado, poderá se habilitar automaticamente para novos financiamentos.

Tudo com o intuito de potencializar a distribuição de filmes nacionais e incentivar o lançamento comercial de longas-metragens de ficção, animação ou documentário.

Outros editais contemplam empresas parceiras, como a Empresa Brasileira de Comunicação (EBC), para conteúdos veiculados na TV Brasil e em canais comunitários, educativos e legislativos.

Mesmo com certas imperfeições e críticas, principalmente dos roteiristas que se sentem preteridos pela figura do produtor, a chegada da Ancine foi um passo decisivo na revitalização da cinematografia nacional.

Hoje, nosso país produz centenas de conteúdos audiovisuais, tende a uma distribuição mais ampla, inclusive internacional, e acima de tudo contempla e pretende atender os profissionais do ramo de forma digna e honesta.

Porém, no primeiro semestre de 2018, a relação da Ancine com os roteiristas vive uma crise, pois ela parece só ter ouvidos para produtores e diretores, esquecendo que a raiz matriz do audiovisual é o roteiro – ferramenta-chave do sucesso da cinematografia argentina, chilena, colombiana e mexicana (só para citar os sul-americanos, cuja filmografia é muito mais eficiente do que a nossa[5]).

Como sabemos, o roteiro é a crisálida e o produto audiovisual é a borboleta. Sem crisálidas não existem borboletas. Os profissionais e roteiristas da Abra esperam que essa crise seja ultrapassada e que a figura do roteirista alcance o mesmo patamar da dos diretores e produtores.

Para mais informações acesse a página da Ancine: www.ancine.gov.br.

A ideologia do emissor

No Brasil, como em qualquer outro país capitalista, o capital e os meios de produção (indústrias etc.) estão nas mãos de uma classe intimamente ligada ao Estado, ou seja, a classe dominante, com uma ideologia que impregna o resto da sociedade. A ideologia como visão da realidade específica de um grupo, como conjunto de ideias e de valores, institucionais, religiosos, políticos, morais, artísticos etc., se populariza e se transforma em sentimento comum: quer dizer, passa a ser considerada verdade por toda a sociedade.

É obvio que nos momentos de crise como se assiste no mundo, devido à desregulamentação do mercado capitalista, a bolha especulativa explode e medidas radicais devem ser tomadas.

Surpreendentemente, os economistas capitalistas foram buscar as soluções no filósofo Karl Marx, que em seu livro *O capital*, base da teoria comunista, na busca de uma sociedade mais igualitária, recomenda a interferência e ingerência direta do Estado nas redes bancária e habitacional e no sistema de produção (fábricas).

Além da crise de ideologia do emissor, também temos a ideologia do "receptor-emissor", já que recebemos diariamente filmes, fotos, opiniões, denúncias, agrados e tudo que se pode imaginar de indivíduos pertencentes a grupos ou das pessoas que nos cercam.

Aqui abro um parêntese para primeiro colocar um ponto de vista: não creio que a crise que vivemos seja do capitalismo ou do neocapitalismo, e sim a primeira crise da globalização.

E isso interessa ao roteirista, já que existe uma perda de todas as ideologias e provavelmente o nascimento de outras, espero, menos sangrentas e mais libertadoras. Para fechar o parêntese alerto: nunca fui comunista. Aliás, nunca pertenci a nenhum partido, clube, nem torço por nenhum time, não tenho espírito gregário (do latim *gregariu*), bando, grupo, nunca fui atingido pela fé seja ela qual for e sofro porque queria ter sido tudo isso. Também perdi a maioria dos meus sonhos e me dedico à submissão e ao ocaso, frutos de cascas opacas e sólidas.

Sou dado a devaneios, estado que precede a imaginação; meu cerne é pacifista, antibelicista. Deploro burocracias, muros, bombardeios e torpedos em nome de deuses ou pátrias. Enfim, adoro *jazz*, bossa-nova, *hip-hop* e *rap*. Entenda-se.

E assim essa verdade, constituída de valores e ideias, é preservada pela classe dominante e por indivíduos. A esse fenômeno Gramsci chamou hegemonia.

Sem que se deva considerar isso uma militância em nenhum sentido, simplesmente por prudência e bom senso, não é tarefa alheia ao escritor o fato de estabelecer uma diferença entre ideologia, uma visão da realidade específica de diversos indivíduos, e hegemonia, que entendemos como sendo a conservação da ideologia da classe dominante.

Cada escritor (ou cada indivíduo) é livre para escrever, filmar e representar o que quiser e para quem quiser. Só que, antes de começar, deve pensar um momento no que vai fazer e para quem. Pois pode ser executado na China, ser preso na Indonésia ou ser perseguido e impossibilitado de trabalhar pela vida afora. Como ilustração, sugiro o documentário *Trumbo*, sobre Dalton Trumbo, um dos mais importantes roteiristas americanos, amordaçado pelo macarthismo.[6]

Na Espanha, por exemplo, os comitês de subsídios para a cinematografia incluem representantes das associações profissionais e dos sindicatos. Mesmo assim, entre as emissoras privadas é possível observar diferenças ideológicas que contribuem para a neutralização das hegemonias. A televisão pública por seu lado está sob o controle do Estado, que é plural e não do governo, embora com as naturais vacilações do espírito humano no exercício do poder.

A realidade é que os sistemas e os indivíduos têm as suas defesas, as suas formas de evitar as infiltrações de ideologias contrárias, e acreditam piamente em suas crenças.

Aqui entram em jogo a censura, a autocensura e as *fake news*, que pretendem controlar a popularização de ideias e valores diferentes. No campo das artes, a censura exerce esse controle por meio da proibição de livros, filmes, exposições e espetáculos. Nos países chamados não democráticos, a censura vai do desenho das aquarelas ao ciberespaço.

No entanto, não conheço nenhum país que resista ao controle direto ou indireto da produção, televisiva ou cinematográfica, exercendo a denominada **censura econômica ou moral**.[7]

Hoje, no chamado "mundo democrático", os mecanismos de censura são muito sutis. Por exemplo, a emissão de um documentário que mostrava os efeitos nocivos do tabaco foi suspensa pela poderosa rede de televisão japonesa NTV, em virtude do protesto contra o seu conteúdo apresentado pelo departamento responsável pelas receitas publicitárias. Porta-vozes sindicais da NTV denunciaram que a liberdade de informação tinha sido prejudicada em benefício da tesouraria da rede. O documentário, intitulado *Por que só no Japão?*, continua inédito até hoje.[8]

De maneira geral podemos dizer que a televisão, principalmente na vertente jornalística, tende a fazer uso indiscriminado das meias verdades.

Recordemos as informações recebidas sobre a guerra no Iraque desde o início do conflito e completamente filtradas pelo emissor americano. Por exemplo: não há registros fotográficos ou imagens de nem sequer um soldado americano morto na guerra – e houve mais de 4.500 baixas.

É interessante notar que o espectador não é tão passivo como se poderia supor. De certo modo está consciente de tudo que se passa. Pesquisa de opinião concluiu que 52,7% do público português crê que a informação veiculada pela televisão é controlada e manipulada.[9]

Essas pressões de fundo ideológico estão condicionadas pela necessidade de produção de bens de consumo em grande escala e pela existência de um mercado de recepção cada vez mais amplo. Isso levanta o problema da colonização cultural. Os países mais ricos, com uma indústria cultural de massa mais potente, acabam impondo a sua cultura àqueles que não conseguem se opor a eles. Em outras palavras, os países ditos desenvolvidos criam riquezas, da arte às ciências, enquanto os países pobres criam algumas pessoas ricas.

Nos últimos anos, a presença de filmes norte-americanos nas salas francesas passou de 31% para 59%. Em contrapartida o mercado americano, o maior e o mais bem protegido do mundo, aceita apenas 2% de obras estrangeiras. Em matéria de televisão ou na fonografia acontece a mesma coisa. A isso se soma a pirataria.

E mais: o sagrado nunca esteve tão presente no audiovisual, tanto na emissão pública quanto na individual. Deus, Jeová, Alá, Jesus, Buda etc. também encabeçam diá-

DA CRIAÇÃO AO ROTEIRO **591**

logos, cenas e programas, demonstrando uma estreita relação da religiosidade com o emissor, seja ele qual for. Com o meu mais profundo respeito e distanciamento em relação ao tema, essa tendência de conteúdo religioso é analiticamente crescente.

A produção

Há basicamente três grandes problemas de produção dos audiovisuais profissionais: o financiamento (que é a decolagem do avião), sua difusão (que é a aterrissagem) e sua rentabilidade.

O produtor profissional mudou muito, não é um homem sentado atrás de uma mesa, com a carteira cheia de dinheiro, a fumar um charuto. Agora é um verdadeiro "engenheiro econômico" ou *line producer* (profissional que costura as diversas fontes de produção), um homem que passa todo o dia ao telefone à procura dos financiamentos necessários para levar um projeto adiante. Isso se chama desenho de produção.

O problema da difusão se resolveu um dia com a abertura de inúmeros cineclubes e com exibições feitas em locais que nada tinham que ver com as salas de projeção tradicionais. Era a comunicação pela comunicação. A linguagem avançou, mas a indústria não. Esse fenômeno se diluiu na Europa na década de 1970. O cineclubismo ficou como um fenômeno de uma geração, e aqueles que viveram essa fase a recordam divididos entre a nostalgia de ter marcado uma época e o alívio de não ter de aguentar certos filmes por espírito de militância.

Atualmente as salas de cinema e teatro se transformam em templos religiosos, assistimos à morte das grandes salas de projeção e obtemos ficção por meio de VoD.

Grandes estúdios e empresas fazem contratos de direitos com Netflix, HBO, Microsoft, Apple, empresas de telefonia celular e similares, principalmente no que se refere a música e filmes. Todavia, muito temos de caminhar nesse ramo.

O *streaming* dá mostras evidentes de uma capacidade devoradora de materiais que faz que toda a produção seja pouca para as suas necessidades. A televisão aberta e fechada sofre de "diarreia dramática". Mas chamo a atenção para o fato de que a maioria dos países prefere importar a produzir conteúdo.

Os programas da Comunidade Europeia pretendem animar a produção competitiva. Mas, seja lá por quê, os produtos americanos continuam a ser mais atraentes na sua apresentação e mais digeríveis narrativamente, mesmo quando são banais.

A Europa continua a enviar mensagens sofisticadas, num estilo lento e autocomplacente em excesso. É esse fazer egocêntrico, sob a desculpa intelectual, que continua a se reproduzir com o apoio da comunidade. Por enquanto ainda não se conseguiu um cinema europeu.

O cinema de cada país é consumido exclusivamente no mercado interno, enquanto as séries via *streaming* já trabalham com o nacional distribuído para o mundo. Só o produto norte-americano, seja ele qual for, chega a toda parte. A distribuição está hoje mais industrializada do que nunca e se encontra submetida a empresas multinacionais. Aliás, é bom saber que as distribuidoras cobram 30% da produção para fazer o seu "trabalho". São as que mais ganham no processo. Como sempre os intermediários são os felizardos da fortuna.

Também a falta de conhecimento do meio televisivo e certo desprezo pela ciência da programação em determinados países conduzem a uma escassez de critérios na escolha do produto audiovisual a ser difundido. Por exemplo, o magnífico filme dinamarquês *A festa de Babette* foi transmitido pela TV portuguesa na versão original com legendas, pelo que resultou num grande fracasso televisivo. Nos primeiros dez minutos do filme escutamos uma voz em *off* monocórdia e descritiva, com muito pouca ação dramática. Está claro que a primeira coisa a fazer para tornar esse filme um produto televisivo é dublar, já que, claro, em Portugal poucas pessoas sabem dinamarquês e é cansativo ler continuamente legendas na telinha da televisão.

Não pretendo menosprezar a importância dos criadores que, utilizando recursos precários, mantêm os caminhos da criação abertos a novas estéticas e renovam a produção cultural nos campos do cinema, do livro e da poesia. Devemos considerar o fato de que a produção de um filme para televisão, *streaming* ou cinema se tornou algo tão dispendioso e complexo que é quase impossível ser feita de maneira artesanal, uma vez que a qualidade técnica é cara e sofisticada. Além disso, o público se acostumou a exigir qualidade para aceitar a mensagem.

DIGRESSÃO SOBRE EMISSORES E RESERVA DE MERCADO

Apesar da interatividade atual do *zipping*, do *zapping*, do *streaming* e dos filmes nas redes sociais, a programação televisiva ainda é de propriedade do emissor.

É bom lembrar que nos anos 1950 só existia uma rádio: a Nacional. Atualmente são centenas de rádios no Brasil, sendo a explosão radiofônica um fato incontestável. A qualidade radiofônica é um fato questionável. De todo modo, Getulio Vargas criou a Hora do Brasil, maneira agora singela e pertinente de fincar a pata do Estado na união do Estado brasileiro. Críticas à parte, a figura controvertida do líder populista, estadista, ditador e presidente eleito decidiu que em tempos de guerra, além do "petróleo é nosso", as comunicações também o seriam.

O fato é que a Rádio Nacional foi a semente de uma floresta radiofônica, que atualmente atinge até a pirataria de jovens anárquicos e de comunidades próximas dos aeroportos.

Quanto ao cinema, ao teatro e à televisão, independentemente das benesses do governo eles têm conseguido se manter à custa do bom humor das empresas privadas. A dependência dos governos e suas implicações se refletem nos impactos resultantes da abertura e do fechamento da Embrafilme, da mudança de leis do antigo Serviço Nacional do Teatro ou da criação de novos mecanismos como leis de incentivo, tipo a Lei Rouanet. Tudo muito temporário e sem uma regulamentação cultural de base fixa que atinja realmente os pilares da cultura.

Por outro lado, o Ministério das Comunicações cria "reservas de mercado" ditas tecnológicas que na verdade isolavam e isolam o país do resto do mundo. No lugar de nos agregar ao planeta, nos afasta.

Com a desculpa de defender a nossa indústria, na verdade defendendo certos grupos emissores, levamos anos para ter controles remotos e nosso sistema de cor televisivo Pal-M foi sempre incompatível com todos os outros sistemas do mundo, sendo impossível a troca e o livre acesso aos vídeos internacionais.

Fomos obrigados por anos a fio a usar um computador Cobra, feito em São Paulo, sendo proibida a importação de qualquer tipo de material eletrônico.

E atualmente para a TV digital todos os modelos internacionais foram recusados pelo Brasil: o modelo ATSC americano, o DVB europeu e o ISDB japonês. O Brasil resolveu utilizar um sistema próprio chamado SBTVD (Sistema Brasileiro de TV Digital Terrestre), que brinda as TVs abertas existentes com quatro canais a mais. É o que se chama de multicanais.

A maioria dos países optou pelos modelos existentes com o intuito de facilitar a transferência de informação e ficção e a comercialização de seus produtos no momento em que vivemos num mundo altamente globalizado.

É realmente uma pena que o Ministério da Cultura tenha pouca voz dentro do panorama audiovisual brasileiro e até teatral. Principalmente atua em leis de incentivo à cultura, mas não existe reserva de mercado cultural como nos Estados Unidos e na Europa – obrigatoriedade de ficção televisiva nacional de tantas horas, de textos nacionais nos teatros e gêneros diversos, bolsas para criadores culturais como escritores, artistas plásticos, dramaturgos e roteiristas.

Uma curiosidade que não pretendo que seja um direito, mas apenas um exemplo da importância que alguns países dão a seus criadores. Em Portugal, artistas plásticos, escritores e compositores não pagam imposto de renda.

Também no Brasil não existe a figura do autor residente, que ganha uma bolsa de estudos para escrever peças para determinado teatro ou grupo de repertório durante o período de um ano. O Teatro Municipal do Rio de Janeiro raramente apresenta uma peça teatral, muito menos a estreia de um autor nacional. E ainda assim se intitula teatro.

NOTAS E BIBLIOGRAFIA

1. METZ, Christian. *Langage et cinema*. Paris: Larousse, 1971, p. 177.
2. Glauber Rocha (1939-1981), cineasta ganhador da Palma de Ouro no festival de Cannes e reconhecido mundialmente como mentor do Cinema Novo brasileiro. Alegórico, simbólico e visionário, Glauber tinha um estilo próprio de filmar e de contar suas histórias que rompeu com todos os padrões cinematográficos existentes na época. Controvertido, trabalhou em vários países e influenciou outros cineastas e artistas. Entre seus trabalhos mais marcantes se destacam *Terra em transe, Deus e o Diabo na terra do sol* e *O dragão da maldade contra o santo guerreiro*. A ele se confere a autoria não confirmada da frase "Uma câmera na mão e uma ideia na cabeça", síntese do movimento cinematográfico por ele vislumbrado. Sem dúvida o cineasta mais importante do século XX da história cultural brasileira. Sua herança fílmica, roteiros não filmados, documentários, artes conceituais e outros acervos são tema de críticas e análises até hoje. Em qualquer escola de cinema do mundo sua obra é estudada, fazendo parte da história e da evolução da sétima arte. Existe vasto material bibliográfico sobre Glauber Rocha em diversos idiomas.
3. É sobre essa base teórica que se tem apoiado a escola de críticos e historiadores catalães durante o último quarto de século por influência do seu mentor, Miguel Porter, escritor e historiador, professor na Universidade de Barcelona. Pensamento que se reflete em outras universidades e na cultura europeia.
4. Sergei Eisenstein (1898-1948), arquiteto e engenheiro, é considerado o maior cineasta de todos os tempos. Cada fotograma de seus filmes perfaz verdadeiras pinturas sobre o exercício da vida e a complexidade do ser humano em ação. Seu pioneirismo estético e visão teórica da arte cinematográfica ultrapassaram o sistema ideológico marxista que o abrigou, na antiga União Soviética. Foi do cinema mudo ao falado e suas obras mais conhecidas são: *O encouraçado Potemkin, Outubro, Ivan, o Terrível, Que viva o México* e *Greve*. Por inusitado que pareça, chegou a trabalhar nos Estados Unidos para a MGM, que não mediu esforços para retê-lo em Hollywood. Foi professor do Instituto Cinematográfico de Moscou e diretor da Moscou Filmes. Sua filmografia, bem como seus livros, registros, roteiros, iconografia e métodos de montagem, é utilizada ou reutilizada até hoje e sua visão artística da sétima arte é considerada seminal em todo o mundo. Merecidamente existe vasto material bibliográfico sobre Sergei Eisenstein.
5. JULIÃO, Henrique. "Ancine promete R$ 1 bi para fomento em 2018". *DCI online*, 13 mar. 2018. Disponível em: <https://www.dci.com.br/servicos/ancine-promete-r-1-bi-para-fomento-em-2018-1.690128>. Acesso em: 2 jun. 2018.
6. Termo criado nos Estados Unidos na década de 1950, quando da perseguição de esquerdistas e comunistas, que eram acusados de subversão ou traição. Figura emblemática dessa caça às bruxas foi o senador Joseph McCarthy.
7. Consulte, por exemplo, o livro de Romà Gubern, *Un cine para el cadalso*. Barcelona: Euros, 1975.
8. Notícia publicada no jornal espanhol *El País* em 4 mar. 1992, p. 59.
9. Notícia veiculada no periódico *Público* em 13 abr. 1991, p. 2-3.

8.2 PROGRAMAÇÃO – TÁTICAS, O MEIO

A PROGRAMAÇÃO

O desenho da programação é concebido por meio da combinação de inumeráveis fatores. Depende da cultura de cada país, hábitos que se transformam e mudam com o tempo.

Se na década de 1960 toda a família se reunia em frente à televisão para assistir à novela *O direito de nascer*, hoje em dia se pergunta: onde está a família? E a televisão?

Se a ficção na década de 1970 devia estar um ponto abaixo da realidade para não ferir os brios da moral e dos bons costumes, hoje ela deve estar um ponto acima.

Em outras palavras: o mundo mudou consideravelmente.

Os computadores invadiram as casas, a imagem se disseminou em outros processos de recepção e a programação televisiva mudou.

Se compararmos a grade de programação da BBC, da televisão francesa, da americana e da portuguesa, notaremos diferenças radicais, tanto em nível de conteúdo quanto de gêneros e concepção de grades.

A única coisa que sobrou na BBC foi o telejornal das 18h.

A cada temporada tudo muda: novos documentários, séries, minisséries em diferentes horários etc., já que a grade de programação é algo mutável e adaptável às transformações imediatas do mundo. Além do mais, no encalço da BBC existem o Channel Four e outros canais regionais. Quem não se transforma morre.

No Brasil é diferente. As grades de nossa programação foram desenhadas nos anos 1970 e se mantêm fundamentalmente inalteradas até hoje. O que é paupérrimo.

Basicamente é um sanduíche feito de jornalismo, telenovela, jornalismo, telenovela e jornalismo. Entremeados por vezes por programas de humor ou séries. Esse desenho de programação foi criado por José Bonifácio de Oliveira Sobrinho, o Boni, mas anualmente sofria alterações, em especial no que se referia à ficção. Num ano foram inauguradas as séries brasileiras, num outro as minisséries, em outra época os especiais, *Quartas nobres*, depois vieram grandes adaptações e assim por diante. Tudo isso originou o conhecido Padrão Globo de Qualidade.

Com o passar do tempo essas franjas de novidades criativas, por falta de competição ou mesmo pelo desequilíbrio do mercado, se esvaíram. O país também passou por crises econômicas e houve uma retração. Obviamente a fórmula novela, jornalismo, novela voltou a dominar a grade e a se fixar.

A fórmula se tornou repetitiva, apesar de consagrada no passado. Foi copiada e é praticamente inalterável nos últimos anos. Por vezes se encaixa uma minissérie em horário tardio ou um programa atípico de sucesso previamente comprovado, tipo *Big Brother Brasil* (BBB). No domingo a programação fica a cargo de futebol, programas esportivos e de auditório.

A rede **Record** copia exatamente o mesmo tipo de programação. É um clone. Desconhece plenamente que existem inúmeras táticas de programação e grades. Entre a cópia e a original, melhor seria ficar com a original. Porém, a mesmice às vezes é tão avassaladora que o espectador prefere uma terceira solução: desligar o televisor (veja o segmento 8.3).

A rede **Bandeirantes**, apesar de apresentar um telejornalismo idôneo com ênfase no esporte, é um mercado árabe, vende horários para relojoarias, vendedores de tapetes persas, pregadores, rabinos, adoradores do Santo Daime ou seja lá quem for que pague. Em outras palavras, aluga seus horários. Exageros à parte, tenho dúvidas de que a sublocação de horários numa rede de televisão seja lógica ou legal. Isso é constitucionalmente permitido pela lei da radiodifusão?

O **SBT** (Sistema Brasileiro de Televisão) tem uma grade de programação instável e por vezes irracional, refletindo uma inconstância de seu quadro de funcionários, o que gera vários processos trabalhistas e penais na justiça de São Paulo. O canal vive de programas de auditório de baixa qualidade cultural e artística, concursos questionáveis e por décadas a fio não teve nenhum telejornal no ar. Na verdade, toda a sua programação serve de cortina para esperanças produzidas por meio de baús dourados da felicidade, estrelas prateadas da fortuna e outros expedientes bem duvidosos. Durante uma década importou novelas mexicanas. O que surpreendia a própria Televisa, canal mexicano produtor, que além de mandar os *scripts* era obrigada a remeter os planos de cenários, de figurinos, de câmeras e luzes, não sendo permitido ao profissional brasileiro nenhum tipo de criatividade. Apesar de inumeráveis questões judiciais, se apossou dos restos da extinta Rede Manchete e passou a transmitir as telenovelas *Pantanal* (2008) e *Dona Beija* (2009). A fim de escrever sua própria produção, a rede convocou a esposa do dono da empresa e uma proctologista para criarem uma novela esotérica chamada *Revelação*.

Rede TV e **CNT** são de difícil qualificação. Não têm ficção nacional. São redes que apresentam uma programação de sublocação sem nenhum critério e só demonstram que alguma atitude deve ser tomada pelas autoridades.

A **TV Brasil**, de programação bastante fragmentada, é uma rede pública de televisão criada pelo governo federal. A transmissão e o equipamento técnico ultrapassados não permitem uma captação adequada de imagem e som. Também a excessiva troca de executivos e equipes artísticas não dá continuidade aos projetos.

Esse panorama pouco alentador deve ser mudado em nome pelo menos do futuro. De outro modo seremos prisioneiros da frase do estadista e presidente francês Charles De Gaulle, que proclamou: "O Brasil não é um país sério".

DIGRESSÃO – TRANSFORMAÇÕES E ESPECULAÇÕES

Ao diplomar os alunos do curso de Criação, Roteiro e Dramaturgia da Academia Brasileira de Letras (2009), estendi minhas palavras sobre os temas reações, transformações e especulações no futuro do audiovisual. Não busquei referências específicas e deixei o pensamento flutuar sobre considerações e configurações, já que o futuro sempre se mostra uma caixa de surpresas sem donos nem mentores. Encontrei na memória a figura de Luis Buñuel[1], cineasta maior do surrealismo, que afirmou: "Apesar do meu ódio pela informação, gostaria de poder levantar dos mortos a cada dez anos, ir até uma banca de jornais e comprar alguns. [...] Sobraçando meus jornais, pálido, passando rente aos muros, eu voltaria ao cemitério e leria sobre os desastres do mundo, antes de voltar a adormecer, sereno, no refúgio tranquilizador do túmulo".[2]

Se a frase não foi exatamente essa, *ipsis litteris*, o sentido se mantém.

Se a princípio a declaração pode parecer tola, ela contém uma série de questionamentos e posicionamentos quanto ao emissor, ao transmissor e ao receptor.

Se fosse possível aos cadáveres voltar às bancas de jornal a cada dez anos eles ficariam perplexos. A quantidade de informação, publicações, volumes, profundidades, variedades e diversificação é tão intensa que seria impossível para um ser humano submetido a um sono de dez anos entender os acontecimentos de uma década.

São inequívocos os avanços da informação e a democratização da imprensa. Para não dizer surpreendentes as guinadas da história do homem. Pisou na Lua e, em vez de prosseguir, resolveu invadir o Iraque. Queda do Muro de Berlim e do Império Soviético, nascimento da superpotência chinesa, conjugação da pior repressão comunista com as mais ferozes injustiças do capitalismo desenfreado, tudo imprevisível. Novos países surgiram, outros desapareceram e conflitos eclodiram em lugares até então considerados pacíficos. Nas bancas de jornal as publicações atapetam estantes com temas sobre cães pequenos, grandes ou peludos, halterofilismo, sexo, filosofia, medicina, fofocas televisivas, celebridades, culinária, beleza, história. Quaisquer assuntos, filmes e notícias estão ali disponíveis, pulverizados e à disposição do leitor.

Creio que Buñuel não entenderia nada: os termos, os nomes, a visão econômica de tudo e a falta de ideologia. E mesmo assim ficaria feliz em sua visão surrealista do mundo. Nada do previsto foi cumprido, mas sem dúvida a informação e a imprensa deram passos fenomenais nas últimas décadas tanto em qualidade quanto em quantidade. E por que não dizer em profundidade. Enfim, nos meios, volumes e formas. Entretanto, se entrasse em uma sala de cinema e visse um filme ou outro produto audiovisual, entenderia tudo. Pouca coisa mudou na linguagem e na forma de contar as histórias.

Assistiria aos mesmos desenhos animados do Pica-Pau, aos mesmos filmes de ação, de faroeste, agora com carros de polícia em Los Angeles, e às mesmas doces e lacrimosas novelas da TV mexicana.

Esse contraste pode parecer injusto ou preconceituoso, mas é sempre bom lembrar que o avanço ficcional nas últimas décadas quanto a formas, formatos e diversidade foi bastante inferior ao encontrado no mundo da informação. Vários movimentos artísticos do século passado não se projetaram nem criaram consequências no novo milênio, ocorrendo certa **retração imaginativa**.

E algumas questões se colocam: estará o ser humano, como uma criança, condenado a escutar as mesmas canções? Como um velho a repetir as mesmas preces? Isso nos daria mais segurança? A mesma história recontada, na forma e na velocidade dramáticas habituais. Será que o ser humano sofre de algum retardo imaginativo? Dotado de um notável desenvolvimento tecnicista fruto de uma mente ordenada, rotineira e economicista, mas incapaz de reconhecer os desbravadores da arte no momento do seu nascimento. Demorou anos para se dar valor às pinturas de Gauguin, aos girassóis de Van Gogh, aos *flashbacks* de Orson Welles, aos *multiplots* de Altman ou aos roteiros do argumentista Robert Bolt. Talvez neste exato momento o novo esteja se instalando em algum lugar e não nos damos conta, nem temos consciência de sua importância. Tudo é possível. Virtualmente eletrônico.

As respostas ultrapassam a nossa compreensão tanto no nível de emissor como no de meio e receptor. Todavia, o roteirista, autor ou dramaturgo deve tentar sempre ultrapassar barreiras no patamar estético e no sentido libertador da mensagem. Entretanto, dependemos intrinsecamente do emissor, já que é sempre bom lembrar que todo criador tem o direito de difundir e viver dignamente de sua obra. De modo que assistimos ao momento de transformação e reavaliação da necessidade social e da importância da **arte** como **criação** para um mundo **melhor** e mais **justo**.

E aqui abro um **parêntese**. Apesar de todos os **problemas políticos** advindos da **China, do Irã e da Nigéria**, por exemplo, os criadores **audiovisuais** desses países são **considerados** os mais **profícuos** e **promissores** realizadores da **primeira** década do século XXI pela **crítica europeia**. Provando mais uma vez que o **talento** não tem **fronteira,** nem **sistema ideológico** que o **abafe**. Fecho o **parêntese**.

Enfim, aqui e ali surgem tentativas, movimentos e algumas transformações. Primeiro para salvar ou pelo menos renovar o *status* do direito do autor, de outra maneira retrocederemos 500 anos até onde se criava por "amor à arte" sem nenhum tipo de reconhecimento ou valorização do trabalho criativo. Cito o movimento da Cisac na França. Por exemplo, a lei francesa (2009-2010) sobre *downloads* e novas mídias, bem como o pagamento de direitos autorais com empresas prestadoras de serviço via internet.

E ainda captar novas gerações para capacidades criativas, abrindo espaço para futuras realizações e novos avanços na arte dramática. Há uma maior presença de produtoras independentes e distribuição de fontes de conteúdo, com projetos que podem desconcentrar a criatividade. Alcançar seus objetivos ou não, isto é, melhorar a qualidade ou não, é outra questão. Mas a intenção de oxigenar o sistema é evidente.

Podemos citar a Lei Argentina, que reduziu o número máximo de concessões de rádio e TV que uma pessoa ou empresa pode ter de 24 para 10, passando a permitir que empresas de serviços públicos, como as telefônicas, tenham licenças de TV a cabo. Nesse segundo caso, contudo, há uma condição: a operadora não pode deter mais de 50% do mercado. As empresas de serviço público continuam proibidas de ter canais abertos de TV.

Embora não defina um padrão, a proposta cria algumas regras para a TV digital aberta, destinando 33% do espectro a canais sem fins lucrativos, que poderão ser de municípios ou universidades, por exemplo. De forma semelhante ao que aconteceu no Brasil com a criação da Empresa Brasileira de Comunicação (EBC).

Há ainda a proposta de limitar a 24 o número de licenças de TV por assinatura de uma empresa, além de proibir que, em uma mesma localidade, uma empresa tenha licenças de TV aberta e a cabo simultaneamente. O projeto também cria cotas de programação na TV aberta, impondo um mínimo de 60% de conteúdo local, 30% de produção própria e 10% de produção independente. Já a publicidade, pelo projeto, deve ser produzida localmente.

Apesar de achar a proposta irreal e exagerada, devo admitir que ela pode redesenhar o sistema audiovisual argentino e influenciar vários países.

De todas as formas, qualquer que seja o sistema emissor, o criador estará acima dele. Ou melhor, fora dele. E ambos não devem ser confundidos, embora sejam interdependentes por um tempo.

TÁTICAS DE PROGRAMAÇÃO

Ao contrário do que se pensa, quanto maior o número de fatores em jogo, maior é a independência da escolha do desenho da programação. Por exemplo: uma TV de sinal aberto tem mais independência do que uma TV católica temática, porque na primeira são tantos os interesses em jogo que eles se enfraquecem.

O desenho do programa tem uma concepção definida como parcialmente independente, uma vez que deve seguir o desenho da programação, ou pelo menos não ferir o quadro geral e manter certa coerência, ainda que tenha uma identidade autônoma.

O desenho do programa é elaborado por meio de três linhas: **linha criativa, de direção e de produção**.

A linha criativa é representada pelo roteiro e autoria. A linha de direção, pelo desenho da imagem, com a seleção dos planos essenciais e de transição das câmeras, elenco artístico, desenho de luz, maquiagem etc. A linha de produção, pelos recursos, contratos, gastos em diárias, financiamento, despesas de cenografia, cenotécnica etc.

Quanto à tática de programação, ela é concebida puramente no sentido da competitividade. Espécie de mecanismo bélico e guerreiro em que se deve vencer um suposto inimigo com o auxílio de duas armas: contraprogramação e antiprogramação.

Contraprogramação é a utilização do mesmo tipo de programa no mesmo horário contra outro canal. Ficção contra ficção. Jornalismo contra jornalismo etc. Esse tipo de tática é o mais utilizado no Brasil e o espectador deve optar por um conteúdo idêntico em dois ou três canais.

Antiprogramação é a utilização de outra forma e conteúdo de programa contra outro canal no mesmo horário. A antiprogramação é a formação de uma nova escolha. Por exemplo: uma TV emite notícias, o canal rival emite dramaturgia. É mais raro no Brasil, já que os programadores brasileiros tendem a não arriscar. Esquecem que a televisão já não é um hábito e se torna cada dia mais uma seleção do espectador.

Assim, hoje o telejornal noturno da Bandeirantes é exibido às 19h30, o da Globo às 20h30 e o da Record às 21h30. Esses canais trabalham em antiprogramação.

Qualquer uma das táticas é válida. O importante é saber utilizá-las na hora propícia.

Após a construção do programa se faz a abordagem televisiva: ele é colocado em prática na grade de programação.

São três os tipos de abordagem para implantar uma nova programação:

■ **Invasão** – Aproveitar o início de uma temporada televisiva. Por exemplo, depois das férias. A programação é inaugurada com nova roupagem e novo conteúdo televisivo. É o modo mais fácil de implantação, mas também o mais caro e certamente mais arriscado. Novos programas, desenho televisivo e grade.

- **Cerco** – Estrear nova roupagem e conteúdo televisivo em determinadas faixas de audiência, de preferência nas pontas da programação. Por exemplo: cercar a manhã e o *late night* (tarde da noite) com o novo, deixando o miolo da programação intacto. Mais econômico, mas pouco abrangente.
- **Cabeça de ponte** – Implantar programas isolados com nova roupagem e conteúdo no meio da programação. A partir daí, por contaminação e oportunidade, outros programas vão sendo transformados pouco a pouco e experimentados. É o mais lento e praticamente não altera a programação. Ainda mais barato, porém pouco criativo. Pouca mudança na grade.

Resumindo, os tipos de abordagem são por totalidade (invasão), faixas (cerco) ou por programas isolados (cabeça de ponte). Ou os dois últimos combinados.

Para finalizar, devo advertir que a escolha de termos bélicos na confecção desse resumo sobre estratégia criativa é intencional.

Também pode parecer que quando comento sobre as abordagens e táticas de implantação de programas estou sempre me referindo ao outro canal, ao competidor, como se estivesse numa guerra de audiências perpétua.

Essa afirmação é parcialmente correta, mas jamais devemos esquecer que como profissionais de comunicação nossa missão é alcançar a plenitude da função audiovisual.

São três as funções essenciais do audiovisual: entreter, informar e formar.

Entreter a alma no sentido aristotélico do drama, abrir espaços interiores, fazer da tela janela para o mundo e espelho mágico.

Informar. Jamais desinformar. Aguçar a curiosidade que leva à busca do saber e do pensar.

Formar. Jamais deformar. Atuar de uma maneira que por instantes possa estimular a formação de seres humanos melhores.

Essa é a nossa verdadeira guerra.

O MEIO

Como e em que se diferenciam o cinema e a televisão como meios de comunicação? Quando examinamos essa pergunta, nos damos conta de que diferem quanto à técnica, à linguagem e às suas características básicas.

A técnica

Embora cinema, televisão, computador e *streaming* se baseiem no princípio da persistência da imagem na retina humana e na apresentação de imagens fixas sucessivas para dar a sensação de movimento, existem grandes diferenças entre eles, tanto de registro como de apresentação.

O cinema utilizava uma sucessão de fotos fixas sobre uma tira de celuloide que se apresentavam por projeção sobre uma tela grande, a uma cadência de 24 imagens por segundo. Atualmente trabalha com câmera digital, que produz 950 impulsos por segundo.

Em televisão a câmera não é substancialmente diferente, mas converte a luz linha a linha, num mosaico de recriação constante que se traduz num sinal magnético e acaba convertido num bombardeio de elétrons sobre o *écran* televisivo, de novo um mosaico em constante substituição de pontos e linhas. Se o meio é diferente, a cor, a acuidade visual, tudo aquilo que o olhar percebe é também diferente. Como se sabe, a imagem da televisão é formada por linhas: de 250 a 400 em vídeo *standard*, de 525 em TV NTSC, de 625 em PAL e do dobro em alta definição, ao passo que no cinema chega a ter 1.500.

A história da TV e do cinema é um constante aperfeiçoamento da forma. **Atualmente tudo é digital.**

Em sua *Enciclopédia básica da mídia eletrônica*[3], Ricardo Pizzotti diz que, na TV digital, os sinais de som e imagem são construídos por uma sequência de bits tratados como dados. Esse sinal é comprimido com outros sinais antes de ser transmitido. No receptor, todo o conjunto de sinais é descomprimido e convertido. Dessa forma, na banda de frequências ocupada por um canal podem ser veiculadas diversas transmissões ao mesmo tempo. É muito mais eficiente que a televisão analógica, na qual aproximadamente era perdida metade dos pontos de resolução de imagem durante a transmissão.

A TV digital não tem "ruídos" nem "fantasmas" e oferece som com qualidade. Além disso, é interativa, permitindo o comércio eletrônico, a transmissão de programas *on demand* e a navegação na internet, entre outras facilidades. Ela possibilita a veiculação simultânea de diversas transmissões com até quatro sinais de TV em um mesmo canal.

As modalidades mais conhecidas de digital são a Standard Definition Television (SDTV) e a High Definition Television (HDTV). A HDTV tem aparelhos com 1.080 linhas de definição e 1.920 pontos em cada uma delas.

Concluindo: a emissão no cinema era por transparência, na televisão é por linhas e no mundo digital é por bits.[4]

Antigamente não podíamos saber se o que filmávamos era bom ou ruim. A única maneira era revelando a película. Na televisão era necessário apenas retroceder o videoteipe para ver o que tínhamos gravado.

Agora tudo é diferente. Simultaneamente se filma com um sistema digital acoplado a computadores, com o uso de várias câmeras, e o diretor pode saber no momento se o que filmou é válido ou se tem de voltar a filmar. O que facilita imensamente o processo de filmagem.

Muitos realizadores, hoje em dia, fazem uma pré-montagem quase instantânea na hora da filmagem para agilizar o processo. Tudo isso se denomina **hibridismo**, algo mais do que acoplar câmeras. Outros filmam em sistema digital e convertem para película no processo final a fim de baratear os custos. Ou o inverso.

Outra diferença é o alcance: o cinema é um *narrow work*, quer dizer, é feito seletivamente para o público das salas de projeção, ao passo que a televisão é um *network*, ou seja, feito para ser visto simultaneamente em todos os receptores do país.

Hoje em dia podemos falar em *narrow TV* e *netfilm*, uma vez que o cinema se exibe na televisão e a televisão se dividiu em televisão por cabo, circuitos internos, UHF etc.

O mundo digital invadiu e transformou definitivamente o cinema, a televisão e o *streaming*. O computador exerce suas funções em *global work*, exposição global.

Concluindo: televisão é *network* (em malha) e cinema é *narrow work* (assistido nas salas de projeções), mas se torna *network* quando emitido na televisão. Já o *streaming* é *global work* (emitido para o mundo inteiro).

Ainda como desfecho deste tópico, agregamos os "aplicativos" que invadiram o mundo de polo a polo. Somente ano passado foram baixados seis bilhões de aplicativos. Mas esse tema foge da temática deste livro.

A linguagem do meio

No que se refere à **linguagem**, a diferença básica reside no **discurso: na televisão, este é interrompido; no cinema, é contínuo; no *streaming* (computador), é múltiplo.**

O discurso interrompido é construído para manter, antes e depois da interrupção para a publicidade, o mesmo grau de atenção do público telespectador.

Em contrapartida, o discurso contínuo não tem essa necessidade. Os telefilmes e as chamadas minisséries, que se produzem especificamente para a TV, têm já marcados no roteiro os momentos para a publicidade. E a ação e o ritmo ocorrem em função dessas pausas.

Entretanto o cinema clássico sofre a manipulação que decorre de ficar submetido a um processo para o qual as suas obras não foram pensadas. Nos últimos anos se nota uma dupla tendência. Algumas televisões limitam o número de interrupções para a publicidade. Os canais a cabo baseiam sua procura de espectadores no fato de passarem filmes sem cortes, e cobram por suas emissões codificadas com base nesse chamariz. Por outro lado, os produtores começam a pensar no ritmo dos seus filmes tendo em conta o futuro televisivo que os espera.

A proximidade dos planos se torna mais curta no mesmo ritmo em que aumenta o número de ações e os closes predominam. Só o cinemascope e o 3D (terceira dimensão) resistem a abandonar a tela grande, talvez animados pelo novo formato panorâmico que prometem ter os aparelhos de alta definição.

A linguagem televisiva é polimórfica. Em uma hora de programação temos diversos tipos de linguagem, como telenovelas, filmes, noticiários, publicidade etc.

O cinema, ao contrário, é monomórfico: um filme mantém um mesmo tipo de linguagem durante toda a projeção de cerca de duas horas, com o estilo do diretor e a história do autor.

O *streaming* é hipermórfico, congregando diferentes tipos de ficção, filmes e séries.

O VoD é supermórfico, marcado por diferentes tipos de programas, filmes e séries.

Já o computador é ultramórfico: tem diferentes tipos de programa, e-mail, ferramentas de busca, redes sociais, filmes, séries, jogos etc.

E temos também em todas as linguagens a presença de publicidade encoberta, que os norte-americanos chamam de *merchandising*. Esse tipo de publicidade, tão comum na televisão, tem penetrado na indústria cinematográfica, no *streaming* e no VoD para aumentar a rentabilidade dos filmes, cada vez mais caros. Existem basicamente dois tipos de *merchandising*: o horizontal e o vertical.

O horizontal é aquele que se apresenta no fundo do cenário, na forma de uma bebida colocada em cima da mesa ou representado pelos automóveis que as personagens conduzem. É uma forma suave de publicidade, por vezes excessivamente usada.

Já no modelo vertical a personagem "fala sobre" ou "atua com" o produto. O exemplo cinematográfico mais conhecido e emblemático é *De volta para o futuro*, em que a personagem principal recebe o nome de uma marca de roupa íntima internacionalmente conhecida, Calvin Klein, simplesmente porque está vestindo uma cueca da grife.

Em quase todas as novelas sul-americanas esse recurso é muito utilizado, chegando inclusive a desvirtuar a composição de personagens e cenas devido a essa submissão a critérios puramente comerciais.

No grande *merchandising* horizontal, o roteirista não intervém nem é responsável, de forma que não recebe nenhuma compensação econômica. No vertical, ao contrário, ele recebe, visto que foi quem criou uma cena em função do produto que se anuncia.

Resumindo: o monomorfismo é encontrado em obras fechadas, como o teatro e o cinema; o polimorfismo, na televisão; o hipermorfismo, no *streaming*; o supermorfismo, no VoD e o ultramorfismo, no computador.

Concluindo: o hipermorfismo e o ultramorfismo são variações extremas de conteúdo, temas, gêneros, línguas e imagens num tempo real muito curto.

Eles marcam a chegada de uma linguagem do terceiro milênio.

Acrescente-se que as redes sociais ainda pactuam com a manipulação de temas, notícias falsas e grupos direcionados. O ultramorfismo se torna, até certo ponto, representante da "perda da privacidade" e do exercício do "controle". Controle que se transforma em "influência", criando o chamado "domínio" sobre o usuário.

Domínio que orbita sobre "as escolhas do indivíduo" (votações, produtos comerciais e opiniões) e o "vício nos jogos" (eletrônicos).

A manipulação é individual e atinge a cerne do ser humano, seu cérebro.

Depois captura os seus contatos e, em seguida, os contatos dos seus contatos e assim por diante, tecendo uma rede de domínio.

Mecanismo que influenciou 50 milhões de cidadãos americanos na votação americana que elegeu Donald Trump.

Apesar de pensarmos o contrário, nossa mente é facilmente influenciável.

Descobriu-se que certos usuários das redes sociais são empresas que contratam seus serviços para atingir determinado público receptivo ao tipo de demanda oferecida. Logo, nós, utilizadores das redes sociais, nos tornamos o produto.

Enfim, não somos os únicos arquitetos da nossa felicidade. Só parcialmente.

O que vai ao encontro do que disse o filósofo Jean-Paul Sartre: "O inferno são os outros". Ou melhor, o "inferno vem dos outros".

Mas, como sempre acontece, a humanidade pouco a pouco começa a reagir.

Língua e meios de comunicação

Sempre se temeu a influência que a linguagem pode ter sobre o espectador ao ser emitida por uma tela. Uma crítica é a de que homogeneíza a língua, anula as características básicas da fala de cada região do país. Isso é muito questionável, já que não nos consta, por exemplo, que o *standard* da BBC de Londres tenha modificado as formas de falar das diferentes regiões e condados britânicos, nem que as telenovelas mexicanas, de audiência máxima no Peru, tenham interferido de maneira drástica no falar peruano.

Em várias conferências que dei, testemunhei a abominação pelos meios de comunicação que caracteriza alguns professores de diversas faculdades de Letras. Esses docentes parecem esquecer que a palavra escrita não morre e que um roteiro é feito com palavras. A verdade é que os jovens utilizam mais a linguagem da publicidade do que a dos noticiários, porque a tendência é correr sempre para o sintético, o caminho mais fácil da comunicação.

Isso acontece atualmente com as abreviações utilizadas nas conversas por mensagem. Chegou-se a um ponto em que, além das abreviações, os *emojis* – símbolos que caracterizam diversos estados de humor e muitas outras informações – são usados em mensagens eletrônicas e páginas web ao redor do mundo. Exemplos de *emoji*: carinhas, palmas, bichinhos, corações etc.

Uma infantilização em nome da preguiça, que não quer dizer candura, e "para não se perder tempo", o que não significa astúcia.

Sempre existiu e sempre existirá o medo dos novos meios de comunicação e das novas expressões artísticas, pois eles vêm acompanhados de uma nova moral e visão de vida. Atualmente há o medo da inteligência artificial.

Se olharmos para trás, recordaremos que tivemos medo de que a fotografia viesse a matar a pintura, o rádio acabasse com os livros e o cinema exterminasse o teatro.

Talvez o estatuto de "clássico" garanta a inocuidade cultural. Pois bem: a televisão, que veio para ficar, já está indo embora. Tal como será provavelmente impossível não viver a holografia e as novas mídias que estão chegando com todo um dicionário novo de vocábulos e verbos.

Um dado curioso é como um meio de comunicação estimula o outro. As adaptações literárias para séries, minisséries e filmes fazem aumentar a leitura. Ou pelo menos a venda de livros, conforme ficou demonstrado na Espanha com as obras de Torrente Ballester, ou em toda a Europa com Foster, Graves ou Vaugh. No Brasil, Erico Verissimo, Jorge Amado, Rubem Fonseca e Rachel de Queiroz.

Basicamente, como instrumento de comunicação de massa, a televisão tem duas funções: é uma janela para o mundo e fixa a identidade cultural como espelho de uma sociedade. E o computador atua como trampolim imagético para o mundo virtual.

No que diz respeito à dublagem de filmes estrangeiros, é interessante recordar que com a dublagem se contribui para fixar a identidade cultural de um povo. Quando este carece da capacidade de produzir programas na própria língua e importa de forma sistemática produtos audiovisuais falados noutro idioma, com conteúdo alheio à própria cultura, uma solução possível é recorrer à dublagem.

Nesse sentido, considero positivo o uso da técnica da dublagem, uma vez que resulta numa prática integradora por meio da língua perante produtos audiovisuais estrangeiros.

A dublagem em televisão parece igualmente positiva porque substitui as legendas, inadequadas ao meio televisivo, ao computador e ao *smartphone*, que minimizam a imagem de tal forma que os caracteres escritos ficam praticamente ilegíveis, além de provocarem cansaço visual – sobretudo se forem empregadas de forma continuada.

Hoje a tecnologia oferece uma solução para o recurso televisivo: a tecla SAP, som original, em reação à dublagem televisiva. Além dos aplicativos de tradução simultânea.

Características

Mencionamos as três qualidades básicas de um roteiro, a saber: *logos*, *pathos*, *ethos*. Em televisão, tal como no cinema, o *ethos* é o mesmo, já que está ligado à questão do emissor. A diferença se apresenta no *logos*, na forma que empregamos para explicar a história.

O discurso cinematográfico é contínuo e monomórfico, e o discurso televisivo é interrompido e polimórfico. No computador, é múltiplo e ultramórfico.

O *pathos* não difere muito, uma vez que o drama humano é sempre o mesmo. O que pode variar é a profundidade dramática, que na televisão tende a ser mais rasa, o que não quer dizer necessariamente pior.

Dizemos que a televisão ganha em extensão e perde em profundidade, ou seja, tem uma audiência potencial com uma apreensão nula. Por exemplo, seríamos capazes de explicar como acabou a série que vimos na noite passada na TV? Alguém é capaz de se lembrar do capítulo 87 da telenovela X?

No entanto, a televisão nos tem brindado com momentos inesquecíveis, como o primeiro passeio do homem na Lua e o ataque Às Torres Gêmeas em Nova York.

Todavia, nos recordamos com certeza do último filme que vimos no cinema. Se formos ao teatro, teremos uma impregnação ainda maior.

Como a linguagem e o discurso do computador são globais e ultramórficos, emendando informação com ficção, jogos e mensagens, nossa capacidade de apreensão se torna muito superficial.

Daí surgem os nichos, clubes, tribos, segmentos e faixas específicas dentro do meio digital. Eu os denomino "convergência seletiva". Cada uma dessas subdivisões dentro do meio digital cria seu *ethos* e seu *logos*.

A palavra

A palavra tem mais ou menos importância de acordo com o meio de comunicação. O tempo de atenção, a quantidade de minutos que passamos "presos" a alguma coisa após os quais nosso nível de atenção diminui varia muito de um meio de comunicação para outro.

Pensemos um pouco nas variações desse tempo de atenção e na sua relação com o peso da palavra.

Na palavra impressa, quando o contato entre o autor e o leitor se dá unicamente por meio do livro, o peso da palavra atinge o seu máximo. Por ele, os escritores e os poetas passam horas e horas em busca de uma palavra que expresse aquilo que querem dizer. É a palavra pura.

Num livro, o tempo de atenção é de aproximadamente 20 páginas. Se a partir daí ele não cativa o leitor, provavelmente será abandonado.

A palavra transmitida por meio do ator, aliada às emoções e aos gestos, tem suas peculiaridades. No teatro, o tempo de atenção oscila entre 30 e 45 minutos. Com isso queremos dizer que o autor teatral dispõe desse tempo para captar a atenção do público. Se passado esse tempo não conseguiu seduzir o espectador, no segundo ato provavelmente encontrará o teatro vazio. Os primeiros minutos de uma peça, de maneira geral, são prejudicados pelos movimentos da plateia: as pessoas que chegam tarde, as últimas limpezas de garganta etc., o que em conjunto perfaz uns bons dez minutos. Imaginemos o que significa para um artista captar e manter a atenção de 20 mil pessoas, como sucede com os grandes intérpretes da música popular. O texto teatral é conhecido como a palavra viva.

A palavra no cinema perde considerável importância devido ao maior peso da imagem, diante da distorção da dimensão: a tela é enorme, a boca do ator é descomunal e a imagem nos domina. Isso sem mencionar o fato de que uma projeção é feita numa sala às escuras, o que ajuda a concentração. No cinema, o tempo de atenção é determinado pela intensidade do tempo dramático na sucessão de imagens. O tempo de atenção anda por volta dos 15 minutos – ou, no passado, no final da segunda bobina.

Na televisão o tempo de atenção é de apenas três minutos, com tendência a cair a cada dia até os segundos. Se passados alguns instantes não fomos atraídos, mudamos de canal. O fato de o televisor se encontrar num ambiente iluminado, onde as pessoas falam entre si, o telefone toca, uma criança chora, a panela está no fogo etc., exige que o tempo dramático seja incisivo e que as ações se sucedam com muito mais dinamismo do que no cinema. Aqui o peso da palavra é menor. E a cada dia tende a se reduzir.

Até mesmo quando uma cena é mais longa, temos de trabalhar com um grande número de tempos dramáticos diferentes, de intenções múltiplas. Caso contrário a ação não é sustentada e o espectador muda de canal. Portanto, a televisão trabalha com a chamada palavra radiofônica. Ou seja, tudo é explicado e falado em demasia.

Evidentemente as imagens concebidas para ser exibidas numa tela grande, numa sala de projeção às escuras, perdem efeito quando são vistas no meio da confusão da casa, ainda mais em virtude da pequena dimensão do ecrã do televisor. Além disso, um filme feito para ser visto de maneira contínua é consideravelmente prejudicado pelas interrupções publicitárias.

Resultado: o espectador normalmente não consegue manter a atenção, daí nascendo filmes feitos especialmente para a televisão, os telefilmes.

Em síntese: na televisão o atrativo da grande dimensão é substituído pelo dinamismo da ação, pela grande quantidade de cenas curtas e verborrágicas. Isso em si não é uma crítica, mas simplesmente uma análise de necessidade do meio.

Um bom exemplo é a publicidade, o anúncio. Um anúncio tem em média apenas 30 segundos de duração e o tempo de atenção é de sete segundos. É enorme o dinamismo de ação necessário para captar a atenção do espectador e, além disso, vender o produto. O mesmo anúncio é repetido várias vezes durante a programação. Não há outra solução para a fixação.

Para se ter ideia da equivalência da ação dramática, é suficiente saber que, em média, a cada cena de teatro correspondem três de cinema e 12 de televisão.

O tempo de atenção da palavra na computação é instantâneo. É o tempo de digitar seguido do de remeter. Sendo o peso da palavra ainda mais baixo, além de receber contrações e corruptelas. Criou-se uma nova linguagem solúvel no momento em que nasce.

NOTAS E BIBLIOGRAFIA

1. Luis Buñuel (1900-1983), considerado um dos dez maiores cineastas de todos os tempos por retratar na sétima arte o movimento surrealista, "a representação da vida vários pontos acima da realidade". Imaginativo, feroz iconoclasta, antifascista, anticlerical, rompeu barreiras e abriu novos caminhos na concepção artística. Entre suas obras-primas se encontram *Um cão andaluz*, *O anjo exterminador*, *A bela da tarde*, *O discreto charme da burguesia* e *Esse obscuro objeto do desejo*. Oscar e Palma de Ouro em Cannes. Combatido, exilado, incompreendido, mas até hoje insuperável. É dele também a autoria da frase "O homem que não bebe, não fuma e não tem vícios só pode ser um mau-caráter".
2. A frase citada se encontra no livro *Meu último suspiro* (São Paulo: Cosac Naify, 2014), texto autobiográfico que Buñuel escreveu antes de morrer.
3. PIZZOTTI, Ricardo. *Enciclopédia básica da mídia eletrônica*. São Paulo: Senac, 2003.
4. Abreviação de *binary digit*, algarismo binário. É a menor unidade de informação que o computador pode armazenar.

8.3 O RECEPTOR – PRÉ-AUDIÊNCIA E AUDIÊNCIA

O RECEPTOR

Quando alguém se propõe a assistir a um espetáculo, leva no espírito uma série de expectativas relacionadas com seu ambiente social, seu grau de cultura e, por que não, sua mitologia, seus desejos e fantasias. Essa figura é o receptor. Recheada de expectativas abertas a se emocionar, mas também preparada para se frustrar.

O receptor não é tão passivo como se imaginava, nem isento de senso crítico e analítico, pela simples razão de que não existem seres humanos burros. Mas também não somos tão inteligentes como pensamos ser.

Nossa evolução na escala animal é lenta e, até hoje, me parece incipiente.

Todavia, como vimos, o ser humano é influenciável. Mas não na questão do entretenimento. Se ele não sabe a razão do desinteresse diante do produto audiovisual, intui que alguma coisa não funciona e simplesmente vai buscar outra diversão. Portanto, como escritores, o primeiro conceito que devemos ter em mente sobre o receptor é que, de todos os pontos de vista, ele sabe tanto quanto nós. E que devemos escrever uma história que gostaríamos que nos contassem.

Alguém pode classificar os parágrafos anteriores como respeito à audiência, um segundo como sagacidade autoral e ainda um terceiro como um jogo de efeito para ilustrar a figura do receptor. Tudo isso seria verdade, mas não nos esqueçamos de que tudo que existe e aprendemos tem uma raiz humana irrefutável. Assim, ao fim e ao cabo, todos nós somos humanos e receptores.

Pré-audiência

Vimos anteriormente que a **obra de criação audiovisual tem três juízes: o público, a crítica e o tempo**.

Neste mundo instantâneo em que vivemos, o público é sinônimo de audiência. Sucessos de peças são marcados pela bilheteria e de filmes pelo número de salas de exibição e recolhimento de ingressos.

O da televisão, tanto aberta quanto fechada, pela sondagem diária do número de espectadores a cada instante televisivo, realizada pelo Instituto Brasileiro de Opinião Pública e Estatística (Ibope), pelo Instituto Gallup e pelo Instituto Datafolha. E o da internet pelo número de acessos a determinado site, ou afins, que podem chegar a centenas de milhares, como BBC e CNN.

Denominamos estudo de pré-audiência ou de reação de plateia a tentativa de investigar as reações do público antes das estreias com o intuito de corrigir futuros problemas, sondar possibilidades e descobrir tendências.

No teatro existem os famosos *try-out* (tentar fora). Peças de grande orçamento estreiam fora do grande circuito antes de chegarem à Broadway. Elas às vezes nem estreiam nos grandes centros: suas primeiras apresentações se dão em teatros de Boston ou New Haven, onde se testa a reação da plateia, se afina tecnicamente o espetáculo e amadurece a interpretação dos atores, até se alcançar um ponto ideal para a abertura no competitivo mercado da Broadway. No Brasil existem os famosos "ensaios abertos".

No cinema, é natural fazer as famosas exibições-teste. Para avaliar o transcurso da narrativa e reações subjetivas da plateia, o público recebe um aparelho com botões de interesse, de não interesse, do que ele gosta mais, o que o emociona, entre outras avaliações sobre o filme.

Na televisão, ainda temos os conhecidos *group control* – conjunto de espectadores-padrão que indicam tendências, admiração, frustração e uma gama de sentimentos por programas exibidos ou a ser exibidos, apontando direções na confecção das grades de programação.

Essas análises de **pré-audiência** nasceram da **industrialização** massiva dos meios de **comunicação**, aliada à **concorrência** e a um mundo **neocapitalista implacável** que não concede **perdão aos perdedores**. Muitos **erros** são **cometidos** em seu **nome**.

Roteiristas excelentes em determinado gênero de escritura são por vezes compelidos pelo sucesso e popularidade a se aventurar por outros trilhos criativos, por vezes não adequados ao seu universo imaginário.

Pode ser um erro pensarmos que um profícuo autor de histórias infantis também o será de telenovelas. Cada autor tem um gênero de inteligência criativa e é raro encontrar autores que sejam igualmente criativos em todos os gêneros. É preciso examinar a própria capacidade, as próprias habilidades. Outra coisa importante é saber o destino dos roteiros: televisão, cinema ou novas mídias.

Em virtude da existência da cultura de massa, dirigida a mercados cada vez mais vastos, é necessário que um roteiro tenha caráter universal, que possa ser compreendido e aceito pelas diversas culturas que compõem esse mercado.

São tantas as exigências que se fazem aos roteiristas e é tanto o dinheiro investido que os produtores repetem os mesmos nomes sempre. Fazendo que o receptor reconheça o estilo de determinados autores, passando a não ter mais surpresas na mecânica das suas histórias. Isso ocorre principalmente na telenovela.

Também com a multiplicação dos meios de comunicação e as mudanças sociais do terceiro milênio, a televisão moralmente encena de forma universal a arte do permitido.

Ela só reproduz o que já foi explorado em fotografia, artes plásticas, cinema, teatro, pelo espaço cibernético e já foi amplamente aceito pela sociedade. E isso não é uma observação relativa unicamente ao Brasil, que até em alguns aspectos é liberal. A maioria dos países e sociedades pelo mundo sofre uma alta e intransponível muralha moral, fruto de preceitos religiosos imutáveis.

Audiência

Em 1500 existiam nove teatros em Londres, outros tantos em Paris e alguns mais em Roma. Como se media a audiência naquela época?

Pela quantidade de "merda" de cavalo que se acumulava na frente dos teatros europeus no dia seguinte à apresentação das peças. As pessoas iam de carruagem assistir às peças. Quanto maior o sucesso, mais cavalos parados na frente do teatro durante a apresentação do espetáculo. Na manhã seguinte se media o êxito de determinado grupo teatral pela quantidade de fezes de animais que era recolhida. Daí surge a expressão *mérde!* antes de estrear algum espetáculo teatral ou cinematográfico, que ao contrário do que se pode imaginar significa "boa sorte".

Mas o tempo passou e tudo mudou.

Algum tempo atrás existiu o conceito de raça; hoje, com o estudo do DNA, essa diferença por cor da pele está indo ladeira abaixo. O mundo está cada vez mais relativo, menos para os fanáticos e os credos.

Inclusive a ciência refaz seus conceitos a cada dia. Até mesmo nas ciências exatas o erro mudou de lugar.

O conceito de classes A, B, C, D e E, puramente econômico, se nota esvaziado a cada dia. Dois exemplos: no momento atual universitários buscam empregos de baixa qualificação funcional à procura de estabilidade, enquanto o grupo teatral Nós do Morro, da comunidade do Vidigal, representa Shakespeare em Londres e em outras capitais europeias com enorme sucesso. Alguém pode dizer que é uma exceção, mas não deixa de ser um fato.

Utilizo sempre uma frase sobre o assunto receptor que gostaria de deixar transcrita neste livro: nascem seres de primeira classe em todas as classes, nazistas em todas as "raças", religiões e credos, histéricos em todos os sexos e talento não nasce em árvore.

Algum tempo atrás, os pesquisadores a serviço da televisão trabalhavam com espectadores-tipo, estereotipados. Quer dizer, se o programa fosse matinal, era dirigido a crianças, se de culinária, às donas de casa e se noturno, seriam os homens os principais receptores. Hoje os estudos de audiência vão perdendo essa visão estereotipada do público receptor e se fala de uma rede receptiva.

Também os jovens não assistem mais à televisão: vivem no mundo virtual ou *streaming*.

Esse conceito é muito mais amplo e de acordo com a realidade, pois o ser humano é bem mais complexo e rico do que pretendiam os peritos em estatística. Esse novo conceito entende que uma dona de casa pode ter níveis culturais e de exigência mais elevados do que aqueles que por princípio a ela eram atribuídos. Também se descobriu que as crianças constituem a principal audiência das séries e das telenovelas, que os documentários gozam de grande aceitação entre o público feminino e que existem muitos homens interessados nos programas culinários.

A rede receptiva se divide em seis tipos, dependendo do decrescente poder aquisitivo (A, Bl, B2, B3, C e D) e em outras seis classes, em função do seu nível cultural (A, Bl, B2, B3, C e D). Ambas as classificações se inter-relacionam, compondo 36 categorias diferentes de receptores.

Um indivíduo economicamente forte (tipo A) pode ser culturalmente muito pobre (classe C) e, portanto, entrará na categoria AC. Ele só lê jornais de economia ou de esportes, não tendo nenhuma capacidade de abstração.

Todas as combinações são possíveis e esses conceitos são ampliados continuamente, deixando de existir para a TV o espectador ideal para determinado programa. Atualmente são indicadas tendências de espectadores para um tipo de produto audiovisual. Além do mais, o espectador é seletivo. Pouco a pouco ele perdeu o hábito e o tal sentido da fidelidade, tão apreciado pelo comércio. Enfim, ele está mais livre.

Também o produto audiovisual pode ter sucesso em determinado país e ser um fiasco em outro. Por exemplo: *3%*, série de ficção científica brasileira da Netflix, não alcançou popularidade no Brasil, mais é a série estrangeira de maior sucesso nos Estados Unidos.

Uma das características básicas do audiovisual atual é a velocidade com que a informação é passada ao público, sem permitir que o espectador tenha tempo para se fixar ou refletir sobre aquilo que está sendo comunicado, como faz quando lê um livro ou um artigo. Por essa razão, o cinema e a televisão foram chamados entretenimentos passivos – quer dizer, não há tempo para voltar atrás, tornar a ver ou se concentrar em determinada cena, diálogo ou expressão de um ator. Naturalmente essa circunstância exige do escritor um roteiro sempre claro e de compreensão direta.

Já no *streaming* é completamente diferente, as séries têm vários núcleos dramáticos, a estrutura do roteiro é mais complexa e se utilizam *flashbacks* e *flashforwards* sem legenda nem indicações.

O termo "passivo", pouco lisonjeiro, deixou de ser válido com a aparição do vídeo, depois com o DVD e agora com o *streaming*, permitindo ao receptor manipular aquilo que deseja ver, acelerar o que não interessa ou repetir a passagem apreciada. Analisar e comparar.

O *zapping*, quase um esporte, acabou por definir a atitude do espectador, capaz de trocar de canal de poucos em poucos minutos e de assistir a mais de um programa por vez.

No caso dos telejornais emitidos à mesma hora, o espectador é o diretor do seu telejornal, mudando conforme a ordem e o interesse das notícias que um ou outro canal oferece.

Os estudos de audiência são hoje em dia muito efetivos, o que faz que os programas se mantenham, mudem de hora ou desapareçam rapidamente, segundo os resultados das sondagens. Não há dúvida de que estas continuam a pôr os filmes cinematográficos e os espaços dramáticos de qualidade entre as preferências indiscutíveis do receptor. As sondagens são feitas minuto a minuto pelo Ibope, com resultado instantâneo da audiência, possibilitando a análise da migração de público de um programa para o outro. Esse processo também atinge a TV a cabo e o *streaming*.

Ibope e *share*

Cada ponto de audiência representa 60 mil domicílios com televisores ligados. Hipoteticamente e no passado, cada televisor era compartilhado por quatro pessoas. Nesse caso podemos falar de um universo aproximado de 250 mil pessoas por ponto. Esse número atualmente não é uma verdade, mas também não chega a ser uma mentira, já que televisores são colocados em bares, restaurantes e lugares públicos, mas pouco interagem com as pessoas – principalmente em canais fechados esportivos e de notícias contínuas.

Share é a porcentagem de determinado programa dentro do universo de televisores ligados. Por exemplo, às quatro horas da manhã, se um canal alcançar quatro pontos de audiência, um milhão de pessoas, pode ter um *share* de 90%. Porque obviamente a essa hora pouquíssimas pessoas assistem à televisão.

Supondo que uma telenovela tenha 36 pontos de audiência no Ibope e um *share* de 70%, os números são magníficos, já que a quantidade de televisores desligados é muito maior, tornado os 36 pontos importantes.

Algumas informações importantes: o Ibope é quantitativo e não qualitativo. Existe uma predominância do formato telenovela na televisão brasileira e ele já não alcança a mesma repercussão de outrora. As telenovelas da concorrente imediata da TV Globo, a Rede Record, não criam novos espectadores. Em outras palavras, não existe aumento do espectador de novelas, o que percebemos é que eles se dispersam. Existe, sim, uma saturação e uma atração por outros produtos audiovisuais e mídias.

Uma nota final sobre audiência que parece pertinente é que sua medida se concentra majoritariamente em São Paulo, o maior parque publicitário brasileiro. Isso pode ter alguma verdade matemática ou econômica, mas é uma distorção do ponto de vista social e artístico.

Particularmente sempre me parece um absurdo, em qualquer noticiário nacional ou internacional, que quando se anuncia uma tragédia, antes de se mencionar o número de mortos, de crianças degoladas ou de pessoas esmagadas, o primeiro item que se proclama é que os prejuízos econômicos foram de tantos milhões de dólares. Enfim, tragédias humanas se tornam cifras, numa desfaçatez assustadora.

O espectador de hoje, acostumado há décadas a ver cinema e televisão, capta com mais ou menos profundidade as mensagens do meio e se deixa seduzir por algumas delas. O escritor tem assim a oportunidade de descobrir o que vai deixar o espectador com o controle remoto na mão mais inoperante.

O erro nesse cálculo leva a criar imagens que se verão deslocadas entre dezenas de fragmentos tão pouco atraentes como o que foi posto de lado. E as escolhas se universalizam para o bem ou para o mal. Isso não quer dizer que um drama no Nordeste deixe de ser universal e que uma história passada em uma manjedoura em Jerusalém não possa mudar o mundo.

8.4 CABO, *STREAMING* E VOD

TV A CABO/POR ASSINATURA

Ao contrário do que se supunha, a televisão no mundo não migrou no volume que se esperava para as chamadas TVs por assinatura (cabo, satélite etc.). Principalmente no Brasil, onde a assinatura é cara e existe concentração na emissão do sinal. O mesmo não acontece com o *streaming* – que, além de compatível com o computador, pode ser acessado pelo celular.

Mesmo quando o espectador tem poder aquisitivo para assinar canais temáticos, ele a todo o momento volta à TV aberta ou ao computador para se integrar ao cotidiano da sociedade em que vive.

Também as produtoras independentes brasileiras não entraram como imaginavam nesse mercado, tendo ainda hoje uma contribuição parcimoniosa.

A falta de investimento na ficção nacional praticamente se repete e seria até tedioso reafirmar que as TVs por assinatura são atapetadas por filmes e séries estrangeiras.

No site Mídia Fatos é possível acessar a listagem atualizada anualmente por gênero.

De um ponto de vista estritamente sociológico, se não fossem os *downloads*, a pirataria e o "gatonet" (roubo do sinal da TV a cabo por comunidades de baixa renda), teríamos no futuro dois tipos de cidadão: um pertenceria a uma elite citadina com acesso a esse meio e o outro seria desprovido de tal fonte. Portanto, mais um abismo cultural.

Com a chegada do *streaming* via computador, esse *gap* está diminuindo. Mas é relevante apontar que cada um busca aquilo em que acredita no instante em que se dedica à interação com o computador.

Quanto à programação da TV a cabo, ela é chamada de programação em "canastra": uma série, um filme ou programa estreia no horário nobre e depois durante a semana se repete nos diversos horários da programação até completar o ciclo horário das 24 horas de programação. Existe uma superutilização e repetição do produto audiovisual, oferecendo ao espectador várias possibilidades e horários de visualização durante a semana. É um esquema bastante lucrativo e diversificador de opções de horários. Todavia, com a chegada do computador e os *downloads* isso se torna até ultrapassado já que se pode gravar em DVD ou mesmo baixar quando bem entender os programas desejados.

Isso hoje em dia é possível até por telefonia móvel.

Essa tendência só nos leva a concluir que a TV a cabo será integrada, cedo ou tarde, à TV aberta. O que seria uma conquista pública.

A ordem natural de lançamentos audiovisuais – cinema, TV a cabo, televisão aberta e DVDs (e, no caso de minisséries, TV a cabo ou TV aberta e DVDs) – está completamente desvirtuada e obviamente ultrapassada.

O famoso hábito televisivo que justifica a presença das telenovelas na grade de programação das TVs abertas cai em desuso na faixa etária mais jovem. Claro que existem exceções, como a telenovela *Avenida Brasil*, que galvanizou o país e a América Latina.

Os serviços são concentrados por poucas empresas, pelo menos no Brasil, e os gêneros são pulverizados e seletivos.

Em outras palavras: cai o hábito do espectador em torno do emissor e nasce a seleção, ou escolha.

Ainda sobre TV a cabo – Visão técnica

É um sistema de distribuição de conteúdos audiovisuais de televisão, de rádio FM e de outros serviços para consumidores através de cabos coaxiais fixos, em vez do tradicional e antigo sistema de transmissão por antenas de rádio (televisão aberta).

Os sinais transmitidos das capitais não conseguiam ir muito longe, nem às cidades que se encontravam no meio das serras. O sistema progrediu tanto que, atualmente, não só é usado para transmitir programação de emissoras fechadas como estimulou a criação de TVs locais e comunitárias, já que a infraestrutura necessária para a montagem é bem menor.

Para captar e retransmitir o sinal por cabo, uma central técnica equipada com antenas via satélite e outras para receber as ondas terrestres reúne os canais e os distribui através da rede de cabos aos domicílios. No início, os cabos usados eram os chamados "coaxiais", e conforme a distância que precisassem percorrer perdiam gradualmente o sinal que carregavam. Para solucionar o problema, os engenheiros responsáveis tinham de colocar incontáveis amplificadores pelo caminho e manter a qualidade de som e imagem que distribuíam.

Com o surgimento da fibra ótica, as empresas de TV a cabo puderam reduzir bastante o número de amplificadores, melhorar ainda mais a estabilidade do serviço, aumentar a oferta de canais e ainda agregar outras funcionalidades aos assinantes, como o *pay-per-view* e o acesso à internet.

Além disso, vivemos uma fase de migração para o sistema de televisão digital. A novidade foi implantada pelas TVs aberta e fechada e não só melhorou ainda mais a qualidade do sinal como ampliou vertiginosamente a capacidade de suportar mais canais na mesma faixa de frequência. A tecnologia da compressão de áudio e vídeo multiplicou as opções de transmissão pelas programadoras e pelas emissoras.

A TV digital também serviu para aprimorar a segurança do sistema. Surgiram os canais codificados, guardados dos espectadores por exibirem conteúdo impróprio ou simplesmente como medida antipirataria, só sendo liberado com um código correto.

Tecnicamente a televisão por cabo envolve a distribuição de um número de canais de televisão coletados em determinada área para assinantes dentro de uma comunidade através de uma rede de fibra óptica e/ou cabos coaxiais e amplificadores de banda larga.

No caso da transmissão de rádio, o uso de diferentes frequências permite que muitos canais sejam distribuídos através do mesmo cabo, sem fios separados para cada um.

Streaming

Em diversos aspectos o *streaming* já foi amplamente debatido neste livro. Assim, desenvolveremos aqui um apanhado técnico sobre o assunto.

É a tecnologia que envia informações multimídia por meio da transferência de dados, utilizando redes de computadores – especialmente a internet. Foi criada para tornar as conexões mais rápidas.

O *streaming* possibilita que um usuário reproduza mídia, como vídeos, que são sempre protegidos por direitos autorais, de modo que não viole nenhum desses direitos, tornando-se bastante parecido com o rádio ou a televisão aberta. A tecnologia é também muito usada em jogos on-line, em sites que armazenam arquivos ou em qualquer serviço em que o carregamento de arquivos seja bastante rápido.

Quando a ligação de uma rede é banda larga, a velocidade de transmissão da informação é muito maior, dando ao usuário a sensação de que o áudio e o vídeo são transmitidos em tempo real. Hoje, emissoras de televisão, bem como rádios FM e AM, além de várias empresas que realizam eventos, utilizam essa tecnologia para interagir digitalmente com seus ouvintes e clientes.

Quando o usuário executa o programa de *streaming*, o reprodutor de vídeo interpreta o fluxo de arquivos e inicia o processo de transferência do conteúdo. Uma pequena parte é baixada e o vídeo é iniciado. O servidor continuará a enviar todo o resto do arquivo enquanto o usuário assiste: assim ele não terá de esperar até que o vídeo termine a transferência para que possa começar a assistir.

O conteúdo é continuamente recebido e normalmente exibido para o usuário final ao mesmo tempo que está sendo entregue pelo fornecedor. Vamos a um exemplo. Imagine ler um livro uma página por vez, com alguém lhe entregando página após página, em vez de esperar receber todas as páginas para ler a obra. O número de interrupções dessa primeira forma seria praticamente nulo. Considere que as páginas da web são muito menores do que a maioria dos arquivos de mídia (áudio, vídeo, animação etc.), e combinadas com a tecnologia de *streaming* para fazer a reprodução de forma suave, a visualização não tem interrupções.

Os principais *players* de *streaming* são: Netflix, Spotify, Amazon e HBO.

VoD

No *Video on Demand*, por meio de uma página web na tela da TV, do computador ou do *smartphone*, o assinante pode escolher diferentes filmes e programas de TV que estejam disponíveis para alugar.

Trata-se de um sistema de visualização personalizada de conteúdos audiovisuais que permitem ao espectador ver um filme ou um programa no momento em que desejar.

A solução consiste em enviar conteúdo em formato de vídeo, karaokê, jogos, etc. É o sistema alternativo ao tradicional aluguel de filmes, tudo sob demanda e utilizando redes de banda larga de operadoras de comunicação. Assim, o usuário receberá conteúdos com qualidade de imagem semelhante ao DVD no momento que desejar e sem sair de casa.

O VoD contém as funções básicas de vídeo, como a opção de parar o programa e retomá-lo quando se quiser, levá-lo para a frente ou para trás, pô-lo em câmara lenta ou em pausa. Assim como no caso do pagamento por visualização (*pay-per-view*), o espectador dispõe de uma vasta oferta de programas para visualizar e pode efetuar um pagamento por determinados programas. No caso do karaokê sob demanda, o usuário se beneficiará por não precisar adquirir ou atualizar cartuchos de música.

Para o roteirista, o VoD é mais um campo de trabalho, no qual é possível escrever séries, filmes e documentários.

CONCLUSÕES

Concluímos que o audiovisual, principalmente televisivo, produz uma arte industrial de criação coletiva porém autoral, e que joga com o código do permitido.

Temos de recordar que trabalhamos dentro de um espaço definido, seja ele de televisão ou cinema, que esse espaço impõe determinadas limitações e continuamente temos de lutar para superar fronteiras, embora nossas únicas armas sejam as palavras.

Devemos manter a sensibilidade e não ofender os nossos valores básicos, a nossa condição de seres conscientes e responsáveis perante a população que receberá a mensagem.

Expomos semelhanças e diferenças entre o cinema, a televisão e outras mídias quanto a técnica, linguagem e características básicas de cada um desses veículos. Refletimos sobre o emissor do ponto de vista da ética, da estética, da dialética e da ideologia.

Destacamos a importância da linguagem (discurso interrompido, contínuo, polimórfico e monomórfico, múltiplo, hipermórfico) e apresentamos o conceito de *merchandising* (publicidade encoberta).

Demonstramos a importância da palavra pura, radiofônica e viva. Tratamos ainda do tempo de atenção e do peso da palavra em cada um dos veículos.

Refletimos sobre o receptor e sobre as novas formas de classificação e audiência.

Falamos de pré-audiência, Ibope e *share*, bem como de TV a cabo e VoD.

Recordamos que não temos a responsabilidade de nos limitar ao sistema ideológico que nos ampara, mas sim a de dar forma artística e dramática aos conflitos do homem do nosso tempo.

Expressar as suas aspirações, necessidades, contradições e complexidades. Mostrar o mundo injusto que nos rodeia e revelar a profundidade das paixões, ou nos conformar com o estabelecido. Sendo uma decisão de cada dia e de cada um.

Uma coisa é certa: aborrecer mortalmente o espectador não é permitido, sob a pena de *zapping* imediato.

EXERCÍCIOS

Os exercícios que proponho têm como função mostrar as diferenças de roteiro entre os produtos televisivos, cinematográficos e *streaming*. Eles foram apresentados no curso de mestrado em Ciências da Informação da Universidade Católica Portuguesa com excelentes resultados.

1. Comparar os três primeiros minutos de um filme e de uma série. Observar que em televisão a história fica mais evidente nos primeiros minutos do que no cinema e no *streaming*.

2. Identificar a mecânica do "gancho" no produto televisivo, na série e no *streaming* elementos dramáticos colocados de modo que permitam a inserção da mensagem publicitária, segundo o modelo das antigas séries.

3. Observar a proporção de diálogo nos produtos televisivo, cinematográfico e *streaming*, fazendo a comparação na mesma escala de tempo. Notar que o roteiro televisivo é muito mais falado do que o cinematográfico e o de *streaming*.

4. Identificar, observar e comparar a imagem cinematográfica com a imagem televisiva, basicamente em seu tempo de exposição. Para identificar um novo cenário o cinema mostra maior quantidade de objetos, ao passo que a televisão "dá mais pinceladas": realismo contra impressionismo.

5. Identificar e observar o tempo que fica no computador. Atenção para o tempo de instantaneidade da palavra.

OBSERVAÇÃO IMPORTANTE

Colaborou neste segmento Jonas Almeida, especialista em tecnologias, IA e tendências.

Parte 9

TEXTOS SECRETOS DE UM ROTEIRISTA

"Quer dizer que me contradigo?
Pois bem, então me contradigo, sou vasto e abrigo multidões."

Walt Whitman ("Song of myself" [1881]. In: *The complete poems*.
Londres: Francis Murphy, 1986, p. 123)

"Não devemos desistir de tentações e projetos: eles podem não voltar."

Doc Comparato

"Sinal de vida é ser capaz de suportar mistérios, sejam eles quais forem."

Fala da peça "O despertar dos desatinados", de Doc Comparato

9.1 DECÁLOGO DE UM JOVEM ROTEIRISTA

REFLEXÃO

Esta parte do livro tenta retratar a inconstância da profissão do roteirista; não deixa de apontar também para o imponderável da vida e as surpresas da história individual de cada um de nós, artistas ou não. Para traçar essa trajetória profissional escolhi uma máscara de três faces.

Primeira face: o texto foi escrito pelos estudantes do máster de Roteiro da Universidade Autônoma de Barcelona, sendo encabeçado pelo aluno Jonathán Gelabert.

É um decálogo: dez citações, conselhos e observações que são relatados pelo roteirista iniciante. Curioso, o texto nunca perdeu seu frescor, muito menos a atualidade.

Segunda face: a segunda parte dessa máscara bizarra transcreve o diário que escrevi enquanto trabalhava com Gabriel García Márquez na confecção da minissérie *Me alugo para sonhar*. Esse texto, que intitulo "Diário secreto de um roteirista", resume vivências e observações pessoais diante do trabalho profissional. A narração percorre o caminho da crônica com alguns momentos didáticos.

Terceira face: o lado oculto da máscara, a terceira parte, é a morte. É um réquiem: um ofício para os mortos. Nesse caso, para o primeiro roteirista brasileiro: Leopoldo Serran, artista que largou a profissão de advogado e publicitário para se dedicar ao cinema, roteirizando filmes como *Ganga Zumba, Bye bye Brasil, Dona Flor e seus dois maridos* e tantas outras pérolas da nossa cinematografia. Como todo pioneiro, acabou esquecido e abandonado pela maioria. Um seleto grupo de diretores, produtores e amigos compareceu à missa de sétimo dia. Simples e emotiva. A imprensa brasileira se manteve ausente, enquanto o *The New York Times* abriu um extenso obituário sobre ele.

Com estes três textos não desejo personificar uma máscara macabra, ao contrário, espero demonstrar que a trajetória do roteirista e do artista em geral não é fácil. Ainda mais para quem pretende viver de direito autoral quando se habita num mundo que caminha para uma situação crítica diante dos *downloads*, da pirataria e das próprias empresas de tecnologia que permitem o livre acesso de seus conteúdos.

Para finalizar essa reflexão, aqui vai um conselho: **não envelheçam**. E, como isso é biologicamente impossível, pelo menos **não percam a jovialidade**.

DECÁLOGO DO JOVEM ROTEIRISTA

Jovem? O que quer dizer isso?

Se for referente à minha idade, devemos recordar que nos Estados Unidos, esse paraíso onde os roteiristas recebem o melhor dos tratamentos, eles são aposentados tão logo passam dos 35 anos e passam a viver dos direitos autorais.

Acho que o qualificativo "juvenil" vem a propósito de minha carreira ainda incipiente; não consigo adivinhar o que um efebo de poucas barbas pode acrescentar ao grosso volume de conhecimentos que este livro contém.

Sabemos como é difícil encontrar jovens capazes de escrever roteiros, é preciso mais alguma coisa além de entusiasmo para imprimir algum brio: são necessários conhecimento e experiência.

É certo que quando arredondamos uma cena o sangue nos corre mais rápido, como se fôssemos mocinhos imberbes que buscam a eterna juventude por meio das nossas histórias e personagens. Escrever implica derramar vivências, e isso requer algum tempo.

De qualquer modo, vou citar e comentar as dez frases de uso mais frequente no nosso ofício. Aquela dezena de expressões que são o pão nosso de cada dia, as **nove mais uma máximas** que o jovem roteirista ouvirá repetidamente nos seus primeiros anos de profissão. Com isso gostaria de prevenir o leitor quanto ao que o espera, enquanto revivo com humor – que remédio! – as nossas próprias experiências e as de muitos outros colegas.

"Pago menos, porque você não é ninguém... Mas..."

A primeira vez que se ouve essa frase, dirigida a você, é terrível. É humilhação pura. Aquele roteiro a que dedica meses inteiros da sua vida, pelo qual lutou minuto a minuto, não custa o que vale porque foi você e não outro quem o escreveu. Pensa que se comete uma tremenda injustiça com maiúsculas, um desprezo superlativo, uma barbaridade inominável, um abuso atroz.

A segunda vez é pior ainda. Pensava que já tinha pagado a sua cota com o primeiro roteiro, mas o segundo é ainda mais difícil de "colocar". A essa frase costumam ser acrescentadas outras: "As coisas são assim mesmo: é pegar ou largar" ou "Não temos orçamento para mais". E as mais absurdas possíveis: "É o que se costuma pagar", "Não aceitamos material de estranhos", "Temos um time próprio de roteiristas contratados há mais de 40 anos, não precisamos de mais nada" etc. Como se estivessem esperando que você fosse suficientemente burro. Ou talvez apenas ignorante para não saber quais são as tabelas atualizadas para roteiristas da Sociedade Geral de Autores da Espanha (Sgae).

Mas isso não é tudo.

O produtor então propõe pagamento maior, mais um pouquinho. Que maravilha. Contanto que você se transforme numa empresa, assine um contrato fora dos padrões reguladores que regem a profissão de roteirista na Europa e renegue todos os seus direitos conseguidos depois de largas lutas de gerações e gerações de outros profissionais.

Cláusulas como esta:

[...] a empresa contratada cede e transfere, exclusiva e irrevogavelmente a XXX, em todo o universo e para sempre, todo e qualquer direito de qualquer tipo e natureza, com exceção única dos direitos morais, advindos do cerne da obra artística definida como escopo deste contrato. Este contrato inclui todos os direitos conexos, econômicos, de propriedade intelectual e de exploração, em todo e qualquer meio, tecnologia e forma tangível ou intangível atualmente conhecidos que por sua vez já existem ou existirão no universo.

Quem ele pensa que sou?

Assino ou não assino? Eis a questão. Se eu não aceitar outro aceita?

O procedimento é legal, mas é justo?

"Está perfeito, mas..."

É a reação típica do produtor ou diretor quando reconhece um roteiro excelente, de tal forma que da sua privilegiada posição não quer deixar passar a oportunidade de participar dos créditos e receber uma parte dos louros.

Não pode destruir o seu trabalho porque, já que encontra qualquer coisa de aproveitável entre tanto produto sem qualidade, não vale a pena desaproveitar a ocasião. Sabe também que aquela história não é dele, tampouco aquelas personagens, muito menos as frases de diálogo que são a beleza de tal cena. Que fará então?

Começará por falar do final: acha que não convence, seja ele qual for. Não porque seja ruim ou inadequado, mas porque não é aquele que "ele teria escrito".

Depois há de querer eliminar tal personagem, por ser demasiado moral ou pouco atrevida. Se estiver num dia feliz, vai se contentar em modificar algumas das suas características, com mais ou menos diálogo, um passado obscuro e retorcido. Depois tentará convencer você de que a moça é pouco sensual, precisa de mais um toquezinho

DA CRIAÇÃO AO ROTEIRO **629**

disso ou daquilo. Enfim, o caso é que as pequenas mudanças no roteiro outorgarão a ele *ipso facto* o direito de figurar a seu lado nos créditos, como coautor, nada menos, desse "extraordinário" filme.

Na verdade, ao ser rodado e exibido aquele filme "promissor" não funciona. Ele jamais reconhecerá que suas "minúsculas" mudanças transformaram o roteiro de tal modo que destruíram sua estrutura, sua coerência, sua credibilidade. A culpa será sua. "Na realidade, já lhe tinha dito que o roteiro não me convencia", dirá ele, e ficará na dele. Sem remorsos, arrependimentos nem memória.

"Tenho nas mãos algo sensacional. Por que não..."

Costuma ser o tipo de frase à qual o aconselhável é nos fazermos de surdos. Quando o produtor ou diretor confessa a você seu "grande projeto" e sugere que podia fazer o favor de se envolver nele, o que procura é que alguém faça o trabalho dele.

Na maioria dos casos o tal projeto maravilhoso nem existe. Muitas vezes nem sequer houve um primeiro contato ou aproximação, é apenas uma aspiração, um sonho, um desejo. E há casos em que, como se trata de um fenômeno patológico, o tal negócio sensacional não existe senão na mente do produtor que acreditou na sua própria história da carochinha.

Não se deixe seduzir pelo encanto e pelas possibilidades do projeto, vá em frente com sua rotina. Todavia, sempre se pode considerar uma forma de exercício, mas não espere muito mais do que isso. De maneira geral o seu trabalho acabará arquivado, esquecido e não pago. No melhor dos casos, alguém vai convidar você para uma cerveja no intuito de compensar a frustração.

Recordo uma frase dita pela atriz brasileira Cacilda Becker[1]: "Não me faça dar de graça a única coisa que tenho para vender".

"Eu mesmo faria, mas não tenho tempo"

Essa frase está muito relacionada com a anterior, mas do meu ponto de vista é ainda mais cinicamente ilustrativa.

Quem a formula normalmente é um produtor executivo, anormalmente uma dona de casa ou ainda um analista de roteiros. Todos me parecem convencidos de três coisas:

1. Que são capazes de escrever um bom roteiro.
2. Que não dispõem de tempo para escrever.
3. Que você nunca será capaz de fazer tão bem como eles e que tem tempo de sobra.

Por que as pessoas tanto perseguem a palavra escrita e implicam com ela? Sobretudo a ficção. Ditadores, sistemas políticos sem liberdade ou que vivem de monopólios econômicos adquirem o hábito de não reconhecer a profissão de dramaturgos e roteiristas, de fechar teatros e salas de cinema e de não respeitar a convenção de Genebra. Será a imaginação tão nefasta assim? Ou tão invejada?

A propósito, já que todos têm uma opinião sobre o tema roteiro, ninguém admira um quadro e comenta: "Gostaria que estivesse mais azul. Que tal um toque de amarelo naquele canto?"

"Você está começando. Tenha um pouco de paciência"

Esse é o tipo de comentário para o qual poderíamos não ligar se não fosse o fato de normalmente ser pronunciado seis meses depois de termos assinado um contrato e ainda não termos notícias do andamento do roteiro ou projeto, dos prazos de pagamento e outras ninharias sem grande importância.

É nesse caso que a frase perfeitamente contextualizada sobe à cabeça, a mostarda chega ao nariz e você é obrigado a morder os lábios para não fazer nada com as mãos.

Depois de entregar o roteiro ninguém mais telefona. Estão todos muito ocupados e você se torna praticamente uma carta fora do baralho. Até o pagamento fica atrasado.

Gostaria de poder aconselhar àqueles que se encontram numa situação semelhante algo diferente de fechar o bico e esperar pacientemente, contudo a crua realidade me impede.

Espero que com o tempo essa conduta mude. E não para pior.

Compositores, autores, roteiristas não são convidados às vezes nem para a noite de estreia.

Em geral só se dá valor ao artista quando morto. Também não espere reconhecimento dos seus pares (do latim *pare*, parceiro, semelhante), eles podem ser tão sibilinos (do latim *sibilu*, sussurro, falsidade, adular, intrigar) como uma serpente.

"É que vocês, escritores..."

Pelo fato de exercitarem a mente e recorrerem ao talento, parece que os roteiristas estão isentos de sangue, suor e lágrimas. Talvez pelo fato de não terem um horário fixo e estrito, os escritores de roteiros não aproveitem o tempo. É como se, por trabalharem isolados, os criadores de histórias audiovisuais não tivessem o direito de se distrair. Sobretudo, é como se ser artista fosse sinônimo de trabalhar por amor à arte.

Não me importa que me chamem de artista. De fato, sou artista. O que me parece pouco correto é que para me insultar usem justamente essa palavra. Atenção: nunca encontrei no dicionário a palavra "artista" com sentido pejorativo, negativo ou irônico. A Real Academia está do nosso lado, a Sociedade dos Autores e o Sindicato também. Então por que esse desprezo pela palavra?

O exercício da imaginação é um talento, uma benesse que desperta nas pessoas o ato de refletir e ao mesmo tempo diverte. Claro que todo artista, por exercício da imaginação, adquire uma noção visionária do mundo, daí sofrendo perseguições e sendo chamado de louco. Uma total falta de respeito.

Será tão insana a atuação do artista no mundo diante das barbaridades que se cometem em nome da pátria, da religião ou da família? Repensar os bombardeios em populações civis.

"Eu, na verdade, não sei o que estou fazendo aqui"

Devo confessar que essa é uma das minhas favoritas.

Quando procuramos cursos de roteiro para receber noções básicas, seminários e conferências para escutar conselhos dos experientes profissionais e oficinas nas quais praticamos o ofício, encontramos o mestre de turno que começará sua aula exprimindo sua perplexidade por ter sido escolhido para estar ali.

É verdade: para que me meti nesse negócio?

Pior ainda é que depois de tantos sacrifícios, leituras e trabalhos acabo me transformando num profissional e passo a vender roteiros. Frequento reuniões com produtoras independentes, centros televisivos, cinematográficos, teatros e percebo que eles não entendem nada do que estou falando. Com raras e honrosas exceções.

Tenho aquela sensação estranha de que "não sei o que estou fazendo aqui". Na primeira vez pode ser até divertido, na segunda, surpreendente, na terceira, irritante e na quarta é indigno.

Em geral os produtores executivos não distinguem as possibilidades de um bom roteiro. São rodeados por números e cifras. Não gostam de arriscar nem de apostar em longo prazo.

Por tudo isso você se torna vazio por falta de um interlocutor. Suas palavras valem menos que zero e você acaba se perguntando o que está fazendo ali. Seu nível de inutilidade alcança pícaros.

Pior que isso só mesmo a crítica, que não sabe distinguir o trabalho do roteirista do do diretor. E seu nome sai nos jornais maltratado e acusado dos desacertos que não foram seus. Mas é como dizem: não há nada mais velho do que a notícia de ontem.

"Essa ideia era minha!"

Notar que o tempo verbal remete a um passado longínquo, como se aquilo que temos diante do nariz e há anos dá voltas na nossa cabeça tivesse deixado de nos pertencer pelo simples fato de que alguém se adiantou a nós.

Fazemos certas perguntas, podemos talvez amortecer o duro golpe. Primeira: é realmente o mesmo que nós pensamos?

Se o que vemos apenas se parece com o que pensamos, podemos ficar tranquilos se for um fiasco. Guardamos a esperança de que nosso esboço pode ser melhor e não fracassar. Se for um êxito restam duas opções: chorar ou tentar outra ideia.

No caso de termos chegado a escrever, ficaremos conscientes de ter perdido uma oportunidade fenomenal para registrar algo em que outros acreditaram a ponto de se arriscar. Isso fará que em outra ocasião já estejamos alertas e sejamos mais rápidos em pensar e menos preguiçosos em registrar.

Alguns produtores e televisões pedem para ler argumentos e *storylines*, mas não se responsabilizam pelo uso daquele material por outro autor ou pelas "coincidências". Alegam que não podem controlar a massa de texto que recebem e exigem que o roteirista assine um termo de isenção da empresa em caso de eventual "plágio". Isso é ilícito, mas não é ilegal. Na Europa esse expediente está sendo ferozmente combatido.

É curioso notar que quanto mais rico, poderoso e desenvolvido é o país mais respeito se observa pelo direito do autor. E talvez aí se encontre uma das chaves para o desenvolvimento dessas civilizações: o respeito pela criatividade.

"Como é que alguém conseguiu um subsídio para fazer 'isso'?"

Costuma ser uma das piores sensações do roteirista, quando nos perguntamos sem descanso se alguma vez chegaremos a obter uma posição nessa subvalorizada e difícil profissão.

Esse desencanto, misturado com a constante proliferação de produtos medíocres que conseguiram bolsas, subsídios, prêmios, editais, cargos em televisão etc., pode servir também, se formos suficientemente hábeis, para conseguir mudar a sorte e a quantidade de estímulo.

Em outras palavras: por que, se "esse aí" conseguiu fazer "isso", vou ficar de braços cruzados tendo algo muito melhor para oferecer?

Mas então você olha o nome do vencedor e fica pasmo. Provavelmente ele é sobrinho de um juiz, parente de um ministro, assessor de um deputado ou afilhado de algum aristocrata da corte.

Enfim, quem disse que os tentáculos do poder e da política não alcançam a criação ficcional? Nem a fundação cultural de um sólido banco de renome internacional. Ou digamos uma companhia petrolífera, *vis-à-vis* um Estado ditatorial, eventualmente possa dar respostas dignas à pergunta.

"O 'não' já está garantido, mas não é o pior"

Tenha sempre em mente que o "não" já está garantido. Depois de reuniões, encontros, e-mails e muita conversa, tudo se cala.

O "sim" só está garantido com a assinatura do contrato por intermédio da Sociedade de Autores, não existe outra saída. E o "não" é tão auspicioso quanto isso. O pior é a falta de resposta. É a secretária afirmando que o produtor está numa reunião e vai ligar daqui a pouco, está viajando ou até mesmo não teve tempo de ler o material.

Essa falta de resposta de produtores, atores, diretores, além de ser mal-educada, é depreciativa, para não dizer desesperadora. Muitas vezes você depende daquele trabalho, daquela resposta para sobreviver, para entregar a outro produtor. Afinal, você apostou todas as suas fichas e esperanças naquele projeto e a "não resposta" somente atrasa e desgasta a sua existência.

Sejamos francos, esse tipo de comportamento displicente é bem comum no mundo latino. Americanos, ingleses, alemães, eslavos e nórdicos sempre respondem com presteza aos roteiros e cartas que recebem. Receber um "não" é tão dignificante quanto receber um "sim".

Mais vale um dia de tristeza e perplexidade do que vários dias de ansiedade e falsas esperanças. Afinal, como disse o cardeal da Inquisição ao personagem Guido, do filme *Fellini 8 1/2* (corroteirizado por Ennio Flaiano, Federico Fellini, Tullio Pinelli e Brunello Rondi, baseado em história de Federico Fellini e Ennio Flaiano): "Quem disse que viemos ao mundo para ser felizes?"

Querido Doc, que mais acrescentar a esse estapafúrdio decálogo? Uma única coisa: lamentavelmente existe um segundo decálogo, um terceiro e talvez um quarto e até, quem sabe, um quinto. Apesar de tudo, você sabe que amo essa profissão e me sinto orgulhoso de pertencer a ela, mesmo nas dificuldades, no desemprego e nas frustrações.

Porque esse ofício também tem muitos atrativos, muitíssimos. Embora não tenha sido minha intenção, desta vez, falar deles. Creio que você saberá me perdoar.

OBSERVAÇÃO IMPORTANTE

Colaborou neste segmento Jonathán Gelabert, roteirista catalão e ex-aluno de Doc Comparato.

NOTA

1. Cacilda Becker (Brasil, 1921-1969), atriz brasileira, um dos maiores mitos dos palcos brasileiros durante 30 anos. Também trabalhou no cinema e na televisão. Inclusive foi protagonista de filmes do Cinema Novo (vide a filmografia de Glauber Rocha). De presença marcante e magnética em cena, interpretou o melhor do teatro nacional e internacional. Cacilda Becker morreu literalmente em cena, sofrendo um derrame maciço seguido de coma imediato, irreversível e profundo com dilatação biocular no instante em que interpretava um dos mendigos da peça *Esperando Godot*, de Samuel Beckett. Mesmo com o simples teste de ativação palmar dos pés (comprovação de Babinski) sua morte cerebral era irreversível, apesar de os aparelhos terem ficado ligados por 30 dias. Enfim, poeticamente explodiu atuando numa invejável entrega à arte e ao seu ofício. E por tudo isso observo, já que essa é uma das funções deste livro, que uma nota de rodapé pode conter uma ideia. Recordo ao leitor que os heróis da arte da criação carregam histórias intensas que podem ser ficcionadas, exageradas e transformadas. Aqui temos uma delas: uma heroína dos palcos num país alheio ao teatro. Aproveitem se quiserem. A internet está plena de informações sobre Cacilda e outros artistas da arte do imaginar.

9.2 O DIÁRIO SECRETO

DIÁRIO SECRETO DE UM ROTEIRISTA

O que se segue é um conjunto de observações, notas e apontamentos que escrevi sobre a Oficina de Roteiros com Gabriel García Márquez, aliás, Gabo, que aconteceu em Cuba em 1987.

Este material escrito é pessoal e não reproduz nenhum momento de meu trabalho na Oficina de Roteiro, já que existe um livro que transcreve os diálogos e o método de trabalho desenvolvido por mim e por Gabo para criar uma minissérie internacional ao lado de dez jovens roteiristas latino-americanos.[1]

A minissérie se chamou *Me alugo para sonhar*, foi estrelada por Hanna Schygulla e teve produção espanhola. Foi exibida com sucesso em vários países europeus e sul-americanos. Sua distribuição foi internacional.

Daí se conclui que a oficina foi produtiva, o objetivo foi cumprido integralmente e, mais importante, todos saímos enriquecidos criativamente do encontro e com uma minissérie de verdade no currículo.

E aqui se faz necessário perguntar: por que revelo os pequenos textos só agora, tanto tempo depois? A quem interessaria? Para quê?

Antes de tudo, é bom avisar que não existe cronologia formal nem metodologia na sequência dos textos. É quase um diário caótico. Notas avulsas que contam o meu mundo naqueles dias. As descobertas curiosas que fiz da vida dos jovens escritores participantes da oficina. Tudo isso bordado pelo exercício da minha memória.

Por quê, então? Porque foi um momento histórico, pelo menos para mim, profissional do ramo.

A quem interessaria? A você, roteirista, já que utilizo os relatos como espécie de revisão dos principais conceitos expostos neste livro.

E, afinal, para quê?

Desconfio que capte, por meio da desordem dos acontecimentos descritos, uma prazerosa relação entre dramaturgia e vida. Entre criar um roteiro e o dia a dia de um roteirista numa ilha com um prêmio Nobel de Literatura.

Voando para Cuba
(Texto escrito entre Manaus e Panamá – 1987)

Em latim as palavras "inventar" e "descobrir" são sinônimos. Segundo Aristóteles, a multiplicação desses dois verbos teria como resultado o ato de "recordar".

Se não existem invenções ou descobertas, só recordação, criar se torna o efeito de um admirável exercício de memória. Um incansável esforço de lembrar.

Essa hipótese seria apenas curiosa se não fosse também verdadeira. Pois um dos efeitos mais perturbadores do ato de criar é aquele que nos dá a sensação de que não estamos descobrindo nada de novo, somente resgatando algo esquecido.

O talento da criação estaria na maneira que utilizamos para revelar ao outro esse algo, essa história, uma vida, saga ou percepção, que sempre existiu, mas que de alguma forma oculta foi esquecido pela humanidade. Ficou adormecido sem emocionar ninguém.

É exatamente o que espero encontrar nessa oficina: um desafio cuja missão é o ressuscitar da verdadeira história de uma enigmática mulher, Alma, que já vive num conto original de Gabriel García Márquez e agora viverá num roteiro.

A investigação será realizada por vários profissionais da escrita, cada um deles levando a bagagem dos instintos, das emoções e das sensibilidades, mas acima de tudo a capacidade de imaginar.

Temo que seja fascinante criar opções para a história, compor personagens e se perder na imponderável dimensão do sonhar acordado. E como em todo sonhar, mesmo aquele de olhos abertos, mais uma vez vou aprender que não existem certezas e que nada é absoluto.

Vou viajar na defesa de meus delírios, depois voltar atrás, recriar, enfrentar Gabriel García Márquez, os participantes, repensar novos detalhes e de repente surgirá a revelação: a trama só poderá correr num determinado fluxo narrativo e com as personagens atuando sob determinadas cargas dramáticas.

De repente todos estarão de acordo e o processo se completará.

O sonho se transforma em realidade. O roteiro é escrito. A minissérie, rodada, assistida. A emoção, transmitida aos espectadores. E toda a arriscada massa visionária vira verdade.

Enfim se chega a um resultado: a real transcrição de mentes viajando pelo irreal. Pela ficção e a paixão. Sem limites nem barreiras. A princípio tão próximas do caos, da loucura, e ao final convictas e felizes por terem cumprido o milagre do resgate. De ressuscitar uma história esquecida.

Sobre o primeiro texto
(Voando de volta para o Brasil – Brasília, 1987)

Reli o que escrevi. Creio que o tom e a direção do texto deveriam ter sido outros. Poderia ter sido mais coloquial. Talvez a opção mais adequada fosse contar de que forma acabei encerrado numa sala durante três semanas com o Nobel de Literatura.

Tudo aconteceu em Moscou.

Estava no saguão do Hotel Rússia à espera do carro que me levaria para a antiga televisão soviética, onde escrevia com o roteirista Alexander Chlepianov uma minissérie chamada *Landsdorff*. Foi quando alguém me cutucou no ombro. Ao virar, fiquei atônito. "Até que enfim te encontrei. Muito prazer. Hoje à noite você janta comigo e Mercedes. E se prepare! Vamos trabalhar juntos."

Então alguém berrou: "Gabriel García Márquez!" E um enxame de fotógrafos de todos os quadrantes do mundo envolveu Gabo com seus *flashes*. Tal realismo mágico parecia dar vida a um círculo de borboletas cintilantes, rodopiando em torno de mais uma celebridade presente naquele momento histórico no Festival de Cinema de Moscou.

E também inesquecível em todos os sentidos: o primeiro festival de cinema da Era Gorbachev. Da abertura total. Da mudança radical. De Fellini premiado aos Hare Krishnas dançando pela Praça Vermelha. De Quincy Jones tocando *jazz* em frente à estátua grafitada de Stalin sob o olhar complacente de velhinhas embriagadas. De Hanna Schygulla comentando com Marcelo Mastroianni que faria o papel de Alma num embrionário projeto televisivo. Dos americanos desembarcando como se fosse o dia D, do caviar, da Pepsi-Cola, do comunismo imperial saindo da História e caindo na vida. Junto com o rublo e o Pravda.

Um conjunto bastante espantoso para todos. Especialmente para mim naquela manhã moscovita, pois não parava de me perguntar como e por que Gabriel García Márquez queria trabalhar comigo. E mais. De onde ele conhecia meus ombros, estatura e careca?

Meses depois, quando estávamos em Paris, já estruturando o projeto da minissérie que nasceria de uma mistura de seminário com tutoria, Gabo contou que tomou conhecimento da minha existência por meio da adaptação que fiz de *O tempo e o vento*, de Erico Verissimo. Presidente do júri do Festival de Havana no ano anterior, Gabo havia premiado com grande júbilo a minissérie com o maior prêmio da competição, o Coral Negro. Tinha ficado encantado com a adaptação.

Não só porque o produto era realmente o melhor de todos os pontos de vista, mas também porque ele nutria em seu espírito uma dívida secreta com a obra de Verissimo:

DA CRIAÇÃO AO ROTEIRO **639**

"*O tempo e o vento* foi um dos três livros que estudei para escrever *Cem anos de solidão*. Verissimo foi genial ao manejar a saga de uma família através dos tempos. É uma pena que tão poucos brasileiros reconheçam isso. Enfim, escolhi você para trabalhar comigo porque conseguiu adaptar minha fonte inspiradora!"

Penso até hoje que Gabo desejava mesmo era trabalhar em parceria com Erico Verissimo. Todavia, acabou se satisfazendo com o adaptador televisivo do extraordinário escritor gaúcho.

Concluo, concordando com Baudelaire, que a vida foi feita para ser transformada em livro. Afinal, o projeto de *Me alugo para sonhar* aconteceu porque nós lemos Verissimo. Assim, se tudo começou por intermédio de um livro, por que não acabar com a feitura de um roteiro? Uma espécie de livro do terceiro milênio.

Por que a primeira sessão de trabalho dos roteiristas começou numa quarta-feira?

Porque minha mulher e eu devíamos chegar a Havana no final de semana e, como na terça-feira, 3 de novembro, era o dia do meu aniversário, Gabo tinha planejado uma festa inesquecível e incompatível com qualquer tipo de trabalho.

A festa nunca aconteceu. Uma tempestade no Triângulo das Bermudas quase destruiu nosso avião e aterrissamos atrasadíssimos no Panamá. Logo, perdemos a derradeira conexão aérea que havia para Havana. A próxima só ocorreria uma semana depois. A solução encontrada foi desdobrar nossas passagens entre várias companhias aéreas locais e em voos pinga-pinga alcançarmos Cuba. Assim visitamos Guatemala, El Salvador e comemoramos o meu aniversário em Manágua, na Nicarágua. Uma cidade recém-destruída por um terremoto e em plena guerra civil.

O gerente do hotel, por meio de seus contatos no mercado negro, conseguiu o impossível: duas lagostas, vinho alemão, lindos candelabros e um conjunto folclórico para alegrar o jantar.

O impacto das bombas ao longe conseguia por vezes dar uma atmosfera de filme romântico passado na Segunda Guerra Mundial. Todavia, nunca perdemos a consciência de tragédia que se abatia à nossa volta. E, arrebatados por um turbilhão de sentimentos contraditórios, giramos desde a felicidade até a indignação.

Acredito que nunca esqueceremos esse jantar de aniversário, que, de uma forma jamais planejada por Gabo, se tornou inesquecível.

Durante esses dias me concentrei na leitura do conto original de Gabriel García Márquez que serviria de base ao roteiro. Em outras palavras, meu trabalho e o dos participantes seria de adaptação.

640   DOC COMPARATO

Transformar um conto numa minissérie de seis horas. Isto é, acrescentar ação dramática, ampliar o número de personagens e conflitos. Acrescentar, somar e multiplicar o drama sem ferir a tensão dramática de duas folhas de intensa literatura.

Como e onde eu vivia na ilha?

Fomos alojados num apartamento vizinho ao de Gabo no edifício dos professores da Escola de Cinema e TV de San Antonio de los Baños.

A escola formada por vários prédios pequenos recheia um descampado sem graça e cercado de pés de cana. O local fica a mais ou menos 15 quilômetros de Havana e, por isso, a administração me cedeu um carro de origem soviética para locomoção. Um Lada, azul e simpático.

Como a totalidade dos produtos industriais em Cuba era importada do antigo Bloco Comunista, tivemos grande dificuldade de nos entender com os aparelhos eletrodomésticos.

Decifrar os manuais era inútil, tentar manejar racionalmente os aparelhos, uma temeridade. Nossa opção foi usar o método de "tentativa e erro", que resultou de início numa catástrofe. A inundação total do apartamento pela espuma da máquina de lavar húngara.

Devo confessar que meu pior inimigo era o ar-condicionado tcheco. O maldito não tinha termostato: por conseguinte, não regulava o frio. Ou melhor, só expelia uma constante massa polar siberiana que gelava até os ossos.

Para espanto de todos, solicitamos mais cobertores.

"Esquentar" era a palavra de ordem. Aquecer o pensamento, atiçar ideias era o que o grupo fazia no princípio. Começamos a estabelecer as bases gerais do roteiro, a sedimentação dos conflitos e o reconhecimento de onde e quando a história aconteceria.

Também se iniciou o processo de composição das personagens principais. Em outras palavras, da descoberta de quem viveria o drama.

Usei o exercício de visualizar um ator conhecido que hipoteticamente pode concretizar alguns aspectos, físicos e psicológicos, da personagem que se está desenhando.

É uma prática bastante usual, principalmente quando a criação ocorre em um grupo com características internacionais.

Por favor, uma girafa!

Os jovens participantes da oficina tinham uma rotina muito dura. Sorte que estavam bem motivados, além de terem invejável disciplina.

As sessões de trabalho começavam pontualmente às nove horas da manhã. Gabo, em questões de horários, é mais rígido do que o protocolo da Rainha da Inglaterra.

A sala onde nos reuníamos era ampla, arejada e centrada numa enorme mesa retangular atapetada de microfones. A princípio todos, muito comportados, ficavam sentados ao redor da mesa. Gabo e eu, que somos irrequietos, nos rebelamos. Passamos a caminhar e a utilizar o quadro-negro que cobria uma das paredes.

O rapaz responsável pela gravação foi obrigado a convocar um assistente, que passou a nos perseguir com uma longa haste metálica, a chamada girafa, uma pequena grua de onde pende um microfone.

Eram quatro horas de trabalho com um cronometrado intervalo para o café. Às 13h todos estavam liberados.

Durante a tarde os participantes escreviam os textos solicitados na sessão. Ao anoitecer, Gabo e eu recebíamos cópias do trabalho. Líamos e estudávamos o material separadamente.

Como já tínhamos a história do conto, a ação dramática, começamos o trabalho inventando novas personagens. Tipos humanos abstratos que pudessem alargar e com-

À esquerda, Doc Comparato dirige a oficina de roteiros, tendo a seu lado Gabriel García Márquez.

plicar a vida de Alma, uma protagonista entre o bem e o mal, entre o poder e a nulidade. Enigmática num todo.

As personagens. É essencial ter presente que o nome tem muita importância, posto que oferece preciosas indicações para a construção da personagem: sua classe social, seu caráter e sua tipologia.

O que buscamos na configuração de uma personagem é o seu equilíbrio, as linhas de força que a compõem. Embora esse equilíbrio não seja aquele que normalmente se entende segundo os padrões convencionais. Aquilo que procuramos é um ser humano com todas as suas complexidades atuantes e não uma marionete obediente.

Sim! Visitei a casa de Hemingway

Passamos o fim de semana em Havana. O embaixador do Brasil em Cuba na época, o queridíssimo Ítalo Zappa[2], nos ofereceu um caprichado almoço. Comemos maravilhados.

O prato principal consistia na mais autêntica das lasanhas. Receita de gerações da família Zappa. Lasanha repleta de carinho, já que o próprio embaixador preparou inclusive a massa.

Em resumo, também a arte de receber com cortesia e elegância nasce de um conjunto muito singelo: ser verdadeiro e simples.

Gabo diariamente lembra aos participantes que as propostas criativas devem a princípio ser simples. Ele está coberto de razão.

Creio que esse conceito serve como definição poética da chamada estrutura dramática, ou escaleta. Etapa da construção do roteiro que se seguiu à construção de várias personagens.

A estrutura é a fragmentação da história em momentos e situações dramáticas que mais adiante vão se converter em cenas. Essa fragmentação feita pelo roteirista segue uma ordem consequente com as necessidades do drama. É "como" comunicaremos nossa história ao público.

E "como" as peripécias desses seres imaginários se encontram e produzem mais ação dramática. Uma otimização do irreal.

"Ponto de partida" é o nome que se dá às primeiras cenas de um roteiro. A abertura do drama é um dos instantes fundamentais do espetáculo, visto que nas cenas iniciais as personagens implicadas apresentarão o problema que será resolvido no final. Um problema mal apresentado leva à confusão durante o desenrolar da história.

Como vários participantes apresentaram seus pontos de partida, tivemos de escolher um. O mérito da escolha é encontrar o início que mais serve aos propósitos da história. E que nem sempre é o mais exuberante, mas certamente é aquele que trabalha na última franja de credibilidade que se teve a capacidade de encontrar.

A propósito, a casa de Ernest Hemingway em Cuba virou um museu encravado numa saborosa enseada. Tão suculento quanto os daiquiris que tomei em sua memória.[3]

Criatividade é gerar coerência no abstrato

Não há coerência. Os participantes mudam de opinião, abandonam ideias, posições e até voltam atrás. É assim o processo de criar, a raiz do livre pensar. Da imaginação. Até Gabo desfaz cenas que ele mesmo criou. Uma autofagia criativa se instalou por três dias.

É interessante como em frações de segundos situações dramáticas perdem o valor e até a existência, enquanto outras jamais planejadas surgem para reinar definitivamente na mente e depois no roteiro.

Depois de quase uma semana de trabalho, da euforia inicial, se nota que já existe uma espécie de cansaço criativo por parte de todos. Processo bastante natural que não devemos temer. Simplesmente não devemos deixar que o cansaço se transforme em desânimo.

Resolvemos, mesmo sem segurança, começar a focar nossa atenção só na primeira hora da minissérie. Os participantes basicamente passaram a buscar situações de conflito que seriam expostas no primeiro episódio.

É sempre bom recordar que o conflito designa a confrontação entre forças e personagens por meio da qual a ação se organiza e vai se desenvolvendo até o final. É o cerne, a essência do drama. Etimologicamente, drama, do latim *drama*, por sua vez do grego *drâma*, *dráo*, "eu trabalho", significa ação. Sem conflito, sem ação, não existe drama.

A famosa frase de Shakespeare "Ser ou não ser, eis a questão", que encontramos na muito conhecida primeira cena do terceiro ato de *Hamlet*, é genial porque sintetiza em poucas palavras o mais profundo conflito do homem, igualmente enunciado por Racine: "Não sei aonde vou, não sei onde estou".

Passei a convidar separadamente cada um dos participantes para jantar comigo. Sem conflitos não encubro minha curiosidade de conhecer melhor os companheiros dessa jornada da imaginação.

O colombiano

Andrés Agudelo é o único participante colombiano da oficina. Filho de uma família tradicional, eclodiu um escândalo familiar quando, aos 16 anos, proclamou que queria ser mágico de circo. Mas mágico mesmo.

Durante três anos estudou ilusionismo com um grande prestidigitador venezuelano, se tornando seu assistente.

Numa das apresentações de ambos para uma sofisticada e seleta plateia, uma moça se apaixona perdidamente por ele e ambos fogem, indo viver em Nova York.

Sobrenome da moça? Niarchos. Famoso e multimilionário clã de armadores gregos, concorrentes dos célebres Onassis.

Era previsível que o velho Niarchos não aceitaria jamais que sua filha se casasse com um reles mágico de circo. Mesmo assim eles se amaram e foram felizes durante dois anos.

Andrés retorna à Colômbia e se dedica a escrever. Se torna roteirista e depois diretor de cinema. E com esse passaporte é que chega a Havana para a oficina.

Após o jantar em que nos contou sua vida, minha mulher e eu fomos brindados com um espetáculo de ilusionismo. Foi perfeito.

Apesar de todos os truques e mágicas realizados naquela noite, ninguém foi capaz de prever que Andrés iria trabalhar comigo em Madri praticamente durante dois anos. Seria meu assistente em duas minisséries que escrevi para a televisão espanhola.

Andrés veio nos visitar no Rio e esteve por duas vezes em Portugal quando lá morávamos.

Na primeira, acompanhando e já trabalhando com o escritor mexicano Carlos Fuentes, foi escolher locações para uma produção da BBC sobre o descobrimento da América.

Da segunda vez foi de férias. Levou sua mulher, o filho pequeno e até a sogra, que por mais que tentasse não fazia desaparecer.

Subitamente o primeiro episódio começou a tomar corpo. As situações armadas se encaixavam naturalmente e a ação dramática enfim fluiu.

Espontânea como num passe de mágica.

Tempo dramático é o estado de completitude no tempo real

No texto da minha peça de teatro "Nostradamus", cena 14 do segundo ato, extraio o seguinte momento e alerto sobre o tempo, tanto o dramático quanto o real. Vamos ao confronto entre a rainha Catarina da França e Nostradamus, o profeta, na sala dos espelhos, no Castelo Real em 1566.

CATARINA
Não... Não...

NOSTRADAMUS
A dinastia de sua família para sempre se apagará. (pausa)
A casa de Valois termina em seu reinado, Majestade.

CATARINA
Espera! Vejo uma imagem no espelho!

Atrás do espelho uma luz se acende e vemos o Duque de Bourbon.

NOSTRADAMUS
Este, Majestade, será o futuro rei da França.

CATARINA
O Duque Antoine de Bourbon?

NOSTRADAMUS
Não. O jovem filho do Duque de Bourbon, Henrique de Navarra. (pausa)
Ele será o dono da nova dinastia, do massacre de São Bartolomeu e da extinção da Casa de Valois. (tom) Com ele nascerá o reinado dos Bourbons. Os reis "Luíses", Majestade.

CATARINA
Vou mandar matar esse rapaz!

NOSTRADAMUS
Isso. Mande matar todos os jovens do reino. Cape todos os testículos menores de 20 anos. (pausa) Mas lembre-se: Herodes tentou esse caminho.

Instantes.
O duque de Bourbon desaparece no espelho.

NOSTRADAMUS
Não adianta, Majestade. São os homens que fazem sua própria história. (pausa) E então posso afirmar, jurar, berrar aos quatro cantos do mundo que nada, nada está determinado, entretanto tudo está determinado.

CATARINA
É tudo mentira! O senhor me hipnotizou. (pausa) É claro. Por isso quis se encontrar comigo na sala dos espelhos. Estamos cercados de reflexos.

NOSTRADAMUS

Não. Não hipnotizo ninguém. Me auto-hipnotizo, Majestade. O que é de um sofrimento inconcebível porque as horas se transformam em minutos, dias em horas, anos em dias e séculos em anos. (pausa) Será que alguém, por um instante, sabe o que isto significa? (pausa) Veja meu corpo... Viajo para dentro de mim à procura da lógica do tempo... E desconfio, Majestade... Que o tempo é um *continuum* de dimensões... É um rio, cujas correntezas nós chamamos de passado, presente e futuro... Ai. Ai. (se contorce) Meus ossos doem. Tudo em mim se contrai. (pausa) Pelo horror que passo não atinam, porque não entendem... Não entendem que passado, presente e futuro são concomitantes... Eles não existem... O que existe é o eterno presente, Majestade. (tempo) O eterno presente.

Instantes.

CATARINA

Vá. Desapareça. Considere-se expulso de Paris e recluso em Salon para sempre. (pausa) Meu castigo será apodrecer na tormenta da loucura.

NOSTRADAMUS

Louco não, Majestade. (pausa) Apenas um visionário.

Música.
Tudo escuro.

Recordo a questão do tempo porque depois da macroestrutura das seis horas nos concentramos na estrutura do primeiro episódio e imediatamente os participantes passaram a escrever.

Enfim entramos no território do tempo dramático, ou melhor, dos diálogos do primeiro episódio.

E, como o diálogo se constitui no fundamento utilizado para alcançar o "quanto de tempo dramático" de uma cena, nada mais oportuno que um breve comentário sobre o assunto.

A "duração" de uma cena está intimamente ligada ao diálogo e não ao seu tamanho real.

Uma cena curta pode nos dar uma sensação de aborrecimento e de um decurso de tempo longuíssimo e, pelo contrário, uma cena longa de quatro, cinco ou até dez minutos pode provocar um leque de sentimentos e reflexões tão intensos que nos fazem perder a noção do tempo real.

DA CRIAÇÃO AO ROTEIRO **647**

Resumindo: nem uma cena curta é sinônimo de tempo real curto, nem uma cena longa reflete, necessariamente, um tempo real extenso.

Lembrar sempre que um bom diálogo deve ser tão preciso como vago. Deve estar a serviço da personagem, da história, do público e de tudo mais. Lembrar que nele se concentra a única arma do roteirista: palavras.

Existe amor nos tempos do cólera

Minha mulher vai retornar ao Brasil no sábado e prepara as malas.

Gabo, em conspiração com o embaixador Ítalo Zappa, por suspeitarem de uma futura crise de solidão, sugere que eu passe a ficar os próximos finais de semana integralmente em Havana. Seria mais divertido, hospedado ora na casa de um, ora na de outro.

Na verdade me sentia macambúzio.

No jantar de despedida para Leila, oferecido por Gabo em sua residência em Havana, ele leu para nós alguns diálogos da sua nova peça de teatro. E mais. Pequenos trechos de um livro ainda embrionário, mas cujo título já estava decidido: *O amor nos tempos do cólera*.

Durante o sarau achei a escolha do título infeliz. Não me perguntem por quê. Efetivamente naquela noite não estava só macambúzio, fui um macambúzio insensível. Em nenhum instante captei a beleza do texto nem enxerguei a poesia do título.

Como escreveu Borges: se um livro não o interessar hoje, talvez seja lido amanhã com grande prazer.

E foi justamente o que ocorreu. Um ano depois ao ler o livro fiquei tão fascinado que telefonei de imediato para Gabo. Queria congratulá-lo. Eram cinco horas da manhã na Cidade do México.

Ao contrário do que se pode supor, não houve problemas. Ele é madrugador convicto. Homem cheio de compromissos, Gabo concentra o escrever de seus romances entre quatro e seis da manhã.

Terminamos os diálogos e cenas da primeira hora e começamos a trabalhar no segundo episódio. Em termos de estrutura, a ação dramática corre bastante tranquila.

O que não configura nenhuma surpresa. Afinal nos dedicamos por 15 dias a desenhar as personagens, armar a história e criar conflitos.

Conclusão: um dos segredos da escritura do drama está num exaustivo trabalho de construção de suas bases.

Mulheres, explosões e merengues

A minha mulher se foi. A mulher de Gabo chegou.

Mercedes é com certeza uma das mulheres mais fascinantes que conheci em minha vida. Talvez nela repouse uma das chaves para decifrarmos o toque mágico da criatividade dele. Mas isso é uma questão para biógrafos.

Amigos desde Moscou, nosso encontro foi celebrado com o preparo de um enorme merengue. A receita era francesa, à base de iogurte. Porém, havia certa pitada de bicarbonato de sódio que parecia essencial para dar volume e consistência de nuvem à fabulosa sobremesa.

Um detalhe infeliz, porque não havia bicarbonato de sódio em Havana, nem mesmo nos hospitais que contatamos.

Num surto de criatividade pseudobrilhante, sugeri o uso de Alka-Seltzer para solucionarmos o impasse culinário.

Trituramos vários comprimidos do antiácido efervescente e fomos aos pouquinhos lançando o pó branco na terrina com iogurte. Como nenhum efeito se produzia, resolvemos transformar a pitada inicial em várias colheres de sopa.

Por fim o merengue explodiu. Depois de ferver por momentos infinitos, a tão almejada consistência de nuvem desceu pela mesa, correu pelo chão e nos lambuzou em cheio.

Também em dramaturgia o mesmo pode ocorrer: as chamadas personagens de ligação, com pouco peso dramático, podem se agigantar.

Uma esquecida personagem ganha consistência. Aparentemente sem importância no início, toma um protagonismo inesperado.

Foi o que aconteceu na escrita do terceiro episódio. Um advogado, personagem secundária, passou a ganhar protagonismo.

Podemos comparar as duas situações: o merengue e um súbito protagonismo de uma personagem menor.

Duas explosões que não duram para sempre nem são essenciais, apenas acontecem em tempo suficiente para sustentar o meio da minissérie: nesse caso, no terceiro episódio de um total de seis.

Essas personagens "oportunas" quase sempre funcionam mais na ação dramática do que na consistência dos sentimentos. São criadas para ser esquecidas.

Águas azuis e citações

Um grupo de participantes e eu passamos a frequentar o complexo aquático da escola pelas manhãs antes da oficina.

O professor de natação formado na Alemanha Oriental era implacável e, por utilizar sem piedade tal tabela de progressão olímpica, nos deixava literalmente exaustos.

Alguns dias após o início das aulas, nós estávamos distendidos e revoltados. Desistimos de nadar.

O grupo de ex-nadadores era composto de um nicaraguense e um casal mexicano. Também me encontrei com venezuelanos, argentinos e uruguaios. Mas não chegou a ser uma Torre de Babel latino-americana, a biblioteca da escola era silenciosa.

O que é o drama?

Jean-Cocteau responde: "Uma vez que esses mistérios me ultrapassam, finjo ser seu organizador".

Jean-Claude Carrière explica: "O cinema, o teatro e o romance não se igualam. Nada mais fácil do que escrever esta frase num romance: 'no dia seguinte, de manhã'".

Nada é tão difícil como mostrar num filme que estamos no dia seguinte e que é de manhã. É necessário pensar a cada instante na fórmula sacrossanta, tão frequentemente esquecida: não anunciar o que se vai ver e não contar o que já se viu.

E William Shakespeare conclui: "O fato é tão avesso à ideia quanto os planos ficam sempre insatisfeitos. Porém a ideia é nossa, os feitos não".

Sobre o final da oficina

Enquanto escreve o roteiro você não tem qualquer objetividade, não tem visão geral. Não enxerga nada exceto a cena que está escrevendo, a cena que acabou de escrever e a cena que escreverá a seguir. Às vezes nem isso enxerga. É como escalar uma montanha. Enquanto sobe para o topo, tudo que vê é a pedra diretamente à sua frente e acima. Somente quando chega ao topo é que pode olhar para o panorama abaixo. A coisa mais difícil ao escrever é saber o que escrever. Ao escrever um roteiro deve saber para onde está indo. Encontrar uma direção, uma linha de desenvolvimento que conduz à resolução, ao final. Senão vai ter problemas. Porque é muito mais fácil do que se supõe perder-se no labirinto de sua criação. Por isso o paradigma é tão importante: ele é o ponto de virada, um incidente, ou evento, que toma conta da ação e reverte o final.

Esse trecho pertence ao conhecido teórico de dramaturgia Syd Field. Ele demonstra a relevância do paradigma, do ponto de mudança a partir do qual o texto se prepara para a finalização.

É efetuada nos dias finais da oficina uma série de transformações abruptas no percurso das personagens, no intuito de criar um final surpreendente. Jamais imaginado pelo espectador.

Mudanças importantes já tinham sido previstas: casamentos e loucuras. Outras surgiram um pouco modificadas, revestidas de uma nova nuança: é o caso da explosão de religiosidade de uma personagem feminina. E outras tantas reversões para outras personagens foram radicais.

Confesso que na ocasião fiquei entre fascinado e cauteloso com a exuberante carga de criatividade encontrada. Entretanto, um dos produtores da minissérie, um espanhol catalão, palpitou que o destino final de algumas personagens derrapava no exagero, tocando o limite da perda de credibilidade.

O que penso hoje? Tendo a concordar com ele.

Criatividade demais é como o amor em excesso: pode matar.

Sobre o epílogo do roteiro

Para Freud o sonho é a expressão, ou a realização, de um desejo reprimido. Jung pensava que ele é a autorrepresentação, espontânea e simbólica, da situação atual do inconsciente. Já para J. Sutter o sonho tem a menos interpretativa das definições, é um fenômeno psicológico que se produz durante o sono, constituído por uma série de imagens cujo desenrolar representa um drama mais ou menos concatenado.

Portanto, do sono se subtraem a vontade e a responsabilidade do homem, em virtude de sua dramaturgia noturna ser espontânea e incontrolada. É por isso que o homem vive o drama sonhado como se ele existisse realmente fora de sua imaginação. A consciência das realidades se oblitera, o sentimento de identidade se aliena e se dissolve.

A famosa parábola chinesa nos conta: o velho Tchuang-Tcheu não sabe mais se foi Tcheu quem sonhou que era uma borboleta ou se foi a borboleta quem sonhou que era Tcheu.

Como num caleidoscópio infinito, ficou decidido para o desfecho da minissérie que o protagonista sonharia com o antagonista, e vice-versa.

Enfim, como conclusão do drama as personagens trocariam posições. Em outras palavras, o antagonista passa a personificar o protagonista.

Confuso? Incoerente? Com certeza uma resolução inesperada para o roteiro. Pois a história que cresceu na fronteira do realismo acaba desaguando num violento drama psicológico. Ainda que disfarçado em "sonho do sonho", o final se deixa possuir pela mais completa violência psicológica: a transmutação de personalidades.

Sair ou não sair daquele mundo

A eternidade é a ausência ou a solução de conflitos, o ultrapassar das contradições, tanto no plano cósmico quanto no plano espiritual. É a perfeita integração do ser em seu princípio. É a intensidade absoluta e permanente da vida, que escapa a todas as vicissitudes das mutações e particularmente às vicissitudes do tempo.

Para o homem, o desejo de eternidade reflete sua luta por uma vida que de tão intensa possa triunfar sobre a morte. A eternidade não reside no imobilismo nem tampouco no turbilhão: ela está na intensidade do ato.

Os episódios da série já estavam totalmente estruturados – quer dizer, escaletados; mesmo assim os participantes ainda teimavam em criar novas situações que corriam o risco de destruir o trabalho já feito.

E, como todos nós sabemos que se tirarmos uma carta de um castelo de cartas ele se destrói, minha apreensão nos dias finais tinha muito sentido.

Se continuássemos a inventar finais e histórias compulsivamente mataríamos o roteiro de tanta criatividade. E esse é o maior risco que se corre quando se trabalha em grupo.

Por isso me transformei numa esfinge. Sem reação aparente, deixava que os participantes inventassem o que quisessem, para depois exigir que a estrutura dramática, ou escaleta, fosse respeitada.

Parem de sonhar. Ou querem ficar aqui eternamente?

Era o recado que tentava transmitir aos participantes. Sabendo que eles se comportavam assim porque não suportavam a ideia de que a oficina estivesse chegando ao fim. Queriam eternizá-la.

Da esquerda para a direita: Manuel Gómez Díaz (Cuba); Andrés Agudelo (Colômbia); Arturo Villaseñor (México); Ramón Sánchez (Cuba); Luis Alberto Lamata (Argentina); Eliseo Alberto Diego (Cuba); Susana Cato (México); Gabriel García Márquez e Doc Comparato; Iván Argüello (Nicarágua).

No *flashback* não existe nostalgia

Quase 20 anos se passaram entre a Oficina de Roteiro em Cuba e a edição deste diário tão caótico como didático.

Durante esse período, encontrei Gabo e Mercedes em Barcelona, México e Paris. Falamos por telefone uma dúzia de vezes e trocamos alguns faxes.

Apesar de escassos, esses encontros sempre foram calorosos e repletos de emoção. Suficientes o bastante para manter acesa a chama da amizade.

E mais. Toda vez que nos encontramos, de alguma forma explícita ou não, sempre descobrimos um modo de nos transportar para a oficina.

Às vezes um pergunta para o outro se tem notícia de algum dos participantes. Outras recordamos algum evento de uma das jornadas. Enfim, jamais nos esquecemos de ressuscitar algo, nem que seja um pequeno comentário sobre o roteiro.

E é justamente nesse instante que um segredo se revela.

Como se fosse uma senha, um código só conhecido por nós, aceitamos que somos cúmplices de uma aventura única: durante várias horas vivemos o mesmo sonho.

Para dar um desfecho a este diário me parece oportuno oferecer ao leitor algumas informações sobre a Escola Internacional de Cinema e Televisão de San Antonio de los Baños e a Fundação do Novo Cinema Latino-Americano. Desde os anos 1980 a escola oferece cursos, seminários com roteiristas e diretores de calibre internacional como Robert Redford, Francis Ford Coppola e Jean-Claude Carrière. Em 2008 inaugurou o Departamento de Altos Estudos sobre Roteiro e Dramaturgia, no qual ministrei um seminário para profissionais europeus.

É sem dúvida a melhor e mais completa Escola de Cinema e Televisão da América Latina. Tanto no âmbito de ficção, documentário, edição, iluminação, roteiro e direção como no de todas as outras áreas envolvidas na arte do audiovisual.

A Escola de Cinema e TV foi fundada em 1987 por um grupo que contava com Gabriel García Márquez, Fernando Birri, Julio García-Espinosa, Ambrosio Fornet, Jorge Fraga, Jerónimo Labrada e outros cineastas e roteiristas de fama internacional.

O seu segundo diretor-geral, durante quatro anos, foi o cineasta brasileiro Orlando Senna, que atualmente é membro do conselho diretivo e superior da Fundação do Cinema Latino-Americano. A Escola já formou mais de 1.500 profissionais que estão espalhados pelo mundo; por ano ingressam nela 120 alunos de todas as nacionalidades – que por isso é conhecida como Escola dos Três Mundos.

No próximo segmento transcrevo o texto mais pessoal deste livro, que ao carregar saudade descolore os interstícios da vaidade daqueles autores que vivem hipnotizados pelo ouro e pelo efêmero glamour da profissão.

NOTAS

1. García Márquez, Gabriel. *Me alugo para sonhar*. Colaboradores: Doc Comparato e Eliseo Alberto Diego. Prefácio e comentários: Doc Comparato. Niterói: Casa Jorge Editorial, 1997.

2. Ítalo Zappa (Brasil, 1926-1997) foi o primeiro embaixador do Brasil em Moçambique (1977- 1986), na China (1982-1986), Vietnã (1994-1996) e embaixador em Cuba (1986-1990). Filho de Santo Zappa e Julieta Fuocco Zappa, nasceu na Comuna de Paola, Itália, mas era considerado brasileiro nato de acordo com o art. 115, letra b, da Constituição de 1937, exigência para o posterior ingresso no serviço diplomático do Brasil. É considerado um dos pioneiros da abertura brasileira na África e na Ásia e um exemplo de pragmatismo em política exterior.

3. Nota pessoal: depois de receber o Los Angeles Latino International Film Festival (Laliff) de melhor filme por *El corazón de la tierra* em Los Angeles, Estados Unidos, retornei pelo Panamá a Cuba em 2008. Acompanhado de minha filha Fabiana de Castro Comparato, em trabalho de curadoria para festivais internacionais, inaugurei o novo centro de Altos Estudos na Escola Internacional de Cinema e Televisão de San Antonio de los Baños. A escola se mantinha cosmopolita como sempre e absorvendo agora em seu departamento de altos estudos roteiristas e professores europeus e de origem asiática.

9.3 EPITÁFIO PARA UM ROTEIRISTA

RÉQUIEM PARA UM ROTEIRISTA/ENFERMARIA 508, LEITO I

Para Leopoldo Serran (1942-2008)

Quando alcancei o corredor que dava acesso à enfermaria 508, do Hospital de Ipanema, dei nove passos e parei. Pressenti que seria inútil caminhar, minha despedida terminaria ali. Jamais cheguei ao leito 1.

E se alguém pensar que tive furores teológicos vendo personagens de *Eu te amo*, *Bye bye Brasil*, *Plantão de Polícia* ou um negro de *Ganga Zumba*, todos imaginados e descritos por ele, bailando no corredor está profundamente enganado. Não vi fantasmas nem personagens em vida, mas algo de singular ocorreu. Tão arrebatador que sinto entorpecimentos até agora.

Confesso, são anos a fio que espionei e até certo momento controlei a sua frágil saúde, Leopoldo Serran, tenho fiéis traidores em seu seio familiar e principalmente delatores médicos amigos, e todos me nutrem com a verdade. Infelizmente, quando falei com você a última vez por telefone, há quatro semanas, tinha uma cópia de seus últimos exames sanguíneos ao meu lado e fingimos que nada estava acontecendo. Até reclamou, deseducadamente ao seu estilo, por não ter retribuído sua saudação de Natal, descortesia menor, pois eu estava no exterior. Tudo mentira.

Era ficção. Era querer morrer sozinho, solitário, nobre, disse que estava muito ocupado e que nos veríamos dentro de duas semanas. E nós dois sabíamos o que isso significava. Aquele encontro marcado com o inevitável que não tinha nada que ver com o Natal.

Natal. Poucos sabem, e agora ficarão sabendo, que passamos vários almoços natalinos juntos. Que minhas meninas te chamavam de tio Léo, que você, enquanto eu era médico em Londres, era o único brasileiro que escrevia roteiro de filmes, adaptava obras para cinema e era conhecido no mundo. Era o símbolo de uma nova profissão, o contador de histórias do século XXI. Um verdadeiro presente de Natal.

Carrancudo, mal-humorado, avesso à ideologia de esquerda, sempre às turras com o que não fosse civilizado para você, odiava a mediocridade e não tinha medo de proclamar que o melhor filme era o de "faroeste" e a melhor frase do cinema: "Não quero mudar o mundo, o que quero é que o mundo não me mude".

Não era gente, era uma personagem de si mesmo.

Não, era gente. Por um detalhe desconhecido e oculto de muitos, era gente. Um poeta. Poucos sabem e conhecem seus versos. Material vasto e extenso que fala do mar, da invasão do Rio, de piratas, da vida e da essência do ser humano. Esse legado agora é da sua família. Espero que divulguem, como também editem e reeditem os roteiros filmados e não filmados, como *Shirley*, obra-prima jamais filmada e atualíssima.

Mas, afinal, o que aconteceu naquele corredor?

Por que estou falando sobre isso? Poetas e roteiristas? Porque é menos que nada. É onde se abriga a mais tênue essência do ato de escrever, já que essas palavras só se tornam bonitas quando são ditas em público. Não são para ser devoradas e consumidas em silêncios. Enfim, o poeta vale menos que o roteirista, portanto mais próximo do limite que o ser humano deve poder atingir. Porque poetas e dramaturgos vivem da palavra que deve ser "dita", explícita, em público, enquanto o escritor escreve a palavra para uma pessoa só: a palavra implícita. São ficções distintas, porém irmãs.

E por isso mesmo é que essas nossas palavras voam como borboletas na boca dos atores, tecendo um mapa criativo gigante e perdendo a autoria de quem as costurou em papel e tinta. Tão simples quanto isso.

Você, Léo, sempre avesso a esquerdas, sindicatos etc., foi o mais rebelde, revolucionário e revoltoso roteirista. Porque agora a profissão está completamente em desuso, sem reconhecimento, sem cartaz nem futuro, já que existe menos produção televisiva nacional do que nos anos 1980 e cinematográfica idem, num processo de encolhimento sem vigor para reclamar, apenas com um suspiro para agradecer ao restrito mundo audiovisual em que vivemos. No qual o direito de autor desaparece com um toque do computador. Músicas, filmes, roteiros são baixados e nada se paga ao compositor, escritor, roteirista. Uma tecnologia que dispensa o ingresso, mas até que ponto será capaz de anular o homem criador?

Você tem razão, o nosso universo audiovisual está bastante pobre. Não quero usar seu cadáver como desculpa nem escudo, prefiro que seja símbolo de um momento estelar da nossa história audiovisual.

Perdido estou eu. Nove passos e parei no corredor. Um leve cheiro de éter toma conta do ambiente.

Não pensei duas vezes, não sei de onde saiu tamanha ideia, puxei o celular, liguei para Leopoldo Serran, para seu número particular. Não queria assistir à sua morte, desejava ouvir sua voz. Viva.

Cena 00 – INTERIOR. CORREDOR / HOSPITAL DE IPANEMA – NOITE

Abre-se a porta de aço do elevador. O amigo sai do elevador e caminha nove passos pelo corredor em direção à enfermaria número 508. A luz do corredor é suave e branda. Instantes.

Por uma janela próxima entra a luz azulada do luar. De repente o amigo para.

No centro de enfermagem uma enfermeira antipática abre um frasco marrom.

Por alguns segundos ele olha para a enfermeira, depois abaixa a cabeça e fica pensativo.

Visão do corredor. Instantes.

A enfermeira abre a tampa do grande frasco marrom. Detalhar seu olhar. Visão do amigo. Pontuação musical. Visão do teto. O amigo dá mais dois passos.

Detalhar na etiqueta do grande frasco marrom: **ÉTER.**

Numa fração de segundo após sua chegada, o amigo saca o celular do bolso. Detalhar o celular. Disca um número. Leva o celular ao ouvido. Chamando.

Instantes.

De repente alguém atende: é Leopoldo Serran, feliz e vivo.

LEOPOLDO SERRAN (*OFF*)

Alô. Aqui é o Leopoldo Serran, você deve ser o último a ligar. A bateria está terminando. Deixe o seu recado após o sinal. Muito obrigado.

Ouvimos o sinal de caixa postal.

AMIGO

Léo, aqui é o seu amigo, queria apenas desejar uma boa viagem... Por favor, não se esqueça de levar as moedas para o barqueiro da morte. Ele precisa de dois talentos para o seu transporte desse mundo para o outro.

Escutamos ao fundo um bip de bateria de celular acabando.

MULHER (*OFF*)

Você tem vinte segundos. Seu tempo está acabando.

AMIGO

São duas moedas: prata e ouro. Uma é o áudio e a outra, o visual. Uma cobre o olho esquerdo e a outra, o direito. Uma enxerga o que ninguém vê, enquanto a outra decifra em papel palavras, signos, a mais pura imaginação. Duas moedas, dois talentos primordiais que nos diferem dos bichos, tão milagroso como uma folha de papel em branco se transformar num filme visto por milhares de pessoas.

DA CRIAÇÃO AO ROTEIRO   **657**

Ouvimos novamente o bip da bateria acabando.

MULHER (*OFF*)

O senhor tem dez segundos. Seu tempo está esgotado.

AMIGO

A ficção não é uma mentira, Léo. A ficção não é uma fantasia. A ficção é filha de uma imaginação límpida fora de desejos repetitivos e tormentos abrasivos. Creio que a sua bateria vá acabar. Desejo boa viagem. Que encontre Regina, Bráulio Pedroso, Cassiano, Ivani Ribeiro, Armando Costa e Vianinha. Ah! Diga para Dias Gomes que ele é capa de revista. Não esqueça o meu abraço para Janete que conheci assim, de resvalo. A partir de certo tempo da vida a gente só conta as partidas. Boa viagem. Que o barqueiro te leve em paz. E que os deuses maiores e menores te acompanhem.

Ouvimos um bip mais prolongado. Visão do amigo perplexo.

LEOPOLDO SERRAN (*OFF*)

Obrigado pela sua chamada. Adeus.

O amigo desliga o celular.
Detalhar na enfermaria luz vermelha, acima do número 508, leito 1, que começa a piscar e a tocar um bip. Instantes.

ENFERMEIRA

Leito 1, emergência. Parada cardíaca. Leito um. Rápido. Leito um. O paciente terminal.

Todos os enfermeiros correm para a porta do 508. O amigo olha atônito toda a movimentação. A luz do luar já não é mais intensa como antes.
O amigo gira e caminha até o elevador. Detalhar o dedo apertando o botão do elevador. **Instantes**.
A porta de aço se abre. Um ascensorista velho se apresenta.

AMIGO

Térreo.

ASCENSORISTA

Visita rápida, senhor.

AMIGO

O enfermo era um cometa.

A porta de aço se fecha.
Instantes.
Música.
TUDO ESCURO.
CORTE FINAL.

Rio de Janeiro, Ipanema,
21 de agosto de 2008
Homenagem a Leopoldo Serran

Foto histórica que marca a fundação da primeira associação de roteiristas do Brasil, Arrote, composta por Leopoldo Serran – primeiro roteirista brasileiro –, Antônio Carlos Fontoura, Doc Comparato, Jorge Duran, José Joffily, Orlando Senna e o saudoso Syd Field, patrono dessa embrionária união que desencadeou os movimentos de reconhecimento e valorização de nossa profissão na América Latina.

9.4 ARQUEOLOGIA DA ESCRITA

INTRODUÇÃO

"Pentimento": termo que significa o ato de "buscar as origens", de tentar desvendar as pequenas raízes da criação, seja ela qual for.

Técnicos e artesãos retiram partes da pintura de um quadro para encontrar os primeiros traços e intenções primordiais de um pintor. E então descobrem os fundamentos e sentimentos mais profundos que fizeram aquele artista criar uma obra.

E isso aconteceu comigo.

Como escrevi no primeiro segmento deste livro, sou disléxico leve e portanto escrevo a mão ou dito os meus textos. Portanto, tenho manuscritos e um caderno de ideias.

Foi uma aparição.

Estava entrando na Aliança Francesa de Londrina, como sempre em cima da hora, quando fui abordado por uma jovem senhora, vistosa e elegante.

Ela disse: "Desculpe incomodar, estou fazendo minha tese sobre a gênese da escrita criativa. E soube que o senhor tem manuscritos. Gostaria de estudar seu material como se fosse uma arqueóloga".

Girei e respondi: "Eu sabia que um dia isso ia acontecer em minha vida".

E aconteceu.

Com a palavra a professora Livia Sprizão de Oliveira, da Universidade Estadual de Londrina.

CADERNO DE IDEIAS: O MOVIMENTO CRIADOR NA OBRA DE DOC COMPARATO

É arriscado e desafiador analisar o projeto de criação de alguém que passou a maior parte da vida pesquisando, refletindo e produzindo sobre criatividade. Do ponto de vista da crítica genética, buscamos nos documentos coletados durante o processo criativo. Assim, percorremos novamente os caminhos do autor na busca da gênese. Será possível encontrá-la? Talvez consigamos apenas marcar pontos relativos, considerando-se que a origem e a conclusão de uma obra podem ser infinitas, assim como o pensamento e o universo.

Tomaremos por princípio que a criação nasce da necessidade de materializar uma ideia, de transformar algo abstrato em algo concreto.

Não há criatividade sem ação concretizadora, sem um processo que resulta em produto. Uma ideia pode acompanhar inquietamente o pensamento por anos, até que um gatilho desencadeia a ação, o trabalho que transforma, o processo que esculpe a obra. Ainda que ela seja aberta ou inacabada.

Criar é revestir de novidade ou dar novas formas ao que repousa no mundo abstrato. Se nenhum discurso é novo, são apenas ressignificações que conversam com o já dito, podemos associar o conceito de originalidade às escolhas feitas durante o processo construtivo, no campo da prática, da materialidade.

Em se tratando de textos, essa escultura se faz por meio da língua. Tais escolhas determinam resultados estéticos ou expressivos que podem surpreender, tocar, emocionar.

Ainda que as decisões sejam limitadas por inúmeras variantes, a própria combinação entre essas variantes pode conduzir a infinitos resultados.

O autor escolhe a mistura de acordo com a paleta disponível, fazendo experimentações, até atingir as cores desejadas ou até se satisfazer com o acaso. Salles (2006, p. 23) pondera que "os atos de rejeitar, adequar ou reaproveitar são permeados por critérios, que nos interessam conhecer, e refletem modos de desenvolvimento de pensamento, que nos instigam a compreender, descrever e nomear".

A ideia de um *big bang* criativo, como se uma inspiração eclodisse dando origem ao universo da obra, contribui pouco para a compreensão dos processos. Faz mais sentido pensar em pequenas explosões, pequenas percepções que vão marcando a sensibilidade do autor, iluminando ideias, até que elas se associam, conectando-se em um sistema, uma constelação, que passa a existir quando materializada em linguagem.

Salles (2006, p. 32) confere à criação um aspecto de rede, na qual há conectividade entre diversos elementos: "A criação alimenta-se e troca informações com seu entorno em sentido bastante amplo".

Panichi (2017) reforça que essas interconexões emergem das ligações entre as ações do fazer artístico. O "caderno de ideias" de Doc Comparato é um registro das luzes geradas por pequenas explosões de pensamento que vão germinar e se traduzir em arte. Retomaremos o assunto mais adiante.

Mas o que é crítica genética? Esta surgiu na França, no final da década de 1960, para dar conta do estudo de manuscritos e outros documentos utilizados por escritores durante o processo de criação literária, mas que não foram publicados pelos autores.

No Brasil, essa modalidade de pesquisa começou na década de 1980, quando o professor de literatura francesa da Universidade de São Paulo (USP) Philippe Willemart descobriu nos manuscritos um importante material para estudo do inconsciente.

Com o crescimento dessa corrente de pesquisadores, ampliaram-se os campos de pesquisa. A crítica genética passou a estudar não apenas manuscritos literários, mas também criações artísticas de outras naturezas tais como a dança, o cinema e as artes plásticas.

"O crítico genético entrega-se ao acompanhamento de percursos criativos, sempre em busca de uma aproximação maior do processo criador" (Salles, 2013, p. 21).

O foco desse tipo de análise não é o estado de uma obra, mas sim seu desenvolvimento.

Aos poucos, a crítica genética expandiu-se também para diferentes áreas do conhecimento, como arquitetura e comunicação, mesmo aquelas que não são classificadas conceitualmente como arte.

"A crítica genética abrange todas as artes e qualquer atividade criativa do homem, desde a pintura, a arquitetura, o cinema, até as mídias, passando pela aprendizagem da leitura por crianças" (Willemart, 2009, p. 58).

Assim, somaram-se às anotações feitas à mão pelos autores outros tipos de registro nos quais se pudessem encontrar traços do processo de criação.

Rascunhos, partituras, desenhos, croquis, copiões e esboços de qualquer natureza, analógicos ou digitais, passaram a ser chamados de documentos de processo e, atualmente, a própria crítica genética pode ser chamada de crítica do processo.

Segundo Salles (2013), pesquisadora que cunhou a expressão, os documentos de processo são retratos temporais de uma construção que agem como índices do percurso criativo. Não existe, portanto, a pretensão de recriar a obra, mas de estabelecer relações entre o que há de concreto no percurso de criação e o que não é passível de documentação. O trabalho do crítico genético poderia se comparar ao de um arqueólogo, que parte de pequenos fragmentos de objetos encontrados em escavações para as hipóteses antropológicas e históricas sobre determinada cultura, em determinado tempo.

Entre fragmentos de textos, rascunhos, possíveis influências, documentos históricos, imagens, equipamentos e anotações ou qualquer registro material do processo criador, como cartas e fotografias, o crítico genético procura rastros do que foi armazenado pelo autor e também as experimentações que resultaram no produto final. Para Willemart (2009), o escritor encontra seu estilo no decorrer das rasuras, até entregar a versão final ao editor. O crítico genético observa as decisões que resultam em estilo.

Na definição de Lapa (1988, p. 67), "estilo é uma permanente criação pessoal" que depende de esforço para se tornar verdadeiro. Assim, um estilo aprimorado depende essencialmente da percepção e da honestidade do autor, que deve "ver com seus próprios olhos, sentir com os seus próprios sentidos" para escapar dos clichês, classificados por ele como uma "muleta ridícula de preguiçosos".

Conforme Rei e Simões (2014, p. 447), o estilo está intimamente ligado às escolhas do autor, porque ninguém fala ou escreve igual ao outro: "Cada ato de significação é uma construção imediata à experiência e deflagra uma relação interpessoal. É a conjunção do experiencial com o interpessoal. Os atos de significação são atos de identidade e ocorrem em contextos específicos".

Tais formas de expressão podem ser analisadas por meio da observação do uso da língua e de seus recursos gramaticais, semânticos e lexicais. No entanto, "um estilo não se detecta na simples comparação de um texto frente a uma regra ou a um dispositivo qualquer; é preciso haver um relacionamento intertextual" (Brito e Panichi, 2013, p. 123).

Portanto, o resultado estilístico depende do contexto, da associação entre os recursos da gramática e dos efeitos causados pelo uso que se faz desses recursos. Para Monteiro (1991, p. 17), "o vocábulo mais banal pode carregar-se de expressividade, tudo dependendo de fatores ligados ao contexto".

A expressividade decorre ainda da capacidade de estimular a imaginação do interlocutor por meio de signos que representam algo que está além do texto.

A palavra, sozinha, não é denotativa ou conotativa, boa ou ruim; ela ganha sentido de acordo com a intenção com a qual é utilizada ou com as inferências feitas pelo receptor com base em suas referências.

"A característica fundamental da expressividade reside na ênfase, na força de persuadir ou transmitir os conteúdos desejados, na capacidade apelativa, no poder de gerar elementos evocatórios ou conotações" (Monteiro, 1991, p. 17).

As nuanças de emotividade estão associadas na memória a impressões e experiências afetivas. Há experiências construídas individual ou coletivamente, mas o sentido só é construído com base no conhecimento do contexto. Segundo Monteiro (1991, p. 19), "são os componentes afetivos do significado, em qualquer plano da linguagem, que instauram a atmosfera conotativa. A denotação, ao contrário, é ligada ao aspecto conceitual".

Os fundamentos da crítica genética poderão ser utilizados para identificar as circunstâncias em que a escolha lexical se dá durante o movimento criador.

Os vocábulos lexicais têm a capacidade de provocar a imaginação e despertar sensações físicas e afetivas. Do léxico fazem parte adjetivos, substantivos, verbos de ação e advérbios. Tais palavras trazem um significado principal "denotativo" e, dependendo da forma como são empregadas, podem estar carregadas também de significados simbólicos, "conotativos", atrelados ao significado central, com novas nuanças afetivas que são transitórias.

Se determinada palavra pode representar objetos diferentes em contextos diversos, também pode nomear conceitos abstratos. Segundo Brito e Panichi (2013, p. 126), "essas sensações provocadas pelo léxico não possuem o mesmo peso ou colorido para todos os falantes, pois os sentimentos variam de uma pessoa para outra, de época para época, de grupo social para grupo social, de situação, ou de contexto".

MOVIMENTO CRIADOR NA DRAMATURGIA DE DOC COMPARATO

A delicadeza e a simplicidade são características que transcendem a personalidade e se manifestam no texto de Doc Comparato. A preferência pelo clássico em detrimento do rebuscado está presente nas músicas que ele ouve enquanto trabalha, na decoração do apartamento, no cuidado com a organização e com a manutenção apenas do que é essencialmente útil. Assim também é o dramaturgo com as palavras.

Um *gentleman* ítalo-brasileiro, com acento britânico, Comparato é elegante no trato com as pessoas e extremamente generoso com os mais jovens.

Na década de 1990, chegou a ser elogiado em livro da jornalista Danuza Leão pelas qualidades de anfitrião, que ele preserva sem ressalvas. O dramaturgo que já esteve em cartaz na Europa, ao lado de outros roteiristas reconhecidos internacionalmente, como Sam Shepard, não hesita em participar com o mesmo entusiasmo dos projetos de seus alunos nos cursos de roteiro.

Por herança genética, coincidência ou tradição, Doc tem uma trajetória que em muito se assemelha à do avô. Sebastião Comparato também era médico e apaixonado por cinema. Foi manchete no jornal *Correio Paulistano*, em 1947, falando sobre uma invenção visionária: uma espécie de óculos que permitiria assistir ao cinema à luz do dia, em três dimensões. A "projeção por reflexão" foi apresentada na faculdade de Medicina da USP. Uma história preservada com carinho pelo neto, que preferiu arquitetar narrativas.

Um roteiro para cinema, teatro ou televisão é o fim de um processo criativo para início de outro que o projeta, não holograficamente, mas em uma ação coletiva que mistura percepções de uma equipe que ressignificará a obra. No caso do teatro, tal ação nunca se repete da mesma forma, ainda que se busque a repetição. Há sempre novos ares e novas respirações que provocam novos pensamentos e, em consequência, novas interpretações.

Cada apresentação é um processo que se constrói sobre a planta baixa do roteiro, acrescentando-se diferentes acabamentos.

No cinema e na televisão as versões são mais perenes, o que não limita as possibilidades de representação de um mesmo texto.

Ávido consumidor de produções cinematográficas, Doc Comparato desenvolveu habilidade para visualizar as cenas que escreve e costuma imaginar como as falas das personagens seriam pronunciadas por determinados atores e atrizes.

No entanto, nada garante a sintonia, ou a sinergia, entre o que imaginou o autor e o que será executado por atores e diretores. Um diálogo entre duas personagens de *Eterno*, na cena 9, é bastante ilustrativo (Comparato, 2013): "Madalena descreve um "tapete de rosas" e mister Orson Welles responde "sinto até o odor", e a moça o corrige, "mas não são rosas mesmo. São as rosas que desenho na areia".

Em um nostálgico e instigante passeio pela trilha da própria obra, Comparato reabriu arquivos, guardados durante anos, e generosamente cedeu cópias a esta pesquisadora. A existência de alguns manuscritos surpreendeu o próprio autor, que reconheceu, em seus projetos, ideias que o influenciam em suas criações contemporâneas. Roteiros de outros autores... o primeiro livro de contos... a primeira peça... os livros infantis... as fichas que usou para lecionar as primeiras aulas de escrita para audiovisuais... Vamos voltar ao começo!

Em 1976, Luiz Felipe Loureiro Comparato era cardiologista e participava de um programa de *fellowship* do British Council, em Londres. Durante um período de férias na Irlanda, entre um pub e outro, começou a escrever contos que resultaram no livro *Sangue, papéis e lágrimas*.

Apaixonado por cinema desde a infância, a vontade de escrever os próprios filmes o perseguia. Mas o médico, de 26 anos, não sabia por onde começar. Foi então que leu *A história de Adèle H.*, o roteiro de François Truffaut, e começou a desenvolver um método próprio de construção de personagens e roteiros.

Dois anos depois, em 1978, escrevia o primeiro *script* para teatro, a peça chamada inicialmente de *Três aranhas*, com assinatura do autor Doc Comparato. De volta ao Brasil, o cardiologista dividia os plantões médicos com a produção de roteiros para televisão.

Em 1979 já escrevia para renomadas séries da Rede Globo, como *Plantão de polícia*, *Caso especial* e *Malu mulher*. A jornada dupla acabou em 1982, com um convite do diretor Bruno Barreto: adaptar *O beijo no asfalto*, de Nelson Rodrigues, para o cinema.

A transição de uma carreira à outra custou muitas sessões de terapia.

Em 1985, quando já era um roteirista profissional reconhecido, Doc retomou seu primeiro *script* para teatro, e decidiu revisá-lo. As mudanças começaram pelo título, que passou a ser *Plêiades, ou pequena trilogia para aracnídeos* (Imagem 1). Os originais revelam o hábito do escritor de usar anotações a lápis como recurso de experimentação e memória. Conforme Panichi (2017, p. 15), "no ato da escritura as ideias surgem e precisam ser apreendidas de imediato, daí o esforço a que o autor se entrega às anotações, registros e rasuras sucessivas até atingir, ou julgar atingir, o texto que considera ideal".

Imagem 1 – Troca de título em *Plêiades*

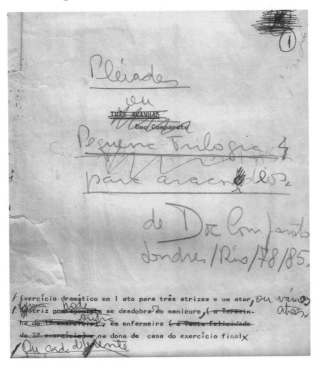

Além da mudança no título, as regras e direitos para reprodução (*copyright*) também foram completamente liberados após sete anos de intervalo entre as duas versões. Na identificação das personagens percebemos um amadurecimento no estilo, privilegiando o suspense. Terezinha passa a ser identificada como "manicure", o padre torna-se um "homem místico", e a madre será "dona do salão". No rascunho, Doc indica o nome "enfermeira" para Terezinha, ato falho corrigido na versão final (enfermeira é personagem da terceira "plêiade").

As decisões finais são marcadas a caneta no roteiro e muitas palavras são vigorosamente rabiscadas, suprimidas. **Comparato prefere livrar-se daquilo que causa dúvida.**

Em alguns trechos do rascunho, observações pessoais são incorporadas à fala da personagem. Na cena "Acetona e unhas", a fala da manicure – "minha mãe sempre dizia" – é substituída por "li num livro religioso", experiência do próprio Doc, que estudou em colégios cristãos. Mas o perfil católico da personagem é abandonado quando o autor substitui a fala "adoro minha paróquia" por "somos todos religiosos. De qualquer religião". O dramaturgo experimenta a mudança a lápis e, depois de testar e apagar algumas vezes, reforça a caneta o que será cortado, mantido ou acrescentado.

DA CRIAÇÃO AO ROTEIRO   667

Imagem 2 – Troca de nomes em *Plêiades*

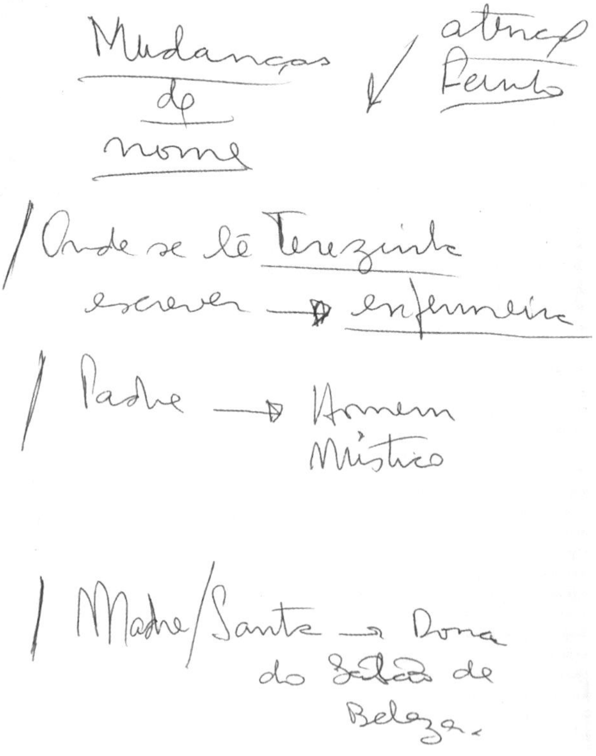
Mudanças de nome

/ Onde se lê Terezinha escrever → enfermeira

/ Padre → Homem Místico

/ Madre/Santa → Dona do Salão de Beleza.

Imagem 3 – Revisão de "Acetona e unhas"

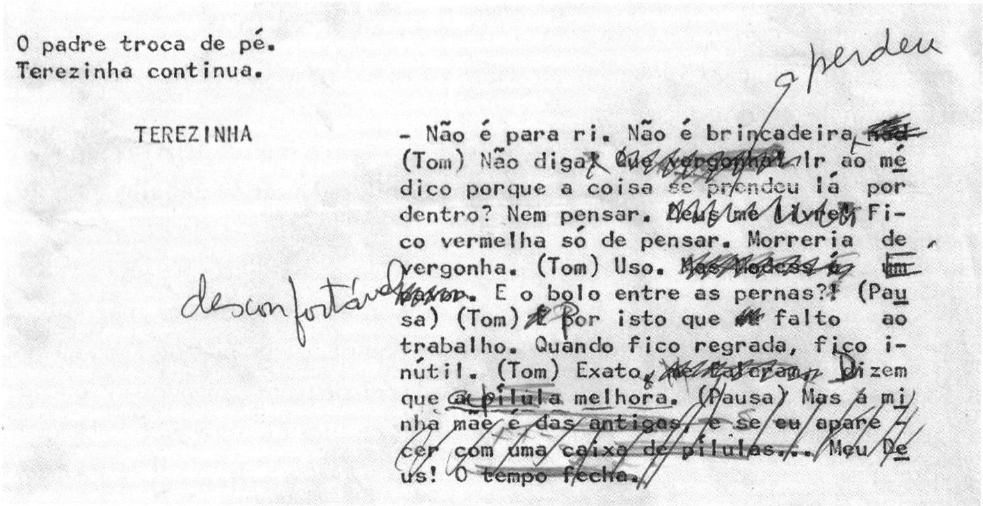
O padre troca de pé.
Terezinha continua.

TEREZINHA - Não é para ri. Não é brincadeira, (Tom) Não diga! Que vergonha! Ir ao médico porque a coisa se prendeu lá por dentro? Nem pensar. Deus me livre! Fico vermelha só de pensar. Morreria de vergonha. (Tom) Uso. Mas Modess é um horror. E o bolo entre as pernas?! (Pausa) (Tom) É por isto que eu falto ao trabalho. Quando fico regrada, fico inútil. (Tom) Exato, Dizem que a pílula melhora. (Pausa) Mas a minha mãe é das antigas, e se eu aparecer com uma caixa de pílulas... Meu Deus! O tempo fecha.

a perdeu

desconfortável

Imagem 4 – Revisão de "Acetona e unhas"

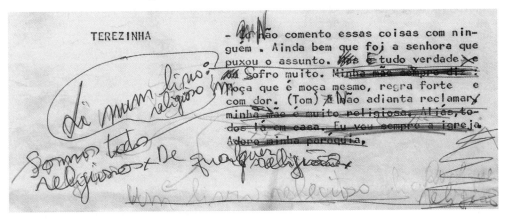

Algumas cenas são escritas inteiramente à mão e a lápis. Comparato usa esta prática: quando as ideias lhe parecem prontas na imaginação, começa a registrá-las rapidamente para que não se percam. O autor produz melhor depois de um bom período de sono.

As escolhas textuais costumam despertar junto com ele e a escrita flui quase psicograficamente, como se o pensamento trabalhasse enquanto ele descansa.

Nos manuscritos de *Jamais (Calabar)*, encontramos um primeiro rascunho escrito a caneta e duas revisões, uma feita a lápis e outra com tinta ligeiramente diferente. Mesmo nas rubricas das cenas há atenção na escolha das palavras até que elas se afinem com a ação desejada para cada personagem. Vejamos um exemplo dessa experimentação em um detalhe dos originais da primeira cena da peça:

Imagem 5: Detalhe do manuscrito de *Jamais*, cena I

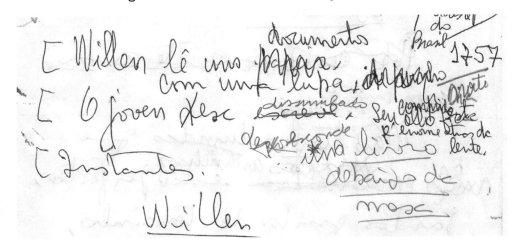

A mudança nos verbos indica uma tentativa de esclarecer as intenções das personagens e tornar o texto mais denso, como vemos no quadro a seguir:

Quadro 1 – Revisões de rubrica da cena 1 de *Jamais*

Rascunho	Correção 1, a caneta	Correção 2, a lápis	Versão final
Willen lê uns papéis com uma lupa de punho comprido	Willen lê uns documentos com uma lupa, seu olho fica enorme atrás da lente.	Willen lê uns documentos com uma lupa, seu olho está enorme atrás da lente.	Willen lê uns documentos com uma lupa. Seu olho é enorme atrás da lente.
O jovem Xesc escreve		O jovem Xesc, dissimulado esconde um livro debaixo da mesa	O jovem Xesc dissimulado esconde um livro debaixo da mesa.
Instantes	Instantes	Instantes	Instantes.

Fonte: elaborado pela autora

Escrever à mão avidamente é um hábito que Comparato mantém, da primeira peça às mais recentes. O fator determinante para essa escolha é uma dislexia leve, que coloca o autor em desvantagem diante do teclado. Mesmo com o avançar da tecnologia, o movimento do punho acompanha melhor a velocidade do pensamento do que a digitação. Essa forma de escritura permite manter um registro mais perceptível das experimentações feitas pelo autor.

Comparato é atento e elegante ao selecionar as palavras de acordo com o valor expressivo atribuído a elas. Ao mudar o contorno lexical, é nítido o desejo de encontrar a intenção exata para a ação das personagens. É a busca do roteiro bem acabado, bem finalizado, que se fecha e se completa em si mesmo enquanto texto literário. Podemos observar um exemplo dessa lapidação em outro excerto de *Jamais*, na fala da personagem Xesc:

Quadro 2 – Alterações lexicais em excerto de Jamais

Primeira versão	O reverendíssimo Willen está dizendo que não tenho talento nem gabarito para ser o escrevente do Armazém Central da Companhia das Índias Ocidentais no Recife.
Segunda versão	Mestre Willen está insinuando que não tenho qualidades para ser o despachante das exportações.
Versão final	Mestre Willen está insinuando que não tenho qualidades para ser o despachante do Armazém Central.

Fonte: elaborado pela autora

A substituição do verbo dizer pelo verbo insinuar expande as nuanças subjetivas da ação, retirando toda força afirmativa do dizer e valorizando aspectos que estão implícitos na entonação e nos gestos de Willen.

Já a troca de **talento** e **gabarito** por **qualidades** simplifica o texto e o adapta ao contexto, uma vez que gabarito é uma palavra de origem francesa mais associada a modelo e posição hierárquica, enquanto o termo qualidade, de origem latina, denota característica, aptidão, habilidade. Por fim, ser o **despachante** parece um objetivo mais ambicioso para o jovem Xesc do que ser o **escrevente**.

Encontrar a palavra, fechar as conexões entre as ideias, dar forma ao texto, encontrar o tempo dramático certo para uma cena podem ser momentos extremamente prazerosos.

Para o escritor é o momento divino de contemplar a obra e avaliar se está tudo bom. Porém, os momentos de gozo podem não se dar apenas no ato de finalização, mas a cada ato de reler e refazer. Para Willemart (2009, p. 103) a rasura é a porta da criação: "Se cada rasura marca uma parada na escritura, é porque algo chamou a atenção do escritor. Pode ser a lembrança de uma informação, um sonho, a palavra de um próximo, uma ideia a respeito da trama ou das personagens, algo desconhecido ou uma associação".

Imagem 6 – Experimentação lexical em *Jamais*

O relacionamento entre diferentes memórias do autor alimenta a criação. Conhecimentos técnicos, enciclopédicos, relacionamentos com outras pessoas, contato com animais ou com a natureza, emoções que afetam os cinco sentidos e a intuição são informações que compõem um repertório a ser acessado de forma dinâmica e que podem se ligar de maneiras imprevisíveis.

Embora a trama de *Jamais (Calabar)* não seja autobiográfica nem mantenha relação com a vida do autor, curiosamente encontramos uma referência ao período escolar dele. A dislexia de Comparato atrapalhava a aprendizagem ortográfica. Embora fosse bom aluno em matemática, era frequentemente humilhado pelo professor nas aulas de português. A resposta de Willen a Xesc, em um diálogo da cena 1, parece um eco dessa vivência pessoal (Comparato, 2006, p. 3): "Willen: estou afirmando que a cada dia está pior no latim. Que este documento está sujo, cheio de rasuras e manchas de tinta. Será tinta? Bem, e que se a matemática está perfeita, o texto é um descalabro!"

As memórias aprisionadas no papel não são representações exatas da realidade mas, na definição do próprio Doc, leituras da memória. A imaginação se constrói com base nas conexões feitas entre diversos episódios que afetaram de alguma forma o autor. Nas palavras de Panichi (2017, p. 133), "as memórias não pretendem ser fiéis retratos da realidade, mas aparecem como transfiguração do que o autor viu e sentiu".

Na peça *Eterno (Os dias secretos de Orson Welles no Brasil)*, o autor articula temas que o marcaram e, inicialmente, não se relacionam entre si. A partir de uma espécie de réquiem a Orson Welles, um dos maiores cineastas do século XX e grande incentivador da dramaturgia, outras tramas vão surgindo.

O criador do *flashback* esteve no Brasil na década de 1940 e desapareceu por dois dias no litoral. Comparato construiu um enredo fictício que narra as aventuras de "mister Welles" durante 48 horas nas dunas do Ceará.

Um dos núcleos recupera as tragédias gregas e o drama do incesto. A Grécia é um dos berços do teatro Ocidental, até onde se recompõe a história, e a mitologia daquele país é assunto de grande interesse do autor. Por meio da personagem Bento, um vidente, a peça aborda também as consequências da bomba atômica, outro tema tocante para Comparato, que durante a infância ouvia relatos e, junto com o pai, via fotos e documentários sobre os desastres causados por armas nucleares. A neve no sertão funciona como uma espécie de intertexto da chuva radioativa.

Bento também esconde uma referência a Shakespeare e às bruxas de *Macbeth*, que faziam previsões. Essas visões do futuro ganharam até um neologismo na peça, o *flashforward*.

Curiosamente, Orson Welles adaptou e dirigiu *Macbeth* para o cinema. Impossível definir como e em que momento influências de naturezas tão diferentes se combinaram na imaginação de Comparato até se transformarem em um texto sem arestas.

Imagem 7 – Detalhe do manuscrito de *Eterno*: "O mundo vivia os horrores da Segunda Guerra Mundial, enquanto O. W. impactava as artes fazendo do *flashback* uma das linguagens do cinema".

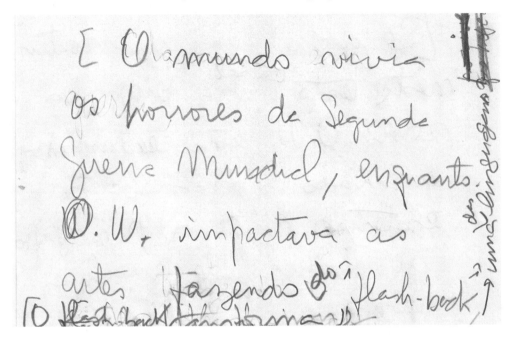

Nem o próprio autor consegue definir esse processo, que tem toques do inconsciente. Para ele, "é quase um sonho. Você não sabe por que sonha e nem o que vai sonhar".

As anotações podem parecer bem caóticas, em alguns manuscritos, mas são sistematizadas de forma disciplinar até se organizarem em texto. No rascunho exposto na Imagem 8, a forma como as palavras estão dispostas exprime a fragmentação buscada no próprio enredo de *Sempre (Entrevista com uma autora de sucesso)*, de 2003, cujo título é propositalmente colorido de rosa no centro da página. Segundo o autor, foi uma espécie de "espasmo criativo".

Anexo, um bilhete com uma lista de objetos que vão compor a exposição usada no cenário, onde se leem claramente as descrições das coisas e alguns efeitos simbólicos desejados. Por exemplo: "Joia – objeto do amor; cinto, cobra – para te bater/ para te enforcar".

Repousa também nesses rascunhos um dos conflitos que serão abordados na cena, o aborto, com uma observação do autor entre parênteses, "essa experiência de mulher, não tive". Setas indicam que esse será um conflito vivido pela personagem da jornalista. Quase todas as anotações da página são usadas como recurso de memória. Até detalhes, como a seta que indica "garota-propaganda", no canto inferior direito da folha, será uma ideia utilizada na cena 23, em que diálogos se entrecortam, simultaneamente, em 1970 e na contemporaneidade.

Imagem 8 – Criação de *Sempre*

Em outra folha, Comparato relaciona a "joia" com Audrey Hepburn, em *Breakfast at Tiffany's* (*Bonequinha de luxo*), um clássico do cinema, em uma referência estética.

Imagem 9 – Detalhe de *Sempre*

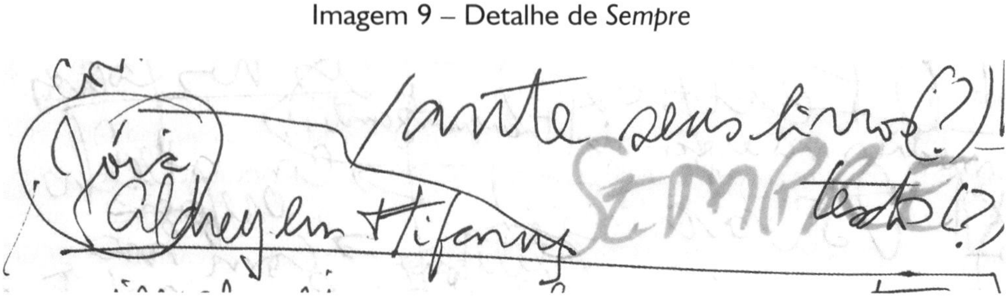

Os rascunhos de *Sempre*, manuscritos em folhas sulfite e em papéis quadriculados, foram guardados dentro de um caderno, que acompanha Doc Comparato desde os anos 1990, quando ele morava em Barcelona. O "caderno de ideias" é uma espécie de diário, sem datas, em que as inquietações do autor são anotadas aleatoriamente para depois ser pescadas, mastigadas, desenvolvidas.

Entre os pensamentos recorrentes registrados no caderno estão os questionamentos sobre a criatividade – tema retomado neste livro, que resultou da própria busca de Comparato por um método de organização do processo criativo.

Em momentos de introspecção, o autor filosofa sobre as pesquisas realizadas e usa lápis e papel para materializar pontos de reflexão. Os conflitos são desenvolvidos por meio de palavras.

Na Imagem 10 lê-se: "Afinal aprendemos tudo o que sabemos através dos outros homens. O homem é a única fonte de saber do homem. À primeira vista é um pensamento simplista, mas se evocado é capaz de destruir revelações ditas divinas".

Imagem 10 – Uma reflexão de Doc Comparato

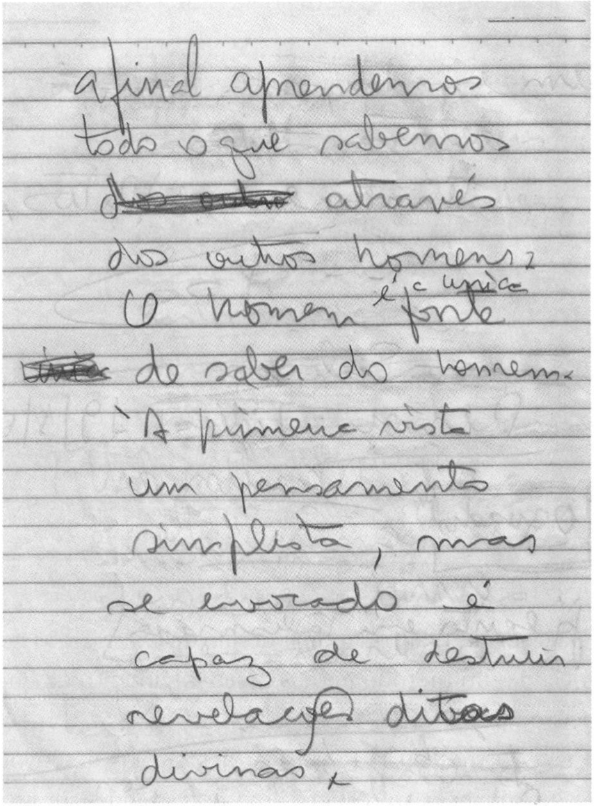

A relatividade do tempo e a transitoriedade da vida também são temas constantes na obra de Comparato, especialmente nas peças de teatro, em que ele pode explorar mais profunda e livremente as inquietações que o acompanham e dar formas ao "impossível". As três trilogias escritas para o palco – *Trilogia do Amanhã*, *Trilogia do Tempo* e *Trilogia da Imaginação* – trazem no próprio título essa relação com o efêmero.

Essa tendência se acentua nos trabalhos mais recentes, quando o dramaturgo se aproxima da terceira fase da vida. "É uma pena que (as religiões) Deus fique reduzido pelos homens a umas leis morais, seria tão mais produtivo se a humanidade entendesse o divino como criatividade."

Imagem 11 – Uma reflexão bastante atual de Doc Comparato

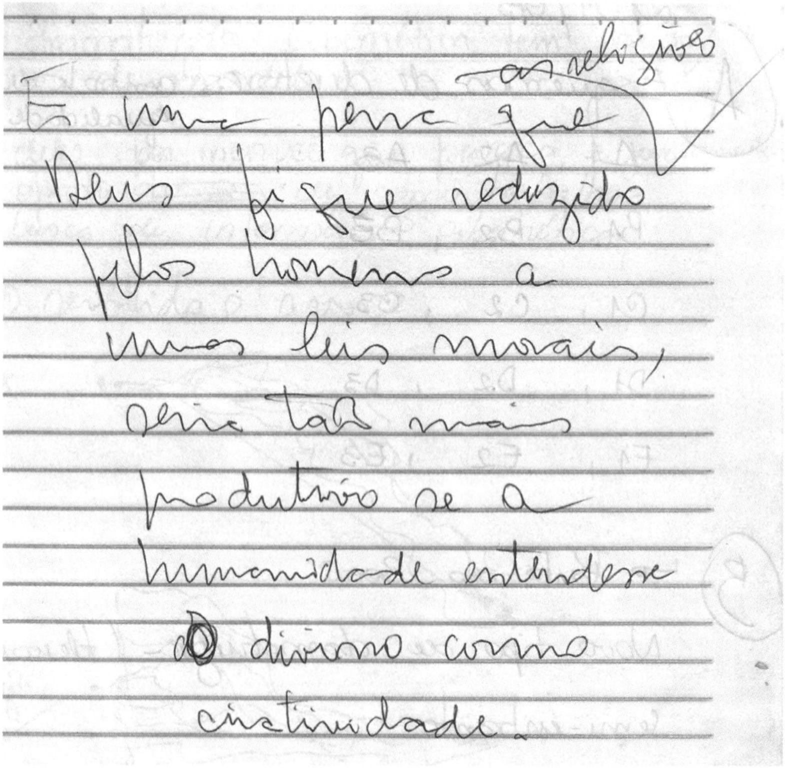
É uma pena que (as religiões)
Deus fique reduzido
pelos homens a
umas leis morais,
seria tão mais
produtivo se a
humanidade entendesse
o divino como
criatividade.

Retornemos à década de 1970, quando o desejo de Comparato de escrever roteiros esbarrava na ausência de um método para o desenvolvimento da linguagem. O então jovem médico procurou por livrarias da Europa, sem sucesso, e encontrou em *A história de Adèle H* um roteiro modelo para seus projetos. Mas desenvolver um caminho próprio para trazer imaginações ao real era uma necessidade latente.

Quando, de volta ao Brasil, em 1982, foi convidado a dar aulas sobre dramaturgia na Casa de Artes Laranjeiras, no Rio de Janeiro, a estruturação do método de Comparato começou a tomar corpo em pequenas fichas manuscritas. Muitas técnicas descritas nessas fichas ainda são utilizadas nos cursos ministrados pelo dramaturgo.

Imagem 12 – Ficha para aulas

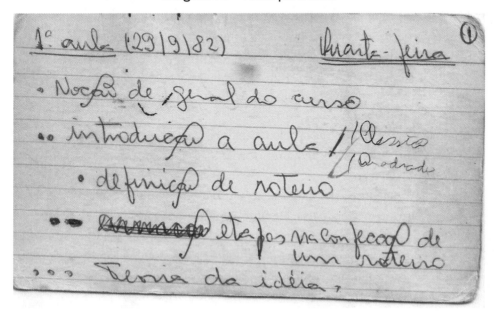

Com a teoria desenvolvida, registrada e interiorizada, acionar o gatilho da criatividade tornou-se um processo mais simples. O método de criação ganhou o mundo. Comparato chegou a ocupar a direção do mestrado em Roteiros da Universidade de Barcelona e foi conselheiro do European Script Fund.

Em 40 anos de carreira, o dramaturgo produziu 34 roteiros para televisão (entre minisséries, seriados e documentários), nove roteiros para cinema, 12 peças de teatro e publicou 14 livros (inclusive dois infantis). Muitos desses trabalhos foram traduzidos, publicados e encenados em diversos idiomas.

Alguns, não contabilizados aqui, permanecem inéditos. Comparato está sempre se reinventando. Um dia sonhou ser ator e acabou assumindo os papéis de médico, dramaturgo e professor. Na escritura encontrou o prazer da criação, o gozo que se dá na materialização do vazio, a própria Xanadu, o lugar onde ele se sente bem, onde as ideias se conectam estabelecendo ilimitadas constelações.

CONSIDERAÇÕES FINAIS

A contribuição de Doc Comparato não se resume em poucas páginas. Deixamos aqui um pequeno registro da caligrafia, dos *insights* e dos pensamentos que acompanharam alguém que representa um pedaço importante do desenvolvimento do cinema, da teledramaturgia e do teatro brasileiro e latino-americano. Um homem que ajudou a abrir clareiras na arte de combinar palavras e imagens e, certamente, influenciou gerações.

Sem a pretensão de encontrar a exata origem das ideias ou as justificativas para escolhas estéticas, buscamos revelar alguns aspectos do processo de construção artística de Doc Comparato que andavam encobertos pela poeira. Dissecamos parte da anatomia dos textos, ainda que preservando boa parte do farto material produzido durante quatro décadas de trabalho.

Seguindo as pegadas deixadas pelo dramaturgo ao longo desse caminho, refazendo as pausas para cada rasura, tentamos tornar visível a teia tecida entre cada nó de inspiração e transpiração.

Encontramos algumas das intersecções entre o repertório discursivo e a concretização do texto e, até mesmo, passagens autobiográficas que atravessam a ficção.

Uma das lições do professor Comparato é a disciplina para ler e praticar dramaturgia.

Mesmo que sigam rigorosamente a metodologia dele, outros roteiristas encontrarão recursos pessoais que acendam a brasa da produção artística e farão suas escolhas de estilo com base na própria formação, vivência e experiência.

Ainda que a criação seja uma equação sem valores e resultados exatos e que a busca da gênese constitua um caminho rumo ao infinito, desvestir o processo criador, camada a camada, é jogar luz sobre aspectos invisíveis na superfície da obra e dar a eles algum contorno. O movimento construtor de formas é tão belo quanto a própria peça de arte e seu mistério é instigante e sedutor.

Imagem 13 – "A inspiração é o momento de criatividade aguda"

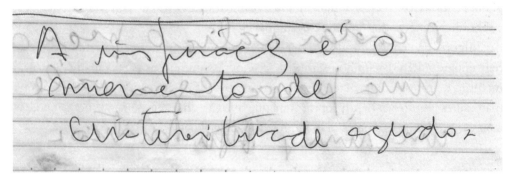

OBSERVAÇÃO IMPORTANTE

Colaborou neste segmento Livia Sprizão de Oliveira, professora, escritora e teórica.

BIBLIOGRAFIA

Brito, Diná Tereza de; Panichi, Edina. *Crimes contra a dignidade sexual: a memória jurídica pela ótica da estilística léxica*. Londrina: Eduel, 2013.

Comparato, Doc. *Da criação ao roteiro*. São Paulo: Summus, 2009.

_____. *Eterno*. Edição digital. Rio de Janeiro: Simplíssimo Livros, 2013a.

_____. *Jamais*. Edição digital. Rio de Janeiro: Simplíssimo Livros, 2013b.

_____. *Plêiades*. Edição digital. Rio de Janeiro: Simplíssimo Livros, 2013c.

_____. *Sempre*. Edição digital. Rio de Janeiro: Simplíssimo Livros, 2013d.

Lapa, Manoel Rodrigues. *Estilística da língua portuguesa*. 2. ed. São Paulo: Martins Fontes, 1988.

Monteiro, José Lemos. *A estilística*. São Paulo: Ática, 1991.

Panichi, Edina. *Processos de construção de formas na criação: o projeto poético de Pedro Nava*. Londrina: Eduel, 2016.

Rei, Cláudio Artur O.; Simões, Darcilia. "Língua e estilo: uma tessitura especial". In: Oliveira, Esther G. de; Silva, Suzete (orgs.). *Semântica e estilística: dimensões atuais do significado e do estilo. Homenagem a Nilce Sant'Anna Martins*. Campinas: Pontes, 2014. p. 445-61.

Salles, Cecília Almeida. *Redes da criação: construção da obra de arte*. 2. ed. Vinhedo: Horizonte, 2006.

_____. *Gesto inacabado: processo de criação artística*. São Paulo: Intermeios, 2013.

Willemart, Philippe. *Os processos de criação na escritura na arte e na psicanálise*. São Paulo: Perspectiva, 2009.

9.5 CONCLUSÃO E EXERCÍCIOS

CONCLUSÃO

Foi articulada uma máscara de três faces. As aflições, os conselhos e as queixas de um roteirista jovem, europeu, mas certamente pertinentes e exemplares, já que as angústias, necessidades e temores dos homens são em sua essência universais.

Depois foi apresentado o chamado "Diário secreto de um roteirista", que conta, em estilo de crônica, observações pessoais que vivi durante a oficina para a confecção de um roteiro com Gabriel García Márquez, "numa ilha dentro de outra ilha".

Por fim foi apresentada a face oculta da máscara: um réquiem. Uma desolação mortuária que nos faz refletir sobre a incumbência que temos de louvar os pioneiros de nossa profissão.

E por fim tirei as máscaras e deixei que minha face criativa fosse analisada pela competente professora Livia Sprizão de Oliveira, que revelou aspectos do movimento criador dentro da minha obra.

EXERCÍCIOS

Para manter a estrutura do livro, neste item, em lugar de propor exercícios, farei sugestões: como leitura existem no mercado os livros das oficinas de roteiro de Gabriel García Márquez, tanto *Me alugo para sonhar* quanto *Como contar um conto*, ambos editados no Brasil pela Casa Jorge Editorial. As duas obras exemplificam o desenrolar da criação de um roteiro.

Também aconselho o livro *Prática do roteiro cinematográfico*, de Jean-Claude Carrière e Pascal Bonitzer.

E para terminar um filme: *Shakespeare apaixonado*, escrito por Tom Stoppard. Uma ficção sobre o maior dramaturgo da humanidade.

Parte 10

ANEXOS

XESC

Uma história confusa, uns documentos borrados... Os guardas das barreiras vão desconfiar. Não dará certo, mestre.

WILLEN

Claro que dará certo! É uma história como outra qualquer. Por exemplo: imagine agora uma judia pura e bela casada com um marceneiro velho, e um dia um anjo, de olhos verdes e cabeleira loira, cai de um pedaço do céu e entrega à moça uma caixinha com uma criança chamada Jesus! (pausa) Em poucas palavras, foi assim que começou a Igreja de Cristo.

XESC

Mestre. Não seja profano! Isso é blasfêmia!

WILLEN

Pode ser. Mas tenho o direito de blasfemar. Também não deixa de ser uma história confusa em que todos acreditam.

XESC

É fé. Todos os livros santos contam histórias.

WILLEN

Absurdas. Todas as religiões e civilizações são prisioneiras de livros. A Bíblia, o Alcorão, a Torá, os Testamentos, todas as histórias escritas por homens imperfeitos que contam peripécias do Perfeito! São repletos de hipérboles e metáforas, donde se conclui que a teologia é filha da imaginação. São textos sangrentos: não passam de códigos morais cheio de castigos e punições. Nunca li um livro tão violento como o Antigo Testamento. São histórias bárbaras de fratricídios em série!

XESC
Calma, mestre.

WILLEN
Confie em mim. A história vai funcionar e enganar a todos... Talvez seja assim que se faz um povo: com falsidades, traições e amor... Talvez seja assim que se consiga fundar uma nação. Quem sabe? Quem pode negar?

Cena 23 da peça *Jamais (Calabar)*, de Doc Comparato, com estreia em 2018.

10.1 AMPLO ESTUDO BIBLIOGRÁFICO E SITES

REFLEXÃO

Foi no final da década de 1990, no amanhecer do terceiro milênio, que a dissertação de um dos alunos do mestrado em Roteiro da Universidade de Barcelona teve como tema a anatomia e a análise da bibliografia existente no mundo sobre a matéria roteiro.

Para tal missão "impossível", mas extremamente prática, já que por meio desse estudo teríamos uma visão bem ampla de como a matéria criativa era vista e classificada através dos tempos e a temática objetivada para futuras gerações, ele recebeu uma bolsa e passou alguns meses em Londres. Lá frequentou as maiores bibliotecas sobre o assunto, a British Film Institute e a University of London.

Antes de tudo é bom assinalar que nenhuma tese sobre esse mapa bibliográfico existia, demonstrando que ela é única, original e muito bem-vinda.

Foram consultados mais de mil livros sobre a temática proposta. Alguns deles escritos na década de 1920. Mas a pesquisa se concentrou nos livros editados a partir dos anos 1980. Essa foi a primeira fronteira demarcada.

O segundo crivo foi classificar o material de acordo com o enfoque que dava à matéria roteiro. Quatro enfoques foram estabelecidos: ofício, história, roteiros e análises.

A metodologia foi criteriosa, paciente e fértil. Um trabalho de vulto que não fica marcado pelo tempo. Ao contrário do que se imagina, se hoje observarmos o espaço cibernético, veremos que o mesmo tipo de classificação e enfoque é oferecido por meio de sites específicos. Além do mais, todas as bases artísticas e criativas do roteiro se encontram nesses autores e livros.

Só me cabe aqui agradecer o trabalho de Francesc Orteu e convencer o leitor a preferir as fontes às cópias.

UM AMPLO E NOVO ESTUDO BIBLIOGRÁFICO*

Enfrentar todo o material que estava à disposição requeria estabelecer alguns critérios de seleção e tempo hábil para ler, resumir, catalogar e classificar todo o acervo encontrado. Além de bibliotecas bem organizadas, contei com apoio de computadores e das equipes das referidas bibliotecas. Também fiz uso da internet para receber e remeter o material.

Fiz contato com outras importantes bibliotecas como a do Congresso Americano, as indicadas pelo Writers Guild of America (WGA), a do Real Instituto Oficial de Radio y Televisión de España e os catálogos de empresas privadas como Amazon.com e thedramashop.com em Nova York.

Sintetizando: a partir de 1980 classifico a temática roteiro em quatro epígrafes:

- **Ofício** – São aqueles livros que explicam, parcial ou totalmente, o processo de construção de uma história, dirigindo-se a um leitor que vai escrever. São obras que pretendem ser ferramentas de trabalho, os chamados manuais.
- **História** – Estudos publicados sobre a história do roteiro, vista de ângulos muito diferentes. Da relação entre escrita e álcool a biografias ou memórias. Nesse grupo se incluem as edições de entrevistas com roteiristas, que formam um subgrupo extenso e podem ser definidas como materiais de estudo históricos, ainda que versando sobre autores em atividade. Inclusive livros de entrevistas e biografias.
- **Roteiros** – Coleções ou sites que publicam roteiros de uma maneira ou de outra. Podemos assinalar de roteiros romanceados ou integrais, que aparecem no mercado simultaneamente com a estreia de filmes de grande orçamento, a coleções como a Films in Print (New Jersey, Rutgers University Press), cujos volumes explicam o processo completo seguido por roteiros importantes da história do cinema – dos primeiros esboços às alterações feitas na sala de montagem. Cabe assinalar que em sua maioria os roteiros publicados, mesmo mantendo o formato de roteiro, não são os usados nas filmagens, e sim uma reescrita desses roteiros depois de o filme ser concluído e nos quais se pode notar a mão do montador.
- **Análises** – Sob a última epígrafe se agrupam os textos que tratam de aspectos teóricos que não estão dirigidos exclusivamente para a escrita. Por exemplo, são trabalhos sobre gêneros, parâmetros de produção, interpretações semióticas ou narratológicas, personagens etc.

---

* Texto escrito por Francesc Orteu.

Considerações sobre a classificação

Há duas grandes maneiras de explicar como se escrevem roteiros: uma mecânica e outra orgânica. Uma expositiva e outra especulativa.

Todos os autores oscilam entre ambos os polos em postular as regras básicas da narração, juntamente com os parâmetros que permitem detectar e corrigir os desvios, ou no polo oposto, expondo os múltiplos processos, por vezes contraditórios, que constituem o ofício de inventar histórias.

É pela via mecânica que passa a maioria dos trabalhos analisados e por meio dela se supõe instruir um leitor que deseja se iniciar na escrita. Pelo contrário, a via orgânica abre, mais do que receitas, sugestões intelectuais que permitem ao indivíduo descobrir novas facetas em seu trabalho.

Cinco categorias compõem a tipologia que organiza os títulos recentes sobre o ofício:

- *How to do it* – Manual – Como fazer
- **Formatos** – Como formatar séries, filmes e minisséries – Manual
- **Estrutura** – Como estruturar sua imaginação
- **Protagonista** – Como criar uma personagem
- **Especialidades** – Depoimentos da atividade vivida

Podemos considerar mecânicas as duas primeiras e orgânicas as três restantes.

Categoria I: how to do it

Como fazer. É a maneira mais usual de falar sobre o ofício: o método. Explicar ao neófito os passos que deve seguir para converter suas quimeras em algo que seja formalmente um roteiro. O passo a passo conveniente para construir e escrever histórias, explicado de maneira simples e contundente para infundir respeito pelas "leis" básicas do ofício.

São livros paternalistas que tratam largamente de como insuflar coragem ao iniciante. Livros, textos e sites que procuram essencialmente "evitar" e "corrigir" os principais erros. Obras normativas que expõem regras inquestionáveis e mecânicas.

O dogma é criar um protagonista que deseje alguma coisa com que o público possa se identificar imediatamente e se ligar a uma série de obstáculos de dificuldades crescentes, até ao final alcançar seu objetivo.

Tudo isso organizado numa estrutura de delineamento, complicação e desenlace. Conservam estritamente a estrutura clássica de três atos defendida pelos teóricos americanos (vide Syd Field).

DA CRIAÇÃO AO ROTEIRO **687**

As fases usuais com que se explica o método são:

1. Procure uma boa ideia.
2. Conheça o seu protagonista.
3. Organize sua história.
4. Escreva os diálogos.
5. Reescreva.
6. Venda seu roteiro.

Essa última parte é fundamental nos *how to do it*, uma vez que agrupa todo tipo de conselhos para que o jovem roteirista ensaie sua via de acesso aos negócios. São explicados truques para chamar a atenção dos agentes a fim de vender uma história com duas frases (*pitching*, do inglês lançar, arremessar, e saber vender uma história rapidamente a um produtor. Exemplo: a história sobre um garota viciada que encontra um policial legal, se transforma numa agente do FBI, mata o traficante de drogas mexicano e casa com o agente).

É relativamente fácil sintetizar a explicação de como funciona a estrutura de três atos, entretanto é mais difícil estabelecer normas para escrever bons diálogos. Os capítulos dedicados ao tema costumam conter listas de conselhos mais ou menos sugestivos de como evitar diálogos demasiadamente repetitivos.

Também é comum encontrar exercícios que tendem a ajudar um leitor supostamente imerso na experiência inquietante de escrever seu primeiro roteiro.

Os *how to do it* são livros úteis para uma primeira abordagem da profissão ou para recordar os elementos básicos que estruturam uma história. São receitas para fazer que um filme seja previsível. Ainda assim as explicações sobre como construir histórias convencionais podem servir para comprovar até que ponto uma história mais original propõe soluções atípicas aos problemas da narração audiovisual clássica.

Dentro dessa categoria os textos mais inteligentes são aqueles que mantêm uma postura irônica a respeito do que estão receitando. Esse é o caso do livro de Viki King, *How to write a movie in 21 days* (Nova York, Harper & Row, 1988), no qual o leitor é tratado como um recruta e lhe é assegurado que, se resistir à prova, no final do livro terá seu roteiro. É um trabalho sugestivo e uma boa síntese do método genérico de escrita para cinema.

Outro trabalho representativo é o de Michael Hauge, *Writing screenplays that sell* (Nova York, McGraw-Hill, 1983). Estruturado em três partes – desenvolver, escrever e vender –, contém uma das sentenças típicas dos *how to do it*: "Como escrever um roteiro numa única e fácil lição – Capacite uma personagem simpática a superar uma série de dificuldades crescentes e obstáculos aparentemente intransponíveis até que realize um desejo invejável".

Apesar de ser um texto simples, o livro de Hauge explica o que é o tema e como este se desenvolve durante a história, simbolizado na evolução do protagonista.

Um terceiro título que se encontra na fronteira dessa categoria é *Film scripting – A practical manual* (Boston, Londres, Focal Press, 1988), de Dwight Swain, de quem citamos outro livro mais adiante. Swain apresenta um trabalho extenso a alguém que necessite organizar a escrita em torno de pautas simples. O livro descreve o processo da escrita de roteiros não dramáticos, para os quais oferece a fórmula do *"Hey!-you-see?--so..."*, ou seja: chamar a atenção, implicar o espectador pessoalmente, explicar algo novo e tirar conclusões. A parte dedicada ao roteiro dramático contém um magnífico capítulo sobre a arte da confrontação, em que se evidenciam os 25 anos de docência de Swain quando explica mecanismos complexos de maneira nítida, sem reduzir normas.

Categoria II: formatos

O outro tipo de trabalhos que podem ser considerados maneiras mecânicas de explicar a profissão corresponde aos textos cujo objetivo é mostrar as características das diversas classes de roteiros.

Assim como os *how to do it* se dirigem a um leitor ingênuo que pretenda escrever o próprio filme, os formatos apontam para alguém que já superou a primeira fase de contato com o método e orienta sua escrita para algo mais concreto: a televisão.

Em televisão, quando falamos de **gêneros** nos referimos a algo mais do que simplesmente os temas das histórias. Se em cinema os gêneros criaram narrativas próprias, em televisão se acrescentam a cada gênero durações específicas e parâmetros de produção próprios. Por exemplo, uma *sitcom* dura meia hora e se estrutura em dois atos, ao passo que um telefilme pode durar até duas horas, dividido em sete atos, que correspondem a seis cortes publicitários.

Cada gênero tem regras próprias no que diz respeito a criação de personagens, estruturas narrativas, estilo, temas de fundo, construção de diálogos e até apresentação formal dos roteiros.

A relação mais atual de formatos descritos inclui a *sitcom* de meia hora, o episódio de série de uma hora, a *teleplay* ou teatro televisivo, a *movie of the week* ou telefilme de duas horas e os *daytime serials*, *soap operas* ou séries de 60 minutos.

Os formatos pretendem explicar basicamente como são e a que requisitos devem obedecer os roteiros utilizados nos diferentes gêneros televisivos. Com isso apontam as variantes usuais do método genérico que os *how to do it* explicam e a que costumam dedicar espaço esboçando o tema de escrita em colaboração.

DA CRIAÇÃO AO ROTEIRO **689**

Um leitor seriamente interessado em escrever dentro de um formato não pode utilizar mais do que um ponto de referência formal dos modos usuais na indústria, mas raramente serão úteis para alguma coisa mais do que uma introdução a uma investigação que deverá ser individual.

Títulos representativos dos formatos são *Successful scriptwriting*, de Jurgen Wolf e Kerry Cox (Ohio, Writer's Digest Books, 1991), e *How to write for television*, escrito por Madeleine DiMaggio (Nova York, Prentice Hall Press, 1991).

O trabalho de Wolf e Cox é simples, mas completo. Inclui um capítulo interessante dedicado à escrita para **desenhos animados**, enquanto o texto de DiMaggio oferece mais informações sobre as especificidades estruturais de cada formato, ao mesmo tempo que dedica um capítulo a mostrar o que deve conter o roteiro de um episódio piloto. DiMaggio recorda algo que geralmente é esquecido nos textos dirigidos aos roteiristas: "A televisão é o âmbito das estrelas. A estrela é o início, a razão e o resultado".

Outro título que aborda a criação de séries televisivas é o livro *Cómo crear una serie de televisión*, de Gonzalo Toledano e Nuria Verde.

O ciberespaço está povoado de sites televisivos e seus respectivos manuais com tendência mecânica.

Categoria III: estrutura

Entramos agora nas obras que optam por enxergar um roteiro, mais do que como uma peça de maquinaria, como um corpo orgânico. **Não pretendem mostrar leis sintéticas, mas propor sistemas de análise complexos aplicáveis a obras.** Por serem criativos, guardam sempre um âmbito próprio irredutível. Isso faz que os textos apresentem explicações mais complexas e originais, em que os autores substituem o deve ser pelo que poderia ser.

Surpreendentemente não se encontram grandes teorias confrontadas nas quais se possam basear metodologias totalmente diferentes. Existe uma única grande tradição da qual partem todos os autores, mas na qual se pode detectar uma polaridade que oscila entre interpretar o processo criativo do roteiro ora com base na dimensão de construção estrutural, ora com base na dimensão de encontro com as personagens.

Dentro da categoria de estrutura estão reunidos os textos que entendem a história como uma sucessão ordenada de acontecimentos. Tratam de enumerar tipos de acontecimento que uma história deve conter e que ordem é mais eficaz, para situar os princípios que regem a relação de cada peça com o conjunto e como afeta o funcionamento global da história ou a disfunção de uma das suas partes.

Entre os fatos e a história, o artefato conceitual mais usado é a tríade: exposição--complicação-resolução, ou estrutura de três atos modificada, múltipla e criativa.

Isso é extrapolado para os diferentes níveis em que se pode dividir uma história, como são as cenas (necessidade-obstáculo-ação), os *plots*, os próprios atos ou a evolução do tema da história. Dentro dos três atos estão situados os eixos sobre os quais giram os acontecimentos e que propulsionam a história para um estágio superior.

Os modelos estruturais podem ter uma complexidade variável. Os mais simples oferecem uma visão medular do funcionamento de um roteiro. Sua eficácia reside no fato de que podem ser aplicados facilmente a uma grande quantidade de variações narrativas, permitindo análises comparativas rápidas e claras.

Os modelos de estrutura mais complexos, que propiciam análises mais sutis, podem se converter em ferramentas conceituais ambíguas. A principal diferença em relação aos modelos simples é que os complexos tratam de integrar mecanismos que funcionam em diferentes níveis: a evolução dos fatos, a evolução do protagonista, a evolução do tema. Assim, multiplicam-se tanto os nós que devem tecer a história como os princípios que tratam de explicar as relações entre nós de diferentes níveis. Essa complexidade exige a transformação em modelos abertos, sugestivos, mas frágeis. Não servem para medir, como sucede com os modelos simples, e sim para procurar. Criar. Imaginar.

Um último parâmetro que se pode ter em conta, na hora de comparar diferentes modelos estruturais, é o peso que neles tem o protagonista. Nenhum autor se atreve a prescindir totalmente da figura do protagonista, já que a definição usual das peças de uma história se faz com respeito ao objetivo deste. A necessidade de um protagonista continua a ser um dos dogmas mais respeitados.

As aproximações estruturais tendem a entender as histórias como objetos autônomos, acabados e, portanto, podem facilmente dar menos valor à atividade do espectador. Supõe-se que a audiência busque alguns pontos de fixação estereotipados que sirvam para interpretar de maneira imediata e única os fatos que se mostram. Assim, há pouca tolerância com a perplexidade e as alterações estruturais importantes, e os analistas de roteiros não são solidários a essas novidades.

Em *The understructure of writing for film and television* (Austin, University of Texas Press, 1990), Ben Brady e Lance Lee expõem um modelo de estrutura complexo, organizado em torno dos diferentes níveis em que se produzem variações do mesmo conflito. Não utilizam os três atos e, mais do que leituras dos fatos na horizontal, propõem interpretações verticais que tratam de encadear elementos de diferentes categorias. Por exemplo: "O diálogo comunica sentimentos. Esses sentimentos exprimem a situação imediata das personagens e são os que conduzem à ação".

Ken Dancyger e Jeff Rush são autores de *Alternative scriptwriting: writing beyond the rules* (Boston/Londres, Focal Press, 1991). É um trabalho que abre vias por meio das quais pode decorrer a evolução dessa única teoria genérica da narrativa audiovisual. O texto descreve como se conseguiram histórias magníficas construindo um texto de forma contrária "às regras". Tudo isso explicado com a intenção de demonstrar que se pode utilizar criativamente a cumplicidade do espectador.

Enfim, são livros que estimulam a imaginação do leitor, demonstrando que a dramaturgia ainda tem um longo caminho a percorrer.

Categoria IV: protagonista

Que são roteiros senão retratos móveis?

Não se desenvolveu uma teoria da narrativa audiovisual baseada exclusivamente na criação de personagens. Boa parte da produção audiovisual é concebida como uma plataforma a serviço da presença de uma estrela.

É habitual encontrar nos manuais capítulos seguidos dedicados às personagens e à estrutura, como se fossem duas perspectivas facilmente complementáveis quando se convertem em dimensões antagônicas entre as quais é difícil circular. Não é fácil ser um relojoeiro para ajustar a engrenagem do enredo e, ao mesmo tempo, praticar a esquizofrenia de se desdobrar no papel de várias personagens.

As construções teóricas sobre as personagens não estão tão desenvolvidas como as que se referem à estrutura. Os problemas se concentram agora em conseguir um protagonista com motivações fortes, compreensíveis e identificáveis para o público. Motivações que desencadeiem conflitos que conduzam à transformação última do protagonista.

Muitas páginas são dedicadas à construção do protagonista em dique seco. Ao seu retrato inicial, aspecto, discurso, psicologia, biologia. E comparativamente poucas são as que tentam explicar os modos de sua ação física, intelectual ou moral que não restrinjam sua movimentação posterior.

Não é fácil encontrar análises dos modos arquetípicos como uma personagem evolui contra si própria: do encontro de duas forças antagônicas que desencadeiam os acontecimentos (desejo/dever) à sua síntese no final da história. A definição de um protagonista requer o esboço de duas personagens diferentes: a relação entre sua posição inicial e sua posição final corresponde, metafórica e subterraneamente, aos paradoxos vitais sentidos pelo espectador. Portanto, pelo criador-roteirista.

A teoria genérica clássica entende que a função do protagonista é criar a posição da qual o espectador vive a história. Isso faz que a construção do protagonista pretenda ser uma aproximação mais íntima do espectador, com respeito à função racional que se supõe desde delineamentos estruturais que dão primazia à compreensão de um enredo diante da identificação emotiva.

A criação com base em personagens ou em estruturas implica posicionamentos estéticos totalmente diferentes. Trata-se de cativar e modular os sentimentos do espectador, estimulando-o em pontos diferentes. O desejo de controlar um jogo ou a necessidade de se dissolver numa paixão, daí nascendo a interatividade.

O retrato do protagonista costuma mostrar uma personagem individualista, definida como possuidora de determinados valores que não se encontram nas demais personagens, cuja função é dar relevo ao conflito básico do protagonista. Esse modelo de protagonista se encaixa melhor em gêneros de caráter épico (aventuras, *thrillers*) do que em histórias do gênero melodrama, em que é impossível entender o protagonista sozinho, uma vez que o objetivo com que ele defronta se funde nas outras personagens.

Na contundência com que se define o protagonista reside uma das principais diferenças entre a tradição cinematográfica europeia e a americana. Quando não se dá a uma personagem um objetivo contundente, ela não é colocada em situações urgentes na Europa, e se criam as condições que permitem retratos mais sutis do que os americanos.

Trabalhos representativos dessa categoria são: *Creating characters*, de Dwight Swain (Ohio, Writer's Digest Books, 1991), e *Creating unforgettable characters*, de Linda Seger (Nova York, Henry Holf & Company, 1990). O texto de Swain dedica uma primeira parte a definir as qualidades de uma boa personagem, "a capacidade de se fazer querer", dimensões básicas, aspectos, motivação, *background*, emoção e concreção da personagem no roteiro, descrições, diálogos, diferentes formatos, personagens habituais. Swain compara também as características das personagens de rádio, teatro e cinetelevisão.

Por seu lado, Seger, autora de um interessante *how to do it* intitulado *Making a good script great* (Nova York, Dodd Mead, 1987), propõe a construção de uma personagem segundo a progressão aditiva da ideia. Características preponderantes, núcleos, paradoxos, emoções, atitudes, valores e detalhes. Uma parte interessante do livro é a que se refere à construção de triângulos. Aponta vias para o retrato dinâmico das personagens. São ainda analisadas as funções das personagens secundárias com respeito ao objetivo do protagonista e as modalidades de relação entre personagens: atração, conflito, contraste e transformação.

Categoria V: especialidades

A característica fundamental dos títulos que se agrupam nesta categoria é que definem com exatidão o tipo de escrita que tratam de analisar. São normalmente trabalhos escritos com base em uma experiência profissional sólida, e isso nos leva com frequência à enumeração e reflexão sobre casos concretos, mais do que a construções teóricas sistematizadas.

Comédia, adaptações e documentários são os âmbitos específicos mais usuais, aos quais devemos acrescentar alguns trabalhos pontuais sobre a escrita de séries, filmes, publicidade (*copywriting*) e drama radiofônico.

Outro traço geral que os define é sua surpreendente escassez até bem pouco tempo. Embora sejam os livros adequados para que o roteirista encontre informação específica, não parecia haver mercado profissional que o reclamasse.

Atualmente é o contrário. Principalmente na internet, onde roteiros filmados são expostos sem o menor pudor.

Outras profissões e disciplinas próximas à de roteirista têm textos especializados que podem ser úteis: o jornalismo, a história, a dramaturgia, a literatura ou a filosofia permitem comparar métodos interpretativos e criativos semelhantes aos dos roteiristas.

Dois títulos interessantes são: *Comedy writing step*, de Gene Perret (Hollywood, Samuel French, 1990), e *Funny business: the craft of comedy writing*, de Sol Sacks (Los Angeles, Lone Eagle, 1991). Ambos tendo o tom de explicação simples dirigida a principiantes são trabalhos extensos e estão escritos do ponto de vista de profissionais maduros.

O livro de Perret tem uma primeira parte dedicada a explicar os mecanismos do humor e uma segunda centralizada na escrita dos dois formatos principais: os esquetes e a *sitcom*. Saks apresenta um trabalho cheio de histórias e referências, no qual descreve uma parte da história da comédia ao mesmo tempo que expõe seu método de trabalho.

Jean Rouverol é autora de *Writing for daytime drama* (Boston/Londres, Focal Press, 1992), um dos primeiros textos sobre a escrita de séries, no qual se definem suas leis no que diz respeito à criação de personagens, aos temas utilizados, ao estilo e às variantes do formato. O texto não está escrito por meio de delineamentos teóricos, mas com base em uma experiência sólida.

Em *L'Adaptacion du roman au film* (Paris, Diffusion, 1990), Alan Garcia parte de uma teoria genérica baseada no tratamento do tempo e, com base nela, deslinda sistematicamente os diferentes tipos de adaptações, analisando ponto por ponto os mecanismos que nelas entram em jogo.

Palavras finais sobre o estudo

A posição normal da qual se fala da profissão é a de uma pedagogia de manual que repete variações de uma concepção genérica de protagonista numa estrutura de três atos.

Existe uma nítida deslocação do cinema para o terreno mais fértil da televisão e outros. A proliferação de trabalhos específicos sobre cada formato televisivo acabará rompendo o molde clássico para engendrar teorias próprias que possivelmente terão influência sobre o modelo cinematográfico, obrigando a uma transformação e evolução. As análises dos gêneros televisivos são ainda demasiado formalistas e referem-se mais a condições de produção do que a parâmetros narrativos. Ignoram-se espaços vazios entre os gêneros. De qualquer forma, a existência de uma importante indústria televisiva com um acompanhamento constante da resposta do público, com a utilização de múltiplos recursos criativos, faz supor que essas teorias específicas existam de algum modo na prática profissional, embora não se tenham cristalizado ainda em textos.

Não existem trabalhos que relacionem de maneira exaustiva a escrita audiovisual e o comportamento dos diferentes tipos de público. Não existem trabalhos específicos sobre a pele das histórias, isto é, sobre o diálogo. Também não há nada centrado na reescrita, apesar de ser uma fase tão complexa que existam profissionais especializados em dar assessoria a ela. À margem de referências dispersas, nenhum texto descreve em profundidade os diferentes trabalhos especializados relativos à escrita (de documentarista a *story editor*).

Faz falta um estudo comparado sobre a escrita para romance, teatro, cinema, televisão e gêneros jornalísticos com base em posições narrativas, quando a informação se expande para espaços tradicionalmente dramáticos.

Apesar de tudo que foi publicado, é indiscutível que a prática da profissão está mais avançada do que a especulação teórica sobre ela. Isso contradiz a realidade de qualquer outra indústria competitiva atual, em que uma parte importante do esforço se destina à investigação e ao desenvolvimento, e não à história e à pedagogia.

BIBLIOGRAFIA

ABSTAZ, Cecília. *Mujeres peligrosas: la pasión según el teleteatro*. Buenos Aires: Planeta, 1995.

ALMEIDA, Cândido José Mendes de. *O que é vídeo*. São Paulo: Nova Cultural, 1984.

AMYES, Tim. *Audio post-production in video and film*. Boston: Focal Press, 1998.

ARISTÓTELES. *Retórica*. Ed. bilíngue de Antonio Tovar. Madri: Instituto de Estudos Políticos, 1973.

_____. *Poética*. Ed. trilíngue de V. García Yebra. Madri: Gredos, 1974.

BAL, Miecke. *Teoría de la narrativa*. Madri: Cátedra, 1985.

BARE, Richard. *The film director*. Nova York: Collier Books, 1971.

BARTHES, Roland. "Introduction à l'analyse structurale des récits". *Communications*, 8. Paris: Seuil, 1966.

_____. "Introduction à l'analyse structurale des récits". In: BARTHES, Roland *et al. Poétique du récit*. Paris: Seuil, 1977.

BEGGS, Josh; THEDE, Dylan. *Projetando web áudio*. Rio de Janeiro: Ciência Moderna, 2001.

BENTLEY, Eric (org.). *The theory of the modern stage*. Nova York: Penguin, 1980.

BLAKESTON, Oswell. *How to script amateur films*. Londres: Focal Press, 1949.

BLUM, Richard A. *Television writing: from concert to contract*. Boston/Londres: Focal Press, 1981.

BORDWELL, David. *Narration in the fiction film*. Madison: University of Wisconsin, 1985.

BORGES, Jorge Luis. *La memoria de Shakespeare*. 1. ed. Buenos Aires: Emecé, 2004.

BRADY, B.; LEE, L. *The understructure of writing for film and television*. Austin: University of Texas Press, 1990.

BRADY, John. *The craft of the screenwriter*. Nova York: Simon and Schuster, 1982.

BRENES, Carmen Sofía. *Fundamentos del guion audiovisual*. Pamplona: Eunsa, 1987.

BROOK, Peter. *The empty space*. Nova York: Atheneum, 1981.

BUCHANAN, Andrew. *Film making from script to screen*. Londres: Faber & Faber, 1937.

BURCH, N. *El tragaluz del infinito*. Madri: Cátedra, 1987.

CANOSA, Fabiano. *Nelson Pereira dos Santos*. Paris: Casterman, 1971.

CARRIÈRE, J. C.; BONITZER, P. *Práctica del guion cinematográfico*. Barcelona: Paidós, 1991.

CASACAJOSA, Concepción. *Prime time. Las mejores series de TV americanas. De CSI a Los Soprano*. Madri: Calmar, 2005.

_____. *De la TV a Hollywood. Un repaso a las películas basadas en series*. Madri: Arkadin, 2006.

CASCALES, Francisco. *Cartas filológicas. Libro I: epístolas 8, 9 e 10*.

CASTELEVETRO, Lodovico. "The poetics of Aristotle translated and annotated (1571)". In: GILBERT, Allan. *Literary criticism: from Plato to Dryden*. Detroit: Wayne State University, 1962.

CASTILLA DEL PINO, Carlos. *Teoría del personaje*. Madri: Alianza Editorial, 1989.

CAVALCANTI, Alberto. *Filme e realidade*. Rio de Janeiro: Casa do Estudante do Brasil, 1957.

CHANDLER, Charlotte. *Eu, Fellini*. Rio de Janeiro: Record, 1995.

CHATMAN, Seymour. *Story and discourse: narrative structure in fiction and film*. Londres: Cornell University Press, 1978.

_____. *Story and discourse: narrative structure in fiction and film*. Ithaca: Cornell, 1980.

COLE, Toby. *Playwrights on playwriting*. Nova York: Farrar, Straus and Giroux, 1980.

COMPARATO, Doc. *Roteiro, arte e técnica de escrever para cinema e televisão*. Rio de Janeiro: Nórdica, 1983.

_____. *El guion: arte y técnica de escribir para cine y televisión*. Garay Ediciones, 1985. (Edição catalã: Barcelona: Spuab, 1989.)

_____. *Da criação ao guião: a arte e a técnica de escrever para cinema e televisão*. 3. ed. Portugal: Pergaminho, 2004.

CORLISS, Richard. *Talking pictures: screenwriters in the American cinema*. Nova York: Penguin Books, 1975.

COZARINSKY, Edgardo. *Borges em/e/sobre cinema*. São Paulo: Iluminuras, 2000.

CRESSOT, Marcel. *Le style et sés techniques*. Paris: PUF, 1969.

CROWE, Cameron. *Conversations with Wilder*. Nova York: Alfred A. Knopf, 2001.

CURRAN, Trisha. *Financing your film: a guide for independent filmmakers and producers*. Nova York: Praeger, 1986.

DANCYGER, K.; RUSH, J. *Alternative scriptwriting: writing beyond the rules*. Boston/Londres: Focal Press, 1991.

DIEGUES, Carlos. *Cinema brasileiro: ideias e imagens*. Porto Alegre: UFRGS, 1988.

DIMAGGIO, M. *How to write for television*. Nova York: Prentice-Hall, 1990.

_____. *Escribir para televisión*. Barcelona: Paidós, 1992.

DMYTRYK, Edward. *On screenwriting*. Boston/Londres: Focal Press, 1985.

DURÁN, Juan J. *Iluminação para vídeo e cinema*. São Paulo: Ed. do Autor, 1994.

ECO, Umberto. *Tratado de semiótica general*. Barcelona: Lumen, 1985.

_____. *Sobre a literatura*. Rio de Janeiro: Record, 2003.

EGRI, Jajos. *The art of dramatic writing*. Nova York: Simon and Schuster, 1946.

EISENSTEIN, Sergei. *O sentido do filme*. Apresentação, notas e revisão técnica: José Carlos Avelar. Tradução: Teresa Ottoni. Rio de Janeiro: Jorge Zahar, 2002.

ESQUIVEL, L. *Como agua para chocolate*. Barcelona: Mondadori, 1990.

EWALD FILHO, Rubens; LEBERT, Nilu. *O cinema vai à mesa – histórias e receitas*. São Paulo: Melhoramentos, 2007.

FEENEY, F. X. *Orson Welles: joyous creation*. Colônia: Taschen, 2006.

FELLINI, Federico. *Fazer um filme*. Rio de Janeiro: Civilização Brasileira, 2000.

FIELD, Syd. *The foundations of screenwriting*. Nova York: Dell, 1979.

_____. *El manual del guionista: ejercicios e instrucciones para escribir un buen guion paso a paso*. Madri: Plot, 1995.

FILHO, Daniel. *O circo eletrônico: fazendo TV no Brasil*. Rio de Janeiro: Jorge Zahar, 2001.

FORSTER, E. M. *Aspects of the novel*. Nova York: Harvest-Harcourt, 1985. [Edição brasileira: *Aspectos do romance*. Porto Alegre: Globo, 2005.]

_____. *Aspectos de la novela*. Madri: Debate, 2003.

GARCIA, A. *L'Adaptation du roman au film*. Paris: Diffusion, 1990.

GAUDREAULT, A. *Du littéraire au filmique. Systeme du récit*. Paris: Méridiens Klincksieck, 1988.

GENETTE, Gérard. *Narrative discourse: an essay in method*. Nova York: Cornell University Press, 1983.

GILBERT, Allan (org.). *Literary criticism: from Plato to Dryden*. Detroit: Wayne State Unvertsity, 1962.

GOLDMAN, William. *Adventures in the screen trade: a personal view of Hollywood and screenwriting*. Nova York: Warner Books, 1983.

_____. *Adventures in the screen trade*. Nova York: Warner Books, 1984.

_____. *Las aventuras de un guionista en Hollywood*. Madri: Plot, 1992.

GOMES, Paulo Emilio Salles. *Paulo Emilio: um intelectual na linha de frente*. São Paulo: Brasiliense / Embrafilme, 1986.

GRACIÁN, Baltasar. *Arte de la prudencia*. Madri: Temas de Hoy, 1992.

GUERRA, Ibrahim. *Telenovela y consumo comercial: desde "El derecho de nacer" hasta "Betty la fea"*. Buenos Aires: E-libro.net, 2005.

HAUGE, Michael. *Writing screenplays that sell*. Nova York: McGraw-Hill, 1983.

HERMAN, Lewis. *Practical manual of screen playwriting*. Nova York: World Publishing, 1952.

HODGE, Francis. *Play directing*. New Jersey: Prentice-Hall, 1971.

HOWARD, David; MABLEY, Edward. *Teoria e prática do roteiro*. São Paulo: Globo, 1993.

HULKE, Malcolm. *Writing for television*. Londres: A&C Black, 1982.

JAKOBSON, Roman. *Linguística e comunicação*. São Paulo: Cultrix, 1969.

JOHNSON, Randall. *The film industry in Brasil*. Pittsburgh: University of Pittsburgh Press, 1987.

JOST, François *et al. El personaje y el texto en el cine y la literatura*. Caracas: Comala.com, 2004.

JOYCE, James. *Portrait of the artist as a young man*. Londres: Penguin, 1977. [Edição brasileira: *Retrato do artista quando jovem*. Rio de Janeiro: Objetiva, 2006.]

JUNG, Carl G. *Man and his symbols*. Nova York: Dell, 1979. [Edição brasileira: *O homem e seus símbolos*. Rio de Janeiro: Nova Fronteira, 2005.]

KELSEY, G. *Writing for television*. Londres: A&C Black, 1990.

KING, Stephen. *Mientras escribo*. Barcelona: Dobolsillo, 2003.

KING, Viki. *How to write a movie in 21 days*. Nova York: Harper & Row, 1988.

KLAUE, Wolfgang. *Alberto Cavalcanti*. Berlim: Staatlichen Filmarchiv der Deutschen Demokratischen Republic und den Club der Filmschaffenden der D.D.R., 1962.

KOTSCHO, Ricardo. *A prática da reportagem*. São Paulo: Ática, 2000.

LAUSBERG, Heinrich. *Elementos de retórica literária*. Lisboa: Calouste Gulbekian, 1966.

_____. *Manual de retórica literaria*. Madri: Gredos, 1966-1968. 3v.

LEE, Robert; MISIOROWSKI, Robert. *Script models: a handbook for the media writer*. Boston / Londres: Focal Press, 1978.

LUBBOCK, Percy. *The craft of fiction*. Nova York: Viking, 1963.

LUMET, Sidney. *Así se hacen las películas*. Madri: Rialp, 2004.

MACIEL, Pedro. *Jornalismo de televisão*. Porto Alegre: Sagra Luzzatto, 1995.

MÁRQUEZ, Gabriel García. *Notas de prensa, 1980-1984*. Madri: Cátedra, 1991.

_____. *Me alugo para sonhar*. Prefácio e comentários: Doc Comparato. Rio de Janeiro: Casa Jorge Editorial, 1997.

MAY, Mark A.; LUMSDAINE, Arthur A. *Learning from films*. New Haven: Yale University Press, 1958.

MCKEE, Robert. *El guion: sustancia, estructura, estilo y principios de la escritura de guiones*. Barcelona: Alba, 2004.

MELLY, George. *Paris and the surrealists*. Nova York: T&H, 1991.

MERNIT, Billy. *Writing the romantic comedy*. Nova York: Happer Collins, 2000.

MILLER, Gabriel. *Screening the novel*. Nova York: Ungar, 1980.

MIROL, Victor A. *Dicionário de áudio e vídeo*. São Paulo: Cavi, 2002.

MUSBURGER, Robert B. *Roteiro para mídia eletrônica*. Trad.Natalie Gerhardt. Rio de Janeiro: Elsevier, 2008.

NASH, Constance; OAKEY, Virginia. *The screenwriter's handbook*. Nova York: Barnes & Noble, 1978.

NEWCOMB, H.; ALLEY, R. S. *The producer's medium*. Nova York: Oxford University Press, 1983.

NIETZSCHE, Frederich. *The birth of tragedy and the case of Wagner*. Nova York: Vintage, 1967. [Edição brasileira: *O nascimento da tragédia*. São Paulo: Companhia das Letras, 1999.]

NINCO, Uvermar Sydney. *Sistemas de TV e vídeo*. Rio de Janeiro: LTC, 1988.

OTTOBRE, Salvador. *Elogio del autor*. 1. ed. Buenos Aires: La Crujía, 2005.

PEÑAFIEL, Carmen; IBAÑEZ, José Luiz; CASTILLA, Manu. *La televisión que viene*. Bilbao: Universidad Del País Vasco/Euskal Herriko Unibertitatea, 1991.

PERRET, G. *Comedy writing step by step*. Hollywood: Samuel French, 1990.

PIRANDELLO, Luigi. "Spoken action". In: BENTLEY, Eric (org.). *The theory of the modern stage*. Nova York: Penguin, 1980.

PIZZOTTI, Ricardo. *Enciclopédia básica da mídia eletrônica*. São Paulo: Senac, 2003.

PLATÃO. *The Republic*. Cleveland: The World Publishing, 1946. [Edição brasileira: *A República*. São Paulo: Perspectiva, 2006.]

PUDOVKIN, V. I. *Film technique and film acting*. Nova York: Groove Press, 1978.

RABIGER, Michael. *Direção de cinema: técnicas e estética*. 3. ed. Trad. Sabrina Ricci Netto. Rio de Janeiro: Elsevier, 2007.

RAMOS, Murilo César. *Às margens da estrada do futuro: comunicações, políticas e tecnologias*. Brasília: Ed. da UnB, 2000.

REDE GLOBO. *Autores: história da teledramaturgia, livro 1 e 2/Memória Globo*. São Paulo: Globo, 2008.

REED, K., *Revision: how to find and fix what isn't working in your story*. Londres: Robinson P., 1991.

ROCHA, Glauber. *Deus e o diabo na terra do sol*. Rio de Janeiro: Civilização Brasileira, 1965.

_____. *Saggi e inventtive sul nuovo cinema*. Turim: RAI, 1986.

RODRIGUES, Chris. *O cinema e a produção*. 3. ed. Rio de Janeiro: Lamparina, 2007.

RODRÍGUEZ, Merchante Oti. *Amenábar, vocación de intriga*. Madri: Páginas de Espuma, 2002.

RODRÍGUEZ, Víctor Manuel Amar. *El cine nuevo brasileño (1954-1974)*. Madri: Dykinson, 1994.

ROITER, Ana Maria; TRESSE, Euzebio da Silva. *Dicionário técnico de TV*. São Paulo: Globo, 1995.

ROOT, Wells. *Writing the script*. Nova York: Holt, Rinehart & Winston, 1979.

ROUANET, Sérgio Paulo. "Os campos práticos-noéticos: notas introdutórias". *Revista Tempo Brasileiro*, Rio de Janeiro, n. 11-12, 1966.

ROUVEROL, Jean. *Writing for the soaps*. Cincinnati: Writer's Digest Books, 1984.

_____. *Writing for daytime drama*. Boston/Londres: Focal Press, 1992.

SABOYA, Jackson. *Manual do autor roteirista*. Rio de Janeiro: Record, 1992.

SAKS, S. *Funny business: the craft of comedy writing*. Los Angeles: Lone Eagle, 1991.

SÁNCHEZ-ESCALONILLA, Antonio. *Guion de aventura y forja del héroe*. Barcelona: Ariel, 2002.

SANTERRES-SARKANY, St. *Théorie de la littérature*. Paris: PUF, 1990.

SARAIVA, Leandro; CANNITO, Newton. *Manual de roteiro ou Manuel, o primo pobre dos manuais de cinema e TV*. São Paulo: Conrad, 2004.

SAUSSURE, Ferdinand de. *Curso de linguística geral*. São Paulo: Cultrix, 1969.

SCHANZER, Karl; WRIGHT, T. L. *American screenwriters*. Nova York: Avon, 1993.

SEGER, Linda. *Making a good script great*. Nova York: Dodd, Mead and Co., 1987.

_____. *Creating unforgettable characters*. Nova York: Henry Holt, 1990.

_____. *Cómo crear personajes inolvidables, guía práctica para el desarrollo de personajes en cine, televisión, publicidad, novelas y narraciones cortas*. Barcelona: Paidós, 2003.

_____. *Cómo convertir un buen guion en un guion excelente*. Madri: Rialp, 2004.

SMITH, Anthony. *Television: on international History*. Oxford: Oxford University Press, 1995.

SÓFOCLES. *Edipo rey*. Buenos Aires: Losada, 2004.

STAIGER, Emil. *Conceitos fundamentais da poética*. Rio de Janeiro: Tempo Brasileiro, 1972.

STANISLAVSKY, Constantin. *A preparação do ator*. Rio de Janeiro: Civilização Brasileira, 1964.

_____. *A construção da personagem*. Rio de Janeiro: Civilização Brasileira, 1976.

STASHEFF, Edward *et al*. *O programa de televisão: sua direção e produção*. Trad. e adapt. Luiz Antônio Simões de Carvalho. São Paulo: EPU/Edusp, 1978.

STASHEFF, Edward; BRETZ, Rudy. *O programa de televisão*. São Paulo: Edusp, 1978.

SWAIN, Dwight V. *Scripting for video and audiovisual media*. Boston/Londres: Focal Press, 1981.

_____. *Creating characters*. Cincinnati: Writer's Digest Books, 1991.

SWAIN, Dwight V.; SWAIN J. R. *Film scriptwriting: a practical manual*. 2. ed. Boston/Londres: Focal Press, 1988.

TOMACHEVSKI, Boris *et al*. *Teoria da literatura: formalistas russos*. Porto Alegre: Globo, 1971.

TRUFFAUT, François. *Hitchcock*. Nova York: Touchstone, 1985. [Edição brasileira: *Hitchoock/Truffaut: entrevistas*. São Paulo: Companhia das Letras, 2004.]

VALE, Eugene. *Técnicas del guion para cine y televisión*. Barcelona: Gedisa, 1985.

VAYONE, Francis. *Guiones modelo y modelos de guion: argumentos clásicos y modernos en el cine*. Barcelona: Paidós, 1996.

VILCHES, Lorenzo (org.). *Taller de escritura para televisión*. Barcelona: Gedisa, 1999.

VILLANUEVA, D. (org.). *Curso de teoría de la literatura*. Madri: Taurus, 1994.

VOGLER, Christopher. *The writer's journey*. Studio City: Michael Wiese, 1992. [Edição brasileira: *A jornada do escritor*. Rio de Janeiro: Nova Fronteira, 2006.]

VOLTAIRE. *Diccionario filosófico*. Madri: Temas de Hoy, 1995. 2 v.

SITES*

Nacionais

ROTEIRO DE CINEMA

http://www.roteirodecinema.com.br/

Apesar do nome, o site não se dedica apenas a roteiros cinematográficos, mas também a roteiros televisivos, de curtas-metragens e documentários. Nele é possível fazer *download* autorizado de roteiros, obter dicas de livros, de formatação de roteiros e de cursos. Um grande atrativo é o link "Scripts", que possibilita ao internauta a visualização de roteiros internacionais.

---

* Listagem elaborada com sugestões de Celso Garcia.

ASSOCIAÇÃO BRASILEIRA DE AUTORES ROTEIRISTAS

http://www.abra.art.br/

Site da associação que tem como missão representar, exercer e defender os direitos de autores de roteiros e argumentos de obras audiovisuais de qualquer natureza . Oferece cursos e convênios aos profissionais associados, além de notícias e um fórum de discussão.

BIBLIOTECA NACIONAL

http://www.bn.br

Site útil para aqueles que desejam registrar seus roteiros ou consultar títulos e autores. Para saber dos procedimentos para registro de roteiro, siga o link "Serviços" e então "Direitos autorais".

TUDO SOBRE TV

http://www.tudosobretv.com.br

Site nacional de pesquisa e memória da TV brasileira, com dados históricos e técnicos.

TELEDRAMATURGIA

http://www.teledramaturgia.com.br/

Site que relaciona novelas, seriados e minisséries das principais emissoras de TV do Brasil. Contém também material sobre a história da teledramaturgia.

ABL – ACADEMIA BRASILEIRA DE LETRAS

http://www.academia.org.br/

O site traz publicações sobre a língua portuguesa, além de programação cultural e artigos dos acadêmicos e convidados. Oferece também o Vocabulário Ortográfico da Língua Portuguesa. Seu conteúdo é de acesso liberado.

Internacionais

NEW YORK FILM ACADEMY

http://www.nyfa.com/

Para quem quer estudar fora do Brasil, a NYFA é uma das grandes opções. É possível se inscrever pelo próprio site em cursos como Direção ou Roteirista, entre outros. Os cursos podem ser de um ou dois anos ou *workshops* de oito semanas. Uma nova ferramenta são os cursos on-line, para quem não tem condições de estudar lá fora.

UNIVERSITY OF SOUTHERN CALIFORNIA

http://www.usc.edu/

Outra renomada instituição de ensino audiovisual, a USC, no coração de Hollywood, oferece cursos de primavera, verão e outono para diversas áreas da produção audiovisual, incluindo roteiro.

ESCUELA INTERNACIONAL DE CINE & TV DE SANTO ANTONIO DE LOS BAÑOS

http://www.eictv.org

Criada por Gabriel García Márquez, Fernando Birri e Julio Garcia Espinosa, a EICTV é uma das mais respeitadas instituições de língua espanhola. Seus cursos podem ser de curta ou longa duração, nos quais os alunos irão trabalhar sempre de maneira prática (por meio da produção de roteiros, documentários, filmes de curta-metragem etc.).

WGAW – WRITER'S GUILD OF AMERICA WEST
http://www.wga.org
Site oficial do Sindicato de Roteiristas Norte-Americanos. Possui informações para roteiristas e estudantes, regulamentações internacionais de direitos autorais e instruções para registro de roteiros. Possui também vídeos com entrevistas e debates sobre questões relevantes à arte de escrever roteiros.

UCLA FILM AND TELEVISION ARCHIVE
http://www.cinema.ucla.edu
Apesar de não se dedicar apenas a roteiros em geral, esse site pertencente à Universidade da Califórnia de Los Angeles se destina a ser um portal de pesquisa audiovisual em cinema, em especial no que se refere aos grandes clássicos. Contém textos, análises, artigos e roteiros de inesquecíveis obras cinematográficas.

E-SERVER
http://eserver.org
Site com ensaios, críticas, análises e roteiros de peças de teatro e drama em geral.

FOLKPLAY PLAY RESEARCH
https://folkplay.info/
Pertencente a um grupo de pesquisa em todas as formas de drama.

THE WRITING CENTER
https://writingcenter.unc.edu/
Pertencente à Universidade da Carolina do Norte (EUA), o site se dedica à produção de texto em geral, com maior aprofundamento na parte de produção de textos dramatúrgicos.

INSTITUTO CAMÕES
http://www.instituto-camoes.pt/en/
Análises, artigos e estudos sobre a literatura portuguesa, sua história e grandes autores.

THE OXFORD SCHOOL OF DRAMA
http://www.oxforddrama.ac.uk
Site da conceituada Universidade de Oxford (Inglaterra). Oferece cursos voltados para as artes dramáticas.

FRANCES' SCHOOL OF DRAMA
https://www.fsddramaschool.co.uk/
Site dessa escola de teatro voltada para crianças e adolescentes.

Outras escolas internacionais de dramaturgia

ARGENTINA
SOCIEDAD GENERAL DE AUTORES DE LA ARGENTINA
http://www.argentores.org.ar
SOCIEDAD DE ESCRITORES DE ARGENTINA
http://www.sadecor.org
ESCUELA NACIONAL DE EXPERIMENTACIÓN Y REALIZACIÓN CINEMATOGRÁFICA (ENERC)
http://www.enerc.gov.ar

UNIVERSIDAD DEL CINE
http://www.ucine.edu.ar

ALEMANHA
HAMBURG MEDIA SCHOOL
http://www.hamburgmediaschool.com/
FILMAKADEMIE
http://www.filmakademie.de

AUSTRÁLIA
SCREENWISE
http://www.screenwise.com.au/
FLINDERS UNIVERSITY
http://www.flinders.edu.au/
NATIONAL INSTITUTE OF DRAMATIC ARTS
http://www.nida.edu.au/

CANADÁ
VANCOUVER FILM SCHOOL
http://www.vfs.com
YORK UNIVERSITY
http://www.yorku.ca/index.html
THE MEL HOPPENHEIM SCHOOL OF CINEMA – CONCORDIA UNIVERSITY
http://www.concordia.ca/finearts/cinema.html

CHILE
UNIVERSIDAD DE ARTES, CIENCIAS Y COMUNICACIÓN
http://universidad.uniacc.cl

CHINA
BEIJING FILM ACADEMY
www.bfa.edu.cn

ESPANHA
TRANSFORMING ARTS INSTITUTE
https://www.escuela-tai.com/es/estudios-de-cine-y-tv/
ESCUELA DE CINEMATOGRAFÍA Y DEL AUDIOVISUAL DE LA COMUNIDAD DE MADRID
www.ecam.es/
ESCUELA SUPERIOR DE CINEMA Y AUDIOVISUALES DE CATALUNYA
https://escac.com/
ESCUELA DE CINE Y VIDEO / ZINE ETA BIDEO ESKOLA
www.escivi.com/

ESTADOS UNIDOS
FLORIDA STATE UNIVERSITY
http://film.fsu.edu/

LMU SCHOOL OF FILM AND TELEVISION
http://sftv.lmu.edu/
NEW YORK UNIVERSITY
http://tisch.nyu.edu/film-tv
YALE SCHOOL OF DRAMA
https://drama.yale.edu/

FRANÇA
UNIVERSITÉ SORBONNE NOUVELLE
http://www.univ-paris3.fr/
ÉCOLE INTERNATIONALE DE CRÉATION AUDIOVISUELLE ET DE RÉALISATION
https://www.eicar.fr/en/home/
LE CONSERVATOIRE LIBRE DU CINÉMA FRANÇAIS
www.clcf.com
ÉCOLE SUPÉRIEURE D'AUDIOVISUEL TOULOUSE LE MIRAIL
http://www.esav.fr/

GRÉCIA
HELLENIC CINEMA AND TELEVISION SCHOOLS STAVRAKOS
http://www.stavrakos.edu.gr/en/

ÍNDIA
INDIAN FILM ACADEMY
http://www.ifacinema.com
FILM AND TELEVISION INSTITUTE OF INDIA
http://www.ftiindia.com
ASIAN ACADEMY OF FILM & TV
http://aaft.com/

ITÁLIA
CIVICA SCUOLA DI CINEMA LUCHINO VISCONTI
http://www.fondazionemilano.eu/cinema/

JAPÃO
JAPAN INSTITUTE OF THE MOVING IMAGE
www.eiga.ac.jp/index.html
NIHON UNIVERSITY COLLEGE OF ART – DEPARTMENT OF CINEMA
http://www.art.nihon-u.ac.jp/english/course/cinema.html

MÉXICO
CENTRO DE CAPACITACIÓN CINEMATOGRÁFICA
http://www.elccc.com.mx/sitio/
CENTRO UNIVERSITARIO DE ESTUDIOS CINEMATOGRÁFICOS DE LA UNIVERSIDAD
    NACIONAL AUTÓNOMA DE MÉXICO
http://www.cuec.unam.mx/

REINO UNIDO
ACADEMY OF LIVE AND RECORDED ARTS
http://www.alra.co.uk/
ARDEN SCHOOL OF THEATRE
http://www.thearden.co.uk/
DRAMA CENTRE LONDON
http://www.arts.ac.uk/csm/drama-centre-london/
DRAMA STUDIO LONDON
http://www.dramastudiolondon.co.uk/
MANCHESTER METROPOLITAN UNIVERSITY SCHOOL OF THEATRE
http://www.theatre.mmu.ac.uk/
UNIVERSITY OF EXETER – DRAMA RESEARCH
http://humanities.exeter.ac.uk/drama/

RÚSSIA
RUSSIA STATE INSTITUTE OF CINEMATOGRAPHY (VGIK)
http://www.vgik.info/

10.2 GLOSSÁRIO

A

ABERTURA Corresponde à introdução de um produto audiovisual.

AÇÃO DIRETA Roteiro que obedece à ordem cronológica.

AÇÃO DRAMÁTICA Soma da vontade da personagem, da decisão e da mudança.

AÇÃO Termo utilizado para descrever a função do movimento que acontece diante da câmera.

ADAPTAÇÃO Processo de passagem de uma linguagem para outra.

AGILIDADE Está relacionada à velocidade do produto audiovisual. Sem ela não existe ação dramática.

ALMANAQUE DA TELENOVELA Documento que reúne informações sobre a telenovela, tais como: nomes completos de personagens, acontecimentos importantes, falas específicas, acontecimentos específicos e a informação de onde estão todos esses dados nos capítulos já escritos. É atualizado a cada novo mês de novela.

ANÁLISE CRÍTICA Estudo geral de determinado setor, projeto, produto, serviço, processo ou informação com relação a requisitos preestabelecidos, tendo como objetivo a identificação de problemas, visando à solução destes (veja, no segmento 2.3, o tópico "Planilhas de avaliação").

ANATOMIA DRAMÁTICA É o estudo da estrutura dramática.

ÂNGULO É a região de um plano concebida pela abertura de duas semirretas que têm uma origem em comum: a câmera.

ANTECIPAÇÃO Capacidade de antecipar uma situação. Criação de uma expectativa.

ANTIPROGRAMAÇÃO É a utilização de forma e conteúdo diferentes de programa contra outro canal no mesmo horário.

ARGUMENTO Desenrolar da ação, resumo que contém as principais indicações da história: localização, personagens. Defesa da história.

ARTE DA ILUSÃO Atividade criativa da construção de falsas imagens. Ou arte do engano.

ARTE RUPESTRE Representações artísticas pré-históricas realizadas em paredes, tetos e outras superfícies de cavernas e abrigos rochosos, ou mesmo sobre superfícies rochosas ao ar livre.

ATMOSFERA DA CENA Aquilo que é acrescentado pelo diretor e pelos atores quando encontram diálogos sem demasiadas indicações. Com isso contribuem para criar essa atmosfera. Indicação dada pelo autor nas rubricas.

ATOR SECUNDÁRIO ou COADJUVANTE Ator que dá suporte e contracena com os atores responsáveis por desenvolver a trama principal. Sua interferência ajuda o protagonista a transmitir suas ideias e mensagens.

ATOS A maior subdivisão de uma peça. Classicamente se divide o espetáculo teatral em três atos.

ATOS INCONSCIENTES Ações que ocorrem sem ser percebidas. Ligados ao subtexto e aos valores particulares da personagem.

ÁUDIO Parte sonora de um filme ou programa.

AUTOCONFIANÇA Termo usado para descrever como uma pessoa está segura em suas decisões e ações. Em dramaturgia, faz parte da quinta qualidade do processo criativo. Autoconfiança no sentido de determinação artística.

AUTOR É o indivíduo que fez, que criou. O autor, em relação à literatura ou outro tipo de arte, é aquele a quem se deve uma obra. É alguém que tem determinada visão do mundo e a expressa em termos artísticos.

AVATAR Representação personalizada de um indivíduo no espaço cibernético.

B

BACKGROUND Conjunto das condições, circunstâncias ou antecedentes de uma situação, acontecimento ou fenômeno. Os bastidores.

BANCO DE IDEIAS Arquivo com várias ideias, sejam elas retiradas de jornais, livros ou sites, sejam ideias do próprio autor armazenadas para uso posterior.

BIT Abreviação de *binary digit* (algarismo binário). É a menor unidade de informação que um computador pode armazenar. No estado *off* assume o valor 0 e no estado *on*, o valor 1. Quanto maior o número de bits de uma imagem, melhor será sua resolução. Cabe salientar que o bit é usado como unidade de medida em transmissão de dados.

BITCOIN Veja Criptomoedas.

BORDÃO Expressão comumente usada por "tipos" (extrato de personagem, figura caricatural e exagerada) em determinada situação. Também serve para facilitar a identificação de diversas figuras no meio humorístico. Na música, bordão se refere a determinado tema musical, marcado por notas graves, recorrente em determinada melodia.

BRAINSTORM Traduzindo literalmente, é uma "tempestade cerebral". Técnica de colocar no papel ideias que venham à cabeça, apropriadas ou não. Quase sempre feita em grupo, é uma atividade desenvolvida para explorar a potencialidade criativa de cada indivíduo e para que eles utilizem as diferenças que existem em seus pensamentos e ideias para chegar a um denominador comum eficaz com qualidade, gerando assim ideias inovadoras. Turbilhão de pensamentos.

C

CABEÇALHO DE CENA Aponta onde e quando a cena está acontecendo. Indica se a cena é interna (INT) ou externa (EXT) e a temporalidade, se é manhã, dia ou noite etc.

CÂMERA BURRA É quando o realizador não identifica o momento capital, a mensagem essencial da cena, então não acentua os instantes pertinentes, o acontecimento em questão e desfaz a razão de ser da cena.

CÂMERA SUBJETIVA Câmera que ocupa o lugar da ótica do ator, como se fosse seus próprios olhos.

CAPA Folha do roteiro que contém o título do trabalho, o nome do autor etc.

CAPACIDADE CRIATIVA Aptidão para criar. Pendor, talento.

CASTING Formação do elenco. Veja Elenco.

CENA Unidade dramática do roteiro. Secção contínua de tempo durante uma ação, num mesmo lugar.

CENAS DE INTEGRAÇÃO ou INTERMEDIÁRIAS Servem para ligar as cenas essenciais e interagir com elas. Não são essenciais.

CENAS DE TRANSIÇÃO ou DE PASSAGEM Indicam mudança de uma cena para outra. Atuam sobre o ritmo dramático. Não são essenciais.

CENAS ESSENCIAIS São as que contêm o fundamental para o desenrolar do drama.

CENSURA É usada pelo Estado ou por grupos de poder para controlar e impedir a liberdade de expressão. A censura criminaliza certas ações de comunicação, ou até a tentativa de exercer essa comunicação. Num sentido amplo e moderno, consiste em qualquer tentativa de suprimir informação, opiniões e até formas de expressão, como certas facetas da arte.

CHROMA KEY Sobreposição de imagem por separação de cores. Substitui uma cor específica do fundo (azul ou verde) por uma imagem gerada por outra fonte como câmera, videoteipe ou computador.

CINEMATOGRAFIA Arte do cinema.

CLAQUETE Pequeno quadro em que são indicadas as cenas e as tomadas com informações sobre o plano a ser gravado. É usada no início das tomadas. Ao se fechar, sua barra permite que sons separados sejam sincronizados.

CLÍMAX Ponto culminante da ação dramática.

CLOSE-UP Primeiro plano ou plano de pormenor. Plano que acentua um detalhe.

COMPONENTE DRAMÁTICO É um elemento de união, explicação ou solução. Não tem a profundidade da personagem. Sua função é complementar.

COMPOSIÇÃO Características psicológicas, físicas e sociais que definem uma personagem. (Composição da personagem, tipologia.)

CONCENTRAÇÃO Processo cognitivo pelo qual o intelecto focaliza e seleciona estímulos, estabelecendo relação entre eles. Trata-se de uma qualidade do processo criativo.

CONFLITO Confrontação de forças e personagens com a qual a ação se desenvolve.

CONFLITO MATRIZ Principal conflito da trama, um conflito essencial. É o primeiro conflito e será a base do trabalho do roteirista.

CONSTRUÇÃO DRAMÁTICA Realização da estrutura dramática.

CONTADOR DE HISTÓRIAS Presente no imaginário de inúmeras gerações ao longo da história em um universo desprovido de recursos midiáticos. O contador de histórias era imprescindível para a formação dos futuros adultos, conferindo às crianças, por meio de narrativas "causos", mitos e lendas, entre outros, uma imagem menos apavorante de uma realidade então povoada pelo desconhecido. Ou vice-versa.

CONTRAPROGRAMAÇÃO É a utilização do mesmo tipo de programa no mesmo horário contra outro canal. Ficção contra ficção. Jornalismo contra jornalismo etc.

CONTRASTE Criação de diferenças explícitas referentes à iluminação de objetos ou zonas.

COPYRIGHT O mesmo que direito autoral.

CORPO DE COMUNICAÇÃO Veja Diálogo.

CORTE Passagem direta de uma cena para outra. Oferece a noção de concomitância à ação dramática.

CORTE DE CONTINUIDADE Corte no meio de uma cena que é retomada em seguida devido a um lapso curto de tempo.

CREDIBILIDADE Está intrinsecamente unida à verdade das coisas. Matriz aristotélica da ficção em que não se necessita ser verdadeiro, mas sim transmitir o sentido do acreditar para viver o drama. Da lógica de uma possível verdade.

CRÉDITOS Relação das pessoas físicas e jurídicas que participaram da realização de um produto audiovisual ou contribuíram para ela. Geralmente mostrados no final da projeção de um filme ou produto audiovisual. Sua presença é obrigatória.

CRIAÇÃO COLETIVA Quando opiniões e ideias vindas de outras pessoas (atores, técnicos) são integradas à obra.

CRISE DO PAPEL EM BRANCO Mesmo que crise criativa. O autor se fecha para o mundo.

CRISE DRAMÁTICA Ponto de grande intensidade e mudanças da ação dramática. Não confundir crise com clímax. Na crise não existe solução à vista.

CRIPTOMOEDAS Meio de troca que se utiliza da tecnologia de *blockchain* e da criptografia para assegurar a validade das transações e a criação de novas unidades de moeda.

CRONISTA Autor de crônicas, gênero literário produzido majoritariamente para ser veiculado pela imprensa. Texto passageiro sobre uma captação fugaz da realidade circundante, não tem a profundidade de um conto.

CURSO DA AÇÃO Caminho pelo qual a ação perpassa ao longo da história.

CURVA DE SUSPENSE É quando os problemas e os conflitos parecem se concentrar num beco sem saída aparente, que leva o protagonista e a história ao momento de crise. Surge no instante em que o conflito aparece e dura até o ponto de crise.

CURVA DRAMÁTICA Variação da intensidade dramática em relação ao tempo. Diagrama em que as vertentes são tempo real e intensidade dramática.

DA CRIAÇÃO AO ROTEIRO **707**

CURVA EXPONENCIAL DE COMUNICAÇÃO Vários meios de expressão explodindo em múltiplas narrações e formatos, sendo a maioria sem expressão.

D

DEADLINE tempo máximo para realização de uma tarefa, tempo-limite concedido ao roteirista para apresentar seu trabalho.

DECUPAGEM É o planejamento da filmagem, a divisão de uma cena em planos e a previsão de como esses planos vão se ligar uns aos outros por meio de cortes. Estudo do roteiro para a avaliação dos gastos e viabilidade de produção.

DECURSO DA AÇÃO Conjunto de acontecimentos relacionados entre si por conflitos que se resolvem ao longo da história.

DESENHO DE PRODUÇÃO Procura do financiamento necessário para levar o projeto adiante.

DESENHO DE PROGRAMAÇÃO Veja Grade, Antiprogramação, Contraprogramação, Programação em canastra.

DESFOCAR A câmera altera o objeto focado.

DESSACRALIZAR Fazer perder o caráter sagrado ou místico.

DIALETOS Forma como uma língua é falada em determinada região específica.

DIÁLOGO Corpo de comunicação do roteiro. Discurso entre personagens.

DIALOGISTA Aquele que escreve diálogos.

DIARREIA DRAMÁTICA Mostra aparente de uma capacidade devoradora de materiais que faz que toda a produção seja pouca para as suas necessidades.

DIDÁTICA Doutrina do ensino e do método, direção de aprendizado.

DIGRESSÃO Desvio momentâneo do assunto sobre o qual se fala ou escreve.

DISCURSO Do latim, *discursu*. Peça oratória proferida em público. Fala.

DOCUMENTÁRIO INTERATIVO Narrativa interativa com viés de documentário. Pode ser transmitida em websites, aplicativos para dispositivos móveis ou instalações (esse mesmo conceito se aplica a documentários institucionais e/ou publicitários).

DOLLY BACK *Travelling* ou grua de afastamento. A câmera se afasta do objeto.

DOLLY IN *Travelling* ou grua de aproximação. A câmera se aproxima do objeto.

DOLLY OUT A câmera retrocede e abandona o objeto.

DOLLY SHOT Movimento de câmera caracterizado por se aproximar e se afastar do objeto e também por movimentos verticais.

DOWNLOAD Processo de cópia de arquivo entre computadores por meio da rede.

DRAMA Vem do grego e significa ação.

DRAMATURGIA É a arte de compor o texto destinado à representação feita por atores.

DRAMATURGO Aquele que escreve drama. É quem compõe o texto destinado à representação do humano.

E

EDITOR DE TEXTO Aplicativo de edição de arquivos de texto.

EFEITO DOMINÓ Efeito em cascata ou em cadeia. Sugere a ideia de um efeito ser a causa de outro, gerando uma série de acontecimentos semelhantes de média, longa ou infinita duração.

EFEITO ESTRANHO Veja Surpresa.

EGO Soma total dos pensamentos, ideias, sentimentos, lembranças e percepções sensoriais do indivíduo. É sua parte mais superficial, mais narcisista. Compara-se o ego à figura do diretor.

EIXO Linha invisível traçada entre a câmera e a personagem na composição.

ELENCO Conjunto de atores selecionados.

ELIPSE Passagem muito rápida do tempo. Brusca e intensa.

EMISSOR Que transmite uma mensagem.

EMOÇÃO Provém do latim *emotionem*, "movimento, comoção, ato de mover". É um impulso neural que move um organismo para a ação. A emoção se diferencia do sentimento porque é um estado neuropsicofisiológico. Trata-se de uma reação.

EMPATIA Identificação do público com a personagem.

EMPÍRICO Conhecimento que provém, de perspectivas diversas, da experiência.

ENCADEADO Fusão de duas imagens, uma se sobrepondo à outra.

ENGENHEIRO DE PRODUÇÃO O mesmo que produtor executivo. Responsável pelos gastos e pela aquisição de produtos para a produção audiovisual.

ENQUADRAMENTO Área captada pela objetiva da câmera.

ENTRETENIMENTO Conjunto de atividades aliadas à criatividade, que o homem pratica sem outra utilidade senão o prazer. Brincadeira, distração, divertimento.

EPÍLOGO Cenas de resolução.

EQUILÍBRIO Estado de repouso em que se acham os corpos solicitados por forças iguais e contrárias, igualdade de peso, de forças entre dois corpos, compensação, harmonia.

ESCRITOR Artista que se expressa por meio da arte da escrita ou, tradicionalmente falando, da literatura. É autor de livros publicados.

ESFUMAR A imagem se dissolve na cor branca ou se funde com outra.

ESPELHO Página do roteiro onde se anotam os dados sobre personagens, cenários, localizações etc.

ESQUEMA Representações gráficas sintéticas de ideias, fatos, conceitos, princípios, modelos, processos, entre outros conhecimentos.

ESTÉTICA Filosofia de belas-artes, ciência que trata do belo na natureza e na arte, beleza física.

ESTILO Conjunto das qualidades de expressão características de um setor ou de uma época, na história da literatura, das belas-artes, da música. Uso, costume, modo.

ESTRUTURA ou ESCALETA Fragmentação do argumento em cenas. Esqueleto da sequência das cenas. Estrutura dramática é o "como" se contará uma história.

ESTRUTURA PILOTO Estrutura inicial, a que conduz e norteia o trabalho a ser desenvolvido.

ETHOS Ética, não é exatamente a moral da história narrada. Do ponto de vista ficcional, con-

tém a razão por que se está escrevendo determinado material. Veja Fábula.

EVOLUÇÃO DA PERSONAGEM Processo de mudança da personagem ao longo da história.

EXPERIMENTADOR Usuário que interage com a interface de uma narrativa interativa. Termo que substitui espectador. Na experiência de interação, seu corpo é convidado a interagir fisicamente com a obra para a história avançar.

EXPOSIÇÃO DE MOTIVOS Cenas explicativas, de informação.

F

FÁBULA Curta narrativa que contém uma lição de moral. Normalmente é inverossímil e fantasiosa, com fundo didático e de boas maneiras.

FADE IN O surgir da imagem de uma tela escura que se vai aclarando.

FADE OUT Escurecimento gradual da tela.

FANTASIA Considerado gênero cinematográfico. Em referência à criatividade, não confundir imaginação com fantasia, já que esta elabora um mecanismo repetitivo de imagética e prazer.

FEEDBACK Utilizado como procedimento de um centro criativo de roteiristas ou dramaturgos de uma empresa cinematográfica ou televisiva. Alerto que deve ser autossuficiente e de retroalimentação (*feedback*); em outras palavras, a resposta ao sistema criativo alimenta criativamente o sistema.

FICÇÃO Inventar, compor e imaginar. Recriar a realidade.

FINAL CUT O último corte do produto.

FLASHBACK Cena que revela algo do passado. Interrompe a ação dramática.

FLASHFORWARD Cena que revela parcialmente algo que vai acontecer.

FLUXO DE CONSCIÊNCIA É caracterizado por decorrer no pensamento da personagem, como se esta estivesse falando consigo mesma, e pela desarticulação lógica dos períodos e frases.

FLUXO DE PENSAMENTO Correnteza de ideias, conceitos que fluem da consciência no ato de pensar.

DA CRIAÇÃO AO ROTEIRO **709**

FORÇA INTERNA Motivação que move a personagem de dentro para fora.

FORÇAS NÃO HUMANAS Que provêm de outras fontes, como a natureza ou o mundo sobrenatural.

FOTONOVELA Veja Novela.

FRAGMENTAÇÃO Fracionamento, estilhaçamento. Ato de dividir em cenas ou fragmentar estruturas.

FREELANCER Pessoa que faz trabalhos sem vínculo empregatício.

FREEZE Manter uma mesma imagem por repetição do quadro. Congelar a imagem.

FULL SHOT Veja *Long shot*.

FUNÇÃO DRAMÁTICA Quando o objetivo dramático de uma cena se realiza.

G

GANCHO Momento de grande interesse colocado antes de um intervalo.

GANCHOS DE DIÁLOGOS Momentos de grande interesse inseridos nos diálogos. Podem conter revelações. Mantêm o público em suspenso e servem de ponte para o próximo capítulo (nas novelas) ou episódio (nas minisséries).

GATONET Roubo ou interceptação indevida de sinal de TV a cabo. Sinal pirateado, mas não rouba dados como divulgado na mídia.

GÊNERO Classe de assuntos artísticos da mesma natureza.

GIMMICK Recurso utilizado para resolver uma situação problemática. Mudança de expectativas. Giro curto na narrativa.

GLOBALIZAÇÃO Fenômeno gerado pela necessidade da dinâmica capitalista de formar uma aldeia global que permita maiores mercados para os países centrais (ditos desenvolvidos) cujos mercados internos já estão saturados.

GRADE Funciona como uma espécie de calendário com mês, dia e horários dos programas de um meio midiático, como um canal de televisão ou rádio.

GRANDE SINOPSE Está ligada à tradição europeia do *grand livre* (grande livro) e ao roteiro literário. Ocupa dez laudas por hora audiovisual e é mais detalhada.

GROUP CONTROL Conjunto de espectadores-padrão que indicam tendências, admiração, frustração e uma gama de sentimentos por programas exibidos ou a ser exibidos, apontando direções na confecção das grades de programação. Empresas especializadas cuidam dessas pesquisas sobre a trajetória da telenovela assessorando e auxiliando o autor.

GUERRA DO PAPEL Momento de discussão e análise depois da escrita do primeiro roteiro.

H – I

HEGEMONIA Preponderância de alguma coisa sobre outra.

HALO DESFOCADO A câmera desfoca em volta de um objeto, enquanto este se mantém focado.

HOLOGRAFIA Técnica de registro de padrões de interferência de luz, que podem gerar ou apresentar imagens em três dimensões.

HUMOR Disposição de espírito. Veia cômica, ironia delicada e alegre. Graça.

IBOPE Órgão que afere a audiência dos meios de comunicação no Brasil.

ID Termo freudiano usado pelo autor para designar metaforicamente a figura do roteirista, o inconsciente, aquele que sonha. Sendo o ego o diretor, aquele que se apresenta em público, e o produtor o superego, aquele que corta custos e coloca todos na crua realidade.

IDEIA Semente da história. Primeira ideia. É um exercício mental oriundo da imaginação. Veja Imaginação.

IDENTIDADE Mistura dos valores individuais e universais que dão forma à identidade da personagem expressa por seu texto, subtexto e ações.

IDIOLETO Número de palavras e expressões que cada indivíduo carrega, usa e repete como se fosse uma carteira de identidade verbal. Usado também como glossário ou listagem de palavras utilizadas pelas personagens principais. Não confundir com bordão.

IDEOLOGIA Ciência da formação das ideias. Tratado das ideias em abstrato, sistema de ideias, convicções religiosas ou políticas. Na prática, todo emissor (produtor) atua sob o cerne de um sistema ideológico, seja ele qual for (político, econômico etc.). Todavia, o autor escapole ao sistema ideológico que o abriga, já que a arte ultrapassa o tempo e espaço e, portanto, a ideologia que o patrocinou.

ILUSÃO DA REALIDADE Criação de uma falsa realidade ou realidade alternativa. Utilizada em mundos virtuais, cibernéticos, holográficos e *games*. Também em 3D.

IMAGEM Representação de algo por desenho, pintura, escultura, aparelhos médicos etc. Também em película e atualmente em *bits*. A imagem não só reflete a percepção do olho humano, mas também a imaginação do ser humano. Para alguns, o século XX foi marcado pelos avanços da imagética em todos os campos.

IMAGINAÇÃO Trata-se de um exercício da memória. Capacidade fundamental de um ser criativo. Não está ligada à quantidade de memória e sim ao uso que se faz dela. Na maioria dos casos "se pensa em imagens" e se expressa em palavras. Daí a correlação dos termos imagem, imaginação e imagética. Faz parte de uma das qualidades do processo criativo.

INCONSCIENTE COLETIVO Camada mais profunda da psique humana. É constituído pelos materiais que foram herdados da humanidade. É nele que residem os traços funcionais, tais como imagens ancestrais que seriam comuns a todos os seres humanos. Baseado nos estudos do professor Jung.

INDICAÇÕES Anotações sobre a cena, o estado de ânimo das personagens etc. Também existe o termo rubrica.

INSERT Imagem rápida recorrente que antecede um fato com significado específico.

INSPIRAÇÃO Ideia luminosa. É o começo e o fim de um poema, de um roteiro. Ou alguns momentos imaginativos entre o princípio e o fim. Uma revelação, ou mais empenho numa corrida de obstáculos. Conceito jamais definido corretamente, mas presente como qualidade do processo criativo.

INTELIGÊNCIA ARTIFICIAL Inteligência similar à humana exibida por mecanismos ou *soft-*

wares. Criada por humanos para robôs, equipamentos eletrônicos e sistemas.

INTENÇÃO Vontade implícita ou explícita da personagem.

INTENSIDADE DRAMÁTICA Força, energia, grau da tensão dramática. Ligada ao discurso dramático, ao diálogo. Concernente ao "quanto" dramático.

INTERATIVIDADE Interagir de forma recíproca com o meio. Termo empregado nos meios digitais.

INVASÃO Ocupação, dominação, agressão. Técnica de programação televisiva quando um canal tenta suplantar o outro em audiência. Existem vários tipos de invasão. Por exemplo: cabeça de ponte.

INVERSÃO DA EXPECTATIVA Provocar uma surpresa. Ir contra o antecipado ao espectador.

K – L

KINECT Tecnologia capaz de permitir aos jogadores interagir com os jogos eletrônicos sem a necessidade de ter em mãos um controle/*joystick*.

LEGENDA Comentários, títulos e subtítulos.

LINEAR Aquilo que segue em linha reta, sem desvios, complicações ou complexidade.

LINEARIDADE É um *continuum* sensorial e estético, um *continuum* dramático.

LINGUAGEM CIBERNÉTICA São expressões pouco decifráveis (para os desavisados), que servem para atender à velocidade que o meio impõe. É uma espécie de mistura da linguagem escrita e oral, com direito a muita abreviação.

LOCAÇÃO Espaço utilizado para filmagens fora de um estúdio cinematográfico.

LOCALIZAÇÃO Situação de uma história no espaço.

LOGOS Palavra, discurso, estrutura verbal de um roteiro.

LOGLINE É sua história resumida em uma frase. As palavras são escolhidas para transmitir o máximo de informação no menor espaço possível.

LONG SHOT ou FULL SHOT Plano geral, plano que abarca todo o cenário. Utilizado para mostrar um grande ambiente.

DA CRIAÇÃO AO ROTEIRO   **711**

LOOP Fita ou aro. Pedaço de película cortado e separado para a montagem.

LUDOPATIA Consiste em uma alteração progressiva do comportamento de um indivíduo que sente uma incontrolável necessidade de jogar.

M – N – O

MAKING OF Documentário de bastidores, que registra em imagem e som o processo de produção, realização e repercussão de um filme, série televisiva, telenovela ou qualquer outro produto audiovisual.

MACROESTRUTURA Estrutura geral do roteiro, o esqueleto das cenas.

MEIO Por onde se transmite a mensagem.

MEMÓRIA Faculdade de reter as ideias adquiridas anteriormente, lembrança, reminiscência. Narrações históricas escritas por testemunhas presenciais, escritos em que alguém descreve sua própria vida. Veja Imaginação.

MICROESTRUTURA Estrutura da cena.

MINISSÉRIE Obra fechada, com vários *plots*, que se desenrola durante um número de episódios geralmente não superior a dez.

MISCASTING Distribuição incorreta de papéis.

MOVIOLA Máquina utilizada na montagem de filmes ou vídeos. Atualmente o processo de montagem é realizado no computador.

MUDANÇA DE EXPECTATIVAS Quando o curso da história muda de repente.

MULTICANAL Quatro canais a mais na gama de cada canal aberto.

MULTIPLOT Diversas linhas de ação, igualmente importantes, numa mesma história.

NARRADOR Aquele que conta ou narra uma história ou fato.

NARRATIVA IMERSIVA Obra digital que incorpora a imersão do usuário como elemento fundamental da narrativa, por meio de headsets ou de óculos de realidade virtual (exemplo: roteiro para realidade virtual com usuário personagem em movimento).

NARRATIVA INTERATIVA Obra digital que incorpora a interatividade como elemento fundamental da estrutura da narrativa. Requer um usuário ativo que tome decisões e interfira para a história avançar (exemplo: roteiro para realidade virtual com usuário personagem).

NARRATIVA MOBILE História interativa em dispositivos móveis (exemplo: smartphones e tablets).

NARRATIVA TRANSMÍDIA Ocorre quando a obra apresenta um conjunto de narrativas digitais que exploram o mesmo universo temático em diferentes mídias e plataformas, oferecendo ao público experiências que se complementam (exemplo: objeto dramático com variadas programações).

NOVELA Obra aberta com *multiplot*. Com história recorrente e situações redundantes.

NÚCLEO DRAMÁTICO Reunião das personagens relacionadas entre si por uma mesma ação dramática e organizadas num *plot*.

OBJETIVO DRAMÁTICO A razão de existência de uma cena.

OFF Vozes ou sons presentes, sem que se veja a fonte que os produz.

OLHO DA CÂMERA Objetiva. Dispositivo que capta as imagens.

OUTLINE Espécie de meio caminho entre a *storyline* e a pequena sinopse, que chega ao tamanho de uma a duas folhas e contém o extrato da história e um leve perfil das personagens.

P – Q

PÁGINA DE ROSTO O mesmo que capa.

PALAVRA EXPLÍCITA Palavra escrita para ser lida por uma segunda pessoa, intérprete. Exemplo: o ator, que a interpreta para uma multidão por meio de uma personagem.

PALAVRA IMPLÍCITA Palavra escrita que se encontra no livro, isto é, palavra para ser lida e não para ser declamada ou ser interpretada em voz alta.

PANORÂMICA (PAN) Câmera que se desloca de um lado para o outro, dando uma visão geral do ambiente.

PARCIMÔNIA Ação ou hábito de economizar.

PASSAGEM DO TEMPO Artifício utilizado para mostrar que o tempo passou. Cena de passagem, não essencial.

PASSAGEM MUSICAL Serve para sublinhar um detalhe ou para realçar um momento de suspense.

PATHOS Drama, conflito.

PAUSA Interrupção temporária da ação, movimento ou som. Rubrica.

PEQUENA SINOPSE Sinopse composta de três a cinco laudas. Contém pequeno perfil de personagem.

PERÍODO GERACIONAL Constante, medida para vislumbrar a história da dramaturgia.

PERSONAGEM Quem vive a ação dramática.

PESO DA PALAVRA É o que diferencia como é a escritura para cada meio – teatro, cinema, televisão e novas mídias – e como a compreensão da sua palavra será sentida pelo receptor.

PICTÓRICO Que diz respeito à pintura; que se assemelha à pintura.

PIRATARIA Referente a cópia, distribuição e venda de materiais sem o pagamento dos direitos autorais.

PLANILHA Formulário para informações padronizadas; quadro demonstrativo, recurso que possibilita ao usuário a criação de tabelas analíticas.

PLANO MÉDIO Plano americano. Uma pessoa é vista da cintura para cima.

PLANO-SEQUÊNCIA Integra diferentes planos numa mesma tomada.

PLANOS FIXOS DE CÂMERA Planos captados em determinado ponto e fixos num tripé.

PLAYER Indivíduo capaz de interpretar o fluxo de arquivos, uma vez que começa a executá-los muito antes que o restante do arquivo chegue. Um produtor também pode ser considerado um player.

PLOT Espinha dorsal dramática do roteiro, núcleo central da ação dramática.

PONTO CAPITAL É o momento máximo ou clímax, que não é necessariamente o ponto de maior intensidade dramática, mas sim o seu "por quê", o seu objetivo principal foi alcançado.

PONTO CULMINANTE O momento-chave do discurso. Veja Diálogo.

PONTO DE IDENTIFICAÇÃO Relação convergente entre o público e a ação dramática. O

espectador está integrado ao espetáculo. Abstraído. Arrebatado.

PONTO DE PARTIDA Conjunto de cenas que iniciam o espetáculo. Abertura.

PONTO DE VIRADA Mudança na qual a ação toma um novo rumo, levando a história a um novo patamar.

PONTO DE VISTA SUBJETIVO A câmera se situa ao nível dos olhos da personagem e temos a sensação de estar olhando através dela.

PONTUAÇÃO MUSICAL Indicação musical no roteiro. Veja Passagem musical.

PRÉ-AUDIÊNCIA Audiência que antecede a audiência real.

PREPARAÇÃO Cenas que antecipam uma complicação e/ou clímax. Tipo de cena essencial.

PROCESS SHOT Maneira engenhosa de simular movimento. Uma cena pré-filmada se projeta por trás dos atores.

PRODUÇÃO Causar, fabricar, realizar. É um dos tripés da realização artística. Produção, autoria e direção. Conhecida na Antiguidade como mecenato, a produção adquiriu vários nomes e aptidões durante os tempos. De todo modo, a produção é aquela que reúne os recursos necessários e as equipes especializadas, levando em consideração os fatores circunstanciais para concretização do espetáculo audiovisual.

PRODUCER LINE Profissional que costura as diversas fontes de produção.

PRODUTO AUDIOVISUAL Produto finalizado após a conclusão de todas as etapas de produção iniciadas com o roteiro.

PRODUTOR Aquele que produz algo.

PROGRAMAÇÃO DO VEÍCULO Veja Grade.

PROGRAMAÇÃO EM CANASTRA Programação típica de TV a cabo. Geralmente é feita da seguinte forma: um programa estreia em horário nobre e depois é repetido durante uma semana nos diversos horários da programação, até completar o ciclo de horários das 24 horas de programação. Utilização máxima do mesmo produto. Saturação.

PROGRESSIVO Movimento de aproximação da câmera a partir de um ponto referencial.

PROTAGONISTA Personagem principal de uma história.

PULVERIZAÇÃO DRAMÁTICA Fragmentação, disseminação e exploração da dramaturgia.

QUICK MOTION Câmera rápida. Movimento acelerado.

R

REALIDADE AUMENTADA Tecnologia utilizada para unir o mundo real com o virtual por meio de um marcador, câmera, ou *smartphone*, com a inserção de objetos virtuais no ambiente físico. É mostrada ao usuário em tempo real com o apoio de algum dispositivo tecnológico, usando a interface do ambiente real, adaptada para visualizar e manipular os objetos reais e virtuais.

REALIDADE VIRTUAL Tecnologia de interface avançada entre um usuário e um sistema, com o objetivo de recriar o máximo a sensação de realidade para um indivíduo, levando-o a adotar essa interação como uma de suas realidades temporais.

RECEPTOR Quem recebe a mensagem.

REGRESSIVO Movimento de afastamento da câmera a partir de um ponto referencial.

REINO DA PERSONAGEM É a sinopse. Veja Sinopse.

REMAKE É quando se produz novamente uma história já conhecida do público e que já teve uma produção anterior, ou mesmo mais de uma. Os casos mais comuns são de *remakes* de filmes e telenovelas.

RENDERIZAÇÃO É a obtenção do produto final de um processamento digital qualquer.

REPETIÇÃO Usada em comédia. O roteiro repete situações dramáticas já conhecidas do público.

RESOLUÇÃO Final da ação dramática. Solução. Conclusão. Epílogo.

REVERSÃO DE EXPECTATIVA ou **INVERSÃO DE EXPECTATIVA** Aquilo que não se espera. São antecipadas ações que não ocorrem.

RIGGING Técnica de animação gráfica em 3D.

RITMO DRAMÁTICO É a consequência e a cadência dos tempos dramáticos.

RITMO Cadência do roteiro. Harmonia. É a qualidade do roteiro de relacionar um conjunto de ações dramáticas dentro de um tempo dramático que consideramos ideal.

ROTEIRO Forma escrita completa de qualquer espetáculo audiovisual. Deve conter logos, pathos e ethos.

ROTEIRO DE FILMAGEM Veja Roteiro técnico.

ROTEIRO FINAL Roteiro aprovado para o início da filmagem ou gravação.

ROTEIRO LITERÁRIO Roteiro que não contém indicações técnicas.

ROTEIRO TÉCNICO Roteiro contendo indicações referentes a câmera, iluminação, som etc.

RUBRICA Nota. Em roteiro se refere a indicações referentes à ação e a estados emocionais das personagens.

S

SCREENPLAY Roteiro para cinema.

SCRIPT Roteiro pronto para ser entregue à equipe de filmagem.

SELEÇÃO Ato de escolher, escolha fundamentada, conjunto dos melhores (atores, diretores, equipe técnica etc.).

SEQUÊNCIA Série de tomadas.

SÉRIE Obra fechada, com personagens fixas, que vivem uma história completa em cada capítulo.

SET Local de filmagem.

SHARE Nome dado à porcentagem de televisores ligados.

SHOOTING SCRIPT Roteiro feito pelo diretor, com base no roteiro final, com detalhes técnicos para a equipe de produção.

SHOT Plano. Imagem gravada ou filmada.

SHOWRUNNER Encarregado do trabalho diário de um programa ou série de televisão, que visa dar coerência aos aspectos gerais do programa. Esse cargo é ocupado pelo criador do programa.

SIMPATIA Solidariedade do público para com a personagem.

SINOPSE Visão de conjunto. Narrativa breve. Argumento.

SITCOM Comédia de costumes. Série fechada de humor, normalmente de *plot* único.

SOBRETEXTO É o conceito que está em jogo, mesmo que as palavras ditas no texto não se refiram explicitamente ao assunto que esteja em discussão. *Uptext*.

SOM Efeito produzido no órgão da audição pelas vibrações dos corpos sonoros, aquilo que impressiona o ouvido, ruído, emissão da voz ou qualquer outro efeito sonoro. Uma das seis partes essenciais do drama (música).

SOTAQUE Pronúncia peculiar a um indivíduo, a uma região. Uma das atenções na confecção do diálogo.

SPLIT SCREEN Divisão da tela mostrando, ao mesmo tempo, imagens de dois acontecimentos separados. Também pode ser múltipla, *multiscreen*.

STORYBOARD Série de esboços em sequência das principais tomadas ou cenas.

STORYLINE Síntese de uma história. Conflito básico visto de determinado ponto de vista.

STREAMING A transmissão contínua, também conhecida por fluxo de média ou fluxo de mídia, é uma forma de distribuição digital, em oposição à descarga de dados.

SUBPLOT Linha secundária de ação.

SUBTEXTO Sentido implícito. Entrelinhas. Pode se manifestar por gestos, atitudes e posturas das personagens, ou se dar a entender na fala.

SUPEREGO Representa a censura das pulsões que a sociedade e a cultura impõem ao Id, impedindo-o de satisfazer plenamente os seus instintos e desejos. Papel que se refere metaforicamente ao produtor. Veja Id e Ego.

SURPRESA Alteração arbitrária dos elementos familiares com a intenção de surpreender o público, de produzir um efeito estranho, de provocar uma mudança violenta no curso da história. É chamada de suspense menor.

SURREALISMO Movimento artístico e literário surgido em Paris nos anos 1920, inserido no contexto das vanguardas que viriam a definir o modernismo, reunindo artistas anteriormente ligados ao dadaísmo e posteriormente expandido para outros países.

SUSPENSE Antecipação urgente.

T – U

TAKE Tomada. Tem início quando se liga a câmera e dura até que ela seja desligada.

TALENTO Aptidão natural ou habilidade, pendor. Conhecida como uma das qualidades criativas do homem como "capacidade para", mais vulgarmente conhecida em inglês como *song*, a música que só aquele indivíduo escuta. Facilidade natural e intrínseca para tocar um instrumento, manejar a bola, escrever, dançar, assobiar etc.

TELEFILME Hipoteticamente, filme feito e produzido exclusivamente para a televisão.

TELEGRAFAR Breve informação que se dá sobre algo que vai acontecer.

TELEVISIONPLAY Roteiro de ficção para televisão.

TEMA MUSICAL Música instrumental ou cantada repetida intencionalmente que ajuda a evocar momentos-chave dentro de qualquer obra audiovisual.

TEMPO DRAMÁTICO Tempo estético. Cadência. A capacidade de fluir no espaço e no tempo em perfeita harmonia. Caracterizado pela síntese de horas, meses ou anos em momentos de espetáculo. Síntese.

TEMPO DRAMÁTICO PARCIAL Partes do tempo dramático total.

TEMPO DRAMÁTICO TOTAL É a soma de todos os tempos dramáticos parciais.

TEMPORALIDADE Localização de uma história no tempo.

TIPOLOGIA Conjunto de traços físicos, psicológicos e sociais que formam o perfil de uma personagem. Não confundir com "tipos", que são figuras caricatas usadas na comédia.

TOTALIDADE Princípio básico aristotélico que, somado ao princípio da unidade e ao da credibilidade, se concretiza nas exigências do drama. No princípio da totalidade toda história deve ter início, meio e fim. Mesmo que este último fique em aberto.

TRAILER Clipe de divulgação de qualquer filme que vai entrar em cartaz, com amostra de alguns trechos. Quase sempre contém uma narração.

TRATAMENTO FINAL Veja Roteiro final.

TRAVELLING Câmera em movimento que acompanha, por exemplo, os atores enquanto caminham, com a mesma velocidade. Também qualquer deslocação horizontal da câmera.

TRIDIMENSIONAL Aquilo que tem três dimensões.

TRILHA DRAMÁTICA História de uma personagem ou de um grupo delas, na qual estão contidos fatos e suas respectivas relações emocionais.

TURNING-POINTS *Plot points.* Veja Ponto de virada.

UNIDADE Principio aristotélico que concretiza uma das exigências do drama. O sentido da unidade ou integridade dramática reza que se retirarmos, transformarmos ou mudarmos quaisquer uma das partes do drama, mesmo que isoladamente, mudamos todo o sentido da obra.

UNIDADE DE TEMPO Quantidade convencional de tempo que se torna termo de comparação entre grandezas da mesma espécie.

UNIDADE DRAMÁTICA Unidade dramática do drama. Veja Cena.

V – W – X – Z

VALORES DRAMÁTICOS Pontos-chave de um roteiro.

VARRIDO A câmera corre, mudando a imagem de lugar rapidamente.

VERBORRÁGICO Utilização excessiva e geralmente irritante de palavras para dizer coisas de pouco conteúdo ou sem importância.

VEROSSÍMIL Aquilo que nos parece realidade.

VIABILIDADE ARTÍSTICA Comprovação da disponibilidade de técnicos e atores capazes de desempenhar satisfatoriamente determinados papéis.

VIABILIDADE DE AUTORIA Análise da capacidade e do talento do autor para desenvolver o trabalho sugerido numa sinopse.

VIABILIDADE DE MERCADO Analise de público para o espetáculo e de que faturamento pode representar.

VIDEOGRAFIA É toda identidade visual e *design* gráfico do produto audiovisual.

VISÃO DE CONJUNTO Visão do todo.

VoD Vídeo sob pedido, também conhecido pelo termo inglês *Video on Demand* (VoD), é uma solução de vídeo com tecnologia banda larga. Por meio de uma página Web na tela da TV, do computador ou do *smartphone* o assinante pode escolher diferentes filmes e programas que estejam disponíveis nesse formato. É uma videolocadora na palma da mão.

VONTADE DIRETA É a que se exprime no texto e se refere a algo concreto.

VONTADE INDIRETA É o subtexto, o impulso interior.

WEBDOC Documentário interativo que fica disponível em um website.

WEBSÉRIE Série criada especificamente para ser transmitida pela internet. Os episódios são curtos e totalmente baseados na interação com o público.

ZAPPING Troca de canais feita pelo espectador, que assim cria sua própria programação.

ZIPPING Avançar ou retroceder a imagem de um filme saltando cenas e comprimindo o tempo dramático. Daí nasceu a expressão ZIP, tipo de compressão da mídia eletrônica que diminui o tamanho total do arquivo, permitindo transferir uma quantidade maior de dados em menos *bytes*.

ZOOM Efeito ótico de aproximação ou afastamento da objetiva.

10.3 POSFÁCIO E AGRADECIMENTOS

Foram inúmeros meses de meticuloso trabalho, sempre em busca das fontes mais seguras e criteriosas para o leitor. Acrescentei ao material existente sobre o tema meus próprios conceitos, conclusões e experiências.

Foi extenuante, sim, tão prazeroso como frustrante escrever este livro. Como autor, fui cativado pela busca do saber e vivi o universo das emoções contraditórias que qualquer caminhante nessa trilha se dispõe a experimentar.

Já escrevi vários livros, peças, roteiros, vivi em diversos países e culturas. Nunca cheguei a imaginar fazer esse tipo de agradecimento que se segue. Aquele principal, sem o qual o livro não teria se materializado, pela simples razão de ter sempre me parecido clichê e presente já no nome do autor: o agradecimento à sua família.

Se este livro aconteceu, foi permitido e solidificado graças à generosidade de meu irmão, doutor Sebastião José Loureiro Comparato, que com um gesto de atenção e amor renovou minha existência. E *in memoriam* de minha mãe, Maria de Lourdes Loureiro Comparato, e de meu pai, Antonino Comparato.

Também importante a ajuda de várias instituições, universidades, amigos, alunos e profissionais que por meio de notas, documentação e trabalhos contribuíram direta ou indiretamente para a elaboração do texto. Cito particularmente a Universidade Autônoma de Barcelona, os professores Pilar Vázquez e Pere Luís Cano Alonso, os alunos e ex-alunos Alicia Briones e Xabier Puerta, bem como a Escola de Cinema de Munique, a Escola de Cinema de Berlim, a Universidade Católica Portuguesa, a Universidade de Londres, o British Film Institute, a Sociedad General de Autores y Editores (Sgae), a International Confederation of Societies of Authors and Composers (Cisac), a Universidade de São Paulo (USP), a Faculdade de Comunicação de Buenos Aires e o Centro de Documentação da TV Globo (Cedoc).

Destaco os roteiristas internacionais Xesc Barceló, Francesc Orteu e Jonathan Gelabert e o trabalho realizado em Barcelona por Eulàlia Carrillo i Torros, além da ajuda indispensável de uma gama enorme de profissionais cujo nome está presente no texto. Minha gratidão.

A Carla Giffoni, Jonathán Gelabert, Arthur Protasio, Fábio Hofnik, Priscila Guedes, Eduardo Nassife, Antônio Torres, Maurício Xavier, Alessandra di Blasi, Carlos Henrique Marques, Altenir Silva, Olga de Mello, José Vitor Rack, Ducca Rios, Livia Oliveira, Celso Garcia, Cesar Cardoso, Daniel Weller, Emanuel Jacobina, Ivana Rowena, Romulo Barros, Mauro Wilson e Sylvia Palma agradeço a boa vontade e generosidade, como também o contrato e a composição da parte jurídica feita pela advogada Paula Vergueiro.

Para dar um final a este posfácio, retiro da cabeça o meu chapéu de três pontas.

Faço uma reverência final de agradecimento.

Cada bico do chapéu é um obrigado.

Para o primeiro, uma desculpa. Se algum criador foi esquecido ou se sentiu preterido, não foi por gaiatice, vingança ou injustiça. Tentei sempre me abrigar na imparcialidade, agradeço seu perdão por ter sido relapso.

Na segunda ponta do chapéu se encontra a pessoa que digitou na tela minhas palavras, trabalhou exaustivamente nos mais diversos horários, ajudou, pesquisou, atrapalhou, estimulou e criticou, mas acima de tudo foi indispensável. Meu talentoso assistente, Jonas Almeida, a quem agradeço, admiro e desejo promissor futuro profissional. Ele brilhantemente compôs algumas partes do livro no que se refere à tecnologia.

Antes de me retirar, dedico a última ponta do chapéu ao leitor.

Agradeço a ele que esperou meus 40 anos de carreira artística por um livro enciclopédico, onde distribuí todo o meu conhecimento e experiência nesta aventura chamada "roteiro".

Faço uma reverência e entrego o chapéu, com meu abraço agradecido para a talentosa editora Soraia Bini Cury e sua equipe, que sempre apostaram em meu trabalho.

Espero que gostem.

Obrigado

DC

Rio de Janeiro, 6 de abril de 2018

www.doccomparato.com

www.facebook.com/doccomparatodigital

LIVROS DE DOC COMPARATO
PUBLICADOS AO REDOR DO MUNDO

www.gruposummus.com.br